DE KILLING

ISBN 978-90-225-6257-4
ISBN 978-94-6023-293-0 (e-boek)
NUR 305

Oorspronkelijke titel: *The Killing*
Oorspronkelijke uitgever: Macmillan
Vertaling: Janine van der Kooij en Nienke van der Meulen
Omslagontwerp: DPS design & prepress services, Amsterdam
Omslagbeeld: © Bill Hinton Photography / Getty Images
Zetwerk: Mat-Zet bv, Soest

Based on Søren Sveistrup's Forbrydelsen (The Killing)
– an original Danish Broadcasting Corporation TV series, co-written by Torleif Hoppe, Michael W. Horsten and Per Daumiller

Non nobis solum nati sumus.
We zijn niet alleen voor onszelf op de wereld.

Cicero, *De Officiis* (Deel 1, sec. 22)

Belangrijkste personages

DE POLITIE VAN KOPENHAGEN
Sarah Lund – Vicekriminalkommissær, moordzaken
Jan Meyer – Vicekriminalkommissær, moordzaken
Hoofdinspecteur Buchard – moordzaken
Lennart Brix – plaatsvervangend hoofdinspecteur, moordzaken
Svendsen – rechercheur, moordzaken
Jansen – technisch rechercheur
Bülow – medewerker van het OM

DE BIRK LARSENS
Theis Birk Larsen – vader
Pernille Birk Larsen – moeder
Nanna Birk Larsen – dochter van Theis en Pernille
Anton Birk Larsen – zoon van Theis en Pernille
Emil Birk Larsen – zoon van Theis en Pernille
Lotte Holst – de jongere zus van Pernille

RÅDHUS (STADHUIS), POLITICI EN MEDEWERKERS
Troels Hartmann – fractieleider van de Liberalen en
wethouder van Onderwijs
Rie Skovgaard – Hartmanns politieke adviseur
Morten Weber – Hartmanns campagnemanager
Poul Bremer – burgemeester van Kopenhagen
Kirsten Eller – fractieleider van de Partij van het Centrum
Jens Holck – fractieleider van de Gematigden
Mai Juhl – fractieleider van de Milieupartij
Knud Padde – voorzitter van de Liberale fractie
Henrik Bigum – commissielid van de Liberale fractie
Olav Christensen – ambtenaar op de afdeling Onderwijs
Gert Stokke – hoofd van Milieu, Holcks afdeling

FREDERIKSHOLMLYCEUM
Oliver Schandorff – leerling, Nanna's ex-vriendje
Jeppe Hald – leerling
Lisa Rasmussen – leerling
Rektor Koch – de rector
Rahman Al Kemal – leraar, door iedereen Rama genoemd
Henning Kofoed – leraar

ANDEREN
Hanne Meyer – de vrouw van Jan Meyer
Carsten – Lunds ex-echtgenoot
Bengt Rosling – forensisch psycholoog en Lunds huidige vriend
Mark – Lunds zoon
Vagn Skærbæk – huisvriend van de Birk Larsens en
sinds jaar en dag werknemer
Leon Frevert – taxichauffeur en parttime werknemer bij Birk Larsen
Amir El' Namen – zoon van de eigenaar van een Indiaas restaurant en
Nanna's jeugdvriendje
John Lynge – chauffeur voor het campagneteam van Troels Hartmann

I

Vrijdag 31 oktober

Nanna Birk Larsen rent dwars door het donkere bos waar de dode bomen geen enkele beschutting bieden.

Ze is negentien, buiten adem, en ze rilt in haar minuscule, gescheurde slipje terwijl ze op blote voeten struikelt in de zuigende modder.

Wrede wortels haken zich vast om haar enkels, terwijl een wirwar van takken over haar bleke, wild zwaaiende armen krast. Ze valt, ze klautert overeind, worstelt zich omhoog uit afschuwelijke, vochtige greppels en probeert het klapperen van haar tanden in bedwang te houden. Ze probeert te denken, te hopen, zich te verbergen.

Een heldere, enkelvoudige lens volgt haar, als een jager een gewond hert. Langzaam zigzagt hij over de woestenij van Pinseskoven, het Pinksterbos.

Kale zilverkleurige stammen rijzen op uit de dorre aarde als de ledematen van eeuwenoude lijken, verstard in hun laatste stuiptrekkingen.

Weer valt ze. En dit keer is het heel erg. De grond zakt onder haar weg en zo ook haar benen. Haar handen maaien doelloos door de lucht, ze schreeuwt het uit van pijn en wanhoop en smakt dan neer in de vieze, ijskoude sloot, komt terecht op stenen en stukken hout. Dan schuifelt ze op wankele benen verder over de venijnig scherpe kiezels en ze voelt haar hoofd en handen, ellebogen en knieën schaven over de harde, onzichtbare grond die zich onder haar schuilhoudt.

Het koude water, haar angst, zijn aanwezigheid niet ver van haar vandaan...

Ze wankelt naar adem snakkend de modder uit. Ze klautert de oever op, zet haar blote, opengehaalde en bloedende voeten wijd uiteen op de moerassige aarde om op die manier grip te krijgen in de modder tussen haar tenen.

Op een verderop gelegen richel stuit ze op een boom. Een paar laatste herfstbladeren strijken langs haar gezicht. De stam is groter dan die van zijn soortgenoten en als ze haar armen eromheen slaat moet ze aan Theis denken, haar vader, een reus van een man, zwijgzaam, nors, een solide en stoïcijns bolwerk tegen de boze buitenwereld.

Ze grijpt de boom beet, klampt zich eraan vast zoals ze zich ooit aan hem heeft vastgeklampt. Zijn kracht smolt samen met die van haar. Meer had ze niet nodig gehad.

Vanuit de eindeloze hemel komt een zacht gierend geluid op haar af. Dan de felle, nietsontziende lichten van een jumbojet die zich onttrekt aan de wetten van de zwaartekracht en zijn weg vervolgt, weg uit Kastrup, weg uit Denemarken. De voortijlende aanwezigheid begoochelt en verblindt haar. In de genadeloze schittering tasten Nanna Birk Larsens vingers naar haar gezicht. Ze voelt de wond die van haar linkeroog naar haar wang loopt – het is een gemene jaap, open en bloedend.

Ze kan hem ruiken, voelen. Op haar, in haar.

Dwars door alle pijn, te midden van de angst welt opeens een hete vlaag van woede in haar op.

Je bent de dochter van Theis Birk Larsen.

Dat zei iedereen altijd tegen haar als daar aanleiding toe was.

Je bent Nanna Birk Larsen, het kind van Theis en Pernille, en jij zult aan dat nachtelijke monster ontkomen, dat je opjaagt door het Pinksterbos aan de rand van de stad waar zich op maar een paar kilometer afstand die warme en veilige thuishaven bevindt.

Ze staat daar en klampt zich vast aan de stam zoals ze zich ooit aan haar vader vastklampte, met haar armen om de schilferige, zilvergrijze bast geslagen, haar glanzende slipje vol modder- en bloedvlekken. Ze rilt stilletjes en overtuigt zich ervan dat de redding nabij is, daar aan de andere kant van het donkere bos en de dode bomen die geen enkele beschutting bieden.

Opnieuw glijdt er een witte lichtbundel over haar heen. Het is geen zee van licht uit de buik van een vliegtuig dat boven dit barre land vliegt als een gigantische, mechanische engel, vruchteloos op zoek naar een verdwaalde ziel om te redden.

Ren, Nanna, ren, schreeuwt een stem.

Ren, Nanna, ren, denkt ze.

Dan vindt de zaklamp haar, met zijn ene, felle oog. En dan is het zover.

2

Maandag 3 november

'Achterom,' zei de agent. 'Een of andere dakloze heeft haar gevonden.'

Het was half acht 's ochtends en nog steeds donker terwijl de regen in kaarsrechte en ijskoude stralen naar beneden kwam. Vicekriminalkommissær Sarah Lund stond in de beschutting van een groezelig gebouw van baksteen in de buurt van de haven naar de agenten in uniform te kijken die afzettingslint aan het spannen waren.

De laatste plaats delict die ze ooit in Kopenhagen zou zien. Het kon niet anders of het moest een moord zijn. Op een vrouw.

'Het gebouw is verlaten. We zijn nu het appartement hiertegenover aan het controleren.'

'Hoe oud is ze?' vroeg Lund.

De agent, een man die ze nauwelijks kende, haalde zijn schouders op en veegde toen met zijn arm de regen van zijn gezicht.

'Waarom vraagt u dat?'

Een nachtmerrie, wilde ze zeggen. Een waar ze om half zeven die ochtend uit wakker geschrokken was terwijl ze schreeuwend rechtovereind in bed had gezeten. Toen ze was opgestaan, liep Bengt, zachtaardige, bedachtzame en kalme Bengt, heen en weer door de woning om de laatste spullen in te pakken. Mark, haar zoon, lag diep in slaap voor de tv in zijn kamer en bewoog zelfs niet toen ze heel stilletjes naar binnen gluurde. Die avond zouden ze met zijn drieën het vliegtuig naar Stockholm nemen. Een nieuw leven in een nieuw land. Een nieuwe bladzijde. Ze zouden alle schepen achter zich verbranden.

Sarah Lund was achtendertig, een ernstige vrouw die onophoudelijk naar de wereld om haar heen keek maar nooit naar zichzelf. Dit was het begin van haar laatste dag bij de politie van Kopenhagen. Vrouwen als zij hadden geen last van nachtmerries, nachtelijke verschrikkingen, vluchtige glimpen van een angstig jong gezicht, dat ooit van haarzelf geweest had kunnen zijn.

Dat waren fantasieën van anderen.

'U hoeft niet te antwoorden, hoor,' zei de agent en hij keek chagrijnig naar haar zwijgende gestalte. Toen hield hij het lint omhoog en ging haar voor naar de metalen schuifdeur. 'Ik kan u wel vertellen, zoiets als dit heb ik nog nooit gezien.'

Hij gaf haar een paar blauwe handschoenen van de technische recherche en keek toe terwijl ze die aantrok. Toen drukte hij zijn schouder tegen het roestende metaal. Krijsend als een kat die gemarteld werd ging de deur open.

'Ik ben zo bij u,' zei hij.

Ze wachtte niet, liep gewoon in haar eentje verder zoals altijd, van links naar rechts starend en weer terug, met wijd open, wakkere ogen die nooit ophielden met kijken.

Om de een of andere reden schoof hij de deur dicht zodra ze binnen was, en wel zo snel dat de kat nog net een octaaf hoger krijste dan daarvoor. Na het metalen gekletter van het zware ijzer dat met een klap de grijze dag buitensloot, werd het stil.

Voor haar bevond zich een middengang en een zaal die wel wat op een slagerij leek. Op regelmatige afstand van elkaar waren haken aan de dakspanten bevestigd. Aan het plafond hingen een paar gloeilampen.

De betonvloer glansde vochtig. In het donker aan de andere kant bewoog iets zachtjes heen en weer als een slingeruurwerk van enorme afmetingen.

Met een harde klik van een onzichtbare schakelaar werd het licht uitgeknipt en was het donker, zo donker als in haar slaapkamer die ochtend toen een nare droom haar ruw had wakker geschud.

'Licht aan!' riep Lund.

Haar stem weergalmde door het zwarte en lege inwendige van het gebouw.

'Licht aan, alsjeblieft!' Ze was een ervaren politievrouw en vergat nooit mee te nemen wat ze geacht werd bij zich te dragen, op haar pistool na, waar ze altijd pas op het laatste moment aan dacht.

Maar de zaklamp had ze bij zich, veilig weggestopt in haar rechterzak. Ze haalde hem tevoorschijn en hield hem op die typische politiemanier voor zich: de rechterhand omhoog en de pols naar achteren geknikt waarbij ze de lichtbundel naar voren richtte, speurend en zoekend op plekken die anderen over het hoofd zagen.

Lund en het licht gingen samen op jacht. Dekens, afgedankte kleren, twee geplette colablikjes en een leeg pakje condooms.

Na drie treden bleef ze staan. Bij de rechtermuur was op de plek waar deze de vloer raakte een plas van een rode en kleverige vloeistof te zien, plus twee horizontale strepen over het afbladderende pleisterwerk van het soort dat bloed achterlaat wanneer er een gewond lichaam over de vloer wordt gesleept.

Lund stak haar hand in haar zak, haalde een pakje nicotinekauwgum tevoorschijn en liet een stukje in haar mond floepen.

Ze stond niet alleen op het punt Kopenhagen achter zich te laten. Tabak stond ook op de zwarte lijst.

Ze boog voorover en stak een blauw gehandschoende vinger in het kleverige plasje, bracht hem naar haar neus en snoof eraan.

Na nog drie treden zag ze een houthakkersbijl liggen, met een glanzend schone steel alsof hij net de vorige dag in de winkel was gekocht. Ze legde twee vingers in de poel van rode vloeistof rondom het blad, keurde het, snuffelde er nog eens aan en dacht na.

Ze vond Nicotinell nog altijd niet lekker. Lund liep verder.

Het ding vóór haar werd duidelijker zichtbaar. Het zwaaide heen en weer. Het was een werkoverall die zo rood doordrenkt was dat het wel een lijkwade leek in de vorm van een geslacht dier.

Binnenin zat iets met een vertrouwd menselijke vorm.

Lund veranderde de positie van de zaklamp, hield hem nu dicht tegen haar middel, met de lichtbundel omhoog gericht. Ze voelde aan de stof, zocht iets waar ze aan kon trekken.

In één snelle beweging liet het materiaal los en wat eronder zat bungelde langzaam heen en weer in het licht. De lichtbundel viel op het doodstille gezicht van een man, de mond opengesperd in een eeuwig aanhoudende O. Zwart haar, roze vlees, een enorme stijve penis van plastic die naar haar knipoogde. Op zijn hoofd bevond zich een knalblauwe Vikinghelm met zilveren hoorns en lange goudblonde vlechten.

Lund hield haar hoofd schuin en glimlachte.

Op de borst van het seksspeeltje was een briefje bevestigd: *Bedankt baas, voor zeven geweldige jaren. De jongens.*

Vanuit het schemerduister klonk gelach op.

De jongens.

Een goeie grap. Al was hij nog beter geweest met echt bloed.

De Politigården was een grijze doolhof die zich op een drooggelegd stuk land aan de waterkant bevond. Van buiten was het hoofdbureau van politie grauw en vierkant, maar eenmaal binnen werd een ronde binnenhof zichtbaar. Klassieke zuilen die een schaduwrijke galerij vormden, omzoomden de binnenplaats. In het gebouw leidden wenteltrappen naar rondlopende gangen. Deze waren bekleed met geaderd zwart marmer en liepen als verkalkte bloedvaten rond de volmaakte cirkel. Het had haar drie maanden gekost voor ze haar weg had leren vinden in dit donkere, doolhofachtige complex. Zelfs nu nog moest ze af en toe haar best doen om vast te stellen waar ze zich nou precies bevond.

Moordzaken bevond zich op de tweede verdieping, aan de noordoostelijke kant. Ze zat in het kantoor van Buchard met de Vikinghelm op naar hun grappen te luisteren. Ze maakte glimlachend hun cadeautjes open terwijl ze er verder het zwijgen toe deed onder de kartonnen hoorns en goudblonde vlechten.

Toen bedankte ze hen en liep naar haar kantoor waar ze haar spullen begon te verzamelen. Geen tijd voor overdreven gedoe. Ze glimlachte naar de foto van Mark die ze ingelijst op haar bureau had staan. Hij dateerde van drie jaar geleden, toen hij negen was en lang voor hij thuis was gekomen met dat belachelijke ringetje in zijn oor. Vlak voor de scheiding. En toen was Bengt op het toneel verschenen en had haar verleid met hem mee te gaan naar Zweden om een nieuw leven te beginnen aan de overkant van de vaalgrijze, koude wateren van de Øresund.

De kleine Mark, toen net zomin tot lachen geneigd als nu. Dat zou in Zweden veranderen. Net als de rest.

Lund veegde de resterende zaken van haar bureau: haar voorraad Nicotinell voor drie maanden, pennen en de puntenslijper in de vorm van een Londense bus, verdwenen in een slappe kartonnen doos en ze legde de foto van Mark erbovenop.

De deur ging open en een man kwam binnen.

Ze keek en vormde zich een oordeel, zoals ze nou eenmaal altijd deed. Er bungelde een sigaret uit zijn ene mondhoek. Zijn haar was kort, zijn gezichtsuitdrukking streng. Grote ogen, grote oren. Zijn kleren waren goedkoop en een beetje te jeugdig voor een man die vrijwel net zo oud was als zijzelf. Hij hield eenzelfde soort doos vast als zij. Ze ving een glimp op van een plattegrond van Kopenhagen, een basketbalnetje voor aan de muur, een speelgoed-politieautootje en een koptelefoon.

'Ik zoek het kantoor van Lund,' zei hij en hij staarde naar de Vikinghelm die boven op de nieuwe ski's prijkte die haar collega's haar bij het ontbijt hadden gegeven.

'Dat ben ik.'

'Jan Meyer. Is dat jullie uniform hier?'

'Ik ga naar Zweden.'

Lund pakte haar spullen op en op weg naar de deur deden ze even een klein dansje om elkaar heen.

'Waarom in hemelsnaam?' vroeg Meyer.

Ze zette de doos neer, streek haar lange, bruine weerspannige haar naar achteren en probeerde te bedenken of ze iets van belang had achtergelaten.

Hij haalde het basketbalnetje uit de doos en keek naar de muur.

'Mijn zus heeft ook zoiets gedaan,' zei Meyer.

'Wat voor iets?'

'Kreeg haar leven hier maar niet op orde, en ging dus met een vent naar Bornholm.' Meyer bevestigde het netje boven de dossierkasten aan de muur. 'Prima vent. Het was geen succes.'

Lund werd gek van haar haar, trok een elastiekje uit haar zak en bond het samen in een paardenstaart.

'Waarom niet?'

'Te afgelegen. De hele dag naar ruftende koeien luisteren, ze werden er gek van.' Hij haalde een tinnen bierkroes tevoorschijn en draaide hem in zijn handen rond. 'Waar ga jij heen?'

'Sigtuna.'

Meyer stond haar zwijgend en zonder zich te verroeren op te nemen.

'Dat ligt ook behoorlijk afgelegen,' voegde Lund eraan toe.

Hij nam een stevige haal van zijn sigaret en trok toen een kindervoetbal uit de doos. Daarna zette hij de speelgoedpolitieauto op het bureau en begon hem op en neer te bewegen. Zodra de wieltjes bewogen lichtte er een blauw lampje op en begon er een sirene te huilen.

Hij zat er nog steeds mee te spelen toen Buchard met een vel papier in zijn hand kwam binnenlopen.

'Jullie hebben elkaar ontmoet,' zei de hoofdinspecteur. Het was geen vraag.

De bebrilde oomfiguur die bij het ontbijt nog naast haar had gezeten, was verdwenen.

'We hadden het genoegen...' begon Lund te zeggen.

'Dit is zojuist binnengekomen.' Buchard overhandigde haar het bericht. 'Als je het te druk hebt met opruimen...'

'Ik heb tijd,' liet Lund hem weten. 'De hele dag nog...'

'Fijn,' zei Buchard. 'Waarom neem je Meyer niet met je mee?'

De man met de doos drukte zijn sigaret uit en haalde de schouders op.

'Hij pakt zijn spullen uit,' zei Lund.

Meyer liet het autootje los, pakte de voetbal op en liet hem op zijn hand stuiteren.

Hij grinnikte. Zo zag hij er anders, menselijker, meer compleet uit.

'Het is nooit te druk om te werken.'

'Een goede start,' zei Buchard. Er zat een scherp randje aan zijn stem. 'Dat stel ik op prijs, Meyer, en jij vast ook.'

Met het raampje naar beneden speurde Lund vanaf de passagiersstoel de Kalvebod Fælled af. Dertien kilometer ten zuiden van de stad, vlak bij het water. De ochtend was helder en stralend na een paar dagen regen. Het zou waarschijnlijk niet lang zo mooi blijven. Vlak moerasland, geel gras en greppels die zich tot aan de horizon uitstrekten met rechts een kaal donker bos. Je kon er vaag de zee ruiken, maar de stank van rottende vegetatie overheerste. Het was er vochtig, dicht tegen het vriespunt aan. De voorbode van een strenge, koude winter.

'Je mag geen dienstwapen bij je hebben? Je mag geen arrestaties verrichten? En hoe zit het met parkeerbonnen?'

Een man die op de vroege ochtend zijn hond had uitgelaten, had de kleren van een meisje gevonden op de woeste grond vlak bij een zilverberkenbos dat Pinseskoven genoemd werd. Het Pinksterbos.

'Je moet de Zweedse nationaliteit hebben om mensen te mogen arresteren. Zo eh…' Lund wilde dat ze niet begonnen was zijn vragen te beantwoorden. 'Zo werkt dat nu eenmaal.'

Meyer propte een handvol chips in zijn mond, verfrommelde de zak en gooide hem op de vloer bij zijn voeten. Hij reed ook als een jongen, veel te snel, zonder zich veel om anderen te bekommeren.

'Wat vindt je zoon ervan?'

Ze stapte uit zonder te kijken of hij achter haar aan kwam.

Bij de vondst stond een rechercheur in burger, tussen de graswallen slenterde een agent in uniform die tegen de droge pollen aan schopte. Dit was alles wat ze hadden: een katoenen bloemetjestopje van het soort dat een jong meisje zou dragen. Een videotheekpas. Beide inmiddels verpakt in plastic zakken voor bewijsmateriaal. Er zaten bloedvlekken op het topje.

Lund draaide om haar as waarbij haar grote, glanzende ogen de omgeving afspeurden zoals ze dat altijd deed.

'Wie komt er hier?' vroeg ze aan de man in uniform.

'Overdag kinderen van de peuterspeelzaal die mee de natuur in genomen worden. 's Avonds hoertjes uit de stad.'

'Wat een plek voor een beurt, zeg,' zei Meyer. 'Ik vraag je: waar is de romantiek vandaag de dag gebleven?'

Lund draaide nog steeds langzaam op haar hakken rond.

'Wanneer is dit hier achtergelaten?'

'Gisteren. Niet vrijdag. Toen was er een schooluitje. Ze zouden het gezien hebben.'

'Er is niet gebeld? Geen meldingen van ziekenhuisopnames?'

'Niks.'

'Enig idee wie ze is?'

Hij liet haar de zak met het topje zien.

'Maat 8,' zei de rechercheur. 'Dat is alles wat we weten.'

Het ding zag er goedkoop uit, de bloemen waren zo kleurig en kinderlijk dat ze heel goed ironisch bedoeld konden zijn. Als een tienergrapje: kinderlijk en sexy tegelijk.

Lund pakte de tweede zak en bestudeerde de videotheekpas.

Er stond een naam op: Theis Birk Larsen.

'Die hebben we vlak bij het pad gevonden,' voegde de agent eraan toe. 'Het topje lag hier. Misschien hebben ze ruziegemaakt en smeet hij haar de auto uit. En toen…'

'En toen,' zei Meyer, 'vond ze haar schoenen, jas, tasje en pakje condooms en liep de hele weg terug naar huis om daar tv te gaan kijken.'

Lund bleef maar in de richting van het bos kijken.

'Wilt u dat ik met die Birk Larsen-vent ga praten?' vroeg de agent.

'Ja, doe maar,' zei ze en ze wierp een blik op haar horloge.

Nog acht uur en het was voorbij. Kopenhagen en het leven dat ze tot nu toe had geleid.

Meyer kwam bij hen staan en een verstikkende rookwolk omhulde haar.

'Wij kunnen ook met hem praten, Lund. Een hoertje hier achterlaten. Haar een pak slaag geven. Helemaal mijn soort gast.'

'Helaas, niet ons soort werk.'

De sigaret verdween in de dichtstbijzijnde greppel.

'Dat weet ik. Ik wil alleen...' Een pakje kauwgum dook op uit zijn zak. Deze man leek wel op chips, snoep en sigaretten te leven. 'Ik wil alleen even met hem praten.'

'Waarover? We hebben geen zaak. Het hoertje heeft geen aanklacht ingediend.'

Meyer boog zich voorover en praatte tegen haar als een onderwijzer tegen een klein kind.

'Ik ben goed in praten.'

Hij had uitstekende, bijna komische oren en een stoppelbaardje. Undercover zou hij het prima doen, dacht ze. En dat had hij misschien ook wel gedaan. Ze herinnerde zich de manier waarop Buchard tegen hem gesproken had. Schurk. Smeris. Meyer kon voor allebei doorgaan.

'Ik zei...'

'Je zou me 's in actie moeten zien, Lund. Echt. Voor je weggaat. Mijn geschenk aan de Zweden.'

Hij pakte de pas uit haar vingers. Las wat erop stond.

'Theis Birk Larsen.'

Sarah Lund draaide nog een keer rond om het gele gras, de greppels en de bossen in zich op te nemen.

'Ik rij,' zei ze.

Pernille torende lachend als een kind boven zijn brede borst uit.

Half ontkleed op de keukenvloer, midden op de dag. Een idee van Theis, zoals de meeste dingen zijn idee waren.

'Kleed je aan,' droeg ze hem op en ze rolde van hem af. Ze kwam overeind. 'Ga aan het werk, beest.'

Hij grijnsde als de wilde jongen die ze zich nog steeds herinnerde. Vervolgens hees hij zijn knalrode Amerikaanse overall weer op. Theis was vierenveertig, had rood haar dat al wat grijs werd en fikse bakkebaarden tot aan zijn brede kin. De uitdrukking op zijn gezicht kon razendsnel omslaan van verhit naar kil en weer naar zijn gebruikelijke onverstoorbaarheid.

Pernille was een jaar jonger, een vrouw met een druk leven die, hoewel ze drie kinderen had gebaard, nog steeds een mooi lijf had. Daarmee wist ze even gemakkelijk zijn aandacht te trekken als twintig jaar geleden toen ze elkaar voor het eerst ontmoet hadden.

Ze observeerde hem terwijl hij zich in zijn zware uniform wurmde en keek daarna het kleine appartement rond.

Toen ze naar Vesterbro verhuisd waren had Nanna in haar buik gezeten. In haar buik toen ze getrouwd waren. Hier in deze lichte, kleurige kamer, met planten op de vensterbank, foto's aan de muur, vol van de rommel die nu eenmaal bij een gezin hoort, hadden ze haar grootgebracht. Van krijsende baby tot prachtige jonge meid, die na een te lange tussenpauze opgevolgd was door Emil en Anton, nu zeven en zes jaar oud.

Hun woning bevond zich boven de drukke garage van verhuisbedrijf Birk Larsen. De ruimte beneden was meer op orde dan de benauwde kamertjes waar ze met zijn vijven in woonden en elkaar voortdurend in de weg zaten. Het was er een allegaartje van aandenkens, tekeningen, speelgoed en rommel.

Pernille keek naar de kruiden in de vensterbank en de manier waarop het groene licht erdoorheen scheen.

Zo vol leven.

'Nanna heeft binnenkort een eigen plekje nodig,' zei ze terwijl ze haar lange kastanjebruine haar kamde. 'Eigen woonruimte. We kunnen vast een aanbetaling doen, toch?'

Hij gromde van het lachen.

'Je weet je momenten wel te kiezen. Laat haar hetzelfde doen. Laat Nanna eerst haar school maar afmaken.'

'Theis...'

Ze vlijde zich opnieuw in zijn sterke armen en keek hem aan. Sommige mensen waren bang voor Theis Birk Larsen. Zij niet.

'Misschien is het niet nodig,' zei hij.

Zijn weerbarstige uitdrukking veranderde in een geraffineerde, pesterige grijns.

'Waarom?'

'Da's geheim.'

'Zeg op!' riep Pernille en ze sloeg met haar gebalde vuist op zijn borst.

'Maar dan zou het geen geheim meer zijn.'

Hij liep de trap af naar de garage. Ze kwam achter hem aan.

Verhuiswagens en mannen, pallets en in krimpfolie verpakte goederen, inventarislijsten en tijdschema's.

De vloerplanken kraakten altijd. Misschien had ze wel geschreeuwd. Ze hadden het gehoord. Dat kon ze zien aan hun grijnzende gezichten. Vagn Skærbæk, de oudste vriend van Theis, die hij zelfs nog langer kende dan haar, tikte aan een denkbeeldige pet.

'Zeg op!' beval ze terwijl ze zijn oude zwartleren jas van het haakje pakte.

Birk Larsen trok zijn jack aan, haalde de vertrouwde zwartwollen muts tevoorschijn en trok die over zijn hoofd. Rood vanbinnen, zwart vanbuiten. Hij leek wel in dit uniform te wonen, waardoor hij eruitzag als een vechtlustige mannetjeszeehond, die, tevreden met zijn territorium, er niet voor terugdeinsde alle indringers daaruit te weren.

Na een blik op het klembord en een tikje tegen de bestemming riep hij Vagn Skærbæk naar het dichtstbijzijnde busje. Eveneens rood en met de naam Birk Larsen erop. Net als de rode Christiania-bakfiets die Skærbæk nog steeds onderhield, achttien jaar nadat ze hem gekocht hadden om er Nanna in door de stad te vervoeren.

Birk Larsen. De patriarch van een bescheiden en gelukkige dynastie. Koning van zijn eigen kleine rijkje in Vesterbro.

Een klap in zijn enorme handen, geblafte bevelen. Toen was hij weg.

Pernille Birk Larsen bleef staan tot de mannen weer aan het werk gingen. Er moest een belastingaangifte ingevuld worden en geld betaald, wat altijd ongelegen kwam. En geld dat aan het oog onttrokken moest worden. Niemand spekte de overheid als ze het konden vermijden.

We kunnen niet nog meer geheimen gebruiken, Theis, dacht ze.

Aan de voet van het gouden standbeeld van Absalon stonden drie mensen op wacht onder de klokkentoren en de kantelen met de hoekspitsen van een roodbakstenen vesting, het Rådhus, Kopenhagens stadhuis.

Kirsten Eller, Troels Hartmann, Poul Bremer. Glimlachend zoals alleen politici dat kunnen.

Kirsten Eller hield haar dunne lippen strak op elkaar in iets wat op een zelfgenoegzaam lachje leek. De Partij van het Centrum, die vast leek te zitten in een filosofisch niemandsland, leek permanent in de hoop te verkeren nu eens aan de ene en dan weer aan de andere kant van het politieke spectrum aan te kunnen klampen om zo de kruimels op te vangen die van de tafel van de grote baas vielen.

Onder haar stond Poul Bremer te stralen naar de stad, die van hem was. Hij was nu twaalf jaar burgemeester van Kopenhagen, een gezette en ontspannen staatsman die nauwe banden onderhield met de parlementariërs die de geldkraan beheerden. Hij was goed op de hoogte van de wispelturige opinies van zijn onbekwame partijgenoten en vertrouwd met het verspreide netwerk van sponsors en aanhangers die elk woord van hem nauwlettend volgden. Met zijn zwarte colbert, witte overhemd, subtiele grijze das en zakelijke, zwarte bril had Bremer op zijn vijfenzestigste de vriendelijke uitstraling van ieders favoriete oom, dat slimme familielid dat alle geheimen kende en alles scheen te weten.

En dan had je Troels Hartmann.

Hij was de jongste van het stel. De mooie jongen. De politicus die bij vrouwen in de smaak viel en die ze stiekem bewonderden.

Hij droeg de kleuren van de Liberalen. Een blauw pak met een blauw overhemd dat openstond bij de hals. Hartmann was tweeënveertig, een jongensachtige man met dat fraaie Scandinavische uiterlijk van hem, al ging er in die heldere, kobaltblauwe ogen een glimp van pijn schuil die de lens van de fotograaf niet had weten te vangen. Een goede kerel, zei de foto. Een nieuwe generatie die de oude met kracht probeerde te verdrijven en met nieuwe ideeën kwam, de belofte van verandering. Zijn positie had hij deels verworven omdat hij dankzij het kiessysteem voortvarend en met visie leidinggaf aan de afdeling Onderwijs van de stad. Hij was in feite ook een burgemeester, zij het dan alleen van de scholen en universiteiten.

Drie politici die op het punt stonden met elkaar te gaan strijden om de kroon van Kopenhagen, de hoofdstad, een uitgestrekte metropool waar meer dan een vijfde van de vijfenhalf miljoen burgers van Denemarken woonde en werkte, kibbelde en ruziemaakte. Jong en oud, geboren in Denemarken of er onlangs naartoe geëmigreerd, zonder overigens altijd even welkom te zijn. Eerlijk en werklustig, lui en corrupt. Een stad als alle andere.

Eller was de buitenstaander wier enige optie was een zo goed mogelijke deal te sluiten. Hartmann was jong en idealistisch. Of eerder naïef, zoals zijn opponenten zouden zeggen, waar hij dapper probeerde Poul Bremer, de grand old man van de politiek, van zijn troon te stoten.

Op die kille novembermiddag straalden hun gezichten in de richting van de camera, de pers, het publiek. Achter de vuile, rijkversierde ramen van het roodbakstenen kasteel dat het Rådhus genoemd werd, was het een heel ander verhaal. Daar groepten in de galerijen en kamers als kloostercellen de politici bij elkaar om al fluisterend hun complotten te smeden.

Achter de plichtmatige en valse glimlachjes werd een oorlog voorbereid.

Glanzend hout. Lange, smalle glas-in-loodramen. Leren fauteuils. Verguldsel, mozaïeken en schilderijen. De geur van geboend mahonie.

Overal stonden ingelijste posters van Hartmann. Ze steunden tegen de muren, op het punt gedistribueerd te worden in de stad. Op het bureau stond een houten lijstje met een portret van zijn vrouw in haar ziekenhuisbed, kalm, dapper en mooi, een maand voor haar overlijden. Ernaast stond een foto met daarop John F. Kennedy en Jackie met haar Bambi-ogen in het Witte

Huis. Op de achtergrond speelde een band die bewonderend naar hen beiden keek. Zij glimlachte in haar prachtige zijden avondjapon. Kennedy fluisterde iets vertrouwelijks in haar oor.

Het Witte Huis, een paar dagen voor Dallas.

In zijn kantoor keek Troels Hartmann naar de foto's en vervolgens naar de agenda op zijn bureau.

Maandagochtend, met drie van de langste weken uit zijn politieke loopbaan voor de boeg. De eerste van een eindeloze reeks vergaderingen.

De twee naaste assistenten van Hartmann zaten aan de andere kant van het bureau, met laptops voor hun neus. Ze namen het programma door voor die dag. De een was Morten Weber, campagneleider en studievriend. Toegewijd, rustig, op zichzelf, gedreven. Hij was vierenveertig, met een warrige krullende haardos onder een steeds groter wordende kale kruin, een vriendelijk, indringend en weinig opmerkelijk gezicht, dwalende ogen achter goedkope goudomrande brillenglazen. Hij had er geen idee van hoe hij eruitzag en het kon hem niet schelen ook. De afgelopen week leek hij wel te wonen in hetzelfde sjofele, gekreukte jasje dat niet bij zijn broek paste. Hij voelde zich in zijn element als het om de details van commissierapporten ging en om het sluiten van deals in rokerige kamers.

Af en toe rolde hij zijn bureaustoel weg van de tafel, manoeuvreerde naar een rustig hoekje waar hij zijn spuit met insuline tevoorschijn haalde. Hij trok zijn overhemd uit zijn broek en diende zichzelf een injectie toe in zijn papperige witte buik. Daarna schoof hij moeiteloos weer aan bij de discussie terwijl hij zijn hemd weer in zijn broek propte zonder ook maar iets te missen.

Rie Skovgaard, de politiek adviseur, deed altijd net of ze het niet gezien had.

Hartmanns gedachten dwaalden een moment af van Webers opsomming van zijn afspraken. Even voelde hij zich ver verwijderd van de wereld van de politiek. Tweeëndertig was ze, met hoekige, intense gelaatstrekken, eerder aantrekkelijk dan mooi. Strijdlustig, scherp, altijd even elegant. Vandaag droeg ze een slank gesneden, groen pakje. Erg duur. Haar donkere kapsel leek wel geïnspireerd op de foto op Hartmanns bureau. Jackie Kennedy in 1963, met halflang haar dat met een slag in haar ranke nek gekapt was, schijnbaar nonchalant, maar met elk haartje precies op zijn plek.

Weber noemde het het presidentiële begrafeniskapsel, maar alleen achter haar rug. Toen ze bij hen gekomen was had Rie Skovgaard er niet zo uitgezien.

Morten Weber was de zoon van een onderwijzer uit Aarhus. Skovgaards papieren waren beter. Haar vader was een invloedrijk parlementslid. Voor ze de overstap had gemaakt naar de Liberalen had ze een leidinggevende functie gehad bij de Kopenhaagse afdeling van een New Yorks reclamebureau. Nu pitchte ze hem, zijn image, zijn ideeën, ongeveer net zoals ze destijds levensverzekeringen en supermarktketens aangeprezen had.

Een wat onwaarschijnlijk team, zelfs nogal ongemakkelijk. Was ze jaloers op Weber? Op het feit dat hij twintig jaar meer ervaring had dan zij? Hij was vanuit het partijsecretariaat van de Liberalen opgeklommen en de man op de achtergrond gebleven terwijl Hartmanns aantrekkelijke glimlach en charme stemmen en publiciteit genereerden.

Rie Skovgaard was een nieuwkomer, ze rook mogelijkheden, maar ideologie verveelde haar.

'Het lunchdebat. We hebben posters nodig in de school,' zei ze op kalme, duidelijk professionele toon. 'En…'

'Is al geregeld,' antwoordde Weber. Hij wapperde met zijn vingers naar de computer.

Het was een grijze dag. Bewolkt en regenachtig. Het kantoor lag aan de voorzijde van het Palace Hotel. De blauwe lichtbak van het hotel wierp 's avonds een vreemd licht in de kamer.

'Ik heb er meteen een auto heen gestuurd.'

Ze sloeg haar magere armen over elkaar.

'Jij denkt ook aan alles, Morten.'

'Dat moet ik wel.'

'En wat wou je daarmee zeggen?'

'Bremer.' Weber mompelde de naam alsof het een vloek was. 'Hij heeft niet toevallig de macht over deze stad in handen gekregen.'

Hartmann mengde zich weer in het gesprek.

'Maar dat duurt niet lang meer.'

'Heb je de laatste opiniepeilingen gezien?' vroeg Skovgaard.

'Die zien er prima uit,' antwoordde Hartmann met een knikje. 'Beter dan we verwacht hadden.'

Morten Weber schudde zijn hoofd.

'Die heeft Bremer ook gezien. Die blijft echt niet op zijn dikke kont zitten terwijl wij hem zijn koninkrijkje afnemen. Het lunchdebat, Troels. Vindt plaats op een school. Thuiswedstrijd. De pers zal er zijn.'

'Praat over onderwijs,' viel Skovgaard hem in de rede. 'We hebben om extra geld gevraagd voor meer computers. Betere internettoegang. Bremer heeft de toewijzing tegengehouden. Nu is de absentie opgelopen tot twintig procent. Dat kunnen we hem voor de voeten werpen…'

'Heeft hij dat persoonlijk tegengehouden?' vroeg Hartmann. 'Weet je dat zeker?'

Een subtiel, pesterig glimlachje.

'Ik heb de hand op wat vertrouwelijke notulen weten te leggen.'

Als een schuldig schoolmeisje maakte Skovgaard met haar fijne handjes een wuivend gebaar over de documenten voor haar.

'Daar staat het zwart-op-wit. Als het moet kan ik de documenten laten lekken. Er staat een hoop in dat we hem voor de voeten kunnen gooien.'

'Kunnen we die onzin achterwege laten, alsjeblieft?' vroeg Weber met onverbloemd chagrijn. 'De mensen verwachten meer van ons.'

'De mensen verwachten dat we verliezen, Morten,' antwoordde Skovgaard meteen. 'Dat probeer ik te veranderen.'

'Rie…'

'We komen er wel,' viel Hartmann hen in de rede. 'En op de juiste manier. Ik had een ontbijtafspraak met Kirsten Eller. Volgens mij doen ze mee.'

Ze zwegen allebei. Toen vroeg Skovgaard: 'Waren ze geïnteresseerd in een bondgenootschap?'

'Met Kirsten Eller?' gromde Weber. 'Jezus, als je het over een deal met de duivel hebt…'

Hartmann leunde achterover in zijn stoel. Hij sloot zijn ogen en voelde zich gelukkiger dan in tijden het geval was geweest.

'De tijden zijn veranderd, Morten. Poul Bremer begint aan steun te verliezen. Als Kirsten haar niet onaanzienlijke gewicht in de strijd gooit… ten behoeve van ons, welteverstaan…'

'Dan hebben we een meerderheidscoalitie,' voegde Skovgaard er stralend aan toe.

'We moeten hier goed over nadenken,' zei Weber.

Zijn telefoon ging. Hij liep naar het raam om hem op te nemen.

Troels Hartmann keek razendsnel de stukken door die ze voor hem voorbereid had, een briefing voor het debat.

Skovgaard schoof haar stoel naast die van hem zodat ze ze samen konden lezen.

'Je hebt mijn hulp niet nodig, toch? Dit zijn jouw eigen ideeën. We helpen je er alleen aan herinneren wat je denkt.'

'Dat heb ik ook nodig. Ik ben mijn horloge kwijt! Een goed horloge. Een…'

Skovgaard porde hem zachtjes. In haar hand lag de zilveren Rolex. Ze hield hem discreet onder tafel zodat niemand anders hem kon zien.

Ze opende zijn vingers en drukte hem in zijn handpalm.

'Ik vond hem onder mijn bed. Ik heb geen idee hoe hij daar gekomen is. Jij?'

Hartmann liet de Rolex om zijn pols glijden.

Weber liep terug van het raam, met de telefoon in zijn hand. Hij zag er bezorgd uit.

'Dat was de secretaresse van de burgemeester. Hij wil je nu spreken.'

'Over een kwartier,' zei Hartmann en hij keek op zijn horloge. 'Ik ben zijn knechtje niet.'

Weber keek verbaasd.

'Je zei dat je je horloge kwijt was.'

'Een kwartier,' herhaalde Hartmann.

Overal waren gangen, lange en glanzende gangen, met boven hun hoofden fresco's van veldslagen en ceremonieën, waarop voorname gestalten in wapenrusting op de voorthollende figuurtjes onder hen neerkeken.

'Je kijkt niet erg gelukkig,' zei Hartmann toen ze naar de kamers van de burgemeester liepen.

'Gelukkig? Ik ben je campagneleider. We hebben nog maar drie weken tot de verkiezingen. Jij gaat bondgenootschappen aan zonder me daar zelfs maar van op de hoogte te brengen. Wat wou je dan? Dat ik hier liep te zingen en te dansen? Grappen te maken?'

'Denk je dat Bremer het weet? Over Kirsten Eller?'

'Poul Bremer hoort je nog mompelen in je slaap. Bovendien, als jij Kirsten Eller was die een deal probeert te sluiten... richt je je dan maar op één partij?'

Hartmann stond voor de deur van de raadskamer.

'Laat mij nu maar even, Morten. Ik kom er wel achter.'

Poul Bremer stond in hemdsmouwen op het podium bij de ambtszetel die hij de afgelopen twaalf jaar bezet had gehouden. Hij voerde een telefoongesprek, deed joviaal.

Hartmann liep naar voren en pakte het boek op de tafel bij de microfoon. En luisterde, wat ook de bedoeling was.

'Ja, ja. Luister nou eens even.' De diepe, gulle lach, Bremers wat hese zegening van zijn gunstelingen. 'Hierna zit je in de regering. Op een ministerspost. Dat voorspel ik je en ik zit er nooit naast.' Hij wierp een blik op zijn bezoeker. 'Ik moet ophangen, sorry.'

Bremer nam plaats op de stoel van de locoburgemeester. Niet die van hemzelf.

'Heb je dit boek gelezen, Troels?'

'Het spijt me, nee.'

'Neem mee dan. Een leerzaam cadeau. Het herinnert ons aan het enige wat we van de geschiedenis leren en dat is... dat we niets van de geschiedenis leren.' Hij praatte en gedroeg zich alsof hij een vriendelijke schoolmeester was, door de jaren wijs geworden. 'Cicero was een prima kerel. Had het ver kunnen schoppen als hij zijn tijd afgewacht had.'

'Het lijkt me nogal zware kost.'

'Kom even bij me zitten.' Bremer gebaarde naar de stoel naast hem. De burgemeesterszetel. De troon. 'Probeer hem eens. Hij is niemands eigendom. Zelfs niet het mijne, wat je ook mag denken.'

Hartmann deed gezellig mee. Liet zich op het harde en geboende hout vallen. Hij rook het mahonie, de geur van de macht. Hij keek de zaal rond met de in een halve cirkel opgestelde, lege raadszetels met de flatscreens en stemknoppen ervoor.

'Het is maar een stoel, Troels,' zei Bremer en hij grijnsde hem toe.

Hij praatte en bewoog altijd als een jongere man. Dat hoorde bij zijn image.

'Rome hield van Cicero, had waardering voor zijn ideeën. Ideeën zijn goed voor fraaie staaltjes retorica. Maar verder heb je er niet veel aan. Caesar was een dictator, maar hij was ook een schurk die de Romeinen kenden en van wie ze hielden. Cicero was te ongeduldig. Brutaal. Kwam net kijken. Weet je wat er met hem gebeurde?'

'Hij ging bij de tv?'

'Heel leuk. Ze slachtten hem af. Stelden zijn handen en hoofd in het Forum tentoon zodat iedereen erom kon lachen. We doen soms ons best voor een stelletje ondankbare klootzakken.'

'Je wilde me spreken?'

'Ik heb de opiniepeilingen gezien. Jij?'

'Zeker.'

'Je zou een goede burgemeester zijn. Je zou deze stad prima besturen.' Bremer streek de mouwen van zijn zwartzijden jasje glad, trok de manchetten van zijn fraaie witte overhemd eronderuit. Toen nam hij zijn bril af en keek of die schoon was en gleed vervolgens met een hand door zijn zilvergrijze haar. 'Alleen nu nog niet.'

Hartmann zuchtte en keek op zijn zilveren Rolex.

'Ik ga over vier jaar met pensioen. Vanwaar die haast?'

'Ik geloof dat ze het verkiezingen noemen. De derde dinsdag in november. Elke vier jaar.'

'Ik heb een voorstel voor je. Een zetel aan mijn tafel. Met meer dan alleen scholen onder je. Er zijn in feite zeven burgemeesters. De echte burgemeester en zes van de verschillende afdelingen. Je mag elk van de zes posten hebben die je wilt. Je zult leren hoe deze stad werkt. Als het dan zover is ben jij klaar voor de baan en zal ik het stokje meer dan graag aan je overdragen.'

Bremer wierp hem dat vlugge glimlachje van hem toe.

'Ik garandeer je dat niemand stelling tegen je zal nemen. Maar nu nog niet. Je bent er niet klaar voor.'

'Dat is niet aan jou, toch?'

De glimlach was verdwenen.

'Ik probeer alleen maar vriendelijk te zijn. Het is niet nodig dat wij als vijanden door het leven gaan…'

Hartmann stond op en wilde vertrekken. Poul Bremer ging voor hem staan en hield hem met uitgestrekte hand tegen. Het was een potige vent en nog altijd in goede conditie. Er deden verhalen de ronde over hoe hij toen hij jong was mensen wel eens stevig aangepakt had om hun steun te verkrijgen. Niemand wist of die verhalen waar waren. Niemand durfde het te vragen.

'Troels.'

'Je bent te lang blijven zitten,' zei Hartmann kortaf. 'Ga nou rustig weg. Waardig. Ik kan misschien wel ergens een baan voor je vinden.'

De milde oude man staarde hem geamuseerd aan.

'Leidt een miezerige belofte van de Partij van het Centrum al tot zoveel zelfvertrouwen? Kom op, zeg. Dat zijn onze huisdieren. Die dikke trut Eller likt ieders reet en laat zich dan onderpissen. Net zo makkelijk. Als zij er maar een subcommissie aan overhoudt. Maar…' Hij draaide zijn manchetknopen recht.

'Ze kennen hun plek. Een verstandige politicus kent zijn plek.'

Bremer pakte het boek op, stak het hem toe en zei: 'Lees over Cicero. Daar kun je wat van leren. Niemand wil aan stukken gescheurd eindigen terwijl de mensen zich om hem verkneukelen. Dit soort transities kunnen maar beter goed geregeld worden. In stilte. Efficiënt. Met wat… '

'Je gaat verliezen,' viel Hartmann hem in de rede.

De oude man giechelde.

'Arme Troels. Je ziet er op de posters zo indrukwekkend uit. Maar in werkelijkheid…'

Hij raakte de kraag van Hartmanns zijden kostuum aan.

'Wat zit daaronder, vraag ik me af. Weet je het zelf eigenlijk wel?'

Meyer was de auto uit voor ze tijd had de motor af te zetten en zwaaide met zijn legitimatiebewijs naar een vrouw die de kofferbak van een stationcar aan het inladen was. Rood.

Alles leek hier wel rood, in meerdere of mindere mate. De verhuizers in hun overalls. De busjes. Er was zelfs een glanzende Christiania-bakfiets om kinderen mee naar school te brengen, boodschappen in te vervoeren en een luie hond de stad rond te rijden.

Allemaal in dezelfde kleur, allemaal met de naam Birk Larsen erop.

Lund kwam naar hen toe lopen, met een half oor naar Meyer luisterend, maar verder vooral om zich heen kijkend.

Twee schuifdeuren boden toegang tot een magazijn annex garage. Voorbij de kratten, kisten en apparatuur zag ze achter glazen ruitjes in de hoek een kantoor en helemaal achterin een trap met een bordje erbij waar *Privé* op stond. Dit was Birk Larsens huisadres. Hij woonde vast boven zijn zaak.

'Waar is Theis Birk Larsen?' vroeg Meyer.

'Mijn man is aan het werk. En ik ben op weg naar de boekhouder.'

Een vrouw van in de veertig, intelligent en aantrekkelijk met haar kastanjebruine haar dat net een slagje beter verzorgd werd dan dat van Lund. Ze droeg een lichtbruine trenchcoat en maakte een wat geplaagde, afwezige indruk. Kinderen, dacht Lund. Ze voldeed helemaal aan het plaatje. En ze hield niet van de politie. Maar wie wel?

'U woont hier?' vroeg Lund.

'Ja.'

De vrouw liep terug de garage in.

'Gaat dit weer over de busjes? We zijn een vervoersbedrijf. Dan staan ze wel eens in de weg.'

'Daar gaat het niet over,' zei Lund. Ze liep een paar stappen achter haar aan. Nog meer rood en uniformen. Sterke mannen die met kratten rondsjouwden en klemborden checkten, namen haar van top tot teen op. 'We willen alleen maar weten wat hij in het weekend deed.'

'We zijn naar zee geweest. Met onze twee jongens. Van vrijdag tot zondag. We hadden een huisje gehuurd. Hoezo?'

Zeildoek en touwen. Houten kasten en pallets. Lund vroeg zich af wat ze als niet-echte-politievrouw in Zweden tegen zou komen. Ze had zichzelf die vraag nooit echt gesteld. Bengt wilde gaan. En zij wilde hem achterna.

'Misschien is hij voor zaken teruggegaan naar de stad?' vroeg Meyer.

De vrouw pakte een grootboek op. Ze had er genoeg van.

'Alleen deed hij dat niet. Het was het eerste weekend dat we vrij hadden in twee jaar. Waarom zou hij?'

Rommelig kantoor. Overal papieren. Grote bedrijven werkten zo niet. Die hadden systemen. Organisatie. Geld.

Lund liep naar buiten en keek in de kofferbak van de vrouw. Kranten en folders. Kinderspeelgoed. Een kleine voetbal, ongeveer zo een als Meyer op kantoor had achtergelaten. Een gehavende Nintendo. Ze liep terug naar het kantoortje.

'Wat deed hij toen jullie thuiskwamen?' vroeg Meyer.

'Toen gingen we naar bed.'

'Weet u dat zeker?'

Ze lachte naar hem.

'Dat weet ik zeker, ja.'

Terwijl ze aan het praten waren slenterde Lund door het kantoor. Ze bekeek de gemoedelijke chaos op zoek naar iets persoonlijks te midden van al die rekeningen, kwitanties en facturen.

'Ik weet niet wat hij volgens u gedaan heeft... en het kan me ook niet schelen,' zei de vrouw. 'We waren aan zee. En toen kwamen we weer thuis. Dat is alles.'

Meyer snoof even en keek toen in Lunds richting.

'Misschien komen we een andere keer terug.'

Toen ging hij naar buiten, stak een sigaret op, leunde tegen een van de rode vrachtwagens en tuurde naar de volledig grijze hemel.

Helemaal achter in het kantoor, achter een paar gammele, ouderwetse dossierkasten hing een aantal foto's. Een prachtig jong meisje dat glimlachend haar armen om twee jonge jongens geslagen had. Hetzelfde meisje van dichtbij, met dansend blond haar, een heldere oogopslag, een beetje te veel make-up. Probeerde er ouder uit te zien dan ze was.

Lund haalde haar pakje nicotinekauwgum tevoorschijn en drukte er een stukje uit in haar mond.

'U hebt een dochter?' vroeg ze, terwijl ze nog steeds naar het meisje keek, en die leuke lach. Ze keek naar allebei de foto's: die van haar alleen, te ouwelijk, en die samen met de kleine jongens waarop ze de grote zus speelde.

De moeder was op weg naar buiten. Ze bleef staan. Draaide zich om, keek haar aan en zei op rustige en zachte toon: 'Ja, en twee jongens. Zes en zeven.'

'Leent ze wel eens de videopas van haar vader?'

Birk Larsens vrouw veranderde voor Lunds ogen. Haar gezicht betrok, werd ouder. De mond viel open. Haar oogleden trilden alsof ze een geheel eigen leven leidden.

'Misschien. Hoezo?'

'Was ze hier vanavond?'

Meyer was weer terug en luisterde mee.

De vrouw legde de papieren neer. Ze had nu een bezorgde en bange uitdrukking op haar gezicht.

'Nanna bracht het weekend door bij een vriendin, Lisa. Ik dacht…' Haar hand ging zonder reden naar haar kastanjebruine haar. 'Ik dacht dat ze ons zou bellen, maar dat heeft ze niet gedaan.'

'Ik denk dat u haar nu op moet bellen.'

Het Frederiksholmlyceum, in het midden van de stad. Daar zat het geld. Niet in Vesterbro. De ochtendpauze. Lisa Rasmussen belde nog een keer.

'Met Nanna. Ik ben mijn huiswerk aan het maken. Laat een boodschap achter. Dag!'

Stom, dacht ze. Ze had nu voor de derde keer die ochtend dezelfde boodschap achtergelaten. Nu zat ze op school naar haar docent Rama te luisteren die het over burgerzin had en de aanstaande verkiezingen. Niemand wist waar Nanna was. Niemand had haar gezien sinds het Halloweenfeest afgelopen vrijdag in het souterrain onder de grote hal van de school.

'Vandaag,' zei Rama, 'worden jullie in de gelegenheid gesteld om een beslissing te nemen op wie jullie willen stemmen.'

Op het schoolbord hing een foto. De in een halve cirkel opgestelde stoelen in het Rådhus. Drie politici, een aantrekkelijke, een oude vent en een zelfgenoegzame vrouw met een dikke kop. Het kon haar niet boeien.

Weer haalde ze haar mobiel tevoorschijn en typte nog maar eens een boodschap in. *Nanna, waar ben je nou, verdomme?*

'We hebben het geluk dat we in een land wonen waar we het recht hebben om te stemmen,' vervolgde de leraar. 'Over onze eigen toekomst te beslissen. Ons eigen lot te bepalen.'

Hij was dertig of zo, en kwam ergens uit het Midden-Oosten, al was dat niet aan zijn stem te horen. Een paar meisjes vielen op hem. Lang en knap. Goed lichaam, en te gekke coole kleren. Immer behulpzaam en hij had altijd tijd voor hen.

Lisa was niet dol op buitenlanders. Zelfs niet als ze glimlachten en er goed uitzagen.

'Kom, laat nu eens die vragen horen die jullie voor het debat hebben voorbereid,' zei Rama.

De klas zat vol, en de rest van de leerlingen leek geïnteresseerd.

'Lisa.' Moest hij haar weer hebben. 'Jouw drie vragen. Heb je die op je mobiel staan?'

'Nee.'

Ze klonk als een mokkend kind en wist dat. Rama hield zijn hoofd scheef en wachtte af.

'Ik kan me ze niet herinneren. Ik kan me niet...'

De deur ging open en Rektor Koch kwam binnen. Angstaanjagende Koch, de gedrongen vrouw van middelbare leeftijd die Duits had gegeven voor ze bevorderd was en nu aan het hoofd van de school stond.

'Sorry dat ik stoor,' zei Koch. 'Is Nanna Birk Larsen hier?'

Geen antwoord.

Koch liep tot voor de klas.

'Heeft iemand Nanna vandaag gezien?'

Niets. Ze liep naar de leraar om met hem te overleggen. Lisa Rasmussen wist wat zou volgen.

Een minuut later stond Lisa met hen beiden buiten het lokaal. Koch staarde haar met die felle zwarte ogen van haar aan en vroeg: 'Waar is Nanna? De politie is naar haar op zoek.'

'Ik heb Nanna sinds vrijdag niet gezien. Waarom vraagt u dat aan mij?'

Koch keek haar aan met die 'je-liegt-blik'.

'Haar moeder heeft tegen de politie gezegd dat ze het weekend bij jou heeft gelogeerd.'

Lisa Rasmussen. Mensen dachten wel eens dat zij en Nanna zusjes waren. Ze waren even lang, droegen dezelfde kleren, en hadden allebei blond haar, al was dat van Nanna mooier. Lisa was de mollige van de twee.

'Wat? Ze was niet bij mij.'

'Weet je niet waar ze is?' vroeg Rama, iets vriendelijker.

'Nee! Hoe zou ik dat moeten weten?'

'Als je haar spreekt, zeg haar dan dat ze naar huis moet bellen,' zei Koch. 'Het is belangrijk.' Ze wierp een blik op Rama. 'Ze hebben jouw klaslokaal nodig voor het debat. Zorg dat je er om elf uur uit bent.'

Toen ze weg was draaide Rama zich om, pakte Lisa Rasmussen bij haar arm en zei: 'Als je enig idee hebt waar ze is moet je dat zeggen.'

'U wordt niet geacht me aan te raken.'

'Sorry.' Hij haalde zijn hand weg. 'Als je weet…'

'Ik weet niets,' zei Lisa. 'Laat me met rust.'

Lund en Meyer waren boven in het appartement van de Birk Larsens. Hier was het even rommelig als in het kantoor maar op een prettige manier. Foto's, schilderijen, planten en bloemen. Vazen en vakantiesouvenirs. Echt ingericht, dacht Lund. Zelf was ze daar nooit aan toegekomen. De vrouw die ze nu kende als Pernille Birk Larsen deed haar best als moeder. Het leek haar goed af te gaan, voor zover Lund dat kon beoordelen.

'Ze is niet op school,' zei Lund.

Pernille had nog steeds haar regenjas aan alsof dit allemaal niet gebeurde.

'Ze moet bij Lisa zijn dan. Het zijn vriendinnen. Lisa huurt een appartement samen met een paar jongens. Nanna is altijd daar.'

'Lisa is op school. Ze zegt dat Nanna niet bij haar is geweest.'

Pernilles mond hing nu half open. Haar ogen waren wijd opengesperd en uitdrukkingsloos. Aan de keukenmuur zag Lund dezelfde twee foto's als in het kantoor: Nanna met de jongens, Nanna alleen, mooi en te oud voor haar negentien jaar. Op een prikbord naast een rooster met een overzicht van de wedstrijden op school. Het appartement ademde een gemakkelijke, ontspannen huiselijkheid. Als de geur van een hond, die zijn baasje zelf niet meer opmerkt maar die onmiskenbaar is voor elke vreemde.

'Wat is er met haar gebeurd? Waar is ze?' vroeg Pernille.

'Niets, waarschijnlijk. We zullen ons best doen om haar te vinden.'

Lund liep het halletje in en belde met het hoofdbureau.

Meyer trok Pernille mee en vroeg haar toen ze buiten gehoorsafstand waren naar de foto's.

Zodra ze Buchard aan de lijn had, zei Lund: 'Ik heb iedereen nodig die we kunnen missen.' De oude man stelde geen enkele vraag, maar luisterde alleen. 'Zeg hun dat we op zoek zijn naar de negentienjarige Nanna Birk Larsen. Ze wordt sinds vrijdag vermist. Stuur iemand hierheen voor de foto's.'

'En jij?'

'We gaan naar haar school.'

Hartmann en Rie Skovgaard hadden een leeg klaslokaal tot hun beschikking om zich voor te bereiden. Zij nam opnieuw de cijfers over de onderwijssubsidie door. Hij ijsbeerde nerveus door de ruimte. Eindelijk sloot ze haar laptop, liep naar hem toe en controleerde zijn kleding. Geen das, blauw overhemd. Hij zag er goed uit. Maar ze bleef desondanks aan zijn kraag friemelen en kwam zo dichtbij dat hij haar wel vast moest houden.

Hartmanns handen gleden om haar rug, trokken Skovgaard naar zich toe en hij kuste haar. Een plotselinge opwelling van hartstocht. Onverwacht. Ze wilde lachen. Hij wilde meer.

'Kom bij me wonen,' zei hij en hij duwde haar tegen het bureau. Ze viel er giechelend bovenop en sloeg haar lange benen om hem heen.

'Heb je het niet te druk?'

'Niet voor jou.'

'Na de verkiezingen.'

Zijn gezichtsuitdrukking veranderde. Daar was de politicus weer.

'Vanwaar die geheimzinnigheid?'

'Omdat ik mijn werk moet kunnen doen, Troels. En jij ook. We kunnen nu geen toestanden gebruiken.' Haar stem daalde een toon. Een flitsende blik uit haar slimme ogen. 'En we willen niet dat Morten jaloers wordt.'

'Morten is de meest ervaren politieke medewerker die we hebben. Hij weet wat hij doet.'

'En ik niet, zeker?'

'Dat heb ik niet gezegd. Ik wil niet over Morten praten...'

Haar handen waren weer op zijn jasje.

'Laten we het hierover hebben als je gewonnen hebt, oké?'

Hartmann stak zijn armen weer naar haar uit.

De deur ging open. Daar was Rektor Koch. Ze maakte een opgelaten indruk.

Poul Bremer zat te stralen onder een poster van een halfnaakte rockster. Skovgaard liet hen alleen en ging de ruimte controleren.

'Ik hoop dat de Partij van het Centrum van jouw ideeën houdt, Troels. Een hoop ervan zijn goed. Doen me aan die van je vader denken.'

'Is dat zo?'

'Ze hebben dezelfde krachtige energie. Zijn optimisme.'

'En overtuiging,' zei Hartmann, 'waren het logische gevolg van waar hij in geloofde. Niet omdat hij dacht dat hij er stemmen mee kon winnen.'

Bremer knikte.

'Jammer dat hij niet goed genoeg was om er echt voor te gaan.'

'Ik zal aan hem denken. Als ik jouw baan heb.'

'Dat geloof ik direct. Ooit.' Bremer haalde een zakdoek tevoorschijn en maakte zijn bril schoon. 'Je bent sterker dan hij was. Je vader was altijd… Hoe zal ik het zeggen?' De bril werd weer opgezet en met een ijzige blik nam hij Hartman van top tot teen op. 'Erg kwetsbaar. Als porselein.'

Bremer stak zijn rechterhand omhoog. Een grote vuist. Die van een vechter, ook al leek dat dan misschien niet zo.

'Het was duidelijk dat hij elk moment kon instorten.'

Het knippen van zijn sterke vingers klonk zo hard dat het van de afbladderende muren leek te weerkaatsen.

'Als ík hem niet gebroken had, dan had hij het zelf wel gedaan. Geloof me. Als je het goed bekijkt was het eigenlijk erg aardig van mij. Het is beter als je je misvattingen niet al te lang koestert.'

'Laten we naar het debat gaan,' zei Hartmann. 'Het is tijd…'

Toen ze zich omdraaiden om weg te gaan, kwam Rektor Koch naar hen toe. Ze maakte een bezorgde indruk. Naast haar liep een vrouw in een blauwe regenjas. Er was nog juist een trui met een merkwaardig zwart-wit patroon onder te zien. Haar haren waren naar achteren getrokken als bij een tiener die het te druk had om aan vriendjes te denken.

Een vrouw die niet veel waarde hechtte aan haar eigen uiterlijk. Wat merkwaardig was, want ze was een opvallende en aantrekkelijke verschijning.

Nu keek ze strak vooruit, naar hen, en nergens anders naar. Ze had hele grote, starende ogen.

Om de een of andere reden was Hartmann niet verbaasd toen ze haar politielegitimatie tevoorschijn haalde. Er stond Vicekriminalkommissær Sarah Lund op.

Bremer had zich achter in de gang teruggetrokken zodra hij de politievrouw aan zag komen.

'U moet het debat afzeggen,' zei Lund.

'Waarom?'

'Er wordt een meisje vermist. Ik moet met de mensen hier praten. Mensen in haar klas. Docenten. Ik moet…'

Rektor Koch duwde hen haastig de gang uit, een zijkamer in. Bremer bleef waar hij was.

Hartmann luisterde naar de politie-inspecteur.

'U wilt dat ik een debat afzeg omdat er een leerling spijbelt van school?'

'Het is van belang dat ik met iedereen spreek,' hield Lund vol.

'Iedereen?'

'Iedereen met wie ik wil spreken.'

Ze bewoog niet. Bleef hem aankijken. Verder niets.

'We zouden het debat een uur kunnen uitstellen,' opperde Hartmann.

'Wat mij betreft niet,' viel Bremer hen in de rede. 'Ik heb afspraken. Jij hebt mij uitgenodigd, Troels. Als jij niet kunt…'

Hartmann deed een stap in de richting van Sarah Lund en vroeg: 'Hoe ernstig is het?'

'Ik hoop dat er niets gebeurd is.'

'Ik vroeg hoe ernstig het was.'

'Daar probeer ik achter te komen,' antwoordde Lund en ze zette haar handen op haar heupen in afwachting van een antwoord. 'Dus...'

Ze keek om zich heen en inspecteerde de lokalen.

'Dat is dan afgesproken,' voegde Lund eraan toe.

Bremer haalde zijn mobiel tevoorschijn en las een paar berichten.

'Bel mijn secretaresse. Ik zal proberen een gaatje voor jullie vrij te maken. O!' Een plotselinge blijk van gulheid. 'Ik heb goed nieuws voor de scholen in het stadshart. Ik heb gehoord dat het schoolverzuim met twintig procent is toegenomen.' Hij lachte. 'Dat moeten we niet hebben, hè? Dus heb ik fondsen toegezegd voor extra faciliteiten. Meer computers. Daar zijn kinderen gek op, toch?'

Hartmann keek hem sprakeloos aan.

Bremer haalde de schouders op.

'Ik had het je straks wel verteld, maar nu... We laten meteen een persbericht uitgaan. Goed nieuws. Ik denk dat jij er erg blij mee bent.'

Het was lang stil.

'Je bent blij, dat is wel duidelijk,' zei Bremer vervolgens en hij liep weg met een wuivend gebaar van zijn hand.

Half vier 's middags. Ze zaten nog steeds in de ruimte waar het debat gehouden had zullen worden, en kwamen nergens. Nanna was vrijdagavond naar het Halloweenfeest op school geweest. Ze had een zwarte heksenmuts opgehad met een opvallende blauwe pruik. Sindsdien had niemand haar meer gezien.

Nu was het de beurt aan de docent.

'Hoe is Nanna?'

Iedereen noemde hem Rama. Hij viel op en niet alleen vanwege zijn donkere, knappe Midden-Oosterse trekken. Hij was een van Troels Hartmanns rolmodellen en maakte deel uit van een initiatief om immigrantengroeperingen meer in de gemeenschap te laten opgaan. Hij was een welbespraakte, intelligente en overtuigende man.

'Nanna is een intelligent meisje,' zei hij. 'Altijd vol energie en overal voor in.'

'Ik heb haar foto gezien. Ze zag er ouder uit dan negentien.'

Hij knikte.

'Dat willen ze allemaal, hè? Willen zo dolgraag volwassen zijn. Of het gevoel hebben dat ze dat zijn. Nanna is in veel dingen de beste van haar klas.

Slim meisje. Maar dat betekent niet dat ze niet ook wil wat de rest wil.'
'En dat is?'
De docent keek haar aan.
'Meent u dat nou? Het zijn pubers.'
'Wat gebeurde er op het feest?'
'Kostuums. Een band. Spoken en pompoenen.'
'Heeft ze een vriendje?'
'Dat moet u Lisa vragen.'
'Ik vraag het aan u.'
Hij keek ongemakkelijk.
'Het is beter als een docent zich buiten dat soort dingen houdt.'
Lund liep het lokaal uit, hield het eerste het beste meisje aan dat ze tegen-kwam, ging even ergens met haar zitten en praatte net zo lang tegen haar aan tot ze een antwoord had.
Toen liep ze terug naar de docent.
'Oliver Schandorff. Is hij hier?'
'Nee.'
'Wist u dat Oliver haar vriendje was?'
'Dat zei ik u al, het is beter om wat afstand te houden.'
Ze wachtte.
'Ik ben hun docent, niet hun bewaker. En ook geen ouder.'
Lund keek op haar horloge. De verhoren hadden ruim drie uur geduurd en dit was alles wat het hun had opgeleverd. Wie dan ook had opgeleverd. Meyer, die in de buurt van het vliegveld de bossen en velden doorzocht met een opsporingsteam, had ook niets gevonden.
'Verdomme.'
'Het spijt me,' zei de docent.
'Het is niet uw schuld.'
De mijne, dacht ze. Dit had ze ook binnen vijf minuten uit Pernille kun-nen trekken als ze het geprobeerd had. Waarom kwamen de beste vragen al-tijd in haar op als ze iets – mensen, bewijs, misdrijven – voor zich had?

De wijk Humleby, die vier straten verwijderd was van Birk Larsens huis, be-stond uit tweehonderdvijfendertig rijtjeshuizen van drie verdiepingen. Staal-en leigrijs waren ze, gebouwd in de negentiende eeuw voor arbeiders van de dichtstbijzijnde scheepstimmerwerf. Toen de Carlsbergbrouwerij ging uit-breiden, waren de huizen in handen gekomen van de bierbrouwers. Ze kwa-men mondjesmaat op de markt en waren zeer gewild, ook al moesten som-mige flink en voor veel geld gerestaureerd worden. Theis Birk Larsen had het goedkoopste gekocht dat hij kon vinden. Er hadden krakers in gezeten, die overal hun troep hadden achtergelaten, matrassen en goedkope meubels. Het moest leeggeruimd en schoongemaakt, en er moest een hoop aan versleuteld worden. Hij zou zelf het meeste doen, stilletjes, zonder iets tegen Pernille te zeggen, niet tot het bijna tijd was om te verhuizen en het kleine appartementje boven de garage te ontvluchten.

Vagn Skærbæk hielp hem. De twee kenden elkaar al sinds hun puberteit en hadden samen het nodige meegemaakt. Ze hadden zelfs een paar keer voor de rechter moeten verschijnen. Hij was voor Birk Larsen zo ongeveer een jongere broer geworden, een oom voor zijn kinderen, betrouwbare kracht in het verhuisbedrijf. Eerlijk en betrouwbaar en aardig voor Anton en Emil. Een eenzame man die zodra hij zijn rode uniform uittrok geen eigen leven van betekenis leek te hebben.

'Pernille is naar je op zoek,' zei Skærbæk nadat hij zijn telefoongesprek beëindigd had.

'Pernille mag niets te weten komen over deze plek. Dat heb ik je gezegd. Geen woord tot ik het zeg.'

'Ze is aan het rondbellen om te vragen waar je uithangt.'

Aan de buitenkant waren steigers geplaatst en er zat afdekzeil tegen de wegrottende ramen. Birk Larsen betaalde zijn eigen mannen om nieuwe vloerplanken, goten en pijpleidingen naar binnen te brengen, en liet hun zweren hun mond erover te houden als Pernille in de buurt was.

'De jongens kunnen ieder hun eigen kamer hebben,' zei hij met een blik op het grijsstenen huis. 'Zie je dat bovenste raam?'

Skærbæk knikte.

'Die hele verdieping is voor Nanna, met haar eigen opgang zodat ze wat privacy heeft. Pernille krijgt een nieuwe keuken. En ik…' Hij lachte. 'Eindelijk een beetje rust.'

'Dit gaat je een fortuin kosten, Theis.'

Birk Larsen stak zijn handen in de zakken van zijn rode overall.

'Ik krijg het wel voor elkaar.'

'Ik kan misschien helpen.'

'Wat bedoel je?'

Skærbæk was een tengere en nerveuze man. Hij stond zelfs nog meer dan anders van de ene voet op de andere te huppen.

'Ik weet waar je goedkoop dertig B&O-tv's kunt krijgen. Het enige wat we moeten doen…'

'Heb je schulden? Is dat de reden?'

'Luister. Ik heb kopers voor de helft ervan… We kunnen delen…'

Birk Larsen trok een rolletje bankbiljetten uit zijn zak en haalde er een paar af.

'Ik hoef alleen een vorkheftruck te lenen…'

'Hier.' Hij vouwde Skærbæks vingers om het geld. 'Vergeet de televisietoe-

stellen. We zijn geen pubers meer, Vagn. Ik heb een gezin. Een zaak.' Skærbæk
hield het geld stevig vast. 'Jij maakt deel uit van allebei. En dat zal altijd zo
blijven.'

Skærbæk staarde naar het geld. Birk Larsen wilde dat-ie die stomme zilveren ketting die hij altijd om had eens afdeed.

'Hoe zouden de jongens zich voelen als ze oom Vagn in de gevangenis op
moesten gaan zoeken?'

'Dit hoef je niet te doen...' begon Skærbæk.

Theis Birk Larsen luisterde niet. Pernille kwam op de bakfiets op hem af
rijden, zo snel dat de glanzende rode bak aan de voorkant over de straatkeien
op en neer hotste.

Hij was meteen zijn geheime huis vergeten, de verbouwing en waar het
geld vandaan moest komen.

Ze zag er verschrikkelijk uit.

Pernille stapte af, kwam recht op hem af, pakte hem bij de revers van zijn
zwartleren jack.

'Nanna is verdwenen.' Ze was buiten adem, bleek, bang. 'De politie vond
onze videotheekpas ergens bij het vliegveld. Ze vonden...'

Haar hand ging naar haar mond. De tranen sprongen in haar ogen.

'Ze vonden wat?'

'Haar topje. Dat roze met de bloemetjes.'

'Heel veel kinderen dragen dat soort topjes. Toch?'

Ze wierp hem een strenge blik toe.

'En de videotheekpas dan?'

'Hebben ze met Lisa gesproken?'

Vagn Skærbæk stond mee te luisteren. Ze keek hem aan en zei: 'Vagn, alsjeblieft.'

'Hebben jullie hulp nodig?'

Birk Larsen staarde hem aan. Skærbæk liep weg.

'En hoe zit het met die rotjongen?'

'Het is uit met Oliver.'

Zijn wangen liepen rood aan van woede.

'Hebben ze met hem gesproken?'

Ze haalde diep adem, en zei toen: 'Dat weet ik niet.'

Hij haalde zijn sleutels tevoorschijn en riep naar Skærbæk: 'Breng Pernille
naar huis. En de bakfiets.'

Er kwam een gedachte bij hem op.

'Waarom ben je niet met de auto?'

'Dat mocht niet. Ze zeiden dat ik nu beter niet kon rijden.'

Theis Birk Larsen nam zijn vrouw in zijn brede armen, hield haar stevig
vast en kuste haar een keer. Toen raakte hij haar wang aan, keek in haar ogen

en zei: 'Er is niks met Nanna. Ik zal haar vinden. Ga naar huis en wacht op ons.'

Toen klom hij in het busje en vertrok.

'Ik zet je bij oma af. Heb je je sleutel?'

Het begon donker te worden. De dag eindigde met mist en motregen. Lund was op weg naar Østerbro met haar twaalfjarige zoon Mark naast zich op de passagiersstoel.

'Bedoel je dat we toch niet naar Zweden gaan?'

'Ik moet eerst nog iets doen.'

'Ik ook.'

Lund keek naar haar zoon. Maar in werkelijkheid was het enige wat ze voor zich zag het geplette, gele gras en het tienertopje met de bloedvlekken erop. En de foto van Nanna Birk Larsen, glimlachend als een oudere zus die trots is op haar broertjes. Die er te volwassen uitzag met al die make-up.

Ze had geen idee waar Mark het over had.

'Dat heb ik je gezegd, mam. Het verjaardagsfeestje van Magnus.'

'Mark. We vliegen vanavond. Dat hebben we een eeuwigheid geleden al besloten.'

Hij gromde en draaide zich om om uit het raampje te kijken waar de regen lange strepen op getrokken had.

'Je kijkt als een oorwurm met hoofdpijn.'

Lund lachte. Hij niet.

'Je zult het heerlijk vinden in Zweden. De school is geweldig. Ik zal meer tijd voor je hebben. We kunnen…'

'Hij is mijn vader niet.'

Lunds mobiel ging over. Ze keek naar het nummer en begon het oortje op zijn plek te duwen.

'Natuurlijk is hij dat niet. Hij heeft een ijshockeyclub voor je gevonden.'

'Ik heb er al een.'

'Je bent het vast beu om de jongste te zijn bij FCK.'

Stilte.

'Niet dan?'

'Het heet KSF.'

'Ja,' zei ze in de telefoon.

'KSF,' herhaalde Mark.

'Ik kom eraan.'

Mark begon heel langzaam te praten.

'K…S…F…'

'Ja.'

'Je zegt het altijd verkeerd.'

'Ja.'

Het was nu niet ver meer en daar was ze om twee redenen blij om. Ze wilde Meyer spreken. En Mark was… een blok aan haar been.

'Over niet al te lange tijd stappen we op het vliegtuig,' zei ze. 'Je hebt een sleutel, hè?'

Onder een effen loodgrijze lucht bewoog een rij van twintig politieagenten in het blauw zich langzaam over het gele gras. Ze porden met rood-witte stokken in de modder en graspollen terwijl speurhonden de vochtige aarde besnuffelden.

Lund bekeek hen een tijdje en liep toen het bos in. Daar baande een tweede team zich een weg tussen de met mos begroeide bomen door, nauwgezet de grond bestuderend. De mannen zetten paaltjes neer en volgden weer een andere groep honden.

Meyer had een politiejasje aan en was doorweekt tot op het bot.

'Hoe duidelijk is het spoor?' vroeg ze.

'Duidelijk genoeg. De honden hebben het gevolgd vanaf de plek waar we het topje vonden.' Hij bekeek zijn aantekeningen en gebaarde naar een bosje op een meter of tien afstand. 'We hebben ook wat blond haar aan een struik gevonden.'

'Waar leidt het naartoe?'

'Hiernaartoe,' zei Meyer, en hij gebaarde met de kaart in zijn hand. 'Waar we nu staan.' Hij keek weer in zijn aantekeningen. 'Ze was aan het rennen. Zigzag door de bossen. Hier bleef ze staan.'

Lund kwam naar hem toe en tuurde over zijn schouder.

'Wat is er hier vlakbij?'

'Een houthakkersweg. Misschien is ze daar opgepikt.'

'En hoe zit het met haar mobiel?'

'Sinds vrijdag uitgeschakeld.' Hij hield niet van deze voor de hand liggende vragen. 'Luister, Lund. We zijn met de stofkam haar sporen nagegaan. Twee keer. Ze is hier niet. We verspillen onze tijd.'

Ze draaide zich om en liep weg. Ze keek weer naar het moerasland en het gele gras.

'Hallo?' zei Meyer met dat droge sarcasme van hem dat Lund al begon te herkennen. 'Ben ik in beeld?'

Lund kwam terug en zei: 'Verspreiden. Begin weer opnieuw.'

'Heb je wel iets gehoord van wat ik gezegd heb?'

De interne intercom op een jack van een lid van het opsporingsteam kraakte haar naam.

'We hebben iets gevonden,' zei een stem.

'Waar?'

'Tussen de bomen.'

'Wat is het?'

Even was het stil. Het werd donker. En toen: 'Het lijkt op een graf.'

Hetzelfde trage schemerlicht kroop over de stad, vochtig en naargeestig, somber en koud. In het campagnehoofdkwartier luisterde Hartmann onder de koraalrode bladeren van de Artichoke-lampen naar Morten Webers antwoorden. Poul Bremer zou niet meer terugkeren naar de school voor een volgend debat. De stad besturen was belangrijker dan om stemmen bedelen.

'Is dat niet typisch iets voor hem?' zei Hartmann.

Rie Skovgaard zette een kopje koffie op zijn bureau.

'Bremers kantoor kondigde de nieuwe fondsentoewijzing aan toen wij nog op de school waren. Hij zou het hoe dan ook naar buiten gebracht hebben.'

'Hij wist van die twintig procent. Hoe is dat mogelijk, Morten?' vroeg Hartmann.

De vraag leek Weber uit het veld te slaan.

'Waarom vraag je dat aan mij? Misschien heeft hij zijn eigen onderzoek verricht. Dat kan heel goed. Extra geld toezeggen voor onderwijs, daar scoor je altijd mee.'

'Met dezelfde uitkomsten? Hij wist het.'

Weber haalde zijn schouders op.

'Je had het debat niet moeten afzeggen,' zei Skovgaard.

Hartmanns mobiel ging over.

'Er wordt een jong meisje vermist. Ik had geen keus.'

'Met Thérèse,' zei de stem aan de andere kant van de lijn.

Hartmann wierp een blik op Rie Skovgaard.

'Het komt nu niet uit. Ik bel je terug.'

'Niet ophangen, Troels. Hier heb je het niet te druk voor. We moeten elkaar zien.'

'Dat is geen goed idee.'

'Iemand is belastende informatie over jou aan het verzamelen.'

Hartmann ademde diep in.

'Wie?'

'Een journalist heeft me gebeld. Ik wil hier niet over praten over de telefoon.'

'We krijgen rond vijf uur een fondsenwerver op bezoek. Zorg dat je hier bent. Ik kan wel even weg dan.'

'Oké.'

'Thérèse…'

'Pas goed op jezelf, Troels.'

Weber en Skovgaard keken naar hem.

'Iets dat wij moeten weten?' vroeg Skovgaard.

Theis Birk Larsen ging naar het studentenhuis in Nørrebro waar Lisa Rasmussen met Oliver Schandorff woonde, en nog een aantal andere kinderen van school die deden of ze volwassen waren door in het rond te neuken, te zuipen, wiet te roken en zich als idioten te gedragen.

Lisa liep buiten met haar fiets aan de hand. Hij pakte het stuur beet.

'Waar is Nanna?'

Het meisje zag eruit als een tienerhoertje, zoals ze zich allemaal uitdosten, Nanna ook, als hij het zou toestaan. Ze keek hem niet aan.

'Ik heb het al tegen de politie gezegd. Ik weet het niet.'

Zijn grote knuist liet niet los.

'Waar is die klootzak Schandorff?'

Ze bleef naar de muur turen.

'Niet hier. Al sinds vrijdag niet.'

Hij boog zich voorover en drukte zijn gezicht met de bakkebaarden tegen het hare.

'Waar is hij?'

Eindelijk keek ze hem aan. Het leek of ze gehuild had.

'Hij zei dat zijn ouders het weekend weg waren. Volgens mij zou hij daar blijven. Na het Halloweenfeest...'

Birk Larsen was al weg.

Onderweg belde hij Pernille.

'Ik heb Lisa net gesproken,' zei hij. 'Ik ga haar halen.'

Ze slaakte één enkele, korte zucht en hij kon de opluchting erin horen.

'Het is dat rijke rotjong weer. Zijn ouders gingen weg. Waarschijnlijk...'

Hij wilde het niet zeggen, denken.

'Weet je zeker dat ze daar is? Heeft Lisa dat gezegd?'

Er was veel verkeer op de weg die avond. Het huis lag in een van de nieuwbouwwijken ten zuiden van de stad, bij het vliegveld.

'Ik weet het zeker. Maak je geen zorgen.'

Ze was aan het huilen. Hij kon haar tranen voor zich zien. Hij wilde dat hij ze aan kon raken, weg kon vegen met zijn dikke, ruwe vingers. Pernille was mooi en kostbaar. Net als Nanna, Emil en Anton. Ze verdienden allemaal meer dan hij ze gegeven had en binnenkort zouden ze het allemaal krijgen.

'Ik ben zo terug, lieverd, dat beloof ik.'

Toen Lund weer tussen de kale donkere bomen stond, belde Buchard.

'De helikopter. Drie teams van de technische recherche. Ik hoop dat je iets gevonden hebt?'

'Een graf.'

'Je hebt me niet op de hoogte gehouden.'

'Dat heb ik geprobeerd. Je zat in een vergadering.'

'Ik was bij je afscheidsfeestje. Mensen nemen geen afscheid bij het ontbijt…'

'Blijf even hangen.'

Door het bos kwam Meyer naar haar toe lopen. In zijn armen had hij een stuk forensisch zeil. Er zat iets onder. Een lichaam.

'Heb je iets gevonden?' wilde Buchard weten.

Meyer legde het plastic pakketje op de grond, sloeg het open en liet haar een dode vos zien. Hij was stijf en droog, en bedekt met vastgekoekte aarde. Om zijn nek had hij een welpenzakdoek, naast de strik die hem gewurgd had.

'We kunnen een oproep laten uitgaan voor kinderen uit de buurt,' zei Meyer terwijl hij de vos aan de achterpoten optilde. 'Wreedheid tegen dieren is zo schokkend.'

'Nee,' zei Lund tegen Buchard. 'Nog niet.'

'Breek op daar, kom hierheen en breng rapport uit. Misschien is er nog tijd voor een biertje voor je je vliegtuig moet halen.'

Meyer keek naar haar, met het stijve dode dier in zijn armen. De ogen waren zwart en glazig, de modder zat in dikke strepen over zijn vacht.

'Mag ik je mijn nieuwe vriend Foxy voorstellen,' zei hij met een vlugge, sarcastische grijns. 'Je zult hem wel mogen.'

Een zoveelste receptie. Dat maakte deel uit van het politieke programma. Een kans om elkaar te ontmoeten, te onderhandelen, verbonden te smeden en vijandschappen te bevestigen.

Het eten was afkomstig van een oliecorporatie, de drank van een transportmagnaat. Een strijkkwartet speelde Vivaldi. Morten Weber praatte over beleid terwijl Rie Skovgaard het vooral over tactiek had.

Hartmann glimlachte en babbelde, hij schudde handen, converseerde links en rechts. Toen zijn telefoon overging verontschuldigde hij zich en liep hij terug naar zijn kantoor.

Daar wachtte Thérèse Kruse op hem. Een paar jaar jonger dan hij. Getrouwd met een saaie bankier, een ernstige, aantrekkelijke vrouw met een uitstekend relatienetwerk, vele malen taaier dan ze eruitzag.

'Je doet het goed in de opiniepeilingen. Dat wordt opgemerkt in de regering.'

'Dat moet ook. We hebben hier hard voor gewerkt.'

'Zeker.'

'Heb je de naam van de journalist te pakken gekregen?'

Ze overhandigde hem een stuk papier. Erik Salin.

'Nooit van gehoord,' zei Hartmann.

'Ik heb wat inlichtingen ingewonnen. Hij werkte vroeger als privédetective. Nu is hij een freelancer die zijn rotzooi verkoopt aan de hoogste bieder. Kranten. Tijdschriften. Websites. Als ze maar betalen.'

Hij stak het briefje in zijn zak.

'En?'

'Salin wilde weten of je je hotelrekeningen met je eigen creditcard betaalde of met die van kantoor. Of je veel cadeaus koopt. Dat soort dingen. Ik heb natuurlijk niets losgelaten…'

Hartmann nam een slokje wijn.

'Hij wilde weten hoe het met ons zat,' voegde ze eraan toe.

'Wat heb je gezegd?'

'Ik heb het lachend van de hand gewezen, natuurlijk. Tenslotte…' Een kort, bitter glimlachje. 'Het was niet echt belangrijk. Toch?'

'We waren het erover eens dat het het beste was, Thérèse. Het spijt me. Ik kon niet…'

Hij zweeg.

'Kon wat niet, Troels? Het risico nemen?'

'Wat wist hij?'

'Over ons? Niks. Hij zat maar wat te vissen.' Weer dat giftige glimlachje. 'Misschien denkt hij dat als hij het maar genoeg vrouwen vraagt hij op zeker moment wel beet zal hebben. Maar volgens mij heeft hij wel iets anders. Ik weet niet hoe.'

Hartmann wierp een blik op de deur, om zich ervan te vergewissen dat ze alleen waren.

'Zoals?'

'Hij heeft je agenda onder ogen gehad. Hij was de data aan het checken. Hij wist waar je was geweest en wanneer.'

Hartmann keek weer naar de naam en vroeg zich af of hij hem eerder had gehoord.

'Niemand buiten dit kantoor krijgt mijn agenda te zien.'

Ze haalde haar schouders op. Kwam overeind. De deur ging open. Rie Skovgaard keek hen beiden aan.

Met een vormelijk, achterdochtig glimlachje zei ze: 'Troels, ik wist niet dat je gezelschap had. Er staan mensen bij de receptie die je moet ontmoeten.'

De twee vrouwen staarden elkaar aan. Dachten na. Taxeerden elkaar. Woorden waren overbodig.

'Ik kom eraan,' zei Troels Hartmann.

Oliver Schandorff was een mager joch van negentien met een rode krullenbos en een gemelijk gezicht waarop geen glimlachje te bespeuren viel. Hij zat zijn derde sigaret van die dag weg te paffen toen de grote, boze man op hem af kwam benen.

'Roep haar nu,' bulderde Birk Larsen. 'Ze gaat mee.'

'Hallo!' riep Schandorff en hij sprong de hal in. 'Daar is de bel. Dit is een woonhuis.'

'Geen geintjes, kereltje. Ik wil Nanna.'

'Nanna is hier niet.'

Birk Larsen begon de hele begane grond af te struinen, opende de ene deur na de andere en riep ondertussen luidkeels haar naam.

Schandorff volgde op veilige afstand.

'Meneer Birk Larsen. Ik zeg u toch dat ze hier niet is.'

Birk Larsen ging terug naar de hal. Op een stoel naast de bank lagen kleren. Een roze t-shirt. Een bh. Een spijkerbroek.

Hij vloekte tegen Schandorff en schoot op de trap af.

Dat werd de jongen te gek, hij rende naar voren, begon op Birk Larsens borst te slaan, schreeuwde het uit: 'Hé zeg, hoor eens? Hé...'

De grote man greep hem bij zijn t-shirt en tilde hem in de lucht. Toen droeg hij de knul de hal door, gooide hem tegen de voordeur aan en hield zijn gebalde vuist voor zijn gezicht.

Oliver Schandorff deed er het zwijgen toe.

Birk Larsen bedacht zich. Liep met twee treden tegelijk de open trap op. Het huis was gigantisch, het soort landhuis waarvan hij alleen kon dromen, hoe hard hij ook werkte, hoeveel rode busjes hij ook rond had rijden.

Uit een slaapkamer links kwam oorverdovende rockmuziek. Er hing een muffe geur van verschaalde wiet en seks.

Een tweepersoonsbed met verkreukelde lakens, een verfrommeld dekbed. Blonde krullen piepten onder de kussens vandaan. Het gezicht naar de matras gekeerd en blote voeten die onder het dekbed uit staken. Stoned. Dronken. Allebei, of nog erger.

Hij keek kwaad achterom naar Schandorff die achter hem aan kwam met de handen in de zakken en een meesmuilend lachje dat maakte dat Theis Birk Larsen hem ter plekke een rotklap wou verkopen.

In plaats daarvan liep hij naar het bed, zich afvragend hoe hij dit aan moest pakken. Hij trok het dekbed weg en zei vriendelijk: 'Nanna, je moet naar huis komen. Het geeft niet wat er gebeurd is. We gaan nu...' De naakte vrouw keek naar hem omhoog, met een mengeling van angst en woede op haar gezicht. Ze was ook blond. Dezelfde tint. Vijfentwintig hooguit.

'Ik zei het toch,' zei Schandorff. 'Nanna is hier helemaal niet geweest. Als ik kon helpen...'

Theis Birk Larsen liep naar buiten en vroeg zich af wat hij nu moest doen. Wat hij tegen Pernille moest zeggen. Waar moest hij nu heen? Hij had een hekel aan de politie maar misschien was het wel tijd om met ze te gaan praten. Hij wilde meer weten, iets vinden. Of ervoor zorgen dat dat gebeurde.

Boven zijn hoofd klonk een geluid. Een helikopter met het woord POLITI onderop.

Hij had niet stilgestaan bij de precieze locatie toen hij hiernaartoe gekomen was. Nanna was in het huis van Oliver Schandorff. Meer hoefde hij niet te weten. Nu besefte hij dat hij zich niet ver van het moerasland ten oosten van het vliegveld bevond.

Pernille zei dat het daar allemaal begonnen was.

Lund was weer op het effen terrein van Kalvebod Fælled waar ze het topje met de bloedvlekken hadden gevonden en keek naar de kaart.

'Laten we naar huis gaan,' zei Meyer en hij stak een volgende sigaret op.

Haar mobiel ging.

'Kom je naar Zweden of hoe zit het?' vroeg Bengt Rosling.

Ze moest even nadenken voor ze zei: 'Heel gauw.'

'Zullen we zaterdag een housewarmingparty geven? We kunnen Lasse, Missan, Bosse en Janne vragen.'

Lund liet haar blik over de vervagende horizon gaan en wilde dat ze de tijd langzamer kon laten verlopen en het invallen van het donker tegenhouden.

'En mijn ouders,' voegde Bengt eraan toe. 'En jouw moeder.'

Lund wierp weer een blik op de kaart, liet nogmaals haar blik over het moerasland en de bossen glijden.

'Je moeder gaat de logeerkamer in orde maken,' zei Bengt.

Er kwamen drie jongens langslopen met hun fiets aan de hand. Ze hadden hengels bij zich.

Mark ging nooit vissen. Er was niemand om hem te brengen.

'Dat zou leuk zijn,' zei ze en ze gebaarde naar Meyer om zijn aandacht te trekken.

'Ik wil niet dat ze op de bank moet slapen,' zei Bengt.

Lund luisterde al niet meer. De mobiel hing losjes in haar vingers die langs haar blauwe parka bungelden.

'Wat is daar?' vroeg ze aan Meyer.

'Nog meer bossen,' zei ze. 'En een kanaal.'

'Heb je in het water gekeken?'

Hij trok een lelijk gezicht. Meyer was een man die nog boos kon kijken in zijn slaap.

'Het meisje rende de andere kant op!'

Lund kwam weer aan de telefoon.

'We gaan die vlucht niet halen.'

'Hè?'

'Neem jij hem maar. Dan komen Mark en ik morgen.'

Meyer stond met de armen over elkaar tussen de trekjes aan zijn sigaret door chips in zijn mond te proppen.

'Hebben we getrainde duikers bij de technische recherche? En duikuitrustingen?' vroeg Lund.

'Er zijn hier genoeg mensen om een kleine oorlog te beginnen. Hoe zit het met Zweden? Laten we erop afgaan. Dat is de enige manier waarop je daar ooit komt.'

Ze reden naar het kanaal. Ze liepen de oever op en neer. Bij een lage ijzeren brug waren bandensporen te zien. Ze liepen van de modderige zijkant zo het zwarte water in.

Het naargeestige terrein was een weerspiegeling van de geestesgesteldheid van Theis Birk Larsen: een doolhof van verbijsterende losse eindjes en zinloze wendingen. Een labyrint zonder uitgang.

Hij reed steeds verder de verduisterende grijze zonsondergang in, steeds verder weg, zonder iets te vinden. Zelfs het geronk van de helikopter was verdwenen. Pernille was elke pijnlijke seconde van die reis bij hem, haar schrille bange stem bleef door de telefoon die hij tegen zijn rechteroor geklemd hield steeds weer vragen: 'Waar is ze?'

Hoe vaak had ze dat gevraagd? Hoe vaak had hij dat gedaan?

'Ik ben aan het rondkijken.'

'Waar?'

Hij wilde de Kalvebod Fælled zeggen. Hier was Anton ooit op schoolreisje naartoe geweest. Hij had het vrijwel de hele dag over niets anders gehad dan kevers en paling en was het toen allemaal weer vergeten.

Voor hem bevonden zich lichten. Een ervan blauw.

'Overal.'

Het smalle weggetje lag boven het nauwe kanaal en was gemaakt van aangestampte aarde. Lund staarde naar de sporen, de vorkheftruck, de ketting. De auto die uit het donkere water omhoogkwam. Kijk, denk na, stel het je voor.

Iemand had op het weggetje geparkeerd, de voorwielen naar het water boven aan de helling gericht. Was toen uitgestapt en had hem verder geduwd. De zwaartekracht had de rest gedaan.

Meyer stond naast haar te kijken hoe de auto omhoogkwam. Er stroomde water uit alle vier de deuren. De kleur was zwart, net als het kanaal, maar hij glansde in de lucht alsof hij gister nog gewassen was.

Een Ford hatchback. Spiksplinternieuw.

'Zoek het nummer op,' zei Lund zodra de nummerplaat van de auto te zien was.

De truck stond op de kant geparkeerd. Zijn lange arm reikte over het kanaal heen. Hij manoeuvreerde het voertuig bij het water vandaan en liet hem toen boven het met gras begroeide weggetje bungelen. Daarna leidden drie agenten de Ford langzaam maar zeker naar de grond tot hij daar weinig opvallend stond op de stortvloed aan smerig stinkend water na die onder elke deur door naar buiten gutste.

Meyer had inmiddels opgehangen. Ze liepen er met zijn tweeën heen en keken door de raampjes. Leeg. De hoedenplank was neergelaten en onttrok alles daaronder aan het zicht.

Hij liep naar de achterkant en probeerde het achterportier. Op slot.

'Ik haal een koevoet,' zei Meyer.

Achter hen waren lichten. Lund draaide zich om om te zien wat het was. Geen koplampen van een auto. Van een busje, meende ze. Rood in de lichtbundels van de verschillende politievoertuigen.

Birk Larsen had de telefoon nog steeds aan zijn oor toen hij bij het lint aankwam. Zo dichtbij dat hij de blauwe zwaailichten daarachter niet meer kon tellen. Ze hadden hoge, draagbare schijnwerpers opgesteld, van het soort dat bij sportevenementen gebruikt werd.

Zijn hoofd voelde raar. Zijn hart klopte zo hevig dat het tegen zijn ribben bonsde.

'Blijf even hangen,' zei hij zonder het antwoord te horen.

Hij stapte uit en liep verder.

'Waar ben je?' vroeg Pernille.

'In de moerassen bij Vestamager.'

Even zweeg ze en vroeg toen: 'Is de politie daar nog steeds?'

Twee agenten kwamen aanlopen om te proberen hem tegen te houden. Birk Larsen veegde hen met zijn sterke arm in één machtige beweging opzij terwijl hij naar de lage ijzeren brug over het smalle kanaal toe bleef lopen.

'Ik ga dit oplossen. Dat heb ik je gezegd.'

'Theis.'

Er waren meer agenten inmiddels. Ze zwermden als kwade bijen om hem heen terwijl hij met de mobiel tegen zijn oor door bleef lopen en hun graaiende handen van zich afsloeg.

Hij kon nog steeds haar stem boven alle commotie uit horen.

'Wat is daar, Theis? *Wat is daar?*'

Voor hem klonk een geluid.

Van snelstromend water.

Snelstromend water. Als een waterval kolkte het naar buiten zodra Meyer de kofferbak had opengewrikt. Liters en liters die op de modderige aarde neerstortten.

De stank was nog erger.

Lund stopte nog een Nicotinell in haar mond en wachtte af.

Na het water vielen er een paar blote benen op de glanzende achterbumper. Ze richtte haar zaklamp erop. De enkels waren stevig vastgebonden met plastic clips.

Toen ineens beweging. Een slangachtige donkere vorm slingerde zich om de dode bleke ledematen, aan de huid vastgezogen, en gleed toen omlaag naar de voeten, over de bumper en op de grond.

Een van de agenten begon over te geven in het gele gras.

'Wat is dat voor lawaai?' vroeg Lund en ze deed een stap in de richting van de auto.

Meyer knikte naar de kokhalzende man.

'Niet hij,' zei ze.

Het was het geluid van een harde, grove stem die woest klonk.

Lund zag het laatste beetje water uit de kofferbak stromen waarbij nog twee palingen de vrijheid tegemoet gleden. Toen liep ze naar voren en stak haar hoofd naar binnen. Het blonde haar zag er niet meer zo uit als op de foto's.

Maar het gezicht...

De kwade stem schreeuwde een naam.

'O mijn god,' zei Meyer. 'De vader is hier.'

Birk Larsen was een grote sterke man. Het was lang geleden dat hij voor het laatst met een politieman gevochten had. Sommige dingen vergat je niet. Twee snelle tikken, een brul en hij kon weer verder. In de richting van de zwarte brug.

Voorbij dat punt kon hij een auto op de weg zien staan naast de heftruck. Het krioelde er van de drukdoenerige gestalten.

De mobiel zat weer tegen zijn oor.

'Theis,' gilde Pernille.

'Ik ga met ze praten.'

De agenten die hij had afgeschud zaten hem alweer op de hielen. Meer dit keer. Te veel.

Een vrouw had zich losgemaakt van de auto voor hem en kwam kalm naar hem toe lopen. In het felle licht van de schijnwerpers zag hij dat ze een ernstig gezicht had, lang bruin haar en een droevige en geïnteresseerde blik in de glanzende ogen.

'In godsnaam, Theis...' jammerde Pernille.

Ze hadden hem te pakken, zes politiemannen, misschien wel zeven. Ze hadden hem beet op zijn vrije arm met de mobiel na.

Birk Larsen hield op met tegenstribbelen. Opnieuw zei hij, zo kalm als hij kon: 'Ik ben Nanna's vader. Ik wil weten wat hier aan de hand is.'

De vrouw stapte over het zoveelste rood-witte afscheidingslint heen.

Ze zei niets, bleef rustig naar hem toe lopen en bestudeerde al kauwgum-kauwend zijn gezicht.

Een stem die helemaal niets met hem te maken leek te hebben zei: 'Is dat mijn dochter?'

'U kunt hier niet blijven.'

Pernille klonk in zijn oor, zijn hoofd, met alleen maar die ene vraag: 'Theis?'

De vrouw stond voor hem.

'Is dat Nanna daar?' vroeg Birk Larsen nogmaals.

Ze zweeg.

'Nou?'

De vrouw knikte alleen.

Het gebulder begon diep in zijn buik, rees in hem omhoog en barstte de vochtige nachtlucht in. Zo luid en vol niet-begrijpend verdriet en woede dat ze hem in Kopenhagen zouden hebben kunnen horen.

Maar daar was de telefoon. Het was niet nodig. Terwijl hij voortstrompel-de en schreeuwde om haar te mogen zien was Pernille bij hem, eveneens hui-lend en krijsend.

Moeder en vader. Vermist dood kind.

Toen stierf alle woede, alle tumult weg. Theis Birk Larsen was nog slechts een huilende, gebroken man. Zwak en radeloos werd hij nu gedragen door de armen die eerst zijn onbegrensde krachten in toom hadden willen houden.

'Ik wil mijn dochter zien,' smeekte hij.

'Dat mag niet,' zei ze. 'Sorry.'

Uit de rechterhand van de man klonk een blikkerig jankend geluid. Lund deed een stap naar voren, vouwde zijn vingers open. Die van een handwerks-man. Sterk en met littekens, de huid eeltig en verouderd.

Hij protesteerde niet toen ze de telefoon van hem afpakte en de naam op het schermpje bekeek.

'Pernille. Je spreekt met Lund. Er komt gauw iemand naar je toe.'

Toen stak ze de telefoon in zijn zak, knikte naar de agenten om Birk Larsen mee te nemen en liep toen terug naar de uit het water getakelde Ford, die glanzend en zwart naast de vorkheftruck stond.

Mannen van de technische recherche verdrongen zich daar al. De hele ma-chinerie was in werking gekomen. Politiemannen in beschermende kleding. Meer hoefde ze niet te zien.

Zwarte auto. Stond daar te glimmen en te glanzen. Meyer had gelijk. Hij zag er zo nieuw en schoon uit.

Lund trof hem aan bij de vorkheftruck waar hij hoofdschuddend stond te roken.

'We hebben de eigenaar,' zei hij. 'Dit ga je niet geloven.'

Lund stond naast hem en wachtte af.

'De auto is van het campagnehoofdkwartier van Troels Hartmann,' zei Jan Meyer.

'Hartmann, de politicus?'

Meyer knipte met één vinger zijn sigaret in de richting van het kanaal.

'De wethouder van Onderwijs. De Posterknul. Ja. Die is het.'

3

Dinsdag 4 november

Buchard arriveerde vlak na middernacht. Daarna kwam de patholoog-anatoom van dienst en zijn team. De plaats delict krioelde van mensen van de technische recherche, die bandensporen opmaten, eindeloos foto's namen en de drassige grond afzetten met lint.

Ze ploeterden door de stromende regen waarbij ze het bebloede, gekneusde lichaam van een jong meisje voor het laatst bewaarden, dat lichaam dat daar in de kofferbak van een glanzende zwarte Ford lag, nog steeds alleen gehuld in haar gescheurde slipje, de polsen en enkels samengebonden met zwartplastic tie rips.

Lund sprak met hen allemaal. Zij had de leiding. Ze dacht niet meer aan Mark, Bengt of Zweden.

Nog meer camerageflits rond de auto. Toen pas bewoog het team zich in de richting van de open kofferbak en begon de details van het kleine, stille lichaam en zijn verwondingen, het dode gezicht, de lege starende lichtblauwe ogen vast te leggen.

Buchard vroeg als altijd naar het tijdstip van overlijden. Ze zei tegen hem wat de patholoog-anatoom had gezegd: geen idee. Er waren in het weekend geen meldingen binnengekomen. Het zou een hele tijd duren voordat dat vastgesteld kon worden.

De oude man keek chagrijnig.

'Wat een godvergeten oord…'

'We weten niet of ze hier gestorven is. Hij wilde niet dat ze gevonden werd. Nog een dag of twee, met zoveel regen als nu…' Ze wierp een blik op de bedrijvigheid rond de auto. Ze zouden haar wel gauw wegbrengen naar het lab. Iemand moest aan de familie denken. '… zouden de bandensporen verdwenen zijn.'

Buchard wachtte.

'Hij kende deze plek,' zei Lund. 'Hij wist wat hij deed.'

'De doodsoorzaak?'

'Dat weten ze nog niet. Ze was aangevallen. Flinke klappen tegen haar hoofd. Tekenen van verkrachting.'

'En die auto? Is die van het team van Hartmann?'

'Het is de beste aanwijzing die we hebben.'

Bengt Rosling belde. Lund liep weg om het telefoontje aan te nemen.

'Wat is er gebeurd?' vroeg hij.

'We hebben een meisje gevonden. Ik vertel het je later wel. Sorry dat ik het niet gehaald heb.'

Bengt was forensisch psycholoog. Zo hadden ze elkaar ontmoet. Dankzij een drugsmoord in Christiania. Het slachtoffer was een van zijn patiënten geweest.

'En hoe zit het met Mark?' vroeg hij.

'Hij is bij mijn moeder.'

'Ik bedoel morgen. Dan zou hij met zijn Zweedse lessen beginnen op school. In Sigtuna.'

'O, oké.'

'Ik zal zeggen dat hij er woensdag is.'

'We moeten een andere vlucht boeken. Ik laat je nog weten hoe laat we vliegen.'

Buchard kwam naar haar toe en vroeg: 'Is er een verband tussen het meisje en Hartmann?'

'Dat zal ik nagaan.'

'Als er een kandidaat bij betrokken is, breng dan verslag aan mij uit.'

'Ik kan deze zaak niet doen, Buchard.'

Er werd geclaxonneerd. Het was Meyer, die haar met een sigaret in zijn mond riep.

'Neem hem,' zei ze.

De hoofdinspecteur kwam dichterbij staan.

'Het is niet goed als dit Meyers eerste zaak zou zijn. Stel geen vragen. Ik zal de politie van Stockholm bellen en de zaak regelen.'

'Nee,' hield ze vol. 'Het kan niet.'

Lund liep weg, terug naar Meyer en de auto.

'Jij hebt dit meisje gevonden.' Buchard kwam haastig achter haar aan, intussen druk tegen de achterkant van een glimmend natte, blauwe regenjas pratend. 'Zou hem dat gelukt zijn? Het enige wat hij wist op te sporen was een dode vos in de bossen.'

Ze bleef staan, draaide zich om en keek hem kwaad aan.

Hij zag eruit als een oude, grijze buldog. Hij had af en toe precies diezelfde dwingende blik in de ogen.

'Nog één dag, Sarah.'

Stilte.

'Wil je dat Meyer met de ouders gaat praten?'

'Ik haat je. Wist je dat?'

Buchard lachte en klapte in zijn dikke handjes.

'Ik zal de hele nacht doorwerken,' zei Lund. 'En morgenochtend is het verder aan jou.'

Het mortuarium was verlaten. De ene steriele, weergalmende gang na de andere.

Theis Birk Larsen kloste over de schone tegels naar de enige deur aan het einde van de gang. Hij had nog steeds zijn zwartleren jack aan met de wollen muts, en de rode katoenen overall.

Een wachtkamer.

Daar zat Pernille in haar lichtbruine trenchcoat. Ze draaide zich om om hem aan te kijken, de ogen wijd opengesperd, haar gezicht een groot vraagteken. Op twee passen afstand van haar bleef hij staan, hij had geen idee wat hij moest zeggen of doen. Hij voelde vormloze woorden in zijn mond opkomen die daar vervolgens bleven steken, onafgemaakt en onzeker, bang om de koele droge atmosfeer te verstoren.

Een grote man, sterk, grimmig soms, zwijgzaam nu met ogen die glansden van de tranen.

Toen ze dat zag, schaamde ze zich. Pernille kwam naar hem toe en legde haar zachte armen om zijn schouders. Ze hield hem vast, met haar vochtige gezicht tegen zijn stoppelige wang gedrukt. Zo stonden ze daar samen, klampten ze zich in een diep stilzwijgen aan elkaar vast. Samen liepen ze vervolgens de witte ruimte in met de glimmende tegels en medicijnkasten, met kranen, gootstenen en glanzende, holle, metalen tafels en chirurgische instrumenten, al die gereedschappen waarmee de dood geclassificeerd kon worden.

De politiemensen gingen hen voor, de vrouw met de starende ogen, de norse man met de grote oren. Ze liepen naar een schoon wit laken en hielden toen halt, keken hen afwachtend van opzij aan. Uit een hoek kwam een man in een chirurgenpak aanlopen, blauwe muts, blauwe overall, blauwe handschoenen. Bij de geboorte van Nanna waren dezelfde soort dokters geweest. Theis Birk Larsen zag het beeld weer duidelijk voor zich. Dezelfde kleuren, dezelfde doordringende chemische geuren.

Zonder een woord te zeggen of hen aan te kijken, kwam de man naast hen staan en tilde het witte laken omhoog.

Pernille stapte langzaam naar voren. Haar ogen gingen nog verder open.

De vrouwelijke politie-inspecteur keek al die tijd toe, hield elk gebaar, elke ademtocht, elke beweging in de gaten.

Birk Larsen deed zijn zwarte muts af. Hij schaamde zich dat hij hem nog steeds ophad. Hij keek naar het bloedeloze, gekneusde gezicht op tafel, het vieze, groezelige haar, de levenloze grijze ogen.

Herinneringen kwamen boven. Beelden, geluiden, een aanraking, een woord. Het gehuil van een baby, een diep betreurde ruzie. Een warme dag aan het strand. Een ijskoude ochtend in de winter, op een sleetje. Nanna, heel klein, in de rode Christiania-bakfiets die Vagn had gerepareerd en geverfd, en waarop hij aan de zijkant het logo Birk Larsen gesjabloneerd had.

Een oudere Nanna, die er op haar zestiende, zeventiende in klom en moest lachen om hoe klein hij nu leek.

Momenten uit een ver verleden, die nooit meer terug zouden komen, on- uitgesproken beloften die nooit vervuld zouden worden. Al die kleine dingen die ooit zo alledaags en saai leken schreeuwden nu als het ware uit: ... *Zie je nou wel! 't Is je nooit opgevallen. En nu ben ik er niet meer.*

Nu ben ik er niet meer.

Pernille draaide zich om, liep terug naar de wachtkamer, met de tred van een oude vrouw, gebroken en vol pijn.

'Is dit Nanna?' vroeg de vrouw.

Hij staarde haar kwaad aan. Wat een stomme vraag en ze leek geen stom- me vrouw.

Nee, wilde Birk Larsen zeggen. *Dat was ze.*

In plaats daarvan knikte hij, verder niets.

Ze keken elkaar met zijn vieren over een plastic tafel aan.

De feiten.

Birk Larsen, zijn vrouw en hun twee jonge zoons waren op vrijdag naar zee gegaan en zondagavond teruggekeerd. Nanna zou bij een vriendin logeren.

'In wat voor stemming was ze?' vroeg Lund.

'Vrolijk,' zei Birk Larsen. 'Ze had zich verkleed.'

'Als wat?'

'Een heks.'

De moeder zat daar maar, met open mond, volledig de kluts kwijt. Toen staarde ze Lund aan en vroeg: 'Wat is er gebeurd?'

Lund antwoordde niet. Meyer ook niet.

'Wil iemand alsjeblieft wat tegen me zeggen! Wat is er gebeurd?'

Haar schrille stem weerkaatste van de kale witte muren in de koude lege kamer.

Meyer stak een sigaret op.

'De auto werd het water in gereden,' zei hij.

'Was ze geïnteresseerd in politiek?' vroeg Lund.

Birk Larsen schudde zijn hoofd.

'Praatte ze wel eens met iemand die daarin geïnteresseerd was?'

'Nee.'

'Misschien iemand bij het Rådhus?' vroeg Meyer zich af.

Hij keek kwaad toen er geen antwoord kwam, stond op en liep naar achteren, terwijl hij een telefoontje pleegde.

'Vriendjes…?'

'De laatste tijd niet.'

'Hoe is ze gestorven?' vroeg Pernille.

'Dat weten we nog niet.'

'Heeft ze geleden?'

Lund aarzelde en zei: 'We weten niet zeker wat er gebeurd is. We proberen het te begrijpen. Dus u hebt haar sinds vrijdag niet meer gesproken? Geen telefoontjes? Geen contact? Alles was net als anders?'

Met tot spleetjes toegeknepen ogen, gefronst voorhoofd en duidelijk sarcasme snauwde hij: 'Net als anders?'

'Zoals je zou verwachten. Het kan van alles zijn dat anders dan anders was. Iets kleins.'

'Ik werd boos op haar,' zei Pernille. 'Is dat normaal? Ze was te luidruchtig. Ik schreeuwde tegen haar omdat ze met haar broertjes aan het rondrennen was.'

Ze keek naar Lund.

'Ik was bezig met de administratie. Ik had het druk…'

Birk Larsen sloeg zijn grote arm om haar heen.

'Ze wilde alleen maar met hen spelen. Alleen maar…'

Nog meer tranen, Pernille schokte in zijn greep.

'Alleen maar wat?'

'Ze wilde alleen maar spelen.'

'Ik zal vragen of iemand u nu naar huis brengt,' zei Lund. 'We moeten Nanna's kamer verzegelen. Het is belangrijk dat niemand daar naar binnen gaat.'

Lund en Meyer liepen met hen mee naar de deur waar de mannen in uniform stonden te wachten met de auto.

'Als u iets te binnen schiet…' zei Lund en ze overhandigde Birk Larsen haar kaartje. De vader met het stevige postuur keek ernaar.

'Hoeveel weten jullie?'

'Het is te vroeg om dat te zeggen.'

'Maar jullie vinden hem wel?'

'We zullen doen wat we kunnen.'

Birk Larsen verroerde zich niet. Er was een grimmige, harde uitdrukking op zijn gezicht verschenen toen hij nog eens, langzamer nu, vroeg: 'Maar jullie vinden hem wel?'

'Ja,' snauwde Meyer. 'Ja.'

De vader staarde hem hard en doordringend aan en liep toen naar de auto.

Lund keek hen na.

'Zij hebben zojuist hun dochter verloren en jij gaat tegen ze tekeer?'

'Ik ging niet tekeer.'

'Zo klonk het wel…'

'Nú ga ik tekeer!' schreeuwde Meyer.

Zijn stem klonk zo luid dat de patholoog-anatoom zijn hoofd om de hoek stak.

Toen zei Meyer wat rustiger: 'Ik ging niet tekeer.'

Zijn lichte en waakzame blik haakte zich vast aan de hare.

'Hij haat ons, Lund. Dat zag jij ook.'

'Wij zijn van de politie. Een heleboel mensen haten ons.'

'Niet echt een geweldig moment daarvoor, hè?'

Half drie 's ochtends. Toen ze bij het Rådhus aankwamen was Hartmann er al. Rie Skovgaard, de gehaaide, aantrekkelijke vrouw die ze op school hadden gezien, zat links van hem. Hartmanns ongemakkelijke en nerveuze campagnemanager van middelbare leeftijd, Morten Weber, zat aan zijn andere kant.

'Bedankt dat jullie gekomen zijn,' zei Lund.

'Dat hebben we niet gedaan,' antwoordde Hartmann, 'we zijn gewoon gebleven. De verkiezingen staan voor de deur. We werken tot laat. Hebben jullie het meisje gevonden?'

'Ja.' Meyer staarde de politicus in het blauwe overhemd en de blauwe pantalon strak aan. 'Ze bevond zich in uw huurauto.'

Lund schreef het nummer op, en legde het op tafel.

'Wie was de laatste die erin gereden heeft?'

Hartmann zat stijf rechtop in zijn leren stoel.

'Onze auto?'

Meyer schoof het papiertje dichter naar hem toe.

'Ja, dat zeiden we. Wil er iemand even reageren?'

'Ik zal het nakijken,' zei Morten Weber. 'Maar dat kan wel even duren.'

'Waarom?' wilde Meyer weten.

'Omdat we heel veel auto's hebben,' zei Weber. 'Dertig chauffeurs. Het is in het holst van de nacht. Er zijn nog steeds mensen aan het werk. Ik ga even bellen.'

Hij liep bij de tafel vandaan en trok zich met zijn telefoon terug in een hoek.

'Waarvoor zijn die auto's?' vroeg Lund.

'De chauffeurs bezorgen campagnemateriaal,' zei Skovgaard. 'Hangen posters op. Dat soort dingen.'

'Wanneer hebben jullie een auto naar de school in Frederiksholm gestuurd?'

'Vrijdag vermoed ik…'

Meyer sloeg met een klap zijn handen plat op tafel, leunde naar voren en zei: 'Vermoedens zijn niet genoeg. Het meisje is dood. We moeten weten…'

'We hebben niets te verbergen,' viel Hartmann hem in de rede. 'We willen helpen. Maar het is na tweeën 's ochtends. We kunnen nou ook weer niet toveren.'

'Had Nanna Birk Larsen op de een of andere manier iets met jullie politieke activiteiten te maken?'

'Nee,' zei Skovgaard meteen. 'Ze staat niet op een van onze lijsten.'

'Dat was snel,' zei Meyer.

'Ik dacht dat je dat wou, snel.'

Weber keerde weer terug.

'De campagnesecretaris is op dit moment in Oslo.'

'Mijn rug op met je Oslo!' schreeuwde Meyer. 'Dit is een moordzaak. Zorg dat je antwoord krijgt.'

Weber ging zitten, trok een wenkbrauw naar hem op en keek toen naar Lund.

Hij checkte hoe de hiërarchie in elkaar stak, dacht Lund. Slimme vent.

'En dus deed ik navraag bij de servicedesk. De sleutels zijn vrijdag opgehaald door Rikke Nielsen.'

'Wie is dat?' vroeg Lund.

'Rikke staat aan het hoofd van ons vrijwilligersteam.' Weber haalde zijn schouders op. 'Iedereen kan zich als vrijwilliger aanmelden. Als we niet genoeg mensen hebben, maken we gebruik van uitzendkrachten.'

Hij wierp een blik op Meyer die nu door de kamer ijsbeerde, met de handen in de zakken, als een jong, vechtlustig haantje.

'U hebt haar gebeld?' wilde Meyer weten.

'Haar telefoon stond uit. Ze is waarschijnlijk bezig met het organiseren van de posters.'

Meyer knikte sarcastisch.

'Waarschijnlijk?'

'Ja. Zoals ik al zei. Er zijn dertig chauffeurs die ze moet coördineren. Het is een hoop werk.'

'Hou op!' Meyer stond weer bij de tafel. 'Er is een meisje dood en jullie zitten hier alsof dat beneden jullie waardigheid is.'

'Meyer,' zei Lund.

'Ik wil antwoorden,' blafte hij.

'Meyer!'

Dat was hard genoeg. Hij zweeg.

'Bel het hoofdkwartier,' beval ze. 'Breng Buchard verslag uit. Zeg tegen hem dat we de vrijwilligers gaan verhoren.'

Hij bewoog niet.

'Buchard is allang naar bed…'

Haar blik hield de zijne vast.

'Doe het.'

Hij liep naar het raam.

'Heb je enig idee waar die vrouw nu is?' vroeg Lund.

Weber keek op een blad papier. Hij accentueerde iets met een groene marker.

'Ik gok hierop.'

Skovgaard nam het vel aan, controleerde de namen en gaf het toen door.

'De pers,' zei ze. 'Die hoeft het niet te weten.'

Lund schudde verbaasd het hoofd.

'Er is een meisje vermoord. Dat kunnen we niet geheimhouden.'

'Nee,' zei Hartmann. 'Als het onze auto was dan moeten we een verklaring afgeven. Het is van belang dat niemand ons ervan kan beschuldigen dat we iets verbergen.'

'Ik wil niet dat jullie details prijsgeven,' hield Lund vol. 'Jullie praten met niemand anders dan mij.'

Skovgaard sprong met wild wuivende armen op.

'Er is een verkiezing gaande. We kunnen het ons niet veroorloven om te wachten.'

Lund wendde zich tot Hartmann.

'De informatie die we jullie zojuist gaven is vertrouwelijk. Als jullie het openbaar maken en een moordonderzoek in gevaar brengen dan moeten jullie dat zelf weten. Met de consequenties mogen jullie dan verder leven. En die zullen er zijn, Hartmann, consequenties. Dat beloof ik u.'

Weber kuchte. Skovgaard hield haar mond. Meyer keek tevreden.

'Rie,' zei Hartmann. 'Ik denk dat we wel even kunnen wachten. Vooropgesteld…'

Een uiterst miniem, smekend glimlachje.

'Vooropgesteld wat?' vroeg Meyer.

'Vooropgesteld dat jullie het ons vertellen als jullie ermee naar buiten komen. Zodat we samen kunnen werken. En ervoor zorgen dat alles klopt.'

Hij sloeg zijn armen over elkaar. Het overhemd had dezelfde blauwe kleur als op de verkiezingsposter boven hem. Alles hier was op elkaar afgestemd. Gepland.

Lund haalde haar visitekaartje tevoorschijn, streepte haar naam door en schreef die van Meyer ervoor in de plaats.

'Bel Jan Meyer morgen op dit nummer,' zei ze. 'Dan zal hij u op de hoogte houden.'

'Dit is niet uw zaak?' vroeg Hartmann.

'Nee,' zei Lund. 'Die is van hem.'

Weber vertrok met de inspecteurs. Skovgaard bleef bij hem, nog steeds geïrriteerd.

'Wat moet dit voorstellen, Troels?'

'Geen idee.'

'Als we ermee instemmen om dingen te verbergen dan kan de pers ons aan het kruis nagelen. Van het woord doofpot worden ze heel opgewonden. Ze zijn er gek op.'

'We stoppen niets in de doofpot. We doen wat de politie ons gevraagd heeft.'

'Hun kan het niets schelen.'

Hartmann deed zijn jasje aan, dacht na en keek naar haar.

'Ze liet ons weinig keus. Ze zouden ons ook aan het kruis nagelen als we een moordonderzoek naar de kloten hielpen. Dat wist Lund. Met ons heeft het niets te maken. Vergeet het nou maar.'

De felle ogen wijd opengesperd, de mond eveneens.

'Er wordt een meisje dood aangetroffen in een van onze auto's en dat heeft niets met ons te maken?'

'Niets. Als je je ergens druk om wilt maken, kijk dan liever eens hier rond.'

Hij wees naar het hoofdkantoor aan de andere kant van de deur. Acht à tien fulltime stafleden werkten daar overdag.

'En wat bedoel je daarmee?'

'Daarmee bedoel ik: zijn wij wel beveiligd? De computers? E-mails? Onze verslagen?'

Een sarcastische blik.

'Je wordt nu toch niet paranoïde over Bremer, hè?'

'Hoe kwam hij op die truc met die extra onderwijsfondsen? Hoe wist hij dat van die twintig procent?'

Hartmann dacht over zijn gesprek met Bremer na, en wat de burgemeester over wijlen zijn vader had gezegd.

'Die gewiekste ouwe smeerlap is iets van plan.'

Ze liep op hem toe met zijn jas, hielp hem erin, en trok de rits hoog op tegen de kou van de nacht.

'Zoals?'

Hartmann vertelde haar iets over de reden waarom Thérèse Kruse hem was komen opzoeken. Over de verslaggever die vragen aan het stellen was. Hij liet de persoonlijke details achterwege.

'Iets daarvan moet hiervandaan komen. Dat moet wel.'

Daar werd ze niet blij van.

'Waarom heb je me dat niet gezegd?'

'Ik vertel het je nu.'

Hij liep het grote kantoor in. Bureaus en computers. Dossierkasten, voicemail. Alle geheime bijzonderheden van de verkiezingscampagne bevonden zich in deze kamer, diep in het hart van het Rådhus, elke avond veilig afgesloten.

'Ga naar huis,' zei ze. 'Ik kijk nog even rond.'

Hartmann kwam naar haar toe, pakte haar bij de schouders en kuste haar zachtjes.

'Ik kan je helpen.'

'Ga naar huis,' herhaalde ze. 'Je moet morgen die deal met Kirsten Eller voor elkaar krijgen. Ik wil dat je dan uitgerust bent.'

Hij keek uit het raam het plein op.

'Ze zeiden dat ze negentien was. Nog maar een kind.'

'Niet onze fout, toch?'

Troels Hartmann keek naar de blauwe neonverlichting van het hotel en de gele lichten op het plein.

'Nee,' zei hij. 'Dat is het niet.'

'Waarom zei je dat we hem zouden vinden?' vroeg Lund.

Ze bevonden zich in haar onopvallende politieauto. Meyer zat achter het stuur.

'Zo'n stunt haal je nooit meer uit,' zei hij. 'Voor al die idioten. Van alle mensen…'

Zijn woede was zo onverbloemd en kinderlijk dat het bijna amusant was.

'Dat hoef ik ook niet. Want dan ben ik er niet meer. Waarom zei je dat? Tegen de vader.'

'Omdat we dat zullen doen.' Een pauze. 'Ik dan.'

'Je doet geen beloften,' wierp ze hem voor de voeten. 'Sla het handboek erop na. Eerste bladzijde.'

'Ik heb mijn eigen handboek.'

'Dat is me opgevallen.'

Meyer zette de radio aan. Een oorverdovende rockzender die de hele nacht uitzond. Lund boog zich voorover en zette hem uit.

Ze controleerde het adres.

'Keer hier.'

Een standbeeld van iemand te paard, met geheven zwaard. Een voornaam verlicht gebouw. Een parkeergarage van meerdere verdiepingen. De plek waar Hartmanns campagneteam bijeenkwam voordat ze de stad met hun posters, folders, badges, hoedjes en t-shirts gingen overstelpen.

De auto's bevonden zich op de tweede verdieping. Precies dezelfde zwarte

Fords als die ze uit het kanaal gehesen hadden. Lund en Meyer liepen rond en keken naar dezelfde foto van Troels Hartmann die overal op de ramen geplakt was. Een achterdeur stond open. Drie uren eerder had ze in een voertuig dat er hetzelfde uitzag als dit, het gehavende, halfnaakte lichaam van Nanna Birk Larsen zien liggen, in een gescheurd slipje vol vlekken, verstild in de dood. Hier waren dozen en dozen vol folders, en weer dezelfde foto van Hartmann. Die onzekere, jongensachtige glimlach, een glimp van pijn ergens in die open en eerlijke blik.

Een blonde vrouw kwam van achter aanlopen en keek haar aarzelend aan. Lund liet haar legitimatie zien en vroeg: 'Rikke Nielsen?'

Ze zag er uitgeput uit. Zenuwachtig ook toen Meyer aan de andere kant uit de auto stapte, de armen over elkaar sloeg en haar opnam.

'Ik heb de naam van een chauffeur nodig van dit weekend,' zei Lund.

'Waarom?'

'Het nummerbord is…' Lund tastte naar haar notitieblokje.

'XU 24 919,' zei Meyer ongevraagd. Hij kwam dichterbij en ging vlak bij mevrouw Nielsen staan. 'Een zwarte Ford, net als deze. We willen graag weten wie er als laatste in gereden heeft.'

Toen glimlachte hij op een manier die naar hij ongetwijfeld aannam vriendelijk was.

Er waren mannen die posters met Hartmanns glimlachende gezicht erop naar auto's verderop gingen brengen.

'Wat een organisatie, zeg. U houdt ongetwijfeld een logboek bij.'

'Natuurlijk.'

'Mogen we dat alstublieft inzien?'

Ze knikte, liep weg. Meyer knipoogde naar Lund. Daar was mevrouw Nielsen alweer. 'Dat was XU…'

'XU 24 919.'

Lund liep bij hem vandaan en observeerde de mannen met de posters en aanplakbiljetten. Het was koud in de parkeergarage. Maar nou ook weer niet zo koud.

Een van de vrijwilligers was een slungelachtige knul in een versleten, vieze parka. De capuchon had hij diep over zijn voorhoofd getrokken. Hij legde de posters achter in de auto en draaide zich om. Hij droeg een grijs sweatshirt. Zijn gezicht bevond zich in de schaduw. Hij probeerde zich te verbergen.

Meyer kon zijn geforceerd vriendelijke gedrag nog maar moeilijk volhouden.

'Ik zal mijn gemak houden,' hoorde ze hem achter haar zeggen. 'Als jij dat ook doet. Ik wil geen "als" of "maar" of "ik vraag dat even aan meneer Weber" meer horen. Geef me gewoon de naam van die verdomde chauffeur.'

Zijn stem klonk steeds luider. De mannen die de auto's aan het volladen waren met de posters van Hartmann hoorden hem. Ze wierpen blikken in de richting van Rikke Nielsen. Behalve die vent met de capuchon.

Lund draaide zich om om tegen Meyer te zeggen dat hij een beetje moest dimmen. Toen ze omkeek was de man in het grijze sweatshirt en de parka verdwenen.

De motor van een zwarte Ford in de rij auto's kwam ineens tot leven, en de auto schoot met open achterportier bulderend zijn parkeerplaats uit, waardoor het glimlachende gezicht van Troels Hartmann alle kanten op vloog.

'Meyer!'

De chauffeur moest langs haar heen om bij de oprit te komen.

Lund liep naar het midden van het pad, bleef daar staan en staarde door de op haar afstormende voorruit.

Een man van eind dertig, begin veertig misschien. Met stoppelbaardje, een boos gezicht, bang, vastberaden.

'Jezus!' schreeuwde Meyer en hij schoot naar haar toe, pakte haar schouder met één hand beet en sleurde Lund weg.

Almaar harder scheurde de Ford op niet meer dan een meter afstand langs hen heen.

Lund keek ernaar, zich er nauwelijks van bewust dat ze zich in Meyers armen bevond en hij staarde naar haar, buiten adem. Woest misschien wel. Ze had dat effect soms op mensen. De auto ging de hoek om in de richting van het dak. Meyer liet haar los, zette met op en neer zwoegende armen een spurt in naar de oprit, zijn dienstwapen voor zich uit gericht, en schreeuwde luid. Lund ging de andere kant op. Ze rende naar de trap en nam de betonnen treden met drie tegelijk omhoog, omhoog.

De eerste verdieping, de tweede. De derde, en meer waren er niet. Het dak glansde zwart in de nachtelijke regen. Voor haar lag zacht verlicht, de voorname barokke koepel van de Marmorkirken, met op de achtergrond de skyline van de stad. De auto stond bij de andere muur geparkeerd met de koplampen nog aan.

Ze had geen wapen maar desondanks liep ze erheen om te gaan kijken.

'Politie!' riep ze.

'Lund!'

Meyer verscheen hijgend en hoestend aan het eind van de oprit, nauwelijks tot praten in staat.

Aan de andere kant van het dak was een geluid te horen. Een verdieping lager ging een deur open en dicht. Lund rende erheen om te kijken, met Meyer op haar hielen. Er liep een tweede trap langs het gebouw omlaag. Daar was hij naartoe gereden om hen af te schudden. En slaagde daar ook in.

Ze keken toe hoe een gestalte de begane grond bereikte en vervolgens de nacht en de uitgestrekte donkere stad in vluchtte.

Meyer sprong van woede als een beest op en neer. Hij raasde en tierde zo hard dat ze haar oren bedekte.

Ze sliepen in hun kleren, in elkaar verstrengeld, zijn verdriet smolt samen met het hare.

Wakker worden. Theis Birk Larsen maakte zich los uit haar armen zonder haar te storen, zat even naast het bed en stond toen zachtjes op.

Hij waste zich, at brood, dronk koffie terwijl de jongens en Pernille nog sliepen. Toen liep hij naar beneden om zijn mannen onder ogen te komen.

Deze ploeg bestond uit twaalf man. Onder hen bevond zich Vagn Skærbæk die een bleek gezicht en vochtige ogen had. Vagn. Lid van de familie. De eerste die hij om twee uur die ochtend gebeld had. Hun gesprek kon Birk Larsen zich nauwelijks meer herinneren omdat het voortdurend onderbroken werd door tranen, geschreeuw en razernij.

Vagn was een goede man in zware tijden. Tijden waarvan Birk Larsen gemeend had dat ze voor altijd voorbij waren. Hij had nu een gezin. Een rots om tegenaan te leunen, zoals ook hij een rots was voor hen.

Soms verschoof de rots op onzichtbare zandgrond.

Hij liep het kantoor in, pakte zijn zwarte jack van het haakje, trok hem zorgvuldig aan zoals hij dat al jaren gedaan had. Vervolgens liep hij naar buiten en ging voor hen staan om ze de orders voor die dag te geven.

De meeste van deze kerels werkten al jaren voor hem. Ze kenden zijn gezin en hadden zijn kinderen zien opgroeien. Hadden verjaardagscadeaus voor hen meegenomen. Hun huiswerk nagekeken. En soms hun tranen afgeveegd als hij of Pernille er niet was.

Een paar mannen stond het huilen nader dan het lachen. Alleen Skærbæk kon hem in de ogen kijken.

Birk Larsen probeerde te praten maar stond daar maar zonder iets te zeggen. *Werk.*

Er hing een klembord. Een lijst met klussen die de manier waarop de uren zouden verstrijken zouden bepalen. Hij pakte het ding en liep ermee het kantoor in. Hij zocht iets om te kunnen doen.

Het was lange tijd stil. Toen riep Vagn Skærbæk tegen de mannen bij de verhuisauto's: 'Kom op, aan de slag, nou. Ik ben jullie babysitter niet.'

Toen ging hij tegenover Birk Larsen zitten. Een kleine onbetekenende man. Sterker dan zijn miezerige postuur suggereerde. Zijn gezicht was vanaf hun puberteit eigenlijk nauwelijks veranderd. Donker haar, uitdrukkingsloze ogen, om zijn hals een goedkope zilveren ketting.

'Doe wat je moet doen, Theis, ik zorg wel voor de rest.'

Birk Larsen stak een sigaret op en keek naar de muren van het kantoor. Overal foto's. Pernille. Nanna. De jongens.

'Er hebben een paar verslaggevers gebeld. Ik heb opgehangen. Als ze weer bellen geef je ze maar door aan mij.'

Langzaam maar zeker kwam het magazijn tot leven. Kartonnen dozen gingen het raam uit. Pallets werden verschoven. Verhuiswagens reden de straat op.

'Theis, ik weet niet wat ik moet zeggen.' Dezelfde wollen muts, dezelfde Amerikaanse overall. Grote broer, kleine broer. 'Ik wil helpen. Zeg me...'

Birk Larsen keek hem aan zonder een woord te zeggen.

'Hebben ze enig idee wie het gedaan heeft?'

Birk Larsen schudde zijn hoofd, zoog aan zijn sigaret en probeerde aan het rooster te denken, verder niets.

'Laat me weten als er iets is...' begon Skærbæk.

'De bestelling voor de Sturlasgade,' zei Birk Larsen. Het waren de eerste woorden die hij die ochtend sprak.

De man naast hem wachtte af.

'Ik heb ze een hoogwerker beloofd.'

'Komt voor mekaar,' zei Vagn Skærbæk tegen hem.

Meyer wapperde met een politiefoto naar de agenten in burger in de briefingruimte. Er stond een onopvallende man op met een zwart T-shirt aan die zijn gevangenisnummer ophield. Kalend, gekneusd, baardstoppels en een druilerige grijze hippiesnor. Zijn rechterwang werd getekend door een lange jaap, vermoedelijk het litteken van een oude meswond. Hij staarde verveeld naar de camera.

'Hij heet John Lynge uit Nørrebro. Hij is niet thuis. Hij is een bekende misdadiger en we...' hij prikte de foto op het mededelingenbord, '... gaan zorgen dat deze klootzak opgesloten wordt. Praat met buren. Mensen met wie hij gewerkt heeft. Bars. Pandjeshuizen. Drugsdealers. Iedereen die hem kent. Hij is drieënveertig. Een zielige, eenzame klootzak...'

Lund luisterde toe in het aangrenzende kantoor. Ze nipte van haar koffie terwijl ze ondertussen met haar zoon praatte. Ze had drie uur geslapen in een lege kamer. Dat voelde niet al te beroerd.

'Hij heeft geen plan,' meldde Meyer alsof dat een gegeven was. 'Geen schuilplaats. Ooit zal hij boven water moeten komen om naar lucht te happen. En dan...'

Meyer klapte zo hard in zijn handen, dat het klonk als een geweerschot.

Lund bedwong een lachbui.

'Je komt echt niet onder die Zweedse lessen uit,' zei ze tegen Mark door de telefoon. 'Dat kan toch helemaal niet? We gaan daar wonen. Bengt kan de leraar wel uitleggen waarom je laat bent. Daar krijg je geen problemen mee.'

Meyer hield een foto van Nanna omhoog. Nog altijd mooi. Zonder make-up of geforceerde sexy glimlach. Ongedwongen.

'We moeten alles over haar te weten komen. Sms'jes, voicemail, e-mails. Alles wat haar met Lynge in verband brengt.'

Mark reageerde chagrijnig.

'We vliegen vanavond,' zei Lund. 'Ik zal het je laten weten zodra ik geboekt heb.'

'Oké, actie dan nu,' riep Meyer en hij klapte weer zo hard in zijn handen.

Toen het team weg was liep hij op haar af en zei: 'Buchard wil je nog even spreken voor je weggaat.'

De oude man zat met de politiefoto van Lynge voor zich op het bureau dat ooit van haar was. Meyer dreunde op wat hij te weten was gekomen uit de dossiers.

'Dertien jaar geleden is-ie gesnapt. Potloodventen op een speelplaats. Een jaar later heeft hij een meisje verkracht. Van veertien.'

De hoofdinspecteur luisterde. Lund stond in de deuropening met haar koude kop koffie. De blik op Buchards gezicht beviel haar niet.

'Zes jaar later werd hij opgenomen in een psychiatrische inrichting. Acht-tien maanden geleden is hij vrijgekomen.'

Meyer somde dit alles uit zijn hoofd op, nadat hij een enkele blik in de rechtbankverslagen had geworpen. Indrukwekkend, dacht ze. In zekere zin.

'En waarom is hij vrijgelaten?' vroeg Buchard.

Meyer haalde de schouders op.

'Omdat hij niet langer gevaarlijk geacht werd?' opperde Lund.

'Dat is wat ze altijd zeggen.'

'Niet altijd, Meyer,' zei Buchard. 'Sarah?'

'We moeten met hem praten.'

Meyer wierp zijn handen met een gespeeld gebaar van pure vreugde in de lucht.

'Dat is wel het understatement van het jaar.'

Hij zat te spelen met zijn speelgoedpolitieauto. Reed hem heen en weer zo-dat het blauwe licht aanflitste en de sirene begon te janken. Als een klein kind.

Buchard zei: 'Hou daarmee op. Ik wil even met haar alleen praten.'

Overdreven voorzichtig zette Meyer de auto weer terug op het bureau.

'Als het over de zaak gaat…'

Iets in Buchards gelaatsuitdrukking legde hem het zwijgen op. Meyer hief zijn beide handpalmen in de lucht en liep naar buiten.

Zodra de deur dicht was pakte Lund haar tas op en zei: 'We hebben het hier al over gehad. Je kent mijn antwoord.'

'Dingen kunnen veranderen.'

'Baas! We hebben geen plek om te wonen. Bengt wacht op me in Zweden. Mark begint daar morgen op school.'

Ze stevende op de deur af.

Buchard vervolgde: 'Ik kom net uit het lab. Het meisje leefde nog toen ze het kanaal in geduwd werd. Het duurt twintig minuten voor zo'n auto vol water gelopen is en voeg daar dan nog de tijd bij die het kost om te verdrinken.'

Hij haalde een map met foto's tevoorschijn.

'Het is mijn zaak niet,' zei Lund. Ze rommelde in haar tas, ordende nogmaals de spullen die ze al eens eerder geordend had.

'Ze is herhaaldelijk verkracht. In haar vagina. In haar anus. Hij had een condoom om en nam er de tijd voor.'

Lund zag hoe hij dit oplas uit het dossier en zei: 'Mark wil zo dolgraag verhuizen. Nee!'

'Ze is zo uren achter elkaar misbruikt. Het hele weekend waarschijnlijk. De kneuzingen wijzen erop dat ze ergens anders vastgehouden is voor ze in die bossen terechtkwam.'

Lund pakte haar jas.

'En dan is er dit nog,' zei Buchard en hij hield een kleine plastic zak omhoog.

Lund keek er onwillekeurig naar.

'Meyer liet het aan de moeder zien. Ze zegt dat ze het nooit eerder heeft gezien.'

Buchard schraapte zijn keel.

'Het meisje klemde het vast in haar rechterhand toen ze stierf. Ik gok erop dat hij haar dwong het ding te dragen. Ze heeft het van haar hals gerukt toen ze verdronk. Een andere verklaring kan ik niet bedenken.'

Lund stond bij het raam en keek naar de naargeestige binnenplaats voor de politiecellen.

'Dit is geen gebruikelijke zaak, Sarah. Dat weet je. Eerst een meisje verkrachten en haar dan laten verdrinken om haar het zwijgen op te leggen.' Er was geen ontsnappen aan die kiene kraaloogjes. 'Denk je dat we er ooit zelfs maar achter gekomen waren dat ze dood was als we het onderzoek aan onze ...' hij knikte naar de deur, '... nieuwe vriend Meyer overgelaten hadden?'

'Ik ben niet...'

'Ik heb met Stockholm gepraat. Ze hebben ermee ingestemd dat je je bij hen kunt melden zodra de zaak gesloten is.'

Toen liep hij weg met achterlating van de foto's, de dossiers, het kleine plastic zakje op tafel. Hij liep weg en liet Lund alleen achter.

Ze dacht aan Mark en Bengt. Aan Zweden en haar nieuwe baan in Stockholm, in burger. Maar vooral dacht ze aan Nanna Birk Larsen, een dood, gekneusd lichaam in de kofferbak van een zwarte Ford die gedumpt was in een somber kanaal.

Lund pakte het zakje op en hield het tegen het licht.

Het was een hangertje aan een goudkleurige ketting. Goedkoop glas. Ordinair. Anders.

Een zwart hart.

Meyer kwam terug van de gang. Zijn gezicht was rood aangelopen. Buchard had het hem ongetwijfeld verteld.

'Dit is belachelijk.'

'Daar ben ik het honderd procent mee eens. Tot het einde van de week pakken we de zaak op mijn manier aan. Als hij dan nog niet is opgelost mag jij hem overnemen.'

'Prima.'

Het leek niet echt prima.

'We gaan te werk volgens mijn regels. We behandelen mensen met respect, of we ze nou mogen of niet. In de auto mag je niet roken, je rijdt niet harder dan vijftig kilometer per uur...'

'Mag ik scheten laten?'

'Nee. En ik wil ook niet overal chips en hotdogs aantreffen.'

'Heb je nog voorkeur voor een bepaald soort ondergoed?'

Ze dacht even na.

'Wat dacht je van "schoon"?'

Een school was de wereld in het klein, verscheurd door roddel en achterklap. Toen Rama die ochtend aankwam voelde hij hoe het nieuws door de gangen heen en weer schoot als een plaaggeest.

Rektor Koch vertelde het hem: 'Ik kan het wel doen als je wilt.'

'Mijn leerling,' zei hij. 'Mijn klas.'

Vijf minuten later liep hij het lokaal binnen zonder boeken in zijn hand en zonder glimlach op zijn gezicht. Hij keek hen aan, hen allemaal. Het waren geen kinderen, en ook geen volwassenen. Oliver Schandorff met zijn wilde rode bos haar, stonede blik in de ogen en chagrijnige gezicht. Lisa Rasmussen, Nanna's beste vriendin, zij het niet zo mooi of slim.

Wat kon je anders zeggen dan wat voor de hand lag? Wat had je anders te bieden dan banaliteiten?

Met een sombere uitdrukking op zijn gezicht zei Rama: 'Zojuist is bekendgemaakt...' Hij zweeg, sloot de ogen en hoorde hoe hard de woorden waren nog voor hij ze had uitgesproken. 'De politie heeft Nanna gevonden, ze is dood.'

Snel zoog iedereen tegelijk lucht naar binnen. Er waren tranen, gekreun en gefluister.

'Vandaag zijn er verder geen lessen meer. Jullie mogen naar huis. Of blijven. De leraren zijn de hele dag hier. Er zijn hulpverleners aanwezig.'

Achterin werd een hand opgestoken. Iemand stelde de onvermijdelijke vraag.

Wat is er gebeurd?

De man die zij als Rama kenden, dacht terug aan de reis van zijn eigen familie en het gevaarlijke land dat ze hadden achtergelaten. Hij was destijds enig kind geweest. Maar hij kon desondanks aan hun reactie merken hoe veilig deze stad in vergelijking daarmee leek.

'Ik weet het niet.'

Een volgende hand.

'Is ze vermoord?'

Lisa Rasmussens handen schoten naar haar gezicht, de klas slaakte een kreet van verdriet en pijn.

'Jullie hebben allemaal vragen, dat weet ik. Ik ook. Er zijn geen…' Een leraar zat nooit om woorden verlegen, een leraar was altijd eerlijk. 'Soms zijn er niet meteen antwoorden. We zullen erop moeten wachten.'

Hij dacht aan wat Koch tegen hem gezegd had. Hij liep op Lisa af, legde een arm om haar gekromde rug en probeerde haar in de ogen te kijken.

'Ze hebben je hulp nodig,' zei hij. 'Lisa?'

Geen antwoord.

'De politie wil met je praten.'

Ze begroef haar gezicht in haar armen.

'Met jou en Oliver.'

Rama keek op. Een minuut geleden was hij er nog geweest, maar nu was zijn stoel leeg.

Lund liet Lisa Rasmussen een foto zien van de zwarte Ford hatchback.

'Heb je deze auto gezien?'

Lisa knikte.

'Misschien. Of een die erop leek.'

'Wanneer?'

Ze dacht na en zei: 'Vrijdag. Vóór het feest. Ik dacht dat ze wat spullen kwamen brengen.'

Lund hield de politiefoto van John Lynge in de lucht.

'En hij?'

Het meisje bestudeerde de kale man met de starende ogen, de grijze snor en het litteken op de wang, het dossiernummer voor hem.

'Heeft hij het gedaan?'

'Vertel me alleen of je hem gezien hebt.'

Lisa tuurde naar de foto en zei: 'Volgens mij niet. Wat heeft hij met Nanna gedaan?'

'Misschien is hij in de school geweest. Of ergens waar Nanna en jij samen naartoe zijn gegaan.'

Ze was lang stil en schudde toen haar hoofd.

'Nee. Ik heb hem nooit gezien.'

Lund legde de foto weg.

'Heb je enig idee waarom Nanna zei dat ze bij jou zou logeren?'

'Nee.' Daar waren de tranen weer. Ze leek opnieuw vijftien. 'Ik dacht dat ze er misschien met iemand vandoor was gegaan.'

'Wie?'

'Dat weet ik niet.'

'Lisa…'

'Dat weet ik niet!'

Andere tactiek. Ze praatten over het feest.

'In wat voor bui was ze?' vroeg Lund.

'Vrolijk.'

'Was ze in een goede bui?'

'Vrolijk.'

'En…'

'En ze ging weg. Ik vond het wel wat vroeg. Maar…'

'Waarom ging ze vroeg weg?'

'Dat zei ze niet.'

'Vertrok ze met iemand?'

'Ik heb niet…'

Haar stem stierf weg.

Lund boog zich voorover en probeerde haar blik te vangen.

'Dat heb ik niet gezien! Waarom blijven jullie me deze vragen stellen? Wat zou ik moeten weten?'

Lund liet haar even betijen en beet een stukje Nicotinell af.

'Nanna was je beste vriendin, toch? Ik dacht dat je wilde helpen.'

'Ik weet niks.'

De stapel foto's was zorgvuldig samengesteld. Niets fysieks. Niets choquerends. Lund haalde de laatste foto tevoorschijn en liet hem aan haar zien.

'Herken je deze halsketting?'

Een zwart hart aan een goudkleurige ketting.

Lisa schudde haar hoofd.

'Ziet er oud uit,' zei ze.

'Heb je Nanna hem wel eens zien dragen?'

'Nee.'

'Weet je zeker…'

'Ik weet het zeker, ik weet het zeker, ik weet het zeker!' schreeuwde het meisje. 'Ik heb haar op het feest gezien. Ik heb haar omhelsd. Ik wist niet dat het voor het laatst was…'

Lisa Rasmussen bestudeerde de tafel, keek niet naar de foto's en niet één keer naar Lund.

'Ik wist het niet,' zei ze opnieuw.

'Ik heb het nagekeken,' zei Rie Skovgaard. 'Lynge is geen partijlid. Hij werkte als uitzendkracht voor een bureau waar we soms gebruik van maken. Hij had voor iedereen kunnen werken.'

Ze stonden buiten het campagnebureau, op de gang, en spraken fluisterend met elkaar. Hartmann zag eruit alsof hij nauwelijks geslapen had.

'Dat is mooi,' zei hij.

'Alleen als de mensen het weten. Als we niks zeggen en de pers krijgt er lucht van…'

'Wat dan?'

'Dan zullen ze zeggen dat we een moordenaar ingehuurd hebben en hem proberen te dekken. Als Kirsten Eller hierachter komt kunnen we wel fluiten naar dat bondgenootschap van jou. We moeten een verklaring doen uitgaan. Meteen duidelijk maken hoe de zaken ervoor staan.'

Hartmann aarzelde.

'Ik word geacht je adviseur te zijn, Troels. Ik zeg je, we staan hier aan de rand van de afgrond. Wacht niet tot je er al bijna in ligt…'

'Goed, goed. Doe het dan maar. Laat de politie het alleen wel eerst weten.'

'En Eller en de partij?'

'Laat die maar aan mij over.'

Rond het middaguur was de school verlaten. Lund en Meyer zaten in een lege gang hun aantekeningen te vergelijken, vlak bij de kluisjes. Aan één kant hing een hele rits waarschuwingen van de overheid over drugs, alcohol en seks, aan de andere kant een rij film- en concertposters.

Meyer had zich stevig geweerd. Hij had drie getuigen die Lynge in de loop van de middag campagnemateriaal hadden zien afleveren bij de school.

'En 's avonds?'

'De auto was er ook. Misschien hoorde hij van het feestje en kwam later terug.'

'Weten we zeker dat het de bewuste auto was?'

Met een klets liet Meyer een stapeltje foto's in haar hand neerkomen en grinnikte.

'Ze hebben foto's genomen voor de website van school. Tijdens het feest. Kijk eens naar de achtergrond op die buitenopnamen. Het was die auto.'

Zijn telefoon ging over. Terwijl hij aan het praten was keek ze die foto's door. Achter allerlei jongeren in enge kostuums was het zwarte silhouet van de Ford te zien.

Meyer werd kwaad.

'Ik zei eerder al tegen je dat daar geen sprake van kan zijn,' blafte hij in de telefoon.

Een boze Jan Meyer. Dat had ze nog niet meegemaakt. Ze bekeek nog meer foto's. Toen zij negentien was hadden ze Halloween niet zo gevierd. En als dat wel zo was geweest…

Ze vroeg zich af wat haar moeder daarvan gezegd zou hebben.

'Ik zeg het voor het laatst,' schreeuwde Meyer, 'het antwoord is nee.'

Hij staarde naar de telefoon. Hij vloekte.

'Ongelooflijk. Ze heeft gewoon opgehangen.'

'Wat is er aan de hand?'

'Hartmann doet een persbericht uitgaan. Probeert buiten schot te blijven, die miezerige klootzak…'

Lund kletste de stapel foto's in zijn handen terug.

'Wij gaan naar het Rådhus. Jij rijdt.'

Birk Larsen ging als in een roes naar zijn werk en toen hij daar aankwam vervulde zijn eigen gebrek aan consideratie hem met afschuw. Dus vertrok hij direct weer naar huis en ging daar zonder iets te zeggen samen met Pernille in de keuken zitten. Ze wachtten alleen maar, zonder te weten waarop.

Toen arriveerde Lotte, haar zus. Elf jaar jonger en even vertrouwelijk met Nanna als met Pernille. Birk Larsen zat zonder iets te zeggen passief in een hoekje en keek toe hoe ze elkaar omhelsden en huilden. Hij benijdde hen om het gemak waarmee ze hun emoties toonden.

'En de jongens?' vroeg Lotte.

'We hebben het ze nog niet verteld,' zei Pernille. 'Theis?'

'Wat?'

Het was het eerste woord dat hij zei in een uur tijd.

Lotte zat aan tafel te snikken. Pernille controleerde het lesrooster op het prikbord met de familiefoto's.

'We halen de jongens op na hun knutselles. Die is om twee uur afgelopen.'

'Oké.'

Lotte was er helemaal kapot van.

'Wat deed ze daar? Nanna zou echt nooit bij een vreemde in de auto stappen.'

Nog meer zwarte koffie. Het voorkwam dat hij wilde gaan schreeuwen.

Pernille was doelloos wat foto's op het prikbord aan het verplaatsen.

'We moeten…' Ze snufte en haalde twee keer diep adem. 'We moeten over de jongens nadenken.'

Ze huilde opnieuw maar wilde het niet laten merken.

Birk Larsen verlangde naar actie. Hij wilde hier zo verschrikkelijk graag weg. En wist dat die onuitgesproken gedachte ook een soort verraad was.

'We moeten het ze vertellen,' zei hij.

Lund liep het kantoor in van de Liberalen. Het rook er naar zweet, geboend hout en oud leer. Skovgaard, Hartmanns uiterst elegante, uiterst zelfverzekerde politiek adviseur zat aan de telefoon over het persbericht te praten.

'Ik wil hem spreken,' zei Lund toen Skovgaard ophing.

'Hij is in vergadering.'

Lund zei: 'O.'

En zag haar teruglopen naar de computer waar ze staande begon te typen zoals drukke mensen dat deden.

'Gaat jullie persbericht de deur uit?' vroeg ze.

Ze bleef typen.

'Ik kan niet langer wachten.'

'Dat moet anders wel.'

Skovgaard wierp een blik op de deur achter haar en zei toen heel langzaam alsof ze het tegen een idioot had: 'Dat kunnen we niet.'

Lund liep naar de deur en opende die nadat ze eerst Skovgaard aan de kant had geduwd, toen die schreeuwend op haar af was gevlogen.

Troels Hartmann keek verward op, en de vrouw naast hem eveneens.

Kirsten Eller. De goedgevulde vrouw van de verkiezingsposters.

Ze lachte niet. Ze vond het niet prettig om gestoord te worden.

'Het spijt me,' zei Lund tegen de man in het gesteven, blauwe overhemd. 'Maar we moeten praten.'

Een minuut later stonden ze bij het raam, terwijl Kirsten Eller buiten gehoorsafstand op de bank zat.

Hartmann zei: 'Als de media denken dat ik lieg…'

'Dit is een moordzaak. De details zijn vertrouwelijk. U mag onze kansen op succes niet in de waagschaal stellen…'

'En hoe zit het dan met míjn kansen?'

Het was een ongewone man. Hij had het charisma van de politicus. Een uitstraling van opgewekte openhartigheid. Hij was erin geslaagd dit zonder enig teken van schaamte te zeggen.

Haar mobiel ging. Ze griste hem uit haar tas en zuchtte toen ze het nummer zag. Ze nam desondanks op.

'Bengt, mag ik je zo terugbellen?'

In de verte klonk het geluid van gehamer.

'Ik ben bij het huis. De timmerlui zijn hier. Wat voor soort hout willen we voor de sauna?'

Lund sloot haar ogen. Hartmann liep niet weg. Dat was in ieder geval iets.

'Wat voor hout wordt er meestal in sauna's gebruikt?'

'Dennenhout.'

'Dennenhout is prima. Dat klinkt goed.'

'Maar het hangt af van…'

'Niet nu. Ik bel je later.'

Einde gesprek.

Hartmann liep terug naar de vrouw die geduldig zat te wachten.

Lund pakte hem bij zijn arm en keek in zijn ogen. Er was daar iets…

'We hebben hem bijna te pakken. Loop ons niet voor de voeten.'

'Hoe bijna? Vandaag?'

'Dat hoop ik wel.'

Hartmann aarzelde.

'Goed,' zei hij. 'Dan wacht ik daarop. Als het tenminste vandaag is.'

'Bedankt,' zei ze.

'Dennenhout uit het poolgebied.'

Lund bleef staan.

'Dennenhout uit het poolgebied is beter voor een sauna dan gewoon den-nenhout. Er zit minder hars in.'

'O.'

Meyer stond weer bij de deur, terug van zijn jacht door de gangen.

Tijd om te gaan.

Kirsten Eller glimlachte toen Hartmann bij haar terugkwam.

'Slecht nieuws, Troels?'

'Helemaal niet. Geen probleem.'

Ze keek hem aandachtig aan.

'Echt? Je maakt een bezorgde indruk.'

'Ik zei toch dat er niets was.'

'Als ik van Bremer moet scheiden dan moet dit wel een huwelijk zijn. Niet zomaar een scharrel.'

'Natuurlijk,' zei hij en hij knikte heftig.

'Eerlijkheid op alle fronten is een vereiste.'

Hartmann glimlachte naar haar.

'Er is geen slecht nieuws, Kirsten. Zullen we nu ter zake komen?'

Even na tweeën zaten Pernille en Theis Birk Larsen op de grijze stoep bij de fontein te wachten. Ze zagen de kinderen van de speelplaats terugkeren naar huis, stevig ingepakt in hun warme jassen, mutsen en handschoenen. Ze had-den rugzakjes om en wuivende, felgekleurde vliegers in de hand.

Dinsdag. Op dinsdag maakten ze altijd iets.

Emil van zeven had kort blond haar, Anton was zes en even rossig als zijn vader ooit was geweest. De jongens kwamen struikelend aanzetten terwijl ze de kille winterbries probeerden te vangen met hun vlieger.

Die van Emil was rood, die van Anton geel.

'Waarom is papa hier ook?' vroeg Emil zonder omwegen.

Ze keken links en rechts de grijze straat in naar het verkeer. Toen staken ze voorzichtig over. Ze legden hun kleine handjes in de hunne.

Anton wilde weten of ze hun vlieger in hun park mochten oplaten. Zijn gezicht vertrok boos toen zijn moeder nee zei.

De lucht zag er dreigend en zwaarbewolkt uit. Ze legden de spullen van de jongens in de kofferbak.

Er werd gebeld. Vagn Skærbæks stem klonk bezorgd in het oor van Birk Larsen.

'Kom nog niet naar huis,' zei hij.

'Waarom niet?'

'De politie is haar kamer aan het doorzoeken. En er zijn een paar fotografen gearriveerd.'

Birk Larsen knipperde met zijn ogen. Hij keek hoe Pernille de jongens vastgespte in hun autostoeltjes, controleerde of ze goed vastzaten en hun een kusje op hun voorhoofd gaf.

Geen woede, dacht hij. Niet nu.

'Hoe lang blijven ze?'

'Geen idee. Zal ik ze lozen?'

Birk Larsen wist niks te zeggen.

'De jongens, Theis. Je wilt toch niet dat ze dit zien?'

'Nee. Bel me zodra ze weg zijn.'

En dus stapten ze in de auto. Hij zei: 'Kom, we gaan die vliegers oplaten. Dat is wat we gaan doen.'

Vanaf de achterbank klonken twee juichkreetjes, vuisten boksten in de lucht. Pernille keek hem aan.

Er waren geen woorden nodig. Ze wist het.

Meyer reed zoals hij altijd reed.

'Dus jij gaat op de posterjongen stemmen?'

'Wat bedoel je daarmee?'

'Je glimlachte naar hem, Lund.'

'Ik lach naar een hoop mensen.'

'Hij staarde steeds naar je trui.'

Ze had nog steeds de zwart-witte trui aan van de Faeröer Eilanden. Die was warm en zat lekker. Ze had hem gekocht tijdens de vakantie vlak na de scheiding, toen ze weggegaan was met Mark om te proberen de schok voor hem wat te verzachten. Ze vond ze zo leuk dat ze er nog meer gekocht had.

Een andere kleur. Een ander patroon. Er was een postorderbedrijfje…

'De laatste keer dat ik mijn oma zag had ze zoiets aan,' zei Meyer.

'Dat is fijn.'

'Niet echt. Ze lag in een kist. Ik haat begrafenissen. Ze lijken zo…' Hij ramde op de claxon tegen een fietser die in de weg reed. 'Onherroepelijk.'

'Dat heb je verzonnen,' zei ze. Hij gaf geen antwoord.

De Faeröer Eilanden waren groen en vredig. Een stille, slaperige wereld ver van het vervuilde stedelijke landschap van Kopenhagen.

'Ik weet zeker dat hij niet naar je tieten zat te gluren. Ik bedoel…'

Ze luisterde niet, liet hem gewoon doorrateleen. Dan was hij het maar kwijt.

In de groene wereld van de Faeröer Eilanden gebeurde niet veel. De mensen konden zich er redden. De seizoenen kwamen en gingen weer. De koeien ruftten. Net als in Sigtuna.

'Waar gaan we heen, Meyer?'

'Lynge is sinds gisteren niet meer in zijn appartement geweest. Hij heeft een zus. Ze heeft een kapperszaak in Christianshavn. Hij ging vanochtend bij haar langs. Begon vervelend te doen.'

Meyer grinnikte naar haar.

'Sommige mannen zijn zo.'

Lynges zus was een aantrekkelijke vrouw met lang steil haar en een bedroefd gezicht.

'Waar is hij?' vroeg Meyer.

'Ik zou het niet weten. Hij is mijn broer. Ik heb hem niet uitgekozen.'

Lynge had in een zijstraatje staan wachten toen ze die ochtend de zaak opengedaan had. Had zich met geweld toegang verschaft. Slechte timing. Ze had maar vijfduizend kronen in de kassa gehad. Hij pakte ze en smeet toen her en der wat dingen kapot. Terwijl ze met hen praatte, was zijn zus bezig shampoo en conditioner van de vloer op te dweilen.

Lund liep rond en liet het vragen stellen over aan Meyer.

'Waar denk je dat hij heen is gegaan?'

'Ik ken hem niet meer. Hij is ziek.'

'Dat weten we.'

'Nee.' Ze tikte tegen haar slaap. 'Niet alleen daar. Hij is echt ziek. Hij moet eigenlijk in het ziekenhuis worden opgenomen.' Ze hield op met dweilen. 'Ik heb nog niet eerder meegemaakt dat hij er zo slecht aan toe was. Het ging alleen maar om het geld. Stop hem niet weer in de gevangenis. Niet nog een keer. Dan wordt hij nog gekker.'

'Kan hij ergens heen? Naar een vriendin?'

'Niemand wil hem meer kennen. Niet na wat hij gedaan heeft.' Ze aarzelde.

'Er was een vrouw.'

'Wat voor vrouw?' vroeg Lund.

'Een gevangenenbezoekster. Een vrijwilligster.' De zus fronste. 'U kent ze wel. Christelijk. Geven nooit op. Ze belde een paar weken geleden. Smeekte me om weer contact met hem op te nemen. Zei dat dat zou helpen.'

Ze wachtten.

'Maar dat helpt echt niet. Ik ken hem. Bovendien…' Ze keek de kleine kapsalon rond. 'Ik heb mijn eigen leven. Daar heb ik toch recht op?'

Meyer pakte een haarborstel op en speelde ermee.

'Weet u hoe die vrouw heet?'

'Nee, sorry, ze was van een liefdadigheidsinstelling voor het gevangeniswezen of zoiets.'

De zus keek naar Lund.

'Hij heeft dat meisje op tv vermoord? Ik wist dat zoiets zou gebeuren. Ze hadden hem niet vrij moeten laten. Hij was zo bang.'

'Dat zal hij zeker zijn als ik hem te pakken krijg,' mompelde Meyer.

De vrouw zei niets.

'Wat bedoel je?' vroeg Lund.

'Vanochtend. Hij zag er echt doodsbang uit. Ik bedoel… ik weet niet.'

'We moeten hem vinden. We moeten praten.'

Ze ging verder met dweilen.

'Veel succes,' zei de zus.

Naar buiten. Het regende nog steeds.

'Neem mijn auto. Laat iemand natrekken wie de gevangenenbezoekster was,' zei ze tegen Meyer. 'En bel me dan.'

'Waar ga jij heen?'

Lund hield een taxi aan en was verdwenen.

Mathilde Villadsen was zesenzeventig, half blind, en woonde in een oud appartementencomplex met haar kat Samson en haar op een na beste vriend de radio. Ze draaiden muziek uit de jaren vijftig, een decennium dat ze als het hare beschouwde.

Toen werd de swingband onderbroken door het journaal.

'De politie heeft een totale mediastilte opgelegd…' begon de nieuwslezer.

'Samson?'

Het was tijd om hem eten te geven. Ze had het blikje opengemaakt. Het voer zat in het bakje.

'… wat betreft de zaak van Nanna Birk Larsen die maandag dood gevonden is.'

Ze liep naar het aanrecht en zette de radio uit. Het was koud in het tochtige appartement. Ze droeg wat ze het grootste deel van de winter al aanhad: een lang, blauw wollen vest, een dikke sjaal om haar gerimpelde hals. De stook-kosten waren enorm. Zij was een meisje van de jaren vijftig. Ze kon wel tegen een stootje.

'Samson?'

De kat stond aan de andere kant van het kattenluikje op de gang te miau-wen. Op haar oude, sjofele slippers liep ze naar de voordeur en maakte de ket-ting los.

Het was donker in het trappenhuis. De kinderen gooiden altijd de lampen kapot. Mathilde Villadsen zuchtte, zakte op haar pijnlijke knieën en wilde dat de kat niet van dit soort spelletjes speelde.

In het halfduister kroop ze door de hal waarbij ze de koude stenen vloer door haar kousen kon voelen. 'Samson, Samson,' riep ze, 'jij stoute kat, stoute kat.'

Toen botste ze ergens tegenaan. Ze zag het niet goed en voelde met haar vingers. Vuil leer, met daarboven een spijkerbroek.

Ze keek omhoog. Een kaal hoofd, een gezicht vol littekens in het flakkeren-de vlammetje van een aansteker, dat zich vlak bij de snorharen bevond van de kat in de armen van de man die boven haar uittorende.

Hij leek ongelukkig. Bang.

'Mijn kat...' begon ze te zeggen.

De aansteker bewoog dichter naar Samsons kopje toe. Samson miauwde en probeerde zich uit zijn ijzeren greep los te wurmen.

Met een diepe, luide stem zei hij: 'Niet gillen. Ga naar binnen.'

De paspop had een trouwjurk aan, wit satijn overdekt met geborduurde, ka-toenen bloemen. Lunds moeder, Vibeke, maakte ze voor een winkel in de buurt. Niet zozeer voor het geld, meer om iets te doen te hebben. Het weduw-schap beviel haar niet erg. Zoals wel meer dingen haar niet bevielen.

'Wat zegt Bengt hiervan?' Ze was een onbuigzame vrouw, had haar woord-je klaar, was altijd even ernstig, en had een bruuske, soms wat sarcastische manier van doen en een kritische blik in haar ogen.

'Ik ga hem bellen.'

Vibeke deed een stap achteruit en keek naar de jurk. Ze maakte een steekje in het voorpand en een ander in de mouw. Lund dacht dat het idee haar wel beviel dat vrouwen trouwden. Dat beperkte hun mogelijkheden. Hield hen in het gareel, zoals God dat bedoeld had.

'Dus je hebt hem niet eens verteld dat je niet komt?'

'Geen tijd.'

Haar moeder slaakte het zuchtje dat Lund al van kleins af aan kende. Des-ondanks verbaasde het haar nog steeds hoeveel weerzin en afkeuring er in een enkele ademtocht geperst konden worden.

'Ik hoop dat je deze niet ook wegjaagt.'

'Ik zei toch dat ik hem zou bellen.'

'Carsten…'

'Carsten sloeg me!'

Een lange kille blik.

'Eén keer. Dat is alles. Hij was je echtgenoot. De vader van je kind.'

'Hij…'

'Zoals jij je gedraagt. Die obsessie voor je werk. Een man heeft graag het gevoel dat hij geliefd is. Dat er van hem gehouden wordt. Als je hem dat niet kunt geven…'

'Hij heeft me geslagen.'

Met de grootst mogelijke zorg duwde Vibeke de naald in de glanzende satijnen stof bij de hals.

'Heb je je ooit wel eens afgevraagd of je er misschien om gevraagd hebt?'

'Ik heb er niet om gevraagd. Niemand vraagt daar ooit om.'

Lunds mobiel ging over. Het was Meyer: 'Ik heb de gevangenis gesproken.'

'En?'

'Hij had alles bij elkaar drie bezoeksters. De een is dood. De ander is verhuisd. En de derde neemt haar telefoon niet op.'

'Kom me ophalen,' zei Lund en ze gaf hem het adres in Østerbro. 'Binnen twintig minuten.'

'Uw taxi met het blauwe zwaailicht is onderweg. Ik hoop dat u een goede fooi geeft.'

De mensen van de politie hadden hun sporen door het hele appartement achtergelaten. Getallen en pijlen. Kleine stofwolkjes waar ze naar vingerafdrukken gezocht hadden.

Anton, die altijd al de meest onderzoekende van de twee was, stond buiten haar kamer en vroeg: 'Wat is dat daar op Nanna's deur?'

'Maak dat je daar wegkomt!' blafte Theis Birk Larsen tegen hem. 'Kom aan tafel.'

De tafel.

Pernille en Nanna hadden hem drie jaar geleden in een saaie zomer gemaakt toen ze niets anders te doen hadden, behalve naar de regen kijken. Goedkoop hout van de bouwmarkt. Ze hadden foto's en schoolrapporten op het tafelblad geplakt en er vervolgens overheen gelakt. Het gezin Birk Larsen, bevroren in de tijd. Nanna werd zestien, groeide snel op. Anton en Emil nog zo klein. Gezichten die gevangen waren op de plek die het hart van hun kleine huis vormde. Glimlachend, doorgaans.

Nu waren de jongens zes en zeven, hadden een verbaasde blik in de wakkere ogen. Nieuwsgierig, een beetje bang misschien ook wel.

Pernille ging zitten, keek hen aan, raakte hun knieën aan, hun handen, wangen en zei: 'We moeten jullie iets vertellen.'

Birk Larsen stond achter haar. Tot ze zich naar hem omdraaide. Toen kwam hij langzaam naar hen toe en ging naast haar zitten.

'Er is ons iets overkomen,' zei Pernille tegen hen.

De jongens schoven ongemakkelijk heen en weer en keken elkaar aan.

'Wat dan?' vroeg Emil, de oudste, al was hij in zekere zin de langzaamste.

Aan de andere kant van het raam reed het verkeer voorbij. Er klonken stemmen op straat. Het was altijd zo. Voor Theis Birk Larsen zou het altijd zo zijn.

Samen. Een gezin. Compleet.

Zijn grote borst ging op en neer. Sterke vingers met littekens streken door grijzend, rossig haar. Hij voelde zich oud, machteloos, stom.

'Jongens,' zei hij ten slotte. 'Nanna is dood.'

Pernille wachtte.

'Ze komt niet terug,' voegde hij eraan toe.

Zes en zeven waren ze, hun wakkere ogen glinsterden in het licht van de lamp waaronder ze altijd de avondmaaltijd gebruikten. Van het tafelblad staarden statische gezichten hen aan.

Emil zei: 'Waarom, papa?'

Nadenken.

Iets bedenken.

'Op een keer hebben we die grote boom gezien in het hertenpark, weet je nog?'

Anton keek naar Emile. Toen knikten ze allebei.

'De bliksem sloeg in. En rukte er een grote…'

Was dit echt, vroeg hij zichzelf af? Verbeeldde hij het zich misschien? Of was het een leugen om te zorgen dat de kinderen konden slapen als het donker werd?

'Rukte er een grote tak af. Nou…'

Het gaf niet, dacht Birk Larsen. Leugens konden net zo goed werken als de waarheid. Beter zelfs soms. Door een mooie leugen kon je misschien slapen, wat je door de akelige waarheid in ieder geval niet kon.

'Je zou kunnen zeggen dat de bliksem bij ons is ingeslagen. Hij heeft Nanna meegenomen.'

Ze luisterden zwijgend.

'Maar net zoals de boom in het hertenpark door blijft groeien, zo doen wij dat ook.'

Het was een goede leugen. Zelfs hij knapte er een beetje van op.

Onder tafel kneep hij zacht in Pernilles hand en zei: 'Dat moeten we.'

'Waar is Nanna?' vroeg Anton; hij was jonger, maar sneller van begrip.

'Er zorgt iemand voor haar,' zei Pernille. 'Over een paar dagen gaan we allemaal naar de kerk. En dan nemen we afscheid van haar.'

Er verschenen rimpels in het gladde voorhoofd van de jongen.

'Komt ze dan nooit meer terug?'

Vader en moeder, even haakten hun blikken in elkaar. Het waren kinderen. Kostbaar, nog steeds gevangen in hun eigen wereldje. Er was geen enkele reden om daaraan te ontsnappen.

'Nee,' zei Pernille. 'Een engel heeft haar meegenomen naar de hemel.'

Nog een goede leugen.

Zes en zeven, glinsterende, wakkere oogjes. Ze maakten geen deel uit van deze nachtmerrie. Niet…

'Hoe is ze gestorven?'

Anton. Vanzelfsprekend.

Ze wisten niet meer wat te zeggen. Pernille liep naar het prikbord, tuurde naar de foto's, het lesrooster, alle plannen die ze gemaakt hadden.

'Hoe is ze gestorven, papa?'

'Dat weet ik niet.'

'Papa.'

'Dat soort dingen… gebeuren soms gewoon.'

De jongens zeiden niets meer. Hij hield hun handen vast. Vroeg zich af: hebben ze me ooit eerder zien huilen? En wanneer zullen ze het weer zien?

'Die gebeuren gewoon.'

Lund en Meyer liepen de trap op, belden aan, wachtten. Het was donker in de hal. De lampen waren kapot. Het stonk er naar kattenpis.

'Dus je bent nu bij je moeder ingetrokken in plaats van bij die Noor?'

'Bengt is een Zweed.'

'Ken jij het verschil?'

Er werd niet gereageerd op hun bellen. Reclamefolders hadden zich opgestapeld onder aan de deur.

Lund liep naar het appartement even verderop. Daar brandde licht achter het matglazen venster. Villadsen, stond er op het naambordje.

Meyers radio kwam krijsend tot leven. Veel te hard. Ze keek hem kwaad aan en bonsde op de deur.

Niets.

Lund klopte nogmaals. Meyer stond even opzij, met de vuisten op de heupen en zonder iets te zeggen. Ze moest bijna om hem lachen. Net als de meeste mannen bij moordzaken droeg hij zijn 9 millimeter Glock in een holster aan zijn riem. Hij leek Lucky Luke wel.

'Wat?'

'Niets.' Ze probeerde niet te glimlachen. 'Helemaal niets.'

'Ik heb in ieder geval wel een wapen. Waar is…?'

Er was kabaal te horen. De deur ging een centimeter of tien open. Hij zat op de ketting. Het gezicht van een oudere vrouw doemde op in het donker, niet erg duidelijk.

'Ik ben Vicekriminalkommissær Sarah Lund,' zei Lund en ze liet haar politiepas zien. 'We moeten met uw buurvrouw, Geertsen, praten.'

'Ze is weg.'

Oude mensen en vreemden. Angst en achterdocht.

'Weet u waar ze is?'

'In het buitenland.'

De vrouw maakte aanstalten de deur te sluiten. Lund stak een hand uit om haar tegen te houden.

'Hebt u vandaag iets ongewoons in het gebouw gezien?'

'Nee.'

Achter haar in het appartement klonk een geluid. De ogen van de vrouw bleven Lunds blik vasthouden.

'Hebt u iemand op bezoek?' vroeg Meyer.

'Dat is mijn kat maar,' zei ze en ze sloeg gauw de deur dicht.

Een minuut later, terug in de patrouilleauto, zat Lund naast Meyer en praatte in de radio. Hij begon onrustig te worden.

'Ik heb versterking nodig. De verdachte is mogelijk hier op deze locatie.'

'We sturen een wagen,' reageerde de meldkamer.

Vanaf de straat konden ze het raam van het appartement zien.

Meyer zei: 'Het licht is uit. Hij weet dat we hier zijn.'

'Ze zijn onderweg.'

Hij haalde de Glock tevoorschijn en controleerde het wapen.

'We kunnen niet wachten. Met zo'n man. En een oude vrouw. We gaan naar binnen.'

Lund schudde haar hoofd.

'En dan?'

'Doen we wat we kunnen. Je hebt zijn zus gehoord. Hij is gek. Ik ga hier niet zitten wachten tot dat ouwe wijffie dood is.'

Lund boog zich naar hem toe, keek hem strak aan en zei: 'We blijven hier.'

'Nee.'

'Meyer! We zijn maar met zijn tweeën. De uitgangen zijn in dat geval niet gedekt…'

'Waar is je pistool?'

Ze werd ziek van dit gedoe. 'Ik heb geen pistool.'

Daar was de blik die ze gister ook had gezien toen ze het over Zweden hadden gehad. Opperste verbazing.

'Hè?' vroeg Meyer.

'We gaan nergens heen. We wachten.'

Het bleef lang stil. Meyer knikte.

'Wacht jij maar tot je een ons weegt,' zei hij en hij sprong de auto uit.

Aan de andere kant van de stad nam Troels Hartmann in een door de stad voortrazende campagneauto een telefoontje aan, wel ongeveer het laatste waar hij zin in had. Een persbureau. Een officieel bureau dit keer. Een journalist wiens naam hij zich herinnerde.

De verslaggever zei: 'We weten het van de auto, Hartmann. Nanna Birk Larsen is in een van jullie auto's gevonden. Je hebt dat stilgehouden. Waarom eigenlijk?'

In de woning boven de garage zat Theis Birk Larsen met Anton en Emil ieder op een reusachtige knie terwijl Pernille zachtjes huilde, en vertelde nog meer verhaaltjes over engelen en wouden. Hij keek naar hun gezichtjes en verafschuwde zijn leugens.

Sarah Lund stak nog een stukje Nicotinell in haar mond, dacht na over Jan Meyer, dacht aan het dode meisje dat uit het water gekomen was.

Toen trok ze het handschoenenvakje open en rommelde tussen de pakjes kauwgum, de lege aansteker, de tissues, tampons en pakte haar pistool eruit.

Halverwege het donkere, vochtige trappenhuis hoorden ze het geluid van brekend glas.

Lund rende de rest van de weg naar boven, pakte Meyer bij zijn arm toen hij met de kolf van zijn dienstwapen op het glas in de deur ramde.

'Wat denk jij dat je aan het doen bent?'

'Wat denk je?'

'Ik zei dat je moest wachten.'

Hij brak nog meer glas, maakte het gat met zijn elleboog groter, stak een hand erdoor, keek haar aan en knipoogde.

'Jij naar links,' zei Meyer. 'Dan ga ik naar rechts.'

Met zijn hand door het gat tastte hij zoekend in het rond. Vervolgens het geluid van een sleutel die in een oud slot werd rondgedraaid. De deur bewoog. Binnen was het even donker als de nacht die ze zojuist hadden buitengesloten. Meyer schoot naar binnen en was meteen verdwenen. Ze liep naar de muur, schoof langzaam voorwaarts met de Glock ongemakkelijk in haar rechterhand.

Het stonk er naar mottenballen en olie, naar kat en wasgoed.

Drie stappen verder botste ze tegen een dressoir, stootte met haar arm zachtjes tegen iets aan en slaagde er ternauwernood in het ding op te vangen voor het op de grond viel. Lund kon nog net zien wat ze geraakt had: een porseleinen poppetje, een melkmeisje dat glimlachend haar emmers torste. Ze zette het terug zonder geluid te maken. Bewoog verder naar voren. Ze stapte ergens op en hoorde hoe een blikkerige, mechanische stem de stilte verbrak.

'U weegt 57,2 kilo,' zei het ding.

Ze stapte van de weegschaal af en vroeg zich af wat Meyer nu zou denken.

'57,2 kilo,' zei het ding weer.

Ergens voor haar was een gekwelde zucht te horen. Daarna klonken voetstappen. Een silhouet doemde op. Meyer, die voortploeterde met zijn pistool voor zich uit.

Verder was het stil. Nog drie stappen en toen zag ze rechts een deur die op een kier stond. Erachter was een zwoegende, onregelmatige ademhaling te horen. Ze stopte het wapen weg en liep door de deuropening, tastte met haar vingers over de muur en vond een schakelaar. Ze knipte het licht aan.

In het zwakke gele licht van een enkele wandlamp lag de oude vrouw te worstelen, haar polsen en enkels stevig bijeengebonden als was ze een kip of kalkoen, en met een lap stof in haar mond.

Lund hurkte bij haar neer, legde een hand op haar schouder en trok de prop eruit.

Een lang, hoog gehuil van angst en pijn spoot over de lippen van de oude vrouw.

Meyer was vlakbij en vloekte.

'Waar is hij?' vroeg Lund. 'Mevrouw Villadsen?'

'Wat zei ze?' snauwde Meyer.

De vrouw hijgde en snakte naar adem. Ze was doodsbang.

'Wat zei ze?'

Lund keek hem aan. Luisterde. Hij begreep de boodschap. Toen liep hij weer terug het donkere appartement in. Zijn voeten tikten zachtjes op de tegels.

Ze wachtte.

Ga jij naar links. Dan ga ik naar rechts.

Gold dat nog steeds? Ja. Ze meende van wel. Meyer leek in sommige opzichten wel een beetje op haar. Er was maar één plan en daar hield je je aan tot er iets veranderde. Hij hield er ook niet van om met iemand anders te werken.

Ze maakte de enkels en de polsen van de vrouw los, zei haar daar te blijven en zich rustig te houden.

Een paar knokige handen klauwden naar haar.

'Laat me niet alleen.'

'Ik ben zo terug. Wij zijn hier. U bent veilig.'

'Laat me niet alleen.'

'Alles is in orde. Maak u geen zorgen.'

De gerimpelde vingers bleven naar haar grijpen.

'Ik moet mijn stok hebben.'

'Waar is die?'

Ze hijgde weer, dacht na en zei toen: 'In het halletje.'

'Goed.' Haar stem klonk kalm, vast. Zo voelde Lund zich ook. 'Blijf hier.'

Ze was bij de deur, hield links aan.

Keukenluchtjes. Riolering, eten. De kat. Nog een oude lamp, kapje met franjes erlangs, vaal geel licht. Er stonden een stoel en een bureautje. Gestreepte gordijnen tot op de vloer, die zachtjes bewogen alsof het raam erachter openstond.

Lund sloeg haar armen over elkaar, dacht even na en stapte toen naar voren. Zachtjes duwde ze de stof opzij.

De pijn vlamde door haar arm als een wespensteek, snel en heftig, zoet en scherp.

Vanachter de strepen stapte een gestalte tevoorschijn die zich tegen het zwakke lamplicht buiten het raam aftekende. Zijn rechterarm zwaaide van links naar rechts, van boven naar beneden.

Weer zo'n pijnflits.

Lund schreeuwde: 'Ga terug! Politie! Ga terug.'

Ze zocht onhandig naar haar wapen.

Ze botste tegen de muur. Hij deed een uitval naar voren. Het licht op hem. Hij hield een stanleymes vast, met een kort lemmet, scherp. Dreigend.

Hij vloekte, haalde naar haar uit, zo dichtbij dat ze de lucht langs haar wang voelde strijken.

Een woedend, krankzinnig gezicht, de mond viel open, gele tanden grijnsden haar toe. Hij brulde. Nog zo'n venijnige uithaal…

Haar vingers klemden zich steviger om de kolf van haar pistool. Ze hief het wapen, richtte de loop recht op zijn gezicht.

De ogen van John Lynge vernauwden zich. Hij zweette. Hij zag er ziek uit, gek.

'Rustig nou maar, John. Ik zal je geen pijn doen.' Geen teken van leven van Meyer. Ze wist wat hij aan het doen was.

Lynge deed een stap naar achteren. Haar ogen raakten gewend aan het donker. Ze zag zijn schouders, zijn armen.

Hield het wapen recht op hem gericht.

'Ik heb niks gedaan!'

Bang, dacht ze. Dat was een goed teken.

'Dat zei ik ook niet, John.'

Blijf hem bij zijn naam noemen. Blijf water op het vuur gooien.

Hij begon snikkend van achteren naar voren te wiegen, met zijn handen tegen zijn gezicht.

Het lemmet was er nog steeds. Wist hij dat?

'Je gelooft me niet,' gromde Lynge.

'Ik luister. Leg het mes neer.'

Het mes flitste weer tot vlak voor haar. Het pistool schrok hem niet af.

'Je stopt me niet weer in de gevangenis!'

Krankzinnig stemgeluid. Een gekwelde man.

'We zijn gewoon aan het praten, John. Laten we dat doen. Oké? De school…'

Koppig bulderde Lynge woest, trillend en op het randje van instorten: 'Ik voelde me ziek. Ik ging naar het ziekenhuis. Ik kwam terug. De auto was weg. Misschien, misschien…'

'Misschien wat?'

'Misschien heb ik de sleutels laten vallen toen ik moest overgeven. Ik weet het niet.'

'Welke sleutels?'

'De autosleutels! Je luistert niet.'

Hij werd alsmaar kwader.

'Je was ziek. Ik hoor je wel, John.'

Hij deed een stap naar links. Ze kon hem in het oranje licht dat van de straat kwam zien.

'Je voelde je ziek en je liet de auto achter. Leg dat mes neer. Laten we praten.'

'Ik ga niet daarnaar terug. Ze zullen weten…'

'Je gaat niet…'

'John!'

Uit het halletje klonk een harde mannenstem. Lund haalde diep adem. Keek om. Daar stond Meyer. Met geheven pistool. Recht op het voorhoofd van John Lynge gericht. Klaar om te schieten.

'Laat het mes vallen,' zei hij langzaam op dreigende toon.

'Ik heb het onder controle, Meyer…' zei ze.

Lynge was er al vandoor. Meyer ging hem achterna. Twee donkere gestalten die over de vloer schoten.

Toen klonk er geschreeuw en het geluid van brekend glas. Een hoop hartgrondig gevloek. Vervolgens was er buiten een afschuwelijke klap te horen. Het ziekmakende geluid van vlees en bot op het wegdek.

'Meyer?'

Er stond een gestalte bij het raam.

Lund liep erheen.

'Meyer?' vroeg ze weer.

Een bewusteloze John Lynge werd vastgesnoerd op een brancard en, met overal slangen en apparaten, haastig door een ziekenhuisgang gereden. Het was tien uur 's avonds. Lund vroeg voor de derde keer: 'Wanneer kan ik met hem praten?'

De chirurg minderde geen moment vaart, staarde haar alleen aan en zei toen: 'Meent u dat nou serieus?'

'Gaat hij het halen?' vroeg ze toen ze bij de deuren van de OK aankwamen.

Lund bleef staan en herhaalde de vraag op dubbel volume.

Geen antwoord. Het volgende moment was John Lynge verdwenen.

'We hebben afdrukken,' zei Meyer tegen haar. 'De technische recherche heeft zijn laarzen.'

'En niets om ze mee te vergelijken. Hij zegt dat hij naar het ziekenhuis is gegaan!'

'*Pff!*'

'Heb jij dat ooit eerder iemand horen zeggen, Meyer? Dus niet: ik was mijn vriendin aan het neuken. Ik zat in een café. Maar ik ging naar het ziekenhuis?'

Niets.

'Hij zei dat hij de sleutels op school had achtergelaten. Toen hij terugkwam was de auto weg.'

'Hij loog!'

Meyer keek naar haar en schudde zijn hoofd.

'Hij heeft je gestoken, Lund. En hij zou nog een keer gestoken hebben. Hij kwam dichterbij. Hij zou je gezicht aan flarden gesneden hebben. Heb je daar dan geen moeite mee?'

'Dat betekent niet dat hij Nanna Birk Larsen vermoord heeft. Ga de ziekenhuisdossiers controleren.'

'Kom nou, denk je echt…'

'Als hij een alibi heeft dan wil ik dat weten. Zoek het uit.'

Dat laatste bevel schreeuwde ze. Wat niks voor haar was. Deze man begon haar op de zenuwen te werken.

Lund deed haar jasje uit en bestudeerde de mouw van haar zwart-witte trui. Het ding was naar de haaien. Het lemmet van Lynges mes had eerst de wol en toen de bovenkant van haar arm, vlak onder de schouder, opengehaald.

'Je moet er iemand naar laten kijken…'

'Ja! Je hebt gelijk. En hoe zit het met die oude dame?'

'Ik heb gebeld toen jij tegen de artsen liep te schreeuwen. Ze gaat bij familie logeren.'

Lund knikte. Rustig blijven. De wond deed pijn, maar ze was niet van plan dat te laten merken.

'Ga wat slapen,' zei ze tegen hem. 'Zeg tegen ze dat ze het me moeten laten weten als zijn toestand verandert.'

Hij sloeg zijn armen over elkaar, verroerde geen vin.

'Wat nou?' vroeg Lund.

'Ik ga nergens heen tot ik jou bij een verpleegster heb gezien.'

Het televisiedebat was voorbij. Gelijkspel, op zijn best, dacht Hartmann.

Buiten nam hij Rie Skovgaard ter zijde in het groepje mensen dat op een auto stond te wachten en vroeg haar: 'Heb je iets van Lund gehoord?'

'Nee.'

'Heb je haar gebeld?'

'Ik kom er niet doorheen.'

Het regende. Hun chauffeur was in geen velden of wegen te bekennen.

'We kunnen het ons niet permitteren nog langer te wachten. Stel een verklaring op.'

'Eindelijk…'

'Geef dat aan de verslaggever die gebeld heeft. Die is betrouwbaar. Zeg tegen hem dat het exclusief is. Zorg dat we even een adempauze krijgen…'

Daar kwam Bremer met zijn colbert over zijn schouder aanstappen. Hij wierp even een blik op de regen en zocht toen weer de veilige beschutting van het afdak op.

'Crisisoverleg?'

Hartmann en Rie Skovgaard deden er het zwijgen toe.

'Volgens mij was je vanavond niet echt in vorm,' zei Poul Bremer. 'Als ik dat zo mag zeggen.'

'Echt waar?'

Geen van beide partijen had gescoord. Geen van beide had de bal laten vallen. Maar de manier waarop Bremer de hele tijd had zitten glimlachen, bracht Hartmann aan het twijfelen. Elk probleem, elke vraag vormde hij om tot een persoonlijkheidskwestie. Die ging over Hartmanns gebrek aan ervaring, bewezen vertrouwen.

Die ouwe klootzak wist iets. Hij wachtte alleen op het juiste moment om het te zeggen.

'Niet in vorm,' herhaalde Bremer. 'Je zult het straks beter moeten doen dan zo.'

'Nog drie weken te gaan tot de verkiezingen,' zei Skovgaard. 'Tijd genoeg…'

'Jullie nemen de tijd. Heel verstandig naar wat ik gehoord heb. Goedenavond!'

Hartmann keek toe hoe hij wegliep.

'Op een dag scheur ik die oude dinosaurus aan stukken,' mompelde hij.

'Je moet echt wat aan die opvliegendheid van je doen,' zei Skovgaard.

Hij keek haar ijzig aan.

'Je meent het.'

'Ja. Het is prima als je overkomt als een gepassioneerd man. Energiek. Betrokken. Maar niet als een stuk chagrijn. Daar houden de mensen niet van.'

'Dank je. Ik zal eraan proberen te denken.'

'Bremer is op zoek naar je zwakke plekken. Overhandig ze hem niet op een presenteerblaadje. Je opvliegende karakter maakt je kwetsbaar. Hij is niet de enige die dat opgemerkt heeft.'

Ze ontweek zijn blik.

'Je moet er echt iets aan gaan doen.'

Skovgaard hield haar mobiel omhoog.

'Persagentschap Ritzau heeft het ook al gehoord over de auto. Het verhaal is uitgelekt.'

De zwarte sedan reed voor. De chauffeur van het Rådhus stapte uit en opende de portieren voor hen.

'Ik zei nog zo tegen je dat we hier zo snel mogelijk mee naar buiten moesten komen,' zei ze. 'Nu kunnen we ons uit de naad gaan werken om iets recht te breien dat we meteen de kop in hadden moeten drukken.'

'Bremer zit hierachter.'

'Eerder iemand bij de politie. Hoe zou hij erachter gekomen moeten zijn?'

'Twaalf jaar op die glanzende troon. Misschien werkt de Politigården ook wel voor hem.'

Een lange limousine reed voorbij. Bremer liet het raampje zakken, grijnsde naar hen en wuifde alsof hij een koning was die zijn onderdanen begroet.

'Hij heeft iemand,' mompelde Hartmann. 'We moeten zien uit te vinden wie dat is.'

Tien minuten later kwam de auto voor het Rådhus tot stilstand. Meteen werden ze omringd door een menigte verslaggevers en cameramensen.

'Zeg tegen ze wat we afgesproken hebben,' zei Skovgaard. 'Blijf kalm, spreek met gezag. Maak je niet kwaad. Hou je aan het script.'

'Wiens script?' vroeg hij, en toen bevonden ze zich midden in de mensenmassa. Handen graaiden naar de deuren om die open te krijgen. De zware regenbui hield nog steeds aan. Hartmann baande zich een weg tussen de menigte door naar de trappen van het gebouw. Ondertussen luisterde hij naar de vragen. Dacht erover na.

'Hartmann? Wat is je relatie met Nanna Birk Larsen?'

'Waar was je vrijdag?'

'Wat heb je te verbergen?'

Een zee van vijandige stemmen. Toen hij bij de deuren aankwam, bleef hij staan en zag de taperecorders in stelling gebracht worden om elk woord van hem op te vangen.

Wat hij zei zou over enkele minuten op de radio te horen zijn. Zou voor altijd vastgelegd zijn, bij herhaling in kranten geciteerd worden en steeds weer opnieuw op het web afgespeeld.

Hij wachtte net zo lang tot ze luisterden en zei toen, zo kalm en bedaagd als hij maar kon: 'Er is een jonge vrouw dood aangetroffen in een auto die door mijn kantoor gehuurd werd. Dat is het enige wat ik u kan vertellen. De politie heeft ons uitdrukkelijk verzocht geen commentaar te geven. Maar laat me het volgende zeggen…'

'Wanneer heb je het gehoord?' schreeuwde een vrouw.

'Laat me dit zeggen… niemand van de partij of de organisatie is bij deze zaak betrokken. Meer dan dit kan ik…'

'Ontken je dat je met het oog op de verkiezingen inlichtingen achtergehouden hebt?'

Hartmann keek. Een gedrongen, kale man van een jaar of vijfendertig, met een sigaret in de meesmuilende mond.

'Wat?'

De persmuskiet baande zich een weg dichter naar hem toe.

'Zo moeilijk is het niet, Hartmann,' blafte de verslaggever tussen het woud aan taperecorders heen. 'Ontken je dat je opzettelijk het publiek bedrogen hebt om stemmen te winnen? Is dat het gedrag dat we van de Liberalen kunnen verwachten?'

Hij aarzelde geen seconde. Hij was al door de menigte heen voordat Skovgaard hem tegen had kunnen houden, en greep de man bij zijn revers.

Het meesmuilende glimlachje week geen seconde van het gezicht van de kale persmuskiet.

'Ja,' zei Hartmann van heel dichtbij. 'Dat ontken ik.' Hij zweeg even. Toen liet hij hem los en veegde over de revers van de man alsof het een grapje was. 'Dit heeft niets met politiek te maken. Dit meisje…'

Hij was aan het improviseren geslagen. En begon te verzuipen.

'Troels?' zei Skovgaard.

'Het meisje…'

Camera's flitsten. Een puntige kroon van taperecorders werd ritselend naar hem opgeheven.

De journalist die hij bijna geslagen had haalde zijn kaartje tevoorschijn en duwde het in Hartmanns vingers. Zonder erbij na te denken pakte hij het aan.

'Troels?'

Kopje-onder.

Ze had hem bij zijn arm, en trok hem zachtjes weg, de deur door en de vestibule in, over de binnenhof en vervolgens naar de glanzende stilte van het Rådhus net zo lang tot ze zich veilig achter haar vestingmuren bevonden.

Hartmann voelde het papiertje in zijn hand. En keek ernaar.

Het was een visitekaartje.

Met alleen een mobiel telefoonnummer erop. En een naam.

Erik Salin.

De hele avond had ze tv zitten kijken, zappend van het ene nieuwskanaal naar het andere. Nu was het op het achtuurjournaal.

'Troels Hartmann is de politie behulpzaam bij het oplossen van een moordzaak,' luidde het verhaal. 'Hij ontkent enige betrokkenheid bij het meisje of de misdaad.'

Ze had zijn posters overal aangeplakt gezien. Een opvallend knappe verschijning, meer een acteur dan een politicus. Hij keek ook altijd bedroefd, bedacht ze.

Achter haar klonk een geluid. Ze draaide zich niet om.

Hij liet zich naast haar neerzakken op het tapijt.

'De auto was van die politicus,' zei Pernille. 'Ze zijn op zoek naar de chauffeur.'

Hij zat met zijn hoofd in zijn handen. Zei niets.

'Waarom vertellen ze ons niet wat er aan de hand is, Theis? Het lijkt wel of wij er niet toe doen.'

'Dat doen ze als ze iets te melden hebben.'

Zijn apathische houding maakte haar gek.

'Ze weten meer dan wij. Kan jou dat niets schelen?'

'Hou hiermee op!'

'Kan het je niets schelen?'

De tv was het enige licht in de kamer.

'Hoe kan het dat Nanna die chauffeur kende? Iemand uit de politiek? Hoe...?'

'Ik weet het niet!'

Er gaapte een afgrond tussen hen. Een kloof die nieuw was. Hij stak zijn grote, onhandige hand naar haar uit. Pernille deinsde terug voor zijn aanraking.

'Luister,' zei hij. 'Volgens mij is het beter als we een paar dagen weggaan. Misschien kunnen we het huisje van afgelopen weekend huren.'

In het halfduister, waarin hun gezichten verlicht werden door het nieuws over hun dochter, keek Pernille hem verbijsterd aan.

'De politie is voortdurend hier,' zei hij. 'De jongens zien Nanna steeds in de krant. Op dat vervloekte ding. De kinderen op school praten er met ze over.'

Ze begon te huilen. Zijn hand ging naar haar vochtige gezicht. Deze keer deinsde ze niet voor hem terug.

'En jij,' zei hij. 'Die ernaar zit te kijken. Het steeds opnieuw beleeft. Elke minuut van de dag…'

'Wil jij dat ik Vesterbro ontvlucht op het moment dat mijn dochter begraven moet worden?'

Ze hadden dat woord nog niet eens gebruikt. Hadden de gedachte niet onder ogen durven zien.

Birk Larsen sloeg zijn handen in elkaar. Kneep zijn smalle ogen toe.

'Morgen gaan we met de dominee praten,' zei ze. 'Dan gaan we alles regelen. Dat gaan we doen.'

Stilte in het zwakke keukenlicht. De grote man met zijn hoofd in zijn handen.

Pernille Birk Larsen pakte de afstandsbediening, zocht een andere zender. Keek.

Voorzichtig, om te voorkomen dat het nog meer pijn ging doen, trok Lund de Færoërtrui uit. Keek naar de bloederige jaap. Vroeg zich af of de trui nog gemaakt kon worden. Niet door haar. Maar…

De trouwjurk zat nog steeds om de paspop, naalden en draad in mouwen en hals.

Het was het enige wat haar moeder ooit maakte. Het leek wel een eenvrouwscampagne om het hele vrouwelijke deel van de bevolking uit te huwelijken.

Desondanks liet ze de trui bij de naaidoos achter. Haar moeder kwam gapend en mopperend haar kamer uit.

'Weet je hoe laat het is?'

'Ja.'

Vibeke keek dreigend naar de tafel.

'Gooi alsjeblieft je kleren niet overal neer. Geen wonder dat Mark zoveel troep maakt.'

Ze zag de snee, natuurlijk zag ze die. Kwam naar haar toe, boog zich voorover en keek.

'Wat is er gebeurd?'

'Niks.'

'Er zit een snee in je arm.'

Op het fornuis stonden een stoofschotel en aardappelen. De jus was gestold. De aardappelen waren droog. Lund nam een schep van beide en schoof het bord in de magnetron.

'Ik ben door een kat gekrabd.'

'Je maakt mij niet wijs dat een kat dat gedaan heeft.'

'Een zwerfkat.'

Ze keken elkaar aan. Sloten een soort tijdelijke wapenstilstand. Wat dit betreft dan.

'Waarom ga je toch nog steeds werken?' vroeg Vibeke. 'Nu je een echt leven kunt hebben?'

De magnetron piepte. Het eten was lauw. Dat was voldoende. Ze had honger. Lund ging zitten, pakte een vork en begon te eten.

'Dat heb ik je vanochtend al verteld. Het is alleen nog maar tot vrijdag. Als het niet uitkomt, gaan we wel naar een hotel.'

Haar moeder kwam naar de tafel met een glas water in haar hand.

'Waarom zou het niet uitkomen? Waarom…?'

Met volle mond zei Lund: 'Het spijt me. Ik ben moe. Laten we geen ruzie maken.'

'We maken nooit ruzie. Jij loopt altijd weg.'

Lund glimlachte, nam nog een hap vlees met aardappel. Dit had ze sinds ze klein was gegeten. Niets bijzonders. Voeding. Dat was nooit veranderd.

'Heerlijk,' zei ze. 'Dat meen ik.'

Haar moeder nam haar op.

'Bengt vroeg of je zaterdag naar de housewarmingparty wilde komen. Dan zorgen we dat de logeerkamer klaar is.'

Ze keek naar het eten, hield nauwgezet in de gaten hoeveel al was opgegeten en hoeveel er nog over was.

'Bengt heeft hierheen gebeld,' zei Vibeke. 'Vanmiddag. Hij vroeg zich af waar je was.'

Lunds hoofd zakte voorover. Ze vloekte.

'Je hebt toch niet gezegd dat ik hier tot vrijdag zou blijven, hè?'

'Natuurlijk wel! Moet ik dan soms liegen?'

Lund duwde haar bord weg, nam een biertje uit de koelkast, liep haar slaapkamer in en ging bellen.

Bengt Rosling werd niet boos. Nooit. Die emotie kende hij niet, of hij stond erboven. Ze wist nooit precies wat het was.

Ze hadden het over feestjes en dennenhout uit het poolgebied, babbelden wat, deden alsof er niets gebeurd was. Er was niets aan de hand.

Hij wist niet dat ze onder het praten op haar computer naar het journaal aan het kijken was. Het geluid stond zacht. Het ging alleen maar over Hartmann.

Aanstaande vrijdag zou ze in Zweden zijn. Met Mark, en haar moeder zou ook meegaan voor een tijdje. Het nieuwe leven zou een aanvang nemen, en het verleden steeds meer naar de achtergrond verdwijnen. Kopenhagen en Carsten. Haar Vicekriminalkommissærsinsigne.

Ze voelde zich beter toen ze met hem gepraat had en verbrak opgewekt de verbinding. En meteen schoot haar te binnen wat ze was vergeten te zeggen.

Voor ze terug kon bellen, ging de telefoon over.

Ze wist dat het Bengt was. En dus nam ze op en zette zichzelf er, niet zonder enige moeite overigens, toe te zeggen: 'Ik hou van je.'

'Wauw! Dat maakt mijn hele dag weer goed.'

Meyer. In de auto, onderweg. Ze zag voor zich hoe de auto te snel door de zwarte regen heen raasde. Overal chips op de passagiersstoel. Kauwgum en tabak.

'Wat wil je?'

'Je zei tegen me dat ik moest bellen over het ziekenhuis!' Hij deed gekwetst. 'Lynge werd vrijdag opgenomen.'

'Voor hoe lang?'

'Hij was daar tot zeven uur de volgende ochtend. De idioot is verslaafd aan heroïne. Hij had iets stoms gedaan met zijn methadon of zoiets.'

Troels Hartmann was op tv. Deelde bijna een klap uit aan een brutale verslaggever.

Een simpele vraag had hem over de rooie gekregen: 'Ontken je dat je met het oog op de verkiezingen inlichtingen achtergehouden hebt?'

Ze had gedacht dat Hartmann een kalme en redelijke man was.

'Kan Lynge weg zijn geglipt?'

Een lawaaierige kauwpauze volgde.

'Geen kans op. Hij lag gewoon op zaal. Zwaar onder de medicijnen. Hij was er de hele nacht.'

'Zou je eens op willen houden met die chips? Als ze weer door de hele auto liggen…'

'Ik heb de hele dag nog niks te eten gehad.'

'Heb je Nanna's fiets al gevonden?'

'Nee.'

'En hoe zit het met haar mobiel?'

Die had ook in Hartmanns auto gelegen.

Wat nogal raar leek.

'Het laboratorium heeft het ding aan de praat weten te krijgen,' zei Meyer. 'Ze heeft vrijdag voor het laatst gebeld. Misschien wel vanaf school. Daar zijn ze niet zeker van.'

'Oké, we gaan morgen terug.'

'Nee, Lund. Jij gaat niet mee.'

Hij zat nog steeds chips te eten. Ze kon hem op die fanatieke manier van hem horen kauwen alsof dit het laatste zakje op de hele wereld was.

'Waarom niet?'

'Ik kwam Buchard tegen. Hartmann wil een bespreking. Het gaat over jou.'

Ze dacht daarover na.

'Zorg dat je wat slaap krijgt. Schrijf je rapport.'

'Bedankt. Jij ook welterusten, schat.'

'Haha.'

'Lund? Denk na. Hartmann heeft jou niet gebeld voor een bespreking. Hij heeft Buchard gebeld. Of iemand boven hem. Of misschien…' Dat gekauw dreef haar bijna tot waanzin. 'Iemand nog hoger in de pikorde. We hebben nu de politici op onze nek. Ik wed dat ze nu allemaal stuk voor stuk naar hun meerderen bellen om te proberen de hele ellende op ons af te schuiven. Slaap vooral lekker.'

In de piepkleine slaapkamer volgde Sarah Lund het nieuws op haar computer. Ondertussen luisterde ze hoe haar moeder al opruimend en schoonmakend de keuken afschuimde en hield ze Troels Hartmann seconde na seconde zorgvuldig in de gaten.

4

Woensdag 5 november

Hartmann arriveerde net na negenen op het hoofdbureau en was meteen doorgelopen naar Lunds kantoor. Daar zat hij in het felle winterzonlicht dat door het smalle raam langs Buchard en haar stroomde. De scherpe, strenge Rie Skovgaard bevond zich aan zijn zij en volgde nauwlettend elk woord.

'Ik had die ellende van gisteravond kunnen voorkomen,' zei hij. 'Als ik had gedaan wat juist was en meteen een verklaring uitgebracht had. Voordat jullie begonnen te lekken.'

Dit was politiek, een wereld die Lund vóór de Birk Larsen-zaak had weten te vermijden. Ze voelde zich er niet in thuis. Maar ze was wel geïnteresseerd.

Haar baas boog zich naar voren, ving Hartmanns blik en zei: 'Het lek is niet hier. Dat kan ik garanderen.'

'Heeft de chauffeur bekend?' vroeg Hartmann.

Lund schudde haar hoofd.

'Nee, en dat zal hij ook niet doen. Hij is onschuldig.'

Het gezicht van de poster, knap, bedachtzaam, welwillend, was verdwenen. Troels Hartmann begon kwaad te worden.

'Wacht eens even. Gisteren zei je…'

'Gisteren zei ik dat hij een verdachte was. Dat was hij ook. Maar nu niet meer. Zo gaan die dingen. Dat is de reden dat we je vroegen je mond te houden.'

'Maar je beweert nog steeds dat iemand onze auto gebruikt heeft?'

'Ja.'

'Misschien was hij gestolen,' voegde Buchard eraan toe.

'Gestolen?' Dat idee leek hem niet erg te bevallen. 'Wanneer ga je dit openbaar maken?'

'Nu nog niet,' zei Lund. 'We moeten wachten.'

'Wachten waarop?' wilde Skovgaard weten.

Ze haalde haar schouders op.

'De chauffeur was gewond. We zullen vandaag met hem praten. Kijken wat hij te zeggen heeft…'

'Als onze auto gestolen was,' zei Skovgaard, 'dan moet de pers dat weten. De schade die dit teweegbrengt…'

Lund sloeg haar armen over elkaar en richtte toen haar blik op Hartmann, niet op de vrouw.

'Het zou kunnen helpen als de dader meent dat we iemand anders verdenken.'

'We kunnen niet doorgaan met dit spelletje,' zei Hartmann. 'Rie stelt een verklaring op.' Hij wendde zich tot Buchard. 'Daar krijgt u een kopie van te zien. Die verklaring gaat de deur uit. Zodra…'

Lund trok haar stoel door het kantoor en ging vlak voor hem zitten.

'Ik zou het echt op prijs stellen als jullie zouden wachten.'

'Daar kan ik niks aan doen.'

'De schade die ons dit kan berokkenen…'

Er flitste iets in Hartmanns ogen.

'En hoe zit het met de schade die dit míj toebrengt? Die het al toegebracht heeft. Het wordt steeds erger. Buchard…'

De hoofdinspecteur knikte.

'U krijgt een kopie te zien,' beloofde Hartmann. 'Als u daar een fout in aantreft, zeg het ons dan. Een andere optie is er wat mij betreft niet.'

'Dat begrijp ik.'

Dat was het. Hartmann kwam overeind. 'We zijn hier klaar. Goedemorgen.'

Maar Lund was nog helemaal niet klaar. Ze stond op en liep naar de gang. Haalde Hartmann en die Skovgaard-vrouw in terwijl ze op weg waren naar de wenteltrap.

'Hartmann! Hartmann!' Hij bleef staan. Geen glimlach te bekennen.

'Als je nou toch eens naar mij zou willen luisteren…'

'De pers doet alsof ik een verdachte ben.' Hartmann priemde met een vinger in zijn borst. 'Alsof ik dat meisje vermoord heb.'

'Op tv heb je gezegd dat je zou meewerken.'

'We hébben meegewerkt,' zei Skovgaard. 'En kijk nou eens.'

Lund stond vlak voor Hartmann, een felle glanzende blik in de ogen, niet van plan los te laten.

'Ik heb je hulp nodig.'

Skovgaard zei: 'We moeten weg.'

'Lund?'

Svendsen, een van de jongens van haar team kwam het crisiscentrum uit lopen. Hij gebaarde naar haar.

'Je bezoekers zijn er.'

Ze raakte Troels Hartmanns arm aan.

'Eventjes nog, alsjeblieft. We zijn nog niet klaar. Eén minuutje maar. Alsjeblieft.'

Twee gestalten verschenen aan het einde van de lange gang. Een reus van een man, met grijzend haar, lange bakkenbaarden, een zwartleren jack. Een vrouw in een lichtbruine regenjas, met kastanjebruin haar, een aantrekkelijk gezicht dat een verloren en bange indruk maakte. Hij friemelde wat aan een zwarte muts in zijn handen. In afwachting van iets wat ze niet wilden zien. Ze staarde naar de glanzende zwartmarmeren muren en klampte zich vast aan zijn arm.

Lund beende met grote passen naar hen toe, zakelijk, betrokken. Ze spraken even met elkaar en liepen vervolgens de gang door, Hartmann en Rie Skovgaard passerend die langs de kant stonden.

Er werd niets gezegd. Dat was ook niet nodig.

De vrouw draaide zich heel even om en keek hen een ogenblik indringend aan. Toen liep ze weer verder.

'We zijn laat,' zei Skovgaard tegen hem. 'Troels, we moeten gaan.'

Lund nam hem op. Hun aanblik hield Hartmanns aandacht gevangen.

'Troels?'

Hartmann zei: 'Waren dat…?'

Lund knikte, keek hem aan, wachtte.

'Maakt het verschil?'

'Ja.'

'En jij weet dat zeker?' snauwde Skovgaard.

'Ik weet dat als jullie een verklaring uitbrengen we een kans kwijt zijn. Een voordeelpositie misschien wel.'

Lund zuchtte, haalde de schouders op.

'We hebben maar zo weinig. Ik vecht voor wat ik daarvan kan behouden.'

'Oké.' Hij keek Skovgaard niet aan die hem met starre blik kwaad stond aan te kijken. 'Tot morgen nog. Daarna… Lund…'

Ze luisterde.

'Morgen,' zei Hartmann, 'maken we duidelijk waar we staan. Wat jij verder ook zegt.'

In Lunds kamer zaten Theis en Pernille Birk Larsen te luisteren, de koffie op het bureau was niet aangeraakt.

'We hebben een voorlopig rapport van de lijkschouwer,' zei Lund. 'Maar hij is nog niet helemaal klaar. De begrafenis…'

'We moeten ertussenuit,' viel Birk Larsen haar in de rede. 'We gaan vanmiddag naar de kust. Al die verdomde journalisten. De jongens…' Hij keek haar recht aan. 'Jullie mensen die de hele tijd langskomen. Jullie kunnen doen wat jullie willen als wij er niet zijn.'

'Als u dat wilt.'

'Wat doen ze met haar?' vroeg Pernille.

'Nog meer tests. Ik weet het niet precies.' Een van haar vaste leugens. 'We laten het u weten wanneer het lichaam kan worden vrijgegeven.'

De moeder was elders met haar gedachten, dacht Lund. Ze ging volledig op in haar herinneringen. Of fantasie.

De vader weer.

'Waar gaat Nanna daarna naartoe?'

'Meestal naar een uitvaartondernemer. Dat is aan u.'

Pernille werd wakker.

'Wat is er met haar gebeurd?' snufte ze. 'Wat heeft hij gedaan?'

Lund opende haar handen.

'Ik moet nog wachten op een volledig rapport. Ik begrijp dat u het wilt weten. 'Het is…'

Theis Birk Larsen keek alsof hij elk moment zijn oren met zijn grote handen zou bedekken.

Er werd op de deur geklopt. Een rechercheur uit haar team. Hij verontschuldigde zich en begon om documenten uit haar bureau te vragen.

Het waren er zoveel en ze zeiden zo weinig. Lund hielp hem. Ging daar even helemaal in op. Had niet in de gaten dat de deur openstond.

Maar Pernille Birk Larsen wel, en door een kier ving ze een korte, choquerende glimp op van de kamer daarachter. De briefingruimte. Foto's aan de muur. Een paar enkels, bijeengebonden met een zwartplastic tie rip. Benen vol blauwe plekken en kneuzingen op een zilverkleurig tafelblad. Een dood gezicht, dat van Nanna, met wonden overdekt, de ogen gesloten, de lippen paars en gezwollen. Een bloederig oog. Een gebroken nagel. Het door een mes opengereten slipje. Het gescheurde topje.

Pijltjes wezen details aan, de bloedvlekken en snijwonden. Kringetjes omcirkelden vlekken, aantekeningen beschreven de toegebrachte verwondingen.

Haar lichaam, op haar zij, handen en benen gebonden, lag daar zo stil als maar kon op een tafel.

Pernille staat op.

Haar ademhaling klinkt luid, haar hart gaat tekeer, Theis is naast haar, en zo lopen ze naar de deur.

Er is een geluid te horen: een potlood dat valt als ze voorbijkomt.

De betovering was verbroken. Lund keek, en terwijl ze steeds woedender werd, sleepte ze de rechercheur met zich mee. Ze duwde hem door de deur en schreeuwde: 'Doe die deur dicht!'

Ze draaide zich weer naar hen toe.

'Het spijt me,' zei ze.

Ze stonden daar zonder iets te zeggen. De grote man en zijn vrouw. Het huilen voorbij, dacht ze. Ieder gevoel voorbij.

'Het spijt me,' zei Lund nog eens. Ze kon wel gillen.

Hij omklemde het bureau met één hand, de vingers van zijn vrouw met de andere.

'Ik denk dat we moeten gaan,' zei Theis Birk Larsen.

Ze liepen als twee geestverschijningen de gang door, volkomen het spoor bijster en hand in hand, zonder te merken waar ze heen gingen.

'U kunt me altijd bellen,' riep Lund hen achterna, en ze wilde dat er iets anders was dat ze kon zeggen.

Rektor Koch had het te druk voor de politie.

'Deze school moet zo snel mogelijk terug naar de normale gang van zaken,' zei ze. 'We zijn bezig een herdenkingsdienst te organiseren. Ik zal een toespraak houden.'

'Dit gaat niet over wat ú nodig hebt,' zei Lund.

Ze bevonden zich in de gang buiten Nanna's klas. Een komen en gaan van jongeren. Oliver Schandorff, zag Lund, hing in de buurt rond en probeerde hen af te luisteren.

'U kunt toch onmogelijk denken dat de school hierbij betrokken is?'

Meyer sprong erbovenop.

'Weet u wat? Als u ons ons werk laat doen dan kunnen we die vraag misschien beantwoorden.'

Hij wierp haar zijn beste vuile blik toe. Toen ze weg was, zei hij: 'Lynge arriveerde hier tegen twaalven en had opdracht gekregen zijn posters in de kelder achter te laten. Iemand zag hem ook in de buurt van de gymzaal.'

'Waarom?'

'Geen idee. Misschien was hij gewoon lui. Of ziek. Of vond hij het leuk om naar volleyballende meisjes te kijken.'

'Misschien heeft hij daar de autosleutels verloren.'

Hij haalde zijn schouders op.

'Wie had er daarna gym?' vroeg Lund.

'Niemand. De eerstvolgende les was pas op maandag. Niemand heeft melding gemaakt van gevonden sleutels. Wat een verrassing.' Ze liepen de gang door naar de ingang.

'Wat weten we over het meisje?'

Meyer bladerde door zijn aantekeningen.

'Topleerling. Goede cijfers. Populair. Knap. De leraren waren dol op haar. De jongens wilden met haar naar bed.'

'En stond ze dat toe?'

'Alleen Oliver Schandorff en ze heeft het zes maanden geleden met hem uitgemaakt.'

'Drugs?'

'Niks. Ze dronk meestal ook niet. Ik heb een foto gekregen van het feest. Niemand heeft haar na half tien nog gezien.'

Lund keek naar de afdruk tussen Meyers vingers. Nanna met een glanzende, blauwe pruik op en een zwarte heksenhoed. Naast haar Lisa Rasmussen. Beiden glimlachten. Lisa als een tiener, Nanna meer als een...

'Ze ziet er erg... volwassen uit voor haar leeftijd,' merkte Meyer op.

'En dat wil zeggen?'

'Dat wil zeggen... dat ze er erg volwassen uitziet voor haar leeftijd. Vooral vergeleken met haar vriendin.'

Hij liet nog een foto zien. Weer Nanna en Lisa, iets eerder of iets later misschien. Lisa met haar arm om Nanna die grijnsde, dit keer met haar mond open.

Lund keek naar de pruik en de hoed.

'Heeft ze eerst al die moeite gedaan voor een kostuum om vervolgens vroeg weg te gaan?'

'Ja, gek hè?'

Lund keek de gang door, naar de kluisjes en de posters aan de muren.

Meyer wapperde met zijn blocnote naar haar.

'Heb je antwoorden?' vroeg ze hem.

'Ik heb vragen, Lund. Dat is een goed begin.'

Ze namen Lisa Rasmussen mee een leeg klaslokaal in.

Lunds eerste vraag.

'Je hebt ons nooit verteld dat Oliver en Nanna ruzie hadden op de dansvloer. Waarom?'

Eerst het tienerpruillipje. Toen: 'Het was niet belangrijk.'

Meyer keek haar met half toegeknepen ogen aan.

'Je beste vriendin is verkracht en vermoord en je vond dat niet belangrijk?'

Ze ging niet huilen. Vandaag was het de-politie-is-je-vijand-dag.

'We waren aan het dansen. Oliver kwam naar ons toe. Zo'n drama was het nou ook weer niet.'

Lund glimlachte naar haar.

'Oliver gooide met een stoel.'

Niks.

'Was Nanna dronken?'

Met een steeds geïrriteerder, nasaal stemgeluid zei ze: 'Neeeeee.'

'Jij wel,' zei Meyer.

Ze haalde haar schouders op.

'Een beetje, nou en?'

'Waarom gingen ze uit elkaar?' vroeg hij.

'Kweetniet.'

Hij leunde over de tafel heen en zei heel langzaam: 'Waarom... gingen... ze...'

'Ze zei tegen me dat hij nog zo onvolwassen, zo'n kind was!'

'Maar je dacht desondanks dat ze bij hem was?'

'Ik kon haar niet vinden.'

Lund nam het over.

'Waar ging die ruzie over?'

'Oliver wilde met haar praten. Zij niet met hem.'

'En toen ging ze weg. Waar was Oliver toen?'

'Achter de bar. Het was zijn beurt.'

'Weet je dat zeker?'

'Ik heb hem gezien.'

Meyer schoof een velletje papier over de tafel heen en keek Lisa Rasmussen ondertussen de hele tijd aan.

'Dit is het barrooster,' zei Lund. 'Zijn naam staat er niet op. Verder is er niemand die zich herinnert dat hij die avond dienst had...'

Ze keek niet naar het rooster, beet in plaats daarvan op haar lip als een klein kind.

'Wat had ze aan?' vroeg Meyer.

Ze dacht even na.

'Een heksenhoed met een gesp. Een blauwe pruik. Ze had een bezem bij zich. Van twijgen. Nogal in elkaar geflanst...'

'Het is koud buiten, Lisa,' onderbrak Meyer haar. 'Vond je het niet gek dat ze zo weinig aanhad?'

'Ze had vast haar jas in de klas gelegd.'

'Dan moet ze naar boven gegaan zijn,' zei Lund.

'Nee, integendeel,' zat Meyer er meteen bovenop. 'Ze ging juist naar beneden. Dat heeft Lisa ons eerder verteld.' Hij keek haar aan. 'Naar beneden, hè?'

'Beneden,' mompelde het meisje.

'Hoe kwam ze dan aan haar jas?' wilde Lund weten.

'Ja,' Meyer liet niet los. Ze lieten allebei niet los. 'Hoe?'

'Ik wist niet of ze een jas bij zich had. Er waren mensen. Een hoop...'

Lisa Rasmussen zweeg, met een schuldige uitdrukking op haar inmiddels rode gezicht.

Meyer keek haar steels aan.

'Ik dacht dat je vandaag niet zou huilen, Lisa. Waarom is het nou ineens zo moeilijk?'

'Je weet niet of ze vertrok en of Oliver achter haar aan ging?'

'We weten dat je tegen ons zit te liegen dat je barst!' riep Meyer. 'Heeft Oliver de autosleutels gevonden? Heeft hij haar gepakt in de auto om te laten zien wat voor vent hij was? En heb jij toegekeken? Voor de lol?'

Lund kwam tussenbeide, legde een arm om het meisje. Een stortvloed aan tranen nu.

'Het is belangrijk dat je ons vertelt wat je weet,' zei ze.

Met de bange piepstem van een kind jammerde Lisa Rasmussen. 'Ik weet niets. Laat me met rust.'

Meyers mobiel ging over.

'Je moet ons vertellen…' begon Lund.

'Nee, dat hoeft ze niet,' zei Meyer en hij pakte zijn jasje.

De kelderverdieping van de school bestond uit een ware doolhof aan vertrekken. Ze hadden Svendsen naar beneden gestuurd om ze stuk voor stuk te controleren, iets wat hij, onophoudelijk morrend dat hij in zijn eentje was, gedaan had.

Hij vond de heksenbezem bij een stel plastic zakken in een gedeelte dat bedoeld was als fietsenstalling.

Lund keek.

Rijen en rijen metalen deuren. Met kamers als gevangeniscellen erachter.

De blauwe pruik zat in een van de plastic zakken.

'Hoe zit het met haar fiets?'

'Ik ben hier maar alleen,' zei Svendsen voor de vierde keer die ochtend.

'Sluit dit gedeelte af voor het publiek. Zorg dat een compleet team van de technische recherche hierheen komt,' verordonneerde Lund.

Weber zat achter zijn computer. Hij leek daar elke dag meer tijd achter door te brengen.

'Heb je de nieuwe uitslagen gezien?' vroeg hij.

'Het gaat om de uitslagen van morgen,' zei Hartmann. 'Als ze zien dat er een verbond is tussen…'

Morten Weber keek somber.

'Laten we ons vooral niet rijk rekenen voor Kirsten Ellers naam ook daadwerkelijk op papier staat.'

'Ik heb gisteren met ze gepraat. Het is voor elkaar, Morten. Maak je geen zorgen.'

Skovgaard legde de telefoon neer. Ze keek ook niet blij.

'Wat zijn jullie ineens eensgezind?' zei Hartmann. 'Wat heb ik nu weer gedaan?'

'Ellers mensen vinden je ontwijkend,' zei Skovgaard. 'En een aantal van de onze idem dito.'

'Zeg tegen ze… Zeg dat de auto gestolen was.'

Webers telefoon ging over.

'Waarom ze niet de waarheid vertellen?' zei hij voor hij hem opnam. 'We helpen de politie bij het onderzoek.'

'De politie heeft haar eigen agenda,' zei Skovgaard. 'Die geven geen ene rotmoer om ons.'

Hartmann zette zijn stekels op. Lund intrigeerde hem. Hij was bereid haar een kans te geven.

'Ik ga dit niet uitbuiten, Rie. Zo'n politicus ben ik niet.'

Skovgaard: 'Soms krijg ik van jou de neiging om te gaan gillen. Ga zo nog even door en je wordt helemaal nooit een politicus.'

'Dat was Kirsten Eller.' Weber legde de hoorn neer. 'Ze wil je spreken. Nu.' Weber keek over zijn brillenglazen naar Hartmann. 'Je had het toch voor elkaar, Troels?'

'Wat wil ze?'

'Dat gaat ze een slaaf als ik niet vertellen, toch? Het lijkt me nogal duidelijk.'

Hartmann deed er het zwijgen toe.

'Ze wil ruimte om te manoeuvreren,' zei Skovgaard.

Ze keken hem allebei aan alsof hij dat had moeten weten.

'Wie niet?' vroeg Weber.

Hartmann stond op.

'Ik regel het wel met Kirsten Eller.'

Een kwartier later zat Hartmann in zijn eentje in een vergaderzaal van de burelen van de Partij van het Centrum. Eller lachte niet.

'Ik begrijp de gevoelens in de groep,' zei ze.

'Wat bedoel je?'

'Dat gedoe met de politie. Mensen praten over je. Bremers aanhangers ruiken je bloed.'

'De auto was gestolen. De chauffeur is onschuldig.'

'Waarom weet niemand dit, Troels?'

'Omdat de politie ons gevraagd heeft te wachten. En dat was de juiste handelwijze. Wat maakt het trouwens uit?'

'Veel. Je had me kunnen waarschuwen.'

'Nee, dat kon ik niet, want de politie vroeg me mijn mond te houden.'

'Bremer belde me vanochtend. Hij biedt aan tienduizend appartementen te bouwen, sociale woningbouw, lage huren.'

'Je kent hem toch, daar komt niks van terecht.'

'Het spijt me, Troels. Dat bondgenootschap gaat niet door. Ik kan niet anders onder de gegeven omstandigheden...'

Hartmann zocht naar een antwoord, voelde zich kwaad worden.

'Bremer houdt je aan het lijntje. Hij wil gewoon dat je net zo lang aarzelt tot het te laat is om nog een deal met elkaar te sluiten en dan laat hij je vallen als een baksteen. Die woningen krijg je niet. Je mag nog van geluk spreken als je überhaupt een wethouderszetel krijgt.'

'Het is een groepsbesluit. Ik kan er verder niks aan doen.'

Hij wilde het liefst gaan schreeuwen. Tegen haar tekeergaan omdat ze zo idioot deed. Maar hij hield zich in.

'Tenzij je natuurlijk een beter aanbod hebt,' zei Eller.

Bremer zat in zijn studio en maakte zich op voor een tv-spot. Lampen, camera's, een vrouw van de make-up. Aanhangers.

Zijn uiterste best doend om zijn woede in bedwang te houden kwam Troels Hartmann binnenstormen. Hij liep recht op de lachende gestalte af in zijn witte overhemd en met de bepoederde wangen, en zei: 'Jij smerige klootzak.'

Bremer glimlachte en schudde zijn grijze hoofd.

'Sorry.'

'Je hebt het gehoord.'

De vrouw van de make-up hield haar poederkwast stil en luisterde.

'Dit komt nu niet goed uit, Troels,' zei Bremer met een goedmoedige zucht. 'En voor jou ook niet, lijkt me. Later…'

'Ik wil een verklaring.'

Ze liepen naar het raam, waar ze een schijn van privacy hadden. Hartmann kon het niet helpen. Al voor hij daar was stak hij van wal.

'Eerst jat je ons plan. Dan ga je er dubbel overheen en stelt een onrealistisch aantal nieuwe woningen voor waarvan je weet dat ze er nooit zullen komen.'

'Ah,' zei Bremer en hij wuifde met zijn hand. 'Je hebt met Kirsten gepraat. Een verschrikkelijke kletskous. Ik heb je gewaarschuwd.'

'Vervolgens buit je de dood van een jong meisje uit en wel op zo'n moment dat je alles alleen maar erger maakt, terwijl wij de politie en de ouders juist proberen te helpen.'

Bremers gezicht betrok. Hij onderbrak Hartmann ruw en zwaaide een vinger voor zijn neus heen en weer.

'Tegen wie denk jij dat je het hebt? Moet ik het tijdstip waarop ik met mijn voorstellen kom laten bepalen door de ellende die jij jezelf op de hals haalt? Word volwassen, jongen. Je had niks met die auto te maken en toch koos je ervoor dat niet openbaar te maken. Ik had zo gedacht dat Rie Skovgaard verstandiger zou zijn.'

'Wat ik doe is mijn zaak.'

De burgemeester lachte.

'Wat ben je toch een kind, Troels. Ik had geen idee dat het zo erg was. Een klungelige alliantie met die clowns van Kirsten… waar zat je met je gedachten?'

'Verlaag jezelf nu niet nog meer, Bremer. Ik weet dat het moeilijk is…'

'Ach jee. Het is alsof ik weer met je vader zit te praten. De wanhoop. De paranoia. Wat een droefenis.'

'Ik zeg je…'

'Nee!'

Poul Bremers stem weergalmde door de studio, hard genoeg om iedereen het zwijgen op te leggen, ook Hartmann.

'Nee,' herhaalde hij, rustiger nu. 'Jij vertelt mij helemaal niks, Troels. Zoek een echte vent voor me om de strijd mee aan te gaan. Geen modepop met een flitsend pak aan.'

De kerk was kaal en koud, en de predikant niet veel anders. Ze zaten te luisteren terwijl hij de mogelijkheden opsomde. Wat gebeden betrof, muziek, bloemen. Wat alles betrof, behalve datgene waar ze het meest behoefte aan hadden: begrip.

Het leek wel een boodschappenlijstje.

'Zou "Er is een roos ontsprongen" gezongen kunnen worden?' vroeg Pernille terwijl Theis en zij samen het liedboek vasthielden.

De predikant droeg een bruin jasje en een grijs poloshirt. Zijn blik gleed over de bladzijde en hij zei: 'Nummer 132. Een prachtig lied. Een van mijn favoriete.'

'Ik wil dat het hier heel mooi is met een zee van bloemen,' voegde ze eraan toe.

'Dat is aan u. Ik kan u de naam van een paar bloemisten geven.'

'Ze is gek op bloemen.'

Naast haar op de bank zat Theis Birk Larsen naar de stenen vloer te staren.

'Blauwe irissen. En rozen.'

'Is er verder nog iets?' vroeg Birk Larsen.

De predikant keek in zijn aantekeningen.

'Nee. Alleen de toespraak, maar ik stel voor dat u zelf wat dingen opschrijft. Thuis. Als u tijd hebt.'

Hij keek op zijn horloge.

'U moet niets zeggen over wat er met haar gebeurd is,' liet Pernille hem weten.

'Alleen over de Nanna zoals u haar gekend hebt. Dat spreekt.'

Een lange stilte volgde. Toen zei ze: 'Nanna was altijd vrolijk. Altijd.'

Hij maakte snel een aantekening.

'Dat kan ik dan mooi zeggen.'

Birk Larsen stond op. De predikant eveneens. Schudde zijn hand.

Pernille keek om zich heen in het koude, donkere gebouw. Probeerde zich er een kist voor te stellen, zag het stijve, koude lichaam erin voor zich…

'Als u behoefte hebt aan een gesprek,' zei de predikant als een dokter die een afspraak voorstelt. In zijn ogen lag een blik van bestudeerd, professioneel meegevoel. 'Vergeet niet dat alles in orde is met haar. Nanna is nu bij God.'

De man knikte alsof dit de meest wijze, passende woorden waren die hij kon bedenken.

'Bij God,' herhaalde hij.

Zwijgend liepen ze naar de deur.

Na twee passen hield Pernille halt, draaide zich om en keek naar de predikant in het bruine jasje en de donkere pantalon.

'Wat heb ik daaraan?'

Hij was bezig een stoel terug te zetten. In zijn zak zat het notitieblokje, als het schetsboekje van een timmerman. In zijn hoofd was hij waarschijnlijk al de rekening aan het opstellen.

'Wat?' schreeuwde ze.

'Lieverd,' zei Birk Larsen en hij probeerde haar vingers beet te pakken.

Ze schudde hem van zich af.

'Ik wil het weten!' ging Pernille tekeer tegen de man op de traptreden van het altaar, die daar als verlamd door haar razernij stokstijf was blijven staan. 'Wat heb ik daaraan? U met uw schijnheilige woorden…'

Hij deinsde niet terug. Ergens haalde hij moed vandaan. Hij kwam terug en keek haar in de ogen.

'Soms is het leven zinloos. Meedogenloos. Het verlies van een dochter is verschrikkelijk. Het geloof kan weer hoop geven. Kracht.'

Haar adem kwam in korte stootjes, haar hart bonsde.

'Te weten dat het leven niet zinloos is…'

'Bespaar me die onzin!' krijste Pernille Birk Larsen. 'Het kan me geen barst schelen of ze bij God is. Begrijpt u dat niet?'

Haar handen klauwden naar haar borst. Haar stem sloeg over. De man bleef staan waar hij stond, voor het altaar. Theis Birk Larsen stond er als verlamd bij, zijn gezicht in zijn handen begraven.

'Begrijpt u dat niet?' jammerde Pernille. 'Ze hoort…' In de donkere koude kerk fladderde ergens een vogel, droge vleugels ritselden onder het dak. '… bij mij te zijn.'

Lund zat op haar Nicotinell te kauwen. Ze keken naar de knul met het rode haar, Oliver Schandorff. Daar zat hij met een neurotisch gezicht, wriemelende vingers, stijf van de zenuwen in een leeg klaslokaal.

'Je bent gister vroeg weggegaan, Oliver. En je was maandag niet op school.'

'Ik was ziek.'

'Luiheid is geen ziekte,' zei Meyer.

Schandorff fronste zijn voorhoofd en zag eruit alsof hij tien was.

'Jouw schoolverzuim is zeventien procent,' voegde Lund eraan toe terwijl ze de cijfers bekeek.

'Het rotjochie van de klas,' viel Meyer hem met een duivelse grijns in de rede. 'Een rijkeluiskereltje. Dom, ouders die alles goedvinden. Ik ken jouw soort.'

'Luister,' riep Schandorff. 'Ik had ruzie met Nanna. Dat is alles.'

Lund en Meyer wisselden blikken.

'Heeft Lisa het je verteld?' vroeg Meyer. 'Wat heeft ze nog meer gezegd?'

'Ik heb niks gedaan. Ik heb Nanna nooit pijn gedaan.'

'Waarom heeft ze het uitgemaakt?' vroeg Lund.

Hij haalde zijn schouders op.

'Zo gaat dat. Kan me niet boeien.'

Meyer deed een stap naar voren, snuffelde aan de dure hemelsblauwe trui van Schandorff.

'Ik neem aan dat ze het ook niet leuk vond dat je aan de drugs was.'

Schandorff veegde met zijn hand over zijn mond.

'Vier maanden geleden gearresteerd wegens bezit van speed. En nog een keer twee maanden later.' Meyer snuffelde weer. 'Volgens mij zit jij in… kweenie…'

Hij keek de jongen aan, verbaasd, alsof hem ineens iets opviel. Toen boog hij zich opnieuw voorover, tot op een paar centimeter van zijn gezicht. Schandorff deinsde terug, bang.

'Wacht,' zei Meyer dringend. Hij tuurde in zijn ogen. 'Wat is dat?'

'Wat?'

'Er zit daar zit iets. Een klein vlekje… ik weet het niet. Achter je ogen.'

Meyer stak een priemende vinger naar hem uit. Schandorff zat helemaal tegen de rugleuning van zijn stoel gedrukt, kon niet verder naar achter.

'O,' zei Meyer met een zucht van opluchting. Hij stapte weer achteruit. 'Het is niks. Het zijn je hersens maar…'

'Fuck you,' mompelde Oliver Schandorff.

'Heb je die troep ook aan Nanna gegeven?' bulderde Meyer. 'Zei je… hé, laten we high worden… oh, het wordt nog beter als je je broek uitdoet.'

Het rossige hoofd kwam naar voren.

'Nanna vond er niet veel aan.'

'Wat?' vroeg Lund. 'De drugs of de…?'

'Allebei.'

'En dus begon je je een beetje aan te stellen tegenover haar?' Meyers kin rustte in zijn handen. Een houding die uitdrukte: ik heb alle tijd. 'Op de dansvloer. Een beetje met een stoel in het rond smijten. Tegen haar tekeer-gaan.'

'Ik was dronken!'

'O.' Meyers gezicht klaarde op. 'Dan is het in orde. En wat deed je om half tien?'

'Toen stond ik achter de bar.'

Lund schoof het papier over tafel.

'Je staat niet ingeroosterd.'

'Ik stond achter de bar.'

Meyer weer.

'Wie hebben je daar gezien?'

'Een hoop mensen.'

'Lisa?'

'Zij heeft me gezien.'

'Nee, dat heeft ze niet,' zei Lund.

'Ik liep rond. Haalde glazen op…'

'Luister, linkmiechel,' haalde Meyer opnieuw hard uit, maar op een andere manier nu. Kil en bedreigend. 'Niemand heeft je na half tien meer gezien.'

Hij kwam overeind, trok een stoel bij naast Schandorff en ging zo dicht bij hem zitten dat ze elkaar raakten. Hij legde een arm om zijn schouders. Kneep erin.

Lund haalde diep adem.

'Wat heb je gedaan, Oliver? Vertel het ome Jan nou maar. Voor hij boos wordt. We weten allebei dat je het niet fijn zult vinden als dat gebeurt.'

'Niets…'

'Ben je haar naar buiten gevolgd?' Hij kneep nog eens. 'In de kelder rond-gehangen?'

Schandorff wurmde zich los uit zijn greep.

Meyer knipoogde naar hem.

'Nanna had iemand anders, hè? Dat wist je. Je was jaloers als de hel. Kan niet anders.' Meyer knikte. 'Ga maar na. De rijkste jongen van school. Ze was van jou. En dan zou zo'n lekker grietje uit een achterbuurt als Vesterbro jou een beetje gaan dollen?'

Schandorff stond nu te schreeuwen, streek wild met zijn handen door zijn warrige, rossige haar.

'Ik heb gezegd wat er gebeurd was.'

Zijn stem klonk een paar tonen hoger. Was meteen weer jong.

'De autosleutels…' begon Meyer.

'Wat…?'

'Je wist dat de auto daar was.'

'Waar hebt u het over?'

'Nanna wilde niet. Dus heb je haar verkracht. En in het kanaal gedumpt. Op weg naar huis…'

'Hou je kop!'

Meyer wachtte. Lund keek toe.

'Ik hield van haar.'

'Oliver!' Hij was in zijn element. 'Zojuist zei je nog dat ze je geen moer kon schelen. Je hield van haar maar zij vond je een klootzak. En dus deed je wat elke suffe, wietrokende sukkel zou doen. Je verkrachtte haar. Bond haar vast. Duwde haar in de kofferbak van die zwarte auto…'

Weer op de stoel schudde zijn rossige hoofd van links naar rechts.

Meyer sloeg zo hard met zijn vuist op tafel dat de pennen en schriften een sprongetje maakten. Oliver Schandorff zat zwijgend als een hoopje ellende op de stoel te beven.

Lund wachtte. Na een tijdje zei ze uiterst kalm: 'Oliver. Als je ons iets te vertellen hebt dan kun je dat maar beter nu doen.'

'Laten we hem meenemen naar het bureau,' opperde Meyer en hij stak zijn hand uit naar zijn mobiel. 'Oliver en ik moeten even rustig met elkaar praten in een politiecel.'

Het klaslokaal ging open en er kwamen twee mensen naar binnen. Een man van middelbare leeftijd in een duur pak. En achter hem een vrouw die er bezorgd uitzag.

'Ik ben Olivers vader,' zei de man. 'Ik wil even met mijn zoon praten.'

'Wij zijn politie-inspecteurs,' zei Lund. 'U verstoort ons verhoor. Ga weg.'

De man verroerde zich niet. De vrouw keek naar hem. Ze verwachtte iets.

'Hebt u hem iets ten laste gelegd?'

Meyer wapperde met zijn hand en zei: 'Hallo? Hebt u niet gehoord…?'

Een portefeuille. Een visitekaartje werd voor hen opgehouden. Erik Schandorff. Grote jongen, jurist voor een multinational.

'Praat niet zo tegen mij,' zei Erik Schandorff.

'Oliver helpt…' begon Lund.

'Papa?'

De kreet van een bang kind, onmiskenbaar.

'Ik wil met hem praten,' zei de vader.

Buiten op de gang, waar Meyer van woede zacht sissend stond te vloeken, keek Lund door het raam toe.

Vader en zoon. Oliver met voorovergebogen, heen en weer bewegend hoofd.

Hij hief het op en toen sloeg zijn vader hem in zijn gezicht met de rug van zijn hand.

'Het blije familieleven,' mompelde Meyer. Hij stak een sigaret op. 'Nou, stel dat ík dat gedaan had…'

Een minuut later liepen de rijke jurist, rijke zoon en zwijgende vrouw naar buiten. Zonder iets te zeggen.

'Tot gauw, Oliver!' riep Meyer toen ze vertrokken.

Lund leunde achterover tegen de muur, sloeg haar armen over elkaar. Ze sloot de ogen.

Hij stond naar haar te kijken toen ze ze weer opendeed.

'Ik weet wat je denkt, Lund. Dat ik misschien, mogelijkerwijs, een ietsepietsie te hard tegen hem was. Maar als die idioot niet binnen was gekomen...'

'Goed hoor.'

'Nee, echt. Ik wist waar ik mee bezig was. Ik had de zaak onder controle. De hele tijd. Echt...'

'Meyer,' zei ze en ze liep naar hem toe terwijl ze recht in zijn wijd opengesperde, starende ogen keek. 'Ik zei toch dat het goed was. Ga nog eens beneden kijken. Neem contact op met de technische jongens. Zij zouden moeten weten of Oliver in de auto gereden heeft. Het is tijd om hier te vertrekken en naar de bossen te gaan.'

Ze haalde haar autosleutels uit haar tas.

'Verder nog iets?'

'Je bedenkt vast wel iets.'

'En jij, Lund?'

'Ik?'

'Ga je een filmpje pakken of zo?'

Ze knikte, liet hem daar achter, met een glimlach op haar gezicht zodra hij haar niet meer kon zien.

Op het buffet stonden bloemen en ook op de smalle ijzeren schoorsteenmantel boven het vuur. De bloemen bij de gootsteen zaten nog steeds in het papier, en er lagen boeketten op de vloer.

Blauwe irissen. Rozen.

Pernille was de vaat aan het doen en keek ondertussen uit het raam naar buiten.

Een vrouw van de technische recherche zat met de jongens aan de tafel die Pernille en Nanna gemaakt hadden en ze glimlachte naar hen. In haar hand had ze wattenstaafjes.

Ze leek niet ouder dan tweeëntwintig of zo... Niet ouder dan Nanna als ze uitging 's avonds.

'Moer dit echt?' vroeg Theis Birk Larsen.

'We hebben DNA nodig,' zei de vrouw in het blauwe uniform. 'Als vergelijkingsmateriaal.'

De auto beneden was volgeladen. Koffers met kleren. Dozen met spullen van de kinderen. Vagn Skærbæk had hen zoals altijd geholpen.

Hij had nieuw speelgoed meegenomen. Auto's. Goedkoop en blikkerig, maar Vagn kon niet goed met geld omgaan dus Pernille had het hart niet om hem er boos op aan te kijken. De mannen in het magazijn waren net als de rest. Net als Theis. Net als zij. Ze wilden dolgraag wat doen, maar hadden geen idee wat dat kon zijn.

'Goed?' vroeg de vrouw zonder op een antwoord te wachten. Ze boog zich over tafel, deed eerst Anton en vroeg toen Emil om zijn mond open te doen.

Pernille keek vanaf het aanrecht toe, borden in haar hand.

Nu waren ze weer in Nanna's slaapkamer. Daar liepen twee mannen in het blauw rond, nog meer stickers te plakken, aantekeningen te maken.

Haar zus Lotte, jonger, mooier en nog steeds single, nam het grootste deel van het inpakken voor haar rekening. Nu kwam ze terug en omhelsde om beurten ieder van hen.

'Neem wat bloemen mee als je wilt,' zei Theis.

Lotte keek naar hem en schudde haar hoofd.

'Jongens,' zei Theis. 'Laten we naar oom Vagn gaan en hem helpen met de laatste loodjes.'

Pernille beloofde dat ze gauw zou komen en keek toe hoe ze wegliepen.

Gauw.

Toen hij weg was liep ze bij het aanrecht vandaan. Keek om zich heen in de rommelige kamer.

In deze kleine kamer was hun een onverwacht wonder overkomen. De magie van het gezin. Gedeelde levens. Gedeelde liefde.

Nu stampten mannen in het blauw door Nanna's slaapkamertje. Trokken laden openen die ze gisteren ook al hadden opengetrokken. Ze praatten op gedempte toon met elkaar en deden er het zwijgen toe als ze meenden dat zij hen kon horen.

De jongens kwamen weer naar boven gestormd, gristen hun vliegers mee, en nog meer speelgoed. Lieten haar de prullerige autootjes zien die Vagn gekocht had.

'Pas goed op die scherpe randen,' zei ze. 'Pas goed op…'

Ze waren alweer weg, zonder te luisteren. Een van de mannen uit de slaapkamer liep achter hen aan naar de auto met een paar van Nanna's boeken in zijn in blauwe handschoenen gehulde handen.

De agent die achterbleef was oud, had een grijze baard en een droevig gezicht. Hij leek niet erg op zijn gemak. Durfde haar niet aan te kijken. Met zijn grijze hoofd gebogen keek hij nogmaals naar Nanna's boekenkast.

Ze pakte haar tas op, klaar om te vertrekken.

In het appartement hing zo'n zware bloemengeur dat ze er hoofdpijn van kreeg.

Hier woonden we. Hier zaten we om de tafel en dachten dat ons kleine geluk nooit op zou houden.

En nu zijn we op de vlucht, we kruipen weg, onwetend en bang, alsof het onze eigen schuld was.

Thuis. Bezaaid met stickers van de technische recherche en afdrukken van hun laarzen. Vingerafdrukken op de muren waar nog steeds Nanna's mooie gezichtje te zien was.

De tas landde weer op het oude versleten tapijt. Pernille liep de kamer in, keek naar de man die daar aan het werk was, de overblijfselen van haar dochters korte voorbije leven doorzocht.

Ze ging op het bed zitten en wachtte tot hij de moed had haar aan te kijken.

'Ik ben zo klaar. Het spijt me…'

'Wat is er daar in de bossen gebeurd?' vroeg ze en ze dacht: ik beweeg niet, ik ga niet weg tot hij het gezegd heeft.

Een vader. Dat kon ze aan zijn gezicht zien. Hij begreep het. Hij wist het.

'Ik ben niet degene met wie u moet praten. Sorry.' Hij frummelde aan de la van Nanna's bureau. 'Ik ben aan het werk. U moet gaan.'

Pernille bleef zitten waar ze zat, op de lakens van Nanna's keurig opgemaakte bed.

'Ik moet…' Zijn ogen waren gesloten Ze zag zijn pijn. Wist dat hij de hare ook zag. 'Ik moet weten wat er gebeurd is. Ik ben haar moeder…'

Weer het bureau. Hij deed daar niks en dat wisten ze beiden.

'Wat is er met mijn dochter gebeurd?'

'Ik ben niet bevoegd…'

'Er waren foto's. In jullie kantoor. Ik zag…' Woorden, dacht ze. Ze moest nu de juiste woorden kiezen. 'Ik zie ze 's nachts in mijn hoofd en ik weet… dat het niet erger kan zijn dan ik me verbeeld. Dat kan niet.'

Hij hield op, het hoofd gebogen.

'Het kan niet erger zijn. Maar…' Ze klopte op haar kastanjebruine haar, haar schedel. Ze liet haar stem met opzet zwakjes klinken. 'In mijn hoofd zie ik…'

De politieman boog zich stijfjes over het bureau, bewoog zich niet.

'Ik ben haar moeder. Moet ik nou smeken?'

Geen antwoord.

'Elke dag sterft ze in mijn hoofd. Steeds weer opnieuw en het is iedere keer verschrikkelijker. We moeten haar begraven…'

Hij beefde nu.

'Ik moet het weten,' zei ze opnieuw.

Ze keek toe hoe hij zuchtte.

En toen eindelijk luisterde.

Theis Birk Larsen keek rond in het magazijn. Hij hielp Vagn Skærbæk een kast in een verhuiswagen te zetten. Keek hoe de jongens met hun kleine blikken autootjes aan het spelen waren. Controleerde hun spullen achter in de auto: een gezin gereduceerd tot een aantal koffers, klaar voor vertrek.

'Nog nieuws, Theis?'

Birk Larsen stak een sigaret op en schudde zijn hoofd.

Anton en Emil kwamen naar hen toe rennen, klampten zich vast aan Skærbæks benen. Ze begonnen om geld voor een ijsje te zeuren. Ze maakten hem aan het lachen.

'Zie ik eruit als een groot spaarvarken of zo?' zei hij en hij haalde wat muntjes tevoorschijn. Ze rinkelden over de vloer. Altijd hetzelfde grapje: *er geen bier van kopen, hoor!*

'Wie is de chauffeur die ze opgepakt hebben?' vroeg Skærbæk. 'In de krant werd geen naam genoemd…'

'Ik weet het niet. Ze vertellen ons niets. Waarom zouden ze ook?'

Birk Larsen staarde rond in het magazijn en probeerde net als anders te denken: aan klussen en inventarislijsten, rekeningen die betaald, facturen die geïnd moesten worden. Niets hielp. Nanna's dood had hen in een nimmer eindigend heden opgesloten, waar de tijd tot stilstand was gekomen en er geen ontsnappen meer mogelijk was. En geen enkel vooruitzicht op verlossing.

'We zijn maar onbetekenende mensen,' mompelde hij.

'Nee, dat zijn jullie niet.'

Vagn Skærbæk stond naast hem en negeerde de jongens die weer aan zijn overall aan het trekken waren.

'Dank je dat je de zaken waargenomen hebt,' zei Birk Larsen. 'Ik weet niet wat…'

Te veel woorden. Hij klopte Skærbæk op de arm.

'Je hebt mijn leven gered, Theis,' Skærbæks gezicht was vertrokken van woede. De zilveren ketting om zijn hals glinsterde. 'Dat vergeet ik nooit. Die klootzak krijgt wat hem toekomt. Zeg maar als je wilt dat ik iets onderneem.'

'Zoals wat?'

'Als hij een belachelijk lage straf krijgt. En hij op borgtocht vrijkomt. Zeg het maar, Theis… Ik wil…'

'Helpen?' Birk Larsen schudde zijn hoofd.

'Als dat is wat je wilt…'

'Ze is dood.'

Arme Vagn. Domme Vagn. Trouw als een hond en ongeveer even slim.

'Dood.' Een enkel wreed woordje. 'Begrijp je dat niet?'

Maar er was een vlammetje gaan branden en een plotselinge vlaag van woede laaide op. Theis Birk Larsen hamerde met zijn enorme vuist op een kast die onder het geweld stond te trillen op zijn pootjes.

'Waar is Pernille, verdomme?'

Boven in de keuken, omringd door de bloemen, bedwelmd bijna door hun geur.

De politieman was aan de telefoon. Bezorgd.

'Pernille?'

Hij was de trap op gelopen om te kijken waar ze bleef.

'We gaan niet.'

Hij schommelde op zijn grote voeten heen en weer zoals hij altijd deed voor een ruzie. Niet dat ze er zoveel hadden, maar hij had ze wel allemaal gewonnen.

'Ik heb het tegen de jongens gezegd. Het huisje is gereserveerd…'

'We gaan niet.'

'Alles is geregeld!'

Ze had nooit zozeer verloren. Ze vocht niet echt. Maar dat was nu voorbij. Net als veel andere dingen. Dingen waar ze nu nog geen zicht op had. Maar dat zou wel komen.

'Nanna was nog niet dood toen de auto in het water terechtkwam,' zei ze effen. Haar stem was rustig, net als haar gezicht.

'Wat?'

'Ze was niet dood. Ze lag in de kofferbak van de auto. Gevangen. Ze verdronk.'

Pernille liep Nanna's slaapkamer in.

Kleren. Spulletjes. Ze lagen overal in het rond, smekend om opgeruimd te worden. De taak van een moeder…

Ze begon de boeken te verplaatsen, de kleren van de ene plek naar de andere, haar heldere ogen glansden, er begonnen zich tranen te vormen.

Toen hield ze op en sloeg haar armen over elkaar.

'We gaan nu weg,' zei Theis Birk Larsen vanuit de deuropening. 'En daarmee basta.'

Hij stond naast het aquarium dat Nanna had willen hebben. Pernille keek geboeid naar de zwemmende, gouden vormen die daarin gevangenzaten en naar buiten spiedden zonder ook maar iets te begrijpen van wat zich daar aan de andere kant afspeelde.

'Nee,' zei ze. 'We blijven. Ik wil zien hoe ze hem oppakken. Ik wil zijn gezicht zien.'

Ze zwommen in rondjes, almaar door, verwonderd over hun eigen spiegelbeeld. Ze dachten niet, ze gingen nergens heen.

'Ze moeten hem vinden, Theis. Ze zullen hem vinden.'

De rollen draaiden om. Dat was nog nooit eerder gebeurd.

Hij frunnikte aan zijn wollen muts.

'We blijven hier,' herhaalde Pernille Birk Larsen. 'Ik haal de jongens. Neem jij de koffers weer mee naar boven.'

Lynge was wakker, met een verband om zijn hoofd, een infuus in zijn arm. Het oude litteken op zijn wang werd overdekt door verse snij- en schaafwonden. Hier en daar zat nog steeds aangekoekt bloed in zijn grijze snor.

'John?' zei Lund.

Beweging. Ademhaling. De ogen half open. Ze had geen idee of hij dit kon horen. Net zomin als de geïrriteerde arts die ze onder druk had gezet haar binnen te laten.

'Ik vind het erg voor je dat dit gebeurd is. Begrijp je dat?'

De wenkbrauwen van de man gingen even op en neer.

'Ik weet dat je dat meisje geen kwaad gedaan hebt.'

Hij zat vast aan een apparaat met allemaal oplichtende getallen en grafieken.

'Ik heb je hulp echt nodig, John. Ik moet weten wat er op de school gebeurd is. Wie je ontmoet hebt. Waar je de sleutels bent kwijtgeraakt.'

Zijn ogen bewogen. Draaiden naar haar toe.

'Je parkeerde de auto. Nam de posters mee naar binnen. Je ging naar de gymzaal. Voelde je je toen ziek worden?'

Lynge kuchte, leek zich in iets te verslikken.

Een geluid, een woord.

'Wat? John?'

Weer een geluid. Eén oog schoot wijd open. Er was een blik van angst, van pijn in te lezen.

'Kelder.'

'Daar ging je naartoe om de posters af te geven. Ben je daar de sleutels kwijtgeraakt?'

'Die knul werd kwaad. Zei dat ik daar niet mocht komen.'

'John.' Ze stond op, boog zich tot vlak bij zijn mond; dit moest ze horen. 'Wie werd er boos? Welke knul?'

Opnieuw dat fluitende geluid. Ze kon hem ruiken.

'Waren er fietsen daar? Fietsen?'

'De volgende.'

Lund probeerde zich de kelder voor de geest te halen.

'De volgende ruimte?'

'De boiler.'

Een geluid. De deur ging open. De arts was terug en hij keek niet blij.

'Wie heb je in de boilerruimte gesproken, John?'

Lund haalde de foto's van school uit haar tas. Portretfoto's. Ze wees naar

Oliver Schandorff en zei: 'Heb je hem gezien? Deze. Kijk. Alsjeblieft.'
Weer dat gefluit. Toen: 'Nee.'
'Weet je het zeker? Kijk nog eens goed.'
De dokter stond nu met zwaaiende armen bij hen en zei: 'Oké, zo is het wel genoeg. U moet nu ophouden. Ga weg...'
'Nog één minuut,' zei Lund, die van geen wijken wist. 'Alleen nog...'
Ze duwde hem naar achteren en hield de schoolfoto boven de zieke man in het bed.
'Ik wijs ze aan met mijn vinger, John. Een voor een. Knik als ik de goeie heb, ja?'
Een voor een, kind voor kind.
Toen ze bij een lange donkerharige leerling was aanbeland met een gewoon, aardig uiterlijk, knikte John Lynge.
'Heb je hem gezien in de boilerruimte...?'
'Zo is het wel genoeg,' zei de arts tegen haar, en hij greep haar bij de arm. 'John?'
Het oog ging weer open, zag haar. Zijn hoofd bewoog met een uiterst minieme beweging op en neer.
Lund kwam overeind en veegde de hand van de arts ruw van zich af.
Zei: 'Ja, zo is het genoeg.'

Meyer stond te roken op de speelplaats van de school toen hij haar telefoontje aannam.
'Je moet weer terug naar de kelder,' zei Lund.
Stilte.
'Zeg alsjeblieft dat dat een grap was.' Hij keek naar de mannen van de technische recherche. Hij had honger. Zij ook. En Svendsen begon op zijn zenuwen te werken.
'Ga terug naar beneden.'
'De technische jongens pakken net hun spullen in. We hebben overal gekeken. Hoe gaat het met Lynge?'
'Hij mag over een week het ziekenhuis uit. Is er een boilerruimte?'
'Die zit op slot. Niemand kan erin behalve de conciërge.'
'Ik kom eraan.'
Hij hoorde verkeersgeluiden. De zwarte, kletsnatte straten waren verlaten. Binnen een paar minuten zou ze bij hem zijn.
Meyer begon over de vieze betonnen trap terug te lopen.
'Je moet niet praten en rijden tegelijk.'
'Ben je al binnen?'
'De conciërge is hier.'
'Ik moet weten wat daarbinnen is.'

'Oké, oké.'

Hij zei tegen de conciërge dat hij de deur open moest maken.

'Ben je binnen?'

'Ja! Beetje rustig, hè.'

'Wat zie je?'

Het was even stil. Toen zei Meyer: 'Ik zie de boiler, verrassing!' Toen: 'Gewoon een hoop oude troep. Tafels, stoelen en boeken.' Hij schraapte zijn keel. 'Oké, Lund, dus die kinderen konden hier misschien naar binnen. Maar er is niets te zien.'

'Weet je dat zeker?'

'Wacht even.'

'Heb je me gehoord?'

Meyer maakte een smerig geluid in de hoorn.

'Ik hoor je steeds slechter, Lund.'

Toen mompelde hij: 'Allejezus…'

Hij propte de mobiel in zijn zak, liep naar voren en richtte de lichtbundel van de zaklamp van de ene naar de andere kant. Naar boven, naar beneden.

Hij had hier al eerder over nagedacht. De conciërge zei dat de boiler zijn olie van een tank buiten kreeg. Niemand hoefde daar naar binnen behalve dan één keer in de week iemand voor onderhoud. Elke vrijdagmiddag.

Aan de andere kant van de ruimte was nog een deur. Zonder deurklink. Zag eruit alsof hij in geen jaren open was geweest.

Meyer haalde een zakdoek tevoorschijn, schoof het metaal open. Hij gluurde naar binnen en scheen met de zaklamp in de rondte.

Hier waren scholieren geweest. Bij zijn voeten lagen een paar platgetrapte joints. Bierblikjes. En…

Meyer floot. Het omhulsel van een pakje condooms. Opengescheurd, leeg.

Achter hem klonken geluiden. In de grote kelder gebeurde iets. Niet interessant.

Hij viste zijn mobiel op, koos haar nummer. Zei zonder te wachten: 'Ik zou maar gauw hierheen komen als ik jou was, Lund…'

Hij had geen bereik zo diep in de betonnen ingewanden van de school.

'O nee, hè…' fluisterde Meyer.

'Nee?'

Hij schrok zich wild van het geluid. De zaklamp die op zijn gezicht gericht was. En vervolgens op de grond.

'Je moet als een waanzinnige gereden hebben, Lund. Je bent net zo erg als ik.'

Daar gaf ze geen antwoord op. Ze staarde naar hetzelfde als hij. Een groezelige matras op de vloer.

Met bloedvlekken op een hoek ervan.
Bloedvlekken op de afbladderende grijze muur.

Er verschenen vingerafdrukken op het schilferende pleisterwerk van de ruimte in de kelder van de school. Rechercheurs in witte overalls markeerden plekken, tekenden, maakten foto's. Lund had haar moeder gebeld en zei nu tegen Mark dat hij zijn huiswerk moest maken, zijn Zweeds oefenen.

'Ik moet hier misschien wel de hele nacht blijven. Oma helpt je wel.'

Ze was terug naar de hal van de school gelopen om de bloemen en foto's te bekijken op een altaartje dat bij de kluisjes voor Nanna ingericht was.

'Prima,' zei Lund. 'Dag.'

Daar was een foto. Twee meisjes die als engelen verkleed waren. Nanna, dertien jaar misschien. Lisa Rasmussen.

Twee rode kaarsen ervoor. Eén vlammetje flakkerde.

'Wie heeft die kaars aangestoken?' vroeg Lund.

Meyer was hier vijf minuten eerder dan zij geweest. Even zag hij er jong en schuldig uit.

'Dat weet ik niet. Maakt het wat uit?'

'Wie heeft gezegd…?'

Ze wuifde naar hem.

'Laat maar.'

'Moeten we niet een kijkje in de kelder gaan nemen?'

Lund trok een foto van Nanna recht. Keek naar het dode meisje.

Ze stak een hand op. Meyer schudde verbluft zijn hoofd.

'Je aansteker. Ik ben aan het stoppen, weet je nog?'

'O.'

Hij gooide haar de zilverkleurige Zippo toe. Hij zag er duur uit. Ze keek naar de foto's en de bloemen en wilde dat ze meer te bieden had dan dit. Wist dat dat wel moest komen. Toen stak ze de andere kaars aan en keek toe hoe het minuscule gele vlammetje zachtjes flakkerde.

Een kleine offerande. Zielig.

'We moeten de kelder bekijken,' zei ze en ze volgde hem naar beneden.

Jansen, een technisch rechercheur met rossig haar stond bij de draagbare spots. Somde op wat ze tot dusver hadden. Bloed op de matras, tafel, vloer. Wat vlekken die sperma zouden kunnen zijn. Haren.

Een heksenhoed. Die van Nanna, zo leek het.

En vingerafdrukken. Een heleboel vingerafdrukken.

'Hoe kwamen ze binnen?' vroeg Meyer.

'Door de deur in de kelder,' zei James. 'En er is er een in school. Je moet alleen voor allebei een sleutel hebben.'

'Een…'

'Een andere sleutel,' zei hij.

In de felle spots was alles zichtbaar. Op de lage tafel stonden lege cola-, wodka- en chiantiflessen. Borden met eten. En pillen. Rood, groen, oranje. Als kindersnoep.

'Joints,' zei Meyer. 'Amfetamine. Coke.'

Een half uur later arriveerde Rektor Koch bij de school. Ze lieten haar niet de ruimte in. Te veel mannen in witte overalls. En te veel te zien.

In een klaslokaal boven vroeg Lund: 'Waar gebruikten jullie die ruimte voor?'

'Voor de opslag van tafels en stoelen.' Koch had haar hond in haar armen. Een kleine bruine terriër. Ze aaide hem. 'Boeken, en zo. Niets…'

'Wat niets?'

'Niets speciaals. Ik wist niet dat de leerlingen erin konden. Dat was niet de bedoeling.'

Meyer kwam binnen en zei: 'Nou, dat konden ze dus wel. Ze hielden er hun eigen privéfeestje. Vlak onder uw neus.'

'Wat hebt u gevonden?'

Lund gaf geen antwoord. Ze zei: 'Het feest was georganiseerd door de leerlingenraad. Klopt dat?'

'Hij had op slot moeten zitten,' hield Koch vol. Ze drukte de hond steviger tegen zich aan. 'Was Nanna daar ook?'

Lund haalde haar stapeltje schoolfoto's tevoorschijn en wees naar de leerling die John Lynge had herkend. Jeppe Hald. Zag er aardig uit. Had schoon en netjes gekamd zwart haar. Studentenbrilletje.

'Vertel me meer over hem.'

Koch glimlachte.

'Jeppe is geweldig. Voorzitter van de leerlingenraad. Beste leerling. We zijn zo trots op hem. Hele aardige ouders…'

'Waar woont dat wonderkind?' vroeg Meyer.

'Hij deelt een appartement met Oliver.'

'Is Oliver ook een goede leerling?'

Weer die glimlach, maar nu minder warm.

'Ze zijn afkomstig uit goede families. Juristen. Allebei. Ik weet zeker dat ze in hun vaders voetsporen zullen treden. Een aanwinst…'

'Beter dan een zweterige verhuizer uit Vesterbro als vader?' snauwde Meyer.

De glimlach verdween niet.

'Dat zei ik niet. We koesteren geen vooroordelen. Tegenover niemand.'

Jeppe Hald ijsbeerde voor het raam van het kantoor. Hij keek naar de blauwe zwaailichten buiten en luisterde naar het incidentele gejank van de sirenes.

Lund en Meyer stapten kordaat naar binnen en gooiden hun mappen op tafel.

Lang en mager. Dikke glazen. Harry Potters onhandige langere broer. Of dat wilde hij althans uitstralen.

'Waarom ben ik hier?'

'Gewoon routine,' zei Lund vriendelijk. 'Ga zitten, alsjeblieft.'

'Maar ik moet nog een paper schrijven voor natuurkunde.'

De twee inspecteurs keken elkaar aan. Meyer begroef zijn hoofd in zijn handen en deed alsof hij huilde.

Terwijl Hald een stoel pakte, zei Lund: 'Je hebt vrijdagavond een man in de kelder ontmoet. Hij kwam campagnemateriaal brengen voor de verkiezingen.'

Hald keek om naar de lege stoelen.

Meyer boog zich voorover en grijnsde vrolijk.

'We hebben je vader proberen te bellen maar hij moest pruiken passen. De man in de kelder?'

'Die heb ik gezien, ja.'

'Waarom heb je dat niet gezegd?'

Stilte.

Lund zei: 'Je wist dat we op zoek waren naar een chauffeur.'

'Hoe had ik moeten weten dat hij een chauffeur was?'

Meyer hief zijn hand op naar zijn mond en kuste zijn vingertoppen als een chef-kok die een volmaakt gerecht geproefd heeft.

'Fantastisch. Hebben jullie ook Shakespeare?'

'Shakespeare?'

'Eerst,' bulderde Meyer, 'maken we alle godverdomde juristen af.'

Jeppe Hald trok wit weg.

Lund keek kwaad naar Meyer.

'Shakespeare heeft nooit godverdomde gezegd. Leer die jongen geen onzin. Jeppe. Jeppe!'

'Wat?'

'De chauffeur heeft zijn autosleutels verloren. Heb jij die toevallig gezien?'

'Ben ik hier vanwege zoekgeraakte autosleutels?'

'Wat deed je in de kelder?' vroeg Lund.

'Ik haalde eh… spullen voor de bar.'

Meyer begon met dichtgevouwen hand op zijn nagels te bijten. 'We vonden een vertrek,' zei hij. 'Iemand had er een feestje gebouwd. Weet jij daar misschien iets van?'

Hald aarzelde. Zei bijna nee maar bedacht zich: 'Volgens mij hadden de organisatoren een ruimte waar ze bier en frisdrank opsloegen. Is dat 'm misschien?'

'Die met bier, frisdrank, bloed, drugs en condooms?' reageerde Meyer die nog steeds zijn nagels bestudeerde. 'Ja, die is het.'

'Dat zou ik niet weten.'

Lund zei lange tijd niets. Meyer ook niet. Ze keken naar hun papieren. Jeppe Hald zat vrijwel zonder te bewegen en adem te halen aan tafel.

Toen liet ze hem een foto zien.

'Nanna's hoed. Die hebben we daar gevonden. Is zij in die ruimte geweest?'

Hij schudde het hoofd. Haalde de schouders op. Geen idee.

Meyer slaakte een zucht zo diep dat hij wel een minuut leek aan te houden. 'Ik kwam tegen negenen naar beneden voor het laatste bier. Ik heb niemand gezien.'

Langzaam zakte Meyers hoofd op zijn armen, waarvandaan hij met zijn ogen halfdicht de jongen op de stoel opnam.

'Weet je zeker dat je niet later terug bent gegaan?' vroeg Lund.

Even een moment stilte, om overtuigend over te komen. Toen: 'Dat weet ik zeker.'

'Niemand heeft je na half tien nog gezien. Wat heb je gedaan?'

'Eh…'

'Denk na, Jeppe,' zei Meyer die een geeuw onderdrukte. 'Denk goed na voor je antwoord geeft.'

Hald zette zijn stekels op. Hij leek meer zelfvertrouwen te hebben.

'De discobal liet de stoppen doorslaan. Ik had de laatste opgebruikt. Dus ging ik nieuwe kopen. Ik moest er een heel eind voor fietsen.'

'Dat controleren we,' mompelde Meyer zonder van zijn armen op te kijken.

'Toen ik terugkwam lag Oliver te slapen in het klaslokaal. Hij had te veel gedronken. Ik ben met hem mee naar huis gelopen.' Hij sloeg zijn armen over elkaar en zag eruit als een modelleerling. 'We kwamen daar vlak voor twaalven aan. Ik bracht hem naar bed. Moest wel.'

'Dat is vroeg!' zei Lund opgewekt.

'Ik zou de volgende ochtend gaan jagen.'

'Jagen!' zei Lund onder de indruk.

Meyer mompelde iets aanmerkelijk minder fatsoenlijks in zijn mouwen.

'Op het landgoed van Sonderris. Daar hield onze club een grote jachtpartij. Ik heb de nacht daar doorgebracht.'

'Ik ga zo meteen ook jagen,' mompelde Meyer.

Lund krabbelde in haar blokje.

'Ik zou u echt graag van dienst zijn,' verontschuldigde Hald zich.

Meyer jammerde met een hoog piepstemmetje: 'Ik zou u echt graag van dienst zijn.'

'Maar dit is alles wat ik weet.'

Lund lachte naar hem. En zei: 'Prima.' En schreef nog wat in haar blokje.

'Nou dan...'

Ze klapte haar notitieblokje dicht en haalde de schouders op. Jeppe Hald glimlachte terug.

'Dat was het,' zei Lund. 'Tenzij...'

Ze gaf de bijna bewusteloze Meyer een por.

'Jij nog wat te vragen hebt?'

Meteen hief hij zijn hoofd, en bracht zijn gezicht tot vlak voor dat van de jongen.

'Je hebt er vast geen bezwaar tegen als ik bloedmonsters neem?' zei Meyer met luide stem. 'En vingerafdrukken?'

Hij raakte Halds hand aan. De jongen deinsde terug.

'Ik zal heel voorzichtig zijn.'

Meyer wapperde met zijn grote rechteroor in Jeppe Halds richting en luisterde. Hij hoorde niets.

'Anders,' voegde Lund eraan toe, 'arresteer ik je en dan nemen we ze alsnog.'

Jeppe Hald, de slimmerik, beste leerling van school, voorzitter van de leerlingenraad, zei verontwaardigd met een jong en bibberig stemmetje: 'Ik zeg verder niets meer. Ik wil eerst mijn advocaat spreken.'

Lund knikte.

'Een advocaat. Prima. Meyer?'

'Tuurlijk.' Hij pakte Halds arm beet. 'Eerst mag je bellen, wonderknul. En dan zal ik je het concept van een politiecel uit de doeken doen.'

Een half uur later. Meyer had mensen aan het bellen gezet.

'Ik heb Oliver nagetrokken,' zei hij tegen Lund. 'Zaterdag heeft hij in een café gewerkt. Ontmoette er een of andere vrouw. Ging uit, werd dronken en nam haar mee naar het huis van zijn ouders. Daar zijn ze met z'n tweeën tot maandag gebleven.'

Een van de jonge agentjes kwam terug met een pakje. Meyer kreunde van verrukking.

'Je bent geweldig.'

Hij ontdeed het ding van zijn verpakking. Lund keek toe. Een grote hotdog tussen een broodje. Knapperige gebakken uitjes. Remouladesaus. In plakjes gesneden augurken erbovenop.

Lund zei: 'Heb jij een jongen naar de *pølsevogn* gestuurd zonder het mij te vertellen?'

'Ik dacht dat je alleen Zweedse worst at.'

Ze stond daar met de handen op haar heupen, haar grote ogen keken hem strak aan. Vlug nam hij nog een hap. Trok een gezicht.

'Klootzak,' zei Lund. 'Wat is het motief?'

'Ik had honger.'

Stilte.

'O. Bedoel je dat. Jeppe en Oliver. Ze liegen. Ontdek eerst de leugen. Dan is het motief niet ver meer. Meyers Handboek voor de Speurder, bladzijde 32.'

Lund keek nog steeds chagrijnig vanwege het eten en het worstgrapje. Vooral vanwege het eten.

'Ik zal met die rooie gaan praten en je dan bellen,' zei Meyer.

'Dan gaat hij alleen maar roepen om een advocaat, net als Jeppe.'

'Nee,' hield Meyer vol. 'Dat kan hij niet eisen tenzij we hem arresteren. Als ik gewoon met hem ga praten als getuige... ik ken de wet. Meestal hou ik mezelf er ook aan. Bovendien...'

'Nee.'

'Je bent soms een erg negatieve vrouw. Alleen omdat ik geen hotdog voor je geregeld heb...'

'Ik wil uitstrijkjes van het wangslijmvlies. Ik wil bloedmonsters.' Ze nam een snel besluit. 'Laten we hem nu arresteren.'

Meyer keek vertwijfeld.

'Ook al lijkt het idee dat de advocaten de komende uren nog niet hier zullen zijn me absoluut heerlijk, we kunnen niks uitrichten tot ze op komen dagen.'

'Niet waar. We doorzoeken het appartement. Checken hun e-mails. Telefoontjes. Zoeken de vrouw van wie Schandorff beweert dat hij er het weekend mee heeft doorgebracht.'

Meyer vloekte tussen twee happen door.

'Anders nog iets?'

Weer die intonatie. Hij had ook andere. Die had ze gehoord. Niet zo vaak. Maar hij had ze wel.

'Waarom ben je zo kwaad, Meyer?'

De rest van het worstje verdween terwijl hij hierover nadacht.

'Omdat,' zei hij, 'ik gevoelens heb.'

Stilte.

'Anders nog iets?' vroeg hij weer.

'Nee.'

Ze overwoog dit.

'Ja.' Lund kwam naar hem toe en prikte hem met een vinger in zijn borst. 'De volgende keer dat je een van die knullen naar de *pølsevogn* stuurt, bestel je er ook een voor mij.'

Lund besloot de zaak eerst met Buchard te gaan kortsluiten. De hoofdinspecteur zat de foto's van het meisje die in het mortuarium genomen waren door te kijken. Bloederig oog, een in foetushouding gekromd lijk, kneuzingen en verwondingen. Een gewelddadige, langgerekte aanslag.

'Wat heb je over die jongens?' vroeg hij. 'Fysiek bewijsmateriaal uit die kamer?'

'Niets totdat de resultaten binnenkomen. De DNA-mensen geven ons wel voorrang.'

Buchard bladerde door nog meer foto's.

'Besef je wel wie de ouders zijn?'

Lund fronste haar wenkbrauwen.

'Waarom zouden ons daar druk om maken?'

Om de een of andere reden had hij een slecht humeur.

'Omdat we wel genoeg onrust veroorzaakt hebben. We moeten voorzichtig opereren.'

Meyer stak zijn hoofd om de deur en kondigde aan: 'Hartmann wil je spreken.'

'Waarover?' wilde ze weten.

'Wou hij niet zeggen. Het klonk nogal belangrijk.'

'Hartmann kan wel wachten,' zei Lund. 'We gaan naar het appartement.'

Toen ze naar de deur liep pakte Buchard haar bij de arm.

'Waar hadden we het nu net over? Troels Hartmann is misschien wel de volgende burgemeester van Kopenhagen. Zonder goede reden kunnen we niemand in het Rådhus schofferen.'

'We moeten het appartement van een verdachte doorzoeken…'

'Dat kan ik wel doen,' viel Meyer haar in de rede. 'Maak je geen zorgen. Ik hou je op de hoogte.'

Buchard knikte.

'Goed, dat is dan afgesproken.'

De hoofdinspecteur liep naar buiten.

'Bel Hartmann,' zei Meyer terwijl hij achter hem aan door de halfronde gang liep. 'Hij vroeg specifiek naar jou.'

Lund wachtte bij de balie. Ze voelde zich opgelaten en niet op haar gemak. Ze ging niet vaak uit, zelfs niet met Bengt. En na de afgelopen paar dagen leek het toeristenrestaurant in Nyhavn wel heel gewoon. Veel te warm en menselijk.

Hartmann was vijf minuten te laat, waarvoor hij zich verontschuldigde. Terwijl ze op een tafeltje stonden te wachten, vroeg hij: 'Hoe gaat het met de ouders van het meisje?'

Was dit de politicus, vroeg ze zich af? Of de man?

'Heb je me daarom laten komen? Om over de ouders te praten?'

'Van gewoon converseren heb je echt geen kaas gegeten, hè?'

'Niet als ik midden in een zaak zit. Een zaak als deze.'

'Ik hou morgen een persconferentie. Ik wil de juiste dingen zeggen.'

'Juist voor wie?'

'Voor jou. Voor mij. Maar vooral voor hen.'

Mannen als hij waren zo goed in oprechtheid. Er waren nauwelijks barstjes in te ontwaren.

'Zeg vooral wat je wilt,' zei ze tegen hem.

'Er zijn zoveel verrassingen geweest. Komen er nog meer?'

Zonder zelfs maar met zijn ogen te knipperen.

'Niet dat ik weet.'

'Kan ik zeggen dat jij weet dat er geen verband is tussen de misdaad en ons?'

Ze knikte.

'Ik denk van wel.' Ze keek hem aan. 'Als jij meent dat dat zo is.'

De serveerster kwam eraan. Hij had een tafel gereserveerd.

'Is dat alles?'

Lund maakte zich op om weg te gaan.

Hij legde zijn hand op haar arm, heel zacht.

'Het spijt me. Ik weet dat ik de zaken bemoeilijkt heb. Er zijn verkiezingen aan de gang. Er zijn vreemde dingen gebeurd.' Hartmann keek even boos. 'Ik had niets van dit alles ooit verwacht.' Hij keek haar aan. 'Heb je honger?'

Er kwam een bord met eten langs. Spaghetti met gehaktballetjes. Zag er beter uit dan die hotdog die Meyer nooit voor haar besteld had.

'Ik wil wel wat daarvan,' zei Lund. En toen: 'Eventjes maar.'

Ze liep naar de lobby en belde haar moeder. Ze ontving de hartelijkste en meest luide begroeting sinds maanden, en ontdekte toen waarom. Bengt was uit Zweden overgekomen en zou maar voor één nacht in Kopenhagen zijn.

'Jullie moeten praten,' mompelde Vibeke zacht en gaf haar toen aan Bengt.

Dit kan ik nu echt niet gebruiken, dacht Lund terwijl ze hem hoorde vertellen over Marks vooruitgang wat zijn Zweeds betrof, het Sigtuna-hockeyshirt dat hij gevonden had, en het perfecte hout voor de perfecte sauna.

Ze knikte de hele tijd, maar het enige dat ze voor zich zag was een kleine, gore ruimte in een schoolkelder, een met bloed bevlekte matras, een tafel vol drank en drugs, een weggegooide heksenhoed en een glanzende blauwe pruik.

'Wanneer ben je thuis?' vroeg Bengt.

Weer terug in het ongemakkelijke heden.

'Gauw,' beloofde ze. 'Gauw.'

Een stilte.

'Wanneer?'

Hij zette haar nooit onder druk. Klonk nooit van streek, boos of kil. Zijn vriendelijke, vredelievende natuur was een van de dingen waar ze van hield. Of misschien maakte die het leven gewoon gemakkelijker.

'Als ik klaar ben. Het spijt me dat dit ertussen kwam.'

Terug aan tafel nam het eten haar weer helemaal in beslag. Ze hadden het opnieuw over persverklaringen. Over samenwerking. Zo van dichtbij interesseerde Hartmann haar. Hij had een zekere kwetsbare naïviteit die ontbrak op het gezicht op de posters. Hij was weduwnaar. Dat had ze al in de knipselmappen opgezocht, ongeveer in dezelfde periode dat ze Meyer had gecheckt. Hartmanns vrouw was twee jaar daarvoor aan kanker overleden. Het verlies had hem zwaar geraakt. Op zeker moment had het zelfs bijna tot een voortijdig einde aan zijn politieke carrière – de enige baan die hij ooit gehad had – geleid.

Ze merkte dat hij haar aanstaarde, kennelijk kon hij de juiste woorden niet vinden.

'Wat is er?'

'Je hebt…' Zijn hand gebaarde in haar richting. 'Saus gemorst.'

Lund greep een servetje en veegde over haar mond. At toen even gulzig nog wat meer.

Het was een prettig restaurant. Het soort waar stelletjes naartoe gingen. Of mannen met hun maîtresses. Als er op dat moment iemand binnengekomen was die haar met deze man had gezien…

'Zijn we het eens, dan?' besloot hij.

'Jij vertelt jouw verhaal. Wij het onze, zoals het is.'

'Hoe zit het met je leven?' Hij glimlachte. 'Ik weet niet waarom ik dat vroeg, sorry. Dat gaat mij helemaal niet aan.'

'Dat is oké, hoor. Ik ga naar Zweden met mijn zoon. Mijn vriend woont even buiten Stockholm. Ik heb daar een baan. Als burger bij de politie.'

Ze nam een fikse slok wijn en wou dat er nog meer eten was.

'Het zal allemaal prima zijn,' hield Lund vol.

'Hoe oud is je zoon?'

'Twaalf. En jij?'

'Ik ben een beetje ouder.'

'Ik bedoelde…'

'Ik weet het. We zijn nooit zover gekomen. Mijn vrouw is gestorven. Meestal…' Hij haalde ietwat beschaamd zijn schouders op, 'werk ik eigenlijk. Maar ik heb iemand ontmoet. Hopelijk is het niet te laat.'

'De vrouw van je kantoor,' zei ze en dat was geen vraag. 'Rie Skovgaard.'

Hartmann hield zijn hoofd scheef en keek naar haar.

'Kun je ook zien wat er in mijn zakken zit?'

Hij had zijn eten of drankje nauwelijks aangeraakt. Hartmann wekte de indruk dat hij hier de hele nacht kon blijven zitten. Praten. Praten.

'Mijn vriend is uit Zweden overgekomen,' zei Lund. 'Ik moet gaan. Eh, hier...'

Ze haalde wat geld tevoorschijn voor de rekening.

'Nee, nee, nee.' Hij wuifde het even snel weer weg. 'Je was mijn gast.'

'Zolang jij betaalt, en niet de belastingbetaler.'

'Ik betaal, Sarah,' zei Hartmann en hij wuifde met een creditcard.

'Bedankt, Troels. Welterusten.'

Zoals altijd viel Bengt meteen in slaap. Lund stapte het bed uit, trok een sweatshirt aan, liep naar het raam en ging in de rieten stoel zitten. Ze belde Meyer.

'Wat heb je ontdekt?' fluisterde ze.

'Niet veel.'

Meyer praatte ook op gedempte toon. Het klonk raar.

'Er móét iets zijn.'

'De technische lui hebben een computer en monsters meegenomen.'

Het etentje met Hartmann hield haar nog steeds bezig.

'Was er in Nanna's kamer iets dat erop wees dat ze wegging om iemand te ontmoeten?'

'Kan dit niet tot morgen wachten? Ik ben kapot.'

'Ze moet een afspraakje gehad hebben.'

'Ja, Lund. Met Oliver. Maar jij laat me niet met hem praten.' Op de achtergrond klonken geluiden. Beweging. Een huilende baby. 'Geweldig. Nou heb je het hele huis wakker gemaakt.'

Ze liep naar de eetkamer, deed een lamp aan, ging aan tafel zitten.

'Herinneren de ouders zich iets nieuws?'

'Dat zal ik ze morgen vragen, oké?' Een grom. 'De een of andere idioot in het team heeft de moeder verteld dat het meisje in de kofferbak verdronken was. Ze gaat helemaal door het lint.'

Lund vloekte.

'Dat hoef je niet te doen. Ik ga wel met ze praten.'

'Mag ik nu ophangen?'

'Ja,' zei Lund. 'Natuurlijk.'

Ze liep langs Marks kamer. Hij lag diep te slapen. Bengt was wakker maar wilde niet dat ze dat merkte. Het ging prima met iedereen hier, dacht Lund. Ze hadden haar helemaal niet nodig.

5

Donderdag 6 november

De ochtend was grijs en vochtig dankzij een miezerregentje. Ze ontbeten samen en toen reed Lund Bengt naar het station. Ze praatte over het weekend. Met wie ze zouden afspreken in Zweden. Wat ze zouden doen.

Hij luisterde zwijgend. Toen zei ze: 'De housewarmingparty…'

'Vergeet het feestje, dat heb ik afgezegd…'

Ze vroeg zich af of daar iets van ongenoegen in zijn stem doorschemerde? Moeilijk te zeggen. Woede stond zo ver van hem af.

'Laten we wachten tot je zaak achter de rug is, Sarah. Dan…'

'Ik hoef niet te wachten. Dat heb ik je gezegd. We komen zaterdag, hoe dan ook.'

Hij staarde uit het raam naar het verkeer en de ochtendforenzen.

'Ik ga niet nog een keer een hoop mensen uitnodigen die ik vervolgens weer moet afbellen om te zeggen dat je niet komt.'

Dat was scherp. Onmiskenbaar.

'Maar natuurlijk kom ik! Ik kijk ernaar uit om je ouders te ontmoeten. En…' Ze herinnerde zich weer zijn kleine litanie aan Zweedse namen van de dag ervoor. 'Ole en Missan en Janne en Panne en Hasse en Basse en Lasse.'

Hij lachte. Dat kreeg ze dan in ieder geval nog steeds wel voor elkaar.

'Bosse, niet Basse.'

'Sorry, ik leer nog steeds.'

'Goed dan, als je het zeker weet…'

'Ik weet het zeker! Dat beloof ik.'

Ze zette hem af bij het Centraal Station en reed toen door naar Vesterbro.

Lund zat op Nanna's bed en probeerde zich te herinneren hoe het was om een tiener te zijn. De kamer was klein en licht, rommelig en chaotisch. Plastic tassen van goedkope kledingmerken, neergekrabbelde aantekeningen van school, boeken en tijdschriften, make-up en sieraden…

Een weerspiegeling van Nanna Birk Larsens persoonlijkheid, haar leven.

Ze bladerde door het dagboek zonder iets te vinden. Niets in de schoolschriften, noch op de foto's op het prikbord boven haar kleine bureautje.

Lund dacht aan zichzelf toen ze zo oud was, een onhandig, stuurs kind. Haar kamer was nog rommeliger geweest dan deze. Maar anders op de een of andere manier. Ze zag hem voor zich, een naar binnen gerichte expressie van haar eenzame, introverte karakter. Hier, dacht ze, had Nanna een plek gecreëerd om zich voor te bereiden. Haar eigen kleedkamer van waaruit ze de buitenwereld tegemoet zou treden om die te betoveren met haar schoonheid, kleren, en haar sprankelende en duidelijk aanwezige intelligentie.

Alles wat Sarah Lund als tiener niet gehad had, bezat dit meisje in overvloed. Inclusief een liefhebbende moeder.

En nu was ze dood.

Er leidde een pad van deze kamer naar Nanna's schokkende einde in het kanaal bij Kalvebod Fælled. Er waren redenen voor. En redenen lieten sporen achter.

Ze keek in de hangkast en bekeek nauwkeurig de kleren. Van een paar waren de labels afgeknipt, die had ze misschien in een outlet gekocht of zo. Een paar hadden geen label. En...

Lund deed opnieuw haar uiterste best zichzelf te herinneren op deze leeftijd. Wat droeg ze? Zo ongeveer hetzelfde als nu. Jeans, blouses, truien. Praktische kleren bedoeld voor een praktisch leven, niet om de aandacht van anderen te trekken. Het was heel natuurlijk dat een aantrekkelijke jonge meid zich kleedde om gezien te worden. Lund was zelf de uitzondering. Maar toch vond ze de kleren die ze daar op Nanna's kleerhangertjes aantrof te mooi, te volwassen, te... veel *savoir faire*?

Toen veegde ze de hangers naar één kant en keek achterin waar zich een kleine schoenenberg bevond, het ene weggesmeten paar op het andere.

Daarachter glinsterde iets. Lund stak haar hand naar binnen, voelde hoe Nanna's kleren als de vleugels van gigantische motten tegen haar wangen aan fladderden en pakte wat zich daar bevond.

Een paar glanzend bruine cowboylaarzen versierd met kleurige motieven, glitters, sierspijkers, pailletjes.

Duur! riepen ze.

Nee. Ze schreeuwden het.

'Mijn vrouw is er,' zei een barse, mannelijke stem achter haar.

Lund maakte een sprongetje en stootte met haar hoofd tegen de stang met de hangers.

Theis Birk Larsen.

Hij keek toe hoe ze over haar haren streek.

'Wees voorzichtig met wat je haar vertelt.'

Ze zaten rond de tafel, starre gezichten gevangen in het blad.

'Het spijt me dat het je verteld werd,' zei Lund.

Het weer was opgeklaard. De bloemen waren aan het verwelken, maar de woning rook nog steeds naar hun zoete aroma.

'Die agent had dat niet mogen doen. Hij is overgeplaatst zodat je hem niet meer tegen hoeft te komen.'

Theis Birk Larsen, hoofd gebogen, de ogen dof, mompelde: 'Nou, dat is dan in ieder geval iets.'

'Het is niks,' zei Pernille. 'Ik wil de waarheid kennen. Ik wil weten wat er gebeurd is. Ik ben haar moeder.'

Lund keek in haar aantekeningen.

'Niemand heeft Nanna na het feest gezien. Ze is waarschijnlijk meegenomen in de gestolen auto. Die waar we haar in gevonden hebben.'

Lund keek uit het raam en toen weer naar haar.

'Ze was verkracht.'

Pernille wachtte.

'We menen dat ze weerstand geboden heeft. Dat dat de reden is dat hij haar geslagen heeft.'

Verder niets.

'In de bossen?' vroeg Pernille.

'In de bossen. Denken we.' Lund aarzelde. 'Maar misschien is ze ook eerst ergens anders gevangen gehouden. Dat weten we gewoon niet.'

De grote man liep naar het aanrecht, zette zijn vuisten met de knokkels naar beneden op de afdruipplaat. Hij tuurde naar de sombere grijze lucht.

'Ze zei tegen ons dat ze bij Lisa zou logeren,' zei Pernille. 'Nanna loog niet tegen me.'

'Misschien deed ze dat ook wel niet.' Even was het stil. 'Hebt u geen idee?' Een blik in de richting van de gestalte bij het raam, de gekromde rug in het zwarte leer. 'Is u nog iets te binnen geschoten?'

'Als er iets mis was zou Nanna het me verteld hebben,' hield Pernille vol. 'Ze zou het me gezegd hebben. We zijn… We waren…'

De woorden kwamen moeizaam.

'Vertrouwelijk met elkaar.'

'Wanneer kwam er een einde aan haar contact met Oliver Schandorff?'

'Is hij hierbij betrokken?'

Een lange, brede schaduw viel over tafel. Theis Birk Larsen draaide zich om om te luisteren.

'Ik ben alleen inlichtingen aan het inwinnen.'

'Zes maanden geleden of zo,' zei Pernille. 'Oliver was een soort vriendje.'

'Was ze van slag toen het over was?'

'Nee, maar hij wel.'

Lund keek naar haar.

'Ze wilde Olivers telefoontjes niet aannemen. Nanna…' Ze boog naar voren, probeerde de dwalende blik in Lunds wijd uiteenstaande ogen te vangen. 'Ze vertelde het me altijd als er iets mis was. Hè Theis?'

De stille man stond bij het raam, een reusachtige gestalte in zijn rode overall en leren jack.

Lunds mobiel ging over.

Meyer had iets.

'Oké, ik kom er meteen aan.'

Ze staarden haar verwachtingsvol aan.

'Ik moet nu weg.'

'Wat was dat?' vroeg hij met een diepe, ruwe stem.

'Gewoon een telefoontje. Ik zag in Nanna's kamer een paar laarzen. Ze zien er duur uit. Hebt u haar die gegeven?'

'Dure laarzen?' gromde hij.

'Ja.'

Pernille zei: 'Waarom vraagt u dat?'

Een schouderophalen.

'Ik stel een heleboel vragen. Misschien te veel. Ik steek mijn neus overal in, gewenst of niet gewenst.' Stilte. 'Dat is mijn werk.'

'Wij hebben geen dure laarzen voor haar gekocht,' zei Pernille.

Verhoorruimte. De advocaat was kortaf, kaal en had het postuur van een ijshockeyer. Toen Lund binnen kwam lopen stond hij tegen een verveeld uitziende Meyer aan te schreeuwen die op de rand van de tafel zat met zijn kin op zijn vuist en een kinderlijke glimlach op zijn gezicht.

'U hebt de rechten van mijn cliënt geschonden. U hebt hem ondervraagd zonder dat er een advocaat aanwezig was…'

'Niet mijn fout dat jij wilde uitslapen. Waar maak je je druk om? Ik heb een tochtje met hem gemaakt. Hem een ontbijtje gegeven. Ik verschoon zijn stinkende luier zelfs nog als jij dat wilt…'

'Kom mee, Meyer…'

'Dit zal consequenties hebben,' bulderde de advocaat toen Lund hem mee haar kamer in nam.

Meyer ging zitten en keek haar aan.

'Ze hebben Oliver Schandorff in de enige lege cel gezet. Dus heb ik een beetje met Jeppe rondgereden en hem hier om vijf uur afgezet.'

Terwijl ze zich afvroeg hoe erg de gevolgen hiervan zouden zijn, vroeg Lund: 'Heb je hem verhoord?'

'Heb je zijn e-mails gezien? Heel veel. En hij belde Nanna zo'n zesenvijftig keer per week. Als je vraagt…'

'Heb je hem ondervraagd zonder dat er een advocaat bij aanwezig was?'
'De advocaat zei dat hij hier om zeven uur zou zijn. Hij kwam pas tegen negenen opdagen.' Meyer probeerde eruit te zien als een toonbeeld van redelijkheid. 'Zoals ik al zei: ik kon die kleine rotzak niet in een cel gooien. We hebben alleen samen ontbeten.' Het schuldige gebaartje van een kleine jongen. 'Het zou onbeleefd zijn geweest als ik niet met hem gepraat had, Lund.'

Buchard kwam binnen. Blauw overhemd. Grauw gelaat.

'We hadden gisteravond geen plek om de verdachte vast te houden,' zei Lund meteen. 'De advocaat was twee uur te laat. Meyer heeft een ontbijt voor hem gehaald.'

'Hij had niet veel honger,' onderbrak Meyer haar, 'maar het leek wel zo aardig.'

'Misschien dacht de jongen dat hij ondervraagd werd, maar...'

Lund liet het daarbij. Buchard was niet onder de indruk.

'Misschien dat Meyer het zelf aan mij kan uitleggen.'

'Het is zoals Lund zegt,' zei Meyer tegen hem.

'Schrijf dat dan in een rapport. Breng het naar mijn kantoor. Ik stop jouw dossier bij de rest.' Een bestudeerde pauze. 'Na de hoorzitting.'

Toen de hoofdinspecteur wegliep ging Lund naar haar bureau en begon de foto's en de boodschappen te bekijken.

Meyer fleurde op.

'Dat ging helemaal niet gek, toch?'

De persconferentie was afgeladen. Camera's. Overal microfoons. Troels Hartmann droeg dit keer een das, zwart. Die ochtend was hij naar een kapper geweest die Rie Skovgaard uitgekozen had, waar hij in de stoel plaatsgenomen had terwijl zij om de coupe vroeg die ze wilde hebben: kort en streng, verdrietig.

Toen volgde het scenario.

'Het is een turbulente periode geweest. Maar ik heb nauw samengewerkt met de politie. De auto was gestolen. Niemand van onze staf is er ooit bij betrokken geweest. Onze gedachten en medeleven gaan uit naar de ouders van het meisje. Het helpen van de politie was aldoor onze eerste prioriteit. Verder niets.'

'Is de chauffeur een verdachte?' vroeg een vrouw.

'De chauffeur was afkomstig van een bureau. Zijn alibi blijkt in orde.'

Een zee van stemmen, een van de luidste riep: 'Is dat het officiële politiestandpunt?'

Hartmann keek en zag het kale hoofd en de stralende grijns van Erik Salin.

'Ik spreek niet namens Politigården. Maar ik heb het wel met ze besproken. Ze gaan ermee akkoord dat ik duidelijk maak dat onze betrokkenheid een ongelukkig toeval was. We hebben niets met deze zaak van doen. Ga met hen praten als jullie meer informatie willen.'

De vragen regenden nog steeds op hem neer. Een goed politicus koos daaruit wat hij wilde beantwoorden. Met zorg. Hartmann luisterde naar het geschreeuw, dacht aan Bremer, wachtte af tot de juiste vraag voorbijkwam.

'Gaat u een alliantie aan met de Partij van het Centrum?'

Een verbaasde gezichtsuitdrukking, verward, maar op de hoogte.

'Weten jullie,' zei hij, 'de wereld van de plaatselijke politiek is zelden zo dramatisch als jullie je lezers willen doen geloven. Dank jullie wel.'

Hij stond op om weg te gaan.

De vrouwelijke journalist schoot overeind.

'Gaan jullie een alliantie aan?'

Niets.

De politieke redacteur van een van de grote dagbladen riep onverwacht: 'Is Bremer haar ook aan het paaien?'

De flits van een camera in zijn gezicht. Hou je aan het script, had Rie Skovgaard gezegd.

'Dat klopt.' Het werd stil in de zaal, alle ogen waren op hem gericht. 'Persoonlijk denk ik alleen dat hij een beetje te oud voor haar is. Maar…'

Een plotseling, ongecontroleerd gelach klonk op.

Een delicaat evenwicht was bereikt, dat in zijn voordeel was. De schrijvende pers haatte Bremer net zozeer als hij. Dat zeiden ze althans tegen elkaar als ze een borrel ophadden.

Troels Hartmann trok zich terug in zijn aangrenzende kantoor.

Daar moederde Rie Skovgaard over hem. Ze trok zijn das en jasje recht. Ze maakte een meisjesachtige en tevreden indruk.

'Het zit goed zo,' zei Hartmann en hij maakte zich los uit haar greep. 'Prima.'

'Troels. Je hebt nog een flink aantal vergaderingen te gaan. Dan een bezoek aan de school. Er zullen camera's zijn. Ze willen je zien.'

Hij liep weg naar het raam als een koppig kind.

Zij speelde hetzelfde spelletje. Pruilmondje. Daar had ze op gestudeerd. Ze had vóór hem haar haren laten doen. Zwart en glanzend. Haar couturejurk sloot nauw om haar tengere lichaam.

Weber kwam haastig binnenlopen, zwaaiend met papieren. De opzet voor de alliantietoespraak. Hij wilde hem afstemmen met Eller.

'We zullen hem in de auto lezen…'

'Neem Morten met je mee,' zei Skovgaard. 'Dan kunnen jullie praten. Ga alle punten na…'

Weber schudde zijn hoofd. 'Er staat niets nieuws in. Je hebt me niet nodig. Ik heb hier werk…'

'Ik bewaak het fort wel terwijl jullie weg zijn,' drong ze aan. 'Ga nou.' Ze wees naar hen. 'Ga.' Een glimlach. 'En praat.'

Soms speelden ze samen schaak. Hij won meestal. Omdat ze hem liet winnen?

Dat vroeg Hartmann zich wel eens af.

Soms vroeg hij zich af waarom hij dit vreemde en kinderachtige spel speelde.

'Ga, jongens!' Rie Skovgaard klonk als een tierende moeder, wuifde met haar smalle handjes en liet haar ringen schitteren.

'Op zaterdagavond,' zei Meyer, 'heeft Jeppe Hald Schandorff een aantal keren gebeld.'

'Hoe zit het met de vrouw met wie Oliver was?'

'Een gescheiden vrouw op zoek naar een pleziertje. Ze zei dat hij er ellendig aan toe was en zich zorgen maakte over iets.'

Lund keek hem boos aan.

'En dat is alles?'

'Nee.'

Daar was dat humeurige toontje weer in zijn stem. Het rookverbod dat ze had uitgevaardigd in kantoor, begon hem parten te spelen.

'Hoe zit het met de afdrukken?'

'Uit de boilerruimte?'

'De halve school is daarbeneden geweest.'

'Hoe zit het met het DNA?'

'Daar wachten we nog steeds op. Klaar?'

Ze keek door de glazen deur naar de verhoorruimte aan de andere kant van de gang. Daar zat Oliver Schandorff met gebogen hoofd aan tafel.

'Ik wil daar ook zijn,' zei Meyer. 'We worden geacht samen te werken.'

Dat klopte.

'Oké. Je mag mee naar binnen. Maar laat het vragen stellen over aan mij.'

Hij sprong overeind, salueerde even kort en klakte zijn hielen tegen elkaar.

Zodra ze binnen waren wees Schandorff, die er sjofel bij zat in een groen poloshirt, naar Meyer.

'Met hem praat ik niet.'

'Nee,' kondigde Lund aan. 'Je praat met mij.' Stilte. 'Goedemorgen, Oliver. Hoe gaat het met je?'

'Ik voel me beroerd.'

Ze stak haar hand uit. De jonge man nam hem aan. Toen deed de kale advocaat die ze eerder hadden gezien hetzelfde. Lund ging naast hen zitten. Meyer nam plaats op een stoel aan de andere kant van de kamer in het licht van het raam.

'Het enige wat we willen,' zei Lund, 'is jou wat vragen stellen. Dan mag je naar huis.' Geen reactie. 'Nanna heeft haar ouders verteld dat ze bij Lisa zou logeren. Had ze eigenlijk een afspraak met jou?'

'Nee. Dat heb ik u al gezegd.'

'Weet je met wie ze wel een afspraak had?'

'Nee.'

Uit haar map haalde Lund een aantal foto's tevoorschijn van de hippe leren laarzen uit Nanna's kleerkast.

'Heb jij haar die gegeven?'

Hij keek alsof hij ze nooit eerder gezien had.

'Nee.'

Meyer leunde achterover in zijn stoel bij het raam. Hij gaapte langdurig. Lund negeerde hem.

'Waarom was je zo kwaad dat je met een stoel gooide?'

De kale advocaat zei stralend: 'Mijn cliënt heeft het recht om geen antwoord te geven.'

Lund negeerde de man.

'Ik probeer te helpen, Oliver. Vertel ons de waarheid en dan ben je klaar. Verberg je achter deze man en dan beloof ik je…'

'Ze zei dat ze een ander had!'

'Zo is het genoeg,' zei de advocaat. 'We gaan.'

Lunds ogen lieten de rossige jongen niet los.

'Zei ze ook wie?'

De advocaat kwam meteen overeind.

'Mijn cliënt heeft een zware nacht gehad…'

'Heeft ze iets anders gezegd?'

'Ik zei,' viel de advocaat haar in de rede, 'geen vragen meer.'

Schandorff schudde zijn hoofd. 'Het enige wat ik gedaan heb was haar vragen of ze mee naar de kelder ging om even met me te praten. Maar dat wou ze niet…'

'Oliver!' blafte de advocaat.

'Knul,' deed Meyer een duit in het zakje. Schandorff wierp een blik op hem. 'Hij is je vader niet. Hij zal je niet slaan. Dat zal ik niet toestaan.'

'Ze wou niet met me mee.'

Lund knikte.

'En wat deed je toen?'

'Ik maakte haar uit voor van alles en nog wat. En dat was de laatste keer dat ik haar gezien heb.'

Ze pakte haar papieren op.

'Dank je wel. Dat was alles.'

Buiten de kamer. Nadenken.

'Nanna had een afspraak. Ze had dure laarzen waar niemand iets van wist.'

'Oliver kan ze gekocht hebben,' zei Meyer. 'Hij liegt. Misschien had ze een afspraak met hem.'

'Hm, dat voelt niet goed.'

'Dat voelt niet goed,' mompelde hij en hij tastte naar zijn sigaretten.

'Niet roken, hier,' droeg ze hem op. 'Dat heb ik je al gezegd.'

'Ik zal je vertellen wat niet goed voelt, Lund. Jij. Je bent hier zo lang geweest dat je deel uitmaakt van het meubilair. Je denkt dat niemand je ooit kan vervangen. Dat is wat er niet goed is. Jij.'

Toen stak hij de sigaret aan. Blies de rook in de lucht. Kuchte. Hij zei: 'Dit is mijn kantoor. Van mij.'

Svendsen stak zijn hoofd om de deur.

'De technische recherche heeft gebeld. De monsters uit de boilerruimte zijn besmet geraakt. Geen DNA-profielen vandaag.'

Lund zweeg. Ze keek naar de foto's op haar bureau. De laarzen.

'Oké,' zei hij tegen hen. 'Dan gaan we terug naar het appartement van de jongens.'

Svendsen zuchtte.

'Daar zijn we de hele nacht geweest.'

'We hebben niet goed genoeg gekeken.'

Ze gingen weg. Lund bleef naar de laarzen staren. De telefoon ging over. Het was de lijkschouwer. Hij wilde haar spreken.

Pernille wachtte in haar eentje in het appartement met de bloemen, de politielabels en Nanna's kleren.

Tegen het middaguur stond ze op het punt gek te worden. En dus reed ze naar de school, voor een ontmoeting met eerst een uiterst ongemakkelijk kijkende Rektor Koch en daarna met de charmante, rustige docent Rama met de droevige blik in de ogen.

Ze ontdekte maar één ding: de politie had Oliver Schandorff en Jeppe Hald een nachtje in de cel vastgehouden.

Toen ging ze in een leeg kantoor zitten wachten en luisterde naar de jonge stemmen buiten op de gang. Ze fantaseerde dat ze het heldere geluid van Nanna daartussen hoorde. Ze wachtte tot Lisa Rasmussen huilend binnenkwam en zich rennend in de wijd open armen van Pernilles trenchcoat stortte, bibberend van emotie, snikkend als een klein kind.

Haar haren waren net zo blond die van Nanna. Pernille kuste ze, al wist ze dat ze dat niet moest doen. Die twee waren vriendinnen geweest. Zussen soms bijna. Die twee waren...

Pernille liet haar los, glimlachte en stopte haar pogingen om te rationaliseren wat het begripsvermogen te boven ging. Een kind was een kort en gezegend intermezzo van verantwoordelijkheid, niet iets wat je in eigendom had. Ze had geen idee wat Nanna buiten de muren van hun kleine woning boven de garage gedaan had. Had er niet naar gevraagd. Deed haar best daar niet over na te denken.

Maar Lisa wist het wel. Het kleine, te mollige meisje dat zo hard had geprobeerd om even knap en slim te zijn als Nanna, maar daar nooit helemaal in geslaagd was.

Lisa droogde haar ogen en ging voor haar staan. Ze leek niet op haar gemak. Alsof ze liever weg wilde gaan.

'Er zijn dingen...' zei Pernille. 'Die ik niet begrijp.'

Stilte. Het blonde meisje schuifelde met haar voeten.

'Was Nanna ergens door van streek?'

Lisa schudde haar hoofd.

'Hoe zit het met Oliver? Was hij erbij betrokken?'

'Nee.'

In de ontkenning klonk de humeurige tiener door.

'Waarom stelt de politie dan steeds maar vragen over hem, Lisa. Waarom?'

Haar handen bewogen zenuwachtig achter haar rug. Ze leunde tegen het bureau en zei met een tuitmondje: 'Dat weet ik niet.'

Pernille dacht aan de vrouwelijke inspecteur, Lund. Die rustig volhardende manier van doen van haar. Haar grote, glanzende ogen die nooit met kijken leken op te houden.

'Maar jullie gingen samen naar het feest. Zei ze iets? Leek ze...' Woorden. Simpele woorden. Simpele vragen. Lunds manier. 'Leek ze anders dan anders?'

'Nee. Ze zei helemaal niets. Ze was gewoon... Nanna.'

Niet boos worden, dacht Pernille. Niet zeggen wat je denkt... Je liegt dat je barst, trut – dat dikke lelijke gezicht van je spreekt boekdelen.

'Waarom zei ze dat ze bij jou zou blijven?'

Het meisje schudde haar hoofd, als een slechte actrice in een slecht toneelstuk.

'Dat weet ik niet.'

'Maar jullie zijn vriendinnen,' zei Pernille terwijl ze zich afvroeg of ze misschien te ver ging. Kom ik te hard over? Gek?

Ze zei het desondanks: 'Jullie zijn vriendinnen. Ze zou jou toch wel haar plannen verteld hebben.' Haar stem werd luider, haar kastanjebruine haar wapperde. 'Ze zou het je verteld hebben als er iets was.'

'Pernille. Dat heeft ze niet gedaan. Echt.'

Schud dat kind heen en weer. Schreeuw tegen haar. Net zo lang tot ze zegt... Wat?

'Was ze boos?' vroeg Pernille. 'Op mij?'

'Dat weet ik niet.'

'Je moet het me vertellen!' schreeuwde ze. Haar stem begon te breken. 'Het is belangrijk.'

Lisa bewoog niet, werd met elk kwaad woord kalmer en weerspanniger.

'Ze... zei... niet...'

Met de handen op de schouders van het meisje staarde ze in haar opstandige, stomme ogen.

'Vertel het me!'

'Er valt niets te vertellen,' zei Lisa toonloos en zonder enige emotie in haar stem. 'Ze was niet boos op jou. Echt niet.'

'Wat is er dan gebeurd?' snauwde Pernille.

Schud dat kind heen en weer. Geef haar een klap tegen haar wang.

'Wat is er gebeurd?'

Lisa gaf niet toe. Een blik in haar ogen zei: toe dan. Sla me dan. Het maakt geen enkel verschil. Nanna is nog altijd weg.

Pernille snoof, veegde haar neus af en liep naar buiten, de gang op. Ze bleef staan bij de bloemen en de foto's bij de kluisjes. Nanna's altaar. Ze ging ertussen zitten. De derde dag. Bloemblaadjes vielen op de grond. Briefjes gleden uit hun houdertjes. Alles verdween in een eenzame, grijze verte voorbij haar horizon.

Ze pakte het dichtstbijzijnde briefje op. Een kinderlijke krabbel.

Er stond te lezen: 'We zullen je nooit vergeten.'

Maar dat zullen jullie wel. Jullie allemaal. Zelfs Lund na een tijdje. Zelfs Theis als hij erin slaagt zijn grenzeloze, vormeloze liefde op de jongens over te brengen, op Anton en Emil, in de hoop dat hun jonge gezichten de herinnering aan Nanna zullen uitwissen en daarvoor genoeg toewijding in de plaats zullen stellen om de pijn te verbergen.

Gestalten met rugzakken om, papieren in de hand, schoten langs en spraken op gedempte toon met elkaar.

Ze keek en luisterde. In deze lelijke grijze gangen liep ooit haar dochter. En dat deed ze in zekere zin nog, in Pernilles verbeelding, waardoor de pijn des te acuter werd. Verdriet zou een afwezigheid moeten zijn, een leegte, niet dat fysieke dat ze nu voelde. Ze was Nanna kwijt, ze was haar ontstolen. En tot duidelijk zou worden wie de dief was, zou Nanna's dood hen allemaal tekenen als de tumor van een wrede ziekte.

Ze zaten opgesloten in het heden, er was geen ontsnappen mogelijk. Ze kwam overeind, liep de trap op, struikelde, viel.

Er werd een hand naar haar uitgestoken. Ze zag een donker, vriendelijk gezicht.

'Gaat het wel?'

De leraar weer, Rama.

Ze pakte zijn arm en de armleuning beet en kwam overeind.

Dat zeiden ze allemaal en niemand wilde het antwoord weten.

'Nee,' mompelde ze. 'Het gaat niet.'

Ze vroeg zich af wat Nanna had gevonden van deze aantrekkelijke, intelligente man. Of ze hem leuk had gevonden. Waarover ze gepraat hadden.

'Heeft Lisa iets gezegd?' vroeg Rama.

'Ja, wel wat.'

'Als ik kan…'

'Helpen?'

Dat zeiden ze ook allemaal. Ze zochten allemaal naar dezelfde woorden. Misschien meende hij ze wel. Misschien was het de zoveelste afgezaagde uiting van medeleven, automatisch uitgesproken als een gebed.

Pernille Birk Larsen liep de school uit en vroeg zich af of Theis misschien gelijk had. Ze deed idioot. De politie was aan het zoeken. Van Lund mocht je verwachten dat ze haar vak verstond.

De vrouw van het makelaarskantoor tuurde omhoog naar de steigers, de afgedekte ramen, de stapels bouwmaterialen naast de deur.

'Het moet snel verkocht worden. Ik wil ervan af.'

Theis Birk Larsen had zijn zwarte jack, zijn muts, zijn motorlaarzen aan en zijn rode overall. Zijn vaste werkoutfit, al kon hij zich niet op zijn werk concentreren. Vagn Skærbæk regelde alles op dit moment. Vagn wist van de hoed en de rand. Een andere optie was er niet.

'Natuurlijk,' beaamde zij.

Hij schopte tegen de steigers.

'Inclusief de materialen.'

In de straat speelden kinderen. Ze trapten tegen een voetbal, lachten en schreeuwden.

Hij keek jaloers naar hen.

'Wat een heerlijk huis,' zei de vrouw. 'Waarom wacht u niet een paar maanden?'

'Nee, ik wil er nu van af. Is dat een probleem?'

Ze aarzelde.

'Niet echt. Hebt u het taxatierapport gezien?'

Ze haalde een stapeltje documenten tevoorschijn. Birk Larsen had een hekel aan papier. Die dingen deed Pernille.

'Uit het rapport blijkt dat er houtrot is.'

Hij knipperde met zijn ogen. Voelde zich ziek en machteloos.

'Dat zou de verzekering moeten dekken.'

Ze keek hem niet aan, schudde het hoofd.

'Nee. Helaas. Sorry.'

Er stak een briesje op. Het plastic wapperde in de wind. Twee kinderen reden langs op fietsen met een vlieger in de hand.

'Maar…'

Ze wees met een gemanicuurde vingernagel naar het contract.

'Het staat hier. Houtrot wordt niet gedekt. Het spijt me.' Een diepe, ongemakkelijke zucht. 'Als u nu verkoopt, dan verliest u een hoop geld. In deze staat…'

Hij staarde naar het huis, dacht aan alle dromen die teloorgegaan waren. De jongens in hun kamers. Nanna die naar buiten keek uit het raam in de nok, dat nu afgedekt was met zwart plastic.

'Verkoop dat klotehuis,' zei Theis Birk Larsen.

Troels Hartmann zat op handen en knieën te verven met de peuters in de peuterspeelzaal.

Morton Weber kwam langszij gekropen.

'Troels,' zei hij. 'Tot mijn spijt moet ik een einde maken aan de pret maar de fotografen zijn weg. Je wordt elders verwacht.'

Hartmann tekende een kinderlijke, gele kip op een vel papier, wat aan de kinderen om hem heen kreten van verrukking ontlokte.

Hij glimlachte.

'Zijn die ook leuk, Morten?'

'Ze zijn noodzakelijk.'

Hartmann wees met zijn vinger naar de jonge gezichtjes op de vloer.

'Dat zijn de kiezers van morgen.'

'Laten we dan morgen terugkomen. Ik ben meer geïnteresseerd in iedereen die vandaag mag stemmen.'

'Ze hebben een taart voor ons gebakken.'

Weber fronste zijn voorhoofd.

'Een taart?'

Twee minuten later zaten ze alleen aan een tafeltje uit de buurt van de onderwijzers en de kinderen.

'Probeer de taart, Morten.'

'Sorry, dat kan ik niet.'

'De diabetes is maar een voorwendsel van je. Je zou hem toch niet aanraken. Je bent zo zelfingenomen.'

Ze kenden elkaar zo goed, zo'n grap kon wel, dacht hij.

'Hoe zit het met die verslaggever?' vroeg Hartmann.

'Bedoel je Erik Salin?'

'Hij zit me op de hielen, Morten. Waarom? Wie is hij? Hoe wist hij dat van die auto?'

'Het is een viezerik, uitsluitend op geld uit. Beschouw het als een compliment. Hij zou geen tijd aan je verspillen als hij niet dacht dat je serieus kans maakte.'

Hij zou zijn tijd niet aan je verspillen als je geen kans maakte.

'Hoe kon hij dat weten van die auto?'

Weber was in verlegenheid gebracht.

'Jij denkt dat iemand van kantoor gelekt heeft, hè?' vroeg hij.

'En jij?'

'De gedachte is bij me opgekomen, maar ik kan niet bedenken wie.'

Hartmann duwde de taart en het plastic bekertje sinaasappelsap van zich af en luisterde naar de kinderen die aan het giechelen waren over hun schilderijen.

'Ik heb alle vertrouwen in ons team,' zei Weber een tikje hoogdravend. 'In iedereen. Jij niet?'

Hartmann stond net op het punt antwoord te geven toen zijn telefoon ging.

Hij luisterde, keek toen naar Weber.

'We moeten gaan.'

Hartmann was des duivels toen hij door de lange weergalmende gangen rond de binnenhof beende.

'Waar is ze, verdomme?'

'Ze belt zo.'

Rie Skovgaard kwam hem bij de hoofdingang tegemoet en moest haar uiterste best doen om hem bij te houden terwijl hij met grote passen naar hun kantoor beende, een zwijgende, luisterende Weber in zijn kielzog.

'Eller zegt dat Poul Bremer haar een beter voorstel gedaan heeft. Ze is er nog niet op ingegaan. Ze wil onze reactie weten.'

'Onze reactie is dat ze erin kan stikken.'

Skovgaard zuchtte.

'Dit is politiek.'

'Nee, dat is het niet. Dit is een missverkiezing, en wij spelen niet mee.'

'Luister naar haar. Naar wat ze te zeggen heeft. We zouden haar op een paar punten tegemoet kunnen komen…'

Ze hield Hartmann tegen bij de deur naar hun kantoor.

'Troels, je moet nu echt kalmeren.'

Hij keek rond in de ingewanden van het Rådhus. Het leek soms wel een gevangenis. Een heel comfortabele gevangenis.

Skovgaards telefoon ging over.

'Hi. Kirsten. Wacht nog even. We zijn er zo.'

Toen ze opgehangen had keek ze Hartmann aan en zei: 'Wees beleefd. Hou je gedeisd.'

Hij liep al verder. Ze werd kwaad. Gaf hem een mep op zijn schouder en riep: 'Hé!'

Haar stem klonk hard en schril.

'Hou es effe je mond en luister naar me, ja? Als we Eller aan onze kant hebben, winnen we. Zo niet dan zijn we de zoveelste minderheid, alleen maar goed voor de kruimels die van Poul Bremers tafel vallen. Troels...'

Hij was alweer weg. Haar hand greep zijn blauwe revers beet en sleurde hem terug het duister in.

'Snap je wel wat ik zeg? In je eentje haal je nooit een meerderheid. Daar heb je niet genoeg steun voor.' Ze kalmeerde een beetje. 'Daar kunnen we nu niets meer aan veranderen. Dat is een feit.'

Hartmann stak zijn hand uit naar haar mobiel.

'Blijf rustig,' zei ze en ze gaf hem het ding.

Hartmann belde Eller. Babbelde even wat ter inleiding en kwam toen ter zake: 'Ik heb het gehoord van jou en Bremer. Ach ja, zo gaat dat, hè. Het heeft geen zin je erover op te winden.'

Hij sloot zijn ogen en luisterde. Ze had het over deuren die openbleven, aanbiedingen die nog niet definitief waren. De toon bleef aldoor vasthoudend, verwachtingsvol.

'Volgens mij komt er uiteindelijk van dat hele bondgenootschap niks,' zei Hartmann. 'Laten we een keertje koffie gaan drinken. Hou je haaks, dag.'

Skovgaard was witheet van woede. Weber was verdwenen.

'Zo, was dat kalm of was dat kalm?'

De lijkschouwer was een praatgrage man met een gebruind gezicht en een witte baard. Hij had het er de hele weg naar het mortuarium over hoe je cider moest maken.

'Ze hebben prima appels in Zweden. Ik zal je het recept geven.'

'Geweldig.'

Ze liepen naar binnen, trokken allebei handschoenen aan en liepen naar de tafel.

'Dit is een ongewoon geval,' zei hij en hij tilde het witte laken op.

Ze keek naar Nanna Birk Larsens lichaam. Ze was inmiddels gewassen en nu waren de postmortemvlekken te zien.

'Het bloed in haar haren was allang gestold voor ze in het water terechtkwam. Ze heeft kneuzingen op haar armen en benen en aan haar rechterzij.'

Lund keek. Meende toen dat ze wel genoeg gezien had.

'Kom hier,' verordonneerde hij, en hij wees naar het rechterdijbeen.

'Die hebben we al gehad, toch?'

Het been was overdekt met sneetjes.

'Schaafwonden?'

'Nee, voel haar huid eens.'

Dat deed Lund. Die voelde aan als huid.

'Er zit een zekere roodheid rond de wonden,' verduidelijkte hij. 'Als een lichaam in het water heeft gelegen verdwijnt die. Maar hij komt na een paar dagen weer terug.'

Lund schudde haar hoofd.

'Het zijn wonden,' zei hij. 'Ze werd vastgehouden op een ruw oppervlak. Een betonnen vloer misschien.'

'De kelder van de school heeft een betonnen vloer.'

Ze raakte de laesies aan. Dacht aan de verborgen ruimte met de bloederige matras en de drugs.

'Hoe lang heeft ze zo gelegen?'

'Vijftien tot twintig uur.'

Lund deed haar best de implicaties te begrijpen van wat ze zojuist gehoord had.

'Weet je dat zeker?'

'Ja. Ze is een aantal keren verkracht met tussenpozen van een paar uur. Maar tot dusver hebben we geen DNA kunnen vinden. Hij moet een condoom gebruikt hebben. Er zit niks onder haar nagels of ergens anders.'

'Door het water?'

Hij knikte.

'Dat dacht ik. Maar ze zat in de kofferbak van de auto. Kijk eens naar haar handen.'

Hij tilde ze op.

'Iemand heeft haar nagels geknipt.'

Hij liet de handen terugvallen op het witte laken. Lund pakte ze om beurten op en bekeek ze nauwkeurig.

'Er zijn sporen van ether in haar lever en longen terug te vinden,' las hij op uit een rapport. 'Ze is dus gedrogeerd. Meerdere keren misschien. Dit was allemaal voorbereid. Hij wist wat hij deed. Ik zou er...'

Hij zweeg even, alsof hij niet zeker was van zichzelf.

'Dit is mijn vakgebied niet maar het zou me niet verbazen als je ontdekt dat hij dit al eens eerder gedaan heeft. Er zit een... zekere methodiek in.'

Lund nam het rapport van hem aan.

'Helpt dat?'

Ze haalde de schouders op.

'Eh, goed,' zei hij. 'Ik stuur je alles wat nog opduikt. O...' Hij glimlachte. 'En dat ciderrecept.'

Lund liep terug naar haar kantoor. Buchard stond bij haar deur met de kale advocaat te bakkeleien in een poging Oliver Schandorff en Jeppe Hald vast te kunnen blijven houden. De advocaat ging naar de rechter om hen zo gauw mogelijk vrij te krijgen. Aan Buchards gezicht te zien had hij er weinig fiducie in dat hij deze ronde ging winnen.

Eller sloot de deur achter haar. Ze ging zitten en zette haar brede handen op haar brede heupen. Toen zei ze: 'Wat een streek was dat van jou, zeg.'
'Dat was geen streek, Kirsten.'
'Dat hoop ik dan maar.'
Hij wachtte.
'Ik heb nee gezegd tegen Bremer. Denk niet dat dat een gemakkelijke beslissing was. Het is niet een woord dat hij graag hoort.'
'Dat kan ik me voorstellen.'
'Het was eigenlijk nauwelijks een echte keuze. Wíj zijn natuurlijke bondgenoten. Hij is alleen maar…' ze glimlachte, '… de klootzak die aan de touwtjes trekt.'
Hij zei nog steeds niets.
'Ik hoop dat je onze verwachtingen waar kunt maken,' voegde Eller eraan toe. 'Anders is het mijn kop die rolt.'
'Jouw mensen…?'
'… doen wat ik zeg. Zullen we nu dan… ter zake komen?'
Vijf minuten later begonnen de onderhandelingen in een vergadering die vlak naast het campagnebureau plaatsvond. Beleid, afspraken. Fondsgelden en mediastrategieën. Rie Skovgaard maakte aantekeningen en deed suggesties.
Hartmann en Eller sloten een deal.

Meyer was terug. Ze hadden de studentenflat nogmaals doorzocht.
'Heb je die jongens vrijgelaten?' vroeg hij.
'Ja.'
'Dan zullen we ze weer op moeten pakken.'
Lund zocht tussen een aantal foto's op het bureau. Nanna's verwondingen. De laarzen.
'Volgens mij hebben zij het niet gedaan,' zei ze.
'Ik weet zeker van wel.'
Hij had een memorystick bij zich. Meyer legde het ding op het bureau en plugde het kabeltje in de computer.
'Kijk hier eens naar.'
De computer herkende het apparaat en opende een venster.
Er was een onvast videobeeld te zien. Het Halloweenfeest. Verklede jongeren die bier dronken. Schreeuwden. Die zich gedroegen zoals kinderen zich gedragen die weten dat niemand kijkt.
Lund keek wel. Daar had je Jeppe Hald, de slimme, rustige Jeppe, beste

143

leerling, voorzitter van de leerlingenraad. Hij stond naar de lens te schreeuwen, dronken of stoned of allebei.

Lisa Rasmussen paradeerde in vrijwel dezelfde staat rond in een kort strak jurkje.

'Waar heb je dit vandaan?'

'Uit de kamer van Jeppe Hald. Hij heeft het op zijn mobiel opgenomen en toen bewaard op een memorystick.' Meyer keek naar haar. 'Zodat hij er op zijn computer naar kon kijken.'

Lund knikte.

'Volgens mij is hij niet zo slim als die school beweert,' voegde Meyer eraan toe.

'Stop!'

Meyer liet het beeld stilstaan.

Nanna met haar zwarte heksenhoed op. Een springlevende Nanna. Mooi, zo mooi. Zo... oud.

Ze zag er niet dronken uit. Ze schreeuwde niet. Ze zag er... verbijsterd uit. Als een volwassene die ineens omringd is door een stel kleine kinderen.

'Speel af,' zei Lund.

Meyer zette hem op slow motion. Het beeld verschoof van Nanna naar Oliver Schandorff, met zijn wilde haardos, wilde blik. Oliver Schandorff die begerig naar Nanna keek terwijl hij een blikje bier leegzoop.

'Op mijn school hadden we niet van dit soort feestjes,' zei Meyer. 'Op die van jou wel?'

'Ze zouden me niet uitgenodigd hebben.'

'Dat snap ik. Vooruit met de geit.' Meyer slaakte een lange, droevige zucht en ging naast haar zitten. 'Showtime.'

Het beeld veranderde. Het was ergens anders nu. Waar het donkerder was. Een paar lampen. Drank op tafel. De kelderruimte. Dat moest wel.

Op de achtergrond bewoog iets, dat groter werd naarmate de lens dichterbij kwam.

Lund boog naar voren, keek er zorgvuldig naar en voelde hoe haar hart sneller begon te bonzen.

Er was een geluid te horen. Luidruchtig gehijg. Oliver Schandorff naakt, zijn rossige hoofd zwaaide heen en weer terwijl hij tekeerging op de gedaante onder hem. Die was ook naakt, volkomen roerloos en met de benen gespreid.

Het contrast tussen het meisje en hem was opvallend. Schandorff was een en al bezeten energie en wanhoop en zij...

Dronken? Bewusteloos?

Dat viel niet te zeggen. Maar goed was het niet.

Dichterbij.

Schandorffs handen grepen haar benen en legden die om zich heen. Haar vingers kwamen omhoog alsof ze hem van zich af wilde slaan. Hij was als een bezetene, drukte ze omlaag, gromde, schreeuwde.

Lund keek toe.

Achter hen bewoog de lens naar Schandorffs rug. Haar benen hadden zich om hem vastgeschroefd. Seks op zijn pubers. Alsof er ergens een stopwatch liep die uitschreeuwde: 'Doe het nu en doe het snel, anders krijg je nooit meer de kans.'

Nog meer gekreun, nog meer woeste stoten.

Dichterbij. De zwarte heksenhoed die ze eerder hadden gezien, over de ogen heen, over het gezicht. Blond haar. De hoed beweegt…

'Shit,' zei Lund.

Er was iets gebeurd. De camera bewoog zich weg van het stel. Ze hadden gehoord hoe hij hen had beslopen. Gevloek, snelle bewegingen. Het meisje was net te zien. Ze bedekte zich zo snel mogelijk. Blond haar, heksenhoed. Blote borsten. Dat was het wel zo'n beetje.

'Ik denk dat ik ze weer op ga pakken,' zei Meyer.

Troels Hartmann en Kirsten Eller stonden naast elkaar op de trap van het stadhuis. Ze knipperden tegen de felle flitslichten van de camera's. Glimlachten, schudden handen.

Terwijl ze op Meyer zat te wachten, volgde Lund het hele gebeuren via de nieuwszender op haar computer. Toen keerde ze terug naar de video. De school.

Een deel waar ze eerder snel doorheen was gegaan.

Nanna in haar feestoutfit. Ze keek met haar hoed op stralend naar de mobiel van Jeppe Hald. Ze hief een glas met wat op cola leek in de lucht. Glimlachte. Nuchter. Zo natuurlijk en elegant. Geen kind meer. Niet zoals de anderen.

En een paar minuten later…

Naakt in de kelder, met Oliver Schandorff die als een beest op haar tekeerging.

'Ik hoop dat je gelijk hebt, Meyer,' fluisterde ze.

De conciërge liet Lund de school binnen toen Meyer belde.

'Ik heb ze allebei.'

'Verhoor ze nog niet.'

Een korte stilte.

'Volgens mij hebben wij nog steeds dezelfde rang.'

'Ik moet eerst iets nakijken.'

Een diepe zucht.

'Maak je geen zorgen, Lund. Aan jou de eer.'

Haar voetstappen echoden door donkere en lege gangen.

'Wacht nog twintig minuten,' zei ze en ze verbrak de verbinding.

De bloemen op Nanna's altaar zagen er dood uit, de kaarsen waren niet meer dan stompjes. Lund liep de koude trap af naar de kelder, bijgelicht door haar zaklamp. Ze tastte naar lichtschakelaars die ze niet kon vinden.

Nu was ze voorbij het afzettingslint. In de verborgen ruimte. Overal waren lijnen te zien en labels. Lege flessen waren omcirkeld en het was er stoffig van het vingerafdrukpoeder.

Ze keek naar de met bloed bevlekte matras. Er was een enkele grote vlek aan het voeteneind en verder een streep rood op de buis aan de rand. Niet zoveel en het was niet uitgesmeerd.

Meyer wachtte niet, zag niet in waarom. Hij had Oliver Schandorff in Lunds kantoor vlak voor de computer neergepoot en hem gedwongen naar de video te kijken. De uitgeholde pompoen. De dronken jongeren. De drugs. De drank.

Nu hij in zijn eentje was en vrij om te doen wat hij wilde was Meyer meer ontspannen. Hij ging naast de jongen zitten, keek naar hem terwijl deze naar de computer staarde. Zijn rossige haar was overal en zijn gezicht was vertrokken van angst en pijn.

'Je hebt twee opties, Oliver,' zei hij op effen, kalme toon. 'Of je bekent nu...'

Nanna. Met haar heksenhoed. Glimlachend. Vrolijk. Mooi.

'Of we kijken naar de rest. En wachten tot je advocaat morgen hier is. Als hij tenminste uit bed kan komen.'

Het mobieltje bewoog. De trap af in de hal naar beneden, de kelder in. Naar de verborgen ruimte.

Twee naakte gedaanten lagen te worstelen op het bed, onder een enkel kaal peertje.

Schandorff kon zijn ogen niet van het scherm houden.

'Ik heb de hele nacht, hoor,' zei Meyer tegen hem. 'Maar ik weet dat jullie het samen gedaan hebben en dat weet jij ook. Dus laten we er nu een punt achter zetten, oké?'

Stilte.

Meyer kon vaag woede in zich op voelen borrelen, probeerde die de kop in te drukken.

'Oliver? Oliver?'

Lund haalde de foto's tevoorschijn die ze had meegenomen. Close-ups van Nanna's lichaam. Details van de wonden, de laesies op haar rug.

Om de een of andere reden was de stroom uitgeschakeld, dus bekeek ze ze bij het licht van haar zaklamp. Ze hield de foto's omhoog om de matras beter te kunnen bekijken, de bloedspatten op de vloer.

Ze bekeek de foto van Nanna's handen. De afgeknipte vingernagels.

Keek de inventarislijst na.

Geen spoor van een schaar.

Ze pakte haar mobiel en wierp een blik op het schermpje. Geen bereik in dit onderaardse gewelf.

Oliver Schandorff zat verstijfd voor het scherm. Twee lijven die seks hadden. Zijn eigen rode haar dat op en neer danste. Hij grijpt haar benen beet, duwt ze om zich heen. Hij duwt haar handen weg als die omhoogkomen om hem te krabben.

De lens is nu vlak achter hen. Zijn rug, zijn lichaam dat in een krankzinnig, woest ritme in haar op en neer pompt. Dan de verwarring. Het beeld dat alle kanten op beweegt als hij zich losrukt en tegenover de indringer gaat staan die hen heeft zitten begluren.

Schandorff zat daar in het kantoor van moordzaken met de mondhoeken omlaag getrokken als een ondeugend kind en een schaamtevolle, woedende uitdrukking op zijn gezicht. Hij weigerde iets te zeggen.

'Misschien wil Jeppe wel als eerste het woord doen,' zei Meyer.

Daar was Hald te zien op het scherm. Dronken. Buiten zinnen.

'Misschien is hij wel hiernaast.' Meyer klopte Schandorff op zijn arm. 'Zit ie te beweren dat jij het gedaan hebt. Alleen jij. Zou dat niet leuk zijn?'

Meyers hand ging naar zijn schouder.

'Hij is je vriend niet, Oliver. Denk eens na. Ik weet dat ik tegen je geschreeuwd heb, jongen. Dat spijt me. Het is alleen…'

Schandorff zat daar als een standbeeld.

'Die beelden van Nanna nadat we haar uit het water hadden gehaald.' Meyer observeerde hem. 'Die krijg ik maar niet uit mijn hoofd. Zorg dat ik je die niet hoef te laten zien. Het is voor ons allebei beter als ik dat niet doe.'

Lund had geen zin om naar buiten te gaan tot ze bereik had. Er was hier meer te doen. Ze haalde een paar handschoenen van de technische recherche tevoorschijn en pakte een gebroken bierglas op dat in een krijtcirkel stond.

Ze scheen er met haar zaklamp op.

Lippenstift langs de rand. Feloranje. Opzichtig.

Ze pakte de foto van Nanna uit het stapeltje foto's van school, die op het feest genomen waren.

Nanna met haar heksenhoed op, het enige aan haar dat een jonge indruk maakte.

Ze stak haar hand in de asbak. Zocht tussen de sigaretten- en jointpeuken.

Haalde er een opgerold stukje aluminiumfolie uit. Geen dope. Een oorbel. In het licht zag ze drie nepdiamantjes in een zilveren setting.

Terug naar de foto's. Nanna en de andere jongeren. Lisa Rasmussen.

Het was nu vier dagen geleden dat ze Nanna Birk Larsens lichaam uit het koude kanaal bij de luchthaven gevist hadden. Al die tijd hadden ze nauwelijks zonder aanwijzingen gezeten. Ze hadden hun schaduwen achternagezeten. Een puzzel die antwoorden beloofd had. En nu...

Ze had nog nooit een zaak als deze gehad. Hij had lagen, structuur. Mysteriën en raadsels. Onderzoek was nooit zwart-wit. Maar ze had er nog nooit een meegemaakt die zo grijs en onwerkelijk was.

Lund staarde naar de foto van een vrolijk lachende Nanna en Lisa.

Toen klonk er boven haar een geluid. Voetstappen in het donker.

'Misschien was het niet jouw idee,' zei Meyer. 'Misschien heeft Jeppe het bedacht en ging jij alleen voor de lol mee.'

Hij boog zich naar voren en probeerde Schandorffs aandacht te trekken.

'Oliver?'

Niets. Alleen een gezicht dat pure ellende uitstraalde en aan het beeld vastgezogen leek.

'Het zou een groot verschil maken. Als je het ons zou vertellen. Dus, wat wordt het?'

Meyer leunde achterover op zijn stoel, vouwde zijn armen achter zijn hoofd.

'Blijven we hier de hele nacht zitten om nog meer foto's te kijken of ronden we het af nu?'

Niets.

'Prima.' Er zat een scherp kantje aan Meyers stem en dat betreurde hij. 'Ik heb honger. En ik heb geen geld voor twee...'

'Dat is ze niet, idioot,' snauwde Schandorff.

Meyer knipperde met zijn ogen.

Daar had je die geïrriteerde, gekwelde tienerstem weer. Maar Oliver Schandorff keek hem in ieder geval aan.

'Het meisje in de boilerruimte. Dat is Nanna niet.'

Boven in de gang voor Nanna's altaar. Een kaarsstompje flakkerde in het donker.

Lund controleerde haar mobiel. Ze had bereik.

Ze hoorde iets, voetstappen vlak bij de deur. Ze dacht er niet aan zich te verstoppen. Richtte haar zaklamp op de bron.

'Lisa?'

Het meisje stond stokstijf stil in het felle witte licht. Ze had een glazen vaas met een paar rozen in haar handen.

'Hoe ben je binnengekomen?' vroeg Lund.

Lisa zette de vaas met bloemen op het altaar.

'Ze begonnen te verwelken. De mensen denken er niet meer aan.'

'Hoe ben je binnengekomen?'

'De deur naar de gymzaal is open. Het slot is kapot. Dat weet iedereen.'

Ze streek haar lange, blonde haar naar achteren en keek naar de foto's en de bloemen.

'Wanneer heb je Nanna leren kennen?'

'Op de basisschool. Het laatste jaar. Nanna koos Frederiksholm, dus ik ook.' Ze draaide de rozen in het rond. 'Ik had niet gedacht dat ik toegelaten zou worden. Nanna is intelligent. Haar vader moest geld zien te regelen. Mijn vader heeft wel geld. Maar ik... ik ben stom.'

'Wanneer hebben jullie ruzie gekregen?'

Lisa keek haar niet aan.

'We hebben geen ruzie gekregen.'

'We hebben Nanna's mobiel. Je hebt haar de laatste tijd nooit meer gebeld of ge-sms't.'

Niets.

'Nanna heeft jou gebeld.'

'We hadden geen ruzie. Niet echt.'

'Over Oliver?'

Meteen: 'Dat herinner ik me niet.'

'Volgens mij ging het over Oliver. Nanna gaf niks om hem. Jij bent verliefd op hem, hè?'

Lisa lachte.

'Jij stelt wel vreemde vragen.'

'En dus ging je naar de boilerruimte.'

'Mag ik nu gaan?'

Lund haalde de oorbel tevoorschijn.

'Je bent iets vergeten.'

Het meisje staarde naar de plastic zak, vloekte, draaide zich om om weg te gaan.

'We kunnen een hoop tijd verspillen en naar de jurk gaan zoeken,' zei Lund tegen haar rug. 'Of je kunt het me gewoon vertellen.'

Lisa Rasmussen bleef staan en sloeg haar armen om zich heen in haar krappe rode jasje.

'Dit is belangrijk,' zei Lund. 'Was Nanna in de boilerruimte? Of was je alleen met de jongens?'

Ze zat gevangen, tussen kind en volwassene in.

'Ik was boos op haar! Oké?'

Lund sloeg haar armen over elkaar en wachtte.

'Nanna zei altijd wat we gingen doen. Ze behandelde me alsof ik een kind was. Ik was dronken. En toen kwam die engerd Jeppe binnen en begon ons te filmen. Oliver werd woest. Ik probeerde Jeppe tegen te houden. Ik viel over een paar flessen.'

Ze rolde haar mouw op. Pleisters en krabwonden. Langgerekte wonden, gehecht misschien wel.

'Ik heb me gesneden.'

'Wat gebeurde er?'

'Oliver bracht me naar het ziekenhuis. Daar zijn we de hele nacht gebleven.'

Ze zat op een raamkozijn, haar alledaagse jonge gezichtje beschenen door de straatlantaarns.

'Oliver was nog steeds woest over Nanna. Ik dacht dat ik misschien…'

Ze rolde haar mouw naar beneden en sloeg haar armen weer om zich heen.

'Stom. Nanna had gelijk.'

'Waar was Nanna?'

'Dat weet ik niet.'

'Lisa…'

'Dat weet ik niet!' schreeuwde ze. 'Om half tien of zo kwam ze naar de hal, zette haar hoed op mijn hoofd. Omhelsde me. En zei dag.'

Ze keek Lund recht aan.

'En dat was alles. Ze ging weg.'

Lund knikte.

'Moet mijn vader dit allemaal weten? Hij vermoordt me.'

Hartmann en Rie Skovgaard luisterden op weg naar de receptie naar het nieuws op de radio. Het ging al over de verkiezingen. Door het bondgenootschap was het spel veranderd. Het einde van de oude politieke orde was in zicht.

De Birk Larsen-zaak leek inmiddels geschiedenis. Er moest campagne gevoerd worden, dus er was werk aan de winkel. Vergaderingen en persconferenties. Handen schudden, zieltjes winnen.

En geheime besprekingen in het Deense politieke wereldje, in die illustere zalen waar rechts, links en het midden bijeenkwamen om gemoedelijk glimlachend te redetwisten, slimme beloften te doen, politieke schimpscheuten uit te wisselen en discrete waarschuwingen, vermomd als adviezen, uit te spreken.

Later die avond stond Hartmann, die uitgeput was en het liefst Rie Skovgaard mee naar huis en naar bed genomen had, oog in oog met haar vader. Sinds jaar en dag parlementariër voor de Liberalen. Kim Skovgaard was een stevig gebouwde, joviale man met invloed. Een beetje zoals Poul Bremer die aan de andere kant van de kamer gemoedelijk met zijn tegenstanders stond te kletsen.

De schorre lach van de burgemeester schalde over het gezelschap heen.

'Ik had niet begrepen dat Bremer op je gastenlijst stond,' zei Hartmann.

'Hou je vrienden in ere en je vijanden nog meer,' antwoordde Kim Skovgaard met een gewiekste grijns. 'Uiteindelijk vechten we allemaal voor hetzelfde. Een beter leven. We zijn het alleen niet eens over de manieren om dat te realiseren.'

Hartmann glimlachte.

'Ben je nog steeds in die zaak verwikkeld?' vroeg Skovgaard.

'Je bedoelt de moord op dat meisje?'

'Zijn er nog andere dan?'

'We zijn daar nooit in verwikkeld geweest. Dat was toeval. Daar zul je niks meer over horen.'

Skovgaard hief zijn glas.

'Goed. Het zou moeilijk zijn je te blijven steunen met dat soort krantenkoppen.'

'Papa…' kwam zijn dochter tussenbeide. 'Niet nu.'

Hij ging verder.

'De minister-president… en een paar anderen vragen zich af of je de zaak wel in de hand hebt.'

'Met de campagne zit het wel goed. We gaan winnen.' Een glimlach, die verloren ging in een zee van lachjes. 'Neem me niet kwalijk…'

Hij liep door naar de volgende zaal, pakte Poul Bremers arm en vroeg om een onderonsje. Ze liepen met zijn tweeën naar een lege plek naast de open haard.

'Dus je hebt Madam Eller ten slotte toch overgehaald, Troels,' zei Bremer. 'Gefeliciteerd. Ik hoop dat de prijs niet te hoog was.'

'Ik weet waar jij mee bezig bent.'

Bremer knipperde met zijn ogen achter zijn uilenbril en schudde zijn hoofd.

'Als ik je op nog meer spelletjes betrap…' Hartmann kwam vlak bij hem staan en sprak met een norse, vastberaden fluisterstem. 'Dan sleep ik je voor de rechter. Begrijp je dat?'

'Absoluut niet,' reageerde Bremer. 'Ik heb geen idee waar je het over hebt.'

'Oké,' zei Hartmann en hij maakte zich op om weg te gaan. 'Je hebt me gehoord.'

'Troels! Kom terug.'

Bremer kwam naast hem lopen en keek hem onderzoekend aan.

'Ik heb je altijd gemogen. Vanaf het eerste begin toen je met veel moeite je eerste speech hield. Vandaag…'

Hartmann probeerde hem te peilen, oprechtheid te scheiden van de komedie, en slaagde daar niet in.

'Vandaag heb je me verslagen. Dat gebeurt niet vaak. En als het gebeurt… dan vind ik dat niet fijn. En ik vind het evenmin fijn als jij mij in een vlaag van paranoia beschuldigt van dingen waaraan ik totaal geen schuld heb.'

Hartmann stond erbij en probeerde zich niet als een schooljongen te voelen die op het matje geroepen werd.

Bremer hief zijn grote hand op, wreef duim en wijsvinger tegen elkaar.

'Als ik je had willen verpletteren, denk je dan niet dat ik dat al lang geleden gedaan zou hebben?'

Hij klopte Hartmann op de schouder.

'Denk daar maar eens over na.' Zijn glimlach maakte plaats voor een chagrijnige blik. 'Je hebt mijn humeur verpest, Troels. Ik ga nu. Ik hoop dat je je schuldig voelt.'

Bremer keek hem aan.

'Schuldig. Ja. Dat is het woord.'

Ze lieten Schandorff en Hald gaan. Lund kreeg Lisa Rasmussen zover dat ze een verklaring tekende en zorgde ervoor dat ze veilig in een auto thuisgebracht werd.

Op weg naar buiten vroeg ze haar nog een keer: 'Je weet echt niet met wie ze een afspraak had?'

Het meisje zag er uitgeput uit. Maar ook opgelucht. Dit geheim had zwaar op haar gedrukt.

'Nanna was gelukkig. Dat zag ik wel. Alsof ze zich op iets verheugde. Iets speciaals.'

Toen ze weg was kwam Meyer met papieren zwaaiend binnenstappen.

'Ik ga ze aanklagen wegens meineed. Het verspillen van politietijd.'

'Is dat het waard?'

'Waarom heb je me niet gebeld om het me te vertellen, Lund? Waarom zei je niets? Ik voel me een idioot.'

Ze hield haar mobiel in de lucht.

'Kelder. Geen signaal. Ik heb het geprobeerd.'

'Nee, helemaal niet.'

Hij klonk als een getergde puber.

'Jij leeft in je eigen wereldje, in Lundland. Daar bevindt zich verder niets of niemand.'

'Oké dan, sorry.'

'En ik mag niet roken. Of eten of tegen verdachten schreeuwen.'

'Maak je niet druk. Ik ben zo weg.'

Het pakje sigaretten kwam tevoorschijn. Hij haalde er één uit, stak hem op en blies de rook in haar richting.

Ze zuchtte.

'We hebben helemaal niks nakkes nada,' gromde Meyer.

'Dat is niet waar.'

'Meen je dat nou?'

Ze merkte dat ze met stemverheffing ging praten. Kwam vast door die sigaret. Ze snakte naar een.

'We hebben meer dan genoeg. Als je maar eens luisterde.'

Hij sloeg zijn armen over elkaar en zei: 'Ik luister nu.'

Vijf minuten later zat ze met een gezicht als een buldog in Buchards kantoor.

Diep serieus en geduldig nam ze een voor een de documenten door, de foto's die ze verzameld had.

'We weten dingen over wie dit heeft gedaan. We weten dat hij haar met ether heeft verdoofd. Hij hield haar ergens gevangen en misbruikte haar zo'n vijftien tot twintig uur lang. Daarna…'

Nog meer opnamen van het lichaam. De armen, handen, voeten, dijen.

'Hij heeft haar in bad gedaan. Haar vingernagels geknipt. Toen reed hij met haar naar de bossen waar ze, wist hij, niet gestoord zouden worden.'

Foto's van het wagenspoor in het Pinksterbos. Haren aan dode bomen.

'Daar speelde hij een spelletje. Hij speelde met haar. Hij liet haar wegrennen en haalde haar dan weer in. Misschien…' Ze had hier een tijdje over nagedacht. 'Misschien wel meer dan één keer.'

'Verstoppertje,' zei Meyer en hij nam een trek.

'We hebben designerlaarzen gevonden in Nanna's kast,' vervolgde Lund. 'Haar ouders wisten er niks van.'

Ze liet de foto rondgaan: bruin leer en glimmend metaal.

'Die had Nanna nooit zelf kunnen kopen. Te duur. De halsketting…'

Het zwarte hart aan een goedkoop verguld kettinkje.

'We weten nog altijd niet van wie deze is. Misschien was het een geschenk van degene die haar de laarzen gaf. Alleen is het een goedkoop ding. En oud.'

Lund legde de foto van Nanna en Lisa op het Halloweenfeest voor hen neer. Lisa dronken, overduidelijk een tiener. Nanna elegant en glimlachend, met de zwarte heksenhoed op haar hoofd, alsof het allemaal maar een flauwe grap was.

'Dit is waar het om gaat. Nanna had een geheime afspraak. Ze kleedde zich om en liet haar kostuum op school achter. Ze ging naar iemand toe en zelfs haar beste vriendin wist niet wie dat was.'

Buchard kreunde.

'Je gaat me toch niet vertellen dat het een leraar was, hè?'

Lund keek hem zonder iets te zeggen aan.

'Goed,' zei Meyer. 'Morgen beginnen we weer van voren af aan.'

'Luister naar me!' beval Buchard. 'De scholen vallen onder de verantwoording van Troels Hartmann. Hij moet weten waar we mee bezig zijn.'

'Prima,' knikte Lund. 'Ik bel hem morgen.'

'En je moet nog wat langer blijven,' voegde Buchard eraan toe.

Meyer sloot zijn ogen en blies wat rook naar het plafond.

'Ik ben hier tot zaterdag. Mark begint maandag op school. Ik heb alles gedaan…'

'Met alle respect, hoor,' viel Meyer haar in de rede. 'Volgens mij hoeft ze niet te blijven. Ik ken het klappen van de zweep. En…' Hij fronste zijn voorhoofd. 'Laten we eerlijk zijn, van veel teamwork tussen ons is geen sprake geweest. Ik denk dat Lund zich gewoon aan haar plan moet houden.'

Toen stond hij op en liep weg.

Ze keek naar de foto's. Nanna met de heksenhoed. Geïsoleerd van de jongeren om haar heen.

Buchard gluurde van opzij naar haar.

'Meyer heeft nog niets gegeten,' zei ze. 'Daar wordt hij kregelig van. Nee…' Ze zwaaide met haar vinger als om zichzelf te corrigeren. 'Kregeliger.'

'De school…'

'We moeten kijken. We zullen heel goed moeten kijken.'

6

Vrijdag 7 november

Lund trok net haar zwart-witte trui aan en propte ondertussen een stuk geroosterd brood naar binnen, toen haar moeder zei: 'Ik dacht dat we vanavond weggingen?'

'Nee, we gaan morgenmiddag.'

'Morgenmiddag? Dan komen de gasten.'

'Niks aan de hand.'

'Ik kan niet lang in Zweden blijven. Ik heb dingen te doen.' Ze keek naar de jurk. 'Ik heb binnenkort weer een trouwerij.'

'Je hebt altijd trouwerijen. We hadden gehoopt dat je een week bij ons zou blijven. Kun je Bengts familie ontmoeten.'

Een grimmig lachje.

'Je bedoelt dat ik je zoon naar school kan brengen terwijl jij naar je werk gaat?'

'Laat maar.' Lund nam een flinke slok uit haar beker en trok een vies gezicht. 'Het was maar een idee. Hebben we nog warme koffie?'

Ze liep naar het koffiezetapparaat. Nee.

'Heb ik je zo opgevoed, om zo'n moeder te zijn?' vroeg Vibeke en ze schudde haar hoofd. 'Je hebt sinds jullie hier zijn niet eens met Mark gepraat. Heb je enig idee...?'

'Het is een drukke week. Ik dacht dat je dat wel gemerkt had.'

Snel trok ze, met haar gedachten voortdurend bij Nanna en de school, een elastiekje uit de zak van haar spijkerbroek en bond haar haren er nonchalant mee in een staart.

'Hij is twaalf...'

'Ik weet hoe oud hij is.'

'Je weet helemaal niets van hem. Of van zijn leven.'

'Ik moet weg.'

'Wist je dan dat hij een vriendin had?'

Lund bleef staan. Ze stond even in tweestrijd.

'Mark is net als ik,' zei ze. 'Erg onafhankelijk. We zitten niet de hele tijd op elkaars lip. En ja… ik wist dat hij een vriendinnetje had. Bedankt.'

'Ik ga ervandoor,' klonk een stem achter haar. Ze schrok op.

Het was Mark, in een blauw jasje, die op het punt stond naar school te gaan.

Ze liep achter hem aan de trap af.

Het was een bewolkte, droge dag. Hij had zijn step bij zich en wilde erop weg steppen toen hij eenmaal op straat was.

'Mark! Je hebt nog niet ontbeten.'

Hij vertraagde zijn tempo.

'Geen honger.'

'Het spijt me van deze week. Ik maak het goed met je. Dat beloof ik je.'

Hij stapte weer op zijn step. Ze moest haar best doen om hem bij te houden.

'Oma zegt dat je een vriendin hebt.'

Mark bleef staan, maar keek haar niet aan.

Lund glimlachte.

'Dat is leuk.'

Ze probeerde zich niet te ergeren aan het oorringetje. Hij had door een of andere stomme jongen op school een gaatje in zijn oor laten prikken zonder het haar zelfs maar te vragen.

'Hoe heet ze?'

'Dat doet er niet toe.'

'Je kunt haar uitnodigen om naar Zweden te komen.'

'Zo meteen ben ik te laat voor school.'

'Mark? Ik wil echt graag weten wat jou bezighoudt.'

'Ze heeft het net uitgemaakt.'

Twaalf jaar en dan al zoveel pijn op zijn jonge gezicht.

'En jou kan het allemaal geen moer schelen. Jij geeft alleen om dode mensen.'

Lund stond op de stoep. Zag de jongen voor zich op vier- of vijfjarige leeftijd. Toen hij acht was. Tien. Het was moeilijk om dat kind te herkennen in de kribbige, bedroefde knul die haar nu aanstaarde. En…

Ja wat?

Teleurgesteld keek.

Teleurgesteld was het woord.

Mark draaide haar de rug toe en stepte de straat uit.

Om negen uur kwam Hartmann binnen. Lund nam hem mee naar haar kamer.

'Je hebt gezegd dat wij niet meer onder verdenking stonden?'

'Ik heb niet gezegd dat…'

'Je hebt het nooit over een docent gehad.'

'We volgen een bepaalde aanwijzing.'

'Naar wat precies?'

Meyer stak zijn hoofd om de deur en zei: 'Gaan we nog?'

Hartmann verroerde zich niet.

'Wat heb je nu weer verzonnen?'

Lund schudde haar hoofd.

'Dat kan ik niet zeggen.'

'Het zijn mijn school, mijn docenten. Je gaat het me echt wel vertellen.'

'Als ik kan…'

'Nee. Nee!'

Hij begon kwaad te worden. Ze had die opvliegendheid van hem eerder gezien. Op tv, toen hij de verslaggever was aangevlogen. Nu was hij direct tegen haar gericht.

'Ik moet weten wie het is! Jezus! Ik moet voorzorgsmaatregelen nemen.'

'Het is niet mogelijk…'

'Je hebt me al een keer voor gek laten staan. Dat gebeurt niet nog een keer.'

'Het spijt me. Ik kan jullie verkiezingen niet boven het moordonderzoek laten gaan. Dat zou niet juist zijn.'

Hij keek furieus.

'Begrijp je dan niet wat voor schade je aanricht? Aan de docenten? Aan de leerlingen? Aan de ouders? Je strooit verdenkingen rond zoals een boer mest op het land. Het kan je geen barst schelen…'

'Waag het niet dat te zeggen!' schreeuwde ze terug.

Hartmann viel ineens stil, verrast door het plotselinge volume.

'Zeg dat nooit meer,' herhaalde Lund wat zachter. 'Ik ben geen politicus, Hartmann. Ik ben een inspecteur van politie. Ik heb geen tijd om over alle consequenties na te denken. Ik moet gewoon…'

'Wat?' wilde hij weten toen ze haar zin niet afmaakte.

'Blijven kijken.' Ze trok het hengsel van haar tas over haar schouder. 'We zullen discreet zijn. We zullen geen geruchten de wereld in helpen. We hebben er geen enkel belang bij om een onschuldige schade te berokkenen. Daar zijn we niet op uit, we willen alleen maar uitvinden wie het meisje vermoord heeft. Oké?'

Zijn plotselinge woede was gaan liggen. Die uitbarstingen, dacht ze, waren fel en onverwacht, en Troels Hartmann had er net zo'n hekel aan als degene die er getuige van was.

'Prima,' zei hij knikkend. Hij keek haar aan. 'Sta je me toe te helpen?'

Ze zei niets.

'Ik wil het echt, Lund. Ik zal het kantoor vragen om kopieën van de personeelsbestanden. Van de docenten. De hele staf.'

'Stuur ze naar mijn kantoor. Ik zal er iemand naar laten kijken.'
'Ik wil helpen. Geloof me.'
Zijn mobiel ging over. Hij had meteen het masker van de politicus weer op: ongeëmotioneerd, afstandelijk, onbewogen. Lund liep weg en liet hem rustig bellen.

In de halfronde gang van zwart marmer hield zich een glimlachende vrouw met blond haar op die een supermarkttas in haar hand had. Ze vroeg aan Lund: 'Is Jan Meyer er?'
'Een momentje.'
Lund ging verder met het controleren van haar boodschappen op haar mobiel.
'Ik ben Hanne Meyer,' zei de vrouw. 'Ik heb iets voor hem.'
De echtgenote. Lund herinnerde zich het telefoontje. *Nu heb je het hele huis wakker gemaakt.* Een huilende baby. Hij had een leven buiten het politiebureau. Ze vond het idee verbijsterend.
'Sarah Lund,' zei ze en ze schudde haar de hand.
'Ik werk met hem samen.'
'Dus zo zie je eruit!'
Ze was een knappe verschijning, met een sjaal om haar hals en een boerinnenjurkje onder haar bruine wollen jas.
'Ik heb veel over je gehoord.'
'Dat kan ik me voorstellen.'
'Ah.' Ze keek Lund betekenisvol aan. 'Hij bedoelt het goed. Het komt alleen niet altijd zo over.' Ze zweeg even. 'En hij vindt je echt... fenomenaal.'
Lund knipperde met haar ogen.
'Fenomenaal?'
'Hij moet elk uur twee van deze nemen,' zei ze en ze overhandigde haar een flesje met pillen. 'Als dat niet helpt dan moet je de bananen proberen.'
Ze haalde er een paar uit haar tas, en gaf ze aan de stomverbaasde Lund.
'Wat hij je ook probeert wijs te maken, hij mag echt geen koffie, kaas of chips hebben,' mompelde ze. 'Zijn maag raakt erdoor van streek.'
De vrouw klapte in haar handen: dat was alles.
'Een nieuwe baan is altijd moeilijk. Laten we hopen dat het deze keer goed uitpakt.'
Meyer kwam de hoek om lopen. Hij droeg een oud, groen regenjack, een Bretonse visserstrui en hij had een verbaasde uitdrukking op zijn gezicht.
'Krijg nou...?'
'Dag lieverd!' riep Hanne Meyer opgewekt.
Stralend en zonder iets of iemand anders op te merken liep Meyer naar haar toe en kuste haar op de lippen.

'Wat kom jij hier nou doen?'

Ze wees naar de bananen in Lunds handen.

'Die had je in de auto laten liggen.'

'Ah...'

Meyer haalde zijn schouders op.

Ze streelde over zijn stoppelbaard en zei: 'Doe je voorzichtig? Heb een fijne dag, jullie twee.'

Hij volgde glimlachend en als betoverd elke stap van haar. Toen ze uit het zicht was verdwenen betrok zijn gezicht weer, bloedserieus nu.

Meyer pakte het fruit en de pillen van Lund aan en stopte bij wijze van pistool een banaan in elke zak. Hij haalde er een uit, richtte op de gang en riep 'pang!'.

'Fenomenaal,' zei Lund.

'Wat?'

'Niets. Laten we gaan.'

Het campagneteam zat paraat voor de ochtendbriefing. Acht mensen, Rie Skovgaard regelde alles. Hartmann bewaarde de Birk Larsen-zaak tot het allerlaatste.

'Het kan zijn dat de pers er lucht van krijgt,' besloot hij. 'Maar meer dan wat wild giswerk is dat niet. We sturen de personeelsbestanden naar Lund. We moeten ons niet af laten leiden. We hebben belangrijker werk te doen.'

'Wacht, wacht, wacht.' Skovgaard gebaarde dat ze moesten blijven zitten. 'Je zegt dat ze denken dat het een docent is.'

Hartmann stopte zijn papieren in zijn koffertje.

'Dat is een theorie.'

'Je weet wat dat betekent, Troels? Dat we weer bij de zaak betrokken zijn. De pers zal je er hoe dan ook bij betrekken.'

'Het is een politieonderzoek...'

'Jij bent de wethouder van Onderwijs. Als het een docent is dan zullen ze je aansprakelijk stellen.'

Ze gaf nooit op. Zou dat ook nooit doen.

Hij ging weer zitten, keek haar aan en vroeg toen: 'Wat stel je voor?'

'Dat we het initiatief aan ons houden! Laten wij de bestanden eerst zelf lezen voordat Lund ze in handen krijgt. Kijken of we de zaak niet verkloot hebben.'

'Hoe zouden we dat kunnen hebben gedaan?'

'Dat weet ik niet. Ik wil alleen geen verrassingen meer. Bovendien... Stel dat we informatie doorgeven die hun helpt de dader te vinden. Dan krijgen we misschien iets van de eer in plaats van de schuld.'

Hartmann staarde haar aan.

'Troels,' voegde ze eraan toe, 'als het gaat om stemmen verliezen of stemmen winnen, dan is het nauwelijks een keus te noemen.'

'Prima. Doe het maar.'

Toen het team vertrok gaf ze Hartmann zijn programma voor die dag. Ze liep het regel voor regel, minuut voor minuut met hem na. De laatste afspraak was een fotoshoot over sociale integratie. Allochtonen laten opgaan in de samenleving. Rolmodellen naar voren schuiven, de immigranten die Hartmanns team had uitgezocht als gezicht van het initiatief.

'Zullen we daarna samen eten?' vroeg ze.

'Tuurlijk,' zei Hartmann zonder erbij na te denken.

'Kun je die tijd voor me vrijmaken?'

'Tuurlijk.'

'Troels!'

'O.'

Ze hadden zo weinig tijd. Hartmann nam haar in zijn armen, hield van de manier waarop haar gezicht opklaarde. Hij wilde haar net kussen toen er op de deur geklopt werd. Een ambtenaar van het stadhuis. Een jonge man. Hij leek in verlegenheid gebracht door het feit dat hij hen gestoord had.

'U had om bestanden gevraagd? Van de scholen?'

'Deze mag jij afhandelen,' zei Hartmann en hij liep weg.

Skovgaard liet de ambtenaar voor zich plaatsnemen, maakte een lijstje van wat ze nodig had. Personeelsbestanden van het Frederiksholmlyceum. Contracten. Beoordelingen. Klachten.

Hij luisterde, zonder iets te zeggen.

'Is dat een probleem?'

'U wilt de stadsarchiefstukken beroepshalve inzien? Het is niet voor politieke doeleinden? Dat moet ik vragen, neemt u me niet kwalijk.'

'Nee,' zei Skovgaard. 'Dat hoeft u niet.'

'Maar...'

'Hartmann wil het. Hartmann is de wethouder van Onderwijs. Dus...'

Hij gaf niet toe...

'Hoe heet u?'

'Olav Christensen.'

'Heb je hier een probleem mee, Olav? Als dat zo is, zeg het dan. Je hebt de peilingen gezien, toch? Je weet dat Troels Hartmann de volgende burgemeester wordt?'

Een zuinig, sarcastisch lachje.

'Het is niet mijn taak om in politiek te liefhebberen.'

'Nee. Het is jouw taak om te doen wat je gezegd wordt. Dus schiet een beetje op voor ik iemand anders ga zoeken.'

Lund en Meyer begonnen in een kleine opslagruimte naast de bibliotheek, omgeven door boeken over de Engelse taal, over natuurkunde en kunst, een voor een met de docenten te praten. Over Nanna, over Lisa Rasmussen, Oliver Schandorff en Jeppe Hald. Maar vooral over henzelf. Wat ze het weekend daarvoor hadden gedaan. Meyer stelde de vragen terwijl Lund observeerde, nadacht, luisterde. Naarstig op zoek naar een zwakke plek.

Hij at een banaan. Dronk twee flessen water en rookte voortdurend. Hij verorberde twee zakjes kaaschips, tegen haar nadrukkelijke orders in. Keek naar haar tussen de eindeloze processie van docenten door. Zei weinig. Dat hoefde ook niet.

Er was niets mis met deze gewone, fatsoenlijke, toegewijde mensen. Het waren docenten. Verder niet. Dat leek in ieder geval zo.

Pernille Birk Larsen zat in de kille keuken aan de tafel die ze samen hadden gemaakt. Ze staarde naar Nanna's kamerdeur, met de markeringen en pijlen.

Wist dat dit nu moest gebeuren.

Ze hoorde hem beneden met de mannen praten. Een diep, bars stemgeluid. De baas.

Ze liep naar haar kamer. Er was zoveel verdwenen. Nanna's boeken en dagboeken. De foto's en de briefjes waren van het prikbord aan de muur verdwenen. Het stonk er naar hun chemicaliën, en wel zo sterk dat de verflauwende geur van de bloemen erdoor verdrongen werd. Hun pennen, kwasten en markeerstiften hadden de muren bezoedeld.

Ze deed haar uiterste best zich te herinneren hoe het was geweest.

Haar dochter die hier was, zo levendig en energiek.

Pernille zat op het bed en dacht na.

Dit moest gebeuren. Dit moest gebeuren.

Ze ging naar de kleine wandkast en keek erin.

Nanna's geur hing er nog. Een licht, exotisch parfum. Veel mondainer dan Pernille zich herinnerde.

Ze werd opnieuw pijnlijk getroffen door de gedachte die haar in feite nooit losliet… *Je kende haar niet echt.*

'Maar ik kende haar wel,' zei ze hardop. 'Echt.'

Die ochtend had het kantoor van de lijkschouwer gebeld. Het lichaam zou vrijgegeven worden. Er moest een dienst worden gehouden. Een uitvaart. De slotscène in het naargeestige, langgerekte ritueel van een gewelddadig en voortijdig overlijden.

In de slaapkamer, omgeven door de geuren van de kast, deed Pernille haar best zich te herinneren wanneer ze voor het laatst kleren voor Nanna had uitgekozen. Zelfs als kind van zeven of acht had ze dat zelf bepaald. Zo slim, zo mooi, zo vol zelfvertrouwen…

Later was ze het huis doorgegaan op zoek naar dingen voor zichzelf. In Pernilles ladekast. Die van Lotte als ze bij haar logeerde.

Nanna liet zich nergens door inperken. Ze was erg onafhankelijk, en was dat geweest vanaf dat ze kon praten.

En nu moest een moeder het laatste dat haar kind zou dragen uitzoeken. Een gewaad voor in een kist. Een jurk voor vuur en as.

Haar vingers woelden door de dunne stofjes. Door de bloemenpatroontjes en truitjes, jurkjes en spijkerbroeken. Ze bleven rusten op een lange witte, Indiase jurk van seersucker, met bruine knopen voorop. Goedkoop op de kop getikt in een eindezomer-sale omdat niemand het wilde hebben voor de koude winter.

Niemand behalve Nanna, die dit soort lichte dingen altijd kon dragen. De kou deerde haar niet. Ze huilde nooit veel. Had nooit geklaagd.

Nanna…

Pernille drukte haar gezicht diep in het zachte materiaal.

Ze keek naar het bloemenjakje dat ernaast hing. Er was geen moeilijker keuze dan deze.

Theis Birk Larsen zat in zijn kantoor met de makelaar getallen en plannen te bekijken. Inmiddels klonk de naam Humleby als een vloek in zijn oren. Een macabere poets die het leven hem gebakken had.

'Het gaat u een hoop kosten,' zei de vrouw. 'De houtrot. De staat…'

'Hoeveel?'

'Dat weet ik niet precies.'

Pernille liep naar hen toe met wijd opengesperde ogen, slordig kastanje-bruin haar, een uitdrukkingsloos gezicht, bleek en ellendig. In haar handen had ze twee jurken: een witte, en een met bloemen.

'Een half miljoen,' zei de makelaar. 'Of u kunt het eerst renoveren. Kost wel tijd, maar dan…'

Hij keek door de glazen deur. Zonder te luisteren.

De vrouw zweeg. Zag Pernille en kwam gegeneerd overeind. Ze maakte de bekende geluiden. Haastige woorden, gestotterde condoleances. Toen vluchtte ze als een haas het kantoor uit.

Pernille zag haar vertrekken, en keek toen hoe haar echtgenoot een sigaret uit het pakje op het bureau griste en hem bezorgd opstak.

'Is er een probleem, Theis?'

'Nee. Het ging over de verkoop van het huis. Die is in gang gezet.' Hij bladerde door de papieren.

Ze hield de jurken omhoog.

'Ik moet het weten.'

Ze tilde eerst de witte en toen die met bloemen omhoog alsof ze op het

162

punt stonden uit te gaan. Een van die sociale dingen die ze nooit deden. Uit eten gaan. Dansen.

'Welke?'

Hij keek haar een seconde aan, niet langer.

'Die witte is leuk.'

Zoog aan zijn sigaret en tuurde naar het bureau.

'De witte?'

'De witte,' zei hij weer.

Met Rama, de leraar die ze eerder die week gezien hadden, waren ze halverwege de lijst. Dezelfde vragen. Dezelfde weinig informatieve antwoorden. De man was vijfendertig. Werkte nu zeven jaar op de school.

Ze vroegen iedereen: wat vonden jullie van Nanna?

'Extravert, vrolijk, slim…' zei Rama.

Meyer liet een van zijn pillen op tafel rollen en staarde ernaar.

'Hadden jullie een goede verhouding?' vroeg Lund.

'Zonder meer. Ze was erg intelligent. Werkte ook hard. Volwassen.'

'Had u ook buiten school contact met haar?'

'Nee, ik ga niet privé met leerlingen om. Daar heb ik het te druk voor.'

Meyer klokte zijn pil naar binnen en gooide met een fraaie boogbal de lege waterfles in de prullenbak.

'Mijn vrouw is zwanger,' voegde Rama eraan toe. 'Ze is bijna uitgerekend. Ze werkt hier ook. Nu parttime. Ze is aan het afronden.'

'Dat is leuk,' zei Lund.

Meyer onderbrak haar en vroeg: 'Hebt u Nanna gezien op het feest?'

'Nee, ik had de eerste dienst. Ik ging om acht uur weg.'

Lund zei: 'Dat was het. Kunt u de volgende naar binnen sturen?'

Ze lachte.

'Ik klink als een leraar.'

Meyer spiedde naar de bananenschillen op tafel.

'Heb jij ze opgegeten?' wilde hij weten.

'Eentje maar.'

Vloekend kwam hij overeind, liep naar het raam en stak een sigaret op.

De leraar zat er nog steeds.

'Er was wel iets, een tijdje geleden. Een paar maanden terug schreef Nanna een essay. Voor een proefexamen.'

Lund wachtte af.

'Ze schreef een kort verhaal.'

'Waarom is dat belangrijk?' vroeg Lund.

'Misschien is het dat niet.' Rama keek haar aan. 'Het ging over een geheime verhouding. Tussen een getrouwde man en een jong meisje. Het was erg…'

De leraar zocht naar het juiste woord.

'Het was erg expliciet. Ze deed of het fictie was. Het zat me niet lekker.'

Meyer kwam terug naar de tafel. Hij keek hem aan en vroeg: 'Waarom?'

'Ik lees heel wat essays. Ik had de indruk dat ze het over zichzelf had. Dat ze schreef over iets dat ze had gedaan.'

'Expliciet?' vroeg Lund.

'Ze spraken met elkaar af. Ze hadden seks.'

'Waarom hebt u dit niet eerder gezegd?'

Hij was in verlegenheid gebracht.

'Ik wist niet of het belangrijk was of niet.'

'We moeten het lezen,' zei Meyer.

'Het zou in de opslagruimte moeten liggen. Bij de rest. Het was een proef-examen. Die bewaren we.'

Ze wachtten.

'Ik kan u wel helpen als u wilt,' zei Rama.

De ambtenaar van Onderwijs kwam terug met een stapel blauwe dossier-mappen onder zijn arm. Skovgaard bedankte hem. Ze glimlachte.

'Wat staat erin?'

'Modelschool. Particulier. Niet goedkoop.' Hij bladerde door een stel mappen. 'De leraren zijn bevoegd en enthousiast. De cijfers zijn hoog.'

Ze staarde naar de stapel documenten.

'Geen klachten?'

'Voor zover ik kan beoordelen niet. Maar ik weet niet waar je naar op zoek bent.' Hij wachtte op antwoord. 'Als ik dat wist…'

'Gewoon routine. We willen weten of alles in orde is.'

Olav Christensen maakte een gedweeë indruk, leek te willen helpen, ook al had ze hem eerder nogal onder druk gezet.

'Alles wat met Troels te maken heeft, is meestal wel in orde,' zei hij. 'Ik wou…' Hij knikte achterom naar Poul Bremers kantoor, 'dat dat overal zo was. Binnenkort misschien.'

Ze vroeg zich af waarom hij ineens zo behulpzaam deed. Hield een map omhoog. Bedankte hem.

Lund en Meyer spendeerden anderhalf uur aan het doorzoeken van de dos-sierkasten. De docent ging weg omdat hij les moest geven. Toen kwam Rektor Koch binnenlopen, keek dreigend naar Meyers sigaret en zei: 'Hebben jullie het al gevonden?'

'Hier is het niet,' zei hij.

'Het moet hier zijn,' hield Koch vol.

'Het… is… hier… niet… We hebben alles doorzocht.'

Lund kwam met een doos met mappen aanzetten.

'Deze hebben we open aangetroffen.'

Koch controleerde de namen op het etiket, wie hem gebruikt hadden en wanneer.

'Een van onze docenten is linguïst. Hij schrijft een stuk over taaltrends. Woordgebruik. Ik heb hem toestemming gegeven om hier alles door te nemen wat hij nodig had.'

'Naam?' wilde Meyer weten.

Even was het stil, toen verscheen er een ongemakkelijke uitdrukking op het gezicht van de vrouw.

'Henning Kofoed. Ik kan moeilijk geloven dat hij het niet terug zou zetten. Hij is doorgaans erg nauwgezet. Een uiterst intelligent…'

'Waarom hebben we hem nog niet gesproken?' viel Lund haar in de rede.

'Hij was geen docent van Nanna. Hij werkt alleen 's ochtends. Hij is…'

Lund pakte haar mobiel op, haar aantekenboekje en haar tas.

'We hebben zijn adres nodig,' zei ze.

Hardhout en rieten stoelen. Kaarsen. Gouden kruisen. Gedempt licht. Een crucifix.

Pernille en Theis Birk Larsen zaten zwijgend naast elkaar. Ze kneep in de witte jurk. Hij was pas gewassen en geperst en rook naar bloemen, en zomer.

Een winterbui kletterde met veel misbaar tegen de glas-in-loodramen boven hun hoofd.

Na een tijdje kwam er een man tevoorschijn. Zwart pak, witte baard, een vriendelijk gezicht en permanente beroepsgrijns. 'Tien minuten,' zei hij en liep toen weg.

Het leek veel langer. Ze verhuisden van de ene stoel naar de andere, staarden naar de muren. Hij haalde zijn zwartwollen muts tevoorschijn, draaide hem rond in zijn vingers. Ze zag het en probeerde er niet naar te kijken.

Toen keerde de uitvaartondernemer terug. De deur stond half open. Daarachter was een zacht licht te zien. Hij gebaarde dat ze binnen konden komen.

Na afloop, toen ze in het rode busje langzaam over de glimmende straatweg reden zei Pernille: 'Ze zag er mooi uit.'

Theis Birk Larsen staarde door de voorruit de grijze regen in.

Haar hand ging naar opzij en streelde zijn stoppelige bakkebaard, de ruwe vertrouwde warmte van zijn wang.

Hij glimlachte.

'We moeten de thermoskannen op gaan halen,' zei ze. 'We kunnen er twee lenen van Lotte.'

Hij tikte tegen een lampje op het dashboard.

'Ik heb ruitensproeiervloeistof nodig.'

Een klein benzinestation. Auto's en busjes. Mannen en vrouwen. Het leven van alledag, z'n gewone gangetje, de dagelijkse routine. Al die drukte om hen heen alsof er niets was gebeurd. Alsof er niets veranderd of kapot of voor altijd verloren was.

Hij ging niet naar de pomp. Hij liep meteen naar de winkel en door naar het toilet.

Daar, op deze anonieme plek, opgesloten op de wc, met zijn zwarte jack aan en zijn wollen muts op, boog Theis Birk Larsen zich over het wasbakje en snikte, beefde, huilde als een kind.

Ze wachtte twintig minuten. Er kwam niemand naar haar toe. Niemand zei iets. Toen liep hij met roze ogen en rode wangen naar buiten. Er waren stukjes van de papieren handdoek aan zijn baardstoppels blijven hangen, waar hij zijn gezicht had afgeveegd. De tranen lagen nog steeds op de loer, het leed was nog steeds aanwezig.

In zijn handen hield hij een plastic flesje. Blauw.

'Hier,' zei hij en hij legde de ruitenvloeistof in haar schoot.

Henning Kofoed woonde in een klein appartementje achter het station. Het smerigste vrijgezellenappartement dat Lund ooit had gezien. Overal boeken, rottende etensresten op vuile borden in de keuken. Kofoed was een nerveus uitziende man van veertig jaar met een woeste, bruine baard en ongekamd haar. Hij trok aan een stinkende pijp en hield hen achterdochtig in de gaten vanaf het moment dat ze binnen waren.

'Waarom zou ik dat moeten hebben?'

'Omdat u het meegenomen hebt,' zei Meyer. 'Voor uw... hoe noem je dat? Linguïstische onderzoek. Dat gaat over hoe mensen praten, hè?'

'Heel grof gezegd...'

'Laat me dan nu het volgende heel grof tegen u zeggen... zoek dat verdomde essay, Henning.'

'Ik heb het waarschijnlijk niet goed teruggelegd. Sorry.'

In de slaapkamer stond een computer. Hij liep ernaartoe en begon rond te snuffelen. Kofoed, die steeds nerveuzer werd, ging achter hem aan.

'Hebt u gelezen wat Nanna geschreven had?' vroeg Meyer.

'Ik... ik... lees zoveel.'

'Een simpele vraag. Daar hoef je geen universitaire graad in de linguïstiek voor te hebben. Hebt u Nanna's verhaal gelezen?'

Stilte.

'Ik ben gespecialiseerd in taal. Ik kijk naar woorden. Niet zozeer naar de zin. Wist u dat het woordje ciabatta niet bestond...?'

Meyer balde zijn vuisten en vloekte.

'Vergeet die ciabatta nou maar, ja? Zoek dat verdomde essay voor ons.'
'Oké, oké, oké.'
Zigzaggend liep hij de aangrenzende kamer in en begon daar te rommelen in een zooitje mappen en papieren die overal verspreid lagen. De kamer zag eruit als een archief dat door een bom getroffen was.
Meyer wierp een blik op Lund, glimlachte en wees naar de vloer.
'Hebt u het weggegooid?'
'Dat zou ik nooit doen.'
Hij boog zich over omgekiepte laden. Haalde er een mapje uit.
'Ah! Ik wist dat ik hem had.'
Hij overhandigde het aan hen.
'Neem me niet kwalijk. Ik zal u nu uitlaten.'
Kofoed liep naar de deur, en opende die. Lund bleef waar ze was.
'Volgens mij moeten wij hoognodig praten,' zei ze.
'Waarover?'
Meyer hield een van de tijdschriften omhoog die hij op de vloer onder de computer gevonden had.
Tienersletjes.
Over jonge meisjes.

De docent zat op de computerstoel in de slaapkamer toe te kijken hoe Meyer door zijn tijdschriften bladerde en foto's aanwees.
Hij zweette overvloedig en Lund had hem zijn pijp afgenomen.
'Waar was u vrijdag?' vroeg ze.
'Op een conferentie in de stad. Over jeugdtaal.'
'Tot hoe laat was dat?'
'Tot tien uur 's avonds.'
'En toen?'
'Ging ik naar huis.'
Meyer leunde tegen de deurpost en keek afwisselend dreigend naar de tijdschriften en naar Kofoed.
'Zijn daar getuigen van?'
'Nee. Ik woon alleen. Ik werk meestal.'
'Als je niet met jezelf zit te spelen,' gromde Meyer. 'Of naar je meisjes zit te kijken.'
De leraar reageerde geïrriteerd.
'Die toon bevalt me helemaal niet.'
Meyer schudde zijn hoofd.
'O, mijn toon bevalt je niet? Ik kan je hiervoor arresteren.'
'Deze tijdschriften zijn niet verboden. Ik heb ze hier gekocht. Dat kan iedereen.'

'Dan vind je het vast niet erg als we je computer in beslag nemen. Je hebt hier ook een externe harde schijf. Wat zullen we daar allemaal niet voor leuks op aantreffen?'

Kofoed zweeg. Begon weer te zweten.

'O Henning.' Meyer ging voor hem zitten. 'Heb jij enig idee hoe het mannen als jij vergaat in de gevangenis?'

'Ik heb niets gedaan. Ik was niet degene die beschuldigd werd…'

'Ik beschuldig jou wel degelijk!'

'Meyer,' Lund keek naar de bevende docent. 'Wat bedoel je, Henning?'

'Wie werd er beschuldigd?'

Stilte.

'Ik probeer je te helpen,' zei ze. 'Als er iemand onder verdenking stond, dan moeten we dat weten.'

'Ik was het niet…'

'Dat zei je al, ja. Maar wie was het dan wel?'

Een bange man. Maar hij wilde het niet zeggen.

'Ik kan het me niet herinneren…'

'Ik neem de computer mee,' zei Meyer. 'Jij gaat de gevangenis in. Weg baan. Nooit meer lesgeven. Geen kans meer om ooit nog dicht bij de meisjes te komen…'

'Zo is het niet! Ik was het niet. Het meisje heeft de aanklacht ingetrokken…' Hij stond op het punt te gaan huilen. 'Hij ging vrijuit. Het is een aardige vent.'

Meyer pakte een tijdschrift op en wapperde ermee voor zijn gezicht.

'Wie?'

'Rama,' zei Kofoed.

Hij leek zich te schamen voor zichzelf. Meer pas toen Meyer de porno tevoorschijn had gehaald.

'Het meisje had het verzonnen. Hij is een aardige man. Altijd vriendelijk tegen iedereen.'

'Net als jij,' zei Meyer en hij smeet het blaadje in zijn gezicht.

Pernille zat aan tafel en deed haar best te glimlachen tegen de docent, Rama. De knappe en beleefde leraar van school. Hij had bloemen, foto's en berichtjes van het altaar meegenomen. Met een ernstig en bezorgd gezicht pakte hij de stoel tegenover haar.

'Ze zijn een beetje verwelkt. Sorry.'

Ze nam ze aan, in de wetenschap dat ze zodra hij weg was in de vuilnisemmer zouden verdwijnen. En dat Rama dat ook wist.

'Nanna's klasgenoten zouden graag naar de herdenkingsdienst komen. Als dat goed is.'

'Dat is prima.'

Rama glimlachte even melancholiek.

'Komt u toch ook. Alstublieft.'

Hij leek verrast. Dachten ze soms dat zij er geen buitenlander bij wilde hebben?

'Dank u. We zullen er allemaal zijn. Ik zal u niet langer ophouden…'

'Gaat u niet weg.'

Dat wilde hij wel, dacht ze. Maar Pernille maakte zich niet langer druk om wat anderen wilden.

'Kunt u iets over haar vertellen?'

'Zoals?'

'Iets wat ze gedaan heeft.'

Hij dacht na over de vraag.

'Filosofie. Daar was ze altijd gek op. Ze was oprecht en zeer geïnteresseerd in Aristoteles.'

'Wie?'

'Een Griek. En ze zat in onze toneelclub.'

Speelde ze toneel?

Daar had ze het nooit over gehad. Niet één keer.

'Ik vertelde hun wat Aristoteles over toneelspelen had gezegd. Daar was ze erg in geïnteresseerd. Zij vond ook dat onze stukken van het aanbreken van de dag tot het vallen van de avond zouden moeten duren, net als bij de oude Grieken.'

'Ze was een schoolmeisje,' zei Pernille ineens boos. 'Ze had een leven. Hier. Een echt leven. Het was geen droom. Ze hoefde niet iets te verzinnen.'

Een vergissing. Hij keek gegeneerd.

'Volgens mij was het een grapje.' Hij keek op zijn horloge. 'Neemt u me niet kwalijk, ik moet weg. Ik werk bij een jeugdclub. Ik heb daar een afspraak die ik niet mag missen.' Pernille keek naar zijn kalme, donkere gezicht. Ze vond hem aardig. Ze keek naar de tafel. Liet haar vingers over het gedeukte, gelakte blad gaan, staarde naar de foto's en de gezichten.

'Deze hebben we samen gemaakt. Samen hebben we het hout geschaafd, gelijmd, de foto's opgeplakt.'

Het hout voelde nu glad aan en versleten. Maar niet overal. Er waren splinters. Tranen soms.

'U bent alleen,' zei de docent. 'Is dat…?'

'Theis is beneden. In het kantoor. Hij doet…'

Het was daar donker geweest toen ze de deur opengedaan had. Er brandde geen enkele lamp.

Doet wat eigenlijk?

Roken. Een bierfles koesteren. Huilen.

'De administratie,' zei ze.

Het was niet de administratie.

Birk Larsen zat zonder te bewegen of iets te zeggen in het donkere kantoor. De deur ging open. Vagn Skærbæk kwam binnen, knipte het lampje bij het mededelingenbord aan. Met de sleutelbos in zijn hand ging hij het rijtje haakjes af tot hij de juiste vond. Hij hield de boel op orde.

Hij zag de man niet die daar met een sigaret in de hand, een fles in de vuist over het bureau heen gebogen lag in zijn zwarte jack, totdat Birk Larsen iets onverstaanbaars mompelde.

'Shit! Je laat me schrikken.'

De gedaante bewoog niet.

'Gaat het wel, Theis?'

Hij deed het grote licht aan. Kwam naar voren en keek.

'Ik ga Pernille halen.'

Een sterke hand werd naar hem uitgestoken en hield hem tegen.

Birk Larsens ogen waren rood en troebel.

Dronken.

Hij zei: 'Vorige week had ik nog een dochter. Ze ging uit. Naar een feestje.'

'Theis...'

'Vandaag zag ik haar weer.' De ogen onder de zwarte muts sloten zich, tranen persten zich tussen de oogleden tevoorschijn. 'Het was haar niet echt. Het was als iets... Iets...'

'Ik ga Pernille halen. En jij houdt op met drinken.'

'Nee!'

Zijn stem klonk luid en fel. Vagn Skærbæk wist dat hij hem niet moest negeren.

'Theis. Mijn vriend, Jannik, heeft iets gehoord.'

Skærbæk aarzelde. Voelde Birk Larsens blik op zich gericht.

'Wat dan?'

'Het is misschien niets.'

Birk Larsen wachtte.

'Janniks vrouw werkt op de school. Hij zei dat de politie weer teruggekomen is.' Zijn handen friemelden met de zilveren ketting. 'Ze begonnen de leraren te ondervragen. Alle leraren van Nanna.'

Nog een sigaret. Nog een slok bier. Hij staarde Vagn Skærbæk aan.

'Misschien weet ze meer dan hij me verteld heeft.' Skærbæk likte over zijn lippen. 'Aan de politie heb je niets. Als dat niet zo was waren jij en ik...'

'Hou daarover op,' snauwde Birk Larsen. 'Dat is allemaal verleden tijd.'

'Dus je wilt niet dat ik met Janniks vrouw ga praten?'

Birk Larsen zat op de harde stoel voor zich uit te kijken.

'Theis...'

'Doe maar.'

Verkiezingen gaan over ideeën. Thema's. Imago's. Merken. En dus trok Troels Hartmann die avond zijn tennisschoenen aan en liep hij in zijn goede pak naar de sporthal met Rie Skovgaard aan zijn zij.

Basketbal was een jonge sport. Hij was de jongste kandidaat. Een goed moment om voor foto's te poseren, handen te schudden.

'Frederiksholm is een modelschool,' zei ze. 'Er valt niets op de docenten aan te merken. Ik heb alle dossiers doorgenomen. Lund heeft ze nu. We zijn buiten gevaar.'

De geur van zweet, het geluid van een op hout stuiterende bal.

'Je hebt een fotoshoot. Daarna ontmoeten we een paar van de rolmodellen. We hebben de jeugd hier, recreatie, gemeenschap. Drie vliegen in één klap.'

Hartmann trok zijn jasje uit, haalde zijn overhemd uit zijn broek en rolde zijn mouwen op.

'Wanneer gaan de ambtenaren naar huis?'

'Concentreer jij je nu maar op de reden waarom we hier zijn. Deze mensen zijn belangrijk voor ons.'

Ze liepen de zaal in. Er waren mensen aan het spelen. Blank en zwart. Ze bewogen snel, luidruchtig.

'Morten vertelde me dat hij een paar ambtenaren had gezien die nog laat aan het werk waren. Waarom zou dat zijn?'

'Dat weet ik niet!'

'Hij zegt dat we ze in de gaten moeten houden.'

'Morten wordt betaald om je campagne te leiden. Niet om je dit soort adviezen te geven.'

'Stel dat Bremer iemand bij ons geïnfiltreerd heeft. Die allerlei ellende veroorzaakt? E-mails naar buiten brengt. Mijn agenda inziet.'

'Laat dat nou maar aan mij over. Jij bent de kandidaat. Het gezicht naar buiten. De rest is mijn zorg.'

Hartmann verroerde zich niet.

'Ik heb mijn uiterste best gedaan om dit te regelen,' voegde Rie Skovgaard eraan toe. 'We hebben alle media hier die ertoe doen. Probeer naar ze te lachen, ja?'

Op de vloer. Ferme handdrukken. Vriendelijke begroetingen. Hartmann praatte met hen, een voor een, met de Iraniërs en Chinezen, Syriërs en Irakezen. Ze waren nu Denen en werkten mee aan zijn integratieprogramma. Onbetaalde rolmodellen voor de groeperingen waar ze deel van uitmaakten.

Twee teams. In een ervan was een plaatsje voor hem opengelaten.

Hartmann strikte zijn schoenveters, nam de tegenpartij op en zei: 'Zijn jullie er klaar voor om ingemaakt te worden?'

Tien zalige minuten lang was dit alles wat ertoe deed. Rondrennen over de geboende vloer en met een bal gooien. Passes. Fysieke uitputting. Geen gedachten. Geen strategieën. Geen plannen. Zelfs het camerageflits kon hem niet deren. Het Rådhus. De Liberalen. Poul Bremer. Kirsten Eller. Zelfs Rie Skovgaard. Ze waren allemaal verdwenen.

Een uitbraak. Hij kreeg de bal toegespeeld. Hartmann deed een uitval, maakte een schijnbeweging, stuiterde, wierp.

Zag de bal langzaam door de lucht tollen, naar de basket afdalen, erdoorheen gaan.

Gebrul. Hij bokste in de lucht. Zuivere emotie. Geen enkele gedachte in zijn hoofd.

De camera's flitsten. Glimlachend draaide hij zich om en gaf de dichtstbijzijnde speler een high five.

Voor altijd vastgelegd: twee mannen die blij naar elkaar grijnzen. Troels Hartmann, zegevierend, in een blauw shirt. Rama, de docent, die zijn hand vastgrijpt.

'Ze loopt de gang door en vindt de juiste hotelkamer. Ze staat op het punt aan te kloppen. Ze vraagt zich af of dit verkeerd is. Had ze wel moeten komen? Het is zo anders als ze bij hem is. Zo heel anders dan thuis. De garage waar ze als klein meisje speelde en de geur van benzine. Haar kamer en al haar spulletjes. Veel te veel omdat ze niks kan weggooien. De keuken waar ze uren met haar moeder, vader en twee broertjes doorbracht. Waar ze verjaardagen vierden. Kerst en Pasen. Thuis zou ze altijd een klein meisje blijven. Maar nu… hier in deze hotelgang… is ze een vrouw. Ze klopt aan, hij doet open.'

Met haar voeten op het bureau in haar kantoor zat Lund Nanna's verhaal voor te lezen. Meyer kwam binnenlopen met zijn armen vol eten.

'Ik hoop voor jou dat daar ook een hotdog voor mij bij zit.'

'Nee, kebab.'

'Wat voor?'

Schouderophalen.

'Met vlees. Het is kebab, Lund.'

Hij zette een witplastic doosje op haar bureau, en een paar bakjes saus.

'Geen naam,' zei ze. 'Geen beschrijving. Gewoon een mysterieuze vent met wie ze in verschillende hotels afspreekt.'

Ze klapten de doosjes open en begonnen te eten.

'Het enige wat we hebben,' ging ze verder, 'is een paar laarzen, een oud verhaal en wat docentenroddel.'

'Niet alleen roddel.' Hij haalde zijn aantekenboekje tevoorschijn. 'Ik heb met Rektor Koch gesproken. Rama… of liever Rahman Al Kemal, was jaren geleden ergens bij betrokken. Een leerling uit de derde had beweerd dat hij haar betast had.'

'En toen?'

'Ze trok haar aanklacht in. Koch denkt dat het meisje verliefd op hem was. Ze had het verzonnen toen hij niet op haar avances in wilde gaan.'

Lund kiepte het hele bakje hete saus over de kebab en nam een hap. Meyer keek er met afgrijzen naar.

'Een beetje voorzichtig hoor, met dat spul.'

'Met mijn maag is niks aan de hand. Waarom zou hij ons over dat verhaal vertellen als hij het had gedaan?'

'We zouden het toch wel gevonden hebben. Laten we met hem gaan praten. Hij zei dat hij thuis was bij zijn vrouw. Dat kunnen we controleren.'

Lund ploos de personeelsdossiers door.

'Dat incident had hier toch vermeld moeten worden.'

'Zonder meer,' beaamde hij.

Ze bladerde in de papieren.

'Verspil je tijd niet, Lund. We hebben zijn dossier niet gekregen. Hartmanns mensen hebben de rest allemaal gestuurd. Maar niet dat van hem.'

Ze dacht na.

'We hebben toch om allemaal gevraagd?' vroeg Meyer.

'Natuurlijk.'

Lund pakte de restanten van haar kebab op en haalde haar jas.

'Dus?'

Bij het appartementencomplex in Østerbro waar Rama woonde, belde ze naar huis en kreeg Mark aan de lijn. Daar op de straatkeien praatte ze met hem, terwijl Meyer stond te luisteren – niet bepaald discreet overigens.

Er was een feest. Ze gaf instructies. Na afloop meteen naar huis. Bel als je me nodig hebt.

'We vertrekken morgen,' zei Lund. 'Zaterdagavond. Ik ga de tickets boeken.'

Ze keek naar haar mobiel.

'Mark? Mark?'

Stak hem in haar zak.

Meyer zei: 'Hoe oud is je zoon?'

'Twaalf.'

'Wil je advies?'

'Niet echt, nee.'

'Je moet naar hem luisteren. Een jongen van zijn leeftijd heeft veel te verhapstukken. Meisjes en wat al niet meer. Zijn hersens…' Er sloop een andere klank in Meyers stem, een die ze niet kende. 'Dit is een bepaalde fase in zijn ontwikkeling. Luister gewoon naar hem.'

Lund liep met grote passen voor hem uit en probeerde niet boos te worden.

'Hij zegt dat ik alleen in dode mensen geïnteresseerd ben.'

Meyer bleef staan en stamelde een paar woorden die ze niet kon verstaan.

'Het zullen inderdaad zijn hersens wel zijn,' zei Lund. 'Nummer vier toch?'

Ze vonden de woning en belden aan.

Een uiterst vermoeid ogend, hoogzwangere blonde vrouw deed de deur open en liet hen zonder protest binnen.

Rama was er niet. Ze zei dat hij een afspraak had op de plaatselijke jeugd-club.

'Geeft u ook les op de school?' vroeg Meyer.

Ze hadden een leuke en moderne woning die nog maar half gerenoveerd was. Het behang was van de muren getrokken, de deuren waren kaal. Nauwe-lijks bewoonbaar.

'Ja, parttime op het moment. De baby...'

Terwijl hij praatte liep Lund wat rond te kijken. Dat was een routine die ze algauw hadden opgepikt, zonder het er ooit over te hebben gehad. Het leek te werken.

'Kende u Nanna Birk Larsen?' vroeg Meyer.

Een lichte aarzeling.

'Ze was geen leerling van me.'

Potten verf, rollen tapijt die gelegd moesten worden. Geen foto's. Niets persoonlijks.

'Was u vrijdag op het feest?'

'Nee, ik ben nogal snel moe.'

Lund vond niets van belang en drentelde terug de woonkamer in waar Meyer en Rama's vrouw zich bevonden.

'Dus u was thuis?' vroeg hij.

'Ja. Eh, nou eigenlijk was ik niet thuis.'

Verder niets.

Meyer haalde diep adem en vroeg: 'Dus u was níét thuis?'

'We hebben een huisje ergens op een volkstuinencomplex in de buurt van Dragør. Daar zijn we het hele weekend geweest.'

Dragør. Aan de andere kant van Kastrup. Met de auto niet meer dan tien of vijftien minuten van de plek waar Nanna gevonden was.

'Het is hier een puinhoop,' voegde ze eraan toe. 'De vloeren werden ge-schuurd. We konden niet blijven.'

'Ah,' knikte Meyer. Zijn oren, dacht Lund, leken groter als hij nieuwsgierig was. Wat vast niet mogelijk was. 'Dus jullie waren daar allebei?'

'Rama kwam me ophalen om half negen en toen reden we ernaartoe.'

'Dus als ik het goed begrijp...'

Echt veel groter, merkte Lund op.

'U en uw echtgenoot brachten het weekend op het complex door?'

'Ja, waarom vraagt u dat?'

'Zomaar. Ik dacht dat u misschien iets wist over het schoolfeest.'

'Nee. Sorry.'

Lund liep naar het raam. Ze voelde haar schoen tegen iets aan stoten. Een rol tapijt. En rolgordijnen of iets dergelijks.

Op de vloer lag een zwarte ring van plastic. Ze boog zich voorover en pakte hem op. Dacht aan Nanna in de kofferbak van de auto. Met bijeengebonden enkels. Bijeengebonden polsen. Met net zoiets.

Meyer had beweerd dat ze die in tuinen gebruikten. En ook om bouwmaterialen stevig mee te bevestigen. Voor een hoop dingen.

Lund haalde een plastic zak voor bewijsmateriaal tevoorschijn. Liet de tierip erin vallen.

'Wilt u nog eens met hem praten?' vroeg de vrouw.

'Niet op dit moment,' zei Meyer en hij stopte zijn aantekenboekje weg.

Lund kwam terug en vroeg: 'Mag ik even naar de wc?'

'Die kant op. Ik laat het u even zien…'

'Niet nodig. Ik vind het wel.'

'Uw eerste kind?' vroeg Meyer.

'Ja.'

Lund liep verder. Ze hoorde hen nog steeds.

'Een meisje.'

Meyer klonk ineens heel vrolijk.

'Een meisje! Echt waar! Dat is geweldig. En u weet het al. Wilde u dat? Ik, ik hou van verrassingen…'

Overal afdekplastic. Een stel jassenhaakjes. Een schilderij.

'Als u wilt kan ik u wat goede tips geven.' Meyers stem klonk nu ronduit blij. 'De eerste paar maanden… Laat hem het werk doen.'

Lund hoorde haar lachen.

'U kent mijn man niet. Hij werkt wel, hoor, dat hoef ik niet te vragen.'

Heel zachtjes liep Lund de slaapkamer in. Kleren. Foto's. Een glimlachende, jongere Rama in een zwemteam, leek het wel. Daarachter legeronderscheidingen. Van wedstrijden uit zijn diensttijd misschien. Een knappe vent. Fit en gespierd. Een kalender. Een schoolrooster.

Lund keek in de aangrenzende badkamer. Nieuwe wasbak, nieuw toilet. Kale muren. Er was nog een andere kamer. 'Kinderkamer' volgens het bordje op de deur.

Het was er donker. Er viel net genoeg licht van de straat naar binnen om iets te kunnen zien. Rommel in de hoek. Speeltjes voor mannen. Een sportvlieger. Een speedboot.

Bij het raam stonden een paar bergschoenen. Ze pakte ze op, keek naar de zool, bevoelde de modder en wreef die tussen haar vingers.

Dacht aan het kanaal en de bossen. En Dragør zo vlakbij.

Op een omgekeerde doos stond een fles.

Een wit etiket, bruin glas. Lund pakte hem op en maakte een aantekening. Achter haar zei een boze stem: 'U bent langs het toilet gelopen.'

Ze zette de fles terug. De zak met de tie rip liet ze in haar zak glijden. 'Bedankt,' zei Lund en ze liep rechtdoor naar het halletje.

Daar troonde ze Meyer mee naar buiten.

Rektor Koch bevond zich in Hartmanns kantoor, Rie Skovgaard en Morten Weber luisterden naar haar. 'Ze verdenken een van onze docenten,' zei ze. 'U moet me vertellen wat ik moet doen.'

'Wat bedoelt u?' vroeg Hartmann.

'Ze hebben me zojuist gebeld. Vragen gesteld. Ze lijken te weten…'

'Wat te weten? We hebben een afspraak met de politie. Ze komen eerst met ons praten.'

'Ze lijken iets te weten.' Ze zat te kronkelen op de stoel. 'Ik wil niet dat de school er schade van ondervindt. We hebben al genoeg slechte publiciteit gehad. Moet ik hem schorsen?'

'Hebben ze iemand opgepakt voor verhoor?'

'Dat gaan ze wel doen. Een leraar. Er is vroeger een incident geweest.'

'Wat voor incident?' onderbrak Skovgaard haar. 'Ik heb de dossiers bekeken. Er was niets te vinden.'

'Het is… nooit bewezen,' hield Koch vol. 'Maar het werd wel vermeld in het dossier. Dat heb ik zelf geschreven. Allemaal onzin uit de mond van een dom meisje. De docent was onschuldig, dat weet ik zeker. De politie begon alleen naar hem te kijken omdat hij Nanna's vroegere klassenleraar was.'

Hartmann vroeg: 'Is dát de reden?'

'Wat anders?'

Geen antwoord.

Koch keek hen beiden aan.

'Ik heb hier de situatie uitgelegd. Ik heb mijn plicht gedaan. Het is uw verantwoordelijkheid als de politie of de media komen kijken…'

'Maakt u zich geen zorgen,' zei Hartmann met een wuivend handgebaar. 'Geef me zijn naam. Ik zal met de politie praten. Ik weet zeker dat dit niks voorstelt.'

Hij pakte een pen.

'Zijn naam is Rama. Zo noemen we hem. Zijn volledige naam is Rahman Al Kemal.'

Ze spelde het voor hem. Hartmann begon te schrijven. Hield toen op.

'En is hij leraar op Frederiksholm?'

'Dat heb ik u zojuist verteld.'

'Ze stellen vragen over hem?'

Een ongeduldige zucht.

'Ja, dat is de reden dat ik hier ben.'

Hij keek naar Skovgaard. Ze schudde fronsend haar hoofd.

'Is er iets mis?' vroeg Koch.

'Nee. Ik wil er alleen zeker van zijn. Zou u…' hij keek haar aan, '… alstublieft even naar buiten willen gaan? Neem een kop koffie. Ik ben zo bij u.'

Hij sloot de deur. Skovgaard stond op.

'Wat is er aan de hand?' vroeg Morten Weber.

'Ik heb zojuist de hand geschud van een rolmodel die Rama heet,' zei Hartmann. 'Bij de jeugdclub.'

'Wat?'

Weber keek dreigend naar Skovgaard.

'Hij heeft een docent van die school ontmoet? En dat wist je niet?'

'Ik heb geen naam van een docent op de lijst zien staan. Ik heb alle dossiers zelf doorgelopen. Troels zou nooit in dezelfde ruimte geweest zijn als ik gedacht had dat er iets mis was.'

'Maar er ís iets mis!' riep Weber.

'Echt álle dossiers, Morten!'

Verscheurd keek Hartmann hen aan, hij wilde geen partij kiezen.

'Wie heeft je die dossiers gegeven?' vroeg Weber.

Skovgaard vloekte zacht.

'Een van de ambtenaren van de administratie.'

Weber hief geïrriteerd zijn handen in de lucht.

'Ik heb het je toch gezegd!'

'Ze gaven me de dossiers. Ik heb ze nagelopen. Wat moest ik dan? Wat…?'

Weber stond met een rooie kop te schreeuwen. 'Je had naar mij toe kunnen komen, Rie. Je had eens een keer iets kunnen vragen. In plaats van ervandoor te gaan en maar te doen wat er in dat suffe hoofdje van je opkomt…'

'Morten,' viel Hartmann hem in de rede. 'Rustig aan.'

'Rustig aan? Rustig aan?' Hij wees naar de deur. 'Ik werk al twintig jaar in die gangen daar. Zij heeft wasmiddel verkocht, is tien minuten hier en denkt dat ze alles weet…'

'Morten!' Hartmanns stem legde hem het zwijgen op. 'Zo is het genoeg.'

'Ja, Troels. Het is genoeg.' Weber pakte zijn tas. Propte er met trillende hand zijn papieren in. 'Laten we er niet langer omheen draaien. Als deze verkiezingen geregeld worden vanuit jouw bed dan heb ik hier niet veel meer te zoeken…'

Hartmann vloog woest op hem af en hield dreigend zijn vuist voor zijn gezicht.

'Het kan me niet schelen hoe lang ik jou al ken. Dít neem ik niet. Ga weg. Ga naar huis.'

Dat deed Weber. Geen vermaningen meer. Geen beledigingen. Hij pakte zijn tas op en vertrok.

Rie Skovgaard keek toe.

En zei 'bedankt' zodra Weber de deur uit was.

'Maar ik had wel naar hem moeten luisteren,' zei Hartmann. 'Hè?'

'Ik denk van wel,' beaamde ze.

In de auto terug uit Østerbro.

'We moeten zijn verleden natrekken,' zei Lund. 'Hij is niet altijd docent geweest. Controleer dat volkstuintje en zijn alibi.'

Ze haalde de plastic zak tevoorschijn.

'Dit gaat naar het lab. Hij heeft een fles met ether. Ik heb de merknaam opgeschreven. Zoek uit of het dezelfde was die op het meisje aangetroffen werd.'

Meyer was niet blij. Voor de verandering.

'Met al dat bewijs, waarom hebben we niet gewacht tot hij thuiskwam? Nu kan hij zich van alles ontdoen.'

Haar telefoon ging over. Hartmann stond inmiddels in haar lijst met contacten. Ze zag dat hij het was.

Lund gaf de mobiel aan Meyer.

'Het is Posterknul. Praat jij maar met hem. Hij heeft waarschijnlijk wat te klagen.'

'Hij is niet de enige, Lund. Wanneer gaat je vliegtuig morgen? Heb je een lift nodig naar Kastrup?'

Verhaaltjes voor het slapengaan. Pernille las voor. De jongens hadden hun pyjama's aan en lagen met hun borst tegen de zachte dekbedden aan gedrukt, de ellebogen op het bed, ondertussen met hun voeten wiebelend.

'Ligt Nanna in een kist?' vroeg Anton toen ze het boek dichtsloeg.

Pernille knikte, probeerde te glimlachen.

'Wordt ze een engel?'

Een lange pauze.

'Ja, ze wordt een engel.'

Hun heldere, verbaasde snoetjes keken naar haar op.

'Morgen nemen we afscheid van Nanna. Dan...'

'Sommige kinderen op school zeggen dingen.'

Antons voeten bewogen wat sneller.

'Wat voor dingen?'

'Dat iemand haar vermoord heeft.'

Emil voegde eraan toe: 'En er was een man die iets slechts heeft gedaan.'

'Wie zei dat?'

'Een paar kinderen uit de klas.'

Ze pakte hun handen en keek in hun stralende ogen.

Ze wist niet wat te zeggen. Vijf minuten later waren ze ingestopt en stil. Ze hoorde Theis bewegen, ging naar beneden. De garage stond vol meubels. Gehuurde tafels en stoelen. Hij stapelde en verplaatste er een aantal, pakte met één hand meer dan de meeste mannen met twee handen konden.

'De jongens wilden dat je welterusten kwam zeggen.'

Hij droeg een tafel door de kamer.

'Ik moest hiermee verder.'

'Ze horen dingen op school.'

Niets.

Pernilles hand ging naar haar nek.

'Ik heb gezegd dat het de boeman was.'

Een schragentafel. Nog meer stoelen.

'Theis. Ik weet niet zeker of het wel een goed idee is om ze mee te nemen naar de rouwdienst. Ik bedoel…'

Hij luisterde niet en draaide zich niet om om haar aan te kijken.

'Ze moeten afscheid nemen, dat weet ik. Maar er zullen zoveel mensen zijn.'

Een doos met plastic bordjes en bestek. Hij veegde zijn voorhoofd af.

'Ik weet hoe jij en ik zullen…'

Hij liep met de tafel die hij van rechts naar links had versjouwd weer terug naar zijn oude plek.

'Zou je daar alsjeblieft mee op willen houden?'

Hij zette hem neer en keek haar zwijgend aan.

In het borstzakje van zijn blauwgeruite overhemd trilde zijn mobiel.

Birk Larsen luisterde.

'Ik probeer morgen meer van Jannik aan de weet te komen,' zei Vagn Skærbæk. 'De vrouw heeft verder niets nieuws gehoord. Ik ga het proberen.'

'Oké.'

'Heb je vanavond nog hulp nodig?'

'Nee, ik zie je morgen wel.'

Toen hij de verbinding verbrak was de garage leeg. Hij zag Pernille de trap op lopen. Hij ging verder met het verplaatsen van tafels en stapelen van stoelen.

Mark maakte een geanimeerde indruk. Alsof hij zijn kans rook.

'Dus als we niet gaan…'

'We gaan wel,' hield Lund vol. 'Bengt geeft een housewarmingparty.'

Haar moeder stond te strijken. Zij was kleren aan het pakken en gooide ze in een lege koffer, drukte ze met haar handen en ellebogen plat, meer dan bereid zo nodig boven op het ding te gaan zitten.

'Wat als…?'

'Mark! Er is geen wat als. We gaan morgen weg. Oma gaat een paar dagen met ons mee, en daarmee basta…'

Haar mobiel ging. Bengt. Hij klonk bezorgd.

'Alles gaat prima,' liet Lund hem weten. 'Helemaal onder controle. We zien je morgenavond. We zijn bijna klaar met pakken…'

Ze bedekte het mondstuk en zei geluidloos tegen Mark: 'Ga pakken!'

Toen ineens hoorde ze een geluid bij de deur. Vibeke deed open. Lund keek. Het was Troels Hartmann, op en top een politicus in zijn zwarte winterjas.

Bengt zei iets wat ze niet helemaal verstond.

'Natuurlijk luister ik,' zei Lund.

Ze praatte verder in de andere kamer en zag hoe Vibeke Hartmann zover kreeg dat hij een groot tafelkleed opvouwde voor het nieuwe huis.

In Zweden.

Het nieuwe leven.

'Bengt,' zei Lund. 'Ik moet ophangen.'

Toen ze terugkwam in de kamer vroeg Vibeke hem: 'Dus u bent de lijkschouwer?'

'Nee,' zei Hartmann. Hij hield de lange witkatoenen lap vast.

'U hebt nooit eerder een tafelkleed opgevouwen,' zei Vibeke tegen hem en ze schudde haar hoofd. 'Dat kan ik wel zien. Kijk…'

'Mama, ik denk niet dat Troels Hartmann daar tijd voor heeft.'

Vibekes mond viel open.

'Hartmann?' Ze nam hem aandachtig op. 'Op de posters ziet u er anders uit.'

Toen ze met zijn tweeën in de keuken waren schudde hij zijn hoofd als een teleurgesteld man.

'Je hebt beloofd dat je me op de hoogte zou houden.'

'Ik heb helemaal niets beloofd.'

Ze pakte een boterham, belegde hem met boter en kaas en nam een hap terwijl hij tegen haar tekeerging.

'Jullie doen nu onderzoek naar een van mijn docenten. Dat moest ik van de school horen.'

Met halfvolle mond vroeg ze: 'Waarom heb je tegen je mensen gezegd dat ze ons Kemals dossier niet moesten geven? Noem je dat samenwerking?'

Hij schudde zonder iets te zeggen zijn hoofd.

'We hebben om alle dossiers gevraagd. Van alle docenten, Hartmann. Waarom kregen we die niet?'

'Dat is voor het eerst dat ik daarvan hoor. Geloof me.'

'Hoe kan dat? Jij bent toch de baas?'

Ze propte het laatste stukje in haar mond en zette het bord in de gootsteen.

'Oké ja, dat maakt geen goede indruk. Wat wil je dat ik doe?'

Ze trok een wenkbrauw op, droogde met een theedoek wat borden af.

'Meewerken.'

'Dat probeer ik! Ik weet niet waarom ik dat dossier niet gekregen heb.' Toen, wat zachter: 'Ik weet niet wat er aan de hand is. Er is iets, iemand, binnen mijn kantoor...'

Lund keek geïnteresseerd.

'En die doet wat...?'

'Dat weet ik niet,' zei Hartmann. 'Snuffelen. Dingen bekijken die niet voor ieders ogen bestemd zijn. We zitten midden in de verkiezingen. Dat er ineens allerlei ongein boven tafel komt kun je verwachten. Maar niet...'

Hij keek haar aan.

'Als iemand in ons systeem ingebroken heeft, dan is dat een misdaad, hè?'

'Als...'

'Er is iets gaande. Je zou kunnen komen kijken...'

'Ik ben van moordzaken,' onderbrak Lund hem. 'We proberen erachter te komen wie dat meisje vermoord heeft. Ik doe geen kantoorwerk. En ik wil dat dossier.'

'Prima.' Hij zag er woedend uit. Wanhopig ook. 'Ik zal er een op de kop tikken. Er moet vast nog een kopie zijn. Ergens.'

'Is er iets bijzonders met Kemal?' vroeg ze.

'Hij is een van onze rolmodellen. Hij helpt jonge immigranten die in de problemen geraakt zijn. Dat staat in zijn partijgegevens, die heb ik. Hij is...'

'Dus als hij het gedaan heeft, maak jij een slechte indruk? Is dat het?'

Hartmann keek haar boos aan.

'Dat schaadt je campagne.' Ze pakte een appel, bedacht zich en graaide in plaats daarvan naar een zakje chips. 'Dat kost je stemmen.'

'Jij hebt ook geen erg hoge pet van mij op, hè?'

Lund bood hem een chipje aan.

'Als hij je man is dan is dat zo,' zei Hartmann. 'Niemand van mijn kantoor zal je een strobreed in de weg leggen. Ik wil het alleen weten.'

'Is dat alles?'

Zijn humeur klaarde wat op.

'Ja, dat is alles. Nu mag jij weer.'

Ze lachte.

'Wat is dit? Een spelletje? Ik heb je niets te zeggen. Kemal is één lijntje in het hele onderzoek. Er zijn vragen waar we dringend antwoorden op nodig hebben. Waar hij was...'

'Uitstekend. Ik zal zorgen dat hij geschorst wordt.'

'Dat kun je niet maken. We hebben niet genoeg om hem te arresteren.'

Lund pakte een fles melk uit de koelkast, rook eraan en schonk een glas voor zichzelf in.

'Dat kun je niet maken,' herhaalde ze. 'Ik weet dat je een simpel ja of nee wilt. Maar dat kan ik je nu nog niet geven.'

'Wanneer wel?'

Lund haalde haar schouders op.

'Ik draag de zaak morgen over aan een collega.'

'Is hij betrouwbaar?'

'In tegenstelling tot mij?'

'In tegenstelling tot jou.'

Ze proostte naar hem.

'Hij is erg betrouwbaar. Je zult gek op hem zijn.'

Elf uur 's avonds – Hartmanns privékantoor. In het blauwe neonlicht van het hotel liep hij Rie Skovgaard tegemoet. Ze wierp één blik op hem en zei: 'Is het zo erg?'

Hij smeet zijn jas op het bureau.

'Ik weet het niet precies. Lund vertelt me uitsluitend wat ze kwijt wil. Ze lijken te denken dat hij het is. Ze wil het alleen niet zeggen.'

Skovgaard keek op haar laptop.

'De foto's die ze vanavond genomen hebben gaan eruit. Dat kan ik niet tegenhouden. Maar niemand weet dat hij een verdachte is, net zomin als jij dat wist toen je hem de hand schudde.'

'Wie heeft dat dossier achtergehouden?'

'Dat ben ik aan het uitzoeken.'

Ze wierp een aantal proefadvertenties op tafel. Buitenlandse gezichten, naast blanke. Glimlachend. Samen.

'De volgende ronde van de campagne zou helemaal over integratie gaan. We hebben het rolmodelconcept behoorlijk gepusht. Ik ga ze nu afremmen. We gebruiken de term niet meer. We concentreren ons op andere kwesties tot dit overgewaaid is.'

'Het debat van morgen…'

'Ik zorg dat je niet mee hoeft te doen. Dit is echt een cadeautje voor Bremer. Ik ga even wat rondbellen.'

Skovgaard liep naar haar bureau en pakte de telefoon.

'Nee.' Hartmann keek naar haar. Ze was nog steeds een nummer aan het kiezen… Hij liep naar haar toe, legde de hoorn weer op de haak. 'Ik zei nee. Het debat gaat door.'

'Troels…'

'Het gaat hier om een man. Een verdachte. Hij is niet schuldig bevonden en zelfs al wordt hij dat, dan zegt dat nog niks over alle andere rolmodellen. Ze hebben een hoop goed werk gedaan. Ik zal niet toestaan dat ze hierdoor zwartgemaakt worden.'

'Prachtig gesproken!' schreeuwde ze tegen hem. 'Ik hoop maar dat het net zo goed klinkt allemaal als we verloren hebben.'

'Dit is waar wij voor staan. Waar ik voor sta. Ik moet blijven uitkomen voor waar ik in geloof…'

'Je moet wel winnen, Troels. Als je niet wint dan maakt het allemaal geen reet uit.'

Hij begon kwaad te worden. Wilde dat hij wat van zijn woede gebotvierd had op Lund, die hem de hele tijd met die grote glanzende ogen van haar had staan aankijken terwijl ze op haar boterham stond te kauwen en haar melk naar binnen klokte.

'We zijn die mensen iets verschuldigd. Dag in dag uit werken ze met deze jongeren. Doen dingen waar jij geen idee van hebt. En ik ook niet, trouwens.'

Hij pakte een stapeltje papieren op en gooide dat naar haar toe.

'We hebben statistieken. Het bewijs dat het werkt.'

'De pers…' begon ze.

'Die kan de klere krijgen!'

'Ze maken ons af als hij het gedaan heeft!' Ze stond op, liep naar hem toe en legde haar armen op zijn schouders. 'Ze maken jou af. Net zoals ze bij je vader gedaan hebben. Dit is politiek, Troels. Bewaar die mooie woorden maar voor je toespraken. Al moet ik door de goot om je op die post te krijgen, ik doe het. Daar betaal je me voor.'

Hartmann draaide zich van haar weg, keek door het raam naar de avond buiten.

Haar hand ging naar zijn haar.

'Kom mee naar huis, Troels. Dan kunnen we er daar over praten.'

Er viel een korte stilte tussen hen. Een moment van besluiteloosheid, twij-fel.

Toen kuste hij haar op haar voorhoofd.

'We hoeven het nergens over te hebben. We gaan verder volgens plan. Met alles. De posters. Het debat. Er verandert niets.'

Met gesloten ogen en de vingers tegen haar bleke slaap.

'De ambtenaar die je de schooldossiers heeft gebracht…' zei Hartmann.

'Wat is daarmee?'

'Maak ruimte in mijn agenda. Morgen. Ik wil hem spreken.'

7

Zaterdag 8 november

Lund prikte foto's van Kemal op het bord en luisterde naar Meyer die voorlas wat hij ontdekt had. Er waren tien rechercheurs in het zaaltje. Buchard stond aan het hoofd van de tafel.

'Geboren in Syrië. Damascus. Gevlucht met zijn familie toen hij twaalf was. Zijn vader is een imam en gaat altijd naar de Kopenhagen-moskee.'

Meyer keek om zich heen.

'Kennelijk heeft Kemal de banden met zijn familie verbroken. Ze vinden hem te westers. Deense vrouw. Geen godsdienst. Na de middelbare school en militaire dienst werd hij beroepssoldaat.'

Foto's van hem met een blauwe baret waarop hij stond te glimlachen.

'Vervolgens ging hij naar de universiteit en haalde zijn graad. Kwam zeven jaar geleden aan school. Twee jaar geleden trouwde hij met een collega. De school beweert dat hij populair is. Hij geniet veel respect…'

Buchard viel hem in de rede. Hij schudde zijn hoofd.

'Dit klinkt niet als het soort man…'

'Hij is ervan beschuldigd een meisje aangerand te hebben,' zei Lund. 'Destijds wilde niemand het geloven.'

De hoofdinspecteur maakte geen overtuigde indruk.

'Wat zegt het meisje?'

'We kunnen haar niet bereiken. Ze trekt rond in Azië.'

Meyer hield de plastic zak met de tie rip omhoog.

'Lund heeft deze in Kemals appartement gevonden. Het is dezelfde soort die bij het meisje gebruikt is.'

'En je hebt ook ether gevonden?' vroeg Buchard. Hij krabde zich op zijn buldoggenhoofd. 'Een hoop mensen gebruiken die tie rips. Ether… dat weet ik niet. Dit is niet genoeg.'

'We zullen zijn alibi checken,' zei Lund. Ze maakte de eerste van een stel enveloppen open. Foto's van Nanna. 'Ik wil dat deze foto's verspreid worden in alle hotels in de stad. Ze ging ergens heen.'

'Zet een team op Kemal,' beval Buchard. 'Zodat we weten wat hij doet.

Niet te dichtbij. Vandaag is de uitvaart. We willen de familie niet storen.'

De hoofdinspecteur liet zijn kraaloogjes de tafel rondgaan.

'Het is zo al erg genoeg. Laten we het niet nog erger maken.'

Twintig minuten later namen Lund en Meyer plaats om Stefan Petersen te gaan ondervragen, een bolronde, gepensioneerde loodgieter, eigenaar van een van de huisjes in het volkstuintjescomplex aan de rand van Dragør.

'Ik heb nummer twaalf. Hij heeft nummer veertien. Over een jaar zit ik daar lang genoeg om er permanent te mogen wonen,' zei hij trots. 'Je kunt je buren niet kiezen, maar alles bij elkaar is het een fijne plek.'

Meyer vroeg: 'Vorige week vrijdag? Hebt u toen Kemal en zijn vrouw zien aankomen?'

'O ja.' Petersen richtte zich volledig op hem, niet op Lund. Hij vond het prettig om tegen een man te praten. 'Zo rond acht of negen uur, denk ik. Later zag ik nog iets anders ook.'

Hij leek erg ingenomen met zichzelf.

'Dat komt omdat ik cigarillo's rook.' Petersen haalde een doosje sigaartjes tevoorschijn. 'Stoort het u als ik…?'

'Dat doet het zeker,' blafte Meyer hem toe. 'Doe die dingen weg. Wat hebt u gezien?'

'Steek er gerust een op,' zei Lund en ze haalde een aansteker uit zijn tas en knipte hem voor hem aan.

De dikke loodgieter grinnikte en deed wat ze zei.

'Zoals ik al zei… Ik ben een roker. Maar m'n vrouw wil niet dat ik binnen een cigarillo opsteek. Dus ga ik op de patio zitten. In weer en wind. Hij is overdekt.'

Lund glimlachte hem toe.

'De Arabier kwam zijn huis uit en reed weg.'

'Kemal bedoelt u?'

Hij keek Meyer aan alsof ze iets raars zei.

'Hoe laat was dat?' vroeg Lund.

Gehuld in een stinkende rookwolk dacht hij hierover na.

'Daarna keek ik naar het weerbericht, dus het moet ongeveer half negen geweest zijn.'

'Hebt u de auto terug zien komen?'

'Ik blijf niet de hele nacht buiten. Maar de volgende ochtend stond hij er.'

Ze kwam overeind, schudde hem de hand en zei bedankt.

Toen de loodgieter weg was begon Meyer door het kantoor te ijsberen, alsof hij het voor zichzelf wilde opeisen.

Lund leunde tegen de deur. Keek naar hem.

'Waarom zou Kemals vrouw liegen over waar hij was?' vroeg ze.

'Laten we dat uitzoeken.'

'We wachten tot na de rouwdienst.'

'Waarom? Wil je dat ik Hartmann bel en zijn toestemming vraag?'

Buchard stond bij de deur.

'Lund,' zei hij en hij wees met zijn duim naar zijn kantoor.

'En ik dan?' vroeg Meyer.

'Hoezo, en jij dan?'

Ze stond op om aan de sigarenrook van de loodgieter te ontkomen.

'Het antwoord is nee,' zei Lund voor Buchard een woord had kunnen zeggen.

'Luister…'

'Ik kan je helpen via de e-mail. Of via de telefoon. Misschien kan ik af en toe even overkomen.'

'Laat me uitpraten,' smeekte de oude man. 'Dat bedoel ik niet. Heb je de vader nagetrokken?'

'Natuurlijk heb ik de vader nagetrokken!'

'Wat heb je gevonden?'

Ze fronste haar voorhoofd, probeerde het zich te herinneren.

'Niet veel. Niets interessants. Kleine vergrijpen. Gestolen goederen. Kroeggevechten. Twintig jaar geleden. Hoezo?'

Buchard nam wat water. Hij zag er moe en ziek uit.

'Ik kreeg een telefoontje van een gepensioneerde hoofdinspecteur. Je kent ze wel. Hebben niets beters te doen dan kranten lezen.'

Hij overhandigde haar een briefje.

'Hij zegt dat Birk Larsen gevaarlijk was. Echt gevaarlijk.'

'Was het iets seksueels?'

'Dat wist hij niet. Maar hij zei dat we geen idee hadden.'

'En dus? We hebben hem gecontroleerd. Hij heeft een alibi. Hij kan het niet zijn.'

'Weet je het zeker?'

Zeker.

Wat een woord. Iedereen wilde altijd zeker zijn. En niemand was het ooit echt. Omdat mensen logen. Tegen anderen. Soms tegen zichzelf. Zelfs zij deed het.

'Ik weet het zeker,' zei ze.

In de keuken renden de jongens in het rond met de autootjes van Vagn in hun handen. Theis Birk Larsen was in het zwart gekleed, met een gestreken wit overhemd en een stropdas voor de uitvaartdienst. Hij zat te praten aan de telefoon. Over thermoskannen en tafels, over broodjes en wat ze zouden drinken.

Anton struikelde en sloeg een vaas tegen de vloer. De laatste bloemen van Nanna. Roze rozen, meer stengel dan blaadjes.

Stond daar met zijn broertje, met gebogen hoofd, te wachten tot de storm zou losbarsten.

'Wacht maar in de garage,' zei Birk Larsen. Niet erg streng.

'Het was niet expres…' begon het kind.

'Wacht in de garage!' Hun spullen lagen op tafel. 'En vergeet jullie jassen niet.'

Toen ze weg waren hoorden ze het nieuws op de radio. Het eerste item was: Nanna's uitvaart in de Sankt Johannes Kirke. Alsof ze nu van iedereen was. Niet alleen van het gezin dat altijd rond de tafel had gegeten, in het heldere licht dat naar binnen viel, dat had gedacht dat het altijd zo zou blijven.

'Veel mensen zijn hiernaartoe gekomen om Nanna de laatste eer te bewijzen,' vervolgde de presentator. 'Buiten zijn…'

Hij zette de radio uit. Probeerde tot bedaren te komen. Riep: 'Lieverd?'

Een oud woord. Een woord dat hij al gebruikt had vanaf dat ze een bijdehante, brutale tiener was, op zoek naar opwinding. Een glimp van de ruige wereld buiten het burgerlijke wereldje waar zij in opgegroeid was.

Hij herinnerde zich haar duidelijk. Zag ook zichzelf weer voor zich. Een schurk, een dief. Een rauwdouwer. Hij was dat leven moe geworden. Had een anker gezocht. Wilde dat zelf ook zijn.

'Lieverd?'

Van het begin af aan was zij de ware geweest. Ze had hem gered. In ruil daarvoor…

Een gezin. Een thuis. Een klein verhuisbedrijfje, van de grond af opgebouwd, hun naam op de zijkant van de busjes. Het leek zo veel. Het enige wat hij haar ooit zou kunnen bieden. Het enige wat hij te bieden had.

Ze zei nog steeds niets. Hij liep de slaapkamer in. Pernille zat naakt en ineengedoken op het bed. Op haar linkerbovenarm een getatoeëerde roos, nog even knalblauw als toen ze hem had laten zetten. Hij herinnerde zich nog dat ze ervoor naar de tattooshop in Christiania was gegaan. Ze hadden geblowd. Hij had ook gedeald, al wist zij daar niets van. De roos was Pernilles manier geweest om te zeggen: 'Ik ben nu de jouwe. Deel van dat rare leven van jou. Deel van jou.'

Hij had een hekel aan die roos, maar zei er nooit iets van. Wat hij in haar zocht waren juist de dingen die zij vanzelfsprekend vond. Haar fatsoen, haar eerlijkheid, integriteit. Haar oneindige vermogen tot blinde, onverklaarbare liefde.

'Kom je?'

Op bed lag de zwarte jurk met haar ondergoed. Een zwarte tas. Zwarte panty.

'Ik weet niet wat ik aan moet trekken.'

Birk Larsen staarde naar de kleren op het dekbed.

'Ik weet…' begon ze. Haar stem klonk schor, er verschenen weer tranen in haar ogen.

Hij kon horen hoe hij het diep vanbinnen uitschreeuwde.

'Het doet er niet toe, toch, Theis? Niets doet er nog toe.'

Haar handen gingen naar haar geborstelde kastanjebruine haar.

'Ik kan dit niet. Ik kan daar niet heen.'

Hij dacht diep na.

'Misschien kan Lotte helpen?'

Ze hoorde het niet. Pernilles ogen waren op de spiegel gericht: een naakte vrouw van middelbare leeftijd, met een slapper wordend lijf en enigszins hangende borsten. De buik opgerekt door zwangerschappen. Getekend door het moederschap. Zoals het behoorde te zijn.

'Als de bloemen maar goed zijn…' mompelde ze.

'Dat zijn ze vast. We komen er wel doorheen.'

Birk Larsen boog zich voorover en pakte de zwarte jurk op. Hij reikte hem haar aan.

'We komen er wel doorheen,' zei hij. 'Oké?'

Beneden zat Vagn Skærbæk bij de jongens. Zonder rode overall. Zwart overhemd, zwarte ketting, zwarte spijkerbroek.

'Anton, het was maar een vaas. Maak je geen zorgen.'

Birk Larsen hoorde het aan terwijl hij tussen de ronde tafels en stoelen door liep en naar de witte porseleinen borden keek die ze gehuurd hadden, de glazen, en het met folie afgedekte eten aan de zijkant.

'Ik heb ooit een keer een fles gebroken,' zei Skærbæk. 'Ik deed een hoop stomme dingen. Dat doen we allemaal.'

'We moeten de auto in,' verordonneerde Birk Larsen. 'We gaan.'

De jongens kwamen snel aanzetten, met gebogen hoofden en zonder iets te zeggen.

Skærbæk keek hem aan.

'En Pernille?'

'Haar zus neemt haar mee.'

'Komt mama niet?' vroeg Anton en hij klom in de auto.

'Niet met ons.'

Toen ze weg waren zei Skærbæk: 'Theis, ik zat te denken… die vrouw op school. Het is beter als ik niet met haar praat.'

'Waarom niet?'

Skærbæk haalde zijn schouders op.

'Je hebt een hoop op je bordje nu. Misschien weet ze helemaal niets. Alleen roddel.'

'Dat is niet wat je gisteravond zei.'

'Dat weet ik, maar…'

Birk Larsen reageerde geïrriteerd, staarde naar Skærbæk: een kleinere man. Een zwakkere man. Zo was hun relatie altijd geweest. Een relatie die in de begindagen door geweld en vuistslagen gesmeed was.

Hij zwaaide met zijn vinger voor Skærbæks gezicht en zei: 'Ik wil het weten.'

Ambtenaar Olav Christensen bevond zich in Hartmanns kantoor en bekeek de verkiezingsposters. Over rolmodellen. Integratie. De toekomst.

Hij was achtentwintig, maar leek jonger. Een fris gezicht. Volgzaam.

Hij zweette.

'We hebben een probleempje,' zei Hartmann. 'De dossiers die je ons gegeven hebt van de docenten.'

Een verbijsterde glimlach.

'Wat is daarmee?'

'Er ontbrak er een.'

Stilte.

'Ontbrak?'

'Dat ziet er niet best uit, hè Olav? Ik bedoel maar: wij vragen, jullie draaien.' Hartmann staarde hem aan. 'Zo werkt dat toch?'

Christensen zei niets.

'Ik ben binnenkort jouw baas en van iedereen die boven jou staat. Dus wat dacht je ervan antwoord te geven?'

'Misschien is het kwijtgeraakt toen we de archieven verhuisden.'

'Misschien?'

'Dat zei ik, ja.'

'Dit is het Rådhus. We hebben hier documenten die wel een eeuw oud zijn. Allemaal keurig opgeborgen in afgesloten dossierkasten.'

Hartmann wachtte.

'Dat klopt, ja,' beaamde Christensen.

'Er zijn geen dossierkasten verdwenen,' deed Skovgaard een duit in het zakje. 'Of rapporten over verdwenen dossiers. Ik heb het je baas gevraagd. Hij weet het zeker.'

'Misschien is het verkeerd opgeborgen.'

Hartmann en Skovgaard wachtten.

'We hebben van die stagiaires. Kinderen nog. Het spijt me, vergissen is menselijk.'

Hartmann stond op, liep naar het raam en keek naar buiten.

'Grappig dat het enige dossier dat ze kwijt zijn geraakt het dossier is dat wij wilden hebben. Dat ons in verlegenheid zou kunnen brengen. De politie had het nodig, Olav. Ze denken dat ik het heb achtergehouden. Ze denken dat ik iets te verbergen heb.'

Christensen luisterde en knikte.

'Ik zal uitzoeken wat er gebeurd is en dan kom ik weer bij jullie terug.'

'Nee,' zei Hartmann. 'Doe geen moeite.'

Hij ging heel dicht bij de man staan.

'Dit is wat er gaat gebeuren,' zei Hartmann. 'Op maandag vragen we een officieel onderzoek aan. We gaan dit tot op de bodem uitzoeken. Reken daar maar op.'

'Een onderzoek.'

Als een bang konijn in het licht van koplampen. 'Maar als het dossier weer opduikt,' voegde Hartmann eraan toe, 'dan doet het er niet meer toe, hè?'

'Ik weet hier niets van.'

'Goed, dan zijn we klaar.'

Ze keken hoe hij wegliep.

'Ik herinner me hem nu,' zei Hartmann. 'Hij solliciteerde vorig jaar naar de baan van directeur. Hanig ventje. Ik heb hem niet eens doorgelaten tot de tweede ronde. Hij wil zich natuurlijk wreken.'

'Jij denkt dat hij klusjes voor Bremer opknapt?'

'Dat weet ik niet. Hij heeft toegang tot ons netwerk. Zorg dat iedereen zijn wachtwoord verandert. Laten we vooral voorzichtig zijn.'

Hartmann keek het hoofdkantoor in.

'Waar is Morten, verdomme? Ik weet dat ik tegen hem tekeer ben gegaan maar…'

'Hij heeft zich ziek gemeld. Hij is niet gezond, Troels. Een baan als deze is te zwaar voor hem.'

'Hij is suikerpatiënt. Dat speelt zo nu en dan op. Zijn stemmingen zijn af en toe onvoorspelbaar. Maar je leert ermee leven.'

Ze ging bij hem op de rand van de bank zitten.

'Ik ben hier nu vijf maanden. Hoe lang werkt Morten al voor je?'

Daar moest hij over nadenken.

'Altijd al eigenlijk…'

'En hoe lang word je nou gezien als een serieuze kandidaat voor het burgemeesterschap?'

Ambitie. Dat had ze altijd genoeg gehad. Ambitie was goed. Zonder ambitie gebeurde er niks.

Ze legde haar hand tegen zijn wang.

'We redden het wel zonder Morten,' zei Rie Skovgaard. 'Maak je geen zorgen.'

Het was een heldere en koude dag. Er scheen een fel winterzonnetje. Het vaste weekendwinkelpubliek op straat. Gezinnen die een dagje uit waren.

Olav Christensen liep het plein op en belde.

'Ik wil dat dossier terug,' zei hij.

Er waren dingen aan het veranderen in het stadhuis en niemand wist welke kant het op zou gaan.

Stilte op de lijn.

'Heb je me gehoord?'

Hij begon kwaad te worden, wat misschien niet zo slim was. Maar hij kon er niets aan doen. Hartmann was niet gek. En ook geen naïeve sukkel. Dat zag hij zo wel aan zijn ogen.

Een onderzoek…

Documenten werden gestempeld, in- en weer uitgeschreven. Binnen een dag zouden ze weten dat hij het Kemal-dossier tegelijk met de andere had opgehaald. En had gezien dat het problemen zou veroorzaken. En terzijde had gelegd voor het geval dat.

Er was geen uitweg. Geen excuus mogelijk. Hij kon geen enkele leugen bedenken.

Binnen de kortste keren zou zijn kop rollen. Carrière naar de maan.

Nog steeds geen woord.

'Ik heb je een grote gunst verleend, man!' Een kind dat langsliep met een paar rode ballonnen in de hand keek hem met grote ogen aan omdat hij schreeuwde. 'Zit me niet te fokken, ik heb hulp nodig. Dat heb ik je eerder al gezegd. Ik ga niet alleen het schip in.'

Dat was dom. Dat klonk als een waarschuwing. Olav Christensen wist donders goed met wie hij te maken had. Iemand die bedreigingen uitte, niet incasseerde.

'Luister… Wat ik maar probeer te zeggen is…'

Hij luisterde. Niets. Zelfs niet het langzame ritmische geluid van zijn ademhaling.

'Hallo?' zei hij. 'Hallo?'

Een bruinbakstenen torenspits die opdrees tegen een lichtblauwe hemel. Klokken in tuimelende carillons. Camera's, mensenmassa's op straat.

Lund dacht aan de zaak, aan het nog komende onderzoek.

Was hij er ook? De man die Nanna gegijzeld en herhaaldelijk verkracht had, geslagen, en uren achter elkaar gemarteld? De technische recherche begon met resultaten te komen. De zeep op haar huid was van recente datum en niet van een merk dat ze thuis hadden. Er zat bloed onder de modder in haar nagels, de huid was opengehaald door een schaartje of nagelknippertje. Hoeveel verklaringen waren er? Maar één. Hij had haar ergens in bad gedaan, haar gekneusde, opengereten huid schoongewassen en haar vingernagels geknipt omdat ze met hem gevochten had. Toen had hij haar blootsvoets in haar slipje door de donkere bossen laten rennen. Tot…

Verstoppertje.

Dat zei Meyer en Meyer was niet gek.

Dit was een spel. Niet helemaal echt. Toen hij haar levend had opgesloten in de kofferbak van Troels Hartmanns campagnewagen en haar schreeuwend dat verafgelegen kanaal in had geduwd, had hij staan toekijken. Op de manier waarop iemand anders van een film genoot of van een verkeersongeluk.

Of een begrafenis.

Een barbaars, onwerkelijk spel.

Hoe zag hij eruit?

Gewoon. Criminelen waren geen apart soort mensen, getekend door littekens of vreemde fysieke aandoeningen. Anders dan hun slachtoffers. Ze waren hetzelfde als zij. Gewoon. Een vreemde in de bus. Een man in een winkel die je elke ochtend een goede morgen wenst.

Of een leraar die dag in dag uit naar dezelfde school ging, en iedereen imponeerde met zijn eerlijkheid, die vooral opviel door zijn overduidelijke fatsoen in een wereld van onverschilligen.

Lund keek om zich heen als altijd, haar glanzende ogen dwaalden door de ruimte. Ze keek en liet haar gedachten de vrije loop.

Monsterlijke daden werden niet altijd door monsters gepleegd. Ze waren vaak het werk van gewone mensen. Het waren wrede scheuren in het weefsel van een samenleving die haar best deed om één te zijn. Wonden in de stadsgemeenschap, die bloedden en pijn deden.

Ze observeerde de grote hoeveelheid gezichten om zich heen terwijl ze doorliep, vond een plekje in het donker bij een pilaar en ging zitten.

Daarvandaan kon ze ongestoord rondkijken.

Het orgel begon fluitend te spelen. Een oud gezang. Regels van een kerstliedje dat ze zich nauwelijks herinnerde.

Lund zong niet.

Lisa Rasmussen aan de andere kant van de gang zong niet.

Birk Larsens rechterhand uit de garage, Vagn Skærbæk, zong niet. De tranen stroomden over zijn gezicht en hij hield zijn zwarte muts tegen zijn borst geklemd.

De leraar die Rama heette en samen met zijn leerlingen een rij in beslag nam, zong niet.

Vooraan, bij de witte kist, zaten Pernille en Theis Birk Larsen. Ook zij zongen niet maar zaten daar met hun jongens en maakten een verloren indruk alsof alles – de kerk, de mensen, de muziek, maar vooral, de glanzend witte kist naast hen – onwerkelijk was.

De predikant. Een magere man met een verweerd, ziekelijk gezicht. Hij kwam uit de duisternis bij het altaar tevoorschijn, in het zwart gehuld en met een witte plooikraag om zijn nek. Hij wierp een blik op de kist met de rozenkrans en liet toen langzaam zijn blik over de samengepakte en zwijgende menigte op de kerkbanken voor hem dwalen.

Met een galmend, luid en theatraal stemgeluid zei hij: 'Vandaag nemen we afscheid van een jonge vrouw. Ze werd veel te vroeg uit ons midden gerukt.'

Lund keek, verborgen in het halfduister, naar de ouders. Pernille depte haar ogen. Haar echtgenoot was een reus van een kerel, een grijzend, oud beest. Hij hield zijn hoofd gebogen en tuurde met een strak gezicht naar de stenen vloer.

'Het is zo onrechtvaardig,' zei de predikant alsof hij een brief aan zijn bank oplas, dacht Lund. 'Het gaat ons begrip te boven.'

Ze schudde haar hoofd. Nee. Dit was niet waar. Dat kon gewoon niet.

'En dus vragen we ons af – wat is de betekenis ervan?'

Kemal – ze dacht nog steeds aan hem als Rama – bevond zich drie rijen achter hen en droeg een zwart pak met een wit overhemd. Zijn donkere haar was kortgeknipt.

'We twijfelen aan ons geloof, ons vertrouwen in elkaar.'

Lund haalde diep adem en sloot haar ogen.

'En we vragen ons af – hoe nu verder?'

Ze verstijfde bij die vreselijke, valse woorden. Verafschuwde ze vanuit de grond van haar hart. Niemand ging ooit verder. Iedereen verbeet zich. Hoopte het te kunnen begraven. Maar het bleef je bij. Voor de rest van je leven. Een kruis dat gedragen moest worden. Een voortdurende, terugkerende nachtmerrie.

'Het christendom gaat over vrede. Verzoening en vergevingsgezindheid. Maar vergeven is niet eenvoudig.'

Lund knikte. Dacht: je meent het.

Zijn stem kreeg een hoge, etherische klank.

'En toch, als we vergeven, dan heeft het verleden ons niet langer in zijn macht. En kunnen we in vrijheid verder leven.'

Lund keek naar de man, in zijn zwarte gewaad, met de witte kraag. Vroeg zich af wat hij gezegd zou hebben als hij daar op die naargeestige koude avond bij het kanaal was geweest? Als hij Theis Birk Larsen had horen schreeuwen en tekeergaan. Als hij Nanna's dode ledematen met het smerige, stinkende water uit de kofferbak had zien vallen en kronkelende palingen een zwarte lijn over haar blote benen had zien trekken.

Zou hij dan ook vergeven? Zou hij dat kunnen?

Het orgel zette weer in. Ze merkte op wie er zong en wie niet. Toen liep Sarah Lund naar buiten.

Ze wisten dat de leraar bij de uitvaart zou zijn. En dus ging Meyer 's middags naar diens appartement om met zijn vrouw te praten.

Ze had een flink opbollende, witte nachtjapon met een zwart vest aan.

Het kostte hem niet veel tijd om haar aan het praten te krijgen over de beschuldiging van het meisje een paar jaar daarvoor.

'Een dom oud verhaal,' zei ze. 'Er valt verder niks over te zeggen.'

'Rektor Koch schreef er een rapport over.'

'Dat kind had het verzonnen. Dat gaf ze toe.'

'We hebben met een man van het volkstuintjescomplex bij Dragør gepraat. De loodgieter.'

Kemals vrouw trok een gezicht.

'Hij zag uw man op vrijdagavond rond half tien weggaan.'

'Die man haat ons, maar onze heggenschaar wil hij wel lenen. Ik moet hem altijd terugvragen.'

Meyer vroeg zich af: wat zou Lund nu doen?

'Ging uw echtgenoot nog weg?'

'Ja, naar het benzinestation.'

'Wanneer kwam hij terug?'

'Volgens mij ongeveer een kwartier later. Ik was inmiddels naar bed gegaan. Ik was erg moe.'

'Dat kan ik me voorstellen. Wanneer zag u hem weer?'

'Tegen drieën. Ik werd wakker en hij lag naast me.'

Meyer herinnerde zich Lunds lange pauzes. Die niet-aflatende, glanzende starende blik van haar.

Hij trok zijn regenjack uit. De ogen van de vrouw gingen naar het dienstwapen op zijn heup.

'Dus u hebt hem niet gezien tussen half tien en drie uur de volgende ochtend?'

'Nee, maar ik weet zeker dat hij er was. Hij leest graag of kijkt tv.'

Ze glimlachte naar hem.

'Hebt u een vrouw?'

'Ja.'

'Weet u wanneer ze thuis is? Kunt u dat niet voelen…?'

Meyer antwoordde niet. In plaats daarvan zei hij: 'Was u het hele weekend daar? Terwijl de vloeren werden geschuurd?'

'Dat klopt. De werklui deden moeilijk.'

Hij stond op. Hij begon de kamer rond te lopen en de bouwmaterialen aan een nader onderzoek te onderwerpen.

Keek.

'Hoezo?'

'Ze kwamen niet opdagen. Rama moest de vloeren zelf schuren. Op zondag is hij de hele dag bezig geweest met het opnieuw betegelen van de badkamer.'

'Dus hij was er de hele zaterdag en zondag niet? Ging hij vroeg weg?'

Ze sloeg haar armen om zich heen onder het vest.

'U kunt beter gaan nu.'

'Was hij weg van zes uur 's ochtends tot acht uur 's avonds?'

De vrouw stond op, werd boos.

'Waarom stelt u me al deze vragen als u geen woord gelooft van wat ik u vertel? Ga alstublieft weg.'

Meyer pakte zijn jasje. Zei: 'Oké.

'Vergeef ons onze schulden.'

Pernille hoorde het Onzevader amper, dat gebed dat ze beluisterd en opgezegd had vanaf dat ze een klein meisje was.

'Gelijk ook wij vergeven onze schuldenaren.'

Het enige wat ze zag was het glanzend witte hout. De bloemen, de briefjes. De kist die de waarheid verborgen hield. Daarbinnen…

'En leid ons niet in verzoeking maar verlos ons van den boze.'

Anton stootte haar zachtjes aan en vroeg met zijn heldere stemmetje: 'Waarom heeft papa zijn handen niet gevouwen?'

'Nu en in de eeuwigheid.'

'Ssjjt,' zei ze en ze legde haar vinger tegen haar lippen.

'En waarom jij niet?' vroeg Emil. Hij staarde naar haar handen.

De jongens hadden hun beste kleren aan en hielden hun vingertoppen tegen elkaar gedrukt.

Haar ogen vulden zich met tranen. Haar hoofd vulde zich met al die herinneringen.

'Amen.'

Eerst was er het geluid. Het lage zachte fluiten van het orgel. Toen rezen een voor een de gestalten om haar heen langzaam op. Met bloemen in hun hand. De gezichten uitdrukkingsloos, verdoofd. Familieleden. Mensen die ze maar half kende. Vreemden…

Bleke, trillende vingers legden rozen op de kist.

'Wij hebben iets,' zei Anton. 'Mam. Wij hebben ook iets.'

Hij was de eerste van het gezin die ging staan. Theis was de laatste, overeind getrokken door Antons zachte aanraking. Met zijn vieren liepen ze naar haar toe.

Ernaartoe.

Wit hout en rozen. Een heerlijk parfum om de stank mee te verhullen.

Toen ze er stonden haakten de beide jongens hun handen in elkaar en legden een kleine plattegrond op de kist. De stad. Met zijn rivieren en straten.

'Wat is dat voor onzin,' vroeg Theis op zachte, boze toon. 'Wat is dat?'

'Dat is voor Nanna,' zei Emil. 'Zodat ze kan zien waar we wonen als ze langs komt vliegen.'

Daar stonden ze met zijn vieren bij de kist, met elkaar verbonden en tegelijk gescheiden door emoties die ze niet konden benoemen.

Anton begon te huilen en vroeg: 'Ben je boos, papa?'

Ben je boos?

Geen kwade man. Allang niet meer. Niet sinds de kinderen waren gekomen en hun leven gecompleteerd hadden.

Dat wist ze. Net als hij.

En de jongens ook, meestal.

'Nee,' zei Birk Larsen. Hij bukte zich voorover om hen allebei een kus op hun hoofd te geven en zijn brede armen om hun schouders heen te slaan. Hij drukte ze dicht tegen zich aan.

Pernille merkte het nauwelijks op. Het enige wat ze zag was de kist. Haar neerstromende tranen vormden zoutplekken op het witte hout.

Zijn hand, met de ruwe eeltige vingers, vervlocht zich met de hare.

'Theis…?' fluisterde ze.

Pernille boog haar hoofd, verbaasd dat het enige woord dat haar brein formuleerde zoveel betekenis, pijn en verdriet kon bevatten.

Ze keek in zijn grove, grauwe gezicht en zei: 'Nu?'

Een kort kneepje van zijn vingers, een knikje van zijn hoofd.

Ze liepen het middenpad door, langs de rijen rouwenden. Langs leerlingen en leraren, buren en vrienden. Langs de onderzoekende politievrouw die bij de deur naar hen stond te kijken met haar glinsterende, droevige ogen.

Ze liepen naar buiten, de grijze dag in en lieten Nanna achter.

Hartmann moest elk uur naar de nieuwsberichten luisteren. De politie had een nieuwe verklaring afgegeven, die even weinig zei als de meeste andere. Ze hadden alle beschikbare manschappen ingezet. Buchard, de strijdlustige hoofdinspecteur, verscheen in beeld en klonk nors en prikkelbaar.

'We volgen een spoor, dat is alles wat ik kan zeggen.'

Daarna kwam het weerbericht.

Rie Skovgaard kwam binnen en zei zenuwachtig: 'Mijn vader moet je spreken.'

Het debat met Bremer zou over een uur beginnen. Hij haalde een das uit de la, stond op en strikte hem voor de spiegel.

'Druk?' vroeg Kim Skovgaard en hij ging zitten.

'Niet voor jou.'

'Dus je gaat naar het debat? Je gaat over integratie praten? Buitenlanders? Rolmodellen?'

'Dat klopt.'

'Rie maakt zich zorgen over je, Troels.'

'Ja, dat weet ik.'

'Ze is een heel slimme vrouw. En dat zeg ik niet alleen omdat ze mijn dochter is.' Hij stond op en legde zijn hand op Hartmanns arm. 'Je zou vaker naar haar moeten luisteren. Maar nu moet je naar mij luisteren. Begin niet over de rolmodellen. Niet vanavond.'

'Waarom niet?'

Skovgaards stem veranderde van klank, werd streng en ongeduldig.

'Het is al genoeg dat een van je auto's betrokken is bij de Birk Larsen-zaak. De kranten zullen je alles wat ze over jou en de immigranten uit hun archieven hebben opgeduikeld in het gezicht smijten. Bewaar je liefde voor donkere mensen maar voor later. Als je er stemmen mee kunt winnen, niet verliezen.'

'En vanavond?'

Hij trok Hartmanns das recht.

'Vanavond focus je op huisvesting. Het milieu.'

'Echt niet.'

Skovgaard glimlachte niet meer en dat kwam niet vaak voor.

'Zeker wel. Je lijkt het niet te begrijpen. Ik zeg dat je dat moet doen. Ik vraag het niet. Er zijn mensen die je in de gaten houden. Hier. In het parlement. Je doet wat ik zeg.'

Hartmann zweeg.

'In je eigen belang. In dat van iedereen…'

'Maar…'

'Ik probeer alleen mijn toekomstige schoonzoon te helpen.'

Hij klopte Hartmann op zijn arm. Een neerbuigend gebaar. En dat was ook de bedoeling.

'Je krijgt je beloning nog wel, Troels. En je hoeft er niet voor naar de hemel.'

Hartmann en Rie Skovgaard waren onderweg naar de tv-studio. Wat begonnen was als een discussie groeide langzaam uit tot een stevige ruzie.

'Je wist dat hij kwam,' zei hij. 'Dat heb je zo geregeld.'

Ze staarde hem aan alsof hij gek was.

'Nee. Wie denk je wel dat ik ben? Machiavelli? Papa was in het Rådhus. Hij stond ineens voor mijn bureau. Wat had ik dan moeten doen?'

Hartmann vroeg zich af of hij haar moest geloven.

'Maar je bent het wel met hem eens?'

'Natuurlijk. Dat ligt voor de hand. Voor iedereen behalve voor jou. Met een ijsberg in zicht gooi je het roer om. Je gaat niet…'

'Ik ben je marionet niet,' viel Hartmann haar in de rede. 'Noch die van je vader.'

Ze bleef staan, wierp van wanhoop haar handen in de lucht.

'Wil je nu gekozen worden of niet? De verliezer krijgt niets, hoor. Al die fraaie idealen van je stellen niets voor als Poul Bremer een nieuwe ambtsperiode krijgt.'

'Dat is niet het enige probleem.'

'Wat is er dan nog meer?'

De producer kwam naar hen toe lopen.

Skovgaard keek hem stralend aan, was van het ene op het andere moment een en al zachtheid en charme.

'Niet nu, Troels,' siste ze.

Lund trof Meyer aan op de Gedenkplaats, een open ruimte op de begane grond van de Politigården. Stil en afgezonderd. Een beeld van de Slangenkoning, het goede dat het kwade bevecht. Op een van de muren waren de namen te lezen van 157 Deense politiemensen die omgebracht waren door de nazi's. Op een andere bevond zich een kortere lijst: zij die meer recent tijdens de vervulling van hun ambt om het leven gekomen waren.

Naar die muur stond hij te kijken en rookte bezorgd een sigaret.

'Hoe was hij?' vroeg Lund.

Meyer maakte een sprongetje in de lucht, verrast door haar aanwezigheid.

'Wie?'

'Schultz.'

Hij keek gekwetst, en beschuldigend.

'Ben je mijn gangen nagegaan?'

'Ik heb in de persarchieven zitten zoeken naar Hartmann. Ik dacht alleen…'

Vier jaar geleden. Ze herinnerde zich de zaak vaag. In Aarhus was een undercoveragent van de narcoticabrigade door een van de bendes vermoord. Meyer was zijn partner geweest en ziek op de dag dat hij werd gedood. Vanaf dat moment was zijn carrière nogal wankel geworden.

'Hij was gek,' zei Meyer. 'Ging er in zijn eentje op uit. Als hij één dag gewacht had, dan was ik weer op mijn post geweest.'

Ze knikte naar de muur.

'En dan hadden daar misschien twee namen gestaan.'

'Misschien.' Hij haalde zijn schouders op. 'Daar gaat het niet om.'

'Waarom dan wel?'

'We waren een team. We opereerden samen. Zorgden voor elkaar. Dat was deel van de afspraak. En hij verbrak die.'

Ze zei niets.

'Hetzelfde als dat ik vergat voor jou een hotdog te kopen. Daar bied ik je mijn verontschuldigingen voor aan.'

'Niet echt hetzelfde.'

'Jawel.'

Hij haalde een half opgegeten banaan uit zijn zak, nam een hap tussen twee trekken van zijn sigaret door.

'Buchard wil ons spreken,' zei ze.

Terug in hun kantoor. Op het bureau lag een leeg zakje chips. Naast een sceptisch kijkende Buchard.

'Kemal verlaat zijn vrouw voor een ontmoeting met het meisje. Ze maken ruzie in de woning,' zei Meyer.

Lund was aan de telefoon.

'Hij bindt haar vast en drogeert haar. Rijdt dan terug naar huis.' Buchard legde zijn kin op zijn vuist en staarde Meyer zonder iets te zeggen met zijn felle oogjes aan.

'Op zaterdagochtend beweert hij dat de vloerman afgezegd heeft, maar eigenlijk heeft Kemal hém afgezegd.'

Buchard maakte aanstalten om iets te gaan zeggen.

'De vloerlegger heeft dat bevestigd,' zei Meyer vlug. 'Ik heb hem opgespoord.'

Aan de andere kant van het kantoor verhief Lund haar stem.

'Er is tijd genoeg, mama. Geen paniek. Ik zei dat ik er zou zijn. Waarom geloof je me niet? Nou?'

Het gesprek werd beëindigd. Ze haalde een pakje Nicotinell uit haar zak, haar blik op de sigaretten op het bureau gericht.

'En dus,' vervolgde Meyer, 'keert hij terug naar het appartement en het meisje. Hij wacht tot het donker is. Dan haalt hij de auto op bij school, rijdt terug, draagt het meisje naar de auto en rijdt naar de bossen.'

Lund liep naar hen toe, ging zitten en luisterde.

Meyer begon zijn idee steeds beter te vinden.

'Op zondag verwijdert hij alle sporen, schuurt de vloer en betegelt de badkamer.'

'Ik ga ervandoor,' zei Lund tegen Buchard. 'Spreek jullie gauw weer.'

Meyer wuifde met zijn hand in de lucht.

'Wacht, wacht,' riep hij. 'Wat klopt er niet? Deel je geheim met kleine, domme Jantje. Alsjeblieft.'

Ze keken hem allebei aan.

'Alsjeblieft,' herhaalde hij.

'Hoe had hij aan Hartmanns auto kunnen komen?' vroeg Lund.

Meyer worstelde met de vraag.

'Waarschijnlijk vond hij de sleutels vrijdagavond op school.'

Meyer keek afwachtend naar Lund. Buchard eveneens.

'Zo dom is hij volgens mij niet,' zei ze. 'Ik denk zelfs dat hij erg slim is.'

'Precies,' was Meyer het met haar eens.

'Als ik jou was,' zei ze, 'zou ik hem niet hierheen sleuren tot je harde bewijzen hebt.'

Ze glimlachte.

'Maar het is jouw zaak.' Ze stak haar hand uit. 'Bedankt voor alles. Het was echt…'

Ze kon niet op het woord komen.

'Erg leerzaam.'

Hij nam haar hand en schudde die heftig.

'Dat kun je wel zeggen.'

'Ik heb mijn telefoonnummer op je bureau achtergelaten. Mocht…'

Hij keek haar indringend aan.

'Ik weet zeker dat je het niet nodig zult hebben. Maar…'

Buchard zat op het bureau en zag er ellendig uit. Voor hij iets kon zeggen schudde ze ook zijn hand en nam afscheid.

Toen liep ze het hoofdbureau van politie in Kopenhagen uit. Dag carrière. Dag baan.

Zaak nog steeds niet opgelost.

De taxi had een pulldown-tv. Met Mark aan de ene kant en Vibeke aan de andere keek Lund naar het avondjournaal. Er vond een debat plaats tussen Hartmann en Bremer. Uit alle peilingen bleek dat de strijd om het stadhuis tussen deze twee mannen ging. Eén misstap was voldoende voor de ander om te winnen.

'We hebben helemaal geen bier of brandy gekocht,' klaagde Vibeke.

'We hebben tijd genoeg.'

'En chocolaatjes voor bij de koffie.'

'Volgens mij verkopen ze ook chocolaatjes in Zweden.'

'Niet de ónze!'

Lunds mobiel ging. Ze keek naar het nummer.

Skov. De rechercheur die ze op informatie over Theis Birk Larsen had uitgestuurd na Buchards tip van een gepensioneerde politieman.

Ze wachtte. Dacht erover niet op te nemen. Deed dat uiteindelijk toch.

'Wat duurde dat lang!' Hij klonk opgewonden. 'Ik heb het dossier van de gepensioneerde hoofdinspecteur gekregen.'

'O.'

'Wil je weten wat erin staat?'

'Vertel het aan Meyer.'

Hij aarzelde.

'Meyer?'

'Dat zei ik, ja.'

Het weerbericht. Lund pakte de afstandsbediening en schakelde de tv uit.

'Wat staat erin?'

'Het is een zaak van twintig jaar geleden. Een soort vendetta tussen drugsdealers. Het is nooit voorgekomen.'

Mark keek in de auto rond en mompelde: 'Ik ben mijn pet vergeten. Heb hem bij oma laten liggen…'

'Nou, volgens mij…'

'Mama?'

'Ik koop wel een nieuwe voor je.'

De rechercheur bromde onaangedaan verder: 'Het gaat om een…'

'Ik wil geen Zweedse pet.'

'We draaien nu niet meer om, Mark.'

Het was stil op de lijn.

'Ik luister,' beweerde Lund.

'Echt?' zei Skov. 'Er was een dealer uit Christianshavn bij betrokken. Kreeg een pak slaag. Half doodgeslagen. Ze hebben de daders nooit gevonden. Theis Birk Larsen was de hoofdverdachte. Ze hebben hem verhoord.'

'Mark!'

Hij zat bij zijn voeten naar iets anders te zoeken.

'Ik ben vergeten…'

'Het kan me niet schelen wat je vergeten bent,' snauwde ze. 'We gaan.'

'Brandy, bier en sigaretten,' mompelde haar moeder aan de andere kant.

'Birk Larsen had een motief,' zei de rechercheur. 'De drugsdealer had gedreigd iets over hem te onthullen. Zou met ons gaan praten.'

'Waarover?'

'Weet ik niet. Hij hield zich rustig daarna. Was kennelijk echt bang voor Birk Larsen. Die man heeft een reputatie. Geweld. Woede-uitbarstingen. Wacht… Ik zit nog steeds te lezen. Er zit een tweede dossier onder.'

Toen riep hij, zo hard dat ze de mobiel bij haar oor vandaan moest houden: 'Jezus christus!'

Mark deed zenuwachtig en haar moeder zat nog steeds te klagen.

'Wat is er?'

Stilte.

'Wat is er?'

'Ze gingen een maand later terug om te kijken of de dealer van gedachten veranderd was. Daar had de inlichtingendienst om gevraagd. Ze wilden Birk Larsen dolgraag hebben.'

'En?'

'Niks. Hij was dood toen ze hem vonden. Ik heb hier de foto's. Allejezus…'

'Wat?'

'Dit is erger dan de eerste. Die vent ziet eruit als een stuk rauw vlees.'

'Goed,' onderbrak ze hem. 'Dat moet je Meyer gaan vertellen.'

'Meyer heeft het druk.'

'Zeg dat hij me meteen belt.'

'Oké, dag.'

De garage was vol mensen, het was een rustige bijeenkomst. Geen speeches. Geen gezang. Alleen tafels met witte kleden en bloemen erop, klapstoelen, eenvoudig eten.

Theis Birk Larsen liep tussen de gasten rond, knikte, zei weinig. Hij zag hoe Anton en Emil steeds verwarder en verveelder raakten.

Pernille fladderde van de ene tafel naar de andere. Ze luisterde zonder veel te zeggen. Ze liet het zachte gemurmel van al die stemmen haar gekwelde, gepijnigde brein verdoven.

Ze hadden een zaak. Er belden nog steeds mensen. Klanten. Ze hadden geen idee.

Vagn Skærbæk handelde ze allemaal af aan het extra toestel bij de deur, in zijn zwarte trui en zwarte spijkerbroek en met een droevige blik in de ogen.

Koffie en water. Broodjes en cake.

Birk Larsen zorgde als een spookverschijning dat alle kopjes gevuld waren en de borden nooit leeg. Een ober die niets te zeggen had.

Maar in het kantoor bij de glimmende koffieketel, zette Skærbæk hem klem.

'Theis. Ik ben zojuist gebeld.'

'Vandaag geen zaken, Vagn. Ik ben koffie aan het zetten.'

'Ik sprak zojuist met de vrouw van Jannik. Die vrouw van de school.'

Birk Larsen draaide het kraantje dicht en zette het halfvolle kopje op tafel. Hij liep het halfduister in, weg van de mensen naar buiten.

'Dit is niet het moment…'

'Nee,' hield Skærbæk vol. 'Dit is wel het moment.'

'Ik heb je al gezegd dat het kan wachten.'

'Ik heb iets.'

Birk Larsen keek naar hem. Naar die lelijke boeventronie die hij al zijn hele leven kende. Wat meer rimpels. Een wat hogere haargrens. Nog altijd een beetje bang. Een beetje dom.

'Ik zei toch, Vagn. Ik ben koffie aan het zetten.'

Skærbæk staarde hem aan. Uitdagend. Boos misschien wel.

'Hij is hier,' zei hij.

Birk Larsen schudde zijn hoofd, streek over zijn kin, zijn wang, vroeg zich af waarom hij zelfs op een dag als vandaag niet in staat was zichzelf goed te scheren.

Hij vroeg: 'Wie?'

'De man van wie ze denken dat hij het gedaan heeft.' Skærbæks donkere, listige oogjes glansden. 'Die is hier.'

Een naam. Uitgesproken met de felle afkeer die Skærbæk alleen voor buitenlanders voelde.

Birk Larsen staarde door het raam.

De ruimte begon leeg te lopen. De bijeenkomst liep ten einde. Een hele tijd later slenterde hij met langzame, bedachtzame stappen het kantoor uit en het vertrek door. Ondertussen probeerde hij te bedenken wat hij moest zeggen, doen. Wat was juist?

Pernille bedankte de leraar voor de krans.

Rama zag er knap uit in zijn donkere pak. Hij was goed voorbereid en presentabel op een manier waarvan Birk Larsen wist dat hij hem nooit zou kunnen verbeteren. 'Die was van school. Van ons allemaal. Van de leerlingen en de staf.'

De man keek Birk Larsen aan, hij verwachtte iets.

Woorden.

'We hebben koffie nodig.'

Pernille staarde hem aan, beledigd door zijn grofheid.

'Wil je dat ik koffie ga zetten?'

Een hoofdknikje.

Ze liep weg.

Woorden.

'Bedankt dat u ons thuis hebt willen ontvangen,' zei de leraar.

Birk Larsen keek naar de tafel. De kopjes, de glazen, de nog halfvolle borden.

Hij stak een sigaret op.

'Het betekent veel voor haar klasgenoten.'

Hij had een zoetgevooisde stem. Met iets exotisch erin. Niet onduidelijk zoals bij de meesten van hen. Vreemdelingen. Buitenlanders.

'Dit betekent veel voor me,' zei Rama en hij stak zijn hand uit om Birk Larsens arm aan te raken.

Maar iets in diens ogen hield hem tegen.

Parken en recreatie. Schone technologie en banen in de milieusector. Het debat verliep goed. Hartmann wist het. De studio wist het. Dat kon hij opmaken uit de toon waarop de vragen gesteld werden, de knikkende hoofden achter de camera's in het donker.

En ook uit Poul Bremers ongemakkelijke antwoorden.

'Al deze ideeën moeten u toch gelukkig maken, burgemeester?'

De gespreksleider was een vrouw die Hartmann eerder had ontmoet. Slim en aantrekkelijk.

Een knikje van het grijze bovenmeestershoofd.

'Natuurlijk. Maar laten we het eens over iets anders hebben. Immigratie. En dan vooral rolmodellen.'

Hij keek naar de camera en vervolgens naar Hartmann.

'Echt, Troels. Dat is toch gewoon een truc.'

Hartmann verstijfde.

'Stel die vraag nog eens in je getto's.'

Een goedmoedig lachje.

'We hebben goede, betaalbare huizen gebouwd voor mensen die over het algemeen onuitgenodigd hierheen gekomen zijn. Ze lijken daar dankbaar voor. Wij kunnen ze niet vertellen waar ze moeten gaan wonen.'

In Hartmann roerde zich zachtjes een opkomende driftbui.

'Als je het over sociale ongelijkheid wilt hebben…'

'Laten we terugkeren naar de rolmodellen,' viel Bremer hem in de rede. 'Je lijkt er zo door geobsedeerd. Je hoogstpersoonlijke uitvinding. Waarom? Waarom zijn ze zo belangrijk?'

'Sociale ongelijkheid…'

'Waarom zou we immigranten anders moeten behandelen? Ik duld geen discriminatie jegens minderheden. Maar jij wilt minderheden rechten geven die de rest van ons niet hebben. Mensen die hier geboren zijn. Waarom behandel je ze niet zoals ieder ander?'

Troels Hartmann haalde diep adem, nam de man aan de andere kant van de tafel aandachtig op. Hij had deze listige openingszet zo vaak gehoord…

'Daar gaat het niet om en dat weet je.'

'Nee, dat weet ik niet,' kaatste Bremer terug. 'Vertel. Wat heeft het voor zin?'

Hartmann moest zoeken naar woorden. Bremer merkte dat.

'Je lijkt op dit moment niet erg trots op je rolmodellen. Hoe komt dat?'

Poul Bremer wist iets. Die zelfgenoegzame grijns maakte dat wel duidelijk.

Hartmanns handen draaiden rondjes, zijn mond ging open. Maar er kwam niets uit.

In de duisternis hoorde hij zacht een instructie.

'Blijf op hem gefocust. Camera één.'

De carrière van een politicus kon in een seconde voorbij zijn. Door een enkele gedachteloze handeling. Een enkel achteloos woord.

'Ik ben erg trots op ze.'

'Is dat zo?' vroeg Bremer beminnelijk.

'Deze mensen doen hun best, zonder enige vergoeding, om van Kopenhagen een beter oord te maken. We zouden ze daarvoor moeten bedanken. En ze niet als derderangsburgers wegzetten...'

'Fantastisch.'

'Laat me uitpraten!'

'Nee, nee. Echt fantastisch.'

Een blik naar de camera. Toen richtten Bremers kille ogen zich op de man aan de overkant van de tafel.

'Maar is het niet zo dat sommige van je rolmodellen zelf criminelen zijn?'

'Dat is onzin...'

'Wees nou eerlijk. Een van hen is betrokken bij een moordzaak.'

De gespreksleider kwam tussenbeide.

'Wat voor moordzaak?'

'Vraag dat maar aan Troels Hartmann,' zei Bremer. 'Hij weet dat wel.'

'Een echte zaak?' vroeg de vrouw.

'Zoals ik al zei. Moord. Maar...' Bremer fronste zijn voorhoofd alsof hij er niet graag over wilde uitweiden, omdat dat niet smaakvol zou zijn. Hij had zijn punt gemaakt. De bom was gevallen. 'Hartmann is de wethouder van Onderwijs. Vraag het hem.'

'Nee.' De gespreksleider was nu boos. 'Dit is onacceptabel, meneer Bremer. Als u niet duidelijk bent, dan moet u dit onderwerp laten vallen.'

'Onacceptabel?' Hij hief zijn handen in de lucht. 'Wat onacceptabel is...'

'Hou daarmee op!'

Hartmanns stem klonk zo hard dat een technicus bij de tafel zijn oortelefoontje uittrok.

'Stel dat je gelijk hebt. Laten we zeggen dat dit waar is.'

'Ja,' beaamde de oude man. 'Laten we dat zeggen.'

'En wat dan? Als één immigrant een fout maakt, zijn dan alle immigranten schuldig? Dat is absurd en dat weet je. Als dat zo is dan geldt dezelfde regel ook voor alle politici.'

'Je draait om de essentie heen...'

'Nee.' Het kon Hartmann niet langer schelen hoe hij overkwam. 'Deze rolmodellen hebben in vier jaar meer bereikt voor de integratie dan jij in al die jaren dat je burgemeester bent geweest. Zonder betaling, zonder bedankjes. Terwijl jij niks hebt gedaan...'

'Dat is niet waar...'

'Wel!'

Hartmann hoorde zijn eigen woeste klanken vanuit de donkere krochten van de studio weer naar hem terugkaatsen.

Bremer leunde ontspannen achterover op zijn stoel, de armen over elkaar, tevreden met het resultaat en met zichzelf.

'Ik heb plannen voor Kopenhagen,' begon Hartmann.

'Daar zullen we vast meer over horen,' viel Bremer hem in de rede. 'Daar zullen we ongetwijfeld heel binnenkort meer over horen, denk ik zo.'

Kastrup. Een kwartier voor vertrek. Hun plaatsen bevonden zich halverwege het vliegtuig. Mark bij het raampje. Vibeke in het midden. Lund aan het gangpad, met haar mobiel in de hand.

Meyer had gebeld.

'Heb je dat verhaal gehoord over Birk Larsen?' vroeg ze, terwijl ze haar tas in het bagagevak boven haar hoofd propte.

'Nee. Maar we hebben de fiets van het meisje gevonden. Was er iets?'

'Wat voor fiets?'

'Een patrouillewagen hield een meisje op een fiets aan, omdat ze zonder licht reed. Het bleek Nanna's fiets te zijn.'

Een streng kijkende stewardess kwam op Lund toe lopen en droeg haar op haar telefoon uit te zetten.

'Het meisje zei dat ze de fiets gestolen had bij het appartementencomplex van Kemal. We gaan hem inrekenen. Waar ben je?'

'In het vliegtuig.'

'Heb een goede vlucht.'

'Meyer. Hou Birk Larsen in de gaten.'

Ze ging zitten. De stewardess was nu voor in het vliegtuig iemand anders aan het lastigvallen.

'Waarom?'

'Lees dat oude dossier zoals ik je gezegd heb. Laat hem niet in de buurt van Kemal komen.'

Ze kon horen hoe hij een trek van zijn sigaret nam.

'Dat zeg je nu. Die twee hebben zojuist de bijeenkomst in de garage verlaten. Birk Larsen heeft hem een lift in zijn auto aangeboden.'

'Wat?'

'Ik heb iemand gestuurd om Kemal op te halen. Na de rouwdienst was hij in de garage. Birk Larsen heeft hem al een lift aangeboden. Wat is er aan de hand?'

'Is Kemal inmiddels thuis?'

'Luister.' Meyer begon boos te worden. 'Birk Larsen weet van niets. Als dat wel zo was dan zou hij Kemal toch niet bij hem thuis uitgenodigd hebben? Waarom…'

'Is hij thuis nu?' herhaalde ze.

'Toevallig niet nee. Maar ik heb hier geen tijd voor. Ga.'

'Meyer!'

De verbinding werd verbroken.

De stewardess kwam terug en droeg haar op haar veiligheidsriem vast te maken.

Ze bevonden zich nog steeds bij de gate, de deur stond nog open. Niet lang meer.

Lund deed een uitval naar haar mobiel.

'Ik heb het u al eens gezegd,' zei de vrouw. 'Doet u die telefoon uit en uw veiligheidsriem om. We vertrekken.'

Lund staarde naar het schermpje. Drukte op de uitknop. Merkte dat Mark haar zat aan te kijken. Haar moeder eveneens. Dat deden ze waarschijnlijk al een hele tijd.

De piloot klonk door de luidsprekers. Hij zei de gebruikelijke dingen.

'Welkom aan boord van uw vlucht naar Stockholm. We wachten nog even op toestemming van de verkeerstoren en dan vertrekken we. We verwachten op tijd te arriveren…'

Lund dacht na over Nanna en de leraar. Meyer en Theis Birk Larsen.

De stewardess hield de deur vast. Ze praatte met de man buiten in de gate. Ze stond op het punt de deur te sluiten. Wenste al goede vlucht.

'Pak de bagage,' zei Lund en ze rukte haar veiligheidsriem los.

'Wat?' gilde haar moeder.

Mark bokste in de lucht en riep: 'Yes!'

Lund beende het vliegtuig al door, zwaaiend met haar politielegitimatie en haar mobiel tegen haar oor gedrukt.

Theis Birk Larsen joeg het busje door het donker. De leraar op de passagiers-stoel begon te praten.

Over school. Over Nanna. Over gezinnen en kinderen.

Woorden die totaal niet besteed waren aan de grote man achter het stuur.

Vanaf Vesterbro de stad in. Voorbij het parlementsgebouw en Nyhavn.

Het water. Het lege stuk grond om de Kastellet-vesting heen.

Lange donkere wegen die steeds smaller en verlatener werden.

De leraar viel stil.

Toen zei hij: 'Volgens mij hebben we een tijdje terug de afslag gemist.'

Birk Larsen reed maar door, de zwarte nacht in en probeerde te denken. Wilde dat hij de juiste woorden kon vinden.

'Inderdaad,' zei hij en hij reed gewoon verder.

In de taxi vanaf het vliegveld gaf Lund de details door aan de meldkamer. Rood busje met nummerplaat UE 93 682. Van verhuisbedrijf Birk Larsen. Een algemene oproep om hem aan te houden en op nadere instructies te wach-ten.

Vibeke zat achterin Mark op zijn kop te geven.

'Natuurlijk gaan jullie naar Zweden. Je denkt toch niet dat zo'n domme truc van je moeder dat tegenhoudt, hè?'

Toen Lund ophing zei Vibeke met lijzige, zachte stem: 'Arme Bengt, wat moet die man wel denken?'

'Bengt denkt niet alleen aan zichzelf. Hij begrijpt me beter dan jij.'

Haar moeder keek haar boos aan.

'Dat mag ik hopen voor je.' Ze staarde haar lang en veroordelend aan. 'Moet je hem dan niet bellen? Hem zeggen dat het geen zin heeft nog langer op het vliegveld te blijven wachten?'

Lund knikte.

'Dat was ik net van plan. Bedankt.'

Tegen de tijd dat Meyer bij het huis van de leraar aankwam was Svendsen er al. Kemal was nog niet gearriveerd. Zijn vrouw had niets gehoord. Theis Birk Larsen was verdwenen. Nam zijn telefoon niet op.

'Waar is Kemals auto?'

'Nog steeds in de garage.'

'Oké. Rij de route van Birk Larsens huis hiernaartoe nog een keer.'

De rechercheur protesteerde.

'Dat hebben we al gedaan.'

'Hoorde je de laatste drie woorden die ik zei? Nog een keer?'

Svendsen verroerde zich niet.

'Zal ik rapporteren dat Kemal vermist wordt?'

'Waarom?' vroeg Meyer.

'Lund heeft met Skov gepraat voor ze wegging. Birk Larsen was een gevaarlijk man.'

Meyer mikte een stukje kauwgum in zijn mond, liep op de man toe, keek om zich heen en begon te roepen: 'Lund! Lund!'

Haalde toen zijn schouders op, keek naar de politieman en zei: 'Zie je Lund hier ergens?'

De man keek hem sprakeloos aan.

'Van nu af aan doen we de dingen op mijn manier. Begrijp je dat? De elfjes hebben Lund meegenomen. Ze zit nu koeien te melken of zo.'

De radio kraakte. Een boodschap over Birk Larsens busje.

Meyer belde de meldkamer en zei: 'Hier 80-15. Ik heb geen verzoek tot opsporing uit doen gaan. Wat is er aan de hand?'

'Vicekriminalkommissær Lund heeft dat verzoek gedaan.'

Meyer probeerde te lachen.

'Lund is in Zweden. Hou op met die geintjes.'

'Lund belde vijf minuten geleden en deed een opsporingsverzoek.' Het was even stil. 'Wij doen niet aan grapjes.'

'Hier Theis Birk Larsen. Laat uw naam en nummer achter en ik bel u zo gauw mogelijk terug.'

Pernille hield de telefoon omhoog zodat de boodschap te horen was. Lund luisterde. De taxi bracht Vibeke en Mark naar huis. Ze was alleen met de vrouw van Birk Larsen te midden van de vuile borden, kopjes, glazen en de onopgeruimde tafels in de garage.

'En je hebt geen idee waar hij is?' vroeg Lund.

'Hij zou Rama naar huis rijden.'

Pernille zag er bleek en uitgeput uit. En nieuwsgierig.

'Wat is er zo belangrijk?'

'Is er iets gebeurd voor ze weggingen? Tussen hun tweeën?'

'Ik was met die leraar aan het praten. Theis kwam naar ons toe. Hij wilde dat er nog meer koffie gezet werd.' Haar blik ging over de overblijfselen op de tafels, de lege garage. 'En dus ging ik nog wat meer zetten. Voor de gasten. Waar gaat dit over?'

'Leek uw echtgenoot boos of van streek. Of…?'

'Van streek?'

Pernille Birk Larsen keek haar boos aan. Een sterke vrouw, dacht Lund. In sommige opzichten de gelijke van haar man.

'Hoe denk je dat Theis zich voelde vandaag? Hoe denk je dat ik me voel? Kijk gerust rond. Je hebt toch alles al tig keer gezien, hè?'

'Pernille.'

'Alles…'

Er klonk een geluid uit het kantoor. Het was de man die hier wel de hele tijd leek te zijn, een van de werklui.

Ze kende zijn naam. Ze hadden hem ook nagetrokken. Kleine vergrijpen. Net als Birk Larsen.

Vagn Skærbæk.

'Je echtgenoot staat misschien op het punt iets heel doms te gaan doen,' zei ze terwijl ze de vrouw uiterst zorgvuldig opnam. 'Het is van belang dat ik hem vind.'

'Waarom? Wat voor doms zou hij dan kunnen doen?'

Er klonk een jong stemmetje vanaf de trap. Een van de zoontjes die haar riep.

'Mijn zoon heeft me nodig,' zei Pernille en ze vertrok.

Lund liep direct het kantoor in en liet de man haar legitimatie zien.

'Bent u een vriend van hem?'

Hij was in de weer met wat papieren. Keek haar niet rechtstreeks aan.

'Ja.'

'Waar is hij heen?'

Meteen zei hij: 'Ik weet het niet…'

Een geluid bij de deur. Iemand stond te kauwen, zijn keel te schrapen. Ze herkende zijn aanwezigheid inmiddels wel.

Toen ze zich omdraaide naar Meyer was ze de meldkamer aan het bellen.

'Je moet twee mobieltjes voor me traceren. Die van Theis Birk Larsen en Rahman Al Kemal. Hier volgen de nummers.'

Ze overhandigde de telefoon aan Meyer en knikte: doe het.

'Dit ga je bezuren, Lund, verdomme.'

'Daar hebben we de tijd niet voor. Vagn?'

Hij trok zich opnieuw in de hoek terug.

'Waar zijn jullie magazijnen zich?'

Meyer was aan de telefoon met de nummers bezig.

'Vagn?'

Aan de waterkant, ten noorden van de stad, de verlaten scheepswerven in Frihavnen. Regendruppels vielen als tranen uit de eindeloze zwarte hemel.

Het rode busje reed aarzelend en langzaam naar het einde van de straat. Een strook beton. Een pad bij het water. Geen auto's. Geen lichten. Geen teken van leven.

De voorbanden stootten tegen het pad toen Theis de handrem aantrok.

Ze hadden bijna een uur naast elkaar gezeten terwijl ze door de stad reden. In noordelijke richting. In de richting van Nergenshuizen. Zonder veel te zeggen.

Nu had hij de motor afgezet. De koplampen. Alleen het zwakke lichtje boven de achteruitkijkspiegel tussen hen in brandde.

In Birk Larsens zak ging opnieuw zijn mobiel over. Hij haalde hem tevoorschijn en schakelde hem uit zonder op te nemen. Duwde hem weer terug. Staarde voor zich uit.

'Wat is er aan de hand?' zei de leraar. 'Wat...?'

Birk Larsen reikte omlaag, deed het portier open en klom naar buiten.

Hij trok het jasje van zijn begrafenispak om zijn grote lichaam heen. Liep door de bulderende wind en ijskoude regen naar de waterkant.

Daar draaide hij zich om en staarde naar de bus. Een donker gezicht achter het glas. Bezorgd en grijs in het enige lichtje.

Birk Larsen haalde een pakje sigaretten tevoorschijn en deed zijn best er in de stortbui een op te steken. Hij schermde hem af met zijn machtige schouder. Wekte het vlammetje tot leven.

Alleen in zijn kantoor zat Troels Hartmann weer voor de buis aan het journaal gekluisterd. Er was een tijd dat hij ernaar gesnakt had om het hoofditem te zijn. Maar nu niet. Niet zo.

'Het gevecht om de burgemeesterspost nam een dramatische wending toen Bremer een van Hartmanns rolmodellen ervan beschuldigde bij een moordzaak betrokken te zijn.'

Rie Skovgaard kwam binnenlopen met het standaard 'geen commentaar' voor de zoveelste verslaggever die uit was op een interview. Ze beëindigde haar telefoontje en overhandigde Hartmann een vel papier.

'De Partij van het Centrum wil bijeenkomen. Ik moest het ze wel toezeggen.'

Hartmann zette de tv uit. Ze was alweer op weg naar buiten.

'Wat zei de politie?' vroeg hij.

Ze bleef staan bij de deur.

'Ik kan niemand bereiken. Troels?'

Ze zag er zelfs niet moe uit. Ze was opgegroeid in de vechtlustige wereld van de gemeentepolitiek waar zijn eigen vader van uitgesloten was. Dit alles leek haar zo natuurlijk af te gaan…

'Besef je dat je Kemal moet schorsen en een verklaring moet laten afleggen? Anders…'

'Niet voordat ik van de politie gehoord heb. Als ze me een reden geven…'

'Je móét dit doen! Het is belangrijk dat we ze laten zien dat je niets te verbergen hebt. Dit gaat over transparantie.'

'Nee, daar gaat het niet over. Dit gaat over toegeven. Je beleid door druk van buitenaf laten bepalen. Niet door wat juist is.'

Hij stond op van zijn stoel, vond zijn jasje. Hij voelde zich kalm. Tevreden. Dit was de juiste koers.

'Bremer heeft de hele kwestie niet voor niets aangesneden…'

Ze leunde tegen de deur en bewoog haar hoofd van links naar rechts. Het donkere haar bewoog mee. Wat had Morten ook weer gezegd? Het Jackie Kennedy-begrafeniskapsel.

'Je had je aan het scenario moeten houden. Die rolmodellen moeten laten voor wat ze waren. Alleen omdat Bremer erover begon hoefde je er nog niet op in te gaan.'

'Ik heb gedaan wat juist was.'

'Je hebt er een puinzooi van gemaakt.'

'Hoor ik daar pappie?'

Dat was de druppel, ze beet hem toe: 'Nee, mij. Ik wil dat je wint. Niet dat je zonder goede reden je kansen vergooit.'

'Wiens kansen, Rie? Die van mij? Van jou? Van je vader?'

Ze schudde haar hoofd en kneep die felle, doordringende ogen samen.

'Zie jij dat zo?'

'Ik vroeg…'

'Weet je, misschien ben ik niet de juiste adviseur voor jou. Wat heeft het voor zin verder? Als je toch alles negeert wat ik zeg.'

Een keerpunt.

'Misschien niet,' zei Hartmann.

'Ik zal je de waarheid vertellen, Troels. Die leraar is schuldig. Of ze hem veroordelen of niet, dat doet er niet eens toe.'

'Meen je dat?'

'Als de pers zegt dat hij schuldig is, is hij dat. En dat is precies wat ze zeggen…'

Hij pakte zijn jas van de kapstok.

'Praat met de politie. Als zij iets zeggen… als zij deze man arresteren. Als zij me vertellen dat hij schuldig is…'

'Te laat.'

'Dán kom ik in actie.'

Ze keek toe hoe hij zich opmaakte om weg te gaan.

'Waar ga je heen?' vroeg Skovgaard. 'Troels? Waar?'

'Hebben ze die mobiele telefoons al getraceerd?'

Meyer gaf geen antwoord. Hij was nog steeds aan het bellen.

Lund bekeek de documenten aan de muur om de bedrijfspanden te traceren, in de gaten gehouden door een zwijgzame, norse Skærbæk.

Ze las ze hardop aan de meldkamer voor. Een magazijn in Sydhavnen. Een depot in Valby. Een magazijn in Frihavnen zonder adres.

'Waar in Frihavnen?' vroeg ze aan Skærbæk.

'Ik ben er nooit geweest.'

Er was een kast vol sleutels. Die ging ze ook af.

'Hoe zit het met dit depot? Zou hij daar kunnen zijn?'

'Dat zei ik je. Ik weet verder helemaal niets.'

Meyer verbrak de verbinding.

'We hebben een spoor via een mobieletelefoonmast. Kemal is in Frihavnen.'

De haven. Werd 's avonds niet veel gebruikt. Daar kon je je gemakkelijk verbergen, dacht Lund.

'Hij zit in Frihavnen,' liet ze de meldkamer weten. 'Stuur een wagen.'

Geen regen nu. Alleen het zwarte water van Øresund. Ergens in de verte lag Zweden. Golven weerkaatsten in de lichten aan de overzijde van het kanaal. Birk Larsen stond aan de waterkant, in het licht van de koplampen van het busje. Weer in de buitenwereld.

Een geluid. Hij draaide zich om. De leraar was de auto uit gekomen. Hij rende niet weg, wat hij wel had kunnen doen. Hij was jonger en fitter. Kon best de hele weg terugrennen naar de stad. Uit de buurt van Birk Larsen en zijn busje.

In plaats daarvan liep hij naar het water en staarde naar de golven.

'Het spijt me…'

Ze raakten hun accent nooit helemaal kwijt. Konden nooit helemaal afschudden wie ze waren.

'Mijn vrouw wacht op me.' Woorden. Waar bleven de woorden?

'Ze is zwanger. Ik wil niet dat ze zich zorgen maakt. Misschien zou ik haar even moeten bellen en zeggen…'

Een volgende sigaret in Birk Larsens vuist. Nauwelijks aangeraakt. Maar nu hief hij hem op naar zijn lippen en zoog de scherpe rook in zijn longen. Hij wilde dat die zich vandaar door zijn hele lichaam zou verspreiden. Hem uit zou wissen. Zodat hij onzichtbaar was, verdwenen.

Woorden.

Ze zouden over haar moeten gaan. Over niemand anders. Altijd.

'Nanna was een sterrenkijker. Wist u dat?'

De leraar schudde zijn hoofd.

'Zo noemen ze dat als je bij je geboorte omhoogkijkt. Naar de ogen van je moeder. Iets anders zien. De lucht.'

Zoveel herinneringen. Een wirwar aan beelden en geluiden. Een kind is een kind, van wie het leven stroomt als een rivier, onophoudelijk, ongrijpbaar.

'We zeiden dat ze astronaut zou worden. Ouders zeggen…' Hij nam weer een trek van zijn sigaret. 'We zeggen zulke stomme dingen. We maken stomme beloften die we nooit zullen nakomen.'

De leraar knikte. Alsof hij het wist.

Birk Larsen gooide de sigaret in het water. Haalde de schouders op. Keek om naar het busje.

'Ze hield ervan om naar school te gaan, hè?'

'Heel erg.'

Hij stampte met zijn voeten in de vochtige kou.

'Ik was nooit goed op school. Raakte in de problemen. Maar Nanna was…'

Herinneringen.

'Nanna was anders. Beter dan ik.'

Op het donkere gezicht van de leraar was een bepaalde uitdrukking verschenen. De blik die ze voor ouders reserveerden.

'Ze was een hele capabele leerling.'

'Capabel?'

'Ze werkte hard.'

'En ze was dol op jou, hè?'

Herinneringen. Ze brandden als een bijtend zuur.

De man zweeg.

'Ze vertelde ons over je lessen.'

Birk Larsen deed een stap naar hem toe.

'Mensen praten over jou, leraar.'

Hij zweette. Dat was geen regen.

'Wat u ook gehoord hebt...' Hij schudde zijn hoofd. Bleef waar hij was. 'Ik kan u verzekeren dat... Nanna was mijn leerling. Ik zou nooit...'

Birk Larsen wachtte.

'Nooit wat, leraar?'

'Ik zou haar nooit pijn kunnen doen.'

Dichterbij. Zijn adem rook zoetig. Niet naar pepermunt. Iets exotisch.

'En waarom praten de mensen dan?'

Snel: 'Dat weet ik niet.'

Birk Larsen knikte.

Wachtte.

Een hele tijd. Toen zei de leraar, een tikje bozig: 'Ik heb haar nooit aangeraakt. Zou dat nooit doen. Dit is een groot misverstand.'

'Misver...'

'Ik word binnenkort vader!'

Twee mannen bij de koude weidsheid van Øresund.

Een van hen liep naar het busje. Zette de motor aan. Keek achterom naar de lange, ineengedoken gestalte die daar aan de waterkant gevangen werd door het schijnsel van de achterlichten.

Meyer hing aan de telefoon zonder werkelijk verder te komen. Skærbæk in de hoek begon steeds lelijker te kijken. Pernille Birk Larsen had er genoeg van.

'Krijgen jullie hier een kick van?' voer de vrouw tegen hen uit. 'Jullie komen naar de rouwdienst van mijn dochter. Ik weet niet wat jullie denken, maar...'

Haar alerte, intelligente ogen richtten zich op Lund.

'Theis heeft niets gedaan.'

Skærbæk leunde tegen de deur van het kantoor en stak een sigaret op.

'Volgens mij wel,' zei Lund.

Meyer hing op.

'Er is niemand bij de haven. Ze hebben overal gekeken.'

'Probeer de andere depots.'

'Wat dan?' wilde Pernille Birk Larsen weten. 'Jullie...'

Er was een geluid te horen. Lund keek en dacht aan Meyers pistool. Hij had hem altijd bij zich.

De garagedeur ging omhoog. Meyer zat weer te bellen.

Theis Birk Larsen kwam naar binnen lopen. Strak zwart pak. Gestreken wit overhemd. Zwarte das.

Keek naar hen. Eerst naar de agenten. Skærbæk. Toen Pernille.

'Slapen de kinderen?' vroeg hij.

Lunds blik liet hem niet los.

'Waar is Kemal?'

Birk Larsens massieve hoofd ging heen en weer. Er was iets in die smalle, sluwe oogjes van hem dat ze niet kon duiden, hoe hard ze het ook probeerde.

'Volgens mij heeft hij een taxi genomen.'

Lund wierp een blik op Meyer. Wees naar zijn telefoon.

Birk Larsen liep naar de trap. Zijn vrouw hield hem tegen en vroeg: 'Waar ben je geweest, Theis? Twee uur…?'

'Zo laat is het niet.' Hij knikte in de richting van hun woning. 'Ik wil ze nog even een verhaaltje voorlezen.'

'Wacht. Wacht!' riep Lund.

Hij verdween uit het zicht.

Meyer beëindigde het telefoontje. 'Kemal heeft zojuist zijn vrouw gebeld. Hij is op weg naar huis.'

Pernille Birk Larsen staarde hen beiden aan, schudde haar hoofd, vloekte en stampte weg. Toen was alleen Skærbæk nog over. Met zijn zilveren ketting om zijn hals. Hij keek hen aan met die 'donder op'-blik van een rebelse tiener.

'Blaas de zoektocht af,' blafte Meyer in zijn mobiel. 'Breng Kemal zo gauw mogelijk naar het bureau.' Hij stak zijn mobiel in zijn zak. Volgde haar naar buiten.

'En,' zei Meyer, 'waar ging dat nou verdomme allemaal over?'

Lund belde naar Zweden.

'Met Bengt Rosling. Ik kan u nu niet te woord staan. Laat uw naam en telefoonnummer achter, dan bel ik u zo snel mogelijk terug.'

Ze zette haar beste stem op en probeerde niet verontschuldigend te klinken want zo voelde ze zich niet. Niet echt.

'Hallo, ik ben het. Je bent vast de gasten aan het begroeten.'

Dit zei ze terwijl ze bezig was haar jas uit te trekken. Ze gooide hem op een stoel in de hoek van de kamer en liet haar blik over de documenten op het bureau glijden.

Haar bureau?

Meyers?

Ze wist het niet en het kon haar niet schelen. De dossiers waren belangrijk. Verder niks.

'Ik wou dat ik er kon zijn, Bengt.'

Er was niet veel nieuws voorgevallen sinds die middag.

'Maar,,, er was een nieuwe ontwikkeling in de zaak.'

Meyer kwam binnen.

'Het spijt me echt verschrikkelijk. Doe iedereen de groeten van mij…'

Ze ging aan het bureau zitten. Het voelde nog steeds als het hare. Ze zocht naar haar pennen, papieren. Haar plek daar.

'Zeg ze…'

Hij had dingen verplaatst. Haar dingen. Even voelde ze ergernis oplaaien.

'Het is vreselijk. Maar ja…'

Meyer stond met zijn hand op de rugleuning van de stoel tegenover haar. Hij staarde haar met open mond aan.

'Ik spreek je later. Dag.'

Ze legde de hoorn op de haak en bladerde verder in de papieren.

'Kan hij verhoord worden?' vroeg Lund.

'Nou moe.' Hij leek eerder verbijsterd dan kwaad. 'Dit kun je niet maken. Ik weet niet wat je je in je hoofd haalt…'

'Volgens mij heb je gelijk, Meyer.'

'Echt waar?' Zijn gezicht klaarde helemaal op. 'O geweldig.'

'Dit werkt niet. En dus heb ik besloten te blijven tot de zaak is opgelost.'

'Hè?'

'Heen en weer pendelen tussen Zweden en hier is idioot. Slaat nergens op. De Zweedse politie zegt…'

'Hou hiermee op, Lund.'

Meyer zag er ineens erg jong uit met zijn flaporen en die overduidelijk gekwetste blik in zijn ogen.

'Dit is nu mijn zaak. Je blijft niet. Punt uit. We zijn klaar. Het meisje zocht hem vrijdagavond op. Als hij dat eenmaal heeft toegegeven, arresteer ik hem.'

Lund wierp een laatste blik op de dossiers, pakte er een paar op en ging staan.

'Laten we dan maar hopen dat hij wil bekennen. Zullen we?'

'O nee.'

Meyer ging voor haar staan.

'Ik doe het verhoor.'

'Zorg dat ik niet met Buchard hoef te gaan praten, Meyer.'

Hij snoof geïrriteerd.

'Ik strijk over mijn hart. Je mag erbij zitten als je wilt.'

Kemal zat met losgetrokken zwarte das aan tafel. Hij zag er uitgeput, zenuwachtig uit.

Meyer bevond zich links van hem. Lund ertegenover.

'Wil je koffie of thee?' vroeg Meyer en hij smeet zijn dossiermappen op tafel.

Hij beheerste het hele arsenaal aan stemmen van de politieman: dreigend, meelevend, en nu neutraal en rustig.

De leraar schonk zich een glas water in. Lund boog zich naar hem toe, schudde zijn hand en zei: 'Hallo.'

'U staat niet onder arrest,' dreunde Meyer uit zijn hoofd op, 'maar u hebt dezelfde rechten als iemand die beschuldigd is. U hebt recht op bijstand van een advocaat.'

'Ik heb geen advocaat nodig. Ik zal uw vragen beantwoorden.'

De leraar keek naar Lund.

'Er is iets dat u moet weten.'

Ze namen hem op. Hij zweette. Probeerde moed te verzamelen om iets te zeggen. Dat gebeurde niet vaak, bedacht Lund.

'Vorige week vrijdag was ik surveillant tijdens het Halloweenfeest op school. Mijn dienst zat er om half negen op. Ik reed naar huis om mijn vrouw op te halen.'

Ze vroeg zich af wat er in het busje van Birk Larsen was gebeurd. Wat voor verschil dat gemaakt zou kunnen hebben.

'We gingen naar ons huisje op het volkstuintjescomplex. Zo tegen half tien. Ik besefte ineens dat we vergeten waren om koffie mee te nemen. Dus reed ik naar het benzinestation.'

Dit zit je te verzinnen, dacht ze. Zonder meer.

'Op de terugweg schoot me te binnen dat de vloerlegger zondag zou komen. Ik reed terug naar het appartement om de vloer te ontruimen.'

Meyer slenterde in de richting van de tafel.

'Vlak na tienen werd er aangebeld. Het was Nanna.'

Ze wachtten.

'Ze wilde wat boeken terugbrengen die ik haar geleend had. Ze was er maar een minuut of twee.'

Meyer leunde achterover op zijn stoel, legde zijn handen achter zijn hoofd.

'En dat is het,' zei Kemal. Hij dronk zijn glas leeg.

'Ze kwam langs om wat boeken terug te brengen?' vroeg Meyer.

'Schoolboeken?' vroeg Lund zich af.

'Nee, boeken van mij. Karen Blixen. Ze leek ze me per se op dat moment terug te willen geven. Ik weet niet waarom. Ik was verrast.' Hij haalde zijn schouders op. 'Ik nam ze maar aan.'

'Op vrijdagavond?' vroeg Meyer. 'Om tien uur 's avonds?'

'Ze was altijd op zoek naar iets om te lezen.' Hij sloot even de ogen. 'Ik weet dat ik jullie dit eerder had moeten vertellen.'

'Waarom deed je dat dan niet?' wilde Lund weten.

Hij keek naar zijn handen, niet naar hen.

'Er heeft zich een incident voorgedaan met een andere leerling. Een paar jaar geleden. Een valse beschuldiging. Ik was bang dat jullie zouden denken…'

'Wat?' vroeg Lund.

'Dat ik een verhouding had met Nanna, of zo.'

Donkere ogen keken in de hare.

'Nee, dus,' zei hij.

'En dat is alles?' vroeg Lund.

'Dat is alles, ja. Meer heb ik niet te zeggen.'

Hartmanns auto reed een tijdlang met hem achterin de cafés langs, mobiel en radio uit.

'Het moet hier ergens zijn,' zei hij tegen de chauffeur.

Een bord dat hij zich herinnerde. Een naam.

'Daar! Daar!'

Een oud, lawaaierig en druk café vol mannen die te veel bier ophadden. Flessen op tafel. Wolken sigarettenrook in de lucht.

Hartmann slenterde door de donkere bar. Vond Morten Weber eindelijk met zijn hoofd achterover in zijn nek. Zijn krullende haren waren vettig en hij was flink in de war.

Rond de tafel zaten zes mannen met grote ernst te drinken. Zonder iets te zeggen.

Hartmann ging voor hem staan, met de plastic zak in de lucht. Weber kreunde, stond op en liep naar hem toe.

De insuline was bij het campagnehoofdkwartier bezorgd. De plek waar Weber wel leek te wonen.

'Ik zag je op tv,' zei hij toen hij hem aannam.

Het glas in zijn hand bevatte whisky. Hartmann kon het ruiken. De laatste van een lange reeks, nam hij aan.

'Je hebt geen tijd om voor dokter te spelen, Troels.'

'Rie denkt dat je ziek bent. Ze kent je niet zo goed. Nog niet.'

Met een wazige blik in de ogen probeerde Morten Weber te glimlachen.

'Ik mag één keer per maand dronken worden. Dat staat toch in mijn contract?'

'Waarom nu?'

'Omdat je tegen me schreeuwde.'

'Je vroeg erom.'

'Omdat ik even uit die marmeren gevangenis weg moest. Om eens rustig na te denken zonder dat jij of zij of een of andere stomme hielenlikker me lastigvalt. Bovendien...'

Op Webers bedroefde, gerimpelde gezicht lag een uitdrukking die hij niet kende. Verbittering, besefte Hartmann.

'Het doet er toch ook niet meer toe? Je luistert toch niet meer naar me. Weet zij dat je hier bent? Je nieuwe partner?'

Hij sloeg de borrel achterover. Ging aan een leeg tafeltje met zijn glas zitten spelen. Hartmann nam plaats op de bank tegenover hem.

'Je hebt die leraar niet eens geschorst, hè,' zei Weber. 'Naar wat ik ervan gehoord heb, heb je gelijk. Maar wat vindt Kirsten Eller daarvan?'

Hartmann zweeg.

'Heeft ze je al gedumpt, Troels? Of wacht ze tot morgen? Wat raadt Rie je nu aan te doen? Dat je zo snel mogelijk naar haar toe moet gaan? Op je knieën moet? Haar geven wat ze wil? Het hoofd van die leraar?'

'Jullie tweeën moeten samenwerken. Dat is wat ik nodig heb.'

'O, echt? Alleen omdat je me wat insuline gebracht hebt, betekent niet...' De woorden kwamen er nogal onduidelijk uit, maar zijn gedachten waren des te helderder. 'Dat maakt niet alles goed.'

Hartmann sloeg zijn jas om, klaar om te vertrekken.

'Ik probeerde het goede te doen. Sorry als ik je tijd verspild heb.'

'Arme Troels, wil altijd het goede doen. Maar hij luistert naar de verkeerde mensen. Arme...'

'Ik wil dat je morgen weer op kantoor verschijnt. Ik wil dat je ophoudt met deze slemppartijen tot na de verkiezingen. En zorg dat je met Rie overweg kunt.'

Weber knikte.

'Ja, dat kan ik me voorstellen, dat je dat wilt. Je zit dik in de problemen.'

Een kort, dronken lachje.

'Je weet dat het nog maar net begonnen is, hè? Al die meelopers die in jou een kans zagen. Ze komen je halen, Troels. Als ze menen dat je ze teleurgesteld hebt. Pas op voor de ambtenaren. Pas op voor je eigen mensen. Bigum.'

Henrik Bigum was een van de senioren in de partij, een stugge academicus.

'Wat is er met Bigum?'

'Hij heeft een hekel aan je en hij maakt graag problemen. Hij zal de fatale dolksteek toebrengen, maar hij zal iemand anders de eerste zet laten doen, natuurlijk. Je hebt geen idee...'

Hij had nog nooit zo'n grimmige woede op Webers gezicht gezien. Althans niet tegen hem gericht.

'Toen je vrouw stierf, Troels...' Weber sloeg met zijn vuist op tafel, '... zat jij hier, en ik daar. Weet je nog?'

Hartmann verroerde zich niet, zei niets, wilde er niet aan denken.

Op de achtergrond viel stomme, goedkope popmuziek te horen. Harde stemmen. Mannen die zich opmaakten om flink met elkaar op de vuist te gaan.

'Je zou naar me moeten luisteren, Troels. Dat verdien ik. Wat heb ik anders nog?'

Een laatste hatelijke blik en toen stond Weber van de tafel op en stommelde terug naar het stelletje dronkenlappen.

Hartmann had een oproep gemist. Rie Skovgaard. Hij belde haar terug.

'Ze hebben de fiets van het meisje gevonden,' zei ze. 'Hij stond op de avond van haar verdwijning is bij het appartement van haar leraar.'

De muziek klonk steeds harder. Nog een duwtje, nog een woord en het gevecht zou losbarsten.

'De pers weet het al. Morgen op de voorpagina. Foto's van jou en Kemal. Hij wordt genoemd als verdachte.'

Stilte.

'Troels,' zei ze. 'Ik ben nu de schorsingspapieren aan het opstellen. Ik roep over een uur een persconferentie bijeen. Je moet hierheen komen.'

Buchard kwam het kantoor binnenstormen.

'Hoe kan het dat de naam van onze verdachte op tv genoemd wordt? Lund?'

'Geen probleem,' antwoordde Meyer voor haar. Hij knikte naar de gestalte in de verhoorkamer aan de andere kant van het glas. 'Hij zit daar. We hebben hem.'

'Als de commissaris me belt is het wel een probleem. Lund is net een uur of twee weg en kijk wat er gebeurt.'

'Meyer kan er niks aan doen,' zei ze.

'Wat zegt de leraar?' wilde Buchard weten.

Meyer lachte spottend.

'Een hoop onzin over dat het meisje naar zijn woning kwam. Ze wilde wat boeken terugbrengen.'

Buchards gerimpelde gezicht vertrok van pure verbijstering.

'Boeken?'

Lund luisterde nauwelijks maar ging door met het doornemen van de laatste bestanden op de pc.

'Totale onzin,' zei Meyer. 'Hij heeft de vloeren geschuurd, alle sporen verwijderd.'

'Ze zijn het appartement aan het renoveren,' merkte Lund op. 'Dat gedeelte klopt.'

'Geef me twee uur met hem, baas,' smeekte Meyer. 'Ik kom er wel achter.'

Buchard keek niet bepaald overtuigd.

'Zoals je dat met die jongens aangepakt hebt?'

'Ik zal hem als getuige verhoren. Ik kan...'

'Hij liegt,' zei Lund en maakte daarmee een eind aan de discussie.

Buchard sloeg zijn armen over elkaar en keek haar aan.

'Hij liegt,' zei ze weer.

'Doorzoek het appartement,' verordonneerde Buchard. 'Kelder, huisje in Dragør, alles. Ga na waar het huisafval gebleven is. Luister zijn telefoon af.'

Meyer leek niet deel te nemen aan het gesprek. Buchard keek toe hoe Lund alles opschreef.

'Zeg tegen Hartmann waar we mee bezig zijn. En verknal het niet weer met de pers.'

Hij liep weg. Meyer zei: 'Over verknallen gesproken. Ik moet even alleen met u praten.'

'Morgen,' snauwde Buchard. 'Nu wil ik je gewoon aan het werk en niet aan het jammeren zien.'

'Wat doen we nu met hem dan?' vroeg Meyer.

Buchard wachtte op Lund.

'We zeggen dat hij in het huis van zijn vrouw moet blijven. Of in een hotel gaan,' zei ze. 'Hij moet zijn appartement en het volkstuintjescomplex vermijden. Die gaan we doorzoeken. We hebben zijn paspoort nodig. We moeten hem laten volgen.'

Iets zat haar niet lekker, maar Lund had geen idee wat.

'Hij zegt dat hij vrijdag met zijn eigen auto is gegaan. We moeten hem met Hartmanns auto in verband kunnen brengen. Hij was toch een rolmodel?'

De persconferentie was over een kwartier. Skovgaard zette de aanpak uiteen.

'Het schorsingsbevel is direct van kracht. Alle papieren heb ik hier. Ik heb de schoolleiding op de hoogte gesteld.'

Hartmann keek naar de documenten die ze voor hem had neergelegd.

'Jij moet jezelf van alles distantiëren. Zeg maar dat je je beoordelingsfout betreurt. Je steunt de politie in haar onderzoek.'

Hij nam snel de verklaring door, de verontschuldigende woorden, het eigenbelang dat eruit sprak.

'Als ze ons naar de rolmodellen vragen, zeg dan dat je geen commentaar hebt. Als iemand…'

Hartmann stond op van zijn bureau en beende door zijn kantoor, met de handen diep in de zakken, zijn blauwe overhemd vlekkerig van het zweet.

'Als je een publiek figuur bent en je maakt een fout, dan is het belangrijk dat je je meteen verontschuldigt. Maak er zo snel mogelijk een einde aan en ga verder. Er hangen schone kleren in de kast. Die heb je nodig.'

Hij keek naar de ochtendeditie van de krant op zijn bureau. De leraar, Kemal, schudde zijn hand tijdens de basketbalwedstrijd. Beiden glimlachten.

'Ik snap dit niet. Hij leek een aardige vent. Niemand heeft ooit iets slechts over hem gezegd. Ik heb een aantal dossiers doorgenomen. Eentje van een jongen die nu het rechte pad bewandelt, maar die in de gevangenis had gezeten als Kemal er niet geweest was.'

De eerste drie bladzijden waren gewijd aan het verhaal.

'Dus ik heb met hem gebasketbald.'

Skovgaard keek hem met vermoeide, bezorgde blik aan.

'En het weekend daarvoor zou hij een van zijn eigen leerlingen verkracht en vermoord hebben?'

Het hele gesprek leek haar ongelooflijk te vervelen.

'Ze wachten op je, Troels. Je moet uitgelicht worden, nu.'

'Denk je dat hij het gedaan heeft?'

'Ik weet het niet en het kan me niet schelen. Wat me wel kan schelen is dat jouw huid gered moet worden. Ik had me nooit gerealiseerd dat het zo moeilijk zou zijn.'

Er werd op de deur geklopt.

Daar stond Lund te wachten.

'Wat wil je?' blafte Skovgaard tegen haar.

Ze liep naar binnen. Met dezelfde oude jas aan. Dezelfde zwart-witte trui. Zelfde paardenstaart, het lange bruine haar slordig bijeengebonden in de nek.

Deze vrouw leek zich aan zijn leven vastgezogen te hebben.

'Hartmann zei dat hij op de hoogte gehouden wilde worden,' zei een verbaasd kijkende Lund.

Een schouderophalen. Een heldere blik die zich in de zijne boorde.

'Dus hier ben ik.'

'Moest jij niet in Zweden zijn?' vroeg Hartmann.

Ze glimlachte.

'Uiteindelijk wel. Kemal geeft toe dat hij het meisje ontmoet heeft in zijn appartement. Hij zegt dat ze weer vertrokken is, maar niemand heeft haar sindsdien meer gezien. We zijn…'

'De verkorte versie graag,' viel Skovgaard haar in de rede. 'We hebben zo een persconferentie.'

Weer die glimlach, iets anders deze keer.

'De verkorte versie. Het kan zijn dat hij haar ergens gevangen heeft gehouden. We doorzoeken eerst zijn woning en klagen hem daarna aan, of misschien niet natuurlijk.'

'Wij lezen de kranten,' zei Skovgaard. 'Dat weten we allemaal.'

'Ik heb de kilometerstaten en papieren nodig van alle chauffeurs die in de afgelopen twee jaar jullie auto's gebruikt hebben.'

'Waarom?'

'Kemal moet de auto genomen hebben waarin Nanna gevonden is. Er moet een verband zijn…'

Hartmann kapte haar af.

'Hij heeft niet in die auto gereden.'

'In jullie gegevens staat,' hield Lund vol, 'dat de rolmodellen er gebruik van mogen maken.'

'Niet van de campagneauto's. Die zijn allemaal spiksplinternieuw. We hebben ze voor een paar weken gehuurd. Rie?'

Ze keek naar hem met haar armen over elkaar en probeerde zich erbuiten te houden.

'Rie!'

'De campagneauto's komen rechtstreeks uit de fabriek,' zei ze. 'We moeten een goede indruk maken. De rolmodellen mogen in de afdankertjes rijden.'

'Wacht eens even,' zei Hartmann. 'Jullie gaan hem aanklagen?'

'Alleen als we meer bewijsmateriaal vinden…'

'Maar als Kemal nooit in die auto gereden heeft, hoe kan hij dan geweten hebben dat het er een van ons was?'

'Misschien…' Ze wist het niet meer en dat had hij niet eerder meegemaakt. 'Misschien… ik weet het niet.'

Hartmann besefte opeens iets.

'We hebben deze auto's nog maar een week of twee. Misschien is hij helemaal niet schuldig. We hebben over vijf minuten een persconferentie over dit punt bijeengeroepen. Wat moeten we nou zeggen, verdomme?'

'Ik ga niet over jouw persconferenties, Hartmann.'

'Als jij er niet was geweest, dan hadden we die dingen helemaal niet nodig! Je hebt het al eerder mis gehad. Wie zegt dat dat dit keer niet ook zo is? Je vindt dat ik deze man moet verdenken zonder dat je enig bewijs hebt?'

'Wat ik nodig heb, is medewerking. Laat mij mijn werk doen, dan laat ik jou het jouwe doen.'

Met die woorden vertrok ze. Skovgaard keek naar hem. In de aangrenzende kamer kon hij de verslaggevers zich horen verzamelen.

Hartmann pakte het nieuwe pak, het schone overhemd en begon zich om te kleden.

'Troels?' zei Skovgaard. 'Je mag je nu niet terugtrekken, hoor je. We hebben de schorsingspapieren. Voor je eigen bestwil…'

'Kemal heeft het niet gedaan.' Hij grinnikte terwijl hij zich in zijn schone kleren wurmde. 'Hij is het niet.'

Theis stond aan het aanrecht met zijn brede rug naar haar toe bier te drinken. Pernille zat aan tafel naar hem te kijken. Ze deed haar best hem aan het praten te krijgen.

'Ze verdenken de leraar,' zei ze. 'Dat zeggen ze op het journaal.'

Hij dronk nog wat bier en sloot zijn ogen.

'Waar ben je heen gegaan? Waarom bleef je zo lang weg?'

'Ik weet het niet.'

Er lagen brieven op tafel. Rekeningen. Aanmaningen.

'Ik ga morgen naar het huis. Om er nog wat aan te werken.'

Ze knipperde met haar ogen.

'Het huis?'

'Ik moet het opknappen. Anders kan ik het niet verkopen.'

Hij liep naar de kast die hij altijd op slot hield. Ze had de sleutel nog nooit kunnen vinden. Een gewoonte uit het verleden. Het was niet de enige plek.

Er lagen grote vellen in. Tekeningen van een architect.

'Dit waren de plannen. Ik had het je moeten vertellen, sorry.'

'Hij is hier geweest,' mompelde ze.

Potloodplannen. Dode dromen.

'We praatten over Nanna.'

Hij sloeg een ander vel open en streek het met zijn elleboog glad.

'Ik heb hem bedankt voor de bloemen in de kerk.' Hij liet zijn vinger over de tekeningen glijden, zonder iets te zeggen.

'Hij raakte haar kist aan.'

Ze keek naar haar vingers. De oude trouwring. De rimpels. Handen die gewerkt hadden.

'Ik heb hem aangeraakt.'

Er klonk papiergeritsel. Verder niets.

Op kalme, overredende toon vroeg ze: 'Waarom praat je niet met me?'

Hij hief zijn ogen van de maten, de hoeken en de tekeningen van balken.

'We weten het niet zeker.'

'Jij denkt dat hij het gedaan heeft. Niet dan?'

Een lange dag. Hij schoor zich toch al nooit goed. Nu zag hij eruit als een zielige beer die verdwaald was.

'We moeten dit aan de politie overlaten.'

Haar handen schoten over tafel en veegden de papieren weg van het huis dat ze nooit zouden hebben.

'De politie?'

Tranen in de ogen. Een woedende uitdrukking op haar gezicht.

'Ja, de politie.'

Bengt nam nog steeds niet op. Vibeke zat weer achter haar naaimachine een zoveelste perfecte jurk te maken voor een perfecte bruiloft.

Met een uitdrukking op haar gezicht die zei: ik wist het wel.

'Hallo,' zei Lund en ze gooide haar tas op de dichtstbijzijnde stoel.

Haar moeder zette de machine uit en duwde de witte, golvende stof naar achteren. Ze schoof haar bril tot op het puntje van haar scherpe neus.

'Als je een gezin wilt, Sarah, dan moet je er wel wat voor doen.'

'Ik heb Bengt proberen te bellen. Hij neemt niet op. Ik heb het geprobeerd.'

Haar moeder zei: 'Ja, ja.'

'Het komt door het feestje. Hij hoort de telefoon niet.'

Vibeke kwam naast haar zitten. Met een onverwachte, bijna verontschuldigende uitdrukking op haar gezicht.

'Ik weet dat je denkt dat ik je vader heb weggejaagd voor hij stierf.'

'Nee.'

'Ik weet dat. Ik ben misschien niet het beste voorbeeld voor je geweest…'

'We zijn niet uit elkaar, mama.'

'Nee, maar je laat hem ook niet dichtbij komen, hè? Net als de rest van ons. Je houdt ons allemaal buiten je leven.'

'Dat is niet waar. Je weet niet hoe het tussen ons is.'

Vibeke pakte de half afgemaakte jurk van het rek en controleerde de zomen.

'Ik wil alleen maar dat je gelukkig bent. Ik wil niet dat je eenzaam bent op je oude dag.'

'Jij bent toch niet eenzaam?'

De vraag leek Vibeke uit het veld te slaan.

'Ik had het niet over mezelf.'

'Ik zal niet eenzaam zijn. Ik was vóór Bengt ook niet eenzaam. Waarom zou ik…?'

Nu zag ze een uitdrukking die ze wel herkende. Die in één woord samengevat kon worden: 'precies'.

Lund zette de tv aan voor het laatste nieuws. Slechts één onderwerp. Troels Hartmann tijdens de persconferentie waarop hij zei dat hij docent Kemal niet zou schorsen.

'Waarom niet in vredesnaam?' fluisterde ze.

Op tv gaf Hartmann antwoord.

'Rahman Al Kemal is aangeklaagd noch veroordeeld. Ik ga niet meedoen aan karaktermoord. Maar misschien dat Bremer daar wel op gebeten is. Dan mag hij dat met zijn eigen geweten, of wat daarvoor door moet gaan, in overeenstemming brengen.'

Zijn rechterhand ging omhoog, een gebaar dat politici over de hele wereld maakten.

'Er wordt alleen geschorst als er concreet bewijs is.'

Met een ernstig gezicht voor de camera leunde hij naar voren.

'Het is de taak van de rechter om criminelen te veroordelen. Niet die van politici. En we moeten de politie zo min mogelijk voor de voeten lopen, behalve dan om ze waar mogelijk assistentie te verlenen. En dat is wat ik zal doen. Ik dank u wel.'

Een menigte lichamen kwam overeind en vuurde vragen op hem af. Lund wilde dat ze het opgenomen had zodat ze elk woord nogmaals af kon spelen, elke stembuiging, elke uitdrukking op Hartmanns gezicht.

'En stel dat hij het meisje heeft vermoord,' schreeuwde een journalist.

'Voor zover ik weet,' antwoordde Hartmann, 'ben je in dit land nog altijd onschuldig tot je schuld bewezen is. Zo simpel is het…'

'Zo simpel?' mompelde Lund.

Toen was het voorbij. Tijd voor de rest van het nieuws. Het Midden-Oosten. De economie. Ze zette de tv uit. Merkte dat de kamer donker was en leeg. Vibeke was zonder een woord te zeggen naar bed gegaan.

Ze was alleen.

8

Zondag 9 november

Een bewolkte ochtend. Lund liep het hoofdbureau binnen en werd door het hoofd van de nachtploeg op de hoogte gebracht van de laatste stand van zaken. Bij het benzinestation toonde een camera hoe Kemal op de vrijdagavond dat Nanna verdwenen was koffie kocht om twintig voor tien. Rond die tijd ontving hij een telefoontje uit de wasserette vlak bij zijn appartement. Twintig minuten voor Nanna was langsgekomen.

In het huis hadden ze nog steeds niets kunnen vinden. Maar als ze konden bewijzen dat hij met haar afgesproken had, dan zou dat zijn verhaal tenietdoen. Een leugen.

Het enige andere telefoontje dat hij gepleegd had was naar de vloerlegger, om hem af te zeggen.

Ze zat hierover na te denken toen ze haar kantoor in keek. Daar zat Bengt. Een vlugge glimlach. Ze sloot de deur en nam wat koffie uit de thermoskan.

'Hoe ben je hier gekomen?' vroeg Lund.

'Ik ben gisteravond gaan rijden.'

Ze gaf hem een kop koffie en dacht ondertussen aan de telefoontjes. Waarom zou Nanna vanuit een wasserette bellen? Waarom gebruikte ze haar eigen mobiel niet?

'Hoe was de housewarmingparty?'

'Leuk.' Hij zag er moe en wat verslonsd uit van de rit. Er was nu dan toch iets van woede in zijn kalme, grijze ogen te bespeuren. 'Ik heb ze om negen uur naar huis gestuurd.'

Ze had weer dezelfde zwart-witte trui van de Faeröer Eilanden aan. Als ze geweten had dat Bengt zou komen... Ze liet een hand door haar warrige haar glijden en dacht: dan zou ik hem ook aangetrokken hebben.

Hij liep op haar toe en legde zijn handen op haar schouders. Een professioneel gezicht. Diep serieus. Vaderlijk.

'Luister, Sarah. Zo moeilijk is het niet. Loop gewoon naar buiten, stap in de auto en dan gaan we naar huis. Je kent die mensen niet, maar hoe zit het met je familie? Mark? Hij wordt op school verwacht.'

Lund liep naar haar bureau en pakte een dossiermap.

'Ik wil dat jij de zaak leest. Dit is het rapport van de lijkschouwer. Dit hebben we bij het kanaal gevonden...'

'Nee!' schreeuwde hij bijna.

Zo had ze hem nog nooit gehoord.

'Ik heb je hulp nodig,' zei ze rustig.

'Jij hebt hulp nodig?! En hoe zit het met de rest van ons?'

Ze luisterde niet.

'Hij stopte haar in bad en knipte haar nagels. Wie doet dat nou? Hij verwijderde zorgvuldig ieder spoor. Of er is een andere reden waar ik nog niet op gekomen ben. Kijk...'

Ze pakte een paar van de foto's uit het mortuarium. Verwondingen. Kneuzingen. Bloed.

'De lijkschouwer denkt dat hij dit waarschijnlijk al eens eerder gedaan heeft. Maar ik kan niets vinden wat erop lijkt.'

'Ik ben niet in je zaak geïnteresseerd. Ik ben in jou geïnteresseerd.' Hij wees naar de deur.

'De auto staat daarbuiten.'

Er werd geklopt. Meyer kwam binnen. Hij had een visserstrui en een bodywarmer aan. Hij zag er frisser en netter uit dan gewoonlijk.

'Ik ga naar Birk Larsen,' zei hij. 'Maar jij hoeft niet...'

'Ik kom zo.'

Ze greep haar jas.

Bengt Rosling was een aantrekkelijke man. Maar dat was niet de reden dat ze hem leuk vond. Van hem hield. Hij was evenwichtig, intelligent, geduldig.

'Blijf, alsjeblieft, Bengt.' Ze pakte zijn hand, glimlachte en keek in zijn ogen. 'Dat zou ik erg graag willen.'

Hij aarzelde.

Ze pakte de mappen en smeet ze naar hem toe.

Daarna kuste ze hem snel en ging naar buiten, naar Meyer.

Rie Skovgaard had de complete administratie rond de auto's doorgenomen. De rolmodellen hadden de auto's niet gebruikt.

'Dat is goed nieuws,' zei Hartmann.

'We hebben een nieuwe campagnemanager nodig als Morten niet terugkomt.'

'Die komt niet terug.'

'Ik vind wel iemand. Knud Padde is hier. Hij wil met je praten. Alleen. Hij zit in je kantoor.'

Padde was afdelingsvoorzitter. Hij was een oude rot in de politiek, werkpaard, middenkader.

'Kun jij niet…?'

'Nee, jij gaat met hem praten.'

Vakbondsman Padde zag er met zijn slechtzittende pak, grote bril en verwarde, ongekamde haar uit als een grote, waggelende beer.

'Heb je de kranten gezien?' klaagde hij zodra Hartmann binnenkwam.

'Natuurlijk heb ik ze gezien.'

'De achterban maakt zich zorgen, Troels. De afdeling wil vandaag nog vergaderen. Om één uur.'

'Knud. Niet nu. Over twee minuten is Kirsten Eller hier.'

'Waarom heb je de leraar niet geschorst? Het lijkt wel of je hem wilt dekken.'

Hartmann keek hem strak aan.

'Volgens de politie is de leraar waarschijnlijk onschuldig.'

'Dat is niet wat er in de krant staat.'

Padde voelde zich ongewoon dapper, dacht Hartmann.

'Ik weet niet of we deze druk aankunnen, Troels.'

Hartmann dacht aan het gesprek dat hij de avond ervoor met Weber gevoerd had.

'Ik regel het wel. We hoeven niet te vergaderen om één uur…'

'Maar die bijeenkomst staat al vast,' zei Padde. 'Ik zou maar liever komen als ik jou was.'

'Je hebt nooit gezegd dat hij een gekkendokter was,' zei Meyer.

Ze liet hem weer rijden. Dan propte hij in ieder geval niet de hele tijd chips, snoepjes en hotdogs in zijn mond.

Lund antwoordde niet.

'Niet dat er iets mis is met uitgaan met je therapeut.'

Ze zuchtte.

'Hij is forensisch psycholoog.'

Meyer trok een wenkbrauw op alsof hij wilde zeggen: nou en?

'Hij is de intelligentste man die ik ken.'

'Via het werk leren kennen, dus?'

Stilte.

'En heb ik gelijk als ik denk dat je ex ook een smeris was?'

Stilte.

'Jij bent niet de enige die mensen kan natrekken, Lund.'

Meyer schudde zijn hoofd. Hij staarde naar haar toen hij de bocht om ging.

'Let op de weg,' beval ze.

'Ken jij eigenlijk wel mensen buiten de politie om?'

'Natuurlijk! Bengt…'

'Is forensisch psycholoog.'

'Ik ken een heleboel mensen.'

'Natuurlijk. Ik heb Buchard gevraagd om een gesprek. Over ons.'

Ze keek naar hem. Grote oren. Bolle ogen. Baardstoppels en dan dat hanige kapsel van hem.

Meyer begon te fluiten. Toen sloeg hij de hoek om, Birk Larsens straat in.

'Waar is je man?' vroeg Lund.

Pernille Birk Larsen stond de keukentafel af te nemen. De woning zag er veel te schoon uit. Alsof de vrouw de herinnering aan haar verloren dochter wilde wegschrobben.

Het tafelblad was ongewoon. Foto's en schoolrapporten waren in het oppervlak verlakt. Gezichten en woorden. Een jonge Nanna, alleen, in de box of in de rode bakfiets samen met een kleine Indiase jongen. De zoontjes als peuters.

Een haal over het tafelblad dat al brandschoon was.

'Hij werkt ook in het weekend.'

'We hebben informatie nodig,' zei Lund. 'We moeten weten of Nanna haar moordenaar kende of niet. Dus als je het niet erg vindt…?'

Het geobsedeerde geveeg met de vaatdoek ging door, het doekje dat niets verwijderde omdat er niets te verwijderen was.

'Zou je dat misschien later willen doen?' vroeg Lund.

Pernille Birk Larsen keek haar niet aan. Bleef gewoon over de tafel wrijven.

Meyer rolde met zijn ogen.

'Misschien iets dat ze gezegd heeft,' ging Lund verder. 'De keren dat ze niet thuis was. Wat dan ook. Cadeautjes, boeken die ze leende…'

Pernille Birk Larsen hield op met vegen, leunde op haar beide handen en keek hen kwaad aan.

'Jullie wisten dat de leraar een verdachte was. En toch lieten jullie hem naar de herdenkingsdienst gaan. Lieten jullie me hem in mijn eigen huis ontvangen.'

Meyer schudde zijn hoofd.

'Hij hield mijn hand vast. En jullie zeiden niets!'

Lund haalde haar schouders op, kwam overeind en keek om zich heen.

'En nu komen jullie vragen stellen!' schreeuwde Pernille tegen hen. 'Het is te laat.'

Ze zwegen.

'Wat doen jullie wat hem betreft?'

'We doorzoeken zijn huis,' viel Meyer in. 'Zodra we iets weten bel ik je.'

Een verwilderde blik in de intelligente, onderzoekende ogen van de vrouw. Een verband dat ze nooit gelegd had.

'Is Nanna daar geweest?'

Geen antwoord.

'Is ze die avond bij hem geweest?'

Lund schudde haar hoofd en begon te zeggen: 'We kunnen niet in detail treden…'

'Ja,' onderbrak Meyer haar. 'Ze was er die avond.'

Lund sloot woedend haar ogen.

'Niemand heeft haar sindsdien gezien,' voegde hij eraan toe.

Nog altijd furieus, zei Lund: 'Dat bewijst niets. We hebben informatie nodig die die twee met elkaar verbindt. We hebben…'

Wat hadden ze nodig? Dat wist ze zelf eigenlijk ook niet.

'We hebben een reden nodig,' zei Lund half in zichzelf.

Pernille Birk Larsen pakte het doekje weer op en wreef weer over de schone tafel.

'Ik weet alleen dat Nanna hem een leuke leraar vond.' Ze wuifde naar de slaapkamer van het meisje. 'Ga je gang. Doe of je thuis bent. Jullie hebben toch al overal je neus in gestoken.'

Ze keek hen dreigend aan.

'Maar hou me wel op de hoogte. Horen jullie dat?'

'Zeker,' zei Meyer.

Theis Birk Larsen en Vagn Skærbæk hadden nieuw houten balken uit het depot opgehaald. Ze waren in de garage bezig ze in het busje te stapelen. Er was werk dat gedaan moest worden, maar het huis in Humleby kwam eerst.

'Ik zal je helpen, Theis,' beloofde Skærbæk. 'Zeg maar wat je gedaan wilt hebben.'

Birk Larsen tilde zonder iets te zeggen nog meer hout in de vrachtwagen.

Skærbæk kon nog net een balk ontwijken.

'Goed dat je hem niet aangeraakt hebt met al die politie steeds in de buurt.' Hij tilde nog wat planken op en smeet ze in de bus. 'Hoe kan een aap als hij leraar zijn? De hele wereld is verziekt.'

Birk Larsen nam zijn zwarte muts af, keek naar het hout. Haalde nog meer.

'Weet je wat?' Skærbæk keek om zich heen om zich ervan te verzekeren dat niemand meeluisterde. 'Het is afgelopen met hem. Dat beloof ik je. Luister…'

Hij legde een hand op Birk Larsens zwarte jas. Hield hem tegen.

'We wachten af,' zei Skærbæk. 'We hebben dit eerder gedaan. We weten hoe het moet.'

Een plotselinge woede spoelde over de versteende gelaatstrekken van Birk Larsen. Hij pakte de kleinere man bij zijn overall en smeet hem naar de achterkant van de bus. Greep hem bij de keel.

'Zeg dat soort dingen nooit meer. Nooit.'

Skærbæk bleef waar hij was, uitdagend, bijna bereid de degens te kruisen.

'Theis, ik ben het, weet je nog?'

Aan de rand van zijn gezichtsveld verscheen een vorm. De magere, kort-aangebonden smeris kwam al bellend in beeld. Birk Larsen liet los.

'Met Meyer,' zei de politieman.

Dat mens Lund was bij hem en liep rond in de garage zoals altijd. Ze bekeek alles alsof ze het met die wijd opengesperde ogen van haar kon filmen.

Birk Larsen laadde het busje in en sloot de deur. Vagn was er zonder geluid te maken tussenuit geknepen. Een talent dat hij al had gehad sinds ze als kinderen op straat hadden gespeeld.

Lund liep naar hem toe.

'Als er iets is wat ik kan doen...'

'Je weet wat dat is,' zei hij.

Kirsten Eller arriveerde met een blik van milde razernij op haar pappige gezicht.

'Dat rolmodel van jou is een verdachte. In een moordzaak.'

'Hij is misschien onschuldig.'

'Het is idioot hem niet te schorsen.'

'Dat mag jij vinden, maar ik vind iets anders. Laat dit onze overeenkomst niet in de weg staan.'

'Onze overeenkomst?'

Hij wachtte. Rie Skovgaard bestudeerde haar nagels.

'Woordjes op papier,' zei Eller. 'Meer is het niet.'

Er stond koffie op tafel en er waren croissants. Beide nauwelijks aangeraakt.

'Bedoel je dat je ervan af wilt?'

'Het is een kwestie van geloofwaardigheid.'

'Het is een kwestie van principe.'

'Jouw principes, niet die van ons. Ik ga niet samen met jou ten onder. Ik wil hier niet verantwoordelijk voor gehouden worden. Ik...'

'Wat,' viel hij haar in de rede, 'zeg je nu eigenlijk?'

'Als je niet zorgt dat dit probleem verdwijnt dan neem ik afstand van je. We moeten...'

Er werd op de deur geklopt. Morten Weber kwam binnen. Het leek of hij was wezen winkelen. Fraai nieuw jasje, rode trui, wit overhemd.

Hartmann en Skovgaard staarden hem aan.

'Hier is het document waar je om vroeg,' zei Weber. Hij liep met een vel papier in zijn hand op Hartmann toe.

Niemand zei iets.

Weber vroeg: 'Nog koffie?'

Toen er geen antwoord volgde, glimlachte hij en ging weg.

Hartmann keek naar de kleurenprint. Het was een pagina van Kirsten Ellers eigen website.

'Dus, Troels, wat wordt het?'

Hij las de pagina zorgvuldig door.

'Oké,' vervolgde ze. 'Ik laat me niet meer met jou zien. Alle gezamenlijke afspraken zijn afgezegd, inclusief die van vanavond.'

Eller maakte een net stapeltje van haar papieren en deed ze samen met haar pen in haar koffertje. Stond op om weg te gaan.

'En hoe zit het met jouw geloofwaardigheid?'

'Wat bedoel je?'

Hartmann schoof het vel papier over tafel.

'Jij bent met de eer voor mijn rolmodellen aan de haal gegaan. Hier staat het. Op je eigen homepage.'

Ze griste het papier uit zijn handen en las het.

'Je vond ons gezamenlijke initiatief zo leuk dat je erover schreef.' Hartmann leunde achterover in zijn stoel en legde zijn handen achter zijn hoofd. 'Ik vind het prima de eer te delen, Kirsten. Het probleem is wel dat je dan ook jouw deel van de schuld op je moet nemen als het misgaat.'

Hij boog zich voorover, glimlachte naar haar en voegde eraan toe: 'Dan ben je verantwoordelijk bezig.'

'Chantage!'

'Nee, allerminst. Het is jouw website, niet die van mij. Jouw verantwoordelijkheid. Voor wat je in de openbaarheid brengt. Hang mij aan de hoogste boom en je zult merken dat je er algauw naast hangt. Maar…'

'Bedankt voor de koffie,' snauwde Eller.

'Het was me een genoegen. Ik zie je vanavond. Als afgesproken.'

Ze zagen haar weglopen en gingen toen terug het hoofdkantoor in.

'Dat vond ze niet leuk,' zei Skovgaard.

'Dat kan me nou echt niks verdommen. Ik laat me niet de les lezen over verantwoordelijkheid van een of andere opportunistische apparatsjik die met iedereen in bed duikt die haar maar wil hebben.'

Morten Weber zat aan zijn bureau. Hartmann liep naar hem toe. Webers blik bleef aan het scherm gekluisterd.

'Ik dacht dat je ons in de steek gelaten had.'

Weber scrolde door zijn inbox. Achter elkaar door, het ene bericht na het andere.

'In mijn eentje verveel ik me.'

Hartmann legde de uitgeprinte pagina van Ellers website voor hem neer.

'Hoe wist je dit?'

Weber staarde hem aan alsof dat voor de hand lag.

'Ik zou met de eer zijn gaan strijken als ik haar was. Je moet soms eens wat meer leren denken als andere mensen. Dat helpt.'

'Ik ben blij dat je terug bent, Morten,' zei Skovgaard.

Hij lachte en keek haar aan.

'Ik ook.'

Kemals appartement in Østerbro. De technische recherche had elke centimeter van elke kamer aandachtig onderzocht. Het enige dat ze hadden waren twee voetafdrukken van Nanna Birk Larsen bij de voordeur.

Maar Meyer wilde meer.

'Luister,' zei het hoofd van het team. 'We hebben alles gedaan. Meer is er niet.'

Lund las de voorlopige rapporten door.

'Hoe zit het met de laarzen?' wilde Meyer weten.

'We hebben de modder geanalyseerd. Die is niet van de plaats delict afkomstig.'

'En die ether? Wie heeft er nou ether in huis?'

'Mensen met helikopters.'

Een van de teamleden haalde een modelhelikopter tevoorschijn.

'Jongensspeelgoed,' zei hij. 'Hij vindt ze leuk. Dit ding vliegt op een mengsel van olie, paraffine en ether.'

'De buren?' vroeg Lund. 'Wat zeggen die?'

'Op de derde verdieping was een feestje gaande. Een huurder zag hem om half twee 's nachts vuilnis buitenzetten. Dat is alles.'

Lund staarde hem aan. De man liet het hoofd hangen.

'Vuilnis? Om half twee?'

'Dat zei ie.'

Twintig minuten later arriveerde Kemal voor de reconstructie. Hij zag er niet uit als een man die verwachtte gearresteerd te worden. Hij droeg een modieus jasje met een grijze sjaal. Een leraar, zelfs op zondag.

'Ze is nooit verder dan de deur gekomen?' vroeg Lund. 'Wil je dat beweren?'

'Ik liet haar naar boven komen. Ze had aangebeld.'

'En toen?'

'Ze voelde zich schuldig over een aantal boeken die ik haar geleend had.'

'Jullie gingen niet naar binnen?'

'Nee, we praatten hier. Bij de deur.'

'Waarom zitten haar vingerafdrukken dan op een foto in de woonkamer?'

'Ik zou de vloer gaan schuren. Alle spullen stonden buiten op de gang. Het was een klassenfoto. Ze bekeek hem voor ze wegging.'

'Waarom?'

'Dat weet ik niet. Dat wilde ze om de een of andere reden.'

'En toen?'

'Toen ging ze weg.'

'Heb je haar naar buiten begeleid?'

'Nee. Ik heb alleen de deur dichtgedaan. Het is hier veilig. Er was geen enkele reden...' Hij zweeg. 'Ik dácht dat het veilig was.'

'Waarom heb je die mensen voor de vloer afgezegd?' vroeg Meyer.

'Het werd te duur. Ik dacht dat ik het beter zelf kon doen.'

'En dus belde je? Om half twee 's nachts?'

'Hij heeft een antwoordapparaat. Waarom niet?'

Lund bekeek de deur, liep naar binnen en weer naar buiten.

'Een paar minuten voor Nanna kwam, ben je gebeld.'

De donkere ogen van de man flitsten tussen hen tweeën heen en weer.

'Iemand had een verkeerd nummer ingetoetst. Ik was bij het benzinestation.'

Meyer zei: 'Wat? Bel je negentig seconden met iemand die een verkeerd nummer heeft ingetoetst?'

'Ja...' Ze zagen hem worstelen. 'Hij wilde met de persoon praten die dit nummer voor mij gehad had.'

'Het telefoontje was afkomstig van een wasserette hier om de hoek. Wat een toeval, hè?'

'Dat weet ik niet.'

Lund zei: 'Je hebt vuilnis buitengezet.'

'Op zaterdag,' beaamde hij.

'Op zaterdag om half twee 's nachts. Wat zat er in de zwarte zak?'

'Een oud tapijt.'

'Een tapijt?'

'Ik nam het mee naar de afvalcontainers op de weg terug naar het volkstuintjescomplex.'

Stilte.

'Als dat alles is...'

Stilte.

'Mijn vrouw komt zo. Ik zou het prettig vinden als jullie dan weg waren.'

'Ga er niet vandoor,' liet Meyer hem weten.

Terug op het bureau luisterde Buchard naar hun rapportage.

'Dus jullie hebben eigenlijk geen ene rotmoer?'

'Kemal liegt,' zei Lund.

'Jullie hebben niks gevonden in het appartement.'

'Hij heeft schoongemaakt. Hij heeft haar ergens anders mee naartoe genomen.'

De hoofdinspecteur stampte als een boze hond in het kantoor rond.

'Waar? Jullie hebben overal gekeken. Woning, auto, kelder, vakantiehuisje, jeugdclub…'

'Als die campagne van Troels Hartmann je te veel onder druk zet, baas,' viel Lund hem in de rede, 'laat het ons dan weten. Maar dan wel beleefd.'

Buchard zag eruit alsof hij zou ontploffen.

'Ik geef geen moer om politiek. Er is hier gewoon niets dat de man als een verkrachter en een moordenaar bestempelt.'

'Kemal liegt,' zei Lund weer. 'Hij moet ergens een plek hebben…'

'Vínd die dan,' beval Buchard haar.

Kemals vrouw liep door hun appartement en keek naar de muren die vol rood vingerafdrukkenpoeder zaten. Overal waren markeringen te zien.

Hij stond in de hal. Hij ging niet achter haar aan toen ze het licht in elke kamer aandeed, met een hand om haar dikke buik gekromd en een boze en verwarde uitdrukking op haar gezicht.

'Waar waren ze naar op zoek?'

Geen antwoord.

'Wat denken ze dat je haar aangedaan hebt?'

'Ze zullen gauw inzien dat ze het mis hebben. Maak je geen zorgen.'

'Ik snap niet waarom je het hun niet eerder gezegd hebt.'

Hij leunde tegen de muur en meed haar blik.

'Ik wilde niet dat je je zorgen zou maken.'

Hij sloeg zijn armen om haar heen en hield vol, zelfs toen ze hem probeerde af te weren.

'Ik zei toch al dat het me spijt. Ik kan het gebeurde niet ongedaan maken. We…'

Ze trok zich terug. Nog steeds woedend. Zijn mobiel ging over.

'Met Rama.'

Hij beende weg, de pas geschuurde woonkamer in met zijn kale planken en overal sporen van de technische recherche.

Ze had er een hekel aan als hij Arabisch sprak. Een taal waar ze werkelijk niets van verstond.

Ze had er ook een hekel aan als hij boos werd. Dat kwam zo zelden voor. Het was een evenwichtige, fatsoenlijke man. Maar toen ze hoorde hoe hij woedend in die vreemde taal zijn stem verhief, vroeg ze zich af hoe goed ze hem eigenlijk kende. Hoeveel in zijn leven nog steeds geheim voor haar was.

Het afluisterapparaatje op Kemals telefoon ving de luide en boze woordenwisseling op. Veertig minuten later zat er achter een computer een vrouw in een crèmekleurige chador naar te luisteren.

De tolk van dienst. Ze krabbelde de oorspronkelijke tekst neer en keek ernaar.

'Wat heeft hij gezegd?' vroeg Meyer.

'Hou je gedeisd. Ga niet naar de politie of je zult er de rest van je leven spijt van hebben.'

'Heb je het weten te traceren?' vroeg Lund.

'Een vaste lijn. Ergens in het noordwesten.' Ze luisterden opnieuw naar het bandje. Op de achtergrond was een geluid te horen. Een langgerekte schreeuw. Hij speelde hem opnieuw af, vertraagd maar met dezelfde precisie. En de volumeknop open.

De tolk luisterde en knikte.

'Dat is Isha,' zei ze. 'Het avondgebed.'

Meyer was bezig op de computer.

'De telefoon staat op naam van Mustafa Akkad. Geen strafblad. Heeft een klein bedrijf voor de verhuur van garageboxen vlak bij station Nørreport.'

'Zeg tegen Svendsen dat hij Akkad hierheen brengt,' zei Lund terwijl ze haar jas ging halen.

De garageboxen bevonden zich onder een viaduct. Het was een troosteloos verlaten oord. De metalen roldeuren waren met graffiti beklad. Overal in de doorgang lag rommel. Slechte riolering.

Jansen stond buiten. Zijn rode haar was nat van de regen. Een team bestaande uit drie technici was bezig met de deur.

'Er is maar één van de garages niet verhuurd,' zei Jansen. 'Het leek ons slim om daar te beginnen.'

Ze trokken handschoenen aan en blauwe plastic hoesjes over hun voeten. Toen verwijderden de technici de sloten van de deur en trokken hem open.

Meyer was als eerste binnen, gevolgd door Lund; met hun zaklampen hoog in de hand lieten ze de lichtbundels door de ruimte dwalen. Het leek wel een uitdragerij. Tafels, half ontmantelde motoren, stellingkasten, tenten, hengels, meubels…

Lund liep door naar achteren. Daar stonden aan weerszijden rijen ingelijste schilderijen en wat modelschepen en beelden van gips.

Achter in de garage, tegen de muur die parallel liep aan de straat, bevonden zich een aantal grote doeken. Goedkope dingen, van het soort dat ze in restaurants ter decoratie ophingen. Ze werden op een vreemde manier bewaard: dicht tegen elkaar aan, twee schilderijen op elkaar. Ze leunden tegen het metselwerk onder een hoek van ongeveer dertig graden.

Lund keek ernaar en dacht na.

Ze liep erheen en haalde alle vier de lijsten weg. Daarachter bevond zich een deur.

Haar in handschoenen gehulde handen pakten de deurklink beet. Niet op slot. Hij ging gemakkelijk open. Lund bleef even op de drempel staan, nam het interieur zorgvuldig in zich op, op zoek naar iemand die zich in het duister probeerde te verbergen.

Dit vertrek was kleiner. Opgeruimder ook. Er stond een stel metalen stoelen op een kluitje, met lege zittingen, alsof ze onlangs nog gebruikt waren. Daarnaast een staande lamp, waarvan het snoer naar een stopcontact in de muur liep.

Lunds zaklamp gleed nogmaals over de muren. Toen stapte ze naar binnen en richtte de lichtbundel op de vloer.

Daar lag een versleten, gevlekte tweepersoonsmatras met naast een asbak een verkreukelde, blauw met oranje slaapzak.

Dichterbij. Naast het geïmproviseerde bed lag de teddybeer van een kind. Ze hurkte neer om hem van dichterbij te bekijken.

'Lund?'

Ze had nauwelijks opgemerkt dat Meyer binnen was gekomen.

'Lund?'

Ze keek op. Hij had een geel meisjesvestje gevonden. Op het voorpand zat een vlek.

Oud, donker en groot.

Geel, dacht ze. Het soort vestje dat een schoolmeisje zou dragen. Kinderlijk zelfs.

Eén uur. Hartmann keek toe hoe de leden van de commissie zich in de vergaderzaal verzamelden.

'Daar heb je de gieren, Troels,' zei Weber. 'Pas op je tellen.'

'Nieuws van het politiefront?' vroeg Hartmann.

'Nee.'

'Laten we dit dan afhandelen.'

Toen hij binnenkwam stonden ze in kleine groepjes verspreid door de hele kamer te praten.

Coterieën en kliekjes. Die had je in elke partij.

Twee vrouwen, de rest mannen van vooral middelbare leeftijd, in keurige pakken gehuld. Veteranen in het partijwezen.

'Deze vergadering is te kort van tevoren aangekondigd,' zei Hartmann. Hij ging aan het hoofd van de tafel zitten. 'En dus wil ik het zo kort mogelijk houden.'

Knud Padde streek nerveus door zijn krullen, keek de tafel rond en zei: 'Het was erg kort dag, Troels, dat klopt. Maar ja, de pers. De publiciteit...'

'Inderdaad, Knud. Kun je dan nu zeggen waarom we hier zijn?'

'Jij bent de reden waarom we hier zijn.'

Morten Webers voorspelling was zoals gewoonlijk juist. Henrik Bigum nam het woord. Een slanke, ernstige economiedocent van de universiteit. Hij was kaal en had het kritische, ascetische gelaat van een strenge predikant. Bigum had zichzelf al verschillende malen opgegeven als kandidaat voor de gemeenteraad en het parlement maar was er nooit in geslaagd gekozen te worden. Een intelligente en betrokken man maar stiekem ook sarcastisch en dol op intriges.

'Henrik, wat fijn van je te horen.'

De sfeer in de kamer was stil, gespannen.

Hartmann legde zijn pen neer en leunde achterover op zijn stoel.

'Vooruit dan, voor de dag ermee.'

'We zijn allemaal erg dol op je,' vervolgde Bigum alsof hij een doodvonnis uitsprak. 'Waarderen enorm wat je allemaal gedaan hebt.'

'Ik hoor een "maar" aankomen.'

'Maar onlangs zijn je oordeelsvermogen en je integriteit ter discussie komen te staan.'

'Onzin. Door wie? Door jou?'

'Door de gebeurtenissen. Het bewijsmateriaal suggereert dat de leraar schuldig is. Door hem niet te schorsen wek je de indruk dat je een onschuldig man beschermt terwijl je in wezen alleen jezelf beschermt.'

Morten Weber vroeg: 'Waar staat dit op de agenda?'

'Agenda's hebben we allang niet meer. Bovendien was Kemals dossier niet direct aan de politie overgedragen.'

Bigum keek de tafel rond. Hij was nu degene die de vergadering toesprak, niet Troels Hartmann.

'Waarom niet? Heeft Troels soms iets te verbergen? Ten derde is er vertrouwelijke informatie uit dit kantoor gelekt. Zeer vertrouwelijke informatie. En aan mensen gegeven die ons schade kunnen berokkenen. We zijn stemmen aan het verliezen. Geloofwaardigheid. Onze steun in het parlement is verdeeld en aan het afnemen. Lijkt het er nog op dat je de situatie in de hand hebt, Troels? Niet wat mij betreft. Wat niemand betreft.'

Hartmann staarde hem over de glimmende tafel aan. Hij lachte en vroeg: 'Is dat alles?'

'Wat bedoel je?'

'Ik verwacht niet dat je een even getalenteerde killer als Poul Bremer bent, Henrik. Maar dit... Heb je hier je studenten voor in de steek gelaten?'

'Het is toch zeker waar? Alles, van het dossier, de politie, het informatielek hier?'

'Nee, alles wat je zegt is uit zijn verband gerukt. We zitten erbovenop. Je hoeft je geen zorgen te maken...'

'Als Troels zijn kandidatuur niet uit eigen beweging intrekt,' onderbrak

Bigum hem, 'dan stel ik voor dat we een vergadering voor een vertrouwens-votum beleggen.'

'Meen je dat nou?' vroeg Hartmann.

'Zeker.'

'En wie zou er dan in mijn plaats komen?' Hartmann staarde hem aan in afwachting van een antwoord. 'Heb je daar ook suggesties voor, Henrik? Ik vraag het me af...'

'Dat lossen we wel op als het zover is. Jij bent bezig te vernietigen waar we hard voor gewerkt hebben...'

'Het is niet aan jou om dit te beslissen, Henrik!' riep een eenzame vrouwe-lijke stem. 'Dat is niet aan jou.'

Het was Elisabet Hedegaard, onderwijzeres in de onderbouw uit Østebro.

Bigum wachtte even voor hij reageerde. Dit was een opportunistische dolksteek in de rug. Ingegeven door hoop en het moment.

'Volgens het reglement,' zei Padde, en hij toverde een exemplaar ervan uit zijn zak tevoorschijn, 'is het geoorloofd als er een meerderheid van stemmen is.'

'En de achterban dan?' vroeg Hedegaard. 'Die hebben Troels in eerste in-stantie toch gekozen. Die hebben ook een stem in het geheel.'

Een oude man die Hartmann nauwelijks herkende snauwde tegen haar: 'We zijn op zoek naar een oplossing voor het probleem. Sommigen van ons werken al tientallen jaren voor de partij. Niet sinds gisteren...'

Hartmann leunde achterover, deed er het zwijgen toe.

'De achterban heeft een stem,' vervolgde de vrouw. 'Wat jij voorstelt maakt alles alleen maar erger.'

'Is dat mogelijk?' vroeg Bigum. 'We zitten met een kandidaat voor het bur-gemeesterschap die bij een moordonderzoek betrokken is. Er wordt gelekt uit zijn kantoor. Talloze uiterst dubieuze beslissingen...'

'De achterban...' vervolgde Hedegaard.

'De achterban besluit of Troels geschikt is als kandidaat voor de raad,' viel Padde haar in de rede. 'Wíj beslissen vervolgens wie de campagne leidt.'

'Ik stel voor...' begon Henrik Bigum.

Theis en Pernille Birk Larsen verschenen even na tweeën op het politie-bureau. Lund haalde de foto's van een paar spullen uit de garagebox tevoor-schijn. Meyer stond achter haar en hield alles nauwlettend in de gaten.

'Jullie moeten me zeggen of jullie hier iets van herkennen,' zei ze.

Een kakikleurige rugzak.

Niets.

Een rood aantekenboekje met een karakteristiek bladerpatroon op het omslag en een viltstift.

'Nee,' zei de moeder.

De matras met de teddybeer en de blauwe slaapzak.

Theis Birk Larsen staarde ernaar.

Lund keek naar hem, en naar de foto. Naast de matras stond een halfvol bekertje sinaasappelsap. Op een bord lag een onaangeraakte cracker. Een kom met de restanten van wat op een curry leek. Een asbak met een aantal peuken.

'Nanna rookte niet,' zei hij. 'Daar zeurde ze altijd over tegen mij.'

Lund liet hen een close-up zien van de teddybeer plus een sleutelbos met twee sleutels, en een plastic embleem van klaverblaadjes en bloemen.

'Jullie hebben haar sleutels toch al?' vroeg Pernille.

'We dachten dat er misschien nog een bos was.'

'Ik heb deze nog nooit van mijn leven gezien.'

Toen volgde het gele vestje met de bloedvlek en het merklogo.

Pernille Birk Larsens ogen sperden zich wijd open zonder zich van de foto los te maken.

'Volgens mij heeft ze er zo een,' zei ze en ze staarde nog steeds naar de gele stof en de bloedvlek op het linkerpand, vlak bij de rits ter hoogte van de taille.

'Weet je het zeker?' vroeg Lund vlug. 'Honderd procent zeker?'

'Zo'n beetje,' zei Pernille knikkend.

'Bedankt.'

Lund haalde de foto's weg.

'Waar is hij nu?' vroeg Birk Larsen. 'De docent?'

'Hij is in hechtenis,' zei Lund. 'Hij is onder arrest zolang we met het onderzoek bezig zijn.'

Hij stond op.

'Wat weten jullie?' drong Pernille aan.

'We kunnen niet in detail treden...' begon Meyer.

'Ik ben haar moeder,' riep de vrouw. 'Ik heb het recht...'

'We kunnen niet ingaan op...'

Lund onderbrak hem.

'Na het feest is ze kennelijk naar zijn appartement gegaan. Misschien hadden ze een relatie. Dat weten we niet zeker. Ze werd ergens naartoe gebracht. Misschien eerst hierheen en daarna naar de bossen.'

Meyer stond achter haar stilletjes te mopperen.

'Bedankt,' zei Birk Larsen.

'Bedankt,' herhaalde de vrouw.

Dat was alles. Ze gingen weg. Meyer zat in een hoek van het kantoor te roken.

Na een tijdje zei hij: 'Lund?'

Ze zat weer naar de foto's te kijken. Eén kledingstuk was vrijwel zeker geïdentificeerd. Meer harde bewijzen hadden ze niet.

'Lund?'

Ze keek hem aan.

'Dat,' zei Meyer en hij schudde van ellende zijn hoofd heen en weer, 'was niet goed.'

Buchard luisterde naar Lunds verslag en schudde zijn hoofd.

'De moeder heeft het vestje geïdentificeerd,' zei Lund.

'Dat is van een kind,' mopperde Buchard. 'Daar zijn er miljoenen van. De technische recherche heeft niets gevonden dat suggereert dat het van Nanna geweest is.'

'Het bloed…'

'We hebben de resultaten nog niet binnen.'

'Er is voldoende bewijs.'

Meyer keek zwijgend toe.

'Zoals?' vroeg Buchard.

'Zoals een getuige die Kemal iets naar zijn auto heeft zien dragen.'

'Nee,' zei Buchard. 'Het enige bewijs dat je hebt is een twijfelachtig telefoontje.'

'Plus het feit dat hij gelogen heeft!'

'Als we iedereen arresteren die liegt dan zou de helft van Denemarken in de gevangenis zitten. Elke rechter die ook maar een knip voor de neus waard is, zal de vloer met ons aanvegen met deze waardeloze rotzooi. Zorg dat je Mustafa Akkad vindt. Los dit op de een of andere manier op. Of ik haal er iemand bij die dat wel kan.'

Theis Birk Larsen ging een offerte maken voor een klus in de daaropvolgende week. Pernille bleef achter in de zuilengalerijen buiten het hoofdbureau van politie en praatte zich zodra hij weggereden was opnieuw een weg naar binnen.

Ze ging het conflict aan met Lund in haar kantoor.

'Waarom heb je hem niet gearresteerd?'

'We hebben niet genoeg bewijs.'

'Hoeveel heb je nodig?' schreeuwde ze. 'Je zei dat ze bij zijn appartement was. Op het feest. In de garage.'

'We zijn nog steeds bezig.'

'En als jullie verder niets vinden? Na alles…'

'Ik heb het je gezegd,' zei Lund. 'We zijn nog steeds met de zaak bezig. We boeken vooruitgang. Ik begrijp…'

'Zeg niet dat je het begrijpt.' Ze stond daar verstard en vastbesloten, de rechterhand in de lucht, met haar vinger te zwaaien als een leraar, als een moeder. 'Zeg dat niet, zeg niet dat je het begrijpt.'

Weer thuis. Weer aan het aanrecht, waar ze manisch borden begon af te wassen die niet afgewassen hoefden te worden, en oppervlakken schoon te vegen die al schoon waren.

Hij was teruggekomen en zonder iets te zeggen aan de tafel gaan zitten. In het kleine deel van Vesterbro waar ze woonde was hij een soort koning. De man die de buren om hulp vroegen als ze last van herrieschoppers hadden. Zelfs de immigranten klopten af en toe aan om Theis Birk Larsen om advies te smeken. Toen Nanna nog klein was, vijf of zes, zeven misschien, had ze een Indiase jongen bij de kladden gegrepen en van de kleine verschoppeling haar eerste vriendje gemaakt.

Amir.

Pernille herinnerde zich hen nog met zijn tweeën, giechelend hand in hand, terwijl zij hen in de bak van de Christiania-bakfiets de straat door reed. Ze herinnerde zich de manier waarop Theis met een paar plaatselijke criminelen had afgerekend die het eveneens op Amir gemunt hadden. Niet zachtzinnig. Dat was niet zijn manier. Maar het had gewerkt.

Hij had Amir verdedigd. De jongen stond nog steeds op een foto op de tafel, in de rode bak van de Christiania-fiets.

Nanna...

'Ze zullen hem te pakken krijgen,' zei hij ten slotte. 'Uiteindelijk.'

'En daar heb jij verstand van?'

Ze keek hem boos aan terwijl ze de borden opstapelde.

'Bij jou hebben ze nooit genoeg bewijs gevonden, hè? Niet voor alles...'

Zijn gezicht betrok, er verscheen een woeste uitdrukking op.

Birk Larsen stond op van tafel, en ging tegenover haar staan.

'Ben ik tekortgeschoten tegenover jou? Ben ik een slechte echtgenoot?' Zijn ogen stonden weer sluw, maar vol pijn. 'Een slechte vader?'

'Dat zei ik niet. Ik zei dat van alle mensen juist jij weet dat de politie niet altijd alles vindt wat ze zouden moeten vinden. Vraag me dan niet om in ze te geloven.'

Hij legde zijn handen om haar middel. Ze wurmde zich los.

Birk Larsen vloekte en trok zijn leren jack aan.

'Ik ga naar het huis.'

'Doe dat.'

Ze begon opnieuw de borden van de jongens af te wassen.

'Ga maar naar dat stomme huis van je en verstop je.'

'Wat?'

'Dat doe je toch altijd als het moeilijk wordt? Wegrennen.'

Ze zetten de borden neer, trok haar handschoenen uit, ging tegenover hem staan. Ze ontdekte een primitief genoegen in haar eigen moed, vond woorden die ze nooit eerder uit had durven spreken.

'Dat heb je met Nanna ook gedaan.'

'Wat bedoel je daarmee, verdomme?'

'Als ze wilde praten. Je had nooit tijd voor haar. Je liep weg, naar beneden, de garage in. Om met Vagn te praten. Zo is het toch?'

'Nee.' Hij deed een stap in haar richting. 'Zo is het niet.'

Pernille pakte de borden van tafel op en borg ze weg. De jongens waren op stap met Lotte. Daar was ze blij om.

'Waarom had ze zoveel geheimen? Waarom wisten we niets van haar leven?'

'Omdat ze negentien was! Wilde jij destijds dat je ouders wisten wat je uitspookte? Bovendien… jullie waren altijd zo close, twee handen op één buik…'

'Omdat jij er niet was.'

Een brul als van een leeuw klonk, vol woede en pijn.

'Ik was aan het werk. Om haar school te kunnen betalen. Om dit alles te kunnen betalen. Jij bent degene die haar liet doen wat ze wilde. 's Avonds uitgaan en wie weet hoe laat terugkomen zonder ooit te zeggen met wie of waarom.'

'Ik niet, ik niet.'

'Ja jij. Je zat er allemaal niet mee.'

De tranen stonden in haar ogen. Er was woede op haar gezicht te lezen.

'Hoe kun je dat zeggen! Hoe dúrf je dat te zeggen? Ik deed geen oog dicht tot ze weer thuis was.'

'Ja, dát hielp wel.'

'In ieder geval reageerde ik het niet op haar af.'

'En kijk eens waar dat ons heeft gebracht.' Hij gebaarde met zijn hand de lege keuken rond.

'Kijk dan,' zei Theis Birk Larsen. 'Hiernaar…'

Maar ze was ervandoor, terug de slaapkamer in, waarbij ze met een klap de deur achter zich dichtsmeet.

Hij at zijn boterhammen achter zijn bureau. Wilde de garage niet verlaten. Wilde niet werken.

Vagn Skærbæk kwam binnen. Zwarte pet, rode overall, hetzelfde zwierige loopje en de eeuwige ketting om zijn nek.

'Rudy en ik gaan naar het huis. Kom je ook?'

Birk Larsen zat kromgebogen over het bureau, met een sigaret in zijn vuist. Hij schudde zijn hoofd. 'Is er iets dat ik kan doen, Theis?'

Birk Larsen drukte zijn sigaret uit in het brood. Skærbæk trok een stoel bij, plantte zijn ellebogen op tafel.

'Je weet toch hoeveel ze voor me betekende?' vroeg hij. 'Jij en Pernille. De jongens. Nanna. Jullie zijn altijd als een familie voor me geweest. Ik vind het vreselijk allemaal.'

Birk Larsen keek naar hem.

'Het is niet eerlijk, Theis.'

'Ik wil er niet over praten.'

Skærbæk zei: 'Oké.'

Hij ging niet weg. Bleef daar zitten. Wachten.

'Wat moet ik nu doen?' zei Birk Larsen ten slotte.

'Ik weet het niet.'

Birk Larsen stond op. Een kop groter dan Skærbæk. Een jaar ouder en veel sterker. De koning van de buurt. Ooit, in ieder geval.

'Het blijft altijd bij je,' zei Birk Larsen.

'Wat?'

'Wat je gedaan hebt. Wat je bent.'

Birk Larsen knikte naar de sleutels van de bus aan de muur.

'Ga niet naar het huis, Vagn,' zei hij. 'Stuur Rudy maar alleen.'

'Oké.'

'Ik heb een beter idee,' zei de grote man.

Svendsens mannen vonden Mustafa Akkad toen hij terugliep naar de garages bij Norreport, recht in de armen van het team dat daar aan het werk was. Die zondag zat hij tegen vijven in de verhoorkamer met de vrouwelijke tolk. Lund keek door de deur toe, terwijl ze Mark aan de telefoon had en zei dat hij iets te eten moest halen. Meyer kwam naar buiten en ze beëindigde het gesprek.

'Hij wil niks zeggen,' zei Meyer tegen haar.

'Dat zullen we nog wel eens zien,' mompelde ze en ze liep in de richting van de verhoorkamer.

Hij kwam niet achter haar aan.

Ze bleef staan.

'Wat is er?' vroeg Lund.

'Weten we zeker dat hij erbij betrokken is?'

'Ja. Hoezo?'

'Hij heeft geen strafblad. Hij werkt. Heeft vier kinderen. Hij bidt vijf keer per dag.'

'Nou en?'

'Nou, er klopt iets niet.'

'Ach, lieve hemel. Waar kom jij vandaan? Moeten ze soms badges opgespeld hebben of zo?'

'Er klopt iets niet! Hij had al die troep allang uit de garage kunnen halen als hij gewild had.'

'Maar dat heeft hij niet gedaan.'

'En hij kwam weer terug. Naar een plaats delict. Alsjeblieft zeg...'

'Kijk en huiver,' zei ze en ze stapte de kamer binnen.

Akkad was een donkere man van vijfendertig met een leren pilotenjack aan. Warrig, glanzend zwart haar. Een angstig gezicht, te jong voor zijn leeftijd.

Lund ging zitten, smeet wat papieren op tafel en zei: 'Luister. Als je niet praat, gooi ik je in een cel. Samen met een paar Hells Angels die we voor dealen hebben opgepakt in Christiania. Ze zijn niet erg voor integratie, Mustafa. Of wist je dat niet?'

Hij zag er ineens ongerust uit.

'Goed, je verstaat me dus.' Ze wees naar de deur. 'Dus wat wordt het? De cel? Of praten? Het is aan jou.'

De tolk zat nog steeds te vertalen.

'Dat heeft hij niet nodig,' zei Lund. 'Stop maar met vertalen. Hij praat in het Deens tegen mij. Of hij gaat zijn nieuwe motorvriendjes de hand schudden. Luister.'

Akkads blik was op tafel gericht.

'Luister!' gilde Lund in zijn gezicht. 'Het kan de rechtbank niet schelen wat jij Kemal beloofd hebt. Evenmin als het mij iets kan schelen. Ik kan binnen drie dagen een uitleveringsbewijs geregeld hebben. Je zult nooit het daglicht meer zien. We droppen je in een vliegtuig, en sturen je linea recta terug naar daar waar je vandaan gekomen bent.'

Haar vinger in zijn gezicht. Daarmee had ze zijn aandacht wel.

'Rechtstreeks terug naar huis, Mustafa. We zullen ervoor zorgen dat de politie je verwelkomt op het vliegveld.' Ze wacht even. 'Hoe is de politie bij jullie? Glimlachen ze net zo leuk naar je als wij? Zijn ze aardig?' De tolk ging desondanks door met vertalen. Lund liet haar haar gang gaan. Het dreunende geluid paste wel in de sfeer.

'En daarna,' zei Lund en ze praatte over de vrouw in de chador heen, 'breng ik een bezoek aan je vrouw en kinderen. Om hun papieren te controleren. Eens kijken of ik ze achter je aan kan sturen.'

Hij verborg zijn gezicht in zijn handen.

'Kun je vanuit de gevangenis thuis wel voor ze zorgen? Kunnen ze naar school? En gratis naar het ziekenhuis? Steun trekken als ze daar zin in hebben terwijl de rest van ons gaat werken? Of misschien gaan ze wel bedelen op straat als de rest...'

'Ik werk!' brulde hij.

De gewapende agent in uniform bij de deur deed een stap in de richting van de tafel.

'Ik werk elk uur dat ik tijd heb.'

'Je spreekt ook goed Deens,' zei Lund en ze sloeg haar armen over elkaar en leunde naar achteren alsof ze luisterde. 'Vanwaar dat zwijgen?'

'Het is niet om wat u denkt.'

Meyer trok een stoel bij.

'Waarom dan wel?' vroeg hij.

Mustafa Akkad schudde zijn hoofd.

'Rama is een goede man. U moet me geloven.' Hij staarde naar Lund. 'Hij wilde niemand pijn doen.'

Hij leunde naar achter, sloot de ogen.

'Hij heeft alleen iets stoms gedaan.'

'Wat dan?' vroeg Lund.

'Ik ging die vrijdagavond bij hem langs. Hij wist dat het meisje zou komen. Ik zei dat ik er niets mee te maken wilde hebben.' Hij haalde de schouders op. 'Maar hij had een plek nodig. Toen ik aankwam was het meisje gewond. Ze was in elkaar geslagen. Ze kon nauwelijks lopen. We droegen haar naar de auto en reden haar naar mijn garage. Daar kon ze zich voor haar familie schuilhouden. Toen vertrok ik…'

'Haar familie?' vroeg Lund. 'Waar heb je het over?'

'Het meisje. U vraagt toch steeds naar het meisje? Dat meisje… dat Rama heeft geholpen.'

'Wat voor meisje?'

Mustafa Akkad keek haar aan alsof ze idioot was. Hij zei heel langzaam: 'Het meisje uit de gemeente van zijn vader. Het meisje waar u steeds naar vraagt. De dochter van Abu Jamal. Leyla. Ze wilden dat ze met een jongen van thuis trouwde zodat hij hierheen kon komen. En dus probeerde ze weg te lopen.'

'Kut,' mompelde Meyer.

'Als ze haar vinden weet ik niet wat ze gaan doen.' Hij keek hen kwaad aan. 'En aan jullie hebben we ook niks. En dus zorgde Rama dat ze bij hen uit de buurt kwam. Hij verstopte haar in mijn garage. En op zondag weer ergens anders. Ik weet niet waar.'

Meyer vloekte opnieuw, stond op en liep de kamer uit. In de schemerverlichte gang stak hij een sigaret op. Helemaal aan het einde van de gang zag hij Kemals vrouw. Reusachtig in een oude legerparka. Met haar mobiel in de hand.

Ze zei: 'Rama is niet thuisgekomen. Waar is hij?'

'Dat weet ik niet. Ik ben zijn babysitter niet.'

'Hij ging wat boodschappen halen. Hij neemt zijn mobiel niet op.'

Lund kwam naar de deur toe en luisterde.

'Ik heb weet ik hoeveel berichten achtergelaten. Hij heeft geen een keer teruggebeld.' Ze liet Meyer de mobiel zien. 'Hij belt altijd.'

Lund liep Svendsens kantoor in. Die zat daar ontspannen met een beker koffie.

'Waar is Theis Birk Larsen?' vroeg ze.

'Het laatste wat ik gehoord heb is dat hij thuis was.'

'Ik zei toch dat je hem moest blijven volgen?'

'Geef me een miljoen mensen en dan kan ik misschien een kwart doen van wat je vraagt.'

'Zoek uit waar hij is,' beval ze.

Hij pakte zijn koffiebeker op en proostte naar haar.

Om kwart over zes stopte de rode bus bij de voordeur van het verlaten depot. Skærbæk stapte als eerste uit en keek om zich heen.

Op zondagavond kwamen er niet veel mensen naar dit deel van de stad.

Hij keek rechts, links. Dacht terug aan de goede oude tijd toen Theis en hij de straten onveilig hadden gemaakt. Een goed team, en doorgaans ook goede partners.

'Niemand,' zei hij en hij bonkte op de chauffeurskant. Toen haalde hij de securitypas tevoorschijn, opende de sloten, rolde de deur omhoog en loodste hem naar binnen. Hij deed een stap naar achter en keek hoe Birk Larsen uiterst langzaam het voertuig de halflege ruimte in reed.

Er kwam een trein voorbij. Een claxon gilde. Duiven fladderden in het gebouw rond en klapwiekten op weg naar de deur angstig met hun vleugels.

Skærbæk deed het licht aan en rolde toen de buitendeur weer omlaag.

De dagen van weleer.

Birk Larsen had een moker bij zich. Skærbæk een pikhouweel. De mannen bevonden zich beiden aan de achterkant van het busje en lieten hun gereedschappen heen en weer zwaaien terwijl ze terugdachten aan vroeger.

'Theis…'

'Hou je mond.'

Skærbæk zweeg. Keek. Was benieuwd.

Birk Larsen was degene die naar het achterportier liep, de deuren van het slot deed en ze opengooide.

De leraar die bij de rekken neerhurkte deed nog steeds of hij blank was.

Hip zwart jasje. Ballerig sjaaltje. Glimmende schoenen.

Skærbæk had een zaklamp. Hij scheen ermee in de ogen van de man.

Kemal kwam overeind, klom naar buiten, opende zijn armen en keek hen beiden aan.

Half boos, half doodsbang.

'Luister,' smeekte de docent. 'Ik heb niets gedaan. Ik heb jullie alles verteld wat ik weet. Ik heb de politie…'

Birk Larsen draaide de moker om, hield hem vast bij de ijzeren kop. Toen liet hij de steel rondzwaaien en plantte hem recht in zijn maag.

Kemal ging gillend neer. Birk Larsen schopte hem tegen zijn hoofd en keek toe hoe hij omrolde op de vloer. Toen trok hij hem aan zijn leren jasje omhoog en kwakte hem tegen het busje aan.

Daar stond hij naast Skærbæk en wachtte.

'Je dochter is één minuut bij mij thuis geweest,' zei Kemal en hij veegde het bloed van zijn mond. 'Ze kwam wat boeken terugbrengen. Toen ging ze weg.'

Birk Larsen draaide de moker weer om. Liet nu de ijzeren kop omlaag bungelen. Hij zwaaide het ding heen en weer alsof het een slinger was.

'Er was nog een ander meisje die avond. Iemand die ik hielp. Dat kon ik je niet vertellen. Dat kon ik de politie niet vertellen.'

Skærbæk veegde zijn neus met zijn mouw af en sloeg met de steel van zijn pikhouweel tegen de wand van het busje.

'Ik weet dat ik het jullie had moeten vertellen, maar dat kon ik niet,' schreeuwde Kemal. 'En dat is de waarheid.'

Birk Larsen knikte. Keek naar Skærbæk.

'Geef me zijn telefoon,' zei hij.

'Theis…' begon Skærbæk.

'Bel haar,' beval Birk Larsen en hij gaf hem de mobiel.

De leraar stond bij de achterkant van het busje, dubbelgeklapt en verstijfd. Hij had pijn en was bang.

'Toe dan,' verordonneerde Birk Larsen. 'Bel het meisje.'

Hij reikte met trillende vingers naar de toetsen. Rahman Al Kemal belde het meisje.

Zodra ze het doorhad, vertrok Lund in haar eigen auto. Nu was ze onderweg en luisterde naar de radio.

De meldkamer zei: 'We hebben een mogelijke ontvoering. We zijn op zoek naar nummerplaat PM 92 010. Een rode bus van Birk Larsens Verhuizingen. Hij is om ongeveer zes uur de garage uit gereden.'

Meyer was een team aan het samenstellen. Ze vond het prettig om alleen te zijn. Ze probeerde na te denken.

'Theis Birk Larsen is 1,82 m. Ongeveer vijfenveertig jaar. Benader hem voorzichtig. Hij kan gewelddadig worden. Hou hem meteen aan en…'

Ze zette de headset van haar telefoon op en belde Meyer.

'Wat weet je?'

'Waar hang je verdomme uit? Je kunt er niet zomaar vandoor gaan.'

'Jawel hoor.'

'De ontvoeringsbemiddelaars zijn stand-by.'

'Dit is geen ontvoering, Meyer. Hij gaat hem vermoorden. Wat weet je?'

'We hebben Kemals auto in de buurt van zijn huis gevonden. Het lijkt erop dat er gevochten is. Birk Larsen nam een busje.'

Ze reed in de richting van Vesterbro. Dit was Birk Larsens terrein. Ongetwijfeld…

'Locaties,' wilde ze weten. 'Geef me de locaties.'

'Waar ben je, verdomme.'

'Locaties!'

Hij zuchtte.

'We hebben de garage en het depot ernaast gecontroleerd. Het probleem is dat Birk Larsen door de hele stad van die kleine holletjes heeft.'

'Is er niet ook een magazijn in Teglholmen?'

Ten zuiden van Vesterbro bevond zich een uitgestrekt industriepark. Een verlaten deel van de stad dat het dichtst bij het huis van Birk Larsen lag.

Ze hoorde papiergeritsel.

'Ja, maar daar is hij in geen zes maanden geweest.'

'Wat zegt Pernille?'

'Ik heb haar naar het bureau gebracht. Ze wil zelfs niet met me praten.'

'Vraag het zijn beste vriend, Skærbæk. Als Theis van iemands hulp gebruik zou maken is hij het.'

'Ja,' zei Meyer. 'Ik merk ook wel eens wat op. Skærbæk is niet thuis. Ze hebben allebei hun mobieltjes uitgezet.'

'Shit.'

'Hij heeft ongeveer anderhalf uur geleden zijn creditcard gebruikt bij een benzinestation aan Enghavevej. Dat is in Vesterbro, drie straten bij hem vandaan.'

Lund zette de auto langs de kant van de weg. Ze was vlak bij de afslag voor Vesterbro, bij winkelcentrum Fisketorvet. Een knooppunt van wegen. Vanaf hier kon ze alle kanten op.

'Wacht,' beval hij. 'Oké, er is een telefoontje geregistreerd vanaf Kemals mobiel in P. Knudsens Gade. Ik kijk even op de kaart.'

Ze wist waar het was.

'Hij gaat in zuidoostelijke richting naar Valby,' zei Meyer.

'Nee,' zei ze. 'Dat doet hij niet. Ik ben al bij het adres in Valby geweest.'

'Tjezus, Lund. Misschien neemt hij de snelweg wel. Hoe zit het met Avedore? Daar hebben ze ook een depot.'

Ze voegde in in het verkeer.

'Zou hij een plek van zichzelf gebruiken?'

'Mijn telepathische gaven laten me in de steek. Heb jij soms een beter idee?'

'Birk Larsen is niet achterlijk. Hij weet dat we een lijst van zijn depots hebben.'

'Ja!' schreeuwde Meyer. 'En dat is alles wat we hebben. Verzin een list, Lund. Ik kan niks zinnigs meer bedenken.'

'Waar zei je dat het telefoontje vandaan kwam?'

'P. Knudsens Gade.'

'Ik ga er even kijken. Zeg tegen zijn vrouw dat ze maar beter met je kan praten als ze haar man terug wil zien.'

'Ja.'

De straat was vijf minuten bij haar vandaan, een brede tweebaansweg die omzoomd werd door kale bomen en parallel liep aan de snelweg.

Huizen en kantoren. Felverlicht.

Geen plek voor een moord.

Birk Larsen keek op zijn horloge.

Kemal had herhaaldelijk het nummer proberen te bellen. Maar kreeg geen verbinding. Nu zat hij in het open achterportier van de bus vruchteloos op de toetsen te drukken.

'Ik kon het meisje niet verraden,' zei de leraar, die met de minuut wanhopiger werd. 'Het was een gearrangeerd huwelijk. Begrijp je wel? Snap je wat ik bedoel?'

Vagn Skærbæk leunde met gesloten ogen tegen de muur en maakte een verveelde indruk.

'Ik kon het tegen niemand zeggen. Als haar ouders haar vonden dan zouden ze haar opnieuw pijn doen.' Kemal aarzelde. 'Misschien wel vermoorden.'

'En?' vroeg Birk Larsen en hij liet de moker van links naar rechts zwaaien als de slinger van een klok die steeds langzamer ging tot hij stil zou staan.

'Ik was bang dat ze achter haar aan zouden komen. Ze was van huis weggelopen.'

Skærbæk deed zijn ogen open, keek naar hem en zei: 'Jij klinkt als een man die zijn eigen graf aan het graven is.'

'Waarom heeft ze niet teruggebeld?' vroeg Birk Larsen.

'Dat weet ik niet! Hoe moet ik dat weten? Nanna kwam langs om wat boeken terug te brengen. Daarna heb ik haar niet meer gezien…'

'Ik zei dat je je kop moest houden,' riep Skærbæk en hij gaf hem een klap tegen zijn hoofd.

'Er is helemaal geen meisje,' zei Birk Larsen. 'Je zit te liegen.'

'Nee! Ik heb een boodschap voor haar achtergelaten. Ze belt over een minuut terug.'

'Lange minuut, dan,' kreunde Skærbæk.

Toen ging zijn mobiel. Kemal wierp een angstige blik op het schermpje. Een naam: Leyla. Een nummer.

Hij nam op, ging staan en liet het aan hen zien.

Birk Larsen kwam naar hem toe en pakte de telefoon af. Hij drukte hem tegen zijn oor.

Een stem.

Hij gaf de telefoon aan Kemal. Hij had hem op de speaker gezet. Gedrieën luisterden ze.

'Leyla? Je spreekt met Rama.'

'Rama?' Ze klonk slaperig. 'Ben jij dat?'

'Wees niet bang,' zei hij. 'Alles komt in orde.' Hij schraapte zijn keel. 'Maar ik heb nu echt jouw hulp nodig, Leyla. Ik wil dat je vertelt wat er op de vrijdag gebeurde dat je naar me toe kwam.'

Stilte.

'Hallo?' zei hij.

'Waar bel je vandaan?'

'Dat doet er niet toe. Herinner je je nog het meisje dat je zag? Dat meisje van school? Haar vader is bij me. Vertel hem wat er gebeurde, dat is belangrijk. Vertel hem dat ze wat boeken terug kwam brengen…'

'Dicteer haar niet wat ze moet zeggen, idioot!' schreeuwde Skærbæk.

Het meisje begon Arabisch te praten. Kemal antwoordde in dezelfde taal.

'Hé daar, hé! Bin Laden!' riep Skærbæk. 'We zijn hier in Denemarken. Je moet hier Deens praten. Begrijp je dat niet?'

Birk Larsen griste de mobiel naar zich toe en drukte hem tegen zijn oor.

'Hallo? Hallo?' zei hij.

Hij keek naar het apparaat, waar geen geluid meer uit kwam en vervolgens naar Kemal, wiens ogen glansden in het duister.

Een moment.

Een beslissing.

De leraar sprong achter de deur. Skærbæk schreeuwde en ging achter hem aan. Met zijn hand op het rode metaal ramde Kemal de deur in zijn gezicht, nam hem de pikhouweel af en stootte die hard tegen Birk Larsens borst toen de grote man op hem af kwam.

Rende voor zijn leven.

Hijgend.

Duiven klapwiekten angstig boven zijn hoofd.

Hij voelde hoe zijn benen onder hem vandaan geschopt werden.

Plat voorover op de grond, met zwaar hijgende borst. Boven hem hief Birk Larsen in het bleke fluorescerende licht de moker op en liet de kop een langzame en trefzekere boog beschrijven.

Ze zat tegenover Meyer in het gedempte licht van het kantoor.

'Pernille,' zei hij. 'Je moet ons helpen. Kemal heeft je dochter niet vermoord.

Hij had er niks mee te maken. Theis heeft hem te pakken. Begrijp je…?'
'Nee,' riep ze uit. 'Ik snap er niks van! Eerst was het die jongen, Schandorff.
Toen de leraar. Ik snap er helemaal niks meer van.'
'Als Theis Kemal iets aandoet gaat hij naar de gevangenis. Snap je dat?'
Ze was even stil.
'Theis zal hem echt geen kwaad doen.'
'Echt niet?' vroeg Meyer.
Hij pakte de foto's uit het dossier op. Het bloederige lijk in Christiania.
'Twintig jaar geleden werd er een drugsdealer vermoord.'
Ze keek zonder een spier te vertrekken naar de foto.
'Ze dachten dat Theis het gedaan had.' Meyer keek haar aan. 'Ik vermoed
dat het in de tijd is geweest dat jullie twee verkering kregen. Koesterde je geen
verdenking…?'
'We zijn allemaal anders als we jong zijn. En dat laten we achter ons.'
Ze staarde hem aan.
'Jij niet?'
'Misschien. Maar op dit moment is hij wel bezig een grote vergissing te be-
gaan.'
Ze pakte de foto's op, keek ernaar en draaide ze om.
'Ik heb je gezegd dat hij zoiets nooit zou doen.'
'Ik heb altijd gemeend dat Vagn met de alibi's op de proppen kwam.'
'Val dood.'
'Vagn is ook bij hem. Ze zullen het er niet bij laten zitten.' Hij boog zich
voorover in het zwakke licht. 'Help mij, help Theis.'
Langzaam: 'Dat zou hij nooit doen.'
Buiten klonken sirenes. Auto's die de nacht in reden.
'Ik weet dat je je dochter verloren hebt. Maar Kemal is onschuldig. Zijn
vrouw staat op het punt van bevallen. Het is een goede man. Maak het niet er-
ger. Je moet me helpen. Ik moet weten waar Theis is.'
Meyer nam haar op.
Stilte.
'We kunnen hier de hele nacht blijven zitten,' zei hij. 'Ik heb alle tijd van
de wereld, jij ook?'
Ze keek hem kwaad aan. Ze haatten je zelfs als je ze probeerde te helpen,
dacht hij.
'Pern…'
'Hij heeft ergens een plek waar hij af en toe gebruik van maakt. Ik weet niet
waarom. Een verlaten magazijn.'
'Het adres?'
'Dat weet ik niet meer maar het is ergens in Teglholmen.'

Lund reed al om zich heen kijkend op en neer.

Eindelijk zag ze in de duisternis aan het einde van de weg een rood bord dat half schuilging achter een hek van ijzerdraad.

Birk Larsens Verhuizingen stond erop.

Haar telefoon ging.

'We zijn onderweg naar Teglholmen,' zei Meyer. 'Hij is daar ergens. Ik heb er een bijzonder bijstandsteam heen gestuurd.'

'Ik ben er al,' zei ze.

'Hè?'

'Birk Larsen heeft een box op het industrieterrein. Het licht is aan.'

Ze gaf hem het nummer en een verwijzing naar de straat.

'Ik heb Pernille bij me,' zei Meyer. 'We zijn er over twee minuten. Wacht op ons. Lund? Lund?'

Ze stak de telefoon in haar zak en stapte uit de auto. Ze richtte haar zaklamp op de toegangshekken.

Open.

Ze ging naar binnen.

Het was een koude, donkere nacht. Sluierbewolking. Halve maan. Windstil. Geen geluid, geen enkel teken van leven.

Op de brandende lampen rond het gebouw na.

Er was een met graffiti bekladde zijdeur. Open. Ze ging naar binnen en scheen met haar zaklamp voor zich uit.

Een korte gang. Aan het einde scheen licht.

Een man schreeuwde, hard en helder, vol pijn en angst.

Lund begon te rennen.

Hij wilde hem niet doden. Nog niet. Hij wilde hem horen. De moker was weg. In plaats daarvan had hij Skærbæks pikhouweel die hij steeds weer naar Kemals buik, borst en ledematen liet zwaaien.

Er lag bloed op de vloer. Een van de armen van de man was bij de elleboog gebroken en hing in een rare hoek omlaag. Birk Larsen haalde opnieuw uit en trof hem vol in dat donkere, knappe gezicht van hem.

Weer een woordeloze schreeuw.

'Theis,' zei Skærbæk.

Hij stond van de ene voet op de andere te huppen, had alleen maar toe staan kijken en grommen.

Birk Larsen liep om de bloederige hoop op de vloer heen en dacht na waar hij hem nu nog eens pijn kon doen. Hij trapte tegen Kemals hoofd.

'Oké, Theis,' zei Skærbæk.

Weer een beukende klap met de houten steel, weer een schreeuw.

'Theis, in godsnaam! Hij heeft genoeg gehad. Misschien...'

Birk Larsen keek hem dreigend aan met een woeste en angstaanjagende, dierlijke uitdrukking op zijn gezicht.

'Misschien wat?'

'Misschien vertelt hij wel de waarheid.'

Birk Larsen vloekte, liet de steel opnieuw zwaaien en raakte Kemal in de ribben.

Toen pakte hij de moker.

'Theis!' smeekte Skærbæk.

Er klonk een stem uit het donker.

'Theis Birk Larsen. Hier is Sarah Lund.'

Skærbæk hervond zijn moed en ging tussen Birk Larsen en de man in staan: 'Kom nou. We zijn hier klaar.'

'Ga jij maar op de loop, Vagn,' bulderde de grote man en met een gigantische hand duwde hij hem opzij alsof hij een lappenpop was. Met een klap kwam hij tegen het busje aan.

De moker ging omhoog, aaide even Skærbæks hals en trok zich toen terug.

En weg was Vagn Skærbæk.

Met een hand om de bebloede hals van Kemal trok hij hem omhoog.

'Ga zitten,' beval Birk Larsen. 'Ga op je knieën zitten.'

Zoals je dat op tv zag. In filmpjes van executies. Geblinddoekte mannen in verafgelegen oorden. Wachtend op hun dood.

'Theis!' De stem klonk harder, dichterbij en hoger. 'Stop. Stop daar nu mee.'

Maar de woeste razernij in hem liet zich nooit zo makkelijk verdrijven.

Hij kon haar over de betonnen vloer aan horen komen rennen. Keek. In die schelle, bijna lichtgevende lichtblauwe spijkerbroek van haar en de zwartwitte trui.

'Kemal is onschuldig!' riep ze naar hem. 'Luister naar me. Hij heeft er niets mee te maken.'

De leraar zat op handen en knieën. Er drupte bloed uit zijn mond op de grond. Birk Larsen schopte hem hard in zijn ribben en greep hem bij zijn haren.

'Ik zei dat je op moest staan,' blafte hij en hij keek in het gekneusde en bloedende gezicht.

De kop van de hamer aaide Kemals hals. Een enkele klap. Tegen een knielende man. Gerechtigheid.

'Ga rechtop zitten!' schreeuwde hij.

In de koplampen van het busje tekenden zich schaduwen tegen de muur af. Dit was de juiste plek, de juiste houding. Dit was het punt waarop er een einde aan de pijn zou komen.

Er kwam nog iemand vanaf de deur aanrennen.

'Theis! Leg dat wapen neer. Hij heeft het niet gedaan.'

Dat praatzieke agentje met de bolle ogen en flaporen.

De hamer. Een lange, krachtige zwaai.

Hij hoorde hoe een pistool gespannen werd en zag uit een ooghoek dat die smeris, Meyer, een wapen op hem gericht hield, klaar om te schieten.

Een schot. Het geluid echode door het lege depot als een geknapte ballon. Birk Larsen knipperde met zijn ogen, aarzelde. Was van zijn apropos.

Toen verscheen een derde gestalte. Een lichtbruine regenjas. Lang haar. Een gezicht, een dierbaar gezicht.

Pernille, die hem met open mond aanstaarde.

Dit ben ik, dacht Birk Larsen. De ik van wie je wist dat hij bestond al durfde je er nooit naar te vragen.

Dit ben ik.

De hamer zwaaide nog een keer naar achteren.

'Theis!' schreeuwde Meyer met de loop van zijn pistool op hem gericht. 'Luister naar me. Leg dat ding neer. Ik schiet je neer voor je hem hebt kunnen raken. Dat zweer ik.'

Pernille liep langs hen heen, recht op Birk Larsen af, naast de bloedige hoop op de smerige vloer.

'Leg neer!' schreeuwde de smeris. 'Doe niks stoms.'

Hij aarzelde en dat was voldoende. Toen hij weer zover was waren er nog drie politiemensen bij gekomen, die hun zwarte pistolen op zijn gezicht gericht hielden.

Alsof dat hem tegen zou houden...

Maar daar was ook Pernille, op een pas afstand. Haar bleke, gekwelde gezicht gevangen in het harde licht van de tl-balken. Pernille staarde naar hem alsof ze wilde zeggen: ik wist het wel maar ik wilde het niet weten.

'Theis,' zei ze. 'Leg neer.'

En dat deed hij.

Rie Skovgaard en Morten Weber beëindigden hun telefonades. Hartmann belde zelf ook nog een paar mensen. Vervolgens praatte hij met het hoofdbureau en ging toen precies om acht uur de vergadering in.

Knud Padde begon.

'Het is betreurenswaardig maar wel noodzakelijk dat we een motie van wantrouwen tegen Troels Hartmann indienen. Mag ik...?'

'We verspillen tijd,' zei Henrik Bigum vermoeid. Hij keek alsof het resultaat al duidelijk was. 'We weten allemaal waar dit naartoe gaat.'

'Maak je geen zorgen, Henrik,' zei Hartmann. 'Een stemming is niet nodig.'

'Het spijt me, Troels, maar dat is het wel. Daar hebben we toe besloten.'

'Als jullie dat willen trek ik me terug. Jullie hoeven niet te stemmen. Behalve dan…' hij glimlachte, 'voor degene die mijn plaats inneemt.'

'Nee, Troels!' protesteerde Elisabet Hedegaard. 'Waarom? Waarom zou je dit doen? Henrik spreekt alleen voor zichzelf, zoals altijd…'

'Je kunt je ook terugtrekken,' beaamde Bigum. 'Als je daar de voorkeur aan geeft.'

Hij haalde een pen uit zijn jasje. Hield hem Hartmann voor.

'Je hebt je berichten niet gecheckt, Henrik? Je privéberichten? Tips van het hoofdkantoor van Bremer? Heb je zelfs niet naar het journaal gekeken?'

Bigum lachte en schudde zijn hoofd.

'Ik had gedacht dat je dit met wat meer waardigheid aan zou pakken. Trek je gewoon terug en hou op met dat gezeur.'

'Ik heb zojuist met de politie-inspecteur gesproken die belast is met de Birk Larsen-zaak,' zei Hartmann. 'Er is nieuw bewijsmateriaal dat ondubbelzinnig aantoont dat de leraar onschuldig is. Hij komt over vijf minuten op tv. Als jullie mij willen dumpen omdat ik een onschuldig man verdedigde dan is dat jullie goed recht. Wat dat echter betekent voor de kansen van mijn opvolger…'

'Het woord is aan jou, Knud,' bulderde Bigum.

Paddes mond was opengezakt. Hij wist niet welke kant hij op moest nu.

'Misschien moeten we hier nog eens over nadenken,' zei hij ten slotte. 'Dan stemmen we maar liever niet op dit moment. Als het waar is wat Troels zegt dan moeten we nodig de feiten kennen.'

'De feiten!' Bigum was woedend. 'De feiten zijn dat Hartmann de zaak van het begin tot het einde verkloot heeft. Als jullie in zo'n truc als deze trappen…'

Hartmann had zijn handen rond een kop koffie gevouwen. Hij keek ernaar. Liet hen wachten.

'Volgens mij,' zei hij, 'moeten we er een nachtje over slapen en het er morgen nog eens over hebben. Wat betekenen die paar uurtjes nou? Mee eens?'

Er viel een lange stilte, die alleen verbroken werd toen Henrik Bigum vloekte, opstond en de kamer uit stormde. Elisabet Hedegaard drukte Hartmann vervolgens de hand. Ze keek hem stralend aan, boog zich naar hem toe en fluisterde: 'Goed gedaan.'

Tien minuten later zat Hartmann alleen in zijn kantoor voor de tv.

'Het is nu duidelijk dat Hartmanns rolmodel van alle verdenking gezuiverd is,' zei de nieuwslezer.

Een journalist zat Poul Bremer in de gang van het stadhuis achterna en duwde de burgemeester een microfoon in zijn gezicht.

'Ik ben blij voor Hartmann dat de zaak zich zo ontwikkeld heeft,' zei Bremer zonder veel overtuiging. 'Maar je hebt gezien hoe hij zich gedroeg. Hij was verlamd. Kon geen beslissing nemen. Troels Hartmann is niet geschikt voor het burgemeesterschap. Dat kan hij niet aan.'

Weber kwam binnenlopen. Een en al glimlach voor de verandering.

'Er bellen heel veel mensen, Troels. De pers zou dolgraag met je praten. Iedereen is blij met de uitkomst.'

Skovgaard kwam achter hem aan.

'Zelfs in het parlement,' voegde ze eraan toe. 'Mensen zijn dol op een winnaar.'

Kirsten Eller verscheen op het scherm. Zelfgenoegzaam stond ze daar bij haar kantoor.

'Dit is een heerlijk moment,' zei ze. 'Het bewijst dat Troels Hartmann een betrouwbaar alternatief is voor Bremer. Dat is de reden waarom we van het begin af aan vertrouwen in hem gesteld hebben.'

Hartmann wierp zijn hoofd in zijn nek en lachte naar het plafond.

Toen zette hij de tv uit.

'De pers,' zei Skovgaard.

'Ik wil niet vóór morgen met ze praten. Breng een verklaring uit waarin ik zeg blij te zijn dat er gerechtigheid is geschied. Morten?'

Weber haalde zijn aantekenboekje tevoorschijn.

'Postercampagne opvoeren. Laten we ons concentreren op ons integratie-beleid. Nadrukkelijk de rolmodellen vermelden. Wat een succes ze zijn. O...'

Hij pakte zijn jas en trok hem aan.

'Ik wil nog een partijbijeenkomst. Bel niemand tot morgen. Vertel het ze dan pas. Zeg tegen iedereen die hier vandaag was dat hij moet komen.'

'Kort dag,' zei Weber.

'Ik kreeg ook niet meer tijd.'

Weber slenterde weg.

Troels Hartmann haalde Rie Skovgaards jas en gaf haar die. Ze had er in dagen niet zo gelukkig uitgezien. Mooi ook, zij het uitgeput. Hij liet hen allemaal te hard werken.

'Ik heb honger,' zei hij. 'En we moeten praten.'

Theis Birk Larsen zat in een kamer met twee agenten in uniform die het administratieve gedeelte voor hun rekening namen. Lund stond buiten met Pernille toe te kijken.

'Wat gebeurt er nu?'

'We klagen hem aan,' zei Lund.

'Waar gaat hij heen?'

'Een politiecel.'

De twee geüniformeerde mannen knikten naar de grote man in het zwarte jack. Hij stond op en liep met hen mee naar buiten.

'Wanneer mag hij weer naar huis?'

Lund gaf geen antwoord.

'We hebben twee jongens. Wanneer mag hij weer naar huis?'

'Dat hangt van de aanklacht af.'

'Gaat hij naar de gevangenis?'

Lund haalde haar schouders op.

'Dit is allemaal jouw schuld, Lund. Als jij niet…'

'Het spijt me.'

'Het spijt je?'

'Ik zal je met de auto thuis laten brengen. Na de hoorzitting neemt er iemand contact met je op.'

'Dat is alles?'

'Pernille…' Ze vroeg zich af of het zin had dit te zeggen. Of het verschil zou maken. 'Wij zijn niet bijzonder. We zijn net als jullie. Als mensen tegen ons liegen dan keuren we dat af. We weten niet of ze daar goede of slechte redenen voor hebben. Het enige dat we weten is… dat ze liegen.'

Pernille Birk Larsen stond verstijfd van woede in het kantoor van de Politigården.

'Denk je dat ik nu sta te liegen?'

'Ik denk dat er heel veel is dat we nog niet weten.'

Ze wachtte.

'Mooi dan,' zei Pernille en ze liep weg.

Meyer zat achter zijn bureau de laatste rapporten door te nemen.

'Het moslimmeisje heeft een verklaring afgelegd.' Hij zag eruit als een vermoeide schooljongen in zijn dichtgeritste bodywarmer en gestreepte t-shirt. 'Ze heeft Kemals alibi bevestigd. Zei dat het haar vestje was dat we gevonden hebben. Ik heb met Kemal gesproken.'

Ze luisterde, min of meer. Verder zat Lund vooral naar de foto's aan de muur te turen. De auto. Het kanaal. Het Pinksterbos.

'De doktoren zeggen dat hij erbovenop komt,' voegde Meyer eraan toe. 'Hij wil geen aanklacht indienen.'

'Dat is niet aan hem.'

'Wil je dat niet meer doen, Lund?'

'Wat?'

'In je eentje ertussenuit knijpen zonder het me te vertellen.'

'Birk Larsen wordt wederrechtelijke vrijheidsberoving ten laste gelegd en het toebrengen van zwaar lichamelijk letsel. Om te beginnen.'

Meyer stak een sigaret op en blies de rook naar het plafond.

'We hebben juist gehandeld,' hield Lund vol.

'We hebben helemaal niet juist gehandeld. De vader gaat naar de gevangenis. Kemal ligt in het ziekenhuis. Jezus…'

Een klop op de deur. Svendsen. Hij leek nogal ingenomen met zichzelf.

'Buchard wil morgenochtend een bespreking met jullie tweeën.'

'Bedankt dat je een oogje op Birk Larsen hebt gehouden,' beet Lund hem toe. 'Zoals ik gevraagd had.'

Svendsen keek haar kwaad aan.

'Als je te veel vraagt, Lund, krijg je het in alfabetische volgorde. Ik heb het er al met de baas over gehad. Hij is er heel duidelijk over.'

'Een bespreking? Waarover?' vroeg Meyer.

Svendsen lachte.

'De commissaris maakt vanavond gehakt van hem. Ik denk dat hij jullie mee wil laten delen in de pijn. Een fijne avond nog. Slaap lekker.'

Hij sloot de deur achter zich.

Meyer maakte een geschokte en bezorgde indruk, zijn grote oren bewogen van voor naar achter terwijl hij op een kauwgummetje zat te kauwen. Op ieder ander moment zou het er komisch uitgezien hebben.

Lund bleef maar naar de foto's aan de muur turen.

'Ik neem de schuld hiervoor niet op me,' zei Meyer. Hij stond op en pakte zijn jas. 'Dat weiger ik.'

Ze was blij dat hij weg was. Het was gemakkelijker om alleen te zijn.

Terug naar de foto's. Nanna Birk Larsen. Negentien jaar, alhoewel ze makkelijk voor twee- of drieëntwintig door kon gaan. Krullend blond haar. Wist hoe ze make-up moest gebruiken. Glimlachte vlotjes naar de camera, zelfverzekerd. Allesbehalve een tiener.

Ze kenden dit meisje nog steeds niet. Er ontbrak iets.

Lund ging haar spullen pakken, mompelde goedenavond en liep door de gang naar buiten.

Achter haar klonken voetstappen. Meyer kwam hijgend en met een verwilderde blik in de ogen aanrennen.

'Lund,' zei hij. 'Het spijt me.'

'Wat spijt je?'

'Er is een ongeluk gebeurd.'

9

Maandag 10 november

Ze had geslapen op een stoel bij het bed in zijn ziekenhuiskamer. Bengt had een verband om zijn hoofd, een infuus in zijn rechter- en gips om zijn linkerarm.

Hij werd niet wakker. Zelfs niet toen ze heel dicht bij zijn gezicht kwam en zijn naam fluisterde, heel zachtjes.

Toen het ochtendlicht door de stoffige ramen naar binnen begon te sijpelen keek Lund om zich heen. Ze hadden wat van de spullen hierheen gebracht die hij in de auto bij zich had gehad toen hij op weg naar de brug naar Malmö een ongeluk had gekregen.

Een jas. Een sjaal en een trui.

Een zwartleren koffertje. Aan de bovenkant staken wat papieren uit. Er zat een politiestempel op.

Lund keek naar hem. Hij sliep nog steeds. Toen begon ze de papieren door te nemen.

Het dossier was dik, vol officiële rapporten. Autopsies en misdaaddetails. Foto's en forensisch materiaal.

Ze ging zitten, legde het allemaal voor zich neer op de vloer en begon het toen stuk voor stuk te bekijken.

Haar concentratie werd verbroken door een stem.

'Je had gelijk,' zei Bengt met een gepijnigd, krassend stemgeluid. 'Hij heeft het eerder gedaan.'

Lund schoof de papieren ter zijde, kwam overeind en boog zich over hem heen.

'Hoe voel je je?'

Hij antwoordde niet.

'Ze zeiden dat je een hersenschudding hebt en een gebroken arm. De auto is total loss. Je hebt geluk gehad.'

'Geluk?'

'Ja geluk. Je had een nacht niet geslapen...'

'Ik was zo kwaad op je.'

Ze zweeg.

'Ik besloot naar huis te rijden. Ik had er genoeg van. Jezus…'

Lund vroeg zich af of ze op het punt stond te gaan huilen. Haar ogen prikten. Ze kon niet helder denken.

'Ik weet ook niet waarom ik zo ben,' zei ze zacht. 'Het spijt me. Ik kan er niets aan doen. Soms…'

Bengt stak zijn hand uit en pakte de hare vast. Hun vingers vervlochten zich met elkaar. Warmte. Intimiteit.

'Ik heb het dossier gelezen. Het was geen crime passionnel. Het was niet het gebruikelijke werk.'

'We kunnen het hier later over hebben,' zei ze en ze vroeg zich af of ze dat meende.

'Misschien hield hij er een bepaalde methode op na,' vervolgde Bengt, met gesloten ogen. Hij dacht na.

'Dat hebben we gecontroleerd. We kunnen geen enkel verband met vroegere zaken vinden.'

'Dat betekent niet dat ze er niet zijn. Hij heeft Nanna in het water gedumpt. Je zag hoe het daar was. Onherbergzaam. Afgelegen. Er zijn er waarschijnlijk meer waar je niets van weet.'

'Later, Bengt.'

'Nee.' Zijn stem klonk kwaad, zijn wijd opengesperde ogen bliksemden. 'Niet later. Jij kent de betekenis van dat woord niet. Ik zeg je, het windt hem op dat alleen hij en het meisje weten hoe en waar het geëindigd is. Voor hem betekent dat intimiteit. Als een liefdesverhouding.'

'Later,' zei ze en ze zette de tv aan.

Ze keken samen naar het nieuws. Buchard had een verklaring doen uitgaan waarin Kemal van alle blaam gezuiverd werd. Hij was door een tragische samenloop van omstandigheden verdacht geraakt, zei de hoofdinspecteur. Hij zweeg over hoe de politie zich zo had kunnen vergissen.

Zo gingen die dingen. Je had óf gelijk en was een held óf je had het fout en je was een schurk. Daar bevond zich niets tussenin, geen grijze zone. Niet wat de media betrof. Zwart-wit. Verder niets.

In de politiek was dat hetzelfde, dacht ze, toen ze een herhaling zag van het gekibbel tussen Hartmann en Bremer in een fragment uit hun eerdere tv-debat.

Er was niets veranderd aan hun woorden, gebaren en gezichtsuitdrukkingen. Maar eerst had het geleken of Bremer superieur was, of dat hij daar in ieder geval zelf van overtuigd was: in zijn ogen was al een glimp van de overwinning te zien geweest. Nu had datzelfde debat een andere, tegenovergestelde klank gekregen. Bremers staatsmanschap leek nogal oppervlakkig en zelfvoldaan. Hartmanns onvoorzichtige en ogenschijnlijk nogal onverstandige verdediging van de leraar maakte nu een dappere en profetische indruk.

Het verschil werd bepaald door de context. Maar om de context te begrijpen had je feiten nodig, routepunten, vaststaande uitgangsposities vanwaar je de verschillende opties kon beoordelen.

De Birk Larsen-zaak bezat niets van dat alles.

'Ze hebben gezegd dat ik later vandaag weg mag,' zei hij en hij zette het journaal uit.

'Ik zal het er met mijn moeder over hebben. We kunnen zolang bij haar intrekken.'

'Bespaar je de moeite. Ik ga terug naar Zweden.'

Ze voelde een scheut van iets dat op paniek leek.

'Waarom?' vroeg Lund.

'Jij hebt het druk. We hebben werklui over de vloer. Je moeder zou het raar vinden.'

Hij sloot even zijn ogen. Ze keek naar de gekneusde plek op zijn gezicht. Vroeg zich af hoe lang het zou duren voor die weg was.

'Het is geen schande om het mis te hebben,' zei hij.

'Wil je wat water?'

Ze kwam overeind. Zijn hand hield haar tegen.

Bengt keek naar haar en zei: 'Maak je geen zorgen. Je vindt hem wel. Heb geduld.'

Lund ging op de rand van het bed zitten.

'En als dat niet zo is?'

'Echt wel.'

'We zitten op een dood spoor. Ik heb verder geen ideeën meer.'

'Die zijn er wel. Gewoon doorgaan. Wat weet je zeker?'

'Niets.'

'Hou daarmee op, Sarah. Je weet dat dat niet waar is.'

'Oké dan. Op de avond van vrijdag 31 oktober gaat Nanna Birk Larsen naar een feest op school. Eerder die dag komt daar een chauffeur campagnemateriaal voor Troels Hartmann brengen.'

Lund stond op, liep door de kamer en dacht diep na.

'De chauffeur voelt zich niet goed. Hij verliest de autosleutels en gaat naar het ziekenhuis. Om ongeveer half tien verlaat Nanna het feest op de fiets. Iemand heeft de autosleutels gevonden en gaat haar achterna.'

'Wacht, wacht,' viel Bengt haar in de rede. 'Stop. Dit kan geen spontane actie zijn. Hij vond niet gewoon toevallig de sleutels en pleegde toen een misdrijf.'

Ze schudde haar hoofd.

'Dat moet wel.'

'Hij is niet impulsief. Hij plant zijn daden en dan verdoezelt hij ze.'

'Bengt! De auto stond buiten de school. Zo is het gegaan. Niemand had kunnen weten dat de chauffeur ziek zou worden.'

'Het past niet in het profiel dat ik geconstrueerd heb.'

'En stel dat je profiel niet klopt. Ik weet dat je me probeert te helpen maar... stel dat we er helemaal naast zitten.De manier waarop we ertegenaan kijken. Het idee dat er een patroon in zit. Een of andere logica.'

Lund pakte wat water.

'Een meisje van negentien wordt ontvoerd, vastgehouden en herhaaldelijk verkracht. Afschuwelijk. Daar zit meestal een soort logica in. Maar hier...'

'Vergeet wat je weet. Vergeet alles wat ik je verteld heb. Ga terug naar het begin. En dan nog wat verder terug. Er zit een methode in, Sarah. Een manier van werken die hij in zijn eigen hoofd heeft geconstrueerd.'

Ze wachtte.

'De schaar, de zeep, het ritueel...' Hij schudde zijn hoofd. 'Ik geloof nooit dat Nanna de eerste is geweest. Ga verder terug. Net zo lang tot je iets vindt.'

'Nog verder,' fluisterde Lund.

Ergens in de Kalvebod Fælled bij het Pinksterbos. Een zwarte vorm die uit het water oprees. Een paling die over het naakte lichaam van het dode meisje glibberde.

De gebeurtenissen hadden alles wat erop gevolgd was gekleurd. De gebeurtenissen hadden zich meester gemaakt van haar hoofd.

Ze kuste hem voorzichtig op de wang, waarbij ze zorgvuldig de gekneusde plekken vermeed, en na een kort dankjewel ging ze weg.

De zwarte Ford bevond zich in een garage van de technische afdeling. Hij stond in de kelder van het hoofdbureau, waar je kon komen via een helling die naar de binnenplaats leidde van de gevangenis waar Theis Birk Larsen werd vastgehouden.

De auto zag er smeriger uit nu hij droog was. Hij zat onder de modder en was helemaal overdekt met bladeren. Hij stond met alle deuren open op de laadbrug.

De technisch rechercheur ging de laatste rapporten voor haar halen terwijl Lund de enorme verticale tl-buizen aandeed die om de auto heen stonden. Overal waren genummerde merktekens te zien, op de ramen, deuren, het chassis.

Ze bladerde de papieren door. Niets nieuws.

Lund trok haar jas uit en liep met de wachtcommandant om de auto heen.

In de kofferbak waar Nanna was gevonden waren krijtcontouren aangegeven. Ze had het gevoel er al duizenden keren naar te hebben gekeken. Lund trok een paar wegwerphandschoenen aan, ging eerst achter het stuur zitten en toen op de passagiersstoel. Ze controleerde de spiegels, het handschoenenvak, de opbergvakken in de deur. Vervolgens ging ze achterin zitten en deed daar hetzelfde.

De man bleef op een bankje buiten wachten terwijl hij verveeld naar haar keek.

Ze zei dat hij de auto moest opkrikken en keek er toen onder. Modder en stokjes uit het kanaal, verder niets.

'Zoals ik al zei,' zei hij tegen haar. 'Er is niks te vinden. Hij heeft vanbinnen alles eruit gehaald, en het water deed de rest.'

Hij dronk zijn koffie op en smeet het plastic bekertje in een afvalbak.

'Ik heb de auto hier de hele nacht doorzocht. Je verdoet je tijd. Er is niets nieuws.'

Ze dook weer in de papieren.

'Ik heb mijn vrouw beloofd dat ik haar eraan zou komen herinneren hoe ik er ook weer uitzag,' zei de man en hij trok zijn jas aan. 'Vind je dat goed?'

Lund had het technische rapport voor zich.

'Hier wordt gezegd dat er 52 liter benzine in de tank zat toen de auto gevonden werd. Weet je dat zeker?'

Hij zuchtte.

'Ja. De tank was vol op vijf, zes liter na.'

'Weet je dat zeker?'

'Ja. Doe het licht uit als je klaar bent. Dag.'

'Weet je het zeker?' schreeuwde ze hem nog na.

'Hoe vaak…?'

'Dit is belangrijk. Zou je je vergist kunnen hebben? Hij heeft in het water gelegen…'

'Nee, ik heb me niet vergist. We hebben die auto wel duizend keer nagekeken. Op vijf, zes liter na een volle tank. Wat is het probleem? Wat hebben we fout gedaan?'

'Ik zeg niet dat jullie iets fout hebben gedaan.' Ze wuifde naar hem met een document van het stadhuis. 'Volgens hun administratie was de auto voor het laatst een week daarvoor volgetankt. Als dat zo is had hij bijna leeg moeten zijn.'

Hij kwam naar haar toe en keek in het logboek.

'O sorry. Dat hadden we moeten…'

'Dus wie heeft hem bijgevuld?' vroeg Lund zich af.

Het was zonnig buiten, al verschenen er steeds meer grijze wolken aan de lucht. Meyer stond op de plaats achter de garage op haar te wachten. Hij droeg een glanzend leren jack dat ze nog niet eerder had gezien en een hippe zonnebril.

Cool, dacht ze. Hij hoorde thuis bij de narcoticabrigade of zou zich met roofovervallen of bendes moeten bezighouden. Niet met moord. Hij nam het te persoonlijk op. En dat was altijd fout.

'Hoe gaat het met Bengt?' vroeg Meyer toen hij haar een kop koffie overhandigde.

'Hè?'

'Hoe…?'

'Ja.'

'En jij?'

'We moeten naar jonge vrouwen gaan zoeken die in de afgelopen tien jaar zijn verdwenen.'

'En waarom?'

'In de stad. Door het hele land. Om te kijken of er overeenkomsten zijn met Kalvebod Fælled. Of waar dan ook in Vestamager.'

Meyer zette zijn zonnebril af en keek haar aan.

'Hoe gaat het met Bengt? En met jou?'

'Dat heb ik je verteld.'

'Nee, dat heb je niet.'

'Het gaat prima met hem. Kunnen we nu weer aan de slag?'

In het hoofdgebouw van de Politigården was vlak bij de binnenplaats een apart vertrek voor overleg met advocaten. De vrouw heette Lis Gamborg. Birk Larsen keek naar haar fraaie mantelpak, de parelketting, haar onberispelijke coupe en vroeg zich af hoe hij dit ooit zou moeten betalen.

Hij droeg blauwe gevangeniskleren, was ongeschoren, vies en had honger.

'Ga zitten,' zei ze.

Een bewaker met een pistool aan zijn riem hield toezicht.

Het leek een zonnige dag aan de andere kant van het getraliede venster.

'Ik ben je pro-Deoadvocaat. Het is vandaag erg druk. De hoorzitting is pas over een paar uur.'

Hij zat met zijn duimen te draaien en luisterde maar half. Twintig jaar geleden, toen hij met Pernille getrouwd was, had Birk Larsen met zichzelf afgesproken dat hij nooit meer in een situatie als deze terecht zou komen. Niet dat hij dat tegen Pernille had gezegd. Het maakte deel uit van een soort onuitgesproken pact tussen hen. Hij zou een andere man worden. Geen problemen meer met justitie. Nooit meer afspraken mislopen om redenen die hij haar nooit uit de doeken zou doen. Hij was jong geweest toen. Boos en vastberaden zijn plek in de wereld te veroveren, met zijn kracht, zo nodig met zijn vuisten.

Toen kreeg hij een gezin en probeerde hij de persoon te vergeten die hij ooit geweest was. Hij begroef de jonge Theis. Stoere Theis. Theis de crimineel die niet meer nodig zou zijn.

'Maar goed,' vervolgde ze. 'Dat geeft ons de tijd om je zaak te bespreken.'

'Wat valt daarover te bespreken?'

'Het openbaar ministerie gaat je een poging tot doodslag, wederrechtelijke vrijheidsberoving en zwaar lichamelijk letsel ten laste leggen.'

Birk Larsen sloot zijn ogen.

Hij moest iets zeggen. Moest het vragen.

'Hoe gaat het met de leraar?'

Ze bleef naar hem kijken alsof hij een merkwaardig specimen was. Een gekooid wild dier.

'Hij komt er weer bovenop. Hij zegt dat hij geen aanklacht indient.'

Birk Larsen keek haar aan.

'Dat is niet voldoende. Daarmee ga je niet vrijuit. Niet bij dergelijke aanklachten.'

'De politie zei ons dat hij het was. De kranten zeiden dat hij het was. En niemand dééd iets.'

Ze haalde diep adem.

'De rechter kan van mening zijn dat er sprake is van verzachtende omstandigheden.'

'Ik zal schuld bekennen. Zeg me gewoon wat ik moet zeggen.'

Hij wilde de woorden niet uitspreken uit angst voor het antwoord dat zou volgen.

'Ik wil terug naar mijn gezin.'

Ze zweeg.

'Ik moet naar huis.'

'Dat begrijp ik. In deze omstandigheden moeten we hopen op enige clementie.'

Ze vouwde haar slanke handen ineen, boog zich over tafel en keek in zijn gezicht.

'Ik zal de rechter ervan proberen te overtuigen dat je niet in voorarrest hoeft te blijven. Je hebt bekend. Je bent coöperatief. Je zult niet op de vlucht slaan. Je hebt een gezin, en een bedrijf...'

'Ik zou graag met mijn vrouw willen praten.'

De advocate schudde haar hoofd.

'Je zult tot na de hoorzitting moeten wachten.'

Zijn hoofd knakte voorover.

'Het spijt me,' voegde ze eraan toe. 'En je vriend, Vagn?'

'Vagn had hier niets mee te maken. Hij probeerde me tegen te houden. Hou hem erbuiten.'

'Hij is erbij betrokken. Hij is aangeklaagd als medeplichtige.'

'Dat is niet juist!'

'Het is geen zware aanklacht. Hij loopt vrij rond. Volgens mij...'

Hij wachtte.

'Volgens jou wat?'

'Gaat hij niet naar de gevangenis. En ik zou willen dat ik jou hetzelfde kon beloven.'

Stilte.

'Nog vragen?' vroeg ze.

Toen hij niet antwoordde keek ze naar de bewaker.

Allemaal deel van het proces. Van een systeem dat hem al eens eerder bijna verzwolgen had. Theis Birk Larsen zat opnieuw in de buik van een beest dat hij haatte en dat gevoel was wederzijds. En de enige die er schuld aan had was hijzelf.

Pernille deed de telefoon. Lotte was gekomen om te helpen. Net wat ze nodig hadden: elke minuut belde er wel een klant die metéén iets wilde.

'Ik kan u helaas nu niet van dienst zijn,' zei Pernille tegen de laatste. 'Ik bel u terug. Dat beloof ik.'

Lotte wachtte tot ze had opgehangen en vroeg toen: 'Waar wordt hij voor aangeklaagd?'

Er werd weer gebeld.

'Birk Larsen Verhuizingen. Een moment alstublieft.'

Ze bedekte het mondstuk.

'Ik weet het niet. Kun jij een tijdje op de jongens letten?'

'Natuurlijk. Wat heeft Theis gedaan?'

Pernille vervolgde haar telefoongesprek en verontschuldigde zich.

Lotte stond daar nog steeds, en toen werd ze boos.

'Hij heeft die leraar iets aangedaan, hè?'

'Het is allemaal mijn schuld. Ik heb hem onder druk gezet.'

Ze streek met haar hand door haar verwarde haren. Ze zag er vreselijk uit maar het kon haar niets schelen.

Ze keek naar de afspraken en vroeg zich af hoe ze dit aan moest pakken.

Een van de mannen kwam om instructies vragen. Pernille deed haar best. De telefoon ging. Lotte nam op.

'Doe eerst die klus in Østerbro,' liet ze hem weten. 'Doe het zoals Theis het zou doen. Vraag het maar aan Vagn.'

Hij staarde haar aan.

'Waar is Vagn?' vroeg ze.

'Kweenie.'

'Doe...' Ze wuifde naar hem met een hand. 'Doe maar wat je goeddunkt dan. Sorry...'

'Pernille?'

Lotte had gewacht tot hij vertrokken was.

'Wat?'

'Toen je weg was heeft de bank gebeld. Ze zeiden dat ze met je moesten praten.'

Buchard had zijn beste overhemd aan, pasgestreken. Zijn beste pak. Het uniform voor een preek van de commissaris.

Hij kwam daar net vandaan en de pijn was nog zichtbaar.

Hij zat over de ochtendkrant gebogen die hij aan het lezen was in het grijze licht dat door het raam in Lunds kantoor viel. Zijn mondhoeken wezen omlaag, hij schudde met zijn hoofd.

Zonder één woord te zeggen zei hij een heleboel.

Lund en Meyer zaten naast elkaar te wiebelen als stoute kinderen die bij het schoolhoofd moesten komen.

Meyer verbrak de stilte.

'We begrijpen dat de dingen niet zo goed gegaan zijn als had gemoeten.'

Buchard zei niets, liet hen alleen de zoveelste krantenkop zien: 'Hartmanns rolmodel van alle blaam gezuiverd.'

'Als Kemal ons de waarheid had verteld...' begon Lund.

Buchard legde haar met een giftige blik het zwijgen op.

'Ik zei toch al dat onze werkrelatie niet optimaal was,' voegde Meyer eraan toe. 'Niet dat ik daar iemand de schuld van geef.'

'Kemal loog!' zei Lund weer. 'Hij heeft alle gelegenheid gehad zichzelf vrij te pleiten en dat heeft hij niet gedaan. Als hij...'

Buchard wuifde opnieuw met de krant naar haar.

'Het enige wat het publiek ziet is dit,' snauwde hij. 'Niet jouw excuses.' Een korte stilte. 'De commissaris wil je van de zaak hebben. Dit soort berichtgeving kunnen we niet gebruiken. Betrokken raken bij een verkiezingscampagne... is gênant. En nu wordt de vader ook nog aangeklaagd voor poging tot doodslag.'

'Kemal wil helemaal niet dat hij vervolgd wordt!' schreeuwde Meyer. 'Betekent dat dan niets?'

'Dat is aan de rechterlijke macht. Niet aan hem. Jullie hebben het verknald, jullie allebei.'

Ze staarden naar het tapijt.

'Geef me één goede reden waarom ik jullie niet hier en nu naar buiten moet schoppen?'

'Maar één?' zei Lund meteen. 'Ik kan je wel...'

'Laat horen dan.'

'We weten meer van deze zaak dan wie ook. Stel een nieuw team samen en ze hebben eerst al een week nodig om alle dossiers door te nemen.'

'Ik wacht liever nog een week en dat het dan goed gaat, dan dat jullie twee me weer op een preek van de commissaris komen te staan.'

'We weten nu meer dan gisteren.'

'Ik heb een afspraak op de school,' voegde Meyer eraan toe. 'Om de zaken daar op te helderen. We zullen grip op deze zaak krijgen. Lund heeft gelijk. Als je iemand anders erop zet moet die weer van voren af aan beginnen.'

Buchard dacht lang na.

'Als deze zaak morgen nog in een impasse verkeert, dan haal ik jullie eraf. Jullie allebei.'

Hij stond op en liep naar de deur.

'En blijf uit de buurt van het Rådhus. En Troels Hartmann. Ik wil uit die hoek geen gelazer meer, oké?'

'Afgesproken,' zei Meyer.

Buchard vertrok. Lund zat stil na te denken, de armen voor haar zwart-witte trui geslagen.

Meyer liep de gang op om met de dagploeg te praten.

'We moeten zorgen dat we de zaak weer op de rails krijgen,' verordonneerde hij. 'Ga terug naar de school. Praat met iedereen. Met werklui, schoonmakers. Iedereen.'

Lund stond op en begon tussen de zakken met bewijsmateriaal te rommelen tot ze vond wat ze zocht.

'Deel Nanna's foto aan alle taxichauffeurs uit,' zei Meyer.

'Dat hebben we al gedaan,' kreunde Svendsen.

Meyer wendde zich tot hem.

'Elke chauffeur? Echt elke chauffeur in heel Kopenhagen? Nee. Volgens mij niet. Zoek uit wie er die avond in Kemals buurt dienst had. Zoek uit of ze van daaraf een taxi heeft genomen. Wat dan ook!'

Mopperend kwam hij terug in het kantoor.

'Tjezus, hoe moeilijk kan het zijn, zeg?'

Ze zat met het wagenparklogboek van het stadhuis voor zich.

'Stuur een foto van de auto naar alle benzinestations in de stad,' zei Lund. 'Vraag of ze hem gezien hebben op de avond van 31 oktober.'

'Waarom?'

'We hebben iets gemist.'

Ze gaf hem het logboek.

'Volgens deze gegevens had er niet veel benzine meer in de auto moeten zitten. De tank is bijna vol. Als hij getankt heeft...'

'Dan is hij gefilmd. Ja, dat snap ik. Ik ben niet achterlijk.'

'Fijn! Laten we dan beginnen met de benzinestations in de buurt van Nanna's school.'

'Lund. Als jij met een ontvoerd meisje in je kofferbak in een gestolen auto rondreed, zou je dan zelf gaan tanken? Misschien klopt het logboek niet.'

Ze knikte.

'Daar zou je gelijk in kunnen hebben. Vraag het na bij de bewakingsdienst van het Rådhus.'

Meyer lachte.

'Ja, erg leuk! Je hebt gehoord wat Buchard heeft gezegd. Ik ben de sigaar als ik daar in de buurt kom.'

Ze staarde hem aan. De handen op de heupen. Grote glanzende ogen. Verwachtingsvol. Koppig.

'Kijk me niet zo aan,' klaagde Meyer. 'Daar hou ik niet van.'

Ze verroerde geen vin.

'Ik ga niet naar het stadhuis, Lund. Punt uit. Doe jij maar wat je wilt, maar ik ga niet.'

Hij liep weer terug naar de gang.

'Je hebt de vader verteld dat je degene die dit gedaan heeft zou vinden, Meyer.'

Hij bleef staan, draaide zich om en keek haar kwaad aan.

'Of zei je dat zomaar?'

'Ik heb ook tegen mijn vrouw gezegd dat ik nu eens langer dan drie weken een baan zou houden. Wat denk je dat het zwaarst weegt?'

Ze begon iets te zeggen.

'Nee,' viel Meyer haar in de rede. 'Ik wil het niet horen. Ik ken het antwoord al. Echt. Niet nodig.'

Dezelfde mensen, dezelfde kamer. En toch was alles anders nu. De partijvergadering ging van start en de spanning van de dag ervoor was verdwenen. Knud Padde straalde het meest van allemaal, terwijl hij glimlachte, grapjes maakte en deed alsof er niets voorgevallen was.

Hij had al met Rie Skovgaard gebeld omdat hij zich afvroeg welke plaatsen er nog beschikbaar waren in de commissie. Hij had naar een promotie zitten hengelen.

Troels Hartmann zat aan het hoofd van de tafel, naast Elisabet Hedegaard. De anderen maakten een keus uit de croissants en de gebakjes. Hij hield het bij één kop koffie.

'Goedemorgen,' zei Hartmann en hij werkte de vaste openingsbeleefdheden af. Hij bedankte hen voor hun aanwezigheid. Verontschuldigde zich voor de korte termijn.

Bigum zat ineengezakt op zijn stoel aan de overkant van de tafel, en probeerde te glimlachen.

'Dit hoeft niet lang te duren,' begon Hartmann.

'Troels.'

Bigum. Zijn glimlach leek nog geforceerder.

'Alsjeblieft. Ik wil graag even het woord.'

Hartmann reageerde verrast.

'Natuurlijk, Henrik. Als je dat wilt.'

Bigum haalde diep adem.

'Ik ben jullie een excuus verschuldigd. Voor de onfortuinlijke gang van za-ken.'

Niemand zei iets.

'Het is voor ons allemaal moeilijk geweest.'

Padde was naast Elisabet Hedegaard gaan zitten die met haar kin in de hand Bigum zat aan te staren.

'Ik hoop dat iedereen beseft dat onze onenigheden uitsluitend het gevolg waren van onze gedeelde bezorgdheid om het welzijn van de partij.' Henrik Bigum wierp een blik op Hartmann. 'Verder niets, Troels. Het was niet per-soonlijk bedoeld. Dus…'

Een poging tot een glimlach. Een respectvol gebaar met de rechterhand.

'Ik zou graag zien dat we de strijdbijl begroeven en weer verdergingen.'

'Dank je wel, Henrik,' zei Hartmann edelmoedig.

'Het is je van harte…'

'Maar je had gelijk. Zo kunnen we niet verder.'

Bigum zat te kronkelen op zijn stoel.

'Troels. Het is echt niet nodig dat je je nu nog terugtrekt. Je hebt de achter-ban en de partij achter je. Jouw positie betreffende de rolmodellen…'

'Ja, ja, ja.' Hartmann gebaarde dat hij niet verder hoefde te gaan. 'Maak je geen zorgen. Ik trek me niet terug.' In plaats daarvan keek hij hen met een be-scheiden glimlachje allemaal om beurten aan. 'Geen paniek. Ons gezamenlij-ke doel is om het systeem hier in het stadhuis te veranderen. Toch?'

Ze knikten, Bigum het heftigst van allemaal.

Hartmann tikte met een vinger op tafel.

'Dat kunnen we niet als we onderling niet op één lijn zitten.'

Instemmend gemurmel.

Hartmann bespeelde zijn publiek.

'Ik hoor jullie niet!' lachte hij. 'Heb ik gelijk?'

Deze keer was de reactie luider en Henrik Bigum lachte ook. Hij zei: 'Je hebt gelijk, Troels. Je had aldoor al gelijk.'

Hartmann staarde hem over de hele lengte van de glanzende vergadertafel aan.

'Dat weet ik, Henrik. Dus stel ik je nu voor dezelfde keuze als je mij gister stelde.'

Bigums glimlach bevroor op zijn gezicht.

'Eh, sorry?'

Hartmanns gezicht was weer van uitdrukking veranderd. Ernstig nu. De uitdrukking die hij gebruikte als hij met Bremer praatte.

'Of je trekt je terug…' Hij zweeg even. 'Of we stemmen erover.'

Bigum schudde zijn hoofd.

'Hè?'

Het was stil in de kamer. Hartmann had Weber hierbuiten gehouden. Die hield niet van conflicten. Rie Skovgaard, die glimlachend, verwachtingsvol vlak bij de tafel stond, had vanaf zes uur die ochtend aan de telefoon gezeten. Ze wisten precies waar hij stond.

Bigum begon boos te worden.

'Dit is absurd. Ik werk al twintig jaar voor de partij. Even lang als jij, Troels. Ik handelde puur in ons belang.'

'Je bent naar Bremer gegaan, Henrik. Je hebt een pact voorgesteld.'

Het magere, ascetische gezicht van de docent werd rood.

'Ik wou peilen wat hij ervan vond. Verder niets. We kunnen niet winnen zonder compromissen te sluiten…'

'Wat wordt het, Henrik? Trek je je terug of gaan we stemmen?'

Bigum keek hen allemaal aan. Iedereen ontweek zijn blik. Zelfs Padde.

'Ik snap het.'

Hij stond op, boog zich over tafel en keek Hartmann woedend aan. Hij zei: 'Krijg de klere, Troels. Jij wordt nooit burgemeester. Daar heb je het…'

'Lef… niet voor?' vroeg Hartmann.

Rie Skovgaard opende de deur en glimlachte hem stralend toe.

'Krijg allemaal de klere,' mompelde Bigum en hij vertrok.

Hartmann sloeg zijn armen over elkaar en leunde achterover op zijn stoel.

Toen sloot Knud Padde af met de woorden: 'Goed, dat was dan dat. Als voorzitter wil ik nu het woord aan Troels geven.'

Hartmann pakte de koffiekan en schonk zichzelf nog een kop in.

'Datzelfde geldt voor jou, Knud. Je kunt vertrekken.'

Padde lachte als een zenuwachtig kind.

'Ach, Troels. Kom op. Ik weet dat ik dit verkloot heb. Maar ik heb hard ge-werkt voor de partij. Ik ben een trouw…'

Hartmann nam een slokje koffie.

'Je ligt eruit,' zei hij.

Verder niets. Niemand keek naar hem. Niemand zei iets.

Skovgaard deed opnieuw de deur open, met nog steeds die glimlach op haar gezicht.

'Is dat de reden dat je me hiernaartoe hebt laten komen?' zei Padde. 'Om me te vernederen?'

'Knud,' riep Skovgaard en ze klopte met haar knokkels op de deur. 'We gaan vergaderen. Alsjeblieft…'

Hij mompelde de eerste vloek die Hartmann hem ooit had horen uiten en slofte toen naar buiten.

'Oké,' verklaarde Hartmann opgewekt. 'Laten we verdergaan.'

Hij keek stralend naar de gezichten rond de tafel. Ze waren van hem nu. Van niemand anders.

'Elisabet. Jij neemt de rol van voorzitter over. Goed?'

Ze knikte, glimlachte.

'En dan wil ik jullie nu voorstellen aan twee nieuwe mensen.'

Skovgaard riep de gang in: 'Sanjay? Deepika? Willen jullie binnenkomen?'

Een jongeman, een jonge vrouw. Aziatisch. Goed gekleed, professioneel. Rechtstreeks afkomstig uit het rolmodelprogramma.

'Misschien kennen jullie Sanjay en Deepika nog uit onze jeugdorganisatie,' kondigde Hartmann aan. 'Ga zitten. Welkom. Dit zijn de twee nieuwe fractieleden.' Hij wachtte. Toen vroeg hij: 'Zijn er nog vragen?'

Die waren er niet.

Halverwege de vergadering kwam Hartmann naar buiten om wat fotokopieën te regelen. Morten Weber en Rie Skovgaard stonden bij het apparaat te kibbelen.

'Je hebt me nooit verteld dat jullie het zo hard zouden gaan spelen,' mopperde Weber.

'Dat zou je ook niet leuk gevonden hebben.'

'Dit is geen goed moment om mensen te ontslaan.'

'Ze vroegen erom, Morten,' zei Skovgaard. 'Zo'n rat als Bigum kunnen we toch niet in ons midden hebben?'

'En Knud?' vroeg Weber. 'Wat heeft hij gedaan dat hij niet altijd al deed? Met elke wind meewaaien?'

'Hij is een voorbeeld,' antwoordde Hartmann.

Weber opende zijn mond, zogenaamd verbaasd.

'Een voorbeeld? Hoor ik de heilige Troels dit echt zeggen? Sinds wanneer heb jij geleerd om 's nachts de messen te slijpen?'

'Sinds ik Poul Bremer ten val wil brengen. Ze zijn weg. En daarmee basta.'

Hij smeet wat papieren op het kopieerapparaat.

'Ik wil hier kopieën van en ik wil nog wat koffie.'

'Ga zelf je koffie halen! Bigum pikt dit echt niet zomaar. Die gaat je een hoop ellende binnen de partij bezorgen.'

'Luister, Morten,' zei Hartmann tegen hem. 'We zijn te lang de aardige jongens geweest. In het defensief. Ik moest iets doen. Ik moest laten zien dat ik ook sterk kan zijn.'

'Dat is je dan wel gelukt. Ik hoop ook dat je het hier met Kirsten Eller over hebt gehad. Voor het geval je nog niet wist dat zij en Bigum nogal intiem zijn met elkaar.'

Niets.

'O,' snauwde Weber. 'Dat wist je dus niet. Als je mij gevraagd had…'
Hartmann deed zijn best kalm te blijven.
'Ik regel het wel met Kirsten. Maak je daar maar geen zorgen over.'

'Het probleem,' zei de bankmanager, 'is dat u nu voor twee huizen aan het betalen bent.' Hij was naar de garage gekomen om met haar te praten. Hij zat in het kantoor, de uitdrukking op zijn gezicht een mengeling van schaamte en boosheid. Ze wilde hem vragen: waarom nu? Had hij de krant niet gelezen? Zag hij dan niet dat dit niet het juiste moment was?

Maar hij was een bankmanager. Een man in een maatpak. Ongetwijfeld met een groot huis in een van de chiquere voorsteden. Het was zijn taak om kleine noodlijdende bedrijfjes in Vesterbro op hun huid te zitten. De omstandigheden deden er niet toe. Alleen kronen op de bank.

'Het duurt nu niet lang meer.'

'Dat kan ook niet. Jullie financiële situatie is niet dusdanig dat jullie het kunnen behouden. Dus…'

'Dus wat?'

'Wanneer denken jullie het huis te kunnen verkopen?'

Een van de mannen kwam het kantoor binnen en zei: 'De hydraulische laadklep van de grote vrachtwagen is kapot.'

Wat zou Theis gedaan hebben? Wat zou Vagn zeggen?

'Ga maar twee keer met de kleine. We kunnen dit niet afzeggen.'

'Als we dat doen dan zijn we te laat voor de volgende klus.'

Ze keek hem aan zonder iets te zeggen.

Hij vertrok.

'Ik kan de lening opschorten,' zei de bankmanager. 'Dat betekent dat jullie deze maand niet hoeven te betalen. Maar…'

Ze zat te peinzen over vrachtwagens, klussen en afspraken. Als je hard genoeg werkt dan komt het geld vanzelf. Dat was wat Theis altijd zei.

'Pernille? Jullie hebben een grote schuld. En dan zijn daar ook nog de kosten voor de uitvaart. Wat we nodig hebben is…'

'Geld?' vroeg ze. 'Een zakelijk onderpand?' Ze keek het kantoor rond, keek naar de garage en de mannen buiten. 'Dit alles is toch al van jullie. Wat kan ik jullie verder nog bieden?'

'Je hebt een plan nodig. Anders…'

'Theis komt zo meteen naar huis,' zei ze beslist. 'Hij zal wel een oplossing bedenken. Dat doet hij altijd.'

'Pernille…'

'Je kunt toch wel wachten tot hij thuiskomt? Of wil je me soms laten dagvaarden als ik Nanna's urn aan het begraven ben?'

Dat vond hij niet leuk. Het was ook wreed om te zeggen, bedacht ze.

'Ik probeer alleen maar te helpen.'

Haar mobiel ging.

'Je krijgt je geld wel. Sorry, deze moet ik even nemen.'

Het was Theis, die vanuit de gevangenis belde.

Ze liep naar een rustige hoek van de garage om met hem te praten.

'Hé.'

'Gaat het goed met je, Theis?'

'Ja.'

Ze probeerde hem zich daar voor te stellen. Hadden ze hem een uniform aangetrokken? Kreeg hij wel genoeg te eten? Zou er gevochten worden? Zijn temperament...

'Hoe gaat het met de jongens?'

Hij klonk oud en kapot.

'Het gaat prima met ze. Ze wachten tot je thuiskomt.'

Over de lijn was een lange, astmatische inademing te horen. Toen zei hij: 'Ik kom vandaag niet thuis.'

'Wanneer laten ze je dan vrij?'

'Ze willen me in hechtenis houden.'

Een paar van de mannen stond naar een van de vrachtwagens te staren. Ook daar was een probleem mee.

'Voor hoe lang?'

'Over een week ga ik terug naar de rechtbank. Dan misschien.'

Ze wist niks te zeggen.

'Het spijt me...'

Ze had hem nog nooit zien huilen. Zelfs niet toen zijn moeder stierf. Alles gebeurde bij Theis diep vanbinnen, verborgen, gevangen in stilte. De emoties waren er wel en ze had geleerd er gevoel voor te ontwikkelen. Ze had nooit verwacht dat hij ze ooit zo duidelijk zou laten blijken.

'Ik moet nu ophangen, schat,' zei hij.

Ze drong uit alle macht haar tranen terug, voor hem, voor zichzelf, voor Nanna en de jongens. Voor heel de droevige grijze wereld.

Ook Pernille schoot niets te binnen om te zeggen en dat leek nog het ergste, de grootste, allergrootste zonde.

'Dag,' zei hij en toen was hij weg.

Lund ging terug naar de bakstenen vesting van het Rådhus en vond in de kelder de afdeling die over de auto's ging. Daar stond ze in haar blauwe jas, spijkerbroek en wollen trui met een geïrriteerde oude man in uniform te steggelen die dacht dat hij wel iets beters te doen had.

Het beheer van de parkeergarage viel onder de beveiligingsdienst die een kantoor had bij de uitgang. Tussen haar en de man in zat, om haar volkomen duistere redenen, een glazen ruit. Het hele gebouw hing vol tv-schermen van de camerabeveiliging: de gevangenisachtige raadzalen, de kantoren van de ambtenaren, de kelder, de garage.

'We hebben het druk,' zei de beveiligingsman.

'Dit duurt niet lang. Ik moet leren begrijpen hoe jullie systeem werkt.'

Hij zag eruit alsof hij hier al werkte sinds de bouw van het stadhuis, een eeuw of zo geleden. Een ernstige man van ongeveer vijfenzestig, met een half brilletje waar hij graag mee speelde, kaal op een grijze rand haar na. Hij voelde zich erg belangrijk in zijn officiële blauwe trui, alsof het wapen van de stad, drie gouden torens die uit het water oprezen, een soort onderscheiding was. Hij was meer in letters, camera's en verborgen vakjes geïnteresseerd dan in het kijken naar de mensen om hem heen.

'Het is een garage,' zei hij. 'Wat verwacht je dan? Ze overhandigen de sleutels zodra ze de auto weggezet hebben. Als ze vertrekken halen ze ze weer op.'

Achteraan bevond zich een groot bord. Vol met sleutelbossen. Er kwam een chauffeur om een auto vragen. De man stond op, verschoof het halve brilletje zo dat hij de getallen kon lezen. Een heel eind. Helemaal tot aan het uiteinde van zijn puntige neus.

'Je moet eens naar een opticien,' zei ze in een poging vriendelijk te zijn. Hij overhandigde de chauffeur een sleutelbos, keek haar kwaad aan, ging zitten zonder iets te zeggen.

'Dus de sleutel van de gestolen auto had hier moeten hangen?'

'Als hij niet gestolen was.'

'Wie is er verantwoordelijk voor het voltanken van de auto's?'

'Ik denk degene die erin rijdt. Ik heb niks te maken met dat soort dingen.'

'En wordt dat altijd bijgehouden in het logboek?'

Die vraag beviel hem niet.

'Ik kan niet spreken voor de verkiezingskandidaten.'

Lund aarzelde, keek hem aan. Bleef staan waar ze stond.

'Ik praat met jou.'

Toen liep ze zijn kantoor in, legde het wagenparklogboek voor hem neer.

'Dit is het boek dat we hiervandaan hebben meegenomen, leg het me uit. Betekent dit dat niemand de auto volgetankt heeft?'

'Je wordt geacht aan de andere kant van het glas te blijven.'

'Jij bent een ambtenaar. Jij wordt geacht de politie bij te staan. Vertel me meer over het logboek.'

'Het stelt niks voor,' zei de man. 'De chauffeurs vullen ze nooit meteen in. Ze wachten tot ze de tijd hebben. En soms vullen ze ze helemaal niet in.'

Hij tuurde naar de boekingen.

'Deze chauffeur is nooit hiernaartoe teruggekomen. Dus heeft hij nooit het logboek ingevuld. Wat is daar gek aan? Kan ik nu weer aan het werk?'

Hij rommelde weer met zijn bril en gluurde naar haar.

'Tenzij je natuurlijk nog meer vragen hebt?'

Ze liep het kantoor uit, in de richting van de deur. Ze wierp een blik naar buiten naar de zwart-witte winterdag.

Er was niemand die de politie echt graag hielp. Ze waren een soort vijand. Zelfs in de krochten van het stadhuis.

Lund ging terug en bleef aan de andere kant van het glas staan zoals ze geacht werd te doen. Hij zat nog steeds met zijn bril te prutsen, een beetje nerveus leek het wel. 'Hoe betalen de chauffeurs voor de benzine?'

Hij drukte op het knopje van zijn microfoon.

'Wat?'

'Hoe betalen de chauffeurs voor benzine?'

'In de auto zit een betaalpas. Kijk. Daar hebben wij niks mee te maken…'

'We hebben geen betaalpas gevonden. Wat is het er voor een?'

'Dat weet ik niet. Wij zijn van de beveiliging. Wij doen geen geld hier. Als je me nu wilt excuseren…'

'Dat begrijp ik. Maar je kunt het opzoeken en kijken bij welke benzinestations ze gewoonlijk tankten.'

'Je wilt dat ik het op ga zoeken?'

'Ja.' Ze glimlachte. 'En dan laat ik je weer aan je werk.'

Hij ging op zijn stoeltje zitten met dat mistroostige bleke gezicht van hem en vingers die met zijn bril speelden.

'Ik beloof het,' zei ze.

De details stonden in een boek voor hem. Hij krabbelde wat op een stukje papier en schoof dat onder het glas door.

'Anders nog iets?' vroeg hij.

'Op dit moment niet, dank je wel.'

Meyer en zijn mannen waren bij de school. Ze droegen veiligheidshelmen en keken naar de bouwplaats die uiteindelijk de nieuwe vleugel zou gaan worden.

'Praat met alle werklui,' beval hij. 'Zoek uit wanneer ze arriveerden en wanneer ze weer weggingen. Alles wat ze gezien hebben. Zijn jullie daarmee klaar, praat dan met de schoonmakers. En daarna…'

Zijn telefoon ging over.

Lund.

'Kom je nog naar de school of hoe zit dat? We hebben hier een hoop te doen.'

'Er was een betaalpas voor de auto. De pas heb ik niet, maar het nummer wel.'

Het was even stil. Verkeersgeluiden. Hij zag voor zich hoe ze met een mobiel en wat papieren zat te jongleren en tegelijkertijd probeerde te rijden.

'Die vrijdag werd hij gebruikt om 19.21 uur. Benzinestation aan de Nyropsgade.'

'Waar?'

'Op twee minuten van het stadhuis.'

Meyer zweeg.

'We gaan achter die bewakingsbeelden aan,' zei Lund.

'We moeten doen wat Buchard zegt dat we moeten doen.'

Ze gaf geen antwoord.

'Kun je dit niet alleen doen?' vroeg hij en hij voelde zich rot zodra hij de woorden uitgesproken had.

'Natuurlijk,' zei ze op die zangerige toon die ze naar believen aan en uit kon zetten. 'Als je dat wilt.'

Toen was ze weg.

De mannen keken naar hem.

Meyer gooide degene die het dichtstbij stond zijn veiligheidshelm toe.

'Jullie weten wat jullie moeten doen,' zei hij.

'Ga je ergens heen?' vroeg de man.

'Als jullie me nodig hebben, ik ben weer op het hoofdbureau.'

De dagen werden steeds korter. Het was even na vieren al donker.

Pernille Birk Larsen zat alleen in het kantoor telefoontjes te negeren van ziedende klanten, de media, vreemden die hun nogal merkwaardige hulp aanboden.

De bankmanager had weer gebeld voor informatie over hun financiën. En dus was ze gedwongen naar de sleutel te gaan zoeken van Theis' kluisje om te kijken of ze een paar ontbrekende bankafschriften kon vinden. Ze vond er een foto: Theis en Nanna. Een paar weken daarvoor genomen waarschijnlijk. Hij had zijn zwarte wollen muts op en lachte argeloos op de manier waar ze zo van hield. Nanna was prachtig, met haar arm om haar vaders schouders alsof ze hem wilde beschermen. Niet andersom. Zoals het hoorde.

Ze draaide hem om. Achterop stond in Nanna's handschrift gekrabbeld: Ik hou van je!

Pernille had deze foto nog nooit gezien. Weer een van Nanna's geheimen. En van haar vader. Nanna zat altijd rond te snuffelen op plekken waar ze niks te zoeken had. Van tijd tot tijd hadden ze er ruzie om. Maar nooit serieus. Ernstige meningsverschillen hadden ze nooit. Soms vroeg ze zich af of ze Nanna eigenlijk wel echt hadden gekend. Misschien werd die gedachte ingegeven door de onvermijdelijke afstand die haar dood schiep. Misschien...

Nanna was een merkwaardig kind geweest, altijd op zoek naar iets nieuws.

Misschien had ze hier ook wel rondgeneusd in Theis' geheime zaken.

Dat zou hij niet leuk vinden, dacht Pernille. Hij had een kant die hij strikt privé wilde houden. Dat had ze gisternacht wel gezien. Een enorme, woeste gestalte die met een moker over een bloedende menselijke vorm op de vloer van dat afgelegen depot gebogen stond. Een man van wie ze hield, maar die ze op dat moment nauwelijks herkende.

Ze schrok op van een geluid in de donkere garage. Vagn Skærbæk kwam uit het duister binnenlopen. Hij maakte een schuldige, stiekeme indruk. Hij had een snee in zijn gezicht en wat blauwe plekken.

'Hoi,' zei hij.

Ze legde de foto weg en keek naar hem op. Wist niks te zeggen.

Hij stond daar in zijn rode overall, ineengedoken, met zijn zwarte wollen muts op. Het kleine broertje. Ze kenden elkaar al voor zij Theis ooit ontmoet had. Voor ze de sprong had gewaagd en de opwinding van het samenzijn met een man als hij had gevoeld. De zilveren halsketting om Skærbæks nek glinsterde.

'Het was mijn idee,' zei Skærbæk. 'Geef mij de schuld, niet hem.'

Pernille sloot even haar ogen en richtte toen haar aandacht weer op de papieren.

'Zit hij nog steeds vast?'

Er lag een stapel rekeningen. Bankafschriften met bedragen in rode cijfers. Ze opende een la en veegde ze daar met haar hand in.

'Ik kan dit allemaal regelen, Pernille. Laat me je helpen met de zaak. Met de jongens. Ik zal doen wat ik kan. Ik wil alleen…'

Nog meer papieren. Nog meer rekeningen. De stapel leek voor haar ogen groter en groter te worden.

Pernille liep naar hem toe en gaf hem zo hard ze kon een klap in zijn gewonde, gekneusde gezicht.

Hij vertrok geen spier. Bracht alleen een hand naar zijn wang. Door de klap was de wond weer opengegaan. Hij veegde het bloed weg.

'Hoe konden jullie?' vroeg ze. 'Echt, hoe kónden jullie?'

Hij veegde nog wat bloed weg en keek haar wat vreemd aan.

'Theis meende dat hij het voor jou deed.'

'Voor mij?'

'Als hij het wél was geweest, Pernille. Als de leraar het wel gedaan had. Wat zou hij dan nu geweest zijn? Je held? Of een idioot?'

Ze haalde opnieuw uit. Hij bewoog niet.

'Ik had het niet tegen hem moeten zeggen,' zei Skærbæk. 'Ik heb mijn best gedaan hem tegen te houden, zodra ik het inzag. Kemal zou dood geweest zijn als ik dat niet had gedaan.'

'Ik wil het niet horen.'

Hij knikte. Liep naar het bureau. Keek naar de klussen voor de volgende dag.

Ze moest het vragen.

'Vagn. Destijds. Twintig jaar geleden. Voor ik hem kende.'

'Ja.'

'Hoe was hij toen?'

Hij dacht hierover na.

'Ongepolijst nog. In afwachting. Een kind. Zoals wij allemaal.'

'De politie heeft me een aantal foto's laten zien.'

'Wat voor foto's?'

'Van een vermoorde man. Een dealer.'

'O.'

'Wat is er gebeurd? Vertel me de waarheid.'

'We doen allemaal wel eens stomme dingen. Dat vonden je ouders toch ook toen je iets met Theis begon?'

'De politie...'

'De politie probeert je erin te luizen.'

Hij kwam voor haar staan en keek haar nauwlettend aan. Die twee waren al dikke maatjes geweest voor zij hem kende.

'Theis heeft niets gedaan, Pernille. Helemaal niets. Oké?'

Kirsten Eller stak een kwabbige, zweterige hand uit.

'Ik ben zo blij dat alles goed is afgelopen. Uiterst onplezierige affaire die bovendien wel heel ongelegen kwam.'

'Ja, ga zitten.'

Ze zette zich met haar dikke lijf neer op de bank in zijn kantoor.

'En je hebt orde op zaken gesteld in je fractie. Heel goed.'

Hartmann ging op een stoel tegenover haar zitten.

'Ik had geen keus, Kirsten. Ik moest iets doen.'

Ze had een bepaald imago. Lange jas om haar zware lichaam te verbergen. Permanente glimlach. Een achter op haar bruingeverfde haren geduwd uilenbrilletje, alsof ze zojuist een drukke raadsvergadering achter de rug had. Eller liep al even lang als hij rond op het stadhuis. In zekere zin had ze meer weten te bereiken. Op manieren waarvoor hij waardering begon te krijgen.

'Het is nu in ieder geval achter de rug,' zei ze. 'De opiniepeilingen zijn gunstig. En de media zien dat ook in. Dus laten we nu de winst binnenhalen, zou ik zeggen.'

'Dat lijkt mij ook.'

Ze haalde een map uit haar koffertje en sloeg hem open.

'We hebben wat voorstellen over hoe we de zwevende kiezer kunnen binnenhalen. De twijfelaars zullen de doorslag geven. Troels, laten we dat niet vergeten.'

Hij grinnikte naar haar en schudde oprecht geamuseerd zijn hoofd.

'Wat is er?' vroeg ze.

'Je bent een fantastisch acteur, wat een talent.'

De glimlach bleef waar hij was. Geen reactie.

'Bigum zou nooit een dergelijke stunt uitgehaald hebben zonder eerst met jou te overleggen. Hij is naar Bremer toe gegaan. Naar jou. En jij hebt hem je fiat gegeven.'

De glimlach verdween.

'Troels…'

'Nee, alsjeblieft. Beledig mijn intelligentie niet door te proberen het te ontkennen.'

'Dit is…'

'De waarheid,' maakte hij haar zin af. 'Ik ken mijn mensen. Ik ken Bigum. Hij is niet groot of dapper genoeg om dit in zijn eentje te doen. Misschien ben jij naar hem toe gegaan. Het kan me niet schelen.'

Het was hem allemaal duidelijk nu. Hij vroeg zich af waarom het zo lang geduurd had voor hij hen doorhad.

'Ze handelden uit angst. Niet kracht. Niet moed. Angst. Ik vermoed dat je het kon ruiken.'

Ze hief haar handen.

'Troels. Voor je verdergaat… begrijp dit goed.'

'Ik bied je twee opties.'

Kirsten Eller zweeg.

'Of ik licht de pers in en dan zullen ze je afschilderen als de onbetrouwbare, trouweloze intrigante die je feitelijk bent.'

Hij hield zijn hoofd scheef, wachtte, luisterde.

'En het alternatief?'

'Je treedt af. Laat je assistent het van je overnemen.'

Kirsten Eller draaide zich om om naar Rie Skovgaard te kijken die opgewekt aantekeningen zat te maken.

'Je hebt me nodig, Troels. Jullie hebben me allemaal nodig. Denk aan…'

'Nee, Kirsten. Ik heb je helemaal niet nodig.'

Ze wachtte. Geen woord meer. Toen pakte Eller kwaad haar spullen en stormde op de deur af. Daar draaide ze zich om en keek hem aan.

'Dit ging om winnen. Niet om jou. Vlei jezelf dus maar niet.'

'Dat zal ik niet doen,' beloofde hij.

Op weg naar buiten botste ze tegen Morten Weber op. Hij keek haar na toen ze wegliep.

'Wat is hier gebeurd?' vroeg Weber. 'Ik dacht dat we een bespreking hadden.'

Hartmann kwam overeind.

'Rie!' zei Hartmann. 'Organiseer een paar interviews voor me met de pers. Onze vrienden.'

'Wat is hier verdomme aan de hand?' riep Weber uit.

'Dat wilde ik je nog vertellen, maar ik had geen tijd. Kirsten treedt af.'

'Jezus, Troels! We hebben zo ontzettend ons best gedaan voor dit bondgenootschap...'

'Zij heeft Bigum ertoe aangezet. Ze wilde me al die tijd al weg hebben.'

'Je kunt niet zo bezig blijven.'

'Morten.' Hartmann pakte hem bij zijn iele schouders. 'Bremer is ons deze hele campagne steeds net een stap voor geweest. Het is tijd de rollen om te draaien en om doortastender op te treden dan hij.'

'Door iedereen maar te ontslaan?'

Hartmann verloor zijn zelfbeheersing.

'Ze handelde achter mijn rug om. Ze probeerde dealtjes met Bremer te sluiten. En toen met Bigum. Je móét anders gaan denken. We kunnen Bremer echt wel van zijn troon stoten zonder die draaikonten van de Partij van het Centrum.'

'Nee, Troels! Dat kunnen we niet. Alleen hebben we niet genoeg stemmen.'

Hartmann schudde zijn hoofd. Rie Skovgaard deed er glimlachend het zwijgen toe.

'Hoe lang spelen we deze spelletjes nu, Morten? Twintig jaar? Altijd volgens dezelfde regels, die van hen. Van nu af aan spelen we ze volgens die van mij. Roep de fractievoorzitters van de kleine partijen bijeen voor een vergadering vanavond. Zeg ze dat we een belangrijk voorstel hebben.'

'De helft van ze haat je,' zei Weber.

'Niet meer dan elkaar.'

'Ze kiezen voor Bremer!'

'Niet als ze de peilingen hebben gezien. Ze kiezen voor degene die gaat winnen.'

Hij keek het campagnebureau rond. Overal hingen posters, met zijn eigen gezicht erop. Een bescheiden glimlach. Wijd open blauwe ogen. De nieuwe bezem die eruitzag alsof hij de oude orde naar buiten ging vegen.

Hartmann wees naar zijn portret.

'Dat ben ik.'

'Hij heeft op de avond dat Nanna verdween, tien dagen geleden, de auto volgetankt,' zei Meyer.

Ze zaten in het kantoor de beveiligingsvideo's te bekijken. Zwart-witte beelden, over vier schermen verdeeld. In de hoek van elk korrelig venstertje waren de datum en de tijd te zien.

'Die video's bestrijken vierentwintig uur per dag. De kans dat we dat moment na al die tijd vinden is heel klein, Lund.'

Ze stond het dichtst bij het scherm. De getallen. De schaduwachtige gestalten die tussen de pompen bewogen.

Alles.

'Bovendien,' voegde Meyer eraan toe, 'gebruiken die lui al die banden steeds weer opnieuw. Als ze dus zo oud zijn…'

'Deze is het niet,' onderbrak Lund hem en ze liet de cassette uit het apparaat springen.

'We hebben er nog maar één over.'

'Het is altijd de laatste.'

Hij haalde diep adem.

'Het is vrijwel nooit de laatste, Lund.'

'Kijk naar het scherm en vind iets wat ik niet zie. Alsjeblieft.'

Hij pakte een banaan in de ene hand, een sigaret in de andere. Hij stak de sigaret tussen zijn lippen.

De video begon. De datum in de hoek was 7 november.

'Verdomme,' morde Meyer. 'Deze is van afgelopen vrijdag. Precies wat ik zei. Ze gebruiken die bandjes opnieuw. Daarom zien ze er ook zo krasserig uit.'

Ze nam een slok lauwe koffie. Iedereen was al naar huis gegaan. Een schoonmaker was de gang aan het vegen.

'Dat betekent toch niet automatisch dat de rest ook van de zevende is?' zei ze. 'Toen we thuis nog videobanden hadden…'

Mark als baby, in de tijd dat ze getrouwd was. Die banden waren een rommeltje, fragmenten uit verschillende maanden, jaren dwars door elkaar heen. Als je dezelfde cassettes steeds weer gebruikte was het moeilijk het overzicht te houden.

'Fast forward,' zei ze.

Meyer drukte op de afstandsbediening.

Zwart-witte auto's en wazige gestalten die aan het rondrennen waren.

'Stop daar,' zei Meyer.

Hij klapte in zijn handen en slaakte een indianenkreet van blijdschap. Ze keek naar hem. Een grote jongen was het.

Meyers gezicht betrok weer.

'Ik probeerde je op te vrolijken.'

'De eenendertigste,' zei Lund.

'Ik weet het. Dat zei ik.'

Ongeveer om acht uur 's avonds. Hij spoelde terug, ging te ver en spoelde, iets langzamer nu, weer naar voren.

19.17 uur. Vier vensters. Slechts één auto.

Een witte kever.

'Verdomme,' mopperde Meyer weer.

'De klok is niet goed. Waarom zou je hem ook precies op tijd laten lopen? Blijf verder spoelen.'

De kever vertrok. Nu waren er helemaal geen auto's te zien. Alleen verlaten beton en de lampen voor de pompen.

Toen stopte er om 19.20.37 uur een zwarte auto op het voorplein, bij de pomp in het venster rechtsboven. Hij kwam aanrijden met de schokkerige bewegingen van een stopframe-animatiefilm voor kinderen.

Met half dichtgeknepen ogen tuurde Meyer naar de nummerplaat.

'Dat is de auto,' zei hij.

Het regende. Dat had ze tot dan toe niet opgemerkt. Ze wist wat het betekende. Moest betekenen. Zo'n soort zaak was het.

Het portier ging open. De bestuurder stapte uit. Hij droeg een lange, donkere regenjas. Met de capuchon over zijn hoofd. Hij liep naar de pomp en opende de benzinedop.

Zijn gezicht was niet te zien.

'Ssjj…' begon Meyer.

Ze legde haar hand op de zijne.

'Geduld.'

Hij liep om de achterkant van de auto naar de pomp. Steeds met zijn gezicht naar de grond.

'Kom nou, jezusmina,' fluisterde Meyer en hij nam gespannen een trek van zijn sigaret.

Het was een benzinepomp met een kaartgleuf bij de hendel. Ze zagen zijn hand ernaartoe gaan, er iets in duwen en er weer uit halen.

Geen gezicht te zien.

Toen hij klaar was met tanken draaide hij de benzinedop weer dicht en liep vandaar naar het portier.

'Hé, lach eens naar het vogeltje. Kijk ergens naar, ja, hoor je?'

Hij schoof achter het stuur. Zijn gelaatstrekken werden aan het oog onttrokken door de schuine voorruit. De Ford reed weg.

'Shit, shit, shit,' gromde Meyer.

'Wacht even.'

Ze drukte op de terugspoelknop. Keek naar de man bij de pomp.

Keek naar zijn linkerhand. De manier waarop deze werd uitgestoken, naar zijn hoofd reikte en vervolgens iets vastgreep toen hij de getallen op de pas ging lezen.

'Ik weet wie dat is,' zei Lund.

Meyer keek zenuwachtig.

'Ik wil het niet weten.'

'Ik ga naar het stadhuis. Ga je mee?'

Het was vijf minuten door de regen en het schaarse avondverkeer. De dienst van de beveiligingsman zat er bijna op. Hij begon te gillen zodra Meyer met zijn handboeien naar hem zwaaide.

'Ik heb niks gedaan. Ik heb niks gedaan.'

'Jezus,' zei Meyer. 'Die tekst heb ik nou nog nooit gehoord. Je gaat met ons mee, makker.'

'Ik heb alleen maar de auto volgetankt.'

Lund liep achter hen aan toen Meyer hem meenam naar de deur. Ze dacht na, ze luisterde.

'Voor of nadat je Nanna Birk Larsen ontvoerd had?' vroeg Meyer.

De man in zijn blauwe diensttrui keek hem ontsteld aan.

'Ik ben vierenzestig. Wat denk je wel niet? Ik heb niemand met een vinger aangeraakt.'

'Breng hem naar dat bankje daar,' beval Lund.

'We moeten hem arresteren.'

Lund nam de oude man van top tot teen op. Kromme rug. Slechte ogen. Moeite met ademhalen.

'Vertel ons de waarheid,' zei Lund. 'Vertel ons wat er werkelijk gebeurd is. Misschien dat je dan je baan houdt.'

'Mijn baan? Mijn bááán? Het is juist omdát ik mijn werk deed dat jullie me nu op mijn nek zitten.'

Meyer duwde hem op de stenen bank bij het fietsenrek.

'Weinig kans dat ze jou ooit boven bij de balies laten werken, hè maat? Vertel ons wat er gebeurd is of je ziet de komende zestien jaar het daglicht niet meer.'

Met een mengeling van angst en razernij staarde de beveiligingsman hem aan.

'Moet ik je hoorapparaat wat harder zetten, opa?' schreeuwde Meyer.

'Waar is de betaalpas?' vroeg Lund wat zachter.

Hij zweeg in alle toonaarden.

'Ik probeer je te helpen,' liet ze hem weten. 'Als je nu niet praat, arresteren we je.'

'Ik heb de pas meegenomen. Ik was van plan hem de maandag daarop weer terug te leggen. Maar toen…'

'Toen wat?' vroeg Meyer.

'Toen krioelde het hier van jullie mensen.'

'Waarom ging je naar de school?'

'Waarom niet? Mijn appartement ligt daar om de hoek. Ik liep naar huis en zag de auto daar staan. Een van onze auto's. Gewoon achtergelaten. Ik begreep het niet. Ik kende de roosters uit mijn hoofd. Ze hadden allemaal terug moeten zijn.'

'En je had de sleutels?' vroeg Meyer.

'Nee, die zaten nog steeds in het contact. Ik denk dat de chauffeur ze vergeten is of zo.'

Hij schudde zijn hoofd.

'Ik kon hem daar toch niet laten staan? Met de sleutels in het contact. Voor middernacht zou iemand hem al meegenomen hebben.'

Lund begon ongeduldig te worden.

'Niet goed genoeg. Je had ook het campagnebureau kunnen bellen. Het was hun auto.'

'Dat heb ik geprobeerd,' zei hij omzichtig. 'Ze zeiden dat de secretaresse in Oslo was. De auto is van de stad, weet je. Niet van hen. Wij zijn de eigenaars. Onze belastingcenten…'

'Je maakt me gek,' beet Meyer hem toe. 'Het meisje…'

'Ik ken dat meisje niet. Ik heb alleen maar iemand een dienst verleend.'

'Wat heb je met de auto gedaan?' vroeg Lund.

'Hij is van Hartmanns campagneteam. Een poenig ventje, maar dat zijn mijn zaken niet. Misschien had hij hem nodig. Dus ging ik naar de benzinepomp, tankte hem vol en reed hem weer terug. Hing de sleutels op hun plek.'

'Terug? Terug waar?'

Hij keek hen aan alsof ze gek waren.

'Terug hiernaartoe, waar anders? Hiertegenover is een parkeergarage. Daar staan de campagneauto's. En daar liet ik hem dus achter.'

Ze wachtte.

'Ik heb er verder niet bij stilgestaan,' zei hij. 'Niet tot ik over het dode meisje las. En toen…'

Ze ging naast hem zitten.

'Toen hield je je mond.'

Hij zat opnieuw met zijn bril te spelen. Likte nerveus zijn lippen.

Meyer ging aan de andere kant naast hem zitten, wierp hem een malicieus lachje toe en vroeg: 'Waarom?'

'Een ambtenaar moet zich niet met politiek bemoeien. Dat is erg belangrijk. We kiezen geen partij. We zorgen ervoor dat we niet betrokken raken.'

'Je bent er nu wel bij betrokken,' zei Lund. 'Heel erg.'

'Ik dacht: laat ik de banden bekijken om te zien wie de sleutels meegenomen heeft. Dat was alleen maar juist.'

'En?'

'Die was er niet.' Hij was duidelijk verbijsterd. 'Het enige wat ik kan bedenken is dat degene die de sleutels heeft meegenomen ook de band meenam. Want hoe kan anders…?'

'O, mijn god,' siste Meyer.

'Het is de waarheid. Ik vertel je de waarheid. Ik ben vierenzestig. Waarom zou ik liegen? Als ze ontdekten dat de videoband verdwenen was, zouden we allemaal in de problemen komen. Die klootzakken boven kunnen niet wachten tot ze ons een schop onder onze kont kunnen verkopen. Ik hoef nog maar een jaar. Waarom zou ik opdraaien voor iemand anders zijn stommiteit? Ik heb de auto teruggebracht toen ik niet eens dienst had. En nu zitten jullie me hier een beetje te bedreigen alsof ik een of andere misdadiger ben…'

'Je bent ook een misdadiger,' zei Meyer. 'We hebben een week lang voor niks achter spoken aan gejaagd. En nu ligt er een fatsoenlijk man in het ziekenhuis en zit de vader van het meisje in de gevangenis. Als we dit van begin af aan geweten hadden… Lund? Lund?'

Ze stond naar het Rådhus te staren. De fraai betegelde gangen. De glanzend houten trappenhuizen. Wapenschilden en kroonluchters. Medailles en gedenktekens. Het uiterlijke machtsvertoon.

Iemand had hierbeneden gelopen en de sleutels van de auto gepakt waar Nanna Birk Larsen in gestorven was. Had ook de videoband meegenomen waarop te zien zou zijn wie hij was.

Ze hadden de hele tijd op de verkeerde plek gezocht.

'Laat het me zien. Laat me zien waar de auto stond.'

Meyer aarzelde.

'De baas zei dat we moesten bellen als…'

'Buchard kan wel wachten,' zei ze.

De raad gebruikte een parkeergarage van meerdere verdiepingen aan de overkant van de straat. Kale, grijs betonnen verdiepingen. De oude beveiligingsman begon bang te worden.

'Ik heb die vrijdag de auto hier om 19.30 uur geparkeerd.'

De derde verdieping. Daar was geen auto meer te bekennen.

'Ben je zeker van de tijd?' wilde Meyer weten.

'Ja! Daarna heb ik de sleutels aan het bord achter ons bureau opgehangen. En toen ging ik naar huis.'

Lund bestudeerde de plafonds, de muren, de indeling van de garage.

'Wie heeft er toegang tot jullie kamer?' vroeg Meyer.

'Niet veel mensen. We zijn van de beveiliging, snap je? Maar die avond was er een feest.'

'In het stadhuis?'

'Ja.' Hij keek boos. 'Een van die feesten van ze. Niet wat jij onder een feest zou verstaan.'

Hij probeerde een glimlach in de richting van Meyer.

'En ik ook niet. Een hoop poeha en goedkope champagne. Ze beginnen iedere verkiezingscampagne altijd met zo'n feest. Dat noemen ze een posterfeest. Als de posters eenmaal klaar zijn, komen ze bij elkaar en gaan ze zichzelf voor de gek staan houden dat ze gewonnen hebben.'

'Dus wat gebeurt er als een feest is?' vroeg Lund.

'Dan is het een komen en gaan van mensen. Je kunt niet alles in de gaten houden. Ze geven sleutels af, ze willen sleutels hebben. Je moet mensen de zaal wijzen, meelopen naar de wc.'

Ze wachtte.

'Ik was er niet,' zei hij. 'Als ik er geweest was, zou ik de zaak onder controle hebben proberen te houden. Maar dat is niet gemakkelijk. Ons team is te klein om altijd iemand hierbeneden te hebben.'

'Dus iedereen kon hier binnenlopen en de sleutels pakken?'

'En de videoband,' voegde hij eraan toe.

Meyer sloeg zich tegen zijn voorhoofd en gromde: 'Geweldig.'

'Laten we meenemen wat er nog wel is,' zei ze.

Ze wendde zich tot de beveiligingsman.

'Wiens feest was het?'

Hij keek alsof ze dat had moeten weten.

'Hartmann. Dat paradepaardje dat denkt dat hij die ouwe Bremer de straat op kan schoppen. De dames zijn dol op hem, dat weet ik. Hij ziet er goed uit. Maar geloof mij…'

Hij lachte kort, grimmig.

'Jongens tegen mannen.'

Half negen. Terug op het hoofdbureau. Lund en Meyer zaten achter de computer de videobanden te bekijken. Naast hen zat Buchard met de handen in de zakken.

'Onmogelijk dus om te achterhalen wie de sleutels heeft gepakt,' zei Lund. 'Iemand heeft die band meegenomen. Maar…'

Ze zat opgewekt en in haar element voor het scherm net zo lang op de vooruit- en terugspoelknoppen te drukken tot ze eindelijk bij het juiste beeld aanbeland was.

'Om 19.55 uur gebeurde er dit.'

Op de derde verdieping van de garage vertrokken twee auto's. Helemaal aan de rand van het beeld de zwarte Ford, en een zilveren Volvo dichter bij de camera.

Aan de rechterkant van het scherm, twee stappen van de auto vandaan waarin Nanna gestorven was, ging een deur open naar het trappenhuis.

Er begonnen mensen de garage in te lopen. Een gezin dat net van het feest-je kwam.

'Ballonnen,' zei Buchard. 'Heb je me hiernaartoe laten komen om naar ballonnen te kijken?'

'Vergeet de ballonnen,' zei Lund. 'Let op de achtergrond.'

Een man. Twee kinderen met ballonnen. De Volvo was van hen. Toen ze ernaartoe liepen was er in het halfduister nog net een gestalte te zien die naar de andere wagen liep.

Niet veel meer dan een schaduw. Een veeg op het scherm.

'Ik snap er geen reet van hoe je dit soort dingen kunt zien,' zei Meyer.

'Ik kijk. Het is een man, ongeveer 1,88 m zou ik denken. Op dit moment is Nanna nog steeds op het schoolfeest.'

De zwarte Ford keerde, net toen de man van de Volvo en zijn kinderen in hun auto stapten. Ze blokkeerden het zicht.

'Later gaat ze bij haar leraar langs. En dan…'

De Ford ging links op het scherm op weg naar de uitgang, achter de auto vóór hem aan. 'Ik denk dat ze op dit moment die man heeft ontmoet.' Lund keek naar het scherm, volledig in de ban van het beeld, zich er niet van bewust dat ze glimlachte. 'Ergens.'

Ze schakelde over naar een andere camera. De zwarte Ford die door de garage reed. En toen naar nog een andere op een hoek. Hij draaide naar de afrit toe. Op het zwart-witte scherm was duidelijk de plaatnummer te zien.

'Dat is hem,' zei ze. 'XU 24 919. Dat is de auto waarin Nanna gevonden is.'

Met een sigaret in de mond, ogen glanzend van vermoeidheid, salueerde Meyer even naar haar.

'Dank je wel,' zei Lund ietwat sarcastisch.

'Nee, Lund. Ik meen het. Jezus…'

'We hebben onze tijd verspild op die school. Daar is het niet gebeurd. De auto was al die tijd allang weer terug in de garage van het Rådhus.'

'Iemand zit de boel te belazeren…' gromde Meyer.

'We kunnen Hartmann en zijn staf buiten beschouwing laten,' vervolgde ze. 'Die hebben we nagetrokken. Het punt is…'

De twee mannen wachtten af.

'Nanna ging ergens heen. De manier waarop ze zich op dat feest gedroeg. Kemal zei dat ze om een of andere reden een schoolfoto uit zijn woning had opgepakt. Het lijkt wel alsof…'

'Ze afscheid nam?' zei Meyer.

'Misschien.' Lund haalde haar schouders op en trok aan de mouwen van haar trui. 'Ik denk dat ze een verhouding met iemand had. De ouders vermoeden dat ook. Maar ze willen het niet tegen ons zeggen. Misschien omdat ze het niet onder ogen willen zien.'

'Birk Larsen heeft een verleden, baas. Die leraar zou dood geweest zijn.'

'Vergeet de ouders,' verordonneerde Buchard. 'Die zitten vast in Vesterbro, die gaan echt niet zomaar naar het stadhuis.'

Lund kon haar ogen niet van het scherm af houden.

'Het is iemand die haar inpalmt. Nanna was mooi. Volwassen voor haar leeftijd. Iemand zei haar dat ze bijzonder was. Gaf haar dure cadeaus. Zei dat ze zich stil moest houden. Moest wachten.'

Ze dachten aan de volgepropte slaapkamer boven de garage in Vesterbro, vol boeken, souvenirs en aandenkens. De kleren in de kast. De flauwe geur van een parfum dat niet bij een tiener paste.

'Nanna had een ander leven gehad waar niemand wat van wist.'

'Zo werkt dat niet, Lund,' zei Meyer. 'Iemand moet iets doorgehad hebben.'

'Pernille niet. Theis misschien.'

'Iemand,' hield hij vol.

'Wie hebben jullie dit verteld?' vroeg Buchard. 'Dat de auto teruggebracht is naar de garage van het stadhuis?'

De vraag verraste haar.

'Niemand behalve jou. Ik zet de machinerie in werking nu. Misschien zijn er nog camera's in de straat.'

Buchard beende met grote passen de kamer uit.

'Misschien…' zei Lund terwijl ze hem nakeek.

De hoofdinspecteur bevond zich in de gang, was door het glas te zien. Hij belde op zijn mobiel.

'Denk je dat hij zijn vrouw aan het bellen is?' vroeg Meyer. 'Of is hij een pizza aan het bestellen om het te vieren?'

Lund zat weer achter het scherm.

'Wat?'

'Ik vroeg het me gewoon af. Jij laat hem iets als dit zien. Hij zegt niets. Gaat ervandoor. Iemand bellen.'

Ze wapperde zijn rook weg.

'Ik wou dat je daarmee ophield.'

'Voor ik naar dit ellendige oord toe kwam, werkte ik in een kleine stad in het zuiden. Daar klaagde nooit iemand over de rook.'

'Dan zou je misschien terug moeten gaan.'

Hij keek wat bedrukt.

'Kan niet,' was Meyers enige reactie.

Buchard kwam weer naar binnen.

'Controleer de roosters en de administratie van de bewakers. Breng die oude man die de sleutels had hierheen…'

'Hij heeft het niet gedaan,' snauwde Meyer.

'Breng alles hiernaartoe wat jullie over de staf kunnen vinden.'

'Het is niet iemand van de staf,' zei Lund. 'Dat is niet het soort mensen dat een knap jong ding als Nanna inpalmt. En haar dingen geeft waar ze nooit van had durven dromen. Dat videobanden achteroverdrukt, sleutels regelt, van alles en iedereen verlaten plekken vindt.'

291

'Check de staf. En kom me brengen wat jullie gevonden hebben,' herhaalde Buchard.

Ze was hardop aan het denken. Kon daar niet mee ophouden, zelfs al zou ze het willen.

'Het moet een hooggeplaatst iemand zijn. Iemand die meent dat hij hiermee weg kan komen. Omdat hij ons ver beneden zich vindt staan. Wij zijn…'

'Dat is allemaal al gecheckt,' viel Buchard haar in de rede.

'Hè?' zei Meyer.

Lund wilde lachen.

'Gecheckt? Wie heeft dat dan gecheckt? Wij zijn met deze zaak bezig. Als wij het niet gecheckt hebben…'

Buchard ontplofte.

'Als ik je zeg dat het gedaan is, dan is het gedaan. Ga nu verder met die bewakers.'

Toen hij naar de deur wilde lopen vloog Lund op hem af met Meyer vlak op haar hielen.

'Nee. Dat is niet goed genoeg, Buchard. Met wie heb je gebeld?'

Hij schuifelde in de richting van zijn kantoor, met zijn rug naar hen toe.

'Het gaat je niks aan wie ik gebeld heb,' zei Buchard zonder hen een blik waardig te keuren.

'Wacht, wacht.' Meyer was ook kwaad. 'Dit slaat nergens op.'

Buchard bleef staan en keek over zijn brede schouder.

'Dat kan voor jou toch geen probleem zijn?'

'Ik wil weten wat er aan de hand is,' eiste Lund.

Hij draaide zich om. De zware borstkas vooruit. Een toonbeeld van ellende.

'Kom mee,' zei Buchard.

Beiden zetten zich in beweging.

'Lund!' blafte hij Meyer toe. 'Jij niet.'

Ze keek naar de man naast haar. Probeerde te glimlachen.

Toen liep ze achter Buchard aan, Meyers gemekker in de gang achter haar negerend.

De hoofdinspecteur sloot de deur. Ze glimlachte. Ze had deze man haar hele werkende leven gekend. Van hem geleerd. Ruzie met hem gemaakt soms. Ze had bij hem thuis gegeten. En toen ze getrouwd was waren ze zelfs wel eens met zijn vieren uit geweest.

'Je kunt het me vertellen,' zei Lund. 'Ik hou mijn mond. Dat weet je.'

Buchard keek haar aan.

'Je mag het die idioot daar ook wel vertellen als je wilt. Dat kan mij niks schelen.'

'Meyer is goed,' zei Lund. 'Hij is beter dan hij zelf weet.'

De hoofdinspecteur hief zijn handen. Nam die arrogante geleerdenpose aan die hij altijd gebruikte als hij een lezing gaf.

'Als ik zeg dat ze er niet bij betrokken zijn,' liet hij haar weten, 'dan zijn ze er niet bij betrokken.'

Ze hield haar hoofd scheef, keek hem ongelovig aan.

'Luister Sarah. Ik wil deze zaak net zo graag opgelost zien als jij.'

'Waarom maak je me dan vleugellam?'

Dat vond hij niet leuk.

'Ik ben je baas. Ik beslis wat jij doet. Ik ben duidelijk geweest.'

Toen vertrok hij.

Meyer kwam aanlopen, wilde weten wat de hoofdinspecteur gezegd had.

'Niets,' zei Lund tegen hem. 'Toen we Nanna's mobieltje gecontroleerd hebben, hoe ver zijn we toen teruggegaan wat telefoontjes betreft?'

'Dat weet ik niet. Een week of zo. Ze heeft met niemand van het stadhuis gebeld. Alleen met andere jongeren en met thuis.'

'Kun je er nog eens naar kijken? En dan nog verder teruggaan?'

In hun kantoor ging de telefoon. Ze liep erheen om hem op te pakken, een jammerende Meyer in haar kielzog.

'Wat heeft Buchard gezegd? Lund? Lund!'

Het telefoontje was van een radioverslaggever die om commentaar vroeg op de zaak en Hartmanns campagne.

'We hebben gehoord dat jullie belangstelling nu weer naar het stadhuis uitgaat,' zei de verslaggever. 'Waarom? Is Hartmann een verdachte?'

'Van wie heb je dat?' vroeg Lund.

'Mijn bronnen.'

'Nou, dan vraag je die bronnen toch wat er aan de hand is,' zei ze.

Ze gaf de telefoon aan Meyer.

'Wat heeft Buchard gezegd, Lund?'

Haar telefoon piepte. Een sms. Ze keek ernaar. Pakte haar jas en haar tas. Wist niet wat ze ervan moest denken.

'Ik moet gaan.'

'Waarheen?'

'Hou me op de hoogte,' zei Lund en toen ze vertrok hoorde ze hem tekeergaan tegen de verslaggever.

Ze liet haar auto op straat achter bij het station, met brandende lichten en de portieren van het slot. Haar jas liet ze op de bestuurdersstoel liggen. Rende in haar zwart-witte trui en spijkerbroek de trap af.

Het regende weer. Er was geen maan. Alleen een paar mensen die het weer ontvluchtten en een stel dronkenlappen dat niet kon wachten om met elkaar op de vuist te gaan.

De trein naar Stockholm stond op het punt te vertrekken. Die lange reis over het water via de Øresundbrug. Een reis die ze zelf zou kunnen maken. Wanneer ze maar wilde. Als niet…

Vijf uur later in Stockholm. Het nieuwe leven. Bengt en Mark. Een rustigere baan. Een andere wereld.

Hij stond op het perron, met een beker koffie in de hand en zijn linkerarm in een mitella. Zijn gezicht vertoonde nog altijd blauwe plekken en was gezwollen bovendien.

Lund bleef even staan, vroeg zich af wat ze moest zeggen. Wat ze moest doen.

Hij had haar niet gezien. Stond met zijn gezicht naar de trein. Ze kon nu weglopen en ze vroeg zich af of dat misschien niet beter zou zijn.

In plaats daarvan liep ze naar hem toe en zei tegen zijn rug: 'Bengt.'

Ze zag de pijn, fysiek en psychisch, op zijn vertrouwde, verweerde gezicht toen hij zich omdraaide.

Het eerste wat je moest doen was je verontschuldigen. Altijd.

'Er deed zich ineens weer iets voor, sorry. Er was een…'

Ze schoot vol. De woorden kwamen er niet goed uit.

'Er waren nieuwe ontwikkelingen.'

Ze wees met haar duim over haar schouder.

'Kunnen we er in de auto even over praten?'

Er was iets veranderd in zijn blik. Een uitdrukking die ze daar nooit eerder in had gezien. Afstand. Een blik die bijna op medelijden leek.

'Echt,' zei Lund. 'Ik begrijp waarom je niet bij mijn moeder wilt logeren. Ik had niet gedacht dat we er zo lang zouden blijven.'

Hoop. Een plan.

'Laten we een hotel zoeken,' zei ze. 'Dan nemen we een gezinskamer. Zo lang duurt het niet meer.'

Hij schudde zijn hoofd en ze wilde dat ze de woorden kon vinden om hem tegen te houden.

'We hebben de dingen overhaast, Sarah,' zei hij. Zijn stem klonk afstandelijk en onpersoonlijk. 'Misschien is het beter zo. Naar Zweden verhuizen…'

De felle stekende pijn was weer terug in haar ogen.

'Nee. We hebben niks overhaast. Wat bedoel je?' Een enkele traan wist te ontsnappen en rolde over haar rechterwang naar beneden. 'Ik wil dit graag.'

Haar mouw ging naar haar gezicht alsof ze zo'n radeloze puber was op de school van Nanna Birk Larsen.

'Ik wil bij je zijn, Bengt. Blijf alsjeblieft.'

'Ik kan dit niet meer aanzien,' zei hij en toen omhelsde hij haar even, met zijn beker koffie in de hand.

Een korte omhelzing, zo een die een vriend je gaf. Het voelde niet eens als een afscheid.

'Hou je haaks,' zei hij nonchalant. En toen stapte hij de trein in.

Lund zag de stationsverlichting almaar troebeler worden terwijl ze daar op het perron de trein nakeek. Snikkend zoals ze in geen jaren had gedaan.

Woorden waren nooit gemakkelijk.

In ieder geval niet om ze uit te spreken. Wat ze betekenden, wat de wereld in al haar vreemde en ondoorgrondelijke aangezichten betekende… dat waren zaken die haar aldoor op het obsessieve af fascineerden.

Ze had tegen Bengt gezegd dat ze van hem hield. Niet vaak. Niet herhaaldelijk. Dat leek niet nodig. Te dwingend.

En het maakte toch geen verschil. Ze was wie ze was en was daar tevreden mee. De prijs…

Weer gleed de ruwe wol over haar gezicht en schuurde over haar ogen en huid.

Voor even verduisterde het licht om haar heen. Ze was terug in het Pinksterbos, te midden van de dode bomen met hun schilferende zilverkleurige bast. Ze joeg opnieuw achter de man aan die Nanna Birk Larsen had opgejaagd. Ze was opnieuw verdwaald, verloren, zoals Nanna zich in die laatste wrede momenten gevoeld moest hebben.

Het donkere bos…

Nanna die te midden van de berkenstammen voor haar leven vocht. Haar eigen worsteling met de hersenschimmen rond de gewelddadige dood van het meisje, Meyer die zwoegde om haar bij te houden. Ook zij waren ten overstaan van een groot aantal tweesprongen allemaal in de bossen verdwenen. Links of rechts. Omhoog of omlaag. Het rechte pad onttrok zich aan het zicht.

Alleen.

Zoals ze van het begin af aan geweest was.

Misschien was dat het wat Bengt had opgemerkt. Dat wanneer hij uit het zicht was hij ook uit haar gedachten was verdwenen. Dat niets anders ertoe deed behalve wat ze met die glanzende, zoekende ogen van haar zag.

En zelfs dat leek nu een leugen, een grap, een spookverschijning die lachend door de schaduwen fladderde.

Voor haar was er geen juist pad. Geen juiste richting, geen juiste koers. Alleen de zoektocht ernaar bestond. De jacht maar niet de buit.

De trein reed het rechte spoor op dat onherroepelijk naar de Øresundbrug leidde.

Een niet genomen afslag. Een pad dat algauw overwoekerd zou zijn en zou verdwijnen.

Ze tastten allemaal in het duister, waar ze de prooi in hun innerlijk en daarbuiten achternazaten. Meyer die ervoor vocht om zijn baan te behouden. De Birk Larsens die worstelden met hun verdriet. Zelfs Troels Hartmann, de glamourboy van de politiek. Een aantrekkelijke, intelligente man die onder dat fraaie oppervlak gekweld werd door een demon. Dat wist ze zeker.

En dus, dacht Lund, was ze misschien toch niet alleen.

Meyer belde toen ze weer in de auto zat.

'Hé daar? Heb je je tong ingeslikt?'

'Wat is er?'

'Ik ben bij de technische recherche geweest en heb ze nog eens naar die telefoon laten kijken. Er stonden 53 telefoonnummers in haar contactenlijst.' Hij zweeg. 'Wij hebben er maar 52 gekregen.'

Ze kon nu absoluut niet met hem praten.

'Kan dit niet tot morgen wachten?'

'Ik heb een overzicht gevonden van de telefoontjes die ze gepleegd heeft in de afgelopen paar maanden. Die heb ik vergeleken met de gegevens op de mobiel. Iemand zit de kluit te belazeren, Lund. Die lijst was niet compleet. Ze heeft een aantal telefoontjes gepleegd waarvan wij niet op de hoogte gesteld zijn.'

'Waar bel je nu vandaan?'

'Ik sta buiten. Je denkt dat ik een idioot ben, hè?'

'Nee, dat denk ik niet. Moet ik dat steeds blijven herhalen?''

'Het ergste komt nog. De eerste persoon die die lijsten heeft gezien en een blik op die mobiel geworpen is Buchard.'

Lund reed verder.

'Dat kan niet waar zijn.'

'Dat is het wel, Lund. Dit bevalt me helemaal niet. Als Buchard iemand dekt dan moet dat wel Hartmann zijn. Alles wijst in die richting.'

'Niet nu,' fluisterde ze.

'Als we niet met Buchard kunnen praten, met wie dan wel? Hè? Wie trekt er achter de schermen aan de touwtjes? Jezus…'

Ze trok haar oortelefoontje eruit.

'Lund? Lund?'

Het hoofdbureau doemde dreigend op in de duisternis voor haar, een lichtgrijs paleis, met talloze draaiende gangen, kantoren en verborgen hoekjes waar ze zichzelf nog altijd in kon verliezen als ze haar best deed.

Sarah Lund bleef doorrijden. Liet het links liggen. Op weg naar wat, voor nu in ieder geval, 'thuis' was.

In de gemeenteraad van Kopenhagen hadden vier kleine partijen zitting – zowel links als rechts, als iets daartussenin – die voortdurend met elkaar zaten te bakkeleien om vervolgens Bremer te gaan paaien voor een paar belangrijke raadszetels en betaalde aanstellingen.

Om kwart voor tien gaven hun fractievoorzitters acte de présence in Hartmanns kantoor.

Hij had een nieuw overhemd uit de kast gepakt, had zich geschoren en zich door Rie Skovgaard laten inspecteren. Had zijn haar gekamd.

Deze lui kregen geen glimlach. Ze maakten deel uit van het spel. Ze hadden geen glimlach nodig.

'Wij vertegenwoordigen vijf partijen en vijf verschillende politieke benaderingen,' zei hij op kalme, bestudeerde toon. 'Als we van de laatste verkiezingsuitslag uitgaan en jullie stemmen bij die van ons voegen, dan zouden we een ruime meerderheid hebben.'

Hij zweeg even.

'Een ruime meerderheid. De opiniepeilingen laten zien dat het deze keer ook het geval is. Misschien zelfs nog gunstiger voor ons.'

Jen Holck, leider van de Gematigden, de grootste en hardste noot om te kraken, zuchtte, haalde zijn zakdoek tevoorschijn en begon zijn glazen schoon te maken.

'Doe niet alsof het je niet interesseert, Jens,' zei Hartmann. 'Het gaat hier om het verschil tussen winnen of verliezen. Dat weet Bremer ook. Waarom denk je anders dat hij die spelletjes met me speelt op tv?'

'Omdat je die steeds weer uitlokt, Troels.'

'Nee,' hield Hartmann vol. 'Dat heb ik niet gedaan. Wat mij overkomen is kan ieder van jullie overkomen als Bremer zich bedreigd voelt. Zo staan de zaken ervoor in het Rådhus. En daarom hebben we een brede coalitie nodig die zorgt dat Bremer voorgoed van het toneel verdwijnt.'

Mai Juhl was een kleine, gedreven vrouw die uit het niets de Milieupartij had opgericht. Ze genoot veel respect en weinig goodwill. De politiek was haar leven, wat op Hartmann nogal vreemd overkwam, aangezien ze nog maar bar weinig had bereikt in de tijd dat ze zitting had.

'Dat is allemaal leuk en aardig, maar wat hebben we gemeen?' vroeg ze. 'Hoe kunnen we…?'

'We hebben meer dan genoeg gemeen, Mai. Onderwijs, huisvesting, integratie. En het milieu. Je bent niet de enige die daarom geeft, hoor. We hebben echt meer gemeen dan je denkt.'

'En de rolmodellen?' Bij de meeste gewone kwesties maakte Juhl steevast een draai naar rechts. 'Je zou er alles voor doen om ze te behouden.'

'Ja,' zei hij. 'Dat klopt.'

'Daar lopen onze inzichten mijlenver uiteen.'

Iemand anders stemde daarmee in.

Hij keek hen om beurten aan en koos toen zorgvuldig zijn onderwerpen uit Morten Webers onderzoeksresultaten.

'Leif. De laatste keer beloofde Bremer je toch dat hij de CO_2-uitstoot zou verminderen? Is nooit gebeurd. Wat heeft hij voor de ouderen gedaan? Is dat niet ook een belangrijk issue van jullie? Bistrup? Heeft hij de banen geschapen die hij beloofd heeft? Jens? Je zei altijd dat de stad aantrekkelijker moest zijn voor gezinnen met kinderen. Wat is daarvan terechtgekomen?'

Ze zwegen.

'Bremer heeft jullie goedbedoelde steunbetuigingen gretig geïncasseerd toen hij die nodig had en er daarna zijn reet mee afgeveegd.'

Hij schoof zijn eigen verkiezingsmateriaal over de tafel.

'Zaten we nu in een tv-studio dan zou ik geen spaan van jullie heel laten. Jullie hebben de kiezer om zijn stem gevraagd maar zijn nooit jullie beloften nagekomen. Omdat Bremer de zijne nooit nakwam. Zo hoeft het niet te gaan. We kunnen samenwerken. We kunnen compromissen sluiten.'

Hij trok zijn schouders op alsof het hem in feite onverschillig liet.

'We hebben allemaal punten die we bereid zijn op te offeren. Ik ook.' Hartmann hield zijn eigen programma in de lucht. 'Dit is een stuk papier, niet de Bijbel. Wat belangrijk is, is dat we er iets bij winnen. Met Bremer blijf je altijd met lege handen staan, en dat weten jullie.'

Hartmann stond op en deelde Morten Webers stukken rond.

'Ik heb een coalitie tussen ons vijven uitgewerkt. Dit is natuurlijk nog maar een beginnetje. We kunnen het overal over hebben. Jullie willen ongetwijfeld dingen aanpassen. Dat juich ik toe.'

Hij liep terug naar zijn stoel en keek toe hoe ze de papieren oppakten.

'Ik weet dat het een grote stap is. Maar samen hebben we de beschikking over het talent, de energie en de ideeën om van Kopenhagen een betere stad te maken. Als we nu niets ondernemen, dan is Bremer zo weer terug. Dan stagneert alles weer. Geen verbeeldingskracht. Geen vers bloed…'

'Wat mij betreft heeft Bremer prima werk verricht,' viel Jens Holck hem in de rede.

'Dat vind ik ook!' zei Hartmann. 'Twaalf jaar geleden was hij de juiste man. Maar nu…'

'Dit is Kopenhagen. Niet het paradijs. Ik heb van jou nog niets mogen zien dat mij ervan overtuigt dat jij een even goede burgemeester zou kunnen zijn. De laatste tijd eerder het tegenovergestelde.'

'Oké, dat kan. Laten we vooral openhartig zijn en kijken wat de kiezers ervan vinden.'

'En,' ging Holck nog even door, 'je ligt ook niet goed bij het parlement. De burgemeester moet daar onderhandelen over het budget voor de stad. Als het parlement je niet moet, dan hongeren ze ons uit. Ik zie echt niet…'

'Het parlement kunnen we aan, als we sterk genoeg zijn. Als we een brede coalitie vormen…' zijn hand veegde over de tafel, 'kunnen we betere resultaten boeken dan Bremer. Als ze óns afzeiken, dan zeiken ze in feite iedereen af. Zie je dat dan niet in?'

Jens Holck kwam overeind.

'Nee. Het spijt me, Troels, maar ik geloof niet in je.'

'Wil je zelfs niet naar het voorstel kijken?'

'Dat heb ik al gedaan. Goedenavond.'

Mai Juhl ging ook weg.

'Zonder Jens lukt het niet,' zei ze.

De andere drie liepen achter haar aan.

Alleen in zijn kantoor, in het schijnsel van de blauwe lichtbak van het Palace Hotel vroeg Hartmann zich af of hij te voorbarig had gehandeld.

Er was nog nooit zo'n brede coalitie geweest als deze. Misschien was het waanzin maar waanzin was soms nodig in de politiek. Als de oude orde wegviel was het logisch dat er enige chaos ontstond. En het was op dat moment dat de stoutmoedigen toesloegen.

Hartmann schonk zichzelf een cognac in.

Het duurde precies zeven minuten.

Hij zag de naam opflitsen op zijn mobiel en lachte.

Jens Holck stond op de binnenhof in het hart van het stadhuis te roken tussen de bruidssluier en de klimop bij de fontein.

'Je rookt weer,' zei Hartmann met een blik op de sigaret. 'Wat jammer.'

'Inderdaad, ja.'

Holck was een paar jaar jonger dan Hartmann. Ze waren ongeveer even lang en hadden dezelfde bouw. Ooit was hij studentenleider geweest, zijn uiterlijk op het eerste gezicht nog altijd jong maar zijn gebrek aan succes had zijn sporen nagelaten. Zijn haar was donker en hij droeg een hippe, zwarte zonnebril, zijn gezicht was bleek, als van een schoolmeester. Hij had de laatste tijd niet vaak meer gelachen. Of zich geschoren. Hij zag er miserabel uit.

'Was ik niet duidelijk genoeg?' vroeg Holck.

'Zeker. Maar waarom belde je dan?'

Holcks hoofd bewoog heen en weer.

'Om mezelf nog duidelijker uit te drukken.'

'Jens. We moeten iets doen. Het gaat niet goed met de stad. Bremers bestuur is chaotisch. De financiën zijn een zooitje. Hij luistert alleen naar zichzelf.'

Holck nam een trekje van zijn sigaret en blies de rook in de richting van de fontein.

'Hij is als een stervende koning,' voegde Hartmann eraan toe. 'We weten allemaal dat hij niet lang meer heeft. Maar niemand durft het erover te hebben voor het geval de oude man het zou horen.'

'Dan moeten we misschien op zijn begrafenis wachten. En dan de draad weer oppakken.'

Hartmann keek de binnenhof rond. Ze waren alleen.

'Heb je gehoord over zijn reisje naar Letland?' vroeg hij.

Holcks hoofd veerde ineens omhoog. Hij zat in de Rekeningencommissie. Rie Skovgaard had daar ook haar licht opgestoken.

'Wat is daarmee?'

'Officieel zou het om een werkbezoek gaan. Maar zijn onkostenrekening…'

'Zitten spioneren, Troels? Ik dacht dat jij bij de goeien hoorde.'

'Ik rotzooi niet met geld van de gemeenschap.'

'Wij zien alle onkosten. Er was niets mis mee.'

'Met wat jij te zien kreeg, is gerotzooid. Duizenden…'

'Tjezus man. Is dit je nieuwe beleid? Ik geef er geen zak om of Bremer her en der wat in eigen zak stopt. Hij is een oude man en hij heeft altijd keihard gewerkt hier. Ondanks de beroerde salarissen en de belachelijk lange dagen.'

'En dus gaan we gewoon als vanouds verder?'

'Iemand moet de burgemeester zijn. Denk je nou echt dat jij anders bent?'

'Geef me een kans.'

'En je verhouding met het parlement is echt beroerd. Dat is de essentie van het probleem. Ze mogen je niet, Troels. Ze houden niet van de manier waarop je je opdoft voor de camera. De zwijmelende vrouwen. Die schijnheilige zelfvoldaanheid van je. Het feit dat je denkt beter te zijn dan andere mensen.'

Holck lachte even, een kort, krassend geluid.

'Ik heb daar geen last van. Ik ken je lang genoeg om door die hele vertoning heen te kunnen kijken. Wees eens eerlijk. Stel je je verkiesbaar omdat dat beter is voor Kopenhagen? Of voor Troels Hartmann? Wat is het belangrijkst voor je?'

'Heb je gebeld om me dit te vertellen?'

'Eigenlijk wel, ja,' zei Holck. Hij gooide zijn sigaret in de fontein en liep weg.

Tien minuten later.

'Met Jens Holck verspil je je tijd,' zei Morten Weber. 'Hij is Bremers loopjongen.'

'Laten we hem dan de juiste kluif toewerpen. Ze waren wel geïnteresseerd, Morten. Ze zijn aan het twijfelen. Als ik Holck aan mijn kant heb, komt de rest erachteraan. Meteen. Is er iets te eten?'

Weber maakte een buiging en zei: 'Tot uw dienst.'

En ging op pad om iets te zoeken.

'Dus als we Jens Holck niet kunnen lijmen zijn we de klos?' zei Skovgaard.

Ze zat op het bureau, met haar voeten op zijn stoel, steunde haar kin in haar handen. Het idee leek haar wel aan te staan.

'Nee,' hield Hartmann vol. 'We weten wie we zijn. We zijn sterk.'

Skovgaard stak haar arm uit en liet haar spierballen zien.

'Ik ben ook sterk. Voel maar.'

Hartmann lachte, liep naar haar toe en kneep met zijn vingers in haar arm.

'Niet slecht. En nog iets.'

Hij boog zich voorover. Haar armen gleden om zijn hals. Ze kusten elkaar. Vingers woelden door haren. Net grijs pak tegen net zwart jurkje.

Rie bleef in zijn omhelzing staan en zei dromerig: 'Het lijkt heel lang geleden dat we dit voor het laatst gedaan hebben.'

'Als dit achter de rug is neem ik je ergens mee naartoe waar ze het grootste, zachtste, warmste bed hebben…'

'Wanneer dit achter de rug is?'

'Of eerder.'

'Is dat zo'n typische belofte van een politicus?'

Hartmann trok zich terug, glimlachte.

'Nee, het is míjn belofte. Bel je vader en zorg dat hij met de minister van Binnenlandse Zaken gaat praten. Laat die me vertellen wat ik moet doen. Gewoon een paar woorden van het parlement. Het zal Holck ter ore komen.'

Morten Weber kwam binnenlopen met een groot bord vol sandwiches.

'Het wemelt van de politie in de parkeergarage,' zei hij.

'Waarom?' vroeg Skovgaard.

Weber fronste zijn voorhoofd.

'Al sla je me dood.'

Lotte Holst was elf jaar jonger dan haar zus Pernille, en mooi genoeg om achter de bar van de Heartbreak Club te mogen werken, vijf veelbewogen jaren lang. De club richtte zich op zakenmannen, jonge managers en iedereen met genoeg geld om tweehonderd kronen op tafel te willen leggen voor een slappe cocktail. De bar lag bij Nyhavn, vlak bij de toeristenhorden op weg naar de rondvaartboten en restaurants.

Ze had haar haren opgestoken, haar lippen glanzend gestift en droeg een weinig verhullend haltertopje tot haar middenrif. Die outfit combineerde ze met een permanent verveelde glimlach op haar gezicht terwijl ze op de oorverdovende muziek flessen Krug en wodka serveerde.

Het verdiende goed. De fooien waren nog beter. En soms waren er verrassingen.

Tegen elven kwam een van de barmannen naar haar toe en zei dat er iemand voor haar was.

Ze liep naar de receptiebalie en zag Pernille staan in haar lichtbruine regenjas, haar haren compleet in de war. Lotte bracht een hand naar haar hoofd, voelde zich niet op haar gemak, zoals ze zich als kind nooit op haar gemak gevoeld had.

Pernille was knap. Maar zij was de schoonheid van hen tweeën. Dat zei iedereen. Niemand begreep waarom zij niet, en Pernille wel getrouwd was, al was het dan met een ruwe en niet erg welsprekende man als Theis.

Haar zuster schommelde van voor naar achter op haar voeten. Ze zag er verschrikkelijk uit. Naast de garderobe bevond zich een kleine opslagruimte. Daar liepen ze naartoe en namen plaats op de bierkratjes. Lotte luisterde.

'Ik wilde je niet lastigvallen,' zei Pernille.

'Waarom dan… ik bedoel. Het doet er niet toe. De jongens zijn bij mama. Het gaat goed met ze.'

'Dat weet ik. Ik heb ze gebeld.'

'Ik moet werken, Pernille.'

'Dat begrijp ik ook.'

'Heb je nog iets van Theis gehoord? Weet je wanneer hij naar huis komt?'

'Nee. De advocate doet haar best.'

Ze sloeg haar armen om de vlekkerige regenjas heen ook al was het smoorheet in het kleine vertrek.

'Heeft Nanna tegen jou iets gezegd over…'

Haar stem stierf weg.

'Waarover?'

'Dat weet ik niet. Jullie waren zo close met elkaar. Als zusjes.' Er lag iets van een beschuldiging in haar blik. 'Closer dan ik met haar was.'

'Jij was haar moeder.'

Pernille begon te huilen.

'Ze vertelde jou alles! Mij vertelde ze niets.'

De deur stond open. Een van de beveiligingsmensen stond naar hen te kijken.

'Echt niet…'

'Nanna had een leven waar ik niets vanaf weet! Dat weet ik zeker.'

'Ik weet niet wat je bedoelt, Pernille.'

'Wat zei ze? Waren er thuis problemen? Met mij? Met Theis?'

'Nee…'

'We hadden soms ruzie. Ze wist van geen ophouden. Ze kwam en ging wanneer het haar uitkwam. Nam dingen mee. Droeg mijn kleren.'

'Ze droeg ook mijn kleren,' zei Lotte. 'Zonder te vragen.'

'Had ze…?' Daar waren de tranen weer. Ze hield de ogen gesloten. Het was een pijn die Lotte Holst liever niet zag. 'Had ze een hekel aan ons?'

Lotte legde een hand op de arm van haar zus.

'Natuurlijk niet. Ze hield van jullie. Van jullie allebei. En van de jongens. Ze heeft nooit zoiets gezegd.'

'Nee?'

'Nee.'

'Dus dat denk ik alleen maar?'

De beveiligingsman stond gebaren te maken. Ze mocht eigenlijk geen pauzes nemen. Niet langer dan vijf minuten per uur.

'Afgelopen zomer is er iets voorgevallen,' zei Pernille. 'Tussen haar en Theis.'

Ze knikte alsof ze zich een bepaald incident probeerde te herinneren.

'Nu ik erop terugkijk wordt alles me ineens duidelijk. Ze was altijd al papa's meisje. Ze kon Theis om haar vinger winden. En toen ineens deden ze niets meer samen. Ze vertelde me niet waarom.'

'Theis vond het te vroeg voor haar om op zichzelf te gaan wonen. Daar was ze nogal boos om.' Lotte haalde haar schouders op. 'Dat is alles. Ze was negentien. Ze was geen kind meer. Het stelde niets voor.'

'Weet je dat zeker?'

'Je moet ophouden met piekeren. Theis was een goede vader. Is dat nog steeds. Ook al heeft hij dan iets stoms gedaan.'

De barman stond aan de deur en wees naar haar.

'Ik moet gaan. Ik wil niet ontslagen worden. Luister.'

Ze kneep in haar handen.

'Ik kom morgen langs en dan zal ik doen wat ik kan. Kom op. Je kunt dit, Pernille.'

Ze hielp haar zus overeind, omhelsde haar en liep met haar mee naar de uitgang.

Daarna liep ze terug om rijke zakenmannen drankjes in te schenken en te glimlachen terwijl ze wellustig naar haar zaten te gluren.

Toen wachtte ze nog een uur tot de volgende pauze, liep naar het toilet, haalde de cocaïne tevoorschijn en snoof een lange, dure lijn op. Ze probeerde niet te huilen.

10

Dinssdag 11 november

Acht uur 's ochtends. Lund zat de bewakingsvideo's van de garage te bekijken. Nog maar eens. Het gezin, de kinderen met de ballonnen die in de zilvergrijze Volvo stapten. De zwarte Ford die wegreed.

Meyer kwam binnen met nieuws. Er bleek geen enkele connectie te zijn tussen Nanna Birk Larsen en het stadhuis. Ze had er nooit gewerkt, ook niet als vrijwilliger. Leek er zelfs nooit naartoe te zijn geweest met school.

'Ik heb haar spullen nog een keer doorzocht,' voegde hij eraan toe. 'Die sleutelbos die we gevonden hebben.'

Hij liet haar de plastic zak zien.

'Wat is daarmee?'

'Die is niet van haar. Ze zijn in ieder geval niet van het ouderlijk huis.'

Lund had de sleutels verdrongen.

Ze pakte de zak van hem over. Ruko-sleutels. Die werden overal gebruikt.

'Ze zien er niet uit als sleutels die ze op het stadhuis hebben,' zei hij. 'Daar hebben ze allemaal van die oude gekke sloten. Ik snap niet...'

'Later,' zei ze. 'Kunnen we het beeld niet verbeteren? Inzoomen op de bestuurder om te zien hoe hij eruitziet?'

'In theorie wel.'

'Laten we dat dan doen.'

Meyer aarzelde.

'Buchard zegt dat dat allemaal al nagetrokken is.'

Ze wees naar de rapporten.

'Ik lees er hier niets over.'

'Je hebt hem gehoord. Ik wil hier part noch deel aan hebben.'

Hij kwam naast haar zitten. Maakte een bijna nederige indruk.

'Ik wil er niet al te diep op ingaan. Maar dit is...' Hij keek om zich heen in het kantoor. 'Dit is mijn laatste kans. Op een paar plekken liep het niet al te geweldig.'

'Een paar?'

'Dat moet je niet te letterlijk nemen. Ik moet deze baan zien te houden. Dat moet.'

'Denk je dat dat de reden is dat hij ons niet van de zaak geschopt heeft?' vroeg ze zich af. 'Omdat hij ons heeft waar hij ons wilde hebben?'

Meyer staarde haar aan met zijn grote, droevige ogen.

'Als ik Buchard was had ik ons allang ontslagen,' voegde Lund eraan toe.

'Wil je me de volgende keer dat je zoiets gaat zeggen even waarschuwen, dan kan ik mijn handen tegen mijn oren drukken.'

'Je hebt grote oren. Dat zal niet helpen.'

'Bedankt. Als Buchard nou zegt dat het nagetrokken is…'

'Niemand heeft het nagetrokken. Dat geloof jij ook niet.'

Hij drukte zijn handen tegen zijn oren.

Snel haalde hij ze weer weg en zei: 'Hij komt eraan.'

De hoofdinspecteur kwam binnenlopen.

'Je wilde me spreken?'

Lund glimlachte.

'Ik wil mijn excuses aanbieden voor gisteren. We waren allebei moe.'

Meyer knikte.

'Moe,' was hij het met haar eens.

'Geeft niet,' zei Buchard. 'Zolang we maar vooruitgang boeken.'

'Vooruitgang,' zei ze knikkend. 'Zeker.'

'Goed.'

Hij stond op het punt weer weg te gaan.

'Wie heeft de contacten en de lijst telefoontjes op Nanna's mobiel nage-trokken?' vroeg Lund.

Buchard bleef in de deuropening staan.

'Dat weet ik niet,' zei hij.

'Er is misschien iets dat naar een van de bewakers wijst. Misschien. Ik weet het niet.'

'Duik er dan in.'

Weer een glimlach.

'Dat zal ik doen,' zei ze.

Ze keken hem na terwijl hij wegliep.

'Wat zou jij geworden zijn?' vroeg Lund. 'Als je niet bij de politie gegaan was?'

'Dan was ik dj geworden,' zei Meyer. 'Dat heb ik gedaan toen ik studeerde. Ik was erg goed. Maar ja, mijn kop, hè.'

Hij liet zijn hand over zijn stoppels en wangen gaan.

'Ik weet niet of ik er wel het hoofd voor heb.'

Ze lachte.

'En jij?'

'Niets,' zei Lund. 'Dan zou ik niets geweest zijn.'

'Ik heb er wel eens over gedacht om een hotdogkraampje te beginnen,' voegde hij eraan toe. 'Dan ben je tenminste eigen baas. Misschien komt het er binnenkort wel van. Gezien de vorderingen die wij boeken. Lund?'

Ze was elders met haar gedachten.

'Helemaal niets,' zei Lund.

In de telefoongegevens was niets te vinden. Maar twintig minuten later stak een rechercheur zijn hoofd door de deuropening met nieuws. Er had zich een taxichauffeur gemeld op kantoor nadat de nachtploeg nog weer een hele lading foto's van Nanna de wereld in gestuurd had. Hij zei dat hij meende haar op de avond van haar verdwijning te hebben opgepikt.

'Ik geloof het niet,' zei Meyer.

'Wat geloof je niet?'

'Dit is de eerste keer dat iemand ook maar iets vrijwillig over het arme kind zegt. Is je dat niet opgevallen, Lund? Iedereen verwacht van ons dat we gedachten kunnen lezen.'

Hij wreef over zijn stoppelige kin.

'Ze willen toch dat we de klootzak vinden, of niet soms?'

De taxichauffeur heette Leon Frevert en was een lange, magere man van halverwege de veertig. Hij had een lang, grijs gezicht dat bij zijn goedkope pak paste en rook naar sigaretten en zweet. Hij was direct naar hen toe gekomen na een nacht lang met zijn taxi de stad te hebben doorkruist.

'Ik weet niet helemaal zeker of zij het is,' zei Frevert toen hij de foto's bekeek die ze hem voorgelegd hadden.

'Vergeet of zij het was of niet,' beval Meyer. 'Vertel ons wat er gebeurde.'

Hij reed in de weekenden een taxi voor een van de bedrijven in de stad.

'Ik heb haar op vrijdag opgepikt. Als zij het was. We hadden wat gepraat. Ze wilde de stad in. Ik zette haar af op Grønningen vlak bij de kruising met Store Kongensgade.'

Dat was een lange rechte straat aan de rand van de binnenstad. Vlak bij de Kastellet-vesting. Allesbehalve in de buurt van de adressen waar zij naar gekeken hadden.

'Hebt u er een bonnetje van?'

'Zeker. Je komt in de problemen als je die niet hebt.'

Frevert haalde een stapeltje briefjes uit de zak van zijn versleten pak.

'Volgens mij was het deze. Ik heb haar opgepikt in de buurt van Ryparken. Kijk maar.' Hij wees naar een bonnetje. 'De rit begon om 22.27 uur en duurde tot 22.45 uur.'

Lund vroeg: 'Wat gebeurde er toen jullie bij Grønningen aankwamen?'

'Ze stapte uit. Ik had meteen een nieuwe klant. Hoefde er niet eens voor te rijden. Op vrijdag is er een hoop werk.'

Hij krabde in zijn dunner wordende, blonde haar.

'Maar het punt is dat we er dus niet rechtstreeks naartoe reden. We zijn gestopt. Dat gebeurt altijd met die jonge meiden en jongens. Ze hebben geen geld.'

'Waar zijn jullie gestopt?'

'Op Vester Voldgade. Achter het stadhuis.'

Meyer sloot zijn ogen en kreunde.

'Wat gebeurde daar?' vroeg Lund.

'Ze stapte uit en vroeg me te wachten. Dat zou ik normaal niet doen. Ze gaan er altijd vandoor. Maar dit leek een aardig meisje. Ze was niet dronken of zo.'

'Wat moest ze in het stadhuis?'

'Dat zei ze niet. Ze was een paar minuten binnen.'

'Heb je haar met iemand gezien?'

'Nee, ze kwam weer naar buiten en toen reden we naar Grønningen. Ik wil jullie tijd niet verspillen. Ik kan niet met de hand op mijn hart zeggen dat zij het was.' Hij wierp opnieuw een blik op de foto's. 'Misschien, maar...'

'Bedankt.'

Ze schudde zijn hand en wuifde naar Svendsen buiten in de gang en vroeg hem om een verklaring op te nemen.

Ze bleven met zijn tweeën achter in het kantoor.

'Er zijn een hoop hotels daar in de buurt,' zei Lund.

'We zijn de hotels al afgegaan.'

'Ga nog een keer. Vraag of ze een politicus hebben gezien. Of er iemand van het stadhuis in de buurt woont. Ben je nog met die bewakers bezig?'

Hij begon boos en gespannen te worden. Wilde haar niet aankijken.

'Zeker wel.'

'De taxi heeft haar van Kemals huis naar het stadhuis gebracht,' vervolgde Lund.

'Hij zei dat hij niet zeker wist of zij het was.'

Ze wilde geen ruzie maken. Meyer vreesde voor zijn baan. Hij was innerlijk verscheurd, vermoedde ze. Tussen wat hij dacht dat juist was en wat slim was. Voor zichzelf.

'Ik heb een afspraak,' zei ze terwijl ze opstond. Ze greep naar haar jas. 'Bel me zodra je iets hoort.'

Rie Skovgaard had de afgelopen avond haar voelhorens in het parlement uitgestoken. Hartmanns betrekkingen met de minister van Binnenlandse Zaken waren nog steeds goed.

'Het probleem is de minister-president. Hij vindt je te ambitieus. Jij wilt alleen in de schijnwerpers staan. Hij denkt dat jij, zodra je Bremer van zijn troon gestoten hebt, op die van hem zult azen.'

Hartmann luisterde, schudde zijn hoofd.

'Welnee, dat ben ik helemaal niet van plan. In ieder geval de komende vier jaar niet.'

Marten Weber zat de ochtendkranten te lezen.

'De peilingen vallen nog steeds gunstig uit voor ons. Niemand heeft die onzin over het meisje geloofd.'

'Als we de minister van Binnenlandse Zaken achter ons hebben staan, dan is dat voldoende.'

'Alleen als de minister-president dat toestaat,' zei Skovgaard. 'Hij kan je nog altijd laten vallen.'

'Dat is belachelijk. We maken allemaal deel uit van dezelfde partij. Steunen ze Bremer soms?'

Ze glimlachte hem toe.

'Wat?' zei hij.

'Er is nog een mogelijkheid. De minister-president staat er op dit moment niet goed voor in de peilingen. Hij zou wel wat van dat licht van die schijnwerpers van jou kunnen gebruiken.'

Dit ging Hartmann allemaal boven de pet. Skovgaard en Weber visten zo gemakkelijk en vanzelfsprekend in het troebele water van de politiek.

'Wat wil je daarmee zeggen?'

'Hij heeft dat integratieproject nooit goed begrepen. Als wij nou zeggen dat zijn kantoor ons programma heeft helpen samenstellen. Met de rolmodellen heeft geholpen. En wat schoolprojecten…'

Hartmann lachte.

'Vergeet het maar. Dat hebben wij bedacht. Zij vonden het helemaal niks.'

'Vergeet het verleden, Troels. Als we hun wat van de eer toeschuiven…'

'Waarvoor?'

'Voor wat dan ook. Zolang we hun steun maar krijgen.'

'Maar het is een leugen!'

Webers hoofd ging heen en weer.

'Een leugen is zo'n groot woord. Dit is politiek. Wat waar is… wat niet waar is. Na een tijdje doet het er niet zoveel meer toe.'

'Wat doet er dan wel toe?'

'Wat werkt,' zei Weber en hij keek hem aan alsof hij niet goed bij zijn hoofd was.

'Nee, geen sprake van.'

'Oké dan,' zei Skovgaard en ze staarde naar de vellen papier voor haar.

'Oké dan,' zei ook Weber en hij ging verder met de krant.

Het was lange tijd stil.

'Het doet me deugd te zien dat jullie zo goed samenwerken,' merkte Hartmann op.

'Dat doen we meestal wel,' antwoordde Skovgaard.

'Het antwoord is nog altijd nee.'

Weer was het stil.

Toen haalde Hartmann diep adem, keek om zich heen naar de houten lambrisering, de glas-in-loodramen, de wapenschilden en het verguldsel, en toen omhoog naar de fraaie Artichoke-lamp.

Dezelfde valkuilen als van een regeringsambt, maar zonder de macht.

'Wat zouden we ervoor terug krijgen?'

'We zouden hem kunnen uitnodigen voor je verkiezingsbijeenkomsten,' zei Skovgaard.

'Het belangrijkste is nu om Holck bij de alliantie te betrekken,' voegde Weber eraan toe. 'Ik vind dit gedoe even vreselijk als jij.'

Hij haalde zijn schouders op.

'Maar als we er dat bondgenootschap mee voor elkaar kunnen krijgen…'

'Zoek precies uit wat we ervoor terug kunnen verwachten. Ik wil geen vluchtwegen.'

'Zodra we die vraag gaan stellen, hebben we feitelijk al ja gezegd,' zei Weber tegen hem. 'Dan kunnen we niet meer terug.'

'Niet meer terug,' herhaalde Skovgaard.

'Sluit de deal maar en regel een afspraak voor me. Met de minister-president. Als het ons aan de macht brengt kan het mij niet schelen wie er met de eer gaat strijken.'

Hij stond op van tafel en ging naar buiten.

Skovgaard en Weber zaten daar nog steeds naast elkaar, als wat onwennige bondgenoten.

'Is er nog nieuws over al die politie in de parkeergarage?' vroeg Skovgaard.

'Hè?'

'Je hebt me wel gehoord, Morten. Jij hoort alles, ook al doe je of dat niet zo is.'

'Ik weet van niks. Ik ga het parlement bellen.'

'Dat doe ik wel. Dit is politiek bedrijven. Laat dat maar aan mij over.'

Ze had een nieuwe bankmanager over de vloer. Jonger. Vriendelijker. Pernille had de gevangenis gebeld en geprobeerd met Theis te praten maar was daar niet in geslaagd. Hij moest in ieder geval nog een dag blijven. Hij mocht niet bellen, maar ze zou hem later misschien even mogen zien.

'Sorry,' zei ze tegen de man van de bank. 'Ik kan niet met mijn man overleggen.'

'Geen probleem.' Hij spreidde de papieren voor haar uit. 'Laten we er dus even van uitgaan dat het huis in de verkoop gaat terwijl jullie doorgaan met renoveren.'

'Goed.'

'We zullen jullie krediet vergroten, zodat jullie geen termijnen hoeven af te lossen. Laten we hopen dat het huis snel verkocht wordt zodat we quitte kunnen spelen.'

'Ja, prima.'

'Dan is er nog de rekening die jullie dochter geopend heeft.'

Ze staarde hem aan.

'Op naam van Anton en Emil. Waar moet dat geld naartoe?'

Pernille streek haar haren naar achteren.

'Wat voor rekening?'

Hij duwde een afschrift in haar richting.

'Een rekening met daarop elfduizend kronen. Ze spaarde heel trouw. Het is een fiks bedrag…'

'Wat voor rekening?' vroeg ze.

'Een spaarrekening voor de jongens.'

'Mag ik het zien?'

Voor hij antwoord kon geven griste ze het afschrift naar zich toe. Staarde naar de getallen. Periodieke stortingen. Honderden kronen per keer. Geen enkele opname.

'Waar had ze het geld vandaan?'

'Een baantje?' opperde de man. Hij voelde zich niet op zijn gemak en bloosde.

'Ze had geen baantje. Ze werkte af en toe voor ons. Maar dat was voor zakgeld. Geen bedragen van deze orde…'

Hij zweeg.

De rekening was in januari dit jaar geopend. Periodieke stortingen, om de veertien dagen. In de zomer hielden ze op.

'We hebben hier geen haast mee,' zei hij. 'U hoeft nu geen beslissingen te nemen. Nou, dan…'

Hij glimlachte even en stond op.

'Tenzij er nog iets anders is.'

Pernille kon haar ogen niet van het bankafschrift houden. Het lag daar op tafel, boven op de gezinsfoto's die in het blad gevangen waren en tartte haar, lachte haar uit.

Toen hij weg was belde ze opnieuw met de gevangenis. Ze trof een vriendelijk persoon.

'Ik kom er nu aan,' zei ze.

De bewaker liet Pernille de kleine bezoekersruimte in en ging toen bij de deur staan. Theis zat ineengedoken met zijn blik strak op de vloer gericht aan een houten tafel vol krassen. Hij had lichtblauwe gevangeniskleren aan.

Een moment van besluiteloosheid. Toen liep Pernille naar hem toe, sloeg haar armen om hem heen en voelde hoe hij haar vastgreep, voelde de tranen opwellen.

Zo bleven ze staan en wiegden in elkaars armen zachtjes heen en weer. Zijn grote hand bewoog door haar lange kastanjebruine haar alsof hij daar iets zocht wat hij was kwijtgeraakt.

Ze gingen tegenover elkaar zitten, Pernilles ogen vloeiden over en ze huilde.

Eindelijk vroeg hij: 'Hoe gaat het met de jongens?'

'Het gaat prima met ze.'

Hij keek haar niet aan toen hij sprak.

'Ik heb met de advocaat gesproken. Ze doet wat ze kan. Zodra ik vrij ben zal ik alles regelen wat de bank en het huis betreft.'

Ze keerde zich van hem af en veegde de tranen weg. Ze voelde even een felle woede in zich oplaaien en snapte niet waarom.

'Ik zal alles regelen,' zei hij. 'Het komt allemaal wel goed.'

Terwijl ze door het raam naar de zwart-witte dag daarbuiten keek, vroeg ze: 'Wat is er afgelopen zomer tussen Nanna en jou voorgevallen?'

Zijn hoofd ging omhoog. Zijn blik – datgene van hem waar ze het minst van hield – ving die van haar. Ze kon hem niet goed duiden. Soms sprak er agressie uit.

'Wat bedoel je?'

'Jullie waren altijd zo…'

Daar waren de tranen weer en hoe hard ze ook probeerde, ze kon ze niet tegenhouden.

'Hebben jullie ruzie gehad? Heb je iets tegen haar gezegd?'

Haar stem brak en klonk onbedoeld verwijtend.

'Wat bedoel je?'

Ze was twee decennia samen geweest met deze man. Er bestonden altijd geheimen tussen mensen. Misschien moest dat ook wel zo zijn.

'Nanna heeft een rekening op naam van de jongens geopend,' zei Pernille. 'Ze stortte er met vaste regelmaat geld op. Ze had een baantje. De rekening…' Dit zei ze heel langzaam. 'Er stond elfduizend kronen op.'

'Je weet toch dat ze een baantje had! Bij ons.'

'Zoveel geld verdiende ze niet bij ons.'

'Misschien betaalde ik haar wel wat extra. Of ze heeft het opgespaard.'

'Maar waarom die geheimzinnigheid?'

'Dat weet ik niet.'

Ze wist niet of ze hem moest geloven of niet.

'Heeft Nanna nooit iets tegen je gezegd?'

'Nee.' Hij streek over zijn bebaarde kin en sloot zijn ogen. 'Ze was boos op me. Dat weet ik. Ik vond dat het te vroeg was voor haar om uit huis te gaan.'

Hij stak zijn handen uit en pakte de hare vast aan de overkant van de tafel.

'Ik gaf haar soms wat geld om haar op te vrolijken. Wat ze ermee deed…'

'Ja,' zei Pernille.

'Dat is alles wat ik kan verzinnen.'

Ze keek hoe hij probeerde te glimlachen. Probeerde te zeggen wat hij altijd zei.

Ik maak het wel in orde. Alles komt goed.

En dus glimlachte ze terug, drukte zijn handen even, kwam naar voren over de oude houten tafel heen en kuste hem.

'Alles komt goed,' zei hij nog een keer.

Lund reed naar de tv-zender om een verslaggever te spreken die bezig was met een documentaire over de verkiezingscampagne. De vrouw volgde Hartmann en Bremer van begin tot eind.

'Ik ben alleen geïnteresseerd in wat er op de avond van het posterfeest gebeurd is,' zei Lund.

Ze zaten voor een scherm. De vrouw was ruw videomateriaal aan het doornemen.

'Wat levert mij dat op?'

'Niks.'

De tv-vrouw knipperde met haar ogen.

'Het zou wel zo eerlijk zijn…'

'Nee, dat zou het niet. Ik heb binnen vijf minuten een huiszoekingsbevel. En als ik dat heb, dan kun jij je werk verder wel vergeten vandaag. Dan nemen we alles mee.' Lund glimlachte naar haar. 'Als ik denk dat zich hier bewijsmateriaal bevindt, dan kan ik je verbieden dit te laten zien.'

'En waarom zou ik het aan jou laten zien?'

'Omdat je geen keus hebt.'

'Toch wil ik er iets voor terug.'

'Als er een verhaal is ben jij de eerste die het krijgt. Als er een verhaal is…'

Lund zat op de rand van het bureau, zonder ook maar een centimeter op te schuiven.

'Het enige wat ik nodig heb zijn de beelden van 19.00 uur tot 20.00 uur.'

'Dat posterfeest was op 31 oktober?'

'Ja.'

'Oké, dat herinner ik me nog. Ze waren in Hartmanns kantoor.'

Haar vingers flitsten over het toetsenbord. Toen scrolde ze door het beeldmateriaal. Poul Bremer verscheen lachend en grapjes makend met een glas in zijn hand op het scherm.

'Ik ben gek op de manier waarop ze doen alsof ze respect voor elkaar hebben. Je moest eens weten wat ze achter elkaars rug zeggen.'

'Nou?'

'Ze glimlachen en glimlachen maar terwijl ze elkaar haten vanuit de grond van hun hart. En voor een paar stemmen duiken ze met iedereen het bed in.'

Lund zat nauwelijks luisterend naar het scherm te kijken.

'Hartmann nodigde iedereen in zijn kantoor uit voor een drankje.'

Daar stonden Skovgaard, de leiders van de kleinste fracties, Morten Weber, Bremer, samen te lachen, grappen te maken en wijn te drinken.

'Gebeurt er nog iets interessants?' vroeg Lund.

'Hartmann houdt een korte toespraak. Niks bijzonders. Het heeft weinig zin zijn energie aan deze gasten te verspillen, hè? Óf ze stemmen op hem óf ze doen dat niet.'

Lund boog zich voorover om de beelden van dichterbij te kunnen bekijken. Achter in de groep stond iemand in het zwart. Die met niemand sprak. Er niet op zijn gemak uitzag.

'Wie is dat?'

'Jens Holck. Leider van de Gematigden. Hij staat achter Bremer.'

'Was hij daar de hele avond?'

'Yep.'

Hartmann tikte met zijn glas tegen een fles. Een joviale Poul Bremer kwam stralend naast hem staan.

Lund keek niet naar hen. Haar blik was gericht op de man achterin.

'Waarom trekt Holck zijn jas aan?'

Ze antwoordde niet.

'Zijn er meer beelden van hem?'

'Waarom vraag je dat?'

'Uit nieuwsgierigheid.'

Lund knikte naar het toetsenbord. De vrouw begon te tikken en stelde de video op een hoger tempo in.

De camera gleed door de kamer. Hij ging naar voren, naar achteren en keek rond over een zee van hoofden.

'Ik zie hem niet. Ik dacht dat hij er was. Sorry.'

'Hoe is hij?' vroeg Lund.

'Holck? Die zit al jaren in de politiek. Ernstige man. Beetje een sukkel. Zonder Poul Bremer is hij niets.'

Ze leunde achterover op haar stoel, legde haar handen achter haar hoofd.

'Hij loopt niet over van charme, om eerlijk te zijn. Het gerucht ging dat hij een verhouding had en dat lekte uit. Het verhaal heeft nooit de kranten gehaald maar zijn vrouw is wel van hem gescheiden.'

'Had hij een verhouding? Echt waar?'

De vrouw lachte naar haar.

'Jij weet niet veel van politiek, hè?'

'Vertel!'

'Ze leven van roddel. Van elkaar. Ze leven in dat kleine wereldje van ze en verder doet niets ertoe. Ik zal je eens wat zeggen...'

Lund wachtte.

'Iedereen die een verhouding met Jens Holck begint moet behoorlijk wanhopig zijn. Of een hoge vervelinggrens hebben.'

Zodra ze het gebouw van de tv-zender uit was belde Lund Meyer.

'De auto vertrok om 19.55 uur. Jens Holck was een kwartier eerder weggeglipt van het posterfeest en er niet meer teruggezien.'

'Buchard heeft naar je gevraagd,' zei Meyer.

'Woont Holck in de buurt van Grønningen? Het kan ook een hotelkamer zijn.'

'Kan me geen ruk schelen, Lund.'

'In het stadhuis gaat het gerucht dat hij een verhouding heeft.'

'We doen geen onderzoek in het stadhuis. Niet naar politici. Hou daarmee op. Zei ik net niet dat Buchard naar je vroeg?'

'Jawel.'

'En is dat ook tot je doorgedrongen?'

Ze keek naar de telefoon. Probeerde zich voor te stellen hoe Jan Meyers gezicht er op dat moment uitzag.

'Lund?' klonk een blikkerig, onzeker stemmetje uit de luidspreker. 'Lund?'

Ze trof Troels Hartmann net toen hij zijn kantoor wilde verlaten.

'Twee minuten van je tijd,' zei ze.

'Weet je baas dat je hier bent?'

'Het duurt niet lang. Ik wilde alleen mijn verontschuldigingen aanbieden.'

'Je moet nu gaan,' zei Rie Skovgaard. 'Je hebt ons zo ontzettend veel problemen bezorgd.'

'Dat weet ik, echt. Het spijt me. Dit is een ingewikkelde zaak. Twee minuutjes...'

Hartmann gebaarde dat ze zijn kantoor binnen kon gaan en sloot de deur.

'Ik heb je hulp nodig,' zei ze.

'Ik heb maandag spreekuur voor stadsbewoners. Je kunt een afspraak maken als ieder ander.'

'En stel dat ik zei dat jouw auto niet bij de school stond?'

'Dan zou ik zeggen dat je het weer verknald hebt.'

'Stel dat ik zei dat hij hiernaartoe is gereden. Naar de parkeergarage van het stadhuis?'

Hij zweeg.

'Die vrijdagavond. Toen jullie je posterfeest hadden. De fractieleiders. Alle campagnemedewerkers.'

'Waar wil je verdomme heen, Lund?'

'Ik moet weten of iemand het feest eerder verlaten heeft.'

'Wacht, wacht. Ik begrijp het niet. Wou je beweren dat de auto hiernaartoe teruggebracht is?'

'Is er iemand eerder weggegaan?'

Skovgaard kwam binnenlopen. Ze was aan de telefoon en zei: 'Kan ik Buchard spreken, nu?'

'Ging Jens Holck vroeg weg?' vroeg Lund.

'Holck?'

Skovgaard had inmiddels Buchard aan de lijn en deed haar beklag.

'Herinner je je nog of je hem later die avond gezien hebt?'

Hartmann schudde zijn hoofd.

'Je baas wil je spreken,' kwam Skovgaard tussenbeide, en ze hield Lund de telefoon voor.

Ze staarde de vrouw aan. Ze was aantrekkelijk, op een harde, emotieloze manier. Het leek geen van deze mensen te raken dat er een jong meisje gestorven was. Niemand behalve Hartmann, en dat vond ze nog steeds interessant.

'Ja?' vroeg Lund die zonder echt te luisteren het telefoontje afhandelde.

Toen het achter de rug was, gaf ze de handset weer aan Hartmanns glimlachende campagnemanager.

'Maak dat je wegkomt,' zei Skovgaard.

Lund keek om zich heen. Naar de houten lambrisering, de schitterende lampen, het dure meubilair.

'Je moet hier wel het gevoel hebben dat je in een kasteel bent,' zei ze.

'Ga weg,' herhaalde Skovgaard.

Lund wierp een blik op haar en vervolgens een langere op Hartmann.

'Maar het ís geen kasteel,' zei ze.

Weer terug in haar lege kantoor nam Lund een sigaret uit Meyers pakje en rolde hem tussen haar vingers. Ze deed alles wat ze niet moest doen. Ze draaide hem rond, met de filter naar zich toe, speelde ermee, rook eraan. Ze bracht hem naar haar lippen en voelde de droogheid ervan toen ze hem in haar mond deed, aanstak en de verstikkende rook inademde.

Het was niet lekker. Het maakte niks beter. Het was gewoon.

In de aangrenzende kamer was Buchard een team aan het briefen. Hij praatte net luid genoeg dat zij hem kon horen.

'Lund begint morgen aan haar nieuwe baan in Zweden,' liet de hoofdinspecteur hun weten. 'Meyer neemt het over. Svendsen, jij wordt Meyers assistent.'

Hij had haar naam al van de deur gehaald. Nu stond er alleen nog: Vicekriminalkommissær Jan Meyer.

Meteen daarna kwam Buchard binnen om met haar te praten. Hij keek naar de sigaret.

'Ik heb de Zweedse politie laten weten dat je morgen bij hen kunt beginnen. Ik heb ze niets verteld over waar je mee bezig bent geweest.'

'Mijn dankbaarheid kent geen grenzen.'

Ze nam een haal van de sigaret en keek hem aan. Buchard kon niet goed huichelen.

'Het spijt me dat het zo moest aflopen,' voegde hij eraan toe.

'Je bent de enige hier met een zekere waardering voor Svendsen.'

Woede flitste op in zijn boksersogen.

'Is dat het laatste wat je te zeggen hebt?'

'Nee, er is nog veel meer.' De sigaret begon ineens goed te smaken. 'Maar er zijn waarschijnlijk nog een hoop mensen die je moet bellen.'

Toen hij weg was, kwam Meyer binnen en ging bij het bordje met zijn naam erop staan. Hij maakte geen blije indruk.

'We hebben niks kunnen vinden in de buurt van Grønningen. Geen enkele link met Holck.'

Svendsen stak zijn hoofd om de deur. Hij glimlachte.

'Er is een leverantie uit Zweden voor je, Lund,' zei hij. 'Je moet ervoor tekenen. Voor je gaat.'

Hij benadrukte het laatste woord en grijnsde toen breed.

'Ik kom,' zei Lund. Ze wees naar de sigaret. 'Als ik klaar ben.'

Lund zag hem wegslenteren en wendde zich toen tot Meyer. Ze wees naar de verdwijnende Svendsen en zei: 'Hij is op hun hand, Meyer. Niet op die van jou. Onthou dat.'

Toen liep ze naar het raam. Beneden stond een geel busje, de chauffeur wachtte bij de deur.

'Er zit een of andere kerel op me te wachten bij de technische recherche,' zei Meyer. 'Dus…'

Ze blies de rook uit het raam en herinnerde zich hoe vaak ze hem op zijn donder had gegeven omdat hij hetzelfde gedaan had.

'Je mag het pakje houden.'

Nog een trekje, nog een volle long met rook de vochtige novemberlucht daarbuiten in.

'Lund?'

'Bedankt,' zei ze zonder hem aan te kijken.

Toen hij weg was liep ze naar het bureau, zocht tussen de plastic zakjes met bewijsmateriaal, vond Nanna's sleutels, de Ruko's aan een rode plastic ring, en stopte ze in haar zak.

Het was gaan regenen. Bengt had de weinige spullen die ze in Zweden had gehad, teruggestuurd. Ze opende de eerste doos. Kleren en beddengoed, niets waar ze wat aan had.

En dus tekende ze voor ontvangst, belde het bedrijf en vroeg of ze de dozen wilden opslaan. Toen keek ze het gele busje na dat nog steeds een deel van haar leven herbergde. Verdwenen totdat ze een of ander punt in de toekomst zou hebben bereikt waar ze zich nu nog geen voorstelling van kon maken.

De advocaat, Lis Gamborg, bezocht Birk Larsen in zijn cel.

'Vagn is ondervraagd. Hij bevestigt dat hij jou heeft aangemoedigd om wraak te nemen op de leraar.'

Hij staarde haar aan.

'Dat heeft hij niet gedaan. Hij probeerde me tegen te houden.'

'Dat is wat hij zegt. Het werkt in je voordeel. Laat het zo. Vagn wordt als medeplichtige aangeklaagd. Hij hoeft geen gevangenisstraf te vrezen.' Ze zweeg even. 'Jij wel.'

Birk Larsen haalde diep adem en staarde zonder iets te zeggen naar de grijze betonnen vloer.

'Ik heb aangevoerd dat je niet zult proberen ervandoor te gaan. Dat je genoeg geleden hebt. Dat je geen getuigen lastig zult vallen aangezien je al schuld hebt bekend.'

'En?'

Ze schokschouderde.

'Je kunt gaan en staan waar je wilt.'

In zijn blauwe gevangeniskleren voelde Birk Larsen zich als een kind dat door een goochelaar voor de gek werd gehouden. Hij hield niet van trucs en misschien besefte ze dat.

'Mits,' voegde ze er snel aan toe, 'je Kopenhagen niet verlaat. En je mag je onder geen beding meer met het onderzoek bemoeien. Dat meen ik, Theis. Zo niet…'

'Ik zal niets doen. Ik wil alleen maar naar huis.'

'Goed dan. Voor je eigen bestwil en dat van je gezin is het van belang dat je je gedeisd houdt. Praat niet met de media. Raak er niet meer bij betrokken. Neem de draad van je oude leven weer op.'

Hij staarde haar aan.

'Voor zover mogelijk, neem me niet kwalijk. Dat was onnadenkend van me. Je kunt nu je spullen gaan halen. Theis…'

Ze aarzelde nog.

'Wat is er?' vroeg hij.

'De mensen leven erg met je mee. En met Pernille. Maar medeleven is als een druppelende kraan. Een draaitje…'

De advocaat maakte een draaiende beweging met haar hand.

'En het is afgelopen. Wat daarvoor in de plaats komt is waarschijnlijk niet zo prettig. Zorg dat je onzichtbaar bent. Heb geduld. Ik zie je weer als we naar de rechtbank gaan. Als niemand in de tussentijd een woord uit jouw mond gehoord heeft, kan ik je misschien nog uit de gevangenis houden.'

Hij knikte.

Ze glimlachte en liet hem toen alleen, in zijn blauwe gevangenisplunje en zijn zwarte laarzen. Ongeschoren, ongewassen. Terwijl hij nadacht over de vreemde wereld aan de andere kant van de deur.

Pernille nam het telefoontje aan en slaakte een plotselinge kreet van blijdschap. Ze belde Lotte of ze op de jongens wilde komen passen en wurmde zich in haar jas voor ze de auto ging halen.

Haar zus kwam meteen aanzetten met een tas vol boodschappen, klaar voor de avond. Snoep en een boek bij de hand.

Gezinnen dreven op deze dagelijkse rituelen, die allemaal voor lief werden genomen en zo verschrikkelijk pijnlijk werden wanneer de reden ervoor verdwenen was.

Lotte liet het bad vollopen voor de jongens. Pernille ging haar sleutels zoeken.

Maar één zakje snoep, dacht ze en ze keek in Lottes boodschappentas.

Een heleboel chips en snacks. Wat shampoo. Het soort spullen dat een alleenstaande vrouw kocht, in zulke kleine hoeveelheden dat het een belachelijke indruk maakte.

Een stapel brieven. Lotte moest ze op weg naar buiten opgepakt en meegenomen hebben om ze tijdens het oppassen te lezen.

De bovenste was vierkant en zag er formeel uit, een kaart in een envelop. Nanna's naam stond erop en Lottes adres.

Uit de badkamer klonken kreten en de luide stem van Lotte die hun een standje gaf.

'Ik wil de eend,' riep Emil.

'Pas als je ophoudt met spetteren,' zei Lotte.

Zonder er verder bij stil te staan, stak Pernille haar hand in de tas, haalde de vierkante envelop eruit en scheurde hem open.

De kaart was zilverkleurig met een kerstboompje erop. Een uitnodiging voor een kerstfeestje voor het personeel van een nachtclub in het centrum. Over vier weken.

Ze staarde ernaar en kreeg het koud, ze voelde zich stom en verraden.

'Waar is die eend?' vroeg Lotte bij de badkamerdeur. 'O ja.'

Ze vond hem. Toen keek ze. En zag het.

'Nanna is al die tijd je collega geweest,' zei Pernille, met de kaart in haar hand. 'Ze heeft jouw adres opgegeven. Daarom hebben we het nooit geweten.'

Lotte kwam naar haar toe, staarde naar de kaart, deed schuldbewust een stap naar achteren.

'Wanneer is ze daar begonnen?'

Zusje, zusje, dacht Pernille. Ik heb je nooit echt vertrouwd.

'In januari.'

Lotte had die ontwijkende, stiekeme blik van het ondeugende kind dat ze ooit geweest was.

'Het was maar tijdelijk. Afgelopen zomer is ze ermee gestopt.'

Pernille hield de kaart vast en wachtte.

Lotte likte haar lippen en probeerde zichzelf weer onder controle te krijgen. Er overtuigend uit te zien.

'Ze had het niet van tevoren bedacht. Ze kwam me gewoon opzoeken en het leek haar…' Lotte haalde de schouders op, 'spannend.'

Pernille keek rond in hun kleine appartement. De volgepropte kamers. De foto's aan de muur. De tafel die ze gemaakt hadden. De boeken. De tv. De kinderen. Dat vertrouwde en intieme iets dat huiselijk geluk genoemd werd.

'Spannend?'

'Het ging gewoon zo. Ik zag er niet veel kwaad in.'

Ze wist niet of ze moest huilen of schreeuwen. Of ze Lotte aan moest vliegen of weg moest rennen.

In plaats daarvan vroeg ze: 'Wat gebeurde er afgelopen zomer?'

Lotte sloeg haar armen over elkaar. Er diende zich een uitweg aan.

'Misschien kun je beter met Theis praten.'

'Charlotte. Je bent mijn zus. Vertel me wat er gebeurd is.'

Geluiden uit de badkamer. De jongens waren aan het giechelen, aan het spetteren.

'Ze vond het leuk werk. En toen begon ze met iemand uit te gaan. Een man.'

'Wie?'

'Iemand die ze daar ontmoet had. Ik weet niet wie. Dat wilde ze me niet vertellen.'

'Gaf hij haar geld?'

Lotte keek opnieuw sluw uit haar ogen.

'Waarom vraag je dat?'

'Vertel het gewoon. Gaf hij haar geld?'

'Volgens mij niet. Zoiets was het niet. Maar ze begon te laat te komen op haar werk. En toen op een dag kwam ze helemaal niet meer. Ik maakte me zorgen.'

Pernille wist wat er zou komen, maar moest het horen.

'Ik belde Theis,' zei Lotte. 'Het spijt me. We vonden haar in een hotelkamer. Ze was straalbezopen. Het gebeurde toen jij met de jongens op schoolreisje was. Nanna beloofde dat ze hem niet meer zou zien. Ze heeft het Theis beloofd.'

Pernille moest lachen om het idee, ze lachte en wierp haar hoofd in haar nek, terwijl haar lichte ogen weer volliepen met tranen.

'Het spijt me,' zei Lotte weer.

Pernille liep naar haar toe, pakte de handdoeken van haar af en de badeend.

'Ik wil dat je nu weggaat,' zei ze.

'Pernille…'

'Ik wil dat je gaat.'

Het debat vond plaats in de Zwarte Diamant, het hoekige glazen gebouw bij het water waar de Koninklijke Deense Bibliotheek gevestigd was.

De Nanna Birk Larsen-zaak zat Troels Hartmann nog steeds dwars. Rie Skovgaard en Martin Weber hadden er in de auto steeds over zitten bekvechten.

'Lund zegt dat de auto teruggebracht was naar het stadhuis,' zei Hartmann toen ze naar de bibliotheek liepen. 'Waarom? Waarom zou iemand dat doen?'

'Als dit belangrijk was geweest,' viel Skovgaard hem in de rede, 'dan zouden we er wel wat over gehoord hebben. Lund zit niet meer op de zaak. Dat heb ik je verteld.'

'Dus daarom was de politie in de parkeergarage?' vroeg Weber.

'Wat deden ze daar?' zei Hartmann.

Weber haalde zijn schouders op.

'Weet ik veel. Wat de politie zoal doet.'

Ze gingen door de deuren naar binnen.

'Dit is een publieksevenement, Troels,' zei Skovgaard. 'Glimlach alsjeblieft.'

Hij was niet in de stemming.

'Waarom stelde ze me vragen over Holck?'

Ze gingen met de lift omhoog naar de drukke mensenmenigte boven.

'Het enige wat ertoe doet wat Holck betreft is of hij aan onze kant staat of niet.'

'Nee,' hield Hartmann vol. 'We moeten weten wat er aan de hand is. Ik wil die shit niet nog eens meemaken.'

'Die shit was afkomstig van Lund!' blafte ze hem toe. 'Lund is verdwenen. Concentreer je op de bijeenkomst. Die is belangrijk.'

'Ik moet het weten!'

'Jezus, Troels…' mopperde Skovgaard en ze slenterde weg.

Weber keek naar haar, keek naar Hartmann.

'Voor één keer ben ik het met haar eens. Denk aan de bijeenkomst. De rest kan wel wachten tot later.'

Toen liepen ze het publiek in terwijl Hartmann zijn koffertje het podium op trok.

Bremer was er al. Onberispelijk gekleed. Als altijd glimlachend. Ietwat blozend in de spotlights.

'Welkom, Troels,' zei hij en hij schudde Hartmann de hand. 'Je hebt in troebele wateren zitten vissen, heb ik gehoord. Heb je iets gevangen?'

Een lach. Een harde klap op Hartmanns schouder. Gevolgd door een zwaai naar het publiek en wat privégebaren naar mensen die hij misschien kende maar misschien ook niet. De trucjes en hebbelijkheden van de politicus. Troels Hartmann had ze allemaal geleerd, merendeels van Bremer. En hij kon ze even goed toepassen. Maar…

Van rechts kwam een gestalte in een verkreukeld zwart pak binnen. Bremer sprong op en nam Jens Holck bij de hand. Met nadruk zei hij: 'Goedenavond, oude vriend. Kom bij me zitten, Jens… ga zitten.'

Hij trok een stoel bij. Holck keek ernaar.

'Nee bedankt.'

Hij liep verder, keek naar de lege stoel naast Hartmann.

'Is deze vrij? Ik heb zitten denken…'

'Ga vooral zitten als je wilt, Jens.'

'Ik geloof van wel,' zei Holck en hij ging zitten.

Grønningen liep een halve kilometer kaarsrecht langs de rand van het Kastellet-domein. Er stonden gebouwen, appartementencomplexen, maar slechts aan één kant. Nanna's Ruko-sleutels pasten nergens op.

Nadat Lund een half uur verspeeld had met het testen van elk slot daar, probeerde ze haar geluk in het korte straatje dat zuidwaarts liep, Esplanaden. Niets.

Ze belde Meyer.

'Ik heb je hulp nodig,' zei Lund.

'Je zat ernaast wat Holck betreft. Hij reed die avond in zijn eigen auto weg.'

'Heb je gecontroleerd of er partijleden zijn met een appartement vlak bij Grønningen?'

'Ja. Maar: nee. En er wonen ook geen politici in de buurt. De Liberalen hebben een flat aan Store Kongensgade.'

'Waar ongeveer?'

'Wat ben je van plan?'

'Waar?'

321

'Op nummer 130.'

Lund liep de straat een stukje in en bekeek de huisnummers. Het was terug naar het noorden, dichter bij Grønningen. De Store Kongensgade was een lange, drukke straat die vanaf het Østerport-station helemaal naar het centrum liep. De taxichauffeur, Leon Frevert, had gezegd dat hij Nanna bij de kruising van de twee straten had afgezet. Dat had ze allemaal veel eerder moeten bedenken.

Aan de linkerkant strekten zich rijen lage, oude okerkleurige huizen uit. Het waren de marinehuisjes in Nyboder die daar in het donker keurig in het gelid stonden als soldaten op appèl.

'Het is op de vierde verdieping,' zei Meyer. 'Waar ben je?'

Een indrukwekkend gebouw. Rode baksteen, pleisterwerk dat wit oplichtte in het schijnsel van de straatlantaarns. Een voorname, gemeenschappelijke entree. Heel veel bellen. Een Ruko-slot.

'Maar irrelevant,' voegde hij eraan toe. 'We hebben Hartmann al gecheckt. Lund?'

'Wat?'

'Waar ben je? Wat is er aan de hand?'

'Niets,' zei ze en ze stopte de telefoon in haar zak.

Twee sleutels. Een voor de buitendeur. Een voor de flat.

Lund liep naar de dubbele deur en stak de eerste sleutel in het slot. Ze draaide hem om.

Niets.

Ze probeerde de tweede.

De deur ging open.

De lift was glanzend en oud. Hij had een dubbele vouwdeur en er konden niet meer dan vier mensen in.

Ze stapte naar binnen en drukte op de knop voor de vierde verdieping. Ze hoorde hoe het mechanisme begon te snorren en te zoemen.

Het gebouw leek verlaten. Ze ging omhoog langs kantoren en tandartspraktijken, langs privéverblijven en naamloze flats.

Toen stopte de lift. Lund stapte uit en begon om zich heen te kijken.

Meyer was terug bij de technische recherche om opnieuw de video uit de parkeergarage te bestuderen. De zwarte auto die optrok. De chauffeur die net buiten beeld bleef.

'Stop daar,' zei hij tegen de technicus. 'Wat was dat? Het leek wel een lichtflits.'

'Dat is de tl-buis. Op weg naar buiten. Die flikkert.'

'Ga weer terug. Stapje voor stapje.'

Zeven frames. In het raam aan de bestuurderskant, waar dat verlicht werd door een enkele lichtflits, was net het gezicht van een man te zien.

'Wie is dat verdomme?' vroeg Meyer en hij probeerde zijn ongeduld te bedwingen. 'Kun je voor een beter beeld zorgen?'

'Ik kan het proberen.'

Zijn telefoon ging over.

'Ik ben het, Lund.'

'Wat een timing. We staan op het punt uit te vinden wie in die auto zat.'

'Het was Troels Hartmann,' zei Lund.

'Waar heb je het over?'

Stilte.

'Lund? Lund? Waar ben je? Wat is er aan de hand? Praat tegen me. Alsjeblieft.'

'Ik ben in het appartement van de Liberalen in Store Kongensgade. Nanna's sleutels geven toegang tot de deur van het complex en de deur van de flat. Bel de technische recherche. Kom hierheen.'

'Hartmann?'

'Dat zei ik, ja.'

Op het scherm werd langzaam een beeld zichtbaar. Uit de grijze smurrie kwam een gezicht tevoorschijn. Hoekig en knap. Grimmig en vertrouwd.

Meyer dacht: Posterknul, ik heb je.

'We komen eraan,' zei hij.

Binnen het uur was er een compleet team ter plekke. Tien mannen in de blauwe uniformen van de technische recherche, met witte overalls en witte handschoenen in de hand. Er waren schijnwerpers. Camera's. Chemicaliën.

Lund had buiten een tweede team aan het werk gezet, in de binnenhof achter het gebouw. Ze liep tussen de mensen door. Ze controleerde hun werk en diende hun ongevraagd van advies, wat soms opgevolgd, soms compleet genegeerd werd.

Meyer bracht haar koffie. Buchard zei geen woord.

Ze leidde hun door de voordeur, de lawaaierige oude lift in.

'De taxichauffeur zette haar om 22.45 uur af op Grønningen. Ik stel me voor dat ze niet wilde dat iemand wist dat ze hier kwam. Nanna had vier of vijf minuten later in de flat kunnen zijn. Hij is van de Liberalen. Een geschenk van een aanhanger. Ze gebruiken hem voor werklunches, bijeenkomsten en om gasten in onder te brengen.'

'Wie woont hier verder?' vroeg Meyer.

'De meeste flats zijn kantoren of bedrijfsruimten. Het grootste deel van het weekend was hier niemand te bekennen.'

Ze kwamen aan op de vierde verdieping. Lund liep naar de woning en liet hem zien dat Nanna's sleutel paste.

'Had ze er ook een van de voordeur?' vroeg Buchard.

'Ja.'

Binnen waren zes technici in overall en met blauwe plastic mutsen op bezig. De woning was ingericht als een luxe hotelsuite. Roodfluwelen behang, antieke, sierlijke meubels.

'We hebben haar vingerafdrukken al gevonden,' zei Lund en ze overhandigde hun een paar forensische handschoenen en beschermhoezen voor over hun schoenen.

Toen ze zover waren nam ze hen mee naar binnen.

Overal in de kamer waren posters van Troels Hartmann neergesmeten. De glazen salontafel was gebroken en op de vloer lagen de scherven van wat op een groot bekerglas leek.

Lund liep naar de tafel en liet hun de vlekken op het tapijt zien.

'De bloedgroep is dezelfde als die van Nanna. Ik heb een bloedmonster naar het lab gestuurd voor bevestiging. Er is gevochten.'

Bij het raam stond een zwaar walnotenhouten bureau.

'We hebben afdrukken op de presse-papier daar. Nanna heeft hem om de een of andere reden naar de spiegel gegooid.'

Lund draaide op haar hielen driehonderdzestig graden rond en keek naar de kamer. Het gebroken glas. De wanorde.

'Ze heeft zich niet alleen verweerd. Ze werd kwaad. Verloor volgens mij haar zelfbeheersing. Dit is niet zomaar gebeurd. Volkomen onverwacht. Ze kende hem. Ze hadden ruzie. Een uit de hand gelopen kibbelpartij tussen geliefden.'

'We hebben een hoop materiaal voor het technische team,' viel Meyer haar in de rede. 'Met een beetje geluk zijn morgenmiddag de DNA-resultaten binnen.'

Lund liep terug de slaapkamer in. De deur stond open, overdekt met markeringen en stickers van de technische recherche.

'Nanna is hier naar binnen gerend en heeft geprobeerd de deur te blokkeren. Hij trapte hem open.'

De lakens waren gekreukt alsof er iemand op gezeten had, meer niet.

'Volgens mij heeft hij haar niet hier verkracht. Of in elkaar geslagen. Dat kwam nog. Ergens anders.'

Lund probeerde te begrijpen wat er voorgevallen was. Onenigheid. Ruzie. Maar Nanna stierf pas twee dagen later. Dat was een belangrijk stukje van de puzzel dat nog ontbrak.

Ze liep naar buiten het balkon op.

Meyer en Buchard kwamen achter haar aan.

Buchard bleef staan, Lund observeerde hem.

'Als je naar de technische recherche bent geweest en je hebt de band bekeken, dan weet je heel goed dat Hartmann op de bewakingsvideo stond,' voegde Meyer eraan toe. 'Ik was er al in twee minuten achter, Buchard. En jij bent niet gek.'

'Ik wil onder vier ogen met Lund praten,' zei de hoofdinspecteur.

'Het moet afgelopen zijn met die onzin!' schreeuwde Meyer. 'Ik word er niet goed van.'

Hij sloeg met zijn handen op de ijzeren reling.

'Buchard! Buchard! Kijk me aan! Ik wil weten wat er aan de hand is. Dat ben je ons verschuldigd. Ons allebei.'

De oude man maakte een sombere, verloren, ietwat verslagen indruk.

'Het is niet wat jullie denken.'

'Wat dan wel?' vroeg Lund. 'Je hebt een naam gewist op haar telefoon. Je hebt een telefoontje verwijderd van de lijst.'

'Nee, ik was het niet,' jammerde hij zwakjes, zielig. 'Ik niet.'

'Wie dan wel?'

Hij gaf geen antwoord.

'We brengen Hartmann hierheen voor verhoor,' kondigde Lund aan.

'En we willen die informatie hebben,' voegde Meyer eraan toe.

Hij stond hijgend op het koude balkon. Iemands lakei. En niet bepaald een gelukkige.

'Nou?' vroeg Lund.

'Ik zal hem voor je opduikelen.'

'Dat is mooi,' zei ze en vervolgens lieten ze hem daar ademloos en met grote angstogen in het donker achter.

Ze zaten met zijn drieën in Hartmanns kantoor en waren uitermate tevreden met zichzelf. Het debat was goed gegaan. Morten Weber zei dat de leiders van de kleine partijen morgen samen zouden komen om de alliantie te bespreken.

'Als we Holck hebben,' zei Skovgaard, die naar haar computer rende, 'dan volgt de rest vanzelf. Waardoor is hij van gedachten veranderd?'

Hartmann was de enige die er niet blij uitzag.

'Ik weet het niet. Dat zei hij niet. Waarom vroeg Lund naar hem? En waar gaat dat gedoe rond die auto over?'

Skovgaard maakte een wegwuivend gebaar.

'Als Holck erbij betrokken is, dan moet ik dat weten.'

'Ik heb een boodschap voor Meyer achtergelaten.'

'Dat is niet voldoende.'

Weber ging wijn uit de kast halen en pakte ook de sandwiches die hij meegenomen had.

'Geen verrassingen, Morten,' zei hij. 'Dat wil jij ook niet.'

'Geen verrassingen.' Weber trok de fles wijn open en schonk drie glazen in. Hij toostte naar hen beiden. 'Jens Holck loopt gewoon zijn neus achterna, Troels. Hij weet dat jij gaat winnen. Maak de dingen nu niet nodeloos gecompliceerd.'

Skovgaards telefoon ging over.

'Bremer maakt een behoorlijk bezorgde indruk,' voegde hij eraan toe. 'Hij voelt de grond onder zijn voeten wegzakken.'

Skovgaard praatte zachtjes in haar mobiel en beëindigde toen het gesprek. Ze keek naar Hartmann.

'Dat was de politie,' zei ze.

'En?'

'Ze willen met je praten.'

'In hemelsnaam...'

'Troels. Ze willen dat je naar het hoofdbureau gaat. Nu.'

'Gaat het over Holck en de auto?'

'Zo klonk het niet.'

'Hoe klonk het dan wel?'

'Ik weet het niet. Ze zeiden nu meteen. Of ze komen je halen. En dat wil ik echt niet.'

Hartmanns glas bleef halverwege zijn mond steken.

Hij sloeg met zijn hand op tafel. De donkerrode bourgogne spatte op het walnotenhouten fineer.

Toen pakte hij zijn jas. En Skovgaard ook. En nadat ze hem nijdig had staan aankijken terwijl hij zijn mond zat vol te proppen, deed Morten Weber dat eveneens.

Tien minuten later staken ze de binnenplaats over, op weg naar de wenteltrap die naar de afdeling moordzaken leidde.

Lund stond hem samen met Meyer en Svendsen buiten de verhoorkamer op te wachten.

'Ik had alleen om jou gevraagd, Hartmann,' zei ze, waarbij ze veelbetekenend naar Skovgaard en Weber keek.

'Ik heb hier echt geen tijd voor.'

'We willen met jou alleen praten.'

'Waar gaat het over?'

Lund wees naar de deur.

'Ga gewoon zitten.'

Skovgaard begon kwaad te worden.

'Als dit een verhoor is, zeg dat dan. Je hebt ons al zoveel kunstjes geflikt, Lund.'

Meyer glimlachte naar haar.

'Een paar vraagjes maar. Een politicus moet de politie toch helpen, vind je ook niet?'

'Als je een advocaat wilt, kun je er een bellen,' voegde Lund eraan toe.

Hartmann keek haar kwaad aan.

'Waarom zou ik een advocaat willen?'

Niemand gaf antwoord.

Hartmann vloekte, liep de kamer in en gebaarde dat Skovgaard en Weber buiten moesten blijven.

Lund en Meyer gingen tegenover hem zitten en lieten hem de video zien van de auto die uit de parkeergarage wegreed.

'Dat lijkt er een van ons,' merkte Hartmann op. 'Maar er rijden zoveel zwarte auto's rond.'

'Heb je enig idee wie er achter het stuur zit?' vroeg Lund.

Hij haalde zijn schouders op.

'Nee, waarom zou ik? Als het belangrijk is kan ik een van onze mensen vragen om het na te trekken.'

'Dat hoeft niet,' zei Meyer. 'We zijn van de politie, weet je nog.'

Hij hamerde kort op het toetsenbord. Hij zoomde in. Gezicht op het scherm. Om het hem nog eens extra aan het verstand te peuteren, overhandigde hij hem een uitdraai.

Hartmann staarde haar aan.

'Oké,' zei hij. 'Het was na het posterfeest. Ik had mijn chauffeur al vrij gegeven. En dus leende ik een campagneauto.'

Lund glimlachte. Svendsen kwam binnen met koffie. Hartmann ontspande een beetje.

'Je bent eerder weggegaan van het posterfeest?' zei ze.

'Ik had hoofdpijn. En ik moest nog een toespraak schrijven.'

Lund schonk hem een kop koffie in.

'Waar ging je naartoe?'

'We hebben een flat aan Store Kongensgade. Het leek me een goed idee om daar de toespraak af te maken. Hoezo?'

'Wie heeft er een sleutel van die flat?' vroeg Meyer.

'Ik. Er is een reservesleutel op kantoor. Waarschijnlijk ook wel in een aantal andere kantoren. Dat weet ik niet zeker.'

'Maar je maakt gebruik van de flat?'

'Dat zei ik net. Wat is er aan de hand?'

Lund schoof wat foto's op tafel bij elkaar en liet die aan hem zien.

'De auto waarin jij gereden hebt is de auto waarin Nanna aangetroffen is. Hij werd die avond teruggebracht naar het stadhuis. Jij bent er weer mee weggereden.'

Hij schudde zonder iets te zeggen zijn hoofd.

'Wat is er in de flat gebeurd?' vroeg Meyer.

'Het kan niet dezelfde auto zijn,' zei Hartmann.

'Wat is er in de flat gebeurd?' vroeg Meyer weer.

'Niets. Ik was daar een paar uur.'

'Nanna Birk Larsen eveneens,' zei Lund en ze pakte nog wat nieuwe foto's. 'Ze had een sleutel. Ze werd aangevallen. En toen meegenomen in de auto waar jij mee gekomen was.'

Lund duwde de foto's die in Store Kongensgade genomen waren over het bureau. De kapotte tafel, een gebroken spiegel. Het glas op de vloer. Markeringen van vingerafdrukken.

'In onze flat?' vroeg Hartmann ten slotte.

'Hoe lang kende je haar al?' vroeg Meyer.

Hartmann kon zijn ogen niet van de foto's afhouden. Hij keek ze langzaam door, met open mond en een strak gezicht.

'Ik kende haar niet. Ik heb het meisje nooit ontmoet.'

Meyer snoof.

'De auto. De flat. Het feit dat je hier niets over gezegd hebt.'

'Er viel niets te zeggen! Ik nam de auto. Ik ging naar de flat. Ik dronk een paar biertjes en besloot toen om naar huis te lopen.'

Ze zeiden niets.

'Op maandagochtend kwam ik de auto weer ophalen maar toen was hij verdwenen. Ik nam aan dat iemand van het campagnebureau binnengekomen was en de sleutels gevonden had. Ik had ze op de tafel laten liggen. Iemand moet ze meegenomen hebben.'

Meyer slaakte een zucht.

'Waarom heb je de bewakingsvideo meegenomen? Zodat we niet konden zien dat jij het was die in de auto zat?'

'Hè? Ik heb geen band meegenomen.'

'Bovendien is jouw nummer gewist van Nanna's mobiel,' voegde Lund eraan toe.

'Dat kan niet. Ik kende dat meisje helemaal niet.'

'Wat heb je de rest van het weekend gedaan?' vroeg Meyer.

Hartmann vloekte en stond op.

Lund liep met grote passen naar de deur en ging ervoor staan. Ze keek hem aan. Hij was opgewonden en boos.

'Ga je het ons nog vertellen of niet, Hartmann?'

'Waarom zou ik? Mijn privéleven is mijn zaak. Niet dat van jullie.'

'Dit gaat niet over je privéleven…' begon Meyer.

De deur werd opengeduwd. Lennart Brix kwam binnen.

Brix.

Buchards nieuwe tweede man. Vers uit de provincie. Een lange, aantrekkelijke vent met een hoekig, ernstig gezicht. Hij was twee weken eerder aangekomen, had zich amper vertoond. Nu keek hij alsof het bureau van hem was.

'Ik ben hier waarnemend hoofdinspecteur,' zei Brix.

'Goedenavond.' Hij liep recht op Hartmann af en schudde hem de hand. Hij ging naast hem staan en wendde zich toen tot Lund, Meyer en Svendsen.

'Ik begrijp dat er een probleem is,' zei Brix.

Vijf minuten later. Lund stak haar tweede sigaret van de maand op terwijl ze toekeek hoe Hartmann geflankeerd door Skovgaard en Weber wegliep. Jan Meyer stond kauwgumkauwend naast haar.

Brix liep met het drietal mee naar de uitgang, en kwam daarna terug naar het kantoor.

Zwart overhemd. Zwart pak. Glanzend zwarte Italiaanse schoenen. Hij leek zelf wel een politicus.

'Hartmann heeft me verteld dat hij de auto in goed vertrouwen heeft meegenomen. Hij heeft de flat duidelijk verlaten voor het meisje arriveerde. Hij is bereid over de flat te praten. Jullie kunnen ook zijn medewerkers zoveel vragen stellen als jullie willen. Je hebt niet eens bewijs dat ze daar verkracht is, Lund. Misschien heeft ze er alleen maar ruzie met iemand gehad.'

'We willen niet met zijn medewerkers praten,' zei Lund.

Brix leunde tegen de deur en sloeg haar gade. Een onvermurwbare, vastberaden man.

'Als je het aardig had gevraagd had je gehoord dat hij een alibi had. Jij bent op zoek naar iemand die Nanna Birk Larsen het hele weekend bij zich had. Hartmann verliet tegen half elf de flat en liep naar het appartement van Rie Skovgaard.'

'Hij zei dat hij naar huis ging.'

'Zijn relatie met Skovgaard is een privéaangelegenheid. Dat wil hij graag zo houden.'

'Als die verdomde lui ons nou eens één keer de waarheid vertelden...' begon Meyer.

'De ochtend erop gingen ze naar een congrescentrum waar ze de hele dag vergaderingen hadden.'

'Kunnen we dat natrekken?' vroeg Meyer.

'Dat hoeft niet.' Hij wees naar hun tweeën. 'De eerstvolgende keer dat jullie iemand als Hartmann oppakken zou ik willen dat jullie eerst je huiswerk doen.'

Ze keken toe hoe hij wegliep. Lund gaf haar half opgerookte sigaret aan Meyer.

'Kom, we trekken zijn alibi na. En kijken of er iemand anders van het stadhuis gebruikmaakt van die flat. En we laten iedereen van Hartmanns kantoor voor verhoor opdraven.'

Ze keek naar Meyer.

'Ben je het daarmee eens?'

'O ja,' zei hij.

Svendsen kwam aanlopen met een boodschap. Pernille Birk Larsen was onderweg. Ze wilde Lund dringend spreken.

'We hebben geen tijd. Als het gaat over haar echtgenoot die in voorarrest zit…'

'Dat kan het niet zijn. Hij is net vrijgelaten.' Svendsen schudde zijn hoofd en lachte. 'Ze is hem niet eens op gaan halen, Lund. Je zou je gevleid moeten voelen.'

Theis Birk Larsen liep naar huis, naar Vesterbro. Het was twintig minuten in de regen door de verlaten straten.

Pernille was er niet. De jongens ook niet. In de keuken, bij de planten en de foto's, belde hij haar, maar hij kreeg alleen haar voicemail. Hij wachtte vijf minuten en belde toen nog een keer. Vlak na elven sloeg er beneden een deur dicht. Hij rende naar de garage. Deed de lampen aan. Daar stond Vagn in zijn rode overall en zwarte muts in de kantooragenda te kijken.

Skærbæk leek verrast hem te zien.

'Heb je Pernille gezien, Vagn?'

'Wanneer ben je vrijgekomen?'

'Zojuist.'

'Goed zo. Wat er met de leraar gebeurd is…'

'Heb je haar gezien?'

Skærbæk maakte een verbijsterde indruk.

'Lotte kwam om op de jongens te passen. Ze was hier maar even en toen vertrokken ze.'

Birk Larsen stond bij het kantoor, met de handen in de zakken, en probeerde het te begrijpen.

'Waarom?'

'Dat weet ik niet.'

'Waarheen?'

'Jezus, Theis! Dat weet ik niet.'

Birk Larsen keek hem dreigend aan.

'Heb je met haar gepraat?'

'Ik dacht dat ze jou op ging halen.' Skærbæk aarzelde. 'Heeft ze dat niet gedaan?'

Birk Larsen liep terug naar boven. Belde nog een keer. Niks.

Pernille Birk Larsen bracht haar zus Lotte naar het hoofdbureau. Sleurde haar erheen, zo leek het wel.

Lund luisterde en vroeg toen: 'Vertel eens wat over de club, Lotte. The Heartbreak.'

'Die is alleen voor leden. Privéclub. Alleen op uitnodiging.'

Meyer zat zonder iets te zeggen aantekeningen te maken.

'Wat deed Nanna er?'

'Ze bediende aan de tafeltjes. Ik hield altijd een oogje in het zeil.'

'Vond Nanna het er leuk?'

'Zeker. Het was opwindend. Anders.'

'Anders?' vroeg Meyer.

'Anders dan de telefoon aannemen voor een verhuisbedrijf.'

Pernille zat in de gang aan de andere kant van het glas. Ze weigerde weg te gaan.

'Hoe wist je dat ze met iemand uitging?'

'Ze miste een paar diensten en bleef maar vrij vragen. Het leek…'

Ze was een mooie meid maar met een droevig en flets gezicht dat getuigde van korte nachten en misschien nog wel iets anders.

'Het leek onschuldig.'

'Toen gebeurde er iets?'

'Op een avond kwam ze niet opdagen. Ik belde Theis en bracht hem op de hoogte. We reden de stad rond op zoek naar haar. Toen kreeg ik een telefoontje van een hotel vlak bij het station. Ze had hun mijn nummer gegeven.'

Lund keek haar lichtelijk verbaasd aan en vroeg: 'Waarom had ze een kamer genomen?'

'Ze had te veel gedronken. Ze was van streek. Volgens mij had die vent haar gedumpt. Hij was er niet. Alleen Nanna.'

'Had ze drugs gebruikt?' vroeg Meyer.

'Volgens mij niet.'

'Zei ze iets over die man?'

'Volgens mij was hij getrouwd of zo. Ze deed er erg geheimzinnig over. Wilde zijn naam niet vertellen. Nanna…'

Het bleef lang stil.

'Ze zat in zo'n periode waarin een meisje elke week op iemand anders verliefd wordt.'

'Maar zij niet,' zei Lund. 'Dit ging maanden achter elkaar door.'

'Die keer. Ze noemde hem altijd Faust.'

'Faust?' herhaalde Lund voor de zekerheid en schreef toen de naam op.

'Dat is niet zijn echte naam.'

'Nee, vast niet. Waarom noemde ze hem zo?'

'Ik weet het niet.'

Meyer onderbrak hen.

'Dit speelde in de lente en de zomer. Daarna heeft ze het niet meer over hem gehad?'

'Nee.' Haar blik dwaalde naar de gedaante op de gang. 'Pernille meende dat dit belangrijk zou kunnen zijn.'

'Ze had gelijk,' zei Meyer en hij liet het daarbij.

'Heeft ze jou verteld waar Faust en zij elkaar ontmoetten?' vroeg Lund.

'In hotels denk ik.'

'Weet jij welke?'

Lotte Holst probeerde zich iets te herinneren.

'In het begin waren het hotels. Ik meen dat ze later naar een flat gingen.'

'Een flat?'

'Ja. Ik herinner me nog dat ze zei dat het er echt cool was. Antieke meubels. Heel duur.'

Lund wachtte. Toen er verder niets meer kwam, zei ze: 'Waar?'

'Dat weet ik niet.' Nog een herinnering. 'Het enige wat ze losliet was dat het bij die oude marinehuisjes was. Die gele die je met school wel eens gaat bezichtigen.'

'Nyboder?' vroeg Lund en ze keek even naar Meyer.

'Volgens mij wel.'

'En wat denk je van Store Kongensgade?'

Lotte knipperde met haar ogen.

'Ja. Dat was het.' Ze keek hen beiden aan. 'Hoe wisten jullie dat?'

Vlak na tienen ging Lund terug naar het appartement van haar moeder. Toen ze de trap op liep belde Meyer.

'Er staat niemand die Faust heet op de ledenlijst van The Heartbreak Club. Hartmanns mensen hebben laten weten dat we van nu af aan alleen nog met hem kunnen praten via een advocaat.'

'Is er iemand van zijn kantoor lid?'

'Voor zover ik weet niet.'

Het was donker en stil in het appartement. En leeg.

'Het is een bijnaam, Meyer. Herinner je je Faust? De goede man die verleid werd door de duivel? Ga naar de club en vraag wat rond.'

'Hoor je die muziek niet? Waar denk je dat ik ben, verdomme?'

Op de achtergrond was iets te horen. Een soort blikkerig discogeluid en talloze stemmen.

Lund trapte haar laarzen uit en deed het licht in de keuken aan. Toen maakte ze de koelkast open.

Niets.

Er stond een steelpan met stoofschotel op het gasfornuis.

'Ik kan me niet voorstellen dat een politicus hier zijn gezicht laat zien,' zei Meyer. 'De mensen zouden hem meteen herkennen. Maar misschien gaat hij niet hiernaartoe.'

Ze zette de telefoon op de speaker, plaatste hem op het aanrecht en stak het vuur onder de pan aan.

'Wat bedoel je?'

'De club heeft een website met een datingchatroom waar mensen elkaar online ontmoeten.'

'Misschien is dat het.'

De stoofschotel zag er niet uit alsof hij lekkerder zou worden als ze hem nog verder zou opwarmen. Zodra hij lauw was pakte Lund een lepel. Ze nam een hapje uit de pan.

'Ik zal er een specialist naar laten kijken,' zei Meyer.

In de koelkast lag een flesje Carlsberg. Ze wipte de kroonkurk eraf en nam een teug uit de fles.

'Oké,' zei ze en ze zette de tweede lepel aan haar mond. 'Laat het me weten als je iets vindt.'

'Oh, wat heb jij weer mazzel,' kreunde Meyer. 'Jij hebt daar iets te eten. Ik heb sinds de lunch niets meer gehad.'

Lund keek naar de pan.

'Ja, o, wat heb ik een mazzel.'

Ze liep naar de bank met de stoofschotel, toen tot haar doordrong dat ze nog steeds haar jas aanhad. Ze schudde hem van haar schouders en liet hem op de vloer vallen.

Toen zette ze haar laptop aan en verdeelde haar aandacht verder tussen de pan, het bier en de computer.

Meyer had gelijk. The Heartbreak had een datingpagina. Die was toegankelijk voor iedereen, niet alleen voor leden van de nachtclub.

Ze klikte de pagina aan voor een nieuw profiel. Als naam gaf ze Janne Meyer op. Vrouwelijk. Heteroseksueel. Wachtwoord: bananen.

Haar moeder kwam thuis toen ze op de bevestigingsmail zat te wachten.

'Waar is Mark?' vroeg Lund.

'Hij is naar de film geweest met Magnus. Ik heb ze na afloop op pizza getrakteerd. Hij wilde bij Magnus blijven slapen. Ik zei dat het goed was.'

Vibeke glimlachte wrang naar haar.

'Je was er niet om het te kunnen vragen.'

Het bevestigingsbericht kwam binnen. Lund klikte op de knop *aanvaarden* en bevond zich in het datingforum van The Heartbreak.

'Dat is leuk voor hem,' zei ze.

Haar moeder liep redderend de kamer rond zonder echt iets te doen.

'Hoe gaat het met je?' vroeg ze.

'Ik heb net gegeten. Het was druk.'

'Levert het wat op?'

'Ja. Maar ik ben nog steeds bezig. Sorry.'

Onder aan de pagina bevond zich een zoekvenstertje. Ze typte Faust in.

'Mark heeft vandaag met zijn vader gepraat.'

De site laadde erg langzaam. Lund nam nog een slok bier.

'Waarover?'

'Hij komt naar Kopenhagen. Hij wilde Mark graag zien. Mark wist niet of je in Zweden zou zijn of niet.'

'Dit duurt allemaal een eeuwigheid. Het is prima als hij Mark ziet.'

'Ja. Dat hebben we gemerkt.'

Vibeke ging bij de deur staan en nam haar op met die mengeling van woede, medeleven en verbijstering die een tweede natuur voor haar geworden was.

'Het opslagbedrijf belde over de spullen die Bengt uit Zweden heeft teruggestuurd. Ze wilden jouw dozen niet aannemen zolang je geen klant was. Ik zei dat ze ze hier konden zetten. Ze staan in de kelder.'

Toen liep ze zonder een woord te zeggen naar de badkamer.

Gelukkig maar, vond Lund. Ze wist niet wat ze moest zeggen.

Bengt.

Dat merkwaardige afscheid op het station leek wel een eeuwigheid geleden.

Ze keek naar de laptop. Er was één resultaat voor Faust.

Lund klikte erop.

Geen foto. Alleen een silhouet. Met een citaat ernaast.

Dat luidde: het moeilijkst van al is het hart te leren beheersen.

11

Woensdag 12 november

Weber had alle medewerkers van kantoor om acht uur bijeengeroepen. Hartmann stond op om hen toe te spreken.

'Dit is ongewoon, maar de politie heeft onze hulp nodig. Ze zullen vandaag iedereen ondervragen. Jullie zullen een voor een worden opgeroepen om naar het hoofdkantoor te komen. Ik wil dat jullie openhartig met ze praten. Beantwoord alle vragen. We hebben niets te verbergen.'

Olav Christensen was er ook.

'Waar gaat het over?' vroeg hij.

'Dat is aan de politie om te vertellen. Ik kan niet in detail treden. Ik moet beklemtonen dat alles wat je hoort vertrouwelijk is. Ik reken op jullie uiterste discretie.'

Hartmann keek het kantoor rond.

'Vooral buiten deze muren. We komen nu al om in de roddel en achterklap. Nog meer kunnen we niet gebruiken.'

Toen leidde Weber hem naar buiten.

'Waarom was die engerd Christensen er?' vroeg Hartmann toen de deur achter hen dichtging.

'Je zei "iedereen met toegang tot het kantoor". Hij hangt hier voortdurend rond.'

'Ja, als een soort rioollucht of zo. Heb je Lund het materiaal toegestuurd dat ze wilde hebben?'

'Alle boekingen wat de flat betreft. Wanneer er gebruik van gemaakt werd. Door wie.'

'Troels?'

Skovgaards stem had die zijige, vleiende klank die nogal op je zenuwen kon werken.

'Ja?'

'De fractieleiders zijn onderweg. Je hoeft dit niet te doen.'

'Laat ze maar binnen.'

'Troels!'

Hij liep zijn kantoor in en wachtte.

Holck was de eerste.

Ze haalden de beste computertechnicus erbij waar de technische recherche over kon beschikken, een jonge vrouw die er niet ouder uitzag dan negentien.

'Kun je de site hacken?' vroeg Meyer.

'Hacken is illegaal. Wij zijn van de politie. Niet te geloven dat je zoiets zegt.'

'Hoe kom je er dan in?'

'Ik vraag het vriendelijk. Als dat niet werkt zeg ik dat ik even langskom om alle foto's op zijn pc te bekijken.'

Ze was een blondine met een vriendelijk gezicht en dito glimlach.

Ze had een velletje papier in haar hand, met een hele reeks letters en getallen erop geschreven.

'Voilà,' zei ze. 'Zie je wel. Maar alleen vriendelijk doen was niet voldoende, ben ik bang.'

Vervolgens gingen ze naar een deel van de site die Lund op haar laptop thuis nooit te zien had gekregen.

'Deze dingen hebben verschillende levels. Een is voor toevallige bezoekers als jij. Maar voor enkele bevoorrechten is er nog iets anders. Iets heel exclusiefs als je bereid bent ervoor te betalen.'

Ze typte sneller en makkelijker dan Lund iemand ooit had zien typen. Het licht van het scherm scheen op haar ongekunstelde, zelfverzekerde gezicht.

Er verscheen een lijst namen. Lund ging erdoorheen.

'Zie je ergens connecties met Hartmann?' vroeg Meyer.

'Geef me even, zeg.'

Het meisje fronste.

'Het zijn allemaal valse namen. Dit is niet zo'n fris oord, mensen. Als het alleen om eh…' ze wapperde met haar handen in de lucht, '… huwelijksbemiddeling ging, hoeven ze dat niet op deze manier te verbergen.'

Ze dook opnieuw met een zwierig gebaar op het toetsenbord af.

'Faust is een vrij conventionele naam in deze omgeving. Sommigen zijn, hoe zal ik het zeggen, wat meer beschrijvend van aard?'

Er verscheen een lijst die aan een spreadsheet deed denken.

'Niet dat onze "Faust" geen druk baasje is geweest.'

De berichten bleven maar over het scherm flitsen.

'Hij heeft dit profiel een jaar geleden aangemaakt. Sindsdien heeft hij met een hoop vrouwen contact gehad.'

Ze opende een paar van de berichten.

'Wat een charmeur. Hij kent de echt chique hotels.' Ze knipoogde naar Meyer. 'Ben je geïnteresseerd in een suite in het Hilton?'

'Niet op dit moment, nee. Waar staan zijn persoonlijke gegevens?'

'Wat denk je? In zijn portefeuille.'

Op het scherm bleven de berichten langskomen.

'O, dit is goed, zeg. In april legt Faust contact met iemand die NBL heet. Kinderwerk. Ik bedoel, waarom schrijf je niet meteen je echte naam voluit, Nanna?'

Een paar tikken op de toetsen en de berichten werden beperkt tot alleen die van deze ene persoon.

'Ze ontmoeten elkaar. Ze hebben de hele lente door regelmatig contact. In de zomer houdt het op.' Ze scrolde tot onder aan het scherm. 'Hij blijft proberen haar te bereiken maar ze antwoordt niet meer.' Ze krabde aan haar wang.

'Bij mij is het meestal andersom.'

'Kunnen we zien wie Faust echt is?' vroeg Lund.

'Niet direct. Op dit soort websites zijn ze veel te slim om creditcardgegevens op te slaan. Maar ik zou wel wat druk op de webmaster kunnen uitoefenen.'

'Doe dat dan,' beval Meyer.

'Dat heeft geen zin als je het mij vraagt. Deze mensen zijn niet gek. Ze willen geen service met *trackbacks* naar de gebruikers. Dat veroorzaakt alleen maar problemen. Ze zullen oprecht niet weten wie het zijn.'

'Dus hebben we geen idee wie hij kan zijn?' vroeg Lund.

'Dat zei ik toch niet?'

Weer een scherm. Data, tijden, lange cijferreeksen.

'Dit zijn de *access log files*. Ze laten zien wat het adres is van de netwerken waar hij gebruik van maakte wanneer hij de site bezocht.'

Lund merkte op dat haar vingers stil op de toetsen bleven liggen.

'Wat is er mis?'

'Al die hits. Hij maakt maar van twee netwerken gebruik. Merkwaardig. De meeste mensen wisselen tegenwoordig nogal eens. Het is raar om maar van twee specifieke plekken gebruik te maken...'

Ze typte wat getallen in.

'Het merendeel van de tijd maakte hij gebruik van het WiFi-netwerk van het Rådhus. Voor de rest... even geduld nog.'

Een pagina van een telecombedrijf. Een verbijsterende reeks woorden en cijfers.

'De rest is afkomstig van de router in de flat aan Store Kongensgade.'

Meyer keek haar aan.

'Maar je weet niet wie het is?'

Ze likte aan haar wijsvinger, stak hem in de lucht, wachtte even en zei toen: 'Nee.'

Lunds hersens maakten overuren.

'Hoe zit het met de andere vrouwen met wie hij afsprak? Kun je die opsporen?'

Ze nam een slokje cola uit een blikje, dacht na.

'Ik kan het proberen.'

Svendsen kwam binnen.

'Hartmanns alibi is in orde. Staat als een huis. Hij was het hele weekend in het congrescentrum. O, en Lennart Brix zit in je kantoor.'

'Laat Buchard maar met hem praten.'

Svendsen schudde zijn hoofd en grijnsde vuil.

'Buchard is er niet meer.'

Brix zat met de speelgoedpolitieauto op Meyers bureau te spelen. Hij liet de wielen draaien en lachte om de manier waarop het rode lampje bovenop oplichtte.

'Ga zitten,' zei hij. 'Die lui van boven wilden dat ik met jullie ging praten.'

'Waarover?' vroeg Lund.

Ze bleef staan. Meyer installeerde zich vlak bij het raam.

'Over nalatigheid in de Birk Larsen-zaak.'

'Er is geen sprake van nalatigheid als er tegen je gelogen en met je gesold wordt!' snauwde Meyer.

'Er waren wat telefoongegevens uit het systeem geglipt,' zei Brix. 'Daar moet je niet te veel achter zoeken.'

Hij trok een envelop uit zijn zwarte jasje.

'Hier is een gerechtelijk bevel om nieuwe gegevens op te vragen.'

Lund pakte het papier niet aan.

'Buchard zei dat hij dat zou doen.'

Brix stak zijn handen diep in zijn broekzakken.

'Buchard is weg. Laten we voorlopig zeggen dat hij op vakantie is.' Met half toegeknepen ogen keek hij door de ramen naar de regen buiten. 'Beroerde tijd ervoor.'

Hij keek hen aan.

'Verwacht hem niet terug.' Hij stak stralend zijn hand op. Dat was geen prettig gezicht. 'Jullie hebben mij nu. Maak je geen zorgen. We redden het wel.'

Toen liep hij naar de deur.

'Volgens mij deed Buchard dit niet in zijn eentje,' zei Lund.

Brix bleef staan, keek haar aan en zei: 'Loop je even met me mee?'

Ze liepen met zijn tweeën de gang door.

'Je hebt een baan bij de Zweedse politie, Lund,' zei Brix. 'Ik wil dat je je werk hier afmaakt zonder verder gedoe. En dan…'

Hij maakte een schietgebaar met zijn lange handen.

'Vertrek je. Tot die tijd brengen jullie verslag uit aan mij. Aan niemand anders.'

Toen ze terugkwam in het kantoor zat Meyer somber naar het papier op het bureau te turen.

'Ik had nooit gedacht dat ik dit nog een keer zou zeggen, Lund,' gromde hij. 'Maar volgens mij gaf ik toch echt de voorkeur aan die andere.'

Theis Birk Larsen zat tegenover haar aan tafel, onder de kroonluchter. Pernille en de jongens hadden de nacht bij haar ouders doorgebracht. Anton en Emile waren nu op school. Ze waren met zijn tweeën alleen in het appartement. Vagn Skærbæk stond in de garage daaronder bevelen te schreeuwen.

Hij bestudeerde zijn handen, deed zijn best de juiste woorden te vinden.

'Ik heb met Lotte gepraat,' zei hij en ze wendde zich van hem af, stond op, begon door de kamer te ijsberen. 'Ik had iets moeten zeggen. Dat weet ik.'

Pernille bleef staan en keek hem vanuit de slaapkamerdeur aan.

'Er was iets mis en je hebt het me nooit verteld. Je wist waar ze werkte. Je wist dat ze in de problemen zat. Je hebt niets gezegd.'

Hij bleef maar in zijn handen wrijven en knijpen alsof hij daar een antwoord kon vinden.

'Waarom?'

'Omdat ze me daarom gesmeekt had. Ze wilde jou niet van streek maken.'

Pernille schudde met een felle blik in de ogen haar hoofd.

'Ze wilde me niet van streek maken?'

'Precies.'

'Ze kon me alles vertellen.' Haar handen schoten naar voren. Haar stem brak. 'Alles!'

Birk Larsen kneep zijn ogen dicht.

'Ze beloofde dat het nooit meer zou voorkomen. Ze zou voor ons werken. Ze beloofde dat ze haar best zou doen op school. Ook al had ze er genoeg van.'

Pernille liep naar de badkamerdeur en ging daar met de rug naar hem toe staan, met haar rug naar alles toe.

'Nanna zei dat ze zich zou vermannen. Ik moest haar wel vertrouwen. Wat kon ik anders?'

Ze draaide zich om naar de tafel, vervuld van een kalme, kille razernij.

'Wat heb je me nog meer niet verteld?'

'Dat is het.'

Hij pakte zijn muts en sleutels op.

'Dat is het!' krijste ze. 'En dan ga je nu aan het werk? Er zijn ongetwijfeld nog meer leugens. Nog meer dingen die ik niet weet.'

Ze keek hem kwaad aan.

'Vooruit, Theis, voor de dag ermee.'

'Er is verder niets,' zei hij zacht. De kille blik op haar gezicht deed hem meer pijn dan al die eenzame uren in de cel. 'Nanna wist dat ze het verprutst had. Volgens mij hoefde ze dit niet ook nog een keer van jou te horen.'

Er stonden tranen in haar ogen en hij wilde dat hij ze weg kon vegen.

'Ik wou dat ze het goed deed op school!'

'Dat weet ik. Maar het was niet alleen school. Er was een reden voor dat ik degene was tegen wie ze praatte. Snap je dat niet?'

'Wat moet ik snappen?'

'Je stond niet toe dat zij dezelfde fouten als jij zou maken. Die wij gemaakt hebben. Je wilde dat ze perfect zou zijn omdat wij dat niet waren.'

'Praat tegen mij niet over fouten, Theis. Dat accepteer ik niet van jou.'

Ze draaide hem weer haar rug toe. Liep naar de badkamer. Langs de wasmachine en de droger. De wasmand. Het waspoeder.

Toen knapte er iets. Ze krijste, ze schreeuwde, ze klauwde naar alles om zich heen. Kleren vlogen in het rond, glas versplinterde, het pak met waspoeder scheurde en een witte wolk omhulde haar. Birk Larsen liep naar haar toe, probeerde haar in zijn armen te nemen. Schreeuwend, schoppend, vloekend, krijsend, vocht ze hem van zich af.

Toen viel ze buiten adem en snikkend tegen de deur aan.

Het moment was voorbij, de storm was gaan liggen. Maar de onderliggende reden stond nog steeds levend en pijnlijk tussen hen in.

Pernille liep de slaapkamer in, sloot de deur achter zich. Langzaam, met onhandige, grote vingers begon hij de spullen van de vloer op te rapen. De lakens. De T-shirts en het ondergoed van de kinderen. De kleine dingen die ooit samen de band hadden gevormd die gezin heet, een verbond dat nu aan scherven om hen heen lag als het gebroken glas op de vloer.

Olav Christensen zat tegenover Lund en maakte een zenuwachtige indruk in zijn grijze ambtenarenpak.

'Je bent nooit in de flat geweest?' vroeg ze.

'Nee. Waarom zou ik? Die is van de partij. Ik werk voor het stadhuis.'

Ze zweeg.

'Wat is er aan de hand?' vroeg Christensen.

'Alleen een nee was genoeg geweest.'

Lund krabbelde wat op haar blocnote.

'Hebben anderen er na het posterfeest gebruik van gemaakt?'

'Waarom vraagt u me dit? Dat zou ik niet weten.'

'Waarom niet?'

'Ik werk bij de schoolbegeleidingsdienst.'

'Ze zeggen dat je altijd in Hartmanns kantoor rondhangt.'

'Hij is het hoofd van de afdeling Onderwijs. Ik moet er wel heen.'

'Mag je hem?'

Christensen aarzelde.

'Hij is niet gemakkelijk tevreden te stellen.' En toen ietwat bezorgder. 'Wat is er aan de hand?'

'Zegt de naam Faust je iets?'

'Ja.'

Ze keek vanaf haar blocnote naar hem op.

'Hij verkocht zijn ziel aan de duivel.'

Even leek Christensen zeer tevreden met zichzelf.

'Ken je iemand die die bijnaam gebruikt?'

'Nee. Dat niet. Maar hij zou volgens mij op heel wat mensen van toepassing zijn.'

Meyer klopte op de glazen deur. Ze liep naar buiten. De computerspecialist had een boodschap ontdekt van een vrouw die op The Heartbreak-site naar Faust had geschreven. Ze hadden een naam.

Lund pakte hem aan en keerde terug naar het verhoor.

'Ben ik nu klaar?' vroeg Christensen.

'Nee. Mijn collega neemt het over. Ik moet ergens heen.'

Ze liep naar buiten. Christensen zat aan tafel te zweten in zijn nette pak.

Toen kwam Meyer binnenlopen en nam hem van top tot teen op. Hij haalde een pakje sigaretten en een banaan tevoorschijn, at een hapje van de banaan en pakte toen een sigaret.

'Ik heb nog werk te doen,' zei Christensen.

'Je meent het?'

Meyer nam nog een hapje van de banaan en rolde zijn mouwen op.

'Ik heb tot nu toe een behoorlijke rotdag gehad,' zei hij en hij keek naar de papieren die Lund had achtergelaten. 'Zullen we eens even kijken of jij daar verandering in kunt brengen... Olav?'

Birk Larsen zat in zijn eentje in zijn rode bestelbus die geparkeerd stond langs de kant van de weg die door Valby naar het zuiden liep. Op de passagiersstoel stond een sixpack Tuborgbier. Twee blikjes waren leeg, en van de derde kwam de bodem ook al in zicht.

Hij keek naar de auto's en vrachtwagens. Hij rookte. Hij dronk. Hij probeerde na te denken.

In de groene velden langs het pad liep een man met zijn kinderen. Ze waren met zijn drieën, met een hond erbij.

De jongens hadden nooit een hond gehad. En ze wilden er zo graag een. Maar dat kon niet in het appartement. In een huis daarentegen...

Hij dacht aan Humleby en die bouwval daar. Aan al dat geld dat nu vastzat in houtrot en afbrokkelend metselwerk.

Dromen was niks voor hem. Dromen was voor dwazen. Birk Larsen zag zichzelf als een praktisch man, een die in het heden leefde, nooit terugdacht aan het verleden en niet bang was voor de toekomst.

Een man die werkte en zijn gezin onderhield. Een man die zijn best deed en meer dan dat kon je niet doen.

En toch stortte alles in elkaar. De ene dag was alles nog even geweldig en zag de toekomst er rooskleurig uit. De volgende dag leek alles op drijfzand gebouwd en doemden er scheuren op in muren die zo stevig hadden geleken.

Sinds de ruzie van die ochtend had hij niet meer met Pernille gepraat. Voor zover hij wist zat ze nog steeds in de slaapkamer te huilen met die woeste blik in haar ogen. Vagn had het van hem overgenomen, de roosters bekeken en de klussen verdeeld.

Had hem op het rechte spoor gehouden. Had hem op het rechte spoor gehouden op momenten waar Pernille niets van wist.

Kleine Vagn met zijn stomme zilveren ketting. Arme Vagn die zoveel bij hen rondhing omdat hij nergens anders heen kon. Drie jaar geleden toen hij geldproblemen had, had Birk Larsen hem zeker zes maanden in de garage laten slapen. Vagn was dankbaar geweest maar had zich ook geschaamd. Kwam met pizza's aanzetten die ze niet wilden. Begon de jongens te verwennen en cadeautjes voor Nanna te kopen die ze niet nodig had.

Oom Vagn. Bloedverwantschap was er niet, maar liefde?

Als de rest er allemaal vandoor ging, zou Vagn Skærbæk er nog altijd zijn. Hij was een soort kluizenaar, met alleen Birk Larsen en zijn zieke oom om aan te denken. Een mislukkeling eigenlijk. Hij kon nergens anders heen.

Birk Larsen greep naar het blikje, dronk het leeg en gooide het ding uit het raam.

Die laatste gedachte vond hij vreselijk. Die was een product van zijn oude zelf, de onvriendelijke, criminele bullebak die nog altijd in hem school, en die soms gromde om vrijgelaten te worden.

Die avond in het depot met de leraar was zijn avond geweest. En als Vagn Skærbæk er niet geweest was dan was hij tot het einde gegaan. Dan zou Kemal dood zijn. En híj zou jarenlang in een blauw gevangenispak opgesloten hebben gezeten in een cel.

De oude Theis sluimerde nog steeds, en praatte in zijn slaap.

Hij kende geen edelmoedigheid, geen vergevingsgezindheid, geen leed. Hij kende alleen woede en geweld en een vurige, dringende behoefte om die uit te leven.

De oude Theis zou begraven blijven. Dat moest wel. Omwille van Pernille. Omwille van de jongens.

En ook omwille van zichzelf. Zelfs in de slechte oude tijd, toen er dingen waren voorgevallen waar hij niet graag aan terugdacht, was Theis Birk Larsen zich bewust van die vervelende zeurpiet in zijn hoofd die ook wel 'geweten' werd genoemd. Hij wist dat die 's nachts op hem zat te vitten, hem zat te sarren en op zijn lazer gaf.

Nog steeds.

Hij keek naar de drie resterende biertjes, vloekte en smeet ze achter in de bus. Toen keerde hij de auto en reed terug naar de stad en het ziekenhuis.

De vleugel van het Rigshospitalet was nieuw en leek wel van glas gemaakt. De transparante muren versterkten het bloedeloze novemberlicht tot het een zomerse dag leek. Helder, meedogenloos, genadeloos.

Birk Larsen meldde zich bij de receptie en wachtte toen de vrouw ging bellen. Hij bestudeerde haar gezicht. Wist dat zij het wist.

'Hij zal u ontvangen,' zei ze ten slotte.

Toen keek ze hem dreigend aan. Ze was een buitenlandse. Uit het Midden-Oosten. Libanese, Turkse, hij had geen idee.

'God mag weten waarom,' voegde de vrouw eraan toe.

Kemal zat een verdieping lager in een rolstoel op de dagafdeling. Zijn gezicht zat vol blauwe plekken, verwondingen en pleisters. Zijn rechterbeen stak stevig in het gips horizontaal vooruit. Zijn linkerarm idem dito.

'Hoe gaat het met je?' vroeg Theis Birk Larsen. Het was het enige dat hij kon verzinnen om te zeggen.

De leraar staarde hem aan, zijn gezicht was uitdrukkingsloos. Hij leek geen pijn te hebben.

'Ik word morgen ontslagen.'

Een lange stilte volgde.

'Kan ik iets voor je halen? Een kop koffie? Een sandwich?'

Kemal keek uit het raam en toen weer naar hem, zei nee.

'Is er nog nieuws over de zaak?' vroeg hij.

Birk Larsen schudde zijn hoofd.

'Volgens mij niet. En zo ja, dan zouden ze het me niet vertellen. Nu niet meer.'

Hij was nooit onder de indruk geweest van leraren. Die waren veel te vol van zichzelf. Alsof ze iets wisten dat voor de rest van hen verborgen bleef. Maar dat was niet zo. Ze hadden geen idee hoe het was om op te groeien in het Vesterbro van vroeger, waar je naar school liep tussen de hoeren, de drugsdealers en de dronkenlappen op straat door. In leven probeerde te blijven. Waar je je een weg naar boven moest vechten.

Vechten was Birk Larsens grootste talent en hij had er de kracht voor. Later, dacht hij, had hij op andere, subtielere manieren leren vechten. Omwille van Pernille. En Nanna en de jongens.

Maar daar had hij geen gelijk in gehad. Hij was dom.

Kemal keek hem aan, zonder een spier in zijn gezicht te vertrekken.

'Ze hebben gezegd dat je geen aanklacht indient.'

De leraar zweeg.

'Waarom niet?'

'Omdat ik tegen je gelogen heb. Nanna was die avond wel langsgekomen. Even maar. Maar ze was er desondanks geweest. Dat had ik moeten zeggen.'

Hij keek naar zijn mobiel.

'Ik wacht op een telefoontje. Mijn vrouw kan nu elk moment bevallen.'

Birk Larsen keek naar de kale witte muren en toen naar de man in de rolstoel.

'Het spijt me.'

Het hoofd van de leraar bewoog. Een knikje. Pijnlijk misschien.

'Als er iets is dat ik kan doen, Kemal, laat het me dan alsjeblieft weten.'

De man in de rolstoel zei nog steeds niets.

'Je verandert door een baby,' mompelde Birk Larsen. 'Misschien heb jij dat niet nodig. Ik...'

Kemal boog zich voorover.

'Je hoeft echt niks te doen,' zei hij.

Ze vonden de vrouw bij de schaatsbaan op Kongens Nytorv. Veel huizen van vier verdiepingen van bruine baksteen voor tweeverdienende yuppen. Veel yuppenkinderen ook in dure, kleurige kleertjes.

Ze bevond zich in de armen van een man die haar echtgenoot moest zijn, en ze lachten om een jongen van ongeveer Marks leeftijd die op het ijs aan het dollen was.

Een mooie vrouw. Vijfendertig of zo. Met lang krullend haar, een opgewekt gelukkig gezicht. De echtgenoot had grijs haar. Was ouder. Niet zo gelukkig.

De jongen kwam van het ijs af en de echtgenoot nam hem mee naar een kraampje voor koek-en-zopie.

Enig kind, dacht Lund. Net als Mark. Dat kon je zien.

De vrouw was alleen.

Meyer liep met grote passen naar haar toe en vroeg: 'Nethe Stjernfeldt?'

Ze lieten hun legitimatie zien.

'Op uw kantoor zeiden ze dat we u hier konden vinden.'

'Waar gaat het over?'

'We zouden graag wat vragen stellen over een relatie van u.' Hij keek om zich heen. De echtgenoot had zijn koffie inmiddels. 'Via een datingsite?'

Ze zweeg. De man kwam naar hen toe lopen.

344

'Ik ben Nethes echtgenoot. Wat is er aan de hand?'

Lund zei zo vriendelijk als ze kon: 'Wij zijn van de politie. We moeten met uw vrouw spreken.'

Hij reageerde geïrriteerd. Duidelijk het bezitterige type. De baas.

'Wat is er mis?'

'Er is niets mis,' zei Lund. 'Het is niks ernstigs. Het kan zijn dat ze iets gezien heeft, meer niet.'

'Als u even hier wilt blijven,' voegde Meyer eraan toe. 'We moeten haar even onder vier ogen spreken.'

Ze liepen naar de rand van de ijsbaan. Nethe Stjernfeldt zag er nu niet meer zo gelukkig uit.

'Ik weet niet waar u het over hebt,' zei ze toen Lund haar naar The Heartbreak Club-website vroeg.

'U hebt nooit gebruikgemaakt van een datingservice?'

Ze werd rood.

'Nee. Waarom zou ik?'

'U hebt nooit contact gehad met ene Faust?' vroeg Meyer.

De jongen was weer op het ijs. De vrouw keek, glimlachte, wuifde.

'Iemand met de naam Fanny Hill sprak met Faust af,' zei Lund. 'Ze had uw e-mailadres.'

Nethe Stjernfeldt keek even naar haar echtgenoot die naar de jongen op schaatsen stond te kijken.

'Het is geen misdrijf,' zei Meyer. 'We willen alleen weten of u het bent.'

'Nee, ik ben het niet. Ik heb geen idee waar u het over hebt.'

Meyers toon veranderde.

'Op 14 december schreef Fanny naar Faust om te zeggen dat ze met hem uit wilde. Zelfde tijd, zelfde plaats. Wat weet je daarvan?'

'Helemaal niets. Dit is de verjaardag van mijn zoon.'

Ze begon weg te lopen. Lund liep achter haar aan.

'Ben je in de flat aan Store Kongensgade geweest?'

Haar krullen zwaaiden heen en weer toen ze haar hoofd schudde.

Meyer ging voor haar staan en stak een hand uit om haar tegen te houden.

'We moeten weten wie Faust is,' zei Lund.

'Is dit wat de politie doet? De berichten van burgers doorsnuffelen?'

'Als die berichten niet van jou zijn, Nethe…' begon Meyer.

'Laat me met rust.'

Ze ging ervandoor. De echtgenoot kwam naar hen toe en keek hen dreigend aan.

'Als jullie met haar willen praten bel dan eerst mijn kantoor. Jullie kunnen hier niet zomaar opduiken en het verjaardagsfeestje van een kind verpesten. Wat zijn jullie voor lieden?'

'Drukke lieden,' zei Meyer. 'Erg druk met de leugens die ons verteld worden.'

Hij knipoogde naar de man.

'Je weet vast wel hoe dat voelt.'

Een stroom vloeken volgde en toen liep hij weg.

'Zorg dat ze gevolgd wordt,' zei Lund. 'We moeten met haar praten als ze alleen is.'

Het was even na zessen toen Theis Birk Larsen thuiskwam. De garage was leeg. Boven trof hij Pernille aan die de jongens hielp hun spullen te pakken.

'Ha papa,' zei Anton. 'Je kunt niet mee.'

'Mama zegt dat je moet werken,' voegde Emil eraan toe.

Pernille stond in haar winterjas naar hen te kijken met een koffer naast zich.

'Zorg dat jullie al je schoolspullen meenemen,' zei ze.

In plaats daarvan renden de jongens naar hem toe. Hij tilde hen op in zijn armen. Kleine warme lijfjes in sterke, oude armen.

Ze roken naar zeep en shampoo. Kwamen rechtstreeks uit bad. Hij zou ze gauw een verhaaltje moeten voorlezen.

'Waarom moet je werken?' vroeg Anton.

'Daarom.'

Hij zette hen op de grond en kroelde door hun haren.

'Kunnen we even praten, Pernille?'

'Mijn ouders verwachten ons met het avondeten.'

'Het duurt niet lang.'

Anton had een plastic zwaard. Emil een speelgoedgeweer.

Ze pakte de dingen af en propte ze in de tas.

'Ga spelen,' zei ze en ze gingen er meteen vandoor.

In de keuken, onder de niet-brandende kroonluchter, bij de foto's, tussen de planten en aan de tafel die Pernille en Nanna gemaakt hadden.

'Sinds ik je voor het eerst zag, heb ik altijd,' Birk Larsen sprak langzaam, met zijn handen in zijn zakken en elk woord wegend voor hij hem uitsprak. 'Altijd...'

De woorden kwamen niet. Niet zoals hij gehoopt had.

'Niemand kent me zoals jij.'

'Is dat waar, Theis? Ken ik jou?'

Hij ging zitten en begon in zijn handen te knijpen zonder haar aan te kijken.

'Ik weet dat ik het verprutst heb. Ik weet...'

Ze bewoog niet, zei niets.

'We moeten het proberen. We hebben Nanna verloren.' Hij sloot zijn kleine ogen even van pijn. 'Ik wil niet nog meer verliezen. Zonder jou... zonder de jongens.'

Er werd iets duidelijk.

'Jij maakt me... tot wie ik hoor te zijn. Wat ik wil zijn. Ik heb er alles voor over, als je maar wilt blijven.'

Zijn blik dwaalde zenuwachtig naar die van haar.

'Ga niet bij me weg.'

Zijn hand, groot en vol eelt, ruw en getekend door jaren van zware arbeid, reikte naar die van haar.

'Verlaat me niet, Pernille,' zei Theis Birk Larsen nogmaals.

Meyer zat het kantoor weer eens vol rook te blazen.

'We moeten meer vrouwen opsporen die met Faust afgesproken hebben,' zei Lund. 'Iemand moet hem toch kennen.'

Een korte gestalte liep haastig door de gang. Lund dacht een seconde na en ging er toen achteraan.

Tegen de tijd dat ze hem ingehaald had liep hij al met een doos in zijn armen door de zuilengalerij van de ronde binnenplaats hard in de richting van de uitgang.

'Buchard!' riep Lund.

Hij bleef doorlopen in de richting van het kantoortje van de beveiliging. Ze schoot over de marmeren platen van de ronde binnenhof waar het gras tussenuit priemde. Ging voor hem staan om hem tegen te houden.

'De telefoongegevens liggen op je bureau, Lund.'

Hij keek haar aan.

'Je staat in de weg. Alweer.'

Ze deed een stap opzij en liep met hem mee naar de uitgang.

'Het is een prepaid simkaart, maar het telefoonnummer is niet meer in gebruik.'

'En de naam die was gewist?'

'Die heb ik nooit gezien.'

De oude hoofdinspecteur wierp een blik op haar. Van zijn koppigheid, humeurigheid, arrogantie was niets meer over.

'Geloof het of niet, maar het is waar.'

'Waarom pik je dit allemaal?'

'Meen je dat serieus?'

'Ja.'

Ze liepen langs de Gedenkplaats, met de hoge gele lampen en de metalen sterren op de muren.

'Óf ik moet ervoor opdraaien en mag paperclips gaan tellen op een of ander bureau in de provincie óf ik lig er helemaal uit en word met pensioen gestuurd. Na zesendertig jaar krijg ik deze shit in mijn schoenen geschoven.'

Hij draaide zich naar haar toe.

'Het ga je goed, Lund.'

Ze keek hem na. Riep: 'Wie heeft je gevraagd die informatie achterover te drukken, Buchard?'

De oude man keek niet achterom.

In haar kantoor keek Lund naar wat hij daar had neergelegd. Bladzijden vol telefoontjes. Je kon nergens uit opmaken welk nummer gewist was.

'En de flat?'

'Hartmanns vingerafdrukken zitten overal,' zei Meyer,

'Dat klopt met zijn verhaal. Hartmann heeft een alibi. En verder?'

'We hebben speeksel, haren en vingerafdrukken.'

'DNA?' vroeg ze.

'Geen matches in welke database dan ook.'

Meyer schudde zijn hoofd.

'Er is ook nauwelijks bloed. Het had net zo goed een ongeluk kunnen zijn.'

Hij haalde zijn schouders op. Ze keek naar hem. Hij begon op een andere manier te denken dan toen ze hem voor het eerst ontmoet had. Geen overhaaste conclusies meer. Hij probeerde het nu te begrijpen. Het zich voor te stellen.

'Wat is er?' vroeg ze.

'Ken je dat zelfgenoegzame ventje nog, Olav Christensen? Die wijsneus van het stadhuis?'

'Ja?'

'Een belastende verklaring.'

Hij gooide Christensens dossier over het bureau heen. Ze staarde naar de foto: jong, smal gezicht, een starende blik. Een haantje.

'Een tijd geleden weigerde Hartmann hem promotie te geven. Iemand van het campagneteam vertelde me dat hij het dossier van de leraar weggenomen heeft waar wij om gevraagd hadden. Hij haat Hartmann. Er komt een onderzoek. Christensen zou zijn baan kunnen verliezen.'

Meyer had brood meegenomen, wat boter en ham. Zij had een plastic mes, klapte de drie ingrediënten zo'n beetje op elkaar en creëerde zo iets dat op een sandwich leek. Ze nam een hap.

'Ambtenarengeneuzel,' zei Lund, met haar mond vol. 'Hij is het niet.'

Meyer pakte het eten en het mes en maakte voor zichzelf ook een boterham klaar. Lund keek ernaar. Die van hem leek zoveel smakelijker.

'Waarom niet?'

'Waarom zou iemand de telefoontjes van een of ander ambtenaartje van niks verwijderen? Christensen heeft geen enkele status. Nanna ontmoette via The Heartbreak Club een hoge ome. Geen kantoorpikkie.'

Hij zuchtte.

'Misschien. Ik weet het niet. Toen ik met hem praatte, zat hij te draaien en te kronkelen alsof hij op een nest mieren zat. Ik wist zeker dat hij loog. Als ik hem iets voor de voeten had kunnen werpen...'

'Maar dat heb je niet gedaan.'

Een klop op de deur. Een van de rechercheurs uit de avondploeg.

'Wat is er?' vroeg ze.

'We hebben een aantal cold cases doorgekeken zoals je vroeg.'

'En?'

'Ik heb een paar namen...'

Er kwam een vrouw door de gang lopen. Een volle bos krullen. Een aantrekkelijk gezicht. Dat niet langer glimlachte.

'Straks,' zei Lund en ze liep de vrouw tegemoet.

'Ik hou van mijn echtgenoot.'

Lund en Meyer zaten naast elkaar. Hij rookte niet.

'Hij was het afgelopen jaar zo'n tweehonderd dagen weg voor zaken. Ik was week na week alleen met mijn zoon.'

Lund duwde een uitdraai van The Heartbreak-site over tafel.

'Je hebt daar een profiel, hè?'

Nethe Stjernfeldt keek naar het logo. Een hart dat door een pijl in tweeën werd gespleten.

'Het was leuk. Meer niet. Niks serieus.'

Een blik op Meyers blocnote.

'Moet u dit echt opschrijven?'

Hij legde de pen neer.

'Het was belachelijk. Ik had die foto erop gezet.' Ze schikte haar haren met haar handen. 'Driekwart profiel. Je kon niet zien dat ik het was. Het had iedereen kunnen zijn. Het was... alsof er ineens een miljoen eenzame mannen opdoken. Allemaal even rijk en knap. Allemaal single. Zogenaamd.'

'Heb je het gecontroleerd?' vroeg hij.

'Nee.'

Er klonk iets provocerends door in haar stem. Lund schopte onder tafel tegen Meyers been.

'Er was er maar een die interessant leek. Hij was anders.'

'In welk opzicht?' vroeg Lund.

'Hij was attent. Hij was in mij geïnteresseerd. Als ik iets schreef las hij het. We zaten op dezelfde golflengte. Dat kon ik merken. Dat is iets wat je niet kunt voorwenden.'

'En toen ontmoetten jullie elkaar?'

'Ik was niet op zoek naar een verhouding. Ik was alleen maar eenzaam.'

'Heb je hem meerdere keren ontmoet?'

Ze keek hen boos aan.

'Jullie willen de details? Waar en wanneer?'

'Niet noodzakelijk.'

'Ik dacht dat ik het wel in de hand kon houden allemaal. Maar…'

Ze glimlachte toen ze zich iets herinnerde.

'Een tijdje was ik voor mijn gevoel echt gek… Ik dacht dat ik alles op kon geven. Mijn man. Mijn zoon. Mijn baan. En gewoon naar hem toe gaan. Bij hem zijn. Zo was het met hem. En toen…'

Een vlaag van verbittering.

'Ik kwam te dichtbij. Hij wilde geen relatie. Hij wilde alleen namen op een website. Een nacht in een hotel. En dus beantwoordde hij mijn berichten niet meer. Ik denk dat ik weer bij mijn positieven kwam.'

Lund vroeg: 'Heb je hem sindsdien nog gezien?'

Ze was met haar gedachten elders.

'Het klinkt idioot. Maar ik denk dat hij mijn huwelijk gered heeft. Ineens begreep ik wat echt van belang was.'

'Ja, ja,' snauwde Meyer. 'Het kan ons niet schelen of hij huwelijken verwoestte of juist redde. We willen alleen maar weten wie hij is.'

'Dat zie ik.' Ze keek hen aan. 'Waarom? Waarom willen jullie dat weten?'

Meyer gromde.

'We zitten hier niet op een ruilbeurs, schat. Vertel het ons gewoon.'

'Ik wil hem niet in een kwaad daglicht stellen. Hij heeft me laten zitten. Maar het was een goede man. Hij was niet onverschillig.'

'In hemelsnaam! Vertel ons zijn naam. Voordat hij nog heilig verklaard wordt door de paus of zo.'

Lund keek haar aan.

'We moeten die naam weten, Nethe. En dat zullen we ook. Hoe dan ook.'

Ze keek naar de deur.

'Ik wil niet wachten tot je echtgenoot hier met een advocaat aan komt zetten. Maar als het moet… wie is Faust?'

Een uur en tien minuten later zat Hartmann in de verhoorkamer te luisteren naar de advocaat die Rie Skovgaard voor hem had gevonden. Een strenge vrouw van middelbare leeftijd, afkomstig van een van de grote firma's in de stad. Een aanhanger van de partij. Ze had geld gedoneerd. Hij zou zich haar naam moeten kunnen herinneren.

'We hebben nog wel wat tijd voor ze je gaan verhoren,' zei ze, en ze trok haar jas uit. Ze vroeg hem te gaan zitten. 'Laten we er het beste van maken.'

'Ik moet hier weg. Het is belachelijk.'

'Je gaat helemaal nergens heen totdat ze je ondervraagd hebben.'

'Maar…'

'Ze zijn in het bezit van e-mails die naar jou terug kunnen worden herleid.'

'Wat hebben ze in mijn e-mails te zoeken?'

Ze keek naar haar aantekeningen.

'Een vrouw, Nethe Stjernfeldt genaamd, heeft een verklaring afgelegd. Ze beweert dat ze een seksuele verhouding met je gehad heeft. Ze identificeerde jou als de man achter het profiel Faust. De man die ook Nanna Birk Larsen ontmoet heeft.'

Hartmann stond op en begon als een hongerige kat in de kamer op en neer te lopen.

'Ben je nog van plan iets te zeggen, Troels?'

'Ik zei het al en ik zeg het nog eens. Ik heb dat Birk Larsen-meisje nooit gezien. Ik heb daar niets aan toe te voegen. Geen verklaring af te leggen.'

Ze wachtte. Er was teleurstelling op haar getekende, ernstige gezicht te zien.

'Zullen we het dan hebben over het beperken van de schade?'

'Wat voor schade? Ik ben onschuldig.'

'Laten we de schuldvraag maar even voor wat hij is, ja? De politie zal nog een zware dobber aan de bewijslast hebben, maar…'

Hij schudde verbijsterd zijn hoofd.

'Bewijslast?'

'Ze hebben alle ingrediënten voor een zaak. Het is belangrijk dat ze jouw kant van het verhaal kennen.'

'Mijn kant?' Hartmann lachte. 'Zie je dan niet wat er hier aan de hand is? Elke keer als zo'n verzinsel van hen nergens op gebaseerd blijkt te zijn, komen ze met een ander. Hier zit Bremer achter.'

'Poul Bremer heeft mevrouw Stjernfeldt niet verzonnen.'

Hij zweeg.

'En het lijkt erop dat hij jouw e-mails ook niet verzonnen heeft.'

'Ik heb nooit met Nanna Birk Larsen gepraat, gecommuniceerd, op wat voor manier dan ook, en ik heb haar ook nooit ontmoet. En dat weten ze heel goed.'

Ze krabbelde iets op haar blocnote.

'Akkoord. Ik zal met Rie Skovgaard overleggen om te kijken of we een aanklacht tegen ze in kunnen dienen. Ze hebben zich absoluut misdragen.'

'Zonder meer.'

'En dat is eens te meer reden om met ze te praten. Je moet wel…'

'Nee.'

Ze sloeg haar armen over elkaar.

'Je moet wel, Troels. Als je dat niet doet, wat zullen ze dán denken? Wat zou wie dan ook denken?'

In de gang buiten stond Meyer te gapen. Lund leunde tegen de muur.

'Wat nu, Lund? Worden we geacht hier de hele avond te blijven staan wachten?'

Ze keek op haar horloge.

'Ze hebben tijd genoeg gehad.'

Een lange, slanke gedaante kwam naderbij. Lennart Brix beende met grote passen de gang door. Hij was aan de telefoon, met de pers zo te horen.

Lund wachtte. Brix kwam voor haar staan.

'Het was de enig juiste handelwijze,' zei ze. 'We hebben onze redenen.'

'Een fractieleider oppakken zonder het aan mij te vragen?'

'Maken we normaal gesproken dan eerst een afspraak met moordverdachten?' vroeg Meyer.

'Het had kunnen wachten.'

'Hartmann is Faust,' zei Meyer. 'Hij reed in de auto. Hij was in het appartement. Het moet hem wel zijn.'

'Behalve dan het feit,' zei Brix, 'dat hij een alibi heeft.'

'Daar zijn we mee bezig,' liet Lund hem weten.

De deur ging open. De advocaat kwam naar buiten.

'Hij zal nu met jullie praten,' zei ze.

Ze zaten met zijn zessen in het vertrek. Hartmanns advocaat en iemand die notuleerde. Lund, Meyer en Brix.

En een bleke, vermoeide, boze en vastberaden Troels Hartmann.

'Mijn vrouw stierf twee jaar geleden. Totaal onverwacht.' Hij nam een slokje koffie. 'Een tijdlang hield ik het voor me. Ik werkte. Ik deed alsof er verder niets bestond in de wereld.'

Daar hield hij op.

'Ga verder, Troels,' zei zijn advocaat.

'Op een dag werden er wat folders in mijn brievenbus gestopt. Van een nachtclub. Ik ga niet naar clubs maar er werd reclame in gemaakt voor een datingchatroom waar je met mensen kon praten. Meer niet. Praten.'

Meyer kuchte in zijn vuist.

'Ik maakte een profiel aan. Onder de naam Faust.'

'Hoeveel vrouwen heb je ontmoet?'

'Dat heeft hier niets mee te maken.'

Meyer hield zijn hoofd scheef.

'Meer dan tien, minder dan twintig,' snauwde Hartmann. 'Iets in die trant.'

Niemand zei iets.

'Ik ben er niet trots op.'

'Je staat nogal in de schijnwerpers,' zei Lund. 'Waar ging je dan heen?'

'Eén keer maar in een publieke gelegenheid. De eerste keer. Daarna… als het klikte… Liet ik haar door een taxi ophalen.'

'Waar ging de rit heen?'

'Naar de flat van de partij aan Store Kongensgade.'

'En wat gebeurde er toen?' vroeg Meyer.

Hartmann keek hem kwaad aan.

'Dat gaat je niets aan.'

'Maar integendeel,' hield Meyer vol. 'Nanna Birk Larsen is daar geweest. Twee dagen later werd ze gevonden, verkracht en vermoord. Ik weet niet of jullie in de politiek in toeval geloven, Hartmann, maar hier…'

'Ik heb haar nooit ontmoet! Ik wist van haar hele bestaan niet af.'

Meyer hield zijn hoofd nog steeds scheef.

'Laat me je geheugen eens opfrissen.'

Hij bladerde door de stapel papieren op tafel.

'We hebben uitdraaien van je e-mails. En van die van Nanna. Kijk maar even.'

Hij overhandigde hem een stapeltje vellen. Hartmann begon ze te lezen.

'In april,' zei Lund, 'legde je voor het eerst contact met haar. Ze reageerde via de datingsite op je. De berichten gaan door tot ongeveer een paar weken voor ze vermoord werd.'

'Nee,' zei Hartmann. 'Ik heb dit allemaal niet geschreven. Kijk maar naar de e-mails die ik wel schrijf. Dit is mijn stijl niet.'

'Jouw stijl?' zei Meyer lachend.

Hartmann wees naar de data op de berichten.

'Deze dateren van maanden nadat ik gestopt was met de site. Ik had iemand ontmoet. Rie. Ik wilde op die manier niet meer verder.'

Hij maakte weer een stapeltje van de vellen en gaf ze terug.

'Ik liet het achter me. Ik heb die berichten niet geschreven.'

De advocaat zei: 'Iemand heeft zijn e-mailaccount gehackt.'

'In het stadhuis?' vroeg Lund.

'Ik zei het al eerder,' zei Hartmann. 'Ik had zorgen.'

'Iedereen kon in die flat komen,' voegde de advocaat eraan toe. 'De sleutels werden in een bureau bewaard. Een bezoeker had ze kunnen laten kopiëren, iemand anders in het stadhuis.'

'O, alsjeblieft zeg…' begon Meyer.

'Luister! Ik geef toe dat ik dat profiel heb aangemaakt. Ik weet niet wie die berichten geschreven heeft of hoe diegene de flat in is gekomen, maar hij of zij moet mijn wachtwoord hebben achterhaald. En deed vervolgens of hij mij was.'

'Mijn cliënt heeft een alibi,' voegde de advocaat eraan toe. 'Hij was later die avond bij Rie Skovgaard. Ze waren het hele weekend op een congres.'

Brix zat, duidelijk zichtbaar voor Hartmann en zijn advocate, naar Lund te staren.

'Nou?' drong de vrouw aan. 'Hoe is het mogelijk dat Troels Hartmann onder deze omstandigheden een verdachte kan zijn?'

'Als ik een woord van deze onzin in de krant lees,' beet Hartmann hun toe, 'dan sleep ik jullie voor de rechter. Dit hele bureau. Jullie allemaal persoonlijk. Ik laat me niet vals beschuldigen door marionetten van Poul Bremer...'

'Genoeg,' zei Brix. 'We moeten hierover praten.'

'Hoe waarschijnlijk is het dat hij de waarheid vertelt?' vroeg Brix toen ze naar buiten gingen. 'Dat iemands van zijn datingprofiel gebruik heeft gemaakt?'

'Dat is lariekoek,' zei Meyer. 'Je zou het wachtwoord moeten kennen en de computer die ervoor gebruikt werd stond in de partijflat.'

Lund stond door de luxaflex heen naar Hartmann te gluren.

'Wat denk jij ervan?' vroeg Brix.

'We zullen nu verder niets meer uit hem krijgen. We hebben een gerechtelijk bevel nodig om aan zijn telefoongegevens te komen. Waarom denkt hij dat Bremer hierbij betrokken is?'

'Omdat hij paranoïde is,' zei Brix. 'Laat hem gaan. Ik wil niet dat dit uitlekt naar de media...'

'Dat zijn wij niet,' viel Lund hem in de rede. 'Hoe vaak...?'

'Ik wil niet dat het uitlekt. Hou me op de hoogte. Onderneem niets zonder het eerst met mij te bespreken. Ik ga Hartmann vertellen dat hij kan gaan.'

Toen Brix weg was zei Lund: 'We moeten met Rie Skovgaard praten. En het congrescentrum. Wie heeft bevestigd dat zij daar met z'n tweeën waren?'

Meyer liep naar het bureau en pakte de rapporten op.

'Svendsen. Volgens de receptie checkten ze zaterdagochtend om negen uur in. Ze boekten een kamer en een grote vergaderzaal. Vervolgens checkten ze zondagmiddag weer uit.'

'Svendsen is een luie klootzak. Hoe hebben ze betaald?'

Meyer bladerde even snel door de bladzijden.

'Met Skovgaards creditcard.'

Meyer keek Hartmann na die door de gang naar de wenteltrap toe liep. Lund ook.

'Dus Posterknul is een echte versierder,' zei hij. 'En ik dacht nog wel dat hij de perfecte gentleman was.'

'Wie zag Hartmann verder nog behalve Rie Skovgaard? Laten we dat uitzoeken.'

'Ik zet er iemand op. Het lekt wel uit, natuurlijk. Iemand praat met de pers. Jij bent het niet. Ik ook niet.' Hij wees met zijn duim in de richting van Brix' kantoor. 'Maar iemand anders wel.'

Haar telefoon ging over. Vibeke.

'Hé, mama. Ik bel je terug. En het wordt laat. Praat niet met Mark over Bengt en Zweden. Dat doe ik zelf.'

'Marks vader is hier,' zei Vibeke.

Lund moest haar uiterste best doen om haar gedachten erbij te houden.

Hartmann.

Mark.

Theis Birk Larsen.

Carsten.

'Als je hem nog wilt spreken,' zei Vibeke, 'moet je snel zijn.'

Theis Birk Larsen en Pernille zaten naast elkaar aan tafel, onder de kroonluchter uit Murano. De maatschappelijk werkster die naar hen toe was gestuurd was ongeveer veertig jaar, goedgekleed, uiterst professioneel. Als ze niet beter hadden geweten, had ze net zo goed een jurist kunnen zijn.

'Hebben jullie al eens eerder iets dergelijks meegemaakt?' vroeg ze.

'Nee,' zei Birk Larsen.

Pernille staarde uit het raam. Ze luisterde nauwelijks.

'Heeft geen van jullie beiden therapie of counseling gehad?'

Hij schudde zijn hoofd.

'Samen een kind hebben zorgt voor een heel sterke band. Dat kind verliezen heeft gevolgen voor de relatie.'

Ze klonk alsof ze het oplas uit een handboek.

Pernille stond op en leunde tegen de tegelmuur van de keuken. Ze sloeg haar armen over elkaar.

'Op dit moment maak ik me nou niet echt zorgen over onze relatie,' zei ze.

'Waar maak je je dan wel zorgen over?'

De vrouw had doordringende, blauwe ogen en een kapsel dat veel te jong voor haar was.

'Heb jij kinderen?' vroeg Pernille.

'Dat doet niet ter zake. Je kunt deze zaak niet oplossen, dat ligt niet in je vermogen. Jullie hebben elkaar, je gezin.'

'Ik hoef geen advies van jou over mijn jongens!' snauwde Pernille.

De maatschappelijk werkster stak haar hand in haar tas en haalde er wat folders uit.

'Deze folders zullen jullie een idee geven van wat counseling te bieden heeft.'

Ze legde ze op tafel. Stond op en trok haar jas aan.

'Ik beveel onze rouwverwerkingsgroepen sterk aan. Het kan nuttig zijn om met anderen te praten.'

'We hebben wel betere dingen te doen,' antwoordde Pernille.

De blauwe ogen namen haar op.

'Dit is geen aanbod. Je man is alleen op die voorwaarde op borgtocht vrij-gelaten. Als jullie niet gaan moet hij terug naar de gevangenis. Na dat voorval met de leraar mag hij blij zijn dat hij überhaupt vrij rond mag lopen.'

Hij liet haar uit en bedankte haar.

Weer naar boven. Pernille stond tegen het aanrecht geleund naar buiten te kijken.

'Ze zei dat de rouwverwerkingsgroep morgen bijeenkomt.'

De krant had gebeld.

Vlak voor de vrouw van de gemeente langskwam had de krant gebeld. Hij had het telefoontje aangenomen en er niets over gezegd. Wist dat hij het niet langer voor haar verborgen kon houden.

'De kranten gaan weer over die politicus schrijven,' zei hij.

'Wat gaan ze schrijven?'

'Dat weet ik niet.'

Ze reikte naar de telefoon.

'De politie zal je echt niets vertellen, Pernille. Snap je dat niet? Het is onze zaak niet. Althans niet wat hun betreft.'

Lund stond op de voicemail.

Ze zette de tv aan, op zoek naar nieuws. Dat was er. Het team moordzaken had Hartmann voor verhoor naar het bureau gebracht. Daarna was hij weer vrijgelaten.

Pernille zette het volume harder, luisterde met glinsterende ogen, in ver-voering.

Een slaperig, hoog stemmetje zei: 'Mama, ik kan niet slapen.'

Bij de deur doemde een kleine gedaante in pyjama op.

Theis Birk Larsen stond meteen overeind, schepte Emil met een groot ge-baar op in zijn armen. Kuste hem en fluisterde onzin in zijn warme oortje.

'Nanna was dood aangetroffen in een van Hartmanns campagneauto's,' zei de nieuwslezer. 'Ze was herhaaldelijk verkracht en er wordt gezegd…'

Hij bracht Emil haastig naar de slaapkamer, terwijl hij hem stevig vast-hield, het bevende lijfje van de jongen dicht tegen zich aan drukte.

Toen ze terugkwamen in het Rådhus zat Weber naar het nieuws te kijken.

'Mag ik vragen hoe het ging?'

Hartmann ging zitten.

'Dit is ernstig. We moeten weten wie van de flat gebruikmaakte.'

Weber maakte een ontspannen indruk. Geen das. Kop koffie. Klaar om de nacht weer op kantoor door te brengen.

'Ik heb het register nagekeken. Het waren vooral mensen die we kenden. Mensen die we vertrouwden. De politie heeft die info.'

'Nee, nee, nee. Die ambtenaar. Olav. Die hangt hier om de een of andere reden steeds rond. Hij moet het zijn.'

'Lund heeft hem net als de rest van ons verhoord.'

Skovgaard zat somber te luisteren. Haar haren werden door een haarband strak naar achteren getrokken. Ze zag er streng uit. Zakelijk, afstandelijk.

'Wat word ik geacht tegen de pers te zeggen?' vroeg ze.

'Hoe zijn ze er verdomme achter gekomen? Zodra ik die kamer uit was? Lund…'

'Daar is het de pers voor, Troels,' zei ze. 'Iemand die bij de deur stond had een tip kunnen geven. Hier of op de Politigården. Een verhaal als dit kun je niet verborgen houden…'

'Iemand heeft mijn wachtwoord te pakken gekregen. Iemand heeft mijn profiel gebruikt om met dat meisje te e-mailen. En Nethe Stjernfeldt heeft de politie over mij verteld. Jezus christus…'

In een plotselinge vlaag van woede veegde hij de papieren van zijn bureau en ging toen bij het raam in het blauwe schijnsel van de lichtbak staan.

'Wat voor profiel?' vroeg ze op kille, nieuwsgierige toon. 'Wie is Nethe Stjernfeldt?'

Weber stond op en mompelde iets over nog eens een blik op de dossiers werpen en ging weg waarbij hij de deur achter zich dichttrok.

'Oké dan,' zei ze toen Hartmann zweeg. 'Geen antwoord. Dan beginnen we een civielrechtelijke procedure. We laten meteen een spreekverbod opleggen. Ik wil geen krantenkoppen meer. Morgen krijgen ze de papieren.'

'We beginnen helemaal geen civielrechtelijke procedure. Vergeet het maar. Hoe kan ik ooit nog hopen burgemeester van Kopenhagen te worden als ik midden in een juridisch gevecht met de politie zit?'

'Is dat de enige reden?'

Het duurde nu al bijna zes maanden. Merendeels gelukkige maanden. Ze was goed in haar werk, snel, scherp en ze had verbeeldingskracht. Maar het werk duwde hen te dicht naar elkaar toe. Hij had afstand nodig. Zij ook.

'De politie kijkt uit naar een man die via een datingsite contact met het Birk Larsen-meisje heeft gezocht,' zei hij en hij probeerde zijn woordkeus zo simpel en sec mogelijk te houden.

'Naar blijkt via een profiel dat ik had aangemaakt. Lang geleden. Voor wij ooit…'

Haar gezicht was volkomen uitdrukkingsloos. Er lag geen enkele warmte of verbazing in haar donkere ogen.

'Ik weet niet hoe dit heeft kunnen gebeuren. Nadat ik er geen gebruik meer van maakte heeft iemand anders zich toegang verschaft tot het profiel. Naar het meisje gemaild. Haar berichten gestuurd. Haar ontmoet in de flat aan Store Kongensgade.'

Hij ging voor haar staan.

'Kijk me niet zo aan, Rie. Je wist hoe ik eraan toe was toen je me voor het eerst ontmoette.'

Hij sloot zijn ogen. De blauwe verlichting van buiten was zo fel dat hij deze nog steeds kon zien.

'Wanneer hield je ermee op?'

'Toen ik jou ontmoette.'

Hij kwam naar haar toe, stak zijn armen naar haar uit. Zonder dat ze het zelf kon verklaren, liep ze naar het bureau.

'Dus nu spelen er twee dingen,' zei Skovgaard. 'Het appartement en het datingprofiel. Maak een lijst van de mensen die mogelijkerwijs je wachtwoord kennen. Denk na over wat je morgen tegen de bondgenoten gaat zeggen.'

Ze pakte de bureauagenda op.

'Ik zal Morten vragen je afspraken te verzetten. Ik sta de pers wel te woord. Ga naar huis, Troels. Hou je gedeisd. Ik wil niet dat de mensen je nu zien, niet zo.'

'Zo?'

'Zo zielig en vol zelfmedelijden.'

Hij knikte, incasseerde het verwijt. Deed zijn armen omlaag. Stak zijn handen in zijn zakken.

'Is dat alles wat je te zeggen hebt?' vroeg hij.

'Is dat alles wat jij te vertellen hebt? Of komt er nog meer? Nog meer wat ik niet weet?'

'Nee,' beloofde hij.

'Dat hoop ik dan maar.'

Toen Lund terugkeerde in haar moeders appartement hoorde ze Carsten, Marks vader, over ijshockey praten. Ze deed haar jas uit, liep de slaapkamer in, trok een nieuwe trui aan – niet de zwart-witte maar de wit met zwarte.

Toen ging ze de woonkamer binnen.

Carsten.

Een sportieve, charmante man. Met te veel hersens en ambitie, plus een te grote hekel aan alledaagse routine om lang bij de politie te blijven. Hij was Mark een paar nieuwe ijshockeyregels aan het uitleggen en zwaaide rond met een spiksplinternieuwe stick die hij voor hem gekocht had.

Lunds zoon zat geboeid toe te kijken. Volledig in zijn ban. Net als Vibeke. Dat talent had Carsten nog altijd.

'Is het gemakkelijker om te scoren zo?' vroeg Mark.

'Ja. Kun jij ook. We gaan wel een keertje oefenen.'

Lund stond van opzij naar deze uitwisseling te kijken. Ze was er jaloers op, bang voor.

Carsten draaide zich om. Zijn haar was blonder dan ze zich herinnerde. Langer ook. Hij had een nieuwe hippe bril op met een kunstof montuur en droeg een modieus bruin pak. Niemand zou ooit in een dergelijke outfit op het hoofdbureau hebben durven rondlopen.

'Hé!' zei ze opgewekt. Ze kwam het halfduister uit gelopen om hem toe te lachen.

'Sarah!' riep Carsten, te hard.

Mark glimlachte ook. Even was ze zich bewust van de korte en kwetsbare familieband tussen hen.

Lund liep naar hem toe, aaide Mark over zijn haar en negeerde het feit dat hij zijn voorhoofd fronste en voor haar wegdook.

'En, Carsten. Wanneer ben jij aangekomen?'

Hij hield de hockeystick losjes vast als een professional. Voor Mark.

'Vanmiddag. Het gebeurde allemaal zo plotseling.'

'Ze hebben een huis gehuurd in Klampenborg,' zei Vibeke. 'Wil je wat eten?'

Lund knikte. Opgewekt liep Vibeke naar haar pannen.

'Deze baan kwam afgelopen week ineens op mijn pad,' vervolgde Carsten. 'De kans om naar huis te gaan… was te goed om af te slaan. Brussel en twee dochtertjes… het enige wat we deden was werken.'

Mark stond op, pakte de hockeystick en oefende een paar slagen.

'En bovendien miste ik deze knul,' voegde Carsten eraan toe en hij legde een hand op Marks schouder.

Ze stonden met zijn tweeën naast elkaar alsof ze voor een foto poseerden.

Lund forceerde opnieuw een glimlach.

'En hoe gaat het met jou en Zweden?' vroeg hij.

'Dat is een tijdje uitgesteld,' zei ze direct.

'Ik hoorde dat Bengt een ongeluk heeft gehad.'

Lund keek naar haar moeder.

'Zo erg was het niet.'

'Hij heeft zijn arm gebroken!' riep Vibeke uit.

Ze reikte Lund een bord met stoofschotel aan.

'De housewarmingparty werd afgezegd,' vervolgde haar moeder. 'Evenals mijn reisje naar Logumkloster.'

'Ik ben met een zaak bezig,' zei Lund. 'Dat is niet zoals Brussel, van negen tot vijf.'

Carsten had nog steeds zijn arm om Mark heen geslagen. Het zag er nu nogal bezitterig uit, niet zozeer als een omhelzing.

'Tja, die dingen gebeuren,' zei hij. 'Maar er zal wel geen haast bij zijn, toch?'

'Ha!' Vibeke weer. 'Hoe kan er haast zijn? Bengt heeft haar verhuisdozen teruggestuurd. Die staan nu beneden in de kelder. Onaangeraakt.'

Mark vrolijkte helemaal op.

'Betekent dat dat we niet gaan verhuizen?'

Carsten haalde zijn arm weg.

'Ik moet nu echt naar huis gaan om te helpen. Bedankt voor het drankje.'

Hij omhelsde Vibeke, gaf haar een kus. Kreeg als dank een uiterst hartelijke glimlach terug.

'Het is altijd fijn je te zien, Carsten,' zei ze. 'Kom gerust langs wanneer je wilt.'

Hij omhelsde Mark. Tikte met zijn knokkels op de hockeystick.

'Ik laat je uit,' zei Lund.

Het appartement bevond zich op de derde verdieping. Ze drukte op de knop van de lift.

'Ik wil me nergens mee bemoeien, maar ik hoop dat Bengt en jij geen problemen hebben.'

'We komen er wel uit.'

'Karen wil weten of jullie zin hebben om morgen bij ons te komen eten. Dat zou leuk zijn. Kunnen de meisjes Mark weer zien.'

'Ik kan niet.'

Weg was de glimlach. Hij had nooit erg van afwijzingen gehouden.

'Is het goed als Mark wel komt?'

De lift was traag. Ze drukte weer op de knop.

'Wil je dat ik ja zeg zodat jij het kunt afzeggen, zoals je altijd doet?'

Hij sloeg zijn armen over elkaar. De dure regenjas. Dure bril. Het sluike kapsel van de academicus. Carsten had zichzelf getransformeerd tot de man die hij wilde zijn.

'Je bent afgevallen,' zei hij. 'Verder is er volgens mij niets veranderd.'

'Het gaat prima met me.'

Haar mobiel ging. De naam Meyer flitste op het schermpje op.

'Ik heb mijn telefoonnummer en adres bij Vibeke achtergelaten.'

'Prima.'

Al luisterend liep ze terug naar de deur. Carsten liet de lift voor wat hij was en nam de trap.

'Ik heb met het congrescentrum gesproken,' zei Meyer.

'En?'

'Niemand heeft Hartmann daar gezien tot zondagmiddag. Hij had griep. Rie Skovgaard was degene die de vergaderingen met de sponsors leidde.'

Ze hoorde de deur op de begane grond opengaan. Carsten die het pand verliet.

'Laten we hier morgen verder over praten, Meyer. Fijne avond.'

12

Donderdag 13 november

Even na achten zaten Lund en Meyer op kantoor naar het ochtendnieuws te kijken. Rie Skovgaard sprak tegen een woud van microfoons.

'De wethouder van Onderwijs heeft gisteravond met de politie gesproken,' zei ze. 'Hij verleent zijn volledige medewerking aan het onderzoek en kon de politie informatie geven waarover men nog niet beschikte. Ik kan niet ingaan op de details, maar laat me benadrukken dat Troels Hartmann geen enkele – ik herhaal geen enkele – connectie heeft met de moord op Nanna Birk Larsen. Hij helpt...'

'De gebruikelijke flauwekul,' zei Meyer.

Hij zwaaide met een volgetypt vel papier.

'Ik heb hem nagetrokken. Tweeënveertig. Geboren in Kopenhagen. Zoon van een politicus, Regner Hartmann. De vader was een aartsvijand van Poul Bremer. Trok steeds aan het kortste eind. Kon er niet meer tegen. Is een tijd geleden overleden.'

Skovgaard beantwoordde vragen.

'Het is betreurenswaardig dat politieke tegenstanders de slechte smaak hebben te gaan speculeren,' zei ze.

Lund wuifde met haar koffiebeker naar het tv-scherm.

'Dus nu is de zoon in de voetsporen van zijn vader getreden en zet de strijd voort?'

'Dat doet hij al heel lang,' beaamde Meyer. 'Hij ging op zijn negentiende bij de jongerenafdeling van de Liberalen. Op zijn vierentwintigste is hij gekozen voor de gemeenteraad. Had zitting in diverse commissies. Werd vier jaar geleden fractieleider. En is daarmee wethouder van Onderwijs geworden.'

Lund smeerde weer broodjes met boter en ham. Ze gaf hem er een. Meyer nam een hap.

'Je moet beseffen dat deze man nooit een echte baan heeft gehad. Hij heeft zijn hele leven in die nepwereld in het Rådhus doorgebracht. Geen wonder dat hij raar reageert zodra dat glazen paleisje barsten begint te vertonen.'

'De alliantie zal zegevieren,' zei Skovgaard met nadruk in de camera's.

'Hallo?'

Hij zwaaide met zijn broodje. Het regende kruimels op het bureau.

'Hoor je me?'

'Jawel.'

'In het jaar dat hij fractievoorzitter werd, is hij met zijn jeugdliefde getrouwd. Zij is twee jaar geleden overleden. Kanker. Ze was zes maanden zwanger.'

'Dat is toch wel de echte wereld,' zei Lund. 'Strafblad?'

'Niets. Lelieblank. Heb je de e-mails gelezen?'

'Ja. Maar ik geloof niet dat ze door twee verschillende mensen geschreven zijn. Ze klinken hetzelfde. Hij ondertekent altijd alleen met F.'

Meyer keek naar de geprinte teksten.

'Zie jij een verschil?' vroeg ze.

'Nee. Maar wat zegt dat? Op hoeveel manieren kun je schrijven: zie je om half negen in het Hilton, schat? Ik neem dit keer de condooms mee. Heb je nog voorkeuren, lief?'

Svendsen kwam binnen en gooide een stapeltje dossiers op Lunds bureau.

'Wat hebben we hier?'

'Vrouwen die de afgelopen tien jaar als vermist zijn geregistreerd. Daar vroeg je naar.'

'Is je iets opgevallen?'

'Nee. Brix vond het tijdverspilling.'

'Heb je wel gekeken?'

'Brix zegt dat je op een verkeerd spoor zit. Als je hier verder mee wilt, moet je het in je eigen tijd doen. Niet in die van ons.'

'Hoeveel vrouwen zijn er vermoord?'

Svendsen tikte met zijn knokkels op de blauwe map.

'Ik heb het druk,' zei hij. 'Alsjeblieft.'

Er stond koffie op tafel en zoete broodjes, en onder het zwakke licht van de koraalrode Artichoke-lampen begon de vergadering. De vier fractieleiders van de kleine partijen en Hartmann.

Jens Holck zag er iets beter uit: hij had zich geschoren en een jasje aangetrokken.

'Hoe zit het nou, Troels?' vroeg hij. 'Was dat meisje in jullie flat? Ja of nee?'

'Ja. Tenminste, dat zegt de politie.'

Holck zuchtte.

'Geweldig! En jij was er ook?'

Skovgaard ging naast Hartmann zitten en begon aantekeningen te maken.

'Ik was kort voor haar in de flat.'

Hij keek hen een voor een aan.

362

'Dat heeft voor een misverstand met de politie gezorgd. Dat is nu opgehelderd.'

'En jij reed met die auto?' vroeg Holck. 'Wat is dit, verdomme? Hoe kunnen we zelfs maar overwegen...'

'Jezus nog aan toe, Jens!' riep Hartmann. 'Schei uit met dat superieure gedoe. Ik heb niets met dat meisje te maken. Ik ken haar niet. Ik heb haar nooit gesproken. Ik ben hier net zo geschokt... net zo verbijsterd over als jij.'

'Daar hebben we weinig aan.'

'Ze hebben hun pijlen nu op het stadhuis gericht. Dat is toch duidelijk? Niet langer op mij. Maar ze zoeken hier. Iemand heeft toegang gehad tot mijn computer. Tot mijn wachtwoorden.' Hij wees naar de deur. 'Iemand die hier rondloopt. Ik help de politie. Wat kan ik verder nog doen?'

'Je had ons dit eerder kunnen vertellen, zodat we het niet uit de krant hoefden te vernemen,' zei Mai Juhl.

'Ik wist het toch niet! Ik zat dat weekend bij een sponsorconferentie. Denk je dat ik hier nog gezeten had als de politie dacht dat ik schuldig was?'

Holck zweeg. Mai Juhl ook.

Morton Weber kwam binnen en tikte op zijn horloge.

'Laten we rustig blijven,' zei Hartmann. 'Goed? Werken we nog samen of hoe zit het?'

Mai Juhl verbrak de stilte.

'Volgens jou is de zaak nu de wereld uit?'

'Het is de wereld uit.'

Ze keek naar Holck.

'Dan werken we nog samen.'

'We hebben verder geen keus,' zei Holck. 'Als de alliantie klapt, gaan we allemaal het schip in.'

Hij stond op en keek Hartmann dreigend aan.

'Dankzij jou zitten we in de nesten, Troels. Jij kunt ons eruit helpen. Stap naar voren en praat zelf met de pers. Het heeft geen zin om je achter Rie te verschuilen. Dit is jouw probleem. Maak er een eind aan, anders maakt het een eind aan ons allemaal.'

Morten Weber keek hen na.

'Hoe ging het? Doen ze nog mee?'

'Ja. Heb je iets gevonden?'

'Wij drieën zijn de enige bekende gebruikers van de pc in de flat. Jij en ik en Rie. Wie kan jouw wachtwoord hebben?'

'Ik weet het niet.'

'Misschien heb je vergeten uit te loggen.'

'Dat is het niet. Iemand is hier aan het snuffelen geweest. Blijf rondvragen, blijf kijken.'

'Dat is niet zo gemakkelijk. Dit zijn mensen die we vertrouwen. Of die we zouden moeten vertrouwen.'

Hartmann keek naar Weber. Een man die hij zijn hele volwassen leven al kende. Een vrijgezelle einzelgänger, die zonder te klagen zijn insulinepen bij zich droeg. De man die het slavenwerk opknapte, de saaie routineklussen. En als dat nodig was ook het vuile werk.

'Het spijt me, Morten.'

'Wat spijt je?'

'Dat ik niet naar je geluisterd heb.'

Weber lachte.

'Dat was gisteren! Dit is politiek. Vandaag en morgen. Gisteren bestaat niet.'

'Wil je dit regelen?'

'Ja, als ik dat kan.'

Skovgaard kwam eraan. Ze droeg haar jas over de arm.

'Lund wil nog eens met je praten,' zei ze.

'Nee…'

'Je advocaat zegt dat je geen keus hebt. Je kunt via de zijdeur vertrekken, ik heb een auto geregeld.'

Ze keek hem strak aan.

'Ze nemen je mee naar de flat aan Store Kongensgade.' Ze gaf Hartmann zijn handschoenen aan. 'Lund wil je daar wat vragen stellen.'

Anton en Emil hadden hun winterjasjes aan. Pernille controleerde of ze alles voor school bij zich hadden. Aan het bureau in het kantoortje zat Theis Birk Larsen in zijn rode overall en met zijn zwarte muts op te bellen met de bank. Hij sprak rustig, probeerde de zaken op een rijtje te zetten.

De storm waaraan ze de avond daarvoor overgeleverd waren, was geen moment gaan liggen. Ze hadden samen in bed gelegen maar elkaar niet aangeraakt. Ze hadden niet geslapen, niet echt. Halverwege de nacht was Emil huilend bij hen gekomen. Anton had voor het eerst in maanden weer in zijn bed geplast.

De storm was niet overgetrokken. Hij lag nog steeds op de loer.

'Misschien mogen we honderdduizend rood staan,' zei Birk Larsen toen Pernille binnenkwam. 'Daarmee kunnen we deze maand de mensen uitbetalen en het huis verkopen.'

Maar één maand respijt. Hij stak een sigaret op en keek hoe de rook naar het groezelige plafond omhoog kringelde.

'Heb je Emils muts ergens gezien?' vroeg ze.

Hij sloot zijn ogen.

'Ligt hij niet op z'n gewone plek op de plank?'

'Als hij daar lag, dan vroeg ik er niet naar, hè.'

Hij drukte zijn sigaret uit.

'Oké, ik kijk wel even.'

Toen hij weg was, liep ze om het bureau heen en bekeek de rekeningafschriften. Ze vroeg zich af wat er verder nog was waar ze niets van wist. Theis had een krant gekocht. Het gezicht van de politicus staarde haar vanaf de voorpagina aan. Hij was niet gearresteerd, maar alleen verhoord en daarna weer heengezonden.

'Mam?' riep een van de jongens.

Anton kwam binnenrennen.

'Iemand wil met je praten.'

Een lange man van rond de dertig stond in de deuropening van de garage: donker design ski-jack en een brede glimlach.

'Ik wil graag met Theis Birk Larsen spreken,' zei hij.

'Gaat het over een verhuizing? Mijn man komt er zo aan.'

'Pernille?'

Hij wachtte haar antwoord niet af.

'Ik ben Kim Hogsted.' Hij haalde een visitekaartje tevoorschijn. 'Ik ben tv-verslaggever. Ik heb al een paar keer gebeld.'

Hij stak haar het kaartje toe. Ze nam het aan.

'Ik weet wel dat je niet met mij en mijn collega's wilt praten.'

'Klopt.'

'Het gaat om de politie.' Hij leek heel serieus. 'Ik ben misdaadverslaggever. Ik heb nog nooit zo'n geklungel meegemaakt. Het moet verschrikkelijk voor je zijn. Ik kan het me niet voorstellen.'

'Inderdaad,' zei ze, 'dat kun je niet.'

'En nu er een politicus bij betrokken is…'

Hij haalde zijn schouders op.

'Ja, wat dan?' vroeg ze.

'Ze zullen alles buiten de publiciteit houden. Jij hoort er ook niets van.'

'Wat wil je?'

'We willen helpen. We willen je de gelegenheid geven om jullie verhaal te doen. In je eigen woorden. Niet die van de politie, niet die van ons.'

Ze probeerde zich voor te stellen hoe dat zou zijn.

'Je wilt dat ik over Nanna praat?'

Hij gaf geen antwoord.

'Wat voor mensen zijn jullie! Je kunt maar beter gaan. Als mijn man naar beneden komt…'

'Drie jaar geleden was er in Helsingborg een vijfjarig jongetje vermist. De politie tastte volledig in het duister. Wij hebben een interview afgenomen. Een beloning uitgeloofd. Ze hebben hem gevonden. Levend. Weet je het nog?'

'Je kunt echt maar beter gaan.'

'We kunnen Nanna niet terugbrengen. Maar we kunnen een beloning uit-loven voor informatie. Ik weet dat je wilt weten wat er gebeurd is. Denk er alsjeblieft over na.'

'Ga weg!' gilde ze tegen hem.

De reporter liep naar buiten, het licht weer in. Ze gooide het kaartje in de prullenbak.

Theis Birk Larsen kwam terug met de muts.

'Zal ik ze naar school brengen?'

'Nee! Hier hebben we het al over gehad. Waarom vraag je alles twee keer?'

Hij stond stijf en ongemakkelijk in de deuropening.

'Dan zie ik je bij de therapiegroep.'

'Emil!' Haar stem klonk hoog en breekbaar. 'Ik heb toch gezegd dat je dat ding niet mee mag nemen naar school! Waarom luister je nooit?'

Birk Larsen maakte de gameboy voorzichtig los uit Emils greep.

'Veel plezier, jongens,' zei hij met een klopje op hun hoofd.

Overal in de flat van de Liberalen zaten merktekens van de technische recherche. Stickers en pijlen. Nummers en contourtekeningen.

Troels Hartmann stond in de grote kamer naast de vleugel. De advocaat van de partij was bij hem.

'Ik had de auto buiten neergezet en ben naar binnen gegaan.'

'Heb je iemand gezien toen je naar boven ging?' vroeg Lund.

'Voor zover ik weet niet. Ik lette niet zo op. Het was gewoon…'

'Gewoon?'

'Gewoon een avond als alle andere.'

Lund wachtte. Ze vroeg zich af of hij nog meer zou zeggen.

Hartmann keek naar de verbrijzelde salontafel en de kapotte spiegel. De gekreukte lakens op het tweepersoonsbed in de kamer ernaast.

'Wat is hier gebeurd?' vroeg hij.

'Vertel maar eens wat je deed toen je binnenkwam,' zei Lund.

'Ik heb mijn jasje opgehangen. Ik weet nog dat ik hoofdpijn had. Ik had een drukke week achter de rug.'

Hij liep naar het bureau bij het raam. Meyer liep achter hem aan.

'Ik ben hier gaan zitten. Ik heb aan een toespraak zitten werken.'

'Wat voor toespraak?' vroeg Meyer.

'Voor donateurs en zakenlui. We zijn op zoek naar fondsen.'

Lund vroeg wat hij met de autosleutels had gedaan.

Hij keek naar de verbrijzelde glazen tafel.

'Ik heb ze daar neergelegd. Ik had ze niet meer nodig.'

'Ik begrijp het niet helemaal,' zei Meyer. 'Waarom ben je hiernaartoe gegaan om een toespraak te schrijven? Waarom ben je niet gewoon naar huis gegaan?'

Hartmann aarzelde even voor hij antwoord gaf.

'Op de ene plek denk ik anders dan op de andere. Thuis word ik afgeleid. Hier…' Hij keek de kamer door. De witte vleugel. De kroonluchter. Het fluwelen behang en het dure meubilair. Het verbrijzelde glas. 'Het was hier net een eilandje. Hier kon ik nadenken.'

'Waarom heb je je chauffeur het weekend vrij gegeven?' vroeg Meyer.

'Ik had hem niet nodig. Rie zou rijden. Het had geen zin hem te laten duimendraaien.'

'Dus je hebt hem naar huis gestuurd en bent met een campagneauto van het stadhuis hiernaartoe gereden? En die heb je hier laten staan?'

'Is dat een misdrijf? Ik werkte aan mijn toespraak. Toen ben ik omstreeks half elf naar Rie gelopen. Meer niet. Wat kan ik verder nog vertellen?'

'Dit is genoeg,' zei de advocaat. 'Mijn cliënt heeft u naar beste vermogen geholpen. Als u hier verder klaar bent…'

Lund liep naar het raam en keek naar buiten. Meyer wist het ook niet meer.

'Hoe ging je toespraak, Troels?' vroeg hij.

'Best goed. Leuk dat je dat vraagt.'

'Graag gedaan. Dus je was het hele weekend bij die zakenlui en donateurs?'

'Klopt.'

Hij zag er even verward uit. Alsof Meyer hem erin had geluisd.

'Nou ja. Rie heeft het meeste gedaan. Ik had griep. Ik heb tot zondag in bed gelegen.'

Lund ging weer bij hem staan.

'Hoeveel heb je die avond hier gedronken?'

'Dat heeft niets met de zaak te maken,' kwam de advocaat tussenbeide.

'De technische recherche heeft een lege cognacfles gevonden en een glas met je vingerafdrukken erop.'

'Ja. Ik heb wat gedronken. Vanwege de griep.'

'Een hele fles cognac?'

'Hij was al bijna leeg.'

Lund raadpleegde haar aantekeningen.

'De huishoudster heeft die dag boodschappen gedaan. Ze zei dat ze alles had aangevuld.'

Hartmann keek opzij naar zijn advocaat.

'Ze zou echt niet een fles weggooien waar nog wat in zat. Ik heb wat gedronken. Nou goed?'

Lund wachtte.

'Het was onze trouwdag. Mijn vrouw en ik…'

'Dus het was een speciale dag?' vroeg Meyer.

'Dat gaat je geen reet aan.'

'Je slikt kalmerende middelen,' zei Lund. Ze pakte een plastic zakje op van het bureau. 'We hebben je pillen gevonden.'

'Hoe diep kunnen jullie zinken? Krijgen jullie straks promotie van Bremer?'

'Alcohol en drugs,' viel Meyer hem in de rede. 'Ik ben geschokt. Je bent politicus. Je hangt die posters overal op. Het is een gevaarlijke cocktail, toch? Dat moet ik iedere keer lezen als ik ergens sta te pissen.'

'Ik heb wat gedronken. Ik heb die pillen al in geen maanden geslikt.'

'Dus je had gewoon een rotdag?' Meyers ogen puilden zowat uit zijn hoofd. 'Wil je dat beweren?'

Hartmann ijsbeerde door de kamer, keek naar de markeringen op de muren.

'Je hebt een hele fles leeggedronken,' ging Meyer door. 'En je hebt pilletjes geslikt. Een, misschien twee.'

'Dit begint vervelend te worden.'

'Wat vervelend is, is dat jij wilt beweren dat je hiernaartoe bent gekomen, dat je je helemaal hebt laten vollopen en dat je toch nog weet dat je hier rond half elf bent weggegaan.'

'Ja! Toevallig wel ja. Ik weet ook nog welke lichtknoppen ik heb ingedrukt. Hoe vaak ik naar de plee ben geweest? Wil je dat weten? Laten we samen de knop van de lift gaan bekijken. Wat dacht je daarvan?'

Lund zei: 'Heb je de lift genomen?'

'Ja, ongelooflijk, hè? Ik heb de lift genomen.'

Lund schudde haar hoofd.

'Volgens de conciërge was de lift die vrijdag buiten dienst.'

Hij spreidde zijn armen.

'Dan heb ik de trap genomen. Wat maakt het uit?'

'Hartmann heeft jullie verteld wat hij in de flat gedaan heeft,' hield de advocaat vol. 'Rie Skovgaard heeft bevestigd dat hij naar haar toe is gegaan en heeft aangegeven hoe laat hij bij haar is aangekomen.'

De advocaat liep naar de voordeur en wenkte Hartmann.

'Mijn cliënt is uiterst behulpzaam geweest. We hebben hier verder niets meer te zoeken.'

Ze keken hem na.

'Waarom liegt die klootzak tegen ons?' vroeg Meyer.

Lund keek naar de slaapkamer en de gekreukte lakens. Daar had niemand onder gelegen. Het was alsof ze gewoon op het bed hadden gezeten. Gepraat misschien.

'Waar is Nanna heen gegaan?' mompelde ze.

Hartmann liep langs de okerkleurige Nyboder-huisjes toen Morten Weber belde.

'Hoe ging het?'

Dat leek een rare vraag, waar maar één antwoord op mogelijk was.

'Het ging goed, Morten. Wat is er aan de hand?'

'Herinner je je Dorte nog? Die uitzendkracht?'

'Nee, niet echt.'

'Die aardige vrouw met rugklachten? Ze is nog naar mijn acupuncturist gegaan.'

'Ja, nu weet ik het weer. Wat is er met haar?'

Hij liep nu over het lange rechte stuk van Store Kongensgade. Cafés en winkels. Aan zijn linkerkant de grote koepel van de Marmorkirken.

'Ze vertelde iets wat ik wel interessant vond.'

Hartmann wachtte op wat er komen ging. Toen Weber niets zei, vroeg hij: 'Wat dan?'

'Dat zeg ik liever niet over de telefoon.'

'Jezus, Morten! Denk je dat mijn gesprekken getapt worden?'

Weer bleef het even stil en toen zei Weber: 'Misschien wel. Dat weet ik niet. We moeten met Olav praten. Je had gelijk.'

De rouwverwerkingsgroep kwam bijeen in een koud, grijs gebouw vlak bij de kerk. Tien mensen rond een plastic tafel in een kaal, vreugdeloos zaaltje.

De Birk Larsens zaten naast elkaar terwijl de gespreksleider naar de verhalen luisterde.

Kanker en verkeersongelukken. Hartaanvallen en zelfmoord.

Tranen van de levenden. Stilte van de doden.

Pernille luisterde niet. Birk Larsen knikte, zei niets.

Buiten aan de kale takken van een boom kronkelde en draaide een gescheurde witte sjaal in de wind als een tevergeefs gebed.

Toen het hun beurt was, zeiden ze amper wat. Niemand drong aan. Eén maar, een magere man die zijn hoofd zelfs toen hij over zijn overleden zoon vertelde nog trots hief, besteedde aandacht aan hen.

Misschien was het gêne, dacht Birk Larsen. Het kon hem niets schelen. De sociaal werkster had gezegd dat hij erheen moest als hij niet terug naar de gevangenis wilde. Dus was hij gegaan en hij hoopte dat het zou helpen. Hoewel hij dat betwijfelde nu hij naar Pernilles strakke, emotieloze gezicht keek.

Niets hielp behalve verlossing. Kennis. Een station waar je voorbij was. Maar dat station leek verder weg dan ooit.

Buiten bood hij aan haar fiets achter in de bestelbus te leggen en haar naar huis te brengen.

'Ik heb behoefte aan frisse lucht,' zei Pernille.

'Echt?'

'Ik zie je straks.'

Ze liep met haar fiets aan de hand over de parkeerplaats naar de straat om naar Vesterbro terug te gaan.

De magere man hield haar halverwege de parkeerplaats staande. Peter Lassen.

'Ik had binnen de kans niet om me voor te stellen.'

Ze schudde zijn hand.

'Ik hoop dat je er wat aan gehad hebt.'

'Het was prima,' zei ze.

Hij keek haar aan.

'Ik geloof niet dat je dat meent.'

Ze wilde doorlopen met haar fiets, maar deed het niet.

'Ik weet nog heel goed hoe ongemakkelijk ik me de eerste keer voelde,' zei Lassen. 'Je hebt met niemand een band. Je denkt dat het verdriet van anderen heel anders is dan dat van jou. En dat is ook zo.'

'Als ik jouw mening wil horen, dan vraag ik er wel naar,' viel Pernille opeens ruw uit.

Ze liep verder met haar fiets, haar ogen werden vochtig.

Bij de straat aangekomen bleef ze staan. Ze schaamde zich. Hij was beleefd en aardig geweest. Zij onbeschoft en sarcastisch.

Ze liep terug en bood haar verontschuldigingen aan.

Lassen glimlachte: een trage, zachte glimlach.

'Dat hoeft niet, hoor. Mag ik je een kop koffie aanbieden?'

Even aarzelde ze, toen zei ze ja.

Het café was klein en er waren verder geen klanten. Ze zaten daar met een cappuccino en een schoteltje biscotti.

'Januari is het vijf jaar geleden. Ik had lasagne gemaakt. We zaten aan tafel op hem te wachten.'

Buiten voor het raam liepen kinderen voorbij, een lange rij op weg naar een of ander uitje. Lassen glimlachte toen ze voorbijliepen.

'We hadden nieuwe batterijen in zijn fietsverlichting gedaan. Hij kende de weg. We fietsten er regelmatig samen.'

Hij roerde in zijn koffie waarvan hij geen slok genomen had.

'Maar hij kwam niet thuis, nooit meer.'

Weer een rondje door het kopje. Ze keek hoe het schuim inzakte.

'Ze zeiden dat het een rode auto is geweest. De politie heeft laksporen op een van zijn trappers gevonden.'

Hij schudde zijn hoofd en tot haar verbazing lachte hij.

'Vroeger zat ik daar bij die bocht in de weg, op de uitkijk naar een rode auto met een kras. Iedere avond rond het tijdstip waarop het gebeurd was.'

Hij maakte een wuivend gebaar naar haar met zijn tengere bleke hand.

'De auto kwam niet. Dus toen ging ik er ook overdag zitten. Toen kwam ie ook niet.'

Het korte ogenblik waarop hij geamuseerd gelachen had was voorbij.

'Uiteindelijk kon ik nog maar één ding doen: zitten wachten. Dag en nacht. Uitkijken naar auto's. Denken: eens moet hij langskomen. En als dat gebeurt, dan sleur ik die klootzak eruit en...'

Lassen sloot even zijn ogen. Ze zag op zijn gezicht het masker waarachter hij nog steeds zijn verdriet probeerde te verbergen.

'Mijn vrouw wilde dat ik ermee ophield. Maar hoe kon ik? Hoe? Ik ben mijn baan kwijtgeraakt. Ik ben vrienden kwijtgeraakt.'

Hij duwde de koffie en het koekje van zich af.

'En toen kwam ik een keer thuis van mijn uitkijkpost en was zij ook weg.'

Buiten stond een moeder met haar kind aan de hand aan de kant van de weg te wachten tot ze over kon steken. Het gewone dagelijkse was bijzonder. Voor mensen als zij en Lassen was er niets anders en er was ook geen behoefte aan iets anders. Het gewone dagelijkse was heilig, het kostbaarste wat er was.

'Er gaat geen moment voorbij dat ik geen spijt heb van dat ik degenen van wie ik hield heb laten gaan. Die rode auto heeft niet alleen mijn zoon weggenomen. Hij heeft alles weggenomen wat ik had. En ik heb hem nog steeds niet gevonden. Pernille?'

Ze wendde haar blik af van het raam en keek hem aan.

'Begrijp je wat ik zeg?'

'Maar je blijft onwillekeurig uitkijken naar die auto, toch? Hoe kun je het ooit vergeten! Stel dat je het niet opgegeven had?'

Lassen schudde zijn hoofd. Hij leek teleurgesteld.

'Zo moet je niet denken.'

'Maar je zoekt, echt. Je denkt... waar is hij? Waar is de auto? Je kunt niet ophouden met dat te denken. Je kunt jezelf wel voor de gek houden. Je kunt proberen je te verschuilen.'

'Je moet het loslaten.'

Hij begon haar te irriteren.

'Zeg dan dat je het vergeten hebt! Dat je je erbij neerlegt dat de klootzak die je zoon vermoord heeft gewoon nog vrij rondloopt.'

Een blik naar buiten.

'En dat misschien het kind van iemand anders ook weer gaat flikken.'

Lassen zei: 'Stel dat ze hem niet vinden. Stel dat je de rest van je leven in deze hel opgesloten zit, wat dan?'

'Ze zullen hem vinden. En als zij hem niet vinden, dan vind ik hem.'

Hij knipperde met zijn ogen. Weer had hij iets teleurgestelds over zich.

'En dan?' vroeg Lassen.

'Sorry, maar ik moet nu weg. Ik moet de jongens uit school halen.'

Ze stond op.

'Bedankt voor de koffie.'

Hartmanns kantoor. Weber had weer broodjes en koffie gehaald. Er stond een vrouw in de deuropening en hij moest even nadenken voor hij wist hoe ze heette.

Nethe Stjernfeldt.

Hij stond snel op, liep naar de deur, zag Skovgaard opkijken.

Ze was net zo mooi als in zijn herinnering, slank en elegant. Met diezelfde bezorgde, hulpbehoevende blik in haar stralende ogen.

'Sorry, Troels,' zei ze. 'Ik wilde je niet storen.'

'Het komt nu heel ongelegen.'

'Het spijt me als ik iets verkeerds heb gezegd.'

'Het is jouw schuld niet. Ik weet hoe de politie is.'

'Ze hebben me overvallen met allerlei vragen. Ze hadden e-mails en... ze leken er alles van te weten.'

'Ik heb ze gesproken,' zei Hartmann. 'Maak je geen zorgen. Het blijft verder binnenskamers. Niets aan de hand.'

Ze stond nu vlak bij hem. Haar hand op zijn revers.

'Fijn dat je gekomen bent. Maar ik heb het echt heel erg druk.'

Haar vingers streelden zijn jasje.

'Dat weet ik. Bel me als ik je ergens mee kan helpen.' Ze glimlachte naar hem. 'Met wat dan ook.'

Ze maakte haar hand plat, legde hem op zijn witte gesteven overhemd en drukte even. Hartmann deed een stap naar achteren. Ze keek hem nijdig aan.

'Dan ga ik maar.'

'Ja, dat is het beste.'

Hij liep het kantoor weer in, ging naast Skovgaard staan die dossiers zat door te nemen. Weber had zich uit de voeten gemaakt.

'Ze... ze wilde haar verontschuldigingen aanbieden.'

Skovgaard keek niet op van haar papieren.

'Vertrouw je me niet?' vroeg Hartmann.

Geen reactie.

Hij ging op het bureau zitten, zodat ze wel naar hem moest kijken.

'Sluit me niet buiten, Rie. Het is allemaal verleden tijd. Dat heb ik je toch gezegd?'

Ze vouwde haar armen over elkaar, keek met vochtige ogen naar het plafond.

'Rie!'

Er werd geklopt.

Olav Christensen kwam zonder verdere plichtplegingen binnen.

'Ik begreep dat je mij wilde spreken,' zei hij.

'Morten!' riep Hartmann.

Ze lieten de gemeenteambtenaar tegenover hen plaatsnemen. Weber nam het materiaal door dat hij verzameld had.

'Je hebt bijzonder veel belangstelling voor de flat gehad, Olav,' zei hij.

'Nee, helemaal niet. Ik heb daar een paar keer gasten ondergebracht.' Hij wees naar Hartmann. 'Met toestemming van de wethouder.'

'Hartmann heeft gewoon z'n handtekening gezet, meer niet. Jouw gasten zijn nooit op komen dagen.'

Zijn pantser van arrogantie vertoonde aan alle kanten barsten.

'Ik ben toch geen hotelreceptionist? Ik doe wat me gezegd wordt. Moet ik een advocaat in de arm nemen of zo?'

Hartmann vroeg: 'Heb je de flat zelf gebruikt?'

'Ik begrijp niet waar je het over hebt.'

Weber legde een vel papier voor hem neer.

'Zes maanden geleden heb je aan Dorte gevraagd of de flat dat weekend vrij was.'

Christensen keek naar het document en las het.

'Als ik het me goed herinner was dat voor die Polen die een reportage maakten over onze verzorgingsstaat.'

'Die Polen logeerden in een hotel,' snauwde Weber. 'Ik heb met ze gegeten. Hou op met die flauwekul.'

'Echt? Dan weet ik het niet meer.'

Er werden meer papieren voor hem neergelegd.

'Een paar keer per week heb je de flat geboekt voor mensen die niet op kwamen dagen. Daar is nooit een aantekening van gemaakt. Als Dorte er niet geweest was...'

'Dorte is hier niet. Mensen veranderen van gedachten. Soms...'

'Dacht je dat wij stom zijn?' Hartmann wees naar Weber, naar Skovgaard die het gesprek opnam. 'Zien wij eruit alsof we op ons achterhoofd gevallen zijn?'

'Ik kan er niets aan doen dat jij in de problemen zit. Mijn schuld is het niet.'

'Nog één keer. Heb je de flat voor jezelf geboekt?'

'Pas maar op als je me wilt beschuldigen van...'

'Nee, nee, Olav! Jij bent degene die op moet passen.'

Hartmann wachtte even.

'Heb jij dat meisje meegenomen naar de flat?'

'Natuurlijk niet.'

'Heb je de sleutel gekopieerd? Heb je mijn computer gebruikt?'

Hij lachte.

'Dus we gaan nu bij de Liberalen zitten zwartepieten?'

Rie Skovgaard schoof een vel papier naar hem toe.

'We hebben vanochtend een veiligheidsscan op het netwerk gedraaid. Ze hebben key loggers op al onze pc's gevonden. Iemand heeft alles gevolgd. Wachtwoorden. Al onze stukken. Hij kon gewoon inloggen en net doen of hij iemand van ons was.'

'Wat heeft dat met mij te maken?'

'Jij bent programmeur. Jij hebt dat gedaan.'

'Ik? Als gemeenteambtenaar? Nee.' Hij knikte glimlachend naar Hartmann aan de andere kant van de tafel. 'Daar zit de man die wat uit te leggen heeft. Dat heb ik in de kranten gelezen.'

'Ik zal je hoogstpersoonlijk naar het politiebureau brengen,' verzekerde Troels Hartmann hem.

'Hij heeft dat meisje niet vermoord, Troels,' zei Skovgaard met schrille stem. 'Hij was met ons op het posterfeest. Hij kan het niet geweest zijn in de flat.'

Olav Christensen grijnsde zelfgenoegzaam naar hen.

'Weet je?' zei hij terwijl hij opstond. 'Ik laat dit verder aan jullie over. Jullie...' Hij schudde zijn hoofd en lachte. 'Poul Bremer had helemaal gelijk. Jullie hebben het niet meer!'

'Als jij het niet was, wie was het dan wel?' brulde Hartmann.

Er stond een doos met kerstversiering bij de deur. Christensen haalde er een sliert engelenhaar uit en wuifde ermee.

'De kerstman?' vroeg hij.

Meyer nam alles wat ze hadden nog een keer door.

'Hartmann heeft met heel wat vrouwen afspraakjes gehad in die flat. Hij is er een paar maanden mee opgehouden. Toen begon hij weer.'

De blauwe gloed van een zwaailicht op de binnenplaats van Politigården viel even door het raam naar binnen.

'Hij probeerde Nanna Birk Larsen te pakken te krijgen. Hij was jaloers. Hij sprak met haar af in de flat. Toen liep het mis.'

'Iemand moet iets gezien hebben,' zei Lund. 'Een krantenjongen. Een parkeerwacht.'

'Niemand heeft iets gezien. Laten we Skovgaard maar weer op laten draven.'

'Die zegt niets.'

'Hoe weet je dat? Jij hebt de vorige keer met haar gesproken.'

Hij voelde aan de revers van zijn wollen jack.

'Ik kan heel goed met vrouwen omgaan.'

Lund keek even naar hem, zuchtte en schudde het hoofd.

'Hij heeft Nanna niet gebeld,' zei ze. 'Zijn telefoon is die avond om 22.29 uur uitgezet.'

'Goed met vrouwen omgaan,' herhaalde hij heel langzaam.

Lund legde haar hand tegen haar voorhoofd. Er zat een migraineaanval aan te komen.

'Goed,' zei ze en ze gooide de papieren op het bureau.

'Afgesproken,' zei Meyer.

Hij liep weg met die zwierige, zelfverzekerde tred van hem. Lund wist zeker dat ze nog wel eens iemand zou arresteren die precies op Jan Meyer leek.

Ze pakte de lijst met telefoongegevens op. Iemand had Hartmann om 22.27 uur gebeld, vlak voor hij zijn telefoon uitgezet had. Er lag ergens een lijst met de namen van de bellers. Ze vond hem en keek erop. Ze overwoog het aan Meyer te zeggen. In plaats daarvan pakte ze haar jas.

In Store Kongensgade wachtte ze op de binnenplaats terwijl ze naar de ijzeren brandtrap keek die aan de achterkant van het gebouw omhoog draaide.

Nethe Stjernfeldt kwam tien minuten nadat Lund gebeld had.

'Waar gaat dit over?' vroeg ze. 'Ik heb je alles verteld…'

'Je zei dat je Hartmann al een hele tijd niet gesproken had.'

'Dat klopt. Ik heb weinig tijd, ik moet mijn zoontje bij de padvinderij ophalen.'

'Je hebt hem die vrijdagavond gebeld. Op 31 oktober. Om 22.27 uur om precies te zijn. Dat kan ik bewijzen. Ik kan bewijzen dat je liegt.'

De vrouw speelde met haar leren handschoenen.

'Er zit meer achter, hè?' zei Lund.

Ze keek om zich heen en zag dat ze alleen waren.

'Ik heb mijn man beloofd dat ik hem nooit meer zou zien.'

Lund wachtte.

'Ik miste hem. Ik wilde hem zien.'

'Wat zei hij toen je belde?'

'Hij zei dat het voorbij was. Dat ik moest ophouden hem te bellen.'

'Wat heb je toen gedaan?'

Ze antwoordde niet maar draaide zich om en liep weg.

'Je hebt die avond een parkeerbon gekregen. Hier, op Store Kongensgade. Je stond te dicht bij de hoek.'

Lund haalde haar in.

'Pech,' zei ze. 'Dat heb ik ook wel eens.'

'Komt mijn man het te weten?'

'Vertel me nu maar gewoon wat er gebeurd is.'

Stjernfeldt keek de lange, lege straat naar beide kanten af.

'Ik kon er niet tegen dat hij ons gesprek afbrak. Ik was thuis. Helemaal alleen, ik werd gek.'

'Dus je kwam hiernaartoe om hem op te zoeken. Hoe laat, Nethe? Dit is belangrijk.'

'Staat dat niet op die parkeerbon?'

'Ik wil het van jou horen.'

'Het was bijna middernacht. De lichten waren aan. Dus heb ik aangebeld.'

Lund keek naar het glanzende koperen naamplaatje op de deur.

'Heeft hij je binnengelaten?'

'Nee,' zei ze bitter. 'Hij heeft niet eens iets gezegd. Ik hield mijn vinger op de bel tot er iemand boven de intercom opnam.'

'Dus toen heb je met Hartmann gepraat?'

'Ik heb met niemand gepraat. Wie het ook was...' Ze haalde haar schouders op. 'Hij zei geen woord.'

'Je hebt niets gehoord?'

'Ik vroeg of hij me binnen wilde laten. Maar hij legde de hoorn erop.'

Lund keek langs het baksteenrode gebouw omhoog.

'Ben je toen naar huis gereden?'

'Nee. Ik was woedend op hem. Ik ben naar de binnenplaats gegaan en heb zijn naam geschreeuwd.'

Ze liepen onder de poort door terug en stonden weer op de open binnenplaats.

'Ik zag een silhouet bij het raam.'

Ze zweeg en keek omhoog naar de ramen op de vierde verdieping.

'Het was hem niet.'

'Wat bedoel je?'

'Hij was het niet! Het leek er niet op.'

'Hoe weet je dat zo zeker? Het was donker.' Lund gebaarde naar het gebouw. 'Het is hoog, hoe kun je er zo zeker van zijn?'

'Jij wilt Troels te grazen nemen, hè?'

'Ik wil de waarheid. Hoe weet je dat hij het niet was?'

'Hij leek kleiner. Troels is lang. Hij staat rechtop. De man die ik zag...'

Ze haalde haar schouders op en keek naar de straat achter de poort.

'Het was Troels Hartmann niet.'

Lund zei niets.

'Hij zag me,' zei Stjernfeldt. 'Hij keek naar me. Dat gaf me een ongemakkelijk gevoel. Ik wilde hier niet blijven. Troels was niet meer in die flat. Dus wat had het voor zin?'

Pernille reed met de jongens naar huis en luisterde naar hun gekibbel op de achterbank. Daar had ze zich vroeger nooit veel van aangetrokken.

Nu…

'Hij is van mij,' zei Anton. 'Geef hier. Je had je eigen gameboy mee moeten nemen.'

'Mam, zeg dat hij ophoudt.'

Het was druk op de weg. Het was een regenachtige avond. Het geluid van hun stemmen vulde haar hoofd, maar niet in die mate dat haar sombere gedachten erdoor verdreven werden.

'Het is gemeen!'

'Mam, zeg het dan. Ik heb er de hele dag al niet mee gespeeld.'

'Kunnen jullie er niet om de beurt mee spelen?'

Wat een stomme dingen zeiden ouders. Deel wat je hebt. Wees stil. Wees braaf en gehoorzaam. Vertel ons wat je denkt, waar je naartoe gaat, wat je doet.

En met wie.

'Mam! Zeg het nou!'

'Hou je kop!' jammerde Anton.

Of Emil.

Als ze schreeuwden, klonken ze precies hetzelfde.

'Van mij! Van mij! Van mij!'

Als twee keteltjes die tegelijkertijd aan de kook raakten.

In de rij auto's langs de stoeprand was een plek vrij. Ze gooide het stuur om, terwijl ze wist dat ze daardoor in hun autostoeltjes heen en weer zouden schudden. Ze drukte haar voet op de rem. Ze luisterde naar het gepiep van de banden.

Ze raakte de stoep. Mensen sprongen opzij en om haar heen werd geroepen.

Toen hielden ze eindelijk hun mond. Ze lieten haar met rust en keken naar de mensen die zich om de auto verdrongen.

Er was niets ergs gebeurd. Alleen een korte, krankzinnige verandering van richting in de gestage verkeersstroom van het leven.

'Mama?' vroeg een angstig stemmetje vanaf de achterbank.

Ze keek in het spiegeltje naar hun gezichten. Ze was geschokt dat ze dit had gedaan. Dat ze hun zo'n angst had aangejaagd terwijl ze nog zo jong en kwetsbaar waren.

'Emil mag hem wel,' zei Anton. 'Het is goed. We doen het om de beurt.'

Ze huilde weer. De tranen stroomden over haar wangen, waardoor de duisternis buiten wazig werd. Het stuur voelde te zwaar aan om verder te rijden. De auto stonk naar kinderen en benzine en de sigaretten van Theis.

'Mam? Mam?'

Theis Birk Larsen was aan het koken toen Pernille met de jongens binnenkwam.

'Wat zijn jullie laat,' zei hij. 'Wat is er gebeurd?'

'Ik heb de jongens gehaald. Dat had ik toch gezegd.'

'Weet ik. Maar weet je hoe laat het is? Ik heb al rond gebeld. Ik heb Lotte
gebeld…'

'Ik had het toch gezegd.'

Hij ging er niet verder op door.

'Ik heb spaghetti bolognese gemaakt.'

Er was iets met haar, zag hij.

'Ik heb de journalist gebeld die hier vanochtend was,' zei ze.

Hij stopte met roeren.

'Ik heb een afspraak gemaakt. Hij komt zo.'

'Waarom heb je dat verdomme gedaan? Zonder met mij te overleggen! De
politie zegt dat ik me niet met de zaak mag bemoeien.'

Ze lachte hem uit.

'De politie? Doe je nou wat ze tegen jou zeggen?'

'Pernille…'

'We hebben hulp nodig. We moeten de boel in beweging brengen. Iemand
moet toch iets gezien hebben. De pers looft een beloning uit.'

Met gesloten ogen hief hij zijn gezicht naar het plafond.

'Als het Troels Hartmann niet is, dan is het iemand anders.'

Hij liep weer naar het fornuis en roerde in de saus.

'Het bevalt me niet.'

'Nou, het gebeurt toch.'

'Pernille…'

'Ik heb ja gezegd, punt uit,' riep ze. 'Blijf jij hier maar koken als je dat wilt.
Ik handel het wel af.'

Meyer nam steeds maar weer dezelfde punten met Rie Skovgaard door.

'Dus tot zondag heeft geen van de sponsors Hartmann gezien?'

'Zoals ik je al honderd keer gezegd heb: hij was ziek.'

Meyer haalde zijn schouders op.

'Maar hij heeft mij verteld dat zijn toespraak goed gegaan is. Ik begrijp het
niet. Waarom dek je hem? Je vader is minister. Hoe zal die zich voelen als we
jou wegens medeplichtigheid aanklagen?'

Ze zag eruit alsof ze zich voor het gesprek had omgekleed. Een chique
blouse met dunne streepjes. Glanzend, goedgeborsteld haar. Een aantrekkelijke vrouw. Mooi zelfs als ze zich een glimlachje permitteerde.

'Is een man als Hartmann belangrijker dan je eigen carrière?'

'Jij kent Troels Hartmann niet. En ik dek hem trouwens niet.'

'Ken jij hem dan wel, Rie? Hij heeft je niet verteld dat hij zichzelf Faust noemt. Hij heeft je niet verteld dat hij zich een slag in de rondte neukte via die datingsite.'

Ze glimlachte.

'Dat is verleden tijd. Iedereen doet wel eens iets waar hij later spijt van krijgt. Jij niet dan?'

'Ik vertel het altijd aan mijn vrouw. Dat is het veiligst. En zo hoort het ook.'

'Sinds wij een stel zijn, is er niets meer voorgevallen.'

Hij stond op en ging op het bureau naast haar zitten. Las een van de e-mails voor.

'Ik wil je. Ik kan me niet meer inhouden. Ik moet je aanraken. Ik moet je voelen.'

Een andere bladzijde.

'Ik ga nu naar de flat. Wacht op me. Kleed je niet aan.'

Hij legde ze voor haar neer.

'Allemaal ondertekend met de F van Faust. Hoe weet jij dat hij niet ook aan Nanna Birk Larsen schreef?'

Ze zuchtte en bleef glimlachen.

'Hoe, Rie?' zei Meyer. 'Vertel het me.'

Geen antwoord. Hij begon weer over het congres.

'Wat mankeerde Hartmann? Waarom moest hij op zijn kamer blijven?'

Hij stak een sigaret op.

'Griep. Dezelfde griep.'

'Een beetje grieperig? Dat is niet de echte griep, hè? Echte griep betekent dat je niet uit bed kunt komen, dat je ligt te zweten als een otter, te hoesten en te niezen. Had hij dat?'

'Ja.'

'Een hele hoop snot, neem ik aan.'

'Ja, zoiets ja.'

'Veel viezigheid?'

'Ja.'

'Nee, dat is niet zo.' Hij keek op zijn blocnote. 'Ik heb met het kamermeisje gesproken die de kamer heeft schoongemaakt. Zij zei dat het eruitzag alsof er maar één persoon had geslapen, en niet twee. Geen gebruikte tissues in de prullenmand, niets.'

'Dan had ze het over de verkeerde kamer.'

'Nee. Jij dekt een moordverdachte. Daarmee word je medeplichtige.'

Hij nam een trek van zijn sigaret.

'Komt papa je wel opzoeken in de gevangenis? Denk je dat hij ervoor kan zorgen dat je privileges krijgt?'

Geen reactie.

'Werkt het zo? Dat er voor jou andere regels gelden dan voor de sukkels die jouw salaris betalen?'

'Jij bent een ontzettend gefrustreerd mannetje.'

Meyer zwaaide met zijn hand door de rook.

'En hoe zou dat nu komen, vraag ik me af.'

'Als dit alles was, dan wil ik nu graag weg.'

Iemand van de avonddienst kwam aan de deur met een briefje.

'Momentje,' zei hij.

Een boodschap van zijn vrouw. Een boodschappenlijstje. Komkommer, melk, brood, suiker, olijven, feta. En bananen.

Ze had haar tas en haar jas gepakt.

'Dus je was het hele weekend bij Hartmann?'

'Dat heb ik al duizend keer…'

Meyer keek haar strak aan.

'Waarom heb je zijn mobiel dan gebeld op zaterdag? Toen die uit stond?'

Ze stond zwijgend voor hem.

'Jij was toch bij hem, Rie? Weet je het niet meer? Doen mensen aan telefoonseks als ze in hetzelfde bed liggen?'

'Ik weet het niet meer…'

'Nee, nee. Denk maar niet dat je je hieruit kunt draaien.'

Hij wuifde met het boodschappenlijstje naar haar, met de beschreven kant naar zichzelf toe gedraaid.

'Ik heb een bellijst van het telecombedrijf. Je hebt geprobeerd hem te bellen. Een paar keer. Niet gelukt.'

Voor het eerst zag ze er kwetsbaar uit.

'Het is alsof je je zorgen om hem maakte. En dat zou volgens mij niet het geval zijn als je in dezelfde hotelkamer zat.' Meyer schudde zijn hoofd. 'Geen logisch verhaal, hoe ik het ook bekijk.'

Hij liep naar haar toe.

'Ik vraag het je voor het laatst. Je hebt keer op keer gelogen en ik ben bereid dat door de vingers te zien. Maar niet voor eeuwig. Nog één keer en dan ben je geen getuige meer maar medeplichtige.'

Hij maakte een uitnodigend gebaar naar de stoel.

'Zeg jij het maar.'

Ze verroerde zich niet.

'Is Hartmann vrijdagavond naar jouw huis gekomen? Denk goed na.'

Ze liep naar de deur.

'Je laatste kans, Rie…'

Lund stond voor Hartmanns huis. De lichten achter de hoge ramen op de eerste verdieping waren aan. De voortuin was goed onderhouden. Zo te zien lag er achter het huis een groot grasveld. Het was een adres in een brede, helder verlichte straat in Svanemøllevej, in het noorden van Østerbro, bij de ambassades. Een vrijstaande villa. Op zijn minst tien miljoen kronen.

Je kon goed geld verdienen in de politiek.

Ze liep speurend door de tuin, op zoek naar tekenen van activiteit, tekenen dat er misschien onlangs iets begraven was. Ze liep over het lange dichte gras en keek achter het huis. Tegen de oude kelderdeur waarvan de witte verf afbladderde, lag een hoop bladeren van wel een halve meter hoog. Die deur was in geen eeuwen gebruikt. Ze keek naar het enige licht dat op de begane grond brandde. Dit was een huis voor een gezin. Voor een dynastie. Maar de enige die er woonde, was de droevige, knappe Troels Hartmann.

Ze liep om het hele huis heen, maar zag niets. Ze ging een hek door aan de zijkant en stond toen weer onder aan de stenen stoep die naar de voordeur leidde.

Binnen was geen enkel geluid te horen. Geen tv. Geen muziek.

Lund belde aan.

Belde nog eens en bonsde vijf keer op de deur.

Een vrouw deed open. Een buitenlandse, misschien een Filippijnse.

'Hallo. Ik ben Sarah Lund. Politie. Is Troels Hartmann thuis?'

Ze mocht meteen naar binnen.

De keuken was modern en onberispelijk. Duur fornuis. Mooie tafel in het midden. Brandschoon.

Een schoonmaakbedrijf, dacht Lund.

Er lag een pizza te bakken achter de glazen deur van de oven.

Ze stond daar in haar regenjas en wit met zwarte trui op haar voeten heen en weer te wiebelen.

Hij kon overal zijn in dat huis, dus wachtte ze en probeerde geduldig te blijven.

Hartmann kwam de trap af – blauw overhemd, nette broek – terwijl hij zijn haren droogde.

Hij keek haar met open mond aan en gooide de handdoek op de tafel.

'Ik heb je vragen beantwoord, Lund. Ik praat niet weer met je zonder mijn advocaat.'

'Je hebt gezegd dat je niet gebeld bent in de flat.'

Hij sloot zijn ogen en schudde zijn hoofd.

'Luister je wel eens als mensen iets tegen je zeggen?'

'Altijd. Je hebt me verteld dat je niet gebeld bent in de flat.'

Hij keek naar de pizza en sloeg zich toen tegen zijn voorhoofd.

'Ach ja. Nethe Stjernfeldt.'

'Ze heeft het mij verteld.'

'We hebben misschien een halve minuut met elkaar gesproken, niet langer. Ik heb heel duidelijk gezegd dat ik geen belangstelling had.'

Hij pakte een paar ovenwanten, haalde de pizza uit de oven en liet hem op een bord glijden.

Lund keek toe. Een man die eraan gewend was alleen te zijn.

'Ze belde me steeds op. Stuurde me sms'jes. Ik kreeg er genoeg van.'

'Weet je dat zeker?'

'Ik zeg het nog één keer: ik weet het zeker. Ik heb die stomme toespraak geschreven. Ik heb te veel gedronken. En toen ben ik rond half elf naar Rie gegaan. Dat heb ik je steeds gezegd. Ik kan het toch niet blijven herhalen.'

Hij deed de achterdeur open.

'Ik moet nu eten. Toe, ga weg.'

'Stel dat iemand anders jouw computer heeft gebruikt. En jouw auto. Jouw flat. Wie zou je wachtwoord kunnen weten?'

'Dat heb ik je toch al gezegd. Iemand heeft ingebroken in ons netwerk.'

De huishoudster kwam terug, pakte een vuilniszak op, zei tegen Hartmann 'tot volgende week' en ging weg, waarbij ze de deur achter zich dichttrok.

'Ik wil helpen,' zei Lund.

Hij trok zijn blonde wenkbrauwen op.

'Echt waar.'

'Praat maar met Rie. Zij heeft iets in het computersysteem ontdekt. Iedereen kan die wachtwoorden achterhaald hebben. Ik gebruik trouwens overal hetzelfde wachtwoord voor. Rie heeft een lijst voor jullie gemaakt. Mensen die volgens ons door de politie nagetrokken moeten worden. Er is een ambtenaar…'

'Ik wil die lijst graag hebben.'

'Ik heb boven een kopietje. Ik haal hem wel even.'

Op de trap bleef Hartmann even staan.

'Neem maar een stuk pizza als je wilt. Ik krijg hem toch niet op.'

'De lijst is voldoende. Maar bedankt.'

Lund keek hem na.

Het was een oud huis. Ze hoorde de vloerplanken kraken terwijl hij boven rondliep.

Lund ging de kamer die aan de keuken grensde binnen. Een werkkamer met uitzicht op de tuin. Ze liep naar de boekenkast. De meeste boeken gingen over politiek. De autobiografie van Bill Clinton. Een paar boeken over JFK. Er hing een foto van de ten dode opgeschreven president met Jackie. De gelijkenis trof haar. Rie Skovgaard had diezelfde koele schoonheid. Hartmann leek helemaal niet op Jack. Maar de president was ook knap, keek in de camera met een arrogante zelfverzekerdheid.

Kennedy was, om met Meyer te spreken, ook een seriële vrouwenversierder. Een zwakheid die hij niet kon opgeven. En Clinton…

Ze nam de boekenkast verder door. Trok de enige roman die ze kon vinden eruit. Een Deense vertaling van Goethes *Faust*.

Alles hier was geordend en netjes en persoonlijk. Heel anders dan het kantoor in het Rådhus dat voortdurend onder vuur leek te liggen, vuur van zijn eigen staf, van Bremers machinaties. En van haar.

Een dagboekje lag op het bureau voor het raam met uitzicht op de tuin. Ze liep erheen, begon erin te bladeren. Hier en daar stonden een paar korte zinnetjes. Niets van belang. Ze wilde net de bewuste vrijdag opzoeken toen haar telefoon overging.

Snel sloeg ze het boekje dicht.

'Lund.'

'Met Meyer.'

Ze hoorde Hartmann de trap af lopen.

'Ik kan nu niet praten. Ik bel je terug.'

'Hij heeft geen alibi.'

Ze liep de keuken weer in. Hij was er al en sneed de pizza in stukken, trok een fles wijn open.

Troels Hartmann glimlachte naar haar.

Politici en vrouwen. Dat ging samen. Hij was een opvallende, interessante, intelligente man. Ze begreep best waarom hij aantrekkelijk was. Ze kon zich bijna voorstellen…

'Ik heb Rie Skovgaard aan het praten gekregen,' zei Meyer trots. 'Ze heeft er geen idee van waar hij het hele weekend heeft gezeten. Geen flauw idee. Ze heeft tegen de sponsors gelogen. Ze heeft het verhaal dat hij ziek was verzonnen.'

Hartmann vouwde een servet om de hals van de wijnfles. Toen schonk hij zichzelf een glas in.

'Wat is er aan de hand, Lund? Waar zit je?'

'Prima,' zei ze opgewekt en ze sloot het gesprek af.

'Problemen?' vroeg Hartmann.

'Nee. Heb je die lijst?'

'Alsjeblieft. Christensen. Bovenaan. Ik zou met hem beginnen.'

'Bedankt.'

Hartmann ging zitten, keek op zijn horloge en begon aan de pizza.

'Misschien lust ik toch wel een stukje,' zei Lund.

Het duurde niet lang of Hartmann zat op zijn praatstoel. Hij had het over politiek, over strategieën, over alles, behalve zichzelf.

Lund nam een slokje van de dure rode wijn en vroeg zich af of dit een goed idee was. Ze bleef om hem te verleiden, om hem in de val te laten lopen, maar hij deed hetzelfde bij haar. Hij had het bij ontzettend veel vrouwen gedaan, dacht ze. Zijn persoonlijkheid, zijn uiterlijk, zijn energie, zijn ogenschijnlijke oprechtheid… hij had een aantrekkingskracht die ze bij de politie nooit tegenkwam.

Bengt Rosling was een goede, aardige, intelligente man. Maar Troels Hartmann was, nu ze hem alleen zag, aan zijn eettafel, zonder de politie en de valkuilen van het gemeentehuis, iets totaal anders. Hij was charismatisch, gegrepen door een zichtbare geestdrift die de meeste mannen die zij in Kopenhagen kende niet graag aan een vreemde zouden willen tonen.

'Bremer… het is een schande dat we zo iemand aan het roer hebben staan. Al twaalf jaar! Hij denkt dat wij z'n eigendom zijn.'

'Politiek draait er toch om om aan de macht te blijven? Niet alleen om aan de macht te komen.'

Hartmann schonk haar glas bij.

'Je moet er eerst zien te komen. Ja. Maar de reden waarom we macht hebben, is om die terug te geven.'

Hij keek naar Lund.

'Aan jullie. We laten iedereen zich rotwerken en deelnemen aan wat we samen scheppen. Kopenhagen is niet van Poul Bremer. Of van de politici. De stad is van iedereen. Dat is de betekenis van politiek.'

Hij knikte, glimlachte. Misschien was hij zich ervan bewust dat hij een speech had afgestoken, zo op het oog zonder dat te willen.

'Voor mij, in ieder geval. Sorry. Ik klink alsof ik op je stem uit ben.'

'Ben je dat dan niet?'

'Natuurlijk wel.' Hij hief zijn glas. 'Ik kan iedere stem gebruiken die ik krijgen kan. Waarom kijk je me zo aan?'

'Hoe?'

'Alsof ik… raar ben.'

Lund haalde haar schouders op.

'De meeste mensen vinden politiek saai. Maar ik heb de indruk dat jij bijna alleen aan politiek kunt denken.'

'Aan niets anders. Er moet iets veranderen. Ik wil die veranderingen leiden. Ik heb er altijd zo over gedacht. Typisch iets voor mij, denk ik.'

'En je privéleven?'

'Dat komt op de tweede plaats.' Hij zei het op zachte, onzekere toon.

Een ongemakkelijk moment. Lund glimlachte, omdat ze zich gegeneerd voelde en niet wist wat ze moest zeggen.

'Vind je dat grappig?' vroeg Hartmann. 'Waarom? Ik ben met half Kopenhagen naar bed gegaan, toch? Dat schijn je in ieder geval te denken.'

'Met de helft maar?'

Dat had hij verkeerd op kunnen nemen. Maar in plaats daarvan glimlachte Troels Hartmann breed en schudde zijn hoofd.

'Je bent een ongewone politievrouw.'

'Nee, hoor, helemaal niet. Hoe heb je je vrouw leren kennen?'

Hij dacht even na over wat hij zou zeggen.

'Op de middelbare school. We zaten in dezelfde klas. We konden elkaar in het begin niet uitstaan. Toen spraken we af dat we nooit samen zouden gaan wonen. En absoluut, onder geen enkele voorwaarde…'

Hij hield zijn hand op alsof hij iets van zich af wilde duwen.

'… zouden we trouwen.'

Een plotselinge, korte lach.

'Maar sommige dingen heb je nu eenmaal niet in de hand. Hoe hard je dat ook probeert.'

Meer wijn. Hij zag eruit alsof hij de hele fles kon opdrinken.

'Het moet moeilijk zijn geweest.'

'Dat was het ook. Als ik m'n werk niet had gehad… Ik weet het niet…'

Hartmann zweeg.

'Wat weet je niet?'

'Soms loopt het helemaal spaak in je leven. Je doet iets idioots. Iets dat helemaal niet bij je past. Dat nooit bij je gepast heeft. En toch…' Hij pakte de wijnfles weer. 'Gebeurt het.'

'Iets als jezelf Faust noemen op een datingsite?'

'Precies.' Zijn telefoon ging over. 'Als ik mijn kop erbij had gehouden, dan had ik mezelf Donald Duck genoemd. Sorry, ik neem dit gesprek even aan.'

'Troels? Waar zit je?'

Het was Morten Weber.

'Thuis.'

'Ze weten dat je alibi niet deugt.'

Hartmann glimlachte naar Sarah Lund. Hij stond op en liep naar de gang.

'Hoe bedoel je?'

Het bleef lang stil, toen zei Weber: 'Rie is onderweg. Ze komt van het politiebureau. Ze hebben haar de duimschroeven aangedraaid.'

'Vertel, Morten.'

'Ze zijn erachter gekomen dat zij heeft geprobeerd jou te bellen terwijl jullie zogenaamd samen waren.'

'Hoe lang weten ze dat al?'

'Al een tijdje. Ze hebben Rie een paar uur geleden op laten draven. Troels? Het is belangrijk dat je niet met ze praat. Kom hierheen. We bellen de advocaat. We moeten hier goed over nadenken.'

Lund zat alleen aan de tafel. Die trui die ze altijd aanhad. Ze had dit keer make-up op, en ze had iets aan haar haar gedaan. Ze zag er goed uit. Ze had zich hierop voorbereid.

Hij voelde zich oliedom.

'Troels?'

Hartmann ging de keuken binnen.

'Wat doen we eraan, Troels?'

Hij beëindigde het gesprek en stak de telefoon in zijn jasje.

'Waar hadden we het over?'

'Je vertelde me wat over jezelf.'

'Inderdaad.'

'Moet je niet weg?'

'Nog niet. We kunnen nog wel even praten.'

Hij nam een grote slok wijn. Hij morste wat op zijn blauwe overhemd, Lund gaf hem een servet aan.

'Ik heb straks een persconferentie. Kun je het zien?'

Ze lachte.

'Volgens mij wel.'

'Dan kan ik beter… sorry.'

Toen ging hij naar boven en liet haar alleen.

Alleen.

Hij was zo te horen naar de tweede verdieping gegaan.

Lund stond op. Liep met grote passen terug naar de studeerkamer. Pakte het dagboekje op dat ze eerder had doorgebladerd. Bladerde naar het eind van de vorige maand.

Een aantekening.

Mis je. Eenzaam. Kan niet slapen.

Volgende bladzijden, allemaal leeg.

Dan twee bladzijden bedekt met angstige hanenpoten. Niets samenhangends, alleen losse gedachten en kreten. Een gekweld wezen dat tegen zichzelf schreeuwt.

'Zal ik het licht aandoen?' zei Hartmann, op een paar centimeter afstand van haar nek.

Lund schrok zich rot, mompelde iets en draaide zich om.

Zag hem daar staan in zijn overhemd met de wijnvlek.

Zo onhandig was hij niet, dat had ze zich moeten realiseren.

Ze zei niets.

'Waar gaat dit eigenlijk over?' vroeg Hartmann op rustige, koele toon. 'Gingen we de hele avond samen zitten drinken totdat we dikke maatjes waren? En dan? Zou ik dan bekennen? Is dat het?'

Zijn harde blauwe ogen bleven strak op haar gericht.

'Gaat jou dan niets te ver?'

Hij wees naar boven.

'Gaan we naar de slaapkamer en vertel ik je daarna alles?'

'Je hebt geen alibi. Je hebt tegen ons gelogen. Rie Skovgaard…'

'Nou en? Geeft jou dat het recht om je hier naar binnen te kletsen en achter mijn rug om mijn dagboek te lezen?'

Ze keek naar hem en vroeg zich af wat hij zou doen.

'Even kijken of ik het goed begrijp,' zei Hartmann. 'Ik rij met mijn eigen campagneauto naar de flat van de partij. Daar verkracht ik een meisje van negentien en dan vermoord ik haar. Dan breng ik het lijk naar het bos, en dump de auto met het meisje erin in het water. Zoiets?'

'Je hebt tegen ons gelogen. Al die mooie praatjes. Over Poul Bremer. Over de politiek…'

'Wat ik in het openbaar doe en wat ik privé doe zijn twee verschillende dingen.'

'Voor mij niet. Laten we hier op het bureau verder over praten.'

'Nee. We praten er hiér verder over. Ik doe dit dus allemaal, en het komt geen moment in me op om de sporen achter me te wissen. Waarom niet?'

'Dat heb je wel gedaan. Je hebt de videoband van het kantoortje van de beveiliging meegenomen.'

'Daar weet ik helemaal niets van.'

'Ze is naar je flat gekomen. De e-mails. Misschien…'

Hij kwam heel dichtbij staan. Hij werd steeds kwader.

'Misschien, misschien, misschien. Ik heb het niet gedaan. Kun je die mogelijkheid zelfs niet overwegen?'

'Dat zou ik graag doen. Als je me vertelde waar je dat weekend was.'

Hij was nu zo dichtbij dat ze zijn aftershave en zijn wijnadem kon ruiken. Hartmann keek haar met vlammende ogen aan. Lund verroerde zich niet.

Er werd op de deur gebonsd. Een bekende stem riep: 'Politie!'

'Dat is het enige wat je moet doen,' zei Lund.

'Troels Hartmann!' riep iemand.

De stem van Meyer.

'Politie. Doe open.'

Buiten werden Meyer en Svendsen ongeduldig. Ze zagen dat er licht brandde. Ze wisten van Skovgaard dat Hartmann thuis was, ze hadden na een woordenwisseling met Brix een arrestatiebevel verkregen.

'Shit,' zei Meyer. 'Ik ga wel even achter kijken. Roep maar versterking op. We forceren de deur als hij over een minuut nog niet opendoet.'

Het geluid van voetstappen. Boven de deur sprong een licht aan.

De deur ging open. Lund kwam naar buiten, hees haar tas op haar schouder. Ze liep langs Meyer heen de stoep af. Hartmann volgde haar zwijgend, met een strak gezicht.

'We gaan,' zei ze.

Meyer stond onder het buitenlicht met open mond te staren, en Svendsen ook.

Lund klapte in haar handen.

'We gaan,' herhaalde ze.

De verslaggever had een cameraman meegenomen. Ze stelden de apparatuur in de stoffige troep van de garage op. Theis Birk Larsen bleef boven.

Pernille had op een enkel vel papier opgeschreven wat ze wilde zeggen.

'Prima,' zei hij nadat hij het gelezen had.

'Zal het helpen?'

'Natuurlijk. Als we hier klaar zijn, dan gaan we naar boven…'

'We gaan niet naar boven.'

De reporter leek niet tegen een woordenwisseling op te zien. Dat was zijn werk. Om het verhaal te krijgen dat hij wilde. Dat had ze kunnen weten.

'We willen een zo goed mogelijke uitzending maken, Pernille.'

'We gaan niet naar boven.'

Er werd een schijnwerper aan geknipt. Daardoor zag de garage er nog armoediger uit.

'Oké.' Hij keek geïrriteerd. 'En je man?'

'Wat is er met hem?'

'Het komt beter over als jullie als stel praten.'

'Ik beslis hoe we dit aanpakken. Jij niet. En Theis niet.'

Het bleef stil.

'Graag of niet,' voegde ze eraan toe.

Pernille wachtte.

'Oké,' zei hij. 'Alleen jij dan.'

Boven zorgde Theis Birk Larsen voor het toetje voor de jongens. IJs van de supermarkt, op hun eigen bordjes, onder de kroonluchter van Muranoglas.

Nanna's gezicht keek hen nog steeds vanaf het tafelblad aan.

'Hoeft mama geen toetje?' vroeg Anton.

'Ze moet met iemand praten.'

'Wij gaan morgen naar het bos,' zei Emil.

'Dat gaan we niet,' sputterde Anton tegen.

'Jawel.'

'Hou je kop.'

De jongens keken elkaar kwaad aan.

'Waarom gaan jullie niet naar het bos?' vroeg Birk Larsen.

Anton speelde met zijn ijs.

'Mama voelt zich niet goed.'

'Natuurlijk gaan jullie naar het bos. Mama zegt dat ook.'

Pernille kwam naar boven.

'Ze loven een beloning uit,' zei ze. 'De mensen van de tv. En er is ook een inzameling gehouden in de buurt.'

Birk Larsen gaf de jongens nog een schep ijs.

'Anton en Emil willen morgen naar het bos.'

'Dat weet ik. Ik heb al gezegd dat ik met ze meega.'

Hij moest steeds maar naar die foto's kijken die een paar jaar geleden op het tafelblad waren geplakt. Nanna... hoe oud was ze? Zestien? De jongens als peuters. Een stukje van hun leven, gevangen in de tijd.

Het was een tafel. Als zij haar zin kreeg, dan bleef die altijd bij hen.

'Bij de rouwverwerkingsgroep,' zei Birk Larsen, 'hebben ze tegen ons gezegd dat we moesten denken aan de dingen die we wél hebben.'

Ze keek hem boos aan.

'Ik weet wat ik doe. Dank je wel.'

Zijn gezicht stond hard. Hij was woedend.

'Waarom ben je dan niet hier bij ons? In plaats van dat je met die vent beneden zit te praten?'

Het bleef lang stil. Pernille glimlachte naar Anton en Emil.

'Kom jongens, bedtijd.'

Ze hadden hun ijs nog niet op, maar ze spraken haar niet tegen.

Birk Larsen gooide zijn lepel op het bord en keek toe hoe ze hen de kamer uit leidde.

Vuile vaat. Rekeningen en afspraken. Lasten en zorgen.

Al die dingen draaiden onophoudelijk om hem heen, als een constante draaikolk van moeilijkheden.

Hij liep naar de koelkast, pakte een flesje bier, ging op een stoel zitten en begon te drinken.

In de verhoorkamer op het politiebureau deed de advocaat alsof er niets veranderd was.

'Mijn cliënt geeft toe dat zijn alibi is verzonnen,' zei ze zelfverzekerd. 'Hij was niet bij Rie Skovgaard.'

Hartmann ging naast haar zitten terwijl ze nog aan het woord was. Lund en Meyer namen tegenover hen plaats. Brix zat aan het eind van de tafel te luisteren.

'En waarom heeft hij tegen ons gelogen?' wilde Meyer weten.

'Iedereen heeft recht op privacy. Vooral een politicus in verkiezingstijd.'

'Irrelevant,' zei Meyer. 'Wat deed je dan wel die vrijdag, Hartmann?'

Hij zweeg. De advocate antwoordde in zijn plaats.

'Zoals we voortdurend hebben benadrukt, stelt mijn cliënt nog steeds dat hij onschuldig is. Hij heeft Nanna Birk Larsen niet gekend en heeft nooit met haar te maken gehad. Hij is ergens anders heen gegaan omdat hij behoefte had aan rust. Hij heeft Skovgaard gevraagd hem te dekken.'

'Dit is niet goed genoeg…'

'Hij neemt de volle verantwoordelijkheid voor dat verzonnen alibi. Het was noodzakelijk omdat hij in de publiciteit staat.'

Meyer werd boos.

'Even voor de duidelijkheid: je wilt beweren dat je je het hele weekend hebt zitten bedrinken vanwege je overleden vrouw?'

'Mijn cliënt…'

'Ik ben nog niet uitgesproken. Waar zat je, Hartmann?'

'Mijn cliënt wil daar niets over zeggen. Zijn privéleven gaat alleen hem zelf aan.'

'Jij komt op tv en vertelt ons hoe wij in deze stad moeten opereren. Maar je wilt ons nog niet het kleinste dingetje vertellen om ons te helpen bij een moordonderzoek?'

'Hartmann,' kwam Lennart Brix tussenbeide. 'Achtenveertig uur geleden heb je tegen me gezegd dat je een alibi had. Nu blijk je dat niet te hebben. Als je nu niet met een verklaring komt, kan ik maar één ding doen.'

Hij wachtte. Hartmann zei niets.

'Je in staat van beschuldiging stellen en je arresteren.'

'Daar is geen enkele reden voor,' riep de advocate uit. 'U hebt geen enkel bewijs dat Hartmann iets met dat meisje te maken had. Hij heeft naar beste kunnen meegewerkt aan het onderzoek.'

Haar stem werd luider, ze keek naar Lund.

'Steeds is hij door uw agenten lastiggevallen terwijl ze zich door hun werk blunderden. Thuis lastiggevallen. Zijn huis is zonder huiszoekingsbevel doorzocht. Stiekem. Onder het voorwendsel van een persoonlijk gesprek.'

Ze wendde zich tot Brix.

'U moet ons niet dreigen. Onwettige toegangsverschaffing, onwettige huiszoeking: ik kan jullie allemaal voor de wolven gooien als ik dat zou willen. Ga toch achter de man aan die Hartmanns e-mailadres gebruikt heeft. De auto, de flat…'

Meyer liet zijn vinger langs zijn aantekeningen glijden.

'Olav Christensen heeft een alibi. Hij wel. Een géldig alibi. Dat hebben we nagetrokken. Als Hartmann ons de waarheid wil vertellen over waar hij geweest is, dan trekken we dat ook na.'

Hartmann verbrak zijn zwijgen. 'Christensen is bij de zaak betrokken,' zei hij. 'Als jullie hem natrekken…'

'Waarom wil je ons niet vertellen waar je was?' vroeg Lund terwijl ze hem over de tafel heen aankeek. Net zoals ze dat had gedaan toen ze samen bij hem thuis wijn zaten te drinken en pizza te eten.

Hartmann keek van haar weg.

'Christensen gaat vrijuit,' zei Meyer nogmaals. 'De administratie bevestigt dat.'

'Natuurlijk bevestigt die het,' tierde Hartmann. 'Bremer heeft ze allemaal in zijn zak. Zij zijn degenen die Olav moet…'

Hij zweeg, leek zich opeens iets te realiseren.

'Moet wat?' vroeg Lund.

'Ik heb verder niets meer te zeggen. Als dit het was, dan wil ik nu graag weg.'

'Nee,' zei Brix. 'Je hebt je kans gehad. Die had je moeten pakken.'

Ze gingen met z'n drieën naar Lunds kantoor. Brix wilde een aanklacht opstellen en die meteen aan het openbaar ministerie voorleggen.

Lund zat op de rand van haar bureau en probeerde na te denken.

'Het OM zal bloed, speeksel en semen willen zien voor een arrestatiebevel. Dat hebben we niet. Ik denk dat we moeten wachten. Misschien kunnen we meer vinden. We hebben er niets aan om hem nu te arresteren. Hij gaat er heus niet vandoor.'

'We kunnen hem in de Vestre-gevangenis vastzetten,' zei Brix. 'Dan krijgen we hem wel aan de praat.'

'Nee. Het klopt niet,' hield Lund vol. 'Toen ik met hem praatte, dacht hij dat het meisje in de flat vermoord is.'

'Nou en?'

'Dat is niet zo. Ze is twee dagen later opgejaagd in het bos. Ze is in de auto verdronken. Degene die het gedaan heeft, heeft haar horen gillen. Hij heeft haar vastgebonden. Heeft haar in de kofferbak gestopt.'

'Hartmann is gewoon slim,' zei Meyer.

'We moeten aan de pers denken,' voegde Lund eraan toe.

Brix pakte de telefoon op en vroeg doorverbonden te worden met het OM.

'We kunnen ons geen fout meer permitteren, Brix. Denk aan de leraar. Je hoorde wat die advocate zei. Als we fout zitten, neemt ze ons te grazen.'

Ze zweeg even om er zeker van te zijn dat de boodschap overkwam.

'Dan is het niet alleen Buchard die zijn biezen moet pakken.'

Terug in de verhoorkamer.

'We hebben een huiszoekingsbevel voor je huis aangevraagd,' zei Meyer. 'Als er iets is, dan vinden we het. We willen toegang tot je kantoor en je auto. Je telefoongegevens. Je bankrekeningen. Je e-mail.'

Hij grijnsde.

'Je kunt niet meer naar huis, misschien moet je op straat slapen. Dicht bij je kiezers, hè?'

'Heel geestig,' mompelde Hartmann.

'Je hebt een kelder en een tuinhuis,' ging Meyer door. 'Ik wil de sleutels. Of we forceren de deuren. En ik wil je paspoort.'

'Ik begrijp hieruit dat Troels mag gaan?' zei de advocate.

'Als hij de benenwagen neemt wel, ja.'

Hartmann tastte in zijn jasje, gooide een sleutelbos op tafel.

'Over een half uur krijgen jullie m'n paspoort.'

Lund keek naar de sleutels.

'Het moet wel heel belangrijk zijn.'

'Wat?'

'Datgene wat dit hele…' ze pakte de sleutels op en rammelde ermee, 'gedoe rechtvaardigt.'

'Het is mijn leven. Niet het jouwe.'

Toen ging hij weg met de advocate en Brix.

Lund pakte het dossier van de partijflat.

'Ik ga weer naar Store Kongensgade. Hebben jullie het nummer van de conciërge?'

Voor het eerst die avond was ze alleen met Meyer.

'Wat is er verdomme bij Hartmann thuis gebeurd?' vroeg hij. 'Jezus, Lund. Waar ben je mee bezig?'

Ze begon het dossier door te bladeren om zelf het nummer op te zoeken.

'Je hebt het constant over Hartmann en over hoe opgefokt hij is. En nu laat je hem na vijf minuten al lopen.'

Lund had het nummer gevonden.

'Wat ben je van plan? Wat hou je achter?'

Ze stopte het dossier in haar tas en ging weg.

'De pers weet dat je opnieuw verhoord bent,' zei Weber.

'Holck en de rest van de alliantie?' vroeg Hartmann.

'Die bespreken het,' zei Skovgaard tegen hem.

Hartmann trok zijn jasje uit.

'Bremer wil weten of we het debat morgen af moeten zeggen. Wat wil je?'

'We zeggen helemaal niets af.'

Hij had nog steeds het overhemd met de wijnvlek aan.

'Rie?'

Ze vermeed zijn blik.

'Heb ik een schoon overhemd hier? Kan iemand een schoon overhemd voor me pakken?'

Ze verroerde zich niet.

'Het spijt me ontzettend dat ik mijn mond niet kon houden, Troels. Ze zijn achter mijn telefoongegevens gekomen. Ik kon niet…'

Hij probeerde haar gezichtsuitdrukking te duiden. Was het verdriet? Gêne? Woede dat hij haar überhaupt gevraagd had hem te dekken?

'Je hoeft niet te zeggen dat het je spijt. Het was mijn eigen schuld. Ik zal ervoor zorgen dat ze dat begrijpen. Dit is mijn probleem, niet het jouwe.'

Weber had ergens een overhemd vandaan gehaald. Hartmann liep zijn privékantoor in om het aan te trekken. Skovgaard kwam achter hem aan.

'Ach,' zei ze, 'het doet er verder niet toe. Nu de politie weet waar je was, zullen ze je verder met rust laten. Misschien hadden we…'

'Ze laten me niet met rust. Ik heb het ze niet verteld. Ze gaan mijn huis doorzoeken.'

Weber kwam binnen om te horen wat ze zeiden.

'Ze zullen het ondersteboven keren,' zei Hartmann. 'Het kantoor hier ook. Wij zullen Olav opnieuw moeten natrekken. Zij willen dat niet doen.'

'Ik heb al het mogelijke al gedaan,' zei Weber.

'Stel dat Olav de flat niet zelf gebruikt heeft? Misschien heeft hij de sleutel aan iemand uitgeleend.'

'Aan wie?'

'Wie denk je? Wie wordt hier beter van? Wie wordt er beter van deze hele toestand?'

Weber staarde hem verbaasd aan.

'Bremer? Poul Bremer is een oude man. Hij met een negentienjarig meisje? Ik kan me niet…'

'Bremer, Olav. Olav, Bremer.' Skovgaard keek hem woedend aan. 'Je bent verdachte in een moordzaak, Troels. En het enige waar jij het over hebt zijn die twee.'

'Kijk maar wie er beter van wordt…'

'Je moet het de politie vertellen,' riep ze uit.

'Ik ben die klootzakken niets verschuldigd.'

'Wat doet het ertoe dat je het op een zuipen hebt gezet? Het gaat om de verkiezingen. We moeten deze rotzooi achter ons laten.'

Hij trok het schone overhemd aan. Er werd op de deur geklopt.

Twee mannen, in donkere pakken.

'Politie,' zei de ene. 'Wilt u dit kantoor verlaten?'

Er kwamen nog vier agenten aan, met metalen koffertjes. Twee droegen blauwe overalls.

'Ga uw gang,' zei Hartmann.

Hij ging het grote kantoor ernaast binnen. Skovgaard kwam achter hem aan.

'Je hebt tegen me gezegd dat je in je eentje naar het café bent gegaan. Die datum. Je vrouw…'

'Ja! Dat klopt.'

'Waarom vertel je ze dan niet waar je was?'

Hij sloot geërgerd zijn ogen.

'Omdat het ze godverdomme geen reet aangaat.'

Ze legde haar hand op zijn borst zodat hij niet weg kon lopen.

'Maar mij gaat het wel wat aan, Troels. Waar zat je?'

'Maak je geen zorgen,' zei hij. 'Ik heb dit volkomen onder controle.'

Beneden in de fraaie gewelfde kelder waar zich de kantine bevond, zat Jens Holck in zijn eentje te eten. Hij las de krant en keek naar het nieuws op de tv.

Daar trof Hartmann hem.

'Smaakt het, Jens?'

'Jawel, als altijd.'

Hartmann trok een stoel bij, ging tegenover hem zitten en glimlachte. Hij hield Holck nauwlettend in de gaten: zijn ogen, zijn gezicht, zijn bewegingen.

'Dus wat denken de mensen? Heeft Troels Hartmann het gedaan of niet? Ze zeggen dat hij niet eens een alibi heeft. Wat komt er nog meer?'

Holck sneed een stuk vlees af.

'Goede vraag. Wat kómt er nog meer?'

'Wat er nog meer komt is dat we de klootzak vinden die hiervoor verantwoordelijk is.'

Holck at door.

'Jens. Loop nu niet weg. Als ze me onschuldig verklaren, krijg je er spijt van.'

Holck leek niet onder de indruk.

'O ja, Troels? En doet dat er dan nog toe? Je had beloofd dat de zaak de wereld uit was. En nu… het ziet ernaar uit dat er geen einde aan komt.'

'Het is een misverstand.'

Holck schudde zijn hoofd.

'Jens, vertrouw me nou. Heb ik je ooit teleurgesteld?'

Het nieuws begon. Hartmann hoorde de naam van het meisje. Iedereen in de kantine stopte met waarmee hij bezig was, draaide zich om naar de tv en keek naar het interview met Pernille Birk Larsen. Een blauw geruite blouse, een velletje met aantekeningen in haar hand, een bleek, strak gezicht dat in de camera keek. Niet bang. Vastbesloten.

Ze begon voor te lezen.

'Ik hoop dat iemand iets gezien heeft. Iemand moet iets weten. We hebben hulp nodig. We moeten het weten. Het is alsof de politie… Ik weet niet wat ze doen. Misschien nemen ze dit niet serieus genoeg.'

De verslaggever vroeg haar: 'Wat vindt u ervan dat Troels Hartmann verdachte is?'

Met wijd open ogen keek ze de camera in.

'Ik weet niet wat ik daarvan moet vinden. Maar als iemand iets gezien heeft, dan hoop ik dat hij dat wil melden. Het kleinste dingetje kan relevant zijn. Alstublieft…'

'Ik zal met de partij geen afstand van je nemen. Nog niet,' zei Jens Holck.

Hartmann knikte dankbaar.

'Maar ik wil niet meer samen met jou gezien worden, Troels. Het spijt me.'

Holck pakte zijn blad op en liep naar de trap.

In Store Kongensgade wachtte Lund in de zitkamer van de flat van de Liberalen. Ze keek weer naar het gebroken glas. De versplinterde tafel.

Een ruzie? Een ongeluk? Een vechtpartijtje?

Ze dacht weer na over de slaapkamer.

Eindelijk verscheen de conciërge. Hij had het beheer over een aantal gebouwen in de buurt en woonde vlakbij.

'U hebt Hartmann hier al eerder gezien?' vroeg Lund.

'Klopt.'

'Met vrouwen?'

Hij trok een gezicht.

'Ik ben de conciërge. Dan zie je van alles.'

'Kunt u zich herinneren of u deze vrouw gezien hebt?'

Ze liet hem de foto van Nanna zien.

'Ja. Dat heb ik ook al tegen uw collega gezegd.'

Hij keek rond in de flat alsof hij de rekening opmaakte voor de aangerichte schade.

'Ik heb een aantal dames zien aanbellen. Soms bracht hij er een met zich mee.'

'Maar haar niet?' vroeg ze terwijl ze hem de foto nogmaals liet zien.

'Nee. Ik denk dat ze haar eigen sleutel had, dat kan niet anders. Ze ging zelf de flat in en wachtte daar op hem.'

Lund wilde alle misverstanden uitsluiten.

'Ze was met Hartmann?'

'Dat zei ik, ja. Ik heb haar een paar maanden geleden gezien, hier voor de deur. Ik leverde een nieuwe wasmachine af bij de flat hiernaast. Ik hoorde hem praten.'

'U hebt hem niet gezien?'

'Wie kan het anders geweest zijn?'

Ze stopte de foto weer in haar tas.

'Wanneer krijg ik bericht?' vroeg de conciërge.

'Waarvan moet u bericht krijgen?'

'Ik zag het op het nieuws. Er is een beloning. Vijftigduizend kronen. Wanneer krijg ik bericht?'

Ze haalde diep adem en zuchtte toen.

'Hij was het,' zei de man. 'Ik zweer het.'

Vijfentwintig minuten later stond ze aan de deur van de etage boven de garage met Pernille Birk Larsen te praten.

'Die beloning, die moeten jullie intrekken.'

De vrouw wilde haar niet binnenlaten.

'Wij hebben hem niet uitgeloofd.'

'De mensen van de tv doen wat jij wilt, Pernille. Je kunt het ze zeggen. Ik weet hoe moeilijk het is...'

'Nee, dat weet je niet. Je hebt geen idee.'

Haar man hield zich ergens op de achtergrond op. Stond te luisteren.

'Jíj bent niet omringd door haar spulletjes. Jíj krijgt haar post niet. Jíj wordt niet aangekeken op straat alsof het allemaal jóúw schuld is...'

'Het enige wat je nu bereikt hebt, is dat allerlei mensen die op geld uit zijn ons bellen met nutteloze informatie. En al die tips moeten we serieus nemen.'

'Prima.'

'We hebben daar de mensen niet voor. Dingen die er echt toe doen zullen blijven liggen.'

'Wat voor dingen?'

'Dat mag ik je niet vertellen. Ik weet dat jij vindt dat we openhartiger tegen je moeten zijn. Maar dat gaat niet.' Ze keek naar de man op de achtergrond. 'We hebben al te veel gezegd. Dat heb je inmiddels toch wel begrepen.'

Pernille liep weg, naar de huiskamer. Theis Birk Larsen bleef waar hij was en keek Lund met een onheilspellende blik aan.

'Je moet Pernille aan het verstand brengen dat dit verkeerd is, Theis. Alsjeblieft.'

Hij liep naar de deur en sloeg hem in haar gezicht dicht.

13

Vrijdag 14 november

Meyer belde toen ze net onder de douche vandaan kwam. Hij begon meteen te klagen over de stortvloed aan telefoontjes na de televisieoproep en de uitgeloofde beloning.

'Ik heb al met de ouders gesproken,' zei Lund tegen hem. 'Ze willen niet helpen. Het spijt me erg, maar we moeten al die tips natrekken.'

'Fijn! Verder nog iets?'

'Ik wil meer gegevens over Olav Christensen.'

'Laat iemand anders dat opknappen, Lund. Mij niet.'

Mark kwam binnen om te ontbijten.

'Wat ben jij vroeg,' zei ze.

Hij sloop zonder iets te zeggen aan tafel.

'Ik laat Morten Weber weer op het bureau komen,' zei Meyer. 'Tot straks.'

Mark vulde zijn bord met cornflakes.

'Hoe was het gisteren bij je vader?'

Het bleef lang stil, toen: 'Oké, hoor.'

'En z'n dochtertjes? Zijn ze leuk?'

Lund had een nieuwe trui uit de verpakking gehaald van het voorraadje dat ze via het postorderbedrijfje besteld had. Dikke wol, donkerbruin, met zwarte en witte ruiten.

Mark keek ernaar.

'Ze hebben heel veel verschillende kleren,' zei hij.

Mark schonk melk op zijn cornflakes. Er was niet genoeg, hij hield het lege pak omhoog.

Lund zuchtte, kwam aan tafel zitten en probeerde zijn hand te pakken, maar die trok hij weg.

'Hoor eens, ik weet wel dat het een zooitje is. Bengt komt gauw weer terug naar Kopenhagen. Hij moet lesgeven. Dan praten we erover. We lossen het wel op.'

Hij roerde met zijn lepel in de halfdroge cornflakes.

'Nu kun je in ieder geval naar het kerstconcert op school.'

Mark speelde even met zijn oorringetje en liet het bord cornflakes toen voor wat het was.

'Hebben we nog meer melk?'

Ze liep naar de koelkast.

'Nee. Oma is boodschappen doen. Ze komt zo terug.'

Hij zat voor zijn bord, steunde zijn hoofd met zijn hand. Hij zag er verdrietig uit.

Lund bond haar haren op, maakte zich klaar om weg te gaan.

'Mam?'

'Ja?'

Mark keek ongemakkelijk.

'Laat maar.'

'Nee, zeg het maar.'

'Je hoeft niet te wachten tot oma terug is. Als je weg moet…'

Ze glimlachte naar hem en legde haar hand even op zijn arm.

'Je bent een schat.'

Hij keek haar aan met een blik die ze niet begreep.

'Wat is er?'

'Niets. Ga maar naar je werk.'

Meyer had Morten Weber op het bureau ontboden. Ze zaten in de kamer van Lund.

'Dus jij weet ook niet wat Hartmann dat weekend deed? Wat was je ook weer van hem?'

'Zijn campagneleider. Niet z'n kindermeisje.'

Deze man beviel Meyer niet. Veel te glad.

'Zo te zien heeft hij wel een kindermeisje nodig.'

Weber kreunde.

'Hoe vaak moet ik dit nog aan jullie vertellen. Jullie hebben ons kantoor doorzocht. Jullie hebben onze computers in beslag genomen. Ik heb al tegen jullie gezegd dat wij ze laten controleren.'

'Laat die computers maar even zitten. Wie is zondagochtend bij Hartmann thuis langs geweest?'

Geen antwoord.

'Weet je het niet? Iemand die op jou lijkt, Morten. Jij bent zijn huis binnengegaan.'

'Ja, dat klopt.'

'Waarom?'

'Ik maakte me zorgen. Hij had me niet meer gebeld. Dus ben ik naar zijn huis gegaan.'

Meyers vrouw had hem twee appels naar zijn werk meegegeven, met de opdracht ze allebei op te eten. Hij schilde de eerste appel en nam een hap.

'Wat heb je daar gedaan?'

Weber sloeg zijn armen over elkaar en zei op een toon alsof het een domme vraag was: 'Ik was op zoek naar Troels. Ik heb een sleutel. Waarom niet?'

'En daarna ben je naar de stomerij gegaan.'

'En wat dan nog?'

'De stomerij heeft bevestigd dat je maandag zijn kleren hebt afgeleverd. De kleren die hij op vrijdag droeg. Waarom moesten die gestoomd worden?'

'Ze lagen bij hem thuis. Hij draagt ze vaak in het openbaar...'

'Waarom moesten ze naar de stomerij?'

'Misschien omdat ze vuil waren?'

Meyer had de appel al half op.

'Je bent z'n kindermeisje dus niet, maar z'n dienstmeid.'

'Ik ging naar zijn huis omdat ik me zorgen maakte. Meer is het niet.' Hij stond op. 'Ik ga nu. We hebben verkiezingen te winnen.'

'Waarom heb je hem niet gebeld, Morten? Als je je zo'n zorgen maakte?'

'Hartmann heeft niets met dat meisje te maken. Jullie verspillen jullie eigen tijd en die van ons.'

'Rie Skovgaard heeft Hartmann dat weekend gebeld. Steeds maar weer. Ik heb de telefoongegevens. Jij hebt het niet één keer geprobeerd.'

Weber haalde zijn schouders op.

'Misschien had ik wat beters te doen.'

'Nee. Dat is niet zo. Jij bent vrijgezel. Je leeft voor de partij. Is altijd zo geweest, zal altijd zo blijven.'

Meyer grijnsde.

'Ik heb je door. Jij wist de hele tijd al waar Troels Hartmann zat. Jij wist wat hij deed. Jullie tweeën. Het is jullie geheimpje. En als ik daar achter kom...'

Morten Weber lachte hem in zijn gezicht uit.

'Succes!' zei hij. 'Ik ga.'

In het kantoor op het stadhuis namen Skovgaard en Hartmann het programma voor die dag door.

'Er moet een verband zijn tussen Bremer en Olav. Een conferentie? Iets...'

'We hebben geen verband gevonden. Zeg dat debat af.'

'Geen denken aan. Dan denken de mensen dat ik in de bak zit.'

'Als jij de waarheid zou zeggen, dan zouden we niet in deze situatie zitten.'

Hij antwoordde niet.

'Je moet het debat afzeggen. Er wordt gekletst in de gemeenteraad. Ze zeggen dat je misschien niet verkiesbaar zou moeten zijn. Ze kunnen je nominatie blokkeren.'

'Dat laten ze wel uit hun hoofd.'

'Bremer zit erachter. Hij kan het doen, Troels. Als hij van je af wil…'

Hartmanns ogen lichtten op.

'Als? Wat bedoel je met als?'

Weber kwam binnen, mopperend op de politie.

'Olav?' vroeg Hartmann.

'Ze zeggen dat Bremer hem niet kent.'

'Wat had je dan verwacht dat ze zouden zeggen?'

'Ik blijf zoeken. Maar ik heb er geen goed gevoel bij.'

'Geweldig,' mopperde Hartmann. 'Ik heb honger.'

Hij liep terug naar het grote kantoor om een broodje te pakken.

Weber keek Rie Skovgaard aan.

'De politie verdenkt hem nog steeds,' zei hij.

'Natuurlijk. Hij wil ze niet vertellen waar hij was. Hier…' Ze gaf hem een strookje papier. 'De systeembeheerders hebben iets op ons netwerk gevonden. Een sniffer. Houdt iedere toets die op elke account wordt ingedrukt bij. Ik heb tegen ze gezegd dat ze de sniffer moeten laten zitten. Niet alleen onze wachtwoorden zijn ermee achterhaald. Ook het wachtwoord van Olav. Hij heeft het gisteravond vervangen. Dit is z'n nieuwe.'

'Wat moet ik daar in godsnaam mee…?'

Hartmann kwam weer binnen, strooide stukjes croissant in het rond.

'Ik heb een overleg met de griffiers,' zei hij. 'Bel me als er nieuws is.'

Beneden in een hoek van de grote hal waar alle geluiden weerkaatst werden, stond Olav Christensen te zweten. Hij had die ochtend al zes keer geprobeerd te bellen. Maar het was hem niet gelukt.

'Nee, nee. Ik moet hem persoonlijk spreken. Wanneer is hij vrij?'

Hij luisterde. Vanuit zijn donkere hoekje zag hij Lund het gebouw binnenkomen. Christensen trok zich nog verder in het duister terug.

'Het is belangrijk,' zei hij. 'Zeg tegen hem dat hij me zo snel mogelijk terug moet bellen. Het is dringend. Oké?'

Ze liep op hem af. Christensen ging met gebogen hoofd de trap af, naar de kelder. De kantine. Het kantoortje van de beveiliging. Via de achterdeur naar de parkeerplaats. Waar dan ook naartoe als hij maar weg was.

'Olav?' riep ze.

Te laat.

Hij bleef staan. Probeerde te glimlachen.

'Heb je even?'

Lund vroeg Christensen om even met haar aan een leeg bureau in de bibliotheek te gaan zitten. Hij zat daar met de ochtendkrant voor zich, z'n mobiel op het bureau, en wreef zijn slapen.

Een man met zorgen.

Ze nam de stoel aan de andere kant van het bureau en glimlachte.

'Waar gaat dit over?' vroeg hij. 'Ik heb al met jullie gesproken.'

'Ik heb nog een paar vragen.'

'Ik wil echt graag helpen. Maar dit is eigenlijk mijn vrije dag.'

'Waarom ben je dan hier?'

'Ik kwam voor een vergadering. Die begint over een paar minuten.'

'Wat voor vergadering?'

'Gewoon een vergadering.'

'Dat gaat dan niet door,' zei ze en ze haalde haar blocnote tevoorschijn. Ze keek naar haar aantekeningen en toen naar hem.

'Je hebt ons verteld dat je niets wist van de sleutel van de partijflat.'

Hij hield zijn hand tegen zijn wang en probeerde zelfvertrouwen uit te stralen.

'Klopt.'

'Maar je hebt de flat voor gasten besproken. Vaak zelfs. We hebben de gegevens uit het boekje in de la van Morten Weber.' Weer een glimlachje. 'Dezelfde la waarin de sleutel wordt bewaard. Je wist van de flat. En van de sleutel.'

'Ik heb die sleutel nooit aangeraakt.'

Ze keek de bibliotheek door. Kasten vol oude boeken. Lege bureaus en stoelen.

'Het moet lastig zijn om op een plek als deze vooruit te komen. Wachten tot er ergens een plekje vrijkomt. En de baan die je wilt, geeft Hartmann je niet.'

'Is ambitie een misdaad?'

'Verdien je genoeg?'

Hij grijnsde.

'Jij?'

'Je bent een slim jochie,' zei Lund.

Een ironisch lachje.

'Dank je wel.'

'Nee, het is niet als compliment bedoeld. Ik zou me schuldig moeten voelen als ik jou stevig aanpak. Dat doe ik niet. Maar het zou wel moeten.'

Ze haalde iets uit haar tas. Hij keek ernaar.

Op het gewreven walnotenhout van het bureau vouwde Lund Olav Christensens laatste loonstrookje uit.

'Je krijgt iedere maand vijfduizend kronen extra, boven op je salaris. Voor "consultancy".' Lund keek hem strak aan. 'Wat houdt dat in?'

Hij snoof en zweeg even.

'Een drukbezet jochie ook nog. Maar jij werkt toch voor Onderwijs, of niet?'

Christensen lachte, schudde zijn hoofd en mompelde: 'Niet te geloven.'

Lund duwde het loonstrookje onder zijn neus.

'Wat vind je zo ongelooflijk? Hier staat het, zwart op wit. Er staat alleen niet bij van wie je dat geld krijgt.'

Hij pakte het velletje papier op en zweeg.

'Zo'n bedrag moet toch gedocumenteerd zijn. En de reden waarvoor je het krijgt ook.'

'Vraag het aan de salarisadministratie.'

'Dat heb ik gedaan. Ze hebben geen flauw idee.'

Ze nam hem het loonstrookje af en stopte het weer in haar tas.

'Ze bellen me er vandaag over. Ze hebben me beloofd het uit te zoeken. Zij vonden het ook heel vreemd.'

Dit liet ze in de lucht hangen.

'Gemeenschapsgeld, Olav. Je kunt in ieder geval één ding over een plek als deze zeggen...' Ze keek weer naar de rijen boeken. 'Alles is gedocumenteerd.'

Hij knikte.

'Waarom zou je het me nu dan niet gewoon vertellen?'

'Er valt niets te vertellen. Ik heb een klus opgeknapt. Daar ben ik voor betaald.'

'Kom op, dat kun je beter.'

'Ik heb het druk.'

Hij stond op, liep naar de deur en verdween de gang op.

Lund stopte haar blocnote weg en keek hem vanuit de deuropening na. Christensen had zich weer teruggetrokken in een donker hoekje. Alweer aan de telefoon. En hij beefde.

Vagn Skærbæk handelde in het kantoortje de telefoontjes af. Theis Birk Larsen wilde niemand spreken.

'Jezus christus,' bromde Skærbæk toen hij het laatste gesprek beëindigd had. 'Wat een idioten zijn er toch.'

'Trek de stekker eruit,' zei Birk Larsen.

'Maar als het nou een klant is?'

De grote man stond op en trok de stekker uit het contact.

'Twee wagens naar Valby. En jij rijdt er een.'

Pernille kwam naar beneden. Ze hadden die ochtend amper een woord gewisseld.

'Ik kan niet mee met het padvindersuitje,' zei ze.

'Waarom niet?' vroeg Birk Larsen.

'Omdat de uitvaartondernemer gebeld heeft. Ik moet de grafsteen voor de urn bekijken. Anders komt hij misschien niet op tijd af.'

Birk Larsen sloot zijn ogen en zei niets.

'Ik weet niet hoe lang…' begon ze.

'De jongens willen echt gaan…'

'Ik kan niet!'

Hij keek even naar Skærbæk.

'Ik regel het wel, Theis. Geen probleem.'

'Goed,' zei Birk Larsen. 'Ik ga wel met de jongens mee. Natuurlijk.'

Hij gaf de sleutels van de auto aan Skærbæk.

'Zoek maar iemand, Vagn. Betaal desnoods het dubbele. Pernille?'

Hij keek om zich heen. Ze liep de deur al uit.

Het was vriezend koud op de speelplaats die het verzamelpunt was voor het uitje van de padvinders. Niemand op de schommels van autobanden. Geen kind op de glijbaan.

Alleen één vrouw die hij amper kende en die daar in haar eentje stond en glimlachte naar de jongens die in hun blauwe uniform opgewonden naar haar toe renden, klaar om te vertrekken.

Ze sprongen op de schommels en gingen spelen.

Birk Larsen liep naar haar toe en keek om zich heen.

'We zijn te laat. Sorry.'

'Nee, het is oké. Ik heb geprobeerd jullie te bellen. Maar jullie namen niet op.'

Birk Larsen liet zijn blik over de verlaten speelplek gaan.

'We hadden hier toch afgesproken?'

'Ja, maar…'

Hij had die blik eerder gezien. Hij begon hem te herkennen. Op school. In de winkels. Het was een afstandelijk, gegeneerd soort medeleven.

'Jullie hebben mijn berichtje niet gehoord?'

Er was iets wat ze niet wilde zeggen. Ze wilde ervandoor, ze wilde overal liever zijn dan hier met hem en de jongens.

'Nee.'

'Het uitje is afgelast.'

'Afgelast?'

'Ik heb geprobeerd het door te zetten.'

Hij stond daar met zijn zwarte muts en zijn zwarte jack en hij voelde zich dom en traag. De jongens schreeuwden. Ze kregen ruzie.

'Waarom is het afgelast?'

Ze zocht naar iets wat ze kon zeggen.

'Te veel mensen hebben afgezegd.'

Hij wachtte.

'Een hoop mensen hebben die tv-uitzending van gisteravond gezien. Ze vonden dat niet zo prettig.'

Birk Larsen keek naar de jongens op de schommel. Hij riep naar Anton dat hij voorzichtiger moest zijn.

'Waarom?' vroeg hij. 'Wat hebben we verkeerd gedaan?'

'Het spijt me echt,' zei de vrouw. 'Iedereen leeft met jullie mee. Alleen...'

'De jongens hebben zich verheugd op dit uitje.'

Ze keek schuldbewust. Hij vond het ellendig dat hij haar dat gevoel gaf. Zij had in ieder geval de moed gehad hier te komen om het het hem te vertellen.

'Ik weet het. En uiteindelijk gaan we ook wel weer. Dat beloof ik.'

'Wanneer?'

'Over een paar weken. Ik weet het niet. Wanneer het...'

'Jongens!' riep hij. 'Anton, Emil!'

Ze hielden op met schommelen en keken vanaf hun autobanden naar hem.

'We gaan. Kom.'

'Het spijt me echt heel erg,' zei ze.

'Ja.'

Anton kwam aanrennen, altijd de eerste om zijn mond open te doen.

'Wanneer komen de andere kinderen, pap?'

'Het uitje is afgelast,' zei Birk Larsen tegen hem. 'Opa en oma willen jullie zien. We gaan.'

Hij liet ze bij Pernilles ouders achter en ging weer naar huis. Vagn Skærbæk had hulp geregeld. Zo ging het in hun bedrijfstak. Er was altijd wel iemand die als het zo uitkwam een dagje wilde komen werken. Birk Larsen hield er niet van om van die lanterfanters gebruik te maken. Hij had liever mannen die hij kende. Maar soms had hij geen keus.

Skærbæk was nog in het magazijn en laadde kisten in.

Pernille was er nog niet.

'Hoe zit het met dat uitstapje naar het bos?'

'Het is afgelast,' zei Birk Larsen. 'De jongens zijn nu bij opa en oma.'

Hij dacht na. Vroeg zich af hoe lang Pernille nog weg zou blijven.

'Wil je me even helpen, Vagn?'

'Natuurlijk. Waarmee?'

Birk Larsen pakte een paar niet-uitgevouwen kartonnen dozen die ze gebruikten voor kleinere spullen.

'Kom mee naar boven.'

Nanna's kamer. Hij sloeg geen acht op de merktekens van de politie. Het enige wat hij zag was de rotzooi. De boeken. De pennen. De planten in potten, de geurkaarsen. Haar make-upspulletjes en potjes crème.

En het bed met de sprei met rendieren, de gekleurde lakens en de fleurige kussenhoezen.

Deze dingen leken hier altijd al te zijn geweest. Een stukje van hem – een dom stukje, dat wist hij wel – had ooit gedacht dat ze nooit zouden verdwijnen.

Hij ging naar haar prikbord en liet zijn blik over de foto's dwalen. Ruim tien jaar van een leven dat ruw afgebroken was. Met de jongens, met haar ouders, met vrienden en vriendinnen en leraren.

Een lachende Nanna, altijd. Nanna als kind. Nanna van de laatste tijd, een tiener die eruitzag alsof ze haar kindertijd van zich afwierp en regelrecht de volwassen wereld in zou stappen. Een wereld waar ze zo naar verlangde, terwijl ze niet wist wat voor dreigends zich daar schuilhield. En wat de prijs kon zijn.

'Alles moet weg. Alles.'

'Theis…'

'Alles. De kleren in plastic zakken. Zoals we het altijd doen.'

'Heb je dit met Pernille besproken?'

'Pas op dat je niets breekt, oké?'

Skærbæk liep het kamertje in en ging naast hem staan.

'Als je dit nou met alle geweld wilt.'

Hij vouwde een kartonnen doos open.

Birk Larsen verroerde zich niet. Stond daar in de kamer van zijn dode dochter en staarde naar wat er nog van haar restte.

'Nee.' Hij pakte de doos. 'Ik doe het zelf.'

Morten Weber vond een leeg kantoor op de afdeling Onderwijs. Eén ambtenaar zat nog wat te typen achter zijn computer.

'Ik heb wat gegevens voor Hartmann nodig,' zei Weber. 'Ik kan het zelf wel opzoeken.'

'Ga zitten. Iedereen is gaan lunchen en ik ga nu ook.'

Toen was Weber alleen.

Hij nam het bureau dat het verst van de deur af stond. Tikte de gebruikersnaam en het wachtwoord in dat Rie Skovgaard hem gegeven had. Binnen een seconde zat hij in het netwerk.

Hetzelfde e-mailsysteem dat het campagnebureau gebruikte, maar met een ander netwerk. Christensens e-mailaccount verscheen op het beeldscherm. Hij nam snel de berichten door. Hij was al een eindje naar beneden gescrold toen Christensen met een stel mappen onder zijn arm binnenkwam.

Weber dacht koortsachtig na.

'Kan ik iets voor je doen?' vroeg Christensen. 'Normaal gesproken komen hier geen politici. Alleen wij.'

'Nee, laat maar,' zei hij hakkelend. 'Iemand zei dat we een virus hadden.'

Weber stond snel op vanachter het bureau en realiseerde zich toen dat hij niet had uitgelogd op Christensens account.

De jonge ambtenaar stond direct naast hem.

'Ben je computerdeskundige geworden, Morten?'

Hij keek naar het scherm, vloekte en logde uit.

Met gebalde vuist stompte hij Weber tegen zijn borst, duwde hem tegen het bureau.

'Jij moet van mij de zondebok maken, hè?'

Christensens mobiel ging over. Hij haalde hem uit zijn zak en keek op het schermpje.

'Is dit in opdracht van Hartmann?'

'Het is een virus,' zei Weber en hij probeerde terug te duwen.

Hij kreeg nog een stomp in zijn ribben en een schop tegen zijn schenen. Christensen had hem bij zijn revers vastgegrepen en duwde hem in een donker hoekje tegen de muur.

Weber keek naar de deur.

Niemand.

'Schei uit met die lulkoek!' brulde Christensen.

Voetstappen in de gang.

Weber worstelde zich los, liep wankelend naar de deur, ontsnapte naar het licht. Half lopend, half rennend.

Achter hem hoorde hij het mobieltje weer overgaan en de zachte geschrokken stem van Olav Christensen die opnam.

Morten Weber bleef staan. Hij had als excuus een dossier meegenomen naar het kantoor. Het was een belangrijk dossier. Vertrouwelijk. En hij had het daar laten liggen.

En Christensen was een arrogante, brutale jongen.

Niet iemand om bang voor te zijn. Een pestkop van het schoolplein. Een marionet met iemand anders aan de touwtjes.

Langzaam en zonder geluid te maken liep Weber terug naar het kantoor van de afdeling Onderwijs en sloop heimelijk naar binnen terwijl hij luisterde.

Christensen had zich teruggetrokken in een hoek van de kamer en stond met zijn rug naar de deur. Hij klonk bang.

'Godverdomme, we moeten praten! Wat moet ik zeggen?'

Weber deed voorzichtig een paar stappen naar voren. Hij hoorde alles.

'Ze controleren m'n loonstrookje. Ze willen weten waar het geld vandaan komt. Je moet iets doen.'

Het dossier lag nog op het bureau. Weber besefte dat hij hem kon pakken zonder gezien te worden.

'Fok it!' schreeuwde Christensen. 'Ik heb hulp nodig. Nee, nee. Of ik spreek hem persoonlijk, of ik vertel ze alles. Ik ga hier niet voor opdraaien. Ik ga niet voor hem voor schut.'

Morten Weber pakte de map op en bleef staan. Olav Christensen draaide zich om, zag hem en zei niets meer.

Hij stak de mobiel in zijn zak.

Weber dacht dat hij nog nooit iemand in de grandioze omgeving van het stadhuis zo bang had gezien.

'Met wie belde je?'

Christensen leek met stomheid geslagen.

'Olav, als je iets gedaan hebt wat illegaal is…'

Christensen pakte zijn aktetas op. Hij leek versuft.

'Wij kunnen je helpen,' zei Weber. 'Kom op…'

De ambtenaar rende door het kantoor, maakte dossierkasten open en haalde er documenten uit.

Toen hij naar de deur liep, versperde Weber hem de weg.

'Vertel het me. Dan kan ik je helpen.'

'Nee,' zei Olav Christensen. 'Je kunt me niet helpen.'

Lund was weer in Hartmanns villa en keek toe hoe Meyer, Svendsen en drie andere rechercheurs het hele huis kamer voor kamer uitkamden.

Ze was vanaf het bureau gebeld over het salarisstrookje.

'Iemand op het stadhuis moet toch weten wie opdracht heeft gegeven dat geld uit te keren,' zei ze tegen de rechercheur die het onderzoek deed. 'Trek Christensens antecedenten na. Trek de boekhouding na. Het is belangrijk. Wie, wanneer en hoe.'

Toen ze het gesprek beëindigd had stak Svendsen zijn hoofd om de hoek van de keukendeur en zei met een sluw lachje: 'Die vent uit Zweden… die ex-vriend van je, heeft geprobeerd je te pakken te krijgen.'

Ze negeerde hem.

'Het dagboek is interessant,' zei Meyer.

Het was het dagboekje dat Lund, heel even, bekeken had.

Meyer bladerde erdoorheen.

'Hij houdt het sinds de dood van zijn vrouw bij. Maar op de bewuste vrijdag is hij ermee opgehouden. Waarom?'

'Wat denk jij?'

Meyer likte aan zijn vingertoppen en bladerde verder.

'Er is iets gebeurd waar hij niet trots op is. Of hij heeft iets gedaan dat hij niet wilde opschrijven. Moet je horen.'

Hij las voor uit het dagboek.

'Ik ben buiten mezelf. Ik moet het uit m'n hoofd zetten voor ik eraan onderdoor ga.'

'Dit is tijdverspilling,' zei ze.

'Lund!'

Het was Svendsen weer, telefoon in zijn hand.

Meyer kapte hem af. 'Nee,' zei hij. 'Ze wil niet met haar ex praten.'

'Je moet Morten Weber bellen. Hij heeft Olav Christensen betrapt terwijl hij met iemand belde over z'n salarisstrookjes. Toen is hij als een haas het stadhuis uit gevlucht.'

'Ik wil dat Olav Christensen aangehouden wordt. Ik wil een verklaring voor die salarisstrookjes.'

'Dat is pas tijd verspillen,' mompelde Meyer.

'Olav Christensen weet wie de flat onofficieel gebruikte. Hij heeft iemand een grote dienst bewezen.'

Meyer vouwde zijn armen over elkaar en zuchtte.

'Wie beweert dat?'

'Morten Weber, kennelijk. Laat Christensens mobiel opsporen.'

Ze pakte haar tas en liep naar de deur.

'Het heeft geen zin om hier te zoeken.'

'We zijn nog niet klaar, Lund!'

Het was koud buiten. En droog. Lund nam een Nicotinell en reed terug naar het centrum.

Theis Birk Larsen zat aan de tafel. Hij tikte met de sleutels van het bestelbusje op het blad en wachtte op haar voetstappen op de trap.

Hij had zijn werkkleding nog steeds aan. Hij voelde zich niet goed, onrustig. Het appartement, hun thuis, onderging een verandering en zij veranderden ook.

'Sorry dat ik zo laat ben,' zei Pernille toen ze binnenkwam. 'Is er nog voor me gebeld?'

'Nee.'

Ze had die bezielde gezichtsuitdrukking die ze kreeg als ze over Nanna nadacht. Dat waren de enige momenten dat ze eruitzag alsof ze leefde. Hij begon er een hekel aan te krijgen.

'Ik ben blij dat ik gegaan ben. Ze hadden een verkeerd lettertype genomen. Dan had het er heel raar uitgezien.' Ze zweeg en luisterde even. 'Waar zijn de jongens?'

'Bij je ouders.'

'Waarom?'

Birk Larsen keek naar de gezichten die in de tafel bevroren waren.

'We moeten hierover praten, Pernille. We moeten…'

Ze luisterde niet. Met grote ogen keek ze langs hem heen naar de openstaande deur van Nanna's kamer. Ze liep ernaartoe en ging naar binnen.

Kale muren, lege kasten. Geen bureau, geen kleed. Geen foto's. Geen kleren. Alleen het smalle bed dat tot de matras was afgehaald. Niets in het raam, niet eens een plantje.

Hij bleef aan tafel zitten, met zijn rug naar haar toe.

'Waar zijn haar spullen?' vroeg ze op kille toon.

'Anton heeft drie nachten achter elkaar in bed geplast. Emil zegt de raarste dingen. Als je naar de jongens zou luisteren, zou je het begrijpen.'

Ze liep naar de tafel en zei weer: 'Waar zijn haar spullen?'

'In het busje. Ik breng ze vanavond naar de opslag in Valby. We bewaren alles. Maar hier hebben we het niet meer nodig.'

Met een plotseling heftige beweging dook ze naar de autosleutels op het tafelblad.

Birk Larsens hand sloot eroverheen.

'Geef op.'

'Nee. We kunnen zo niet doorgaan. We kunnen niet zo vast blijven zitten. Dat laat ik niet toe.'

De uitdrukking op haar gezicht kon hij even niet thuisbrengen. Toen vond hij er een woord voor: haat.

'Dat laat jij niet toe?'

Ze rende de keuken uit, de trap af naar de garage. Ze was al in het kantoortje bij het rek waar de reservesleutels hingen, toen hij haar inhaalde.

'Luister naar me, Pernille!'

Ze bleef zoeken tussen de verschillende sleutelbossen.

'Luister nou toch! De padvinders hebben het uitje afgezegd vanwege die zooi op de tv. Begrijp je wel wat er aan de hand is?'

Ze liep zonder een woord te zeggen langs hem heen naar de bestelbus en trok aan de deuren.

'Reageer het op mij af. Niet op de jongens. Die verdienen het niet...'

'Maak nou maar open, ja?'

Birk Larsen aarzelde.

'Praat niet zo tegen me. Dat verdien ik niet.'

'Maak open!'

Hij haalde de sleutels tevoorschijn en drukte op de afstandsbediening. Ze trok de deur aan de achterkant van het busje open.

Alle foto's en de meubeltjes, alles wat er over was van Nanna's leven, staarden haar aan vanuit de groezelige laadruimte van een rode verhuisbus.

'Ik breng het naar de opslag. Er gebeurt niets mee. Er wordt niets weggegooid.'

Ze stapte op het opstapje en klom naar binnen.

Birk Larsen wreef met de rug van zijn hand over zijn ogen.

'Pernille...'

Ze pakte eerst de foto's. Toen met haar vrije hand het bedlampje. Ze stapte de bus weer uit en keek hem aan.

'Ik breng dit naar boven. En dan ga ik de jongens halen.'

'Pernille…'

'Ben ik niet meer dan een gezicht hier in huis?' vroeg ze. 'Iemand om mee naar bed te gaan? Een dienstmeid om je was te doen en op je kinderen te passen? Niet iemand om mee te praten. Niet iemand met wie je overlegt… over…'

De woorden kwamen er niet uit. Bij geen van beiden dit keer. De hulpverleners hadden tegen hen gezegd dat ze Nanna's dood achter zich moesten laten. Het had hem verstandig geleken om haar kamer leeg te ruimen. Het was gewoon doen wat je gezegd werd, meer niet. En sinds hij getrouwd was was dat, dacht hij, wat de mensen van hem verwachtten. De nieuwe, gehoorzame Theis. Niet die Theis van vroeger.

'Als ik terugkom…' zei ze, haar gezicht hard van woede.

Een lang ogenblik. Een ogenblik waarin hij het gevoel had dat zijn hart stilstond. Ze hadden nog nooit echt ruzie gehad. Nooit veel gepraat. Daar hadden ze nooit behoefte aan gehad. Nu, gevangen in deze kerker van ellende, was alles anders geworden. Gedachten die nooit uitgesproken waren, kwamen striemend naar buiten en wilden gehoord worden.

'Als ik terugkom, wil ik dat jij weg bent,' zei ze. En daar bleef het bij.

Hij bleef daar stokstijf staan en worstelde met zijn verwarde gedachten. Hij vroeg zich af of het anders had kunnen lopen. Een andere reeks van handelingen. Een andere serie daden. Een andere tweesprong op de weg.

Hij kon maar één ding bedenken om te zeggen.

'Oké,' mompelde Birk Larsen. En hij keek haar na terwijl ze wegliep.

Lund zat achter het stuur, met de stem van Lennart Brix in haar oor.

'Waar ben je in godsnaam mee bezig?'

'Ik ben bij Olav thuis langs geweest. Hij is daar niet. Ik heb een adres van zijn zus.'

'Waarom ben je naar hem op zoek?'

'Omdat hij erbij betrokken is. Hebben we zijn mobiel al opgespoord?'

'Nee, Lund. Ik heb die opdracht ingetrokken.'

Ze haalde haar voet van het pedaal en liet de auto even freewheelen.

'Waarom?'

'We hebben een getuige die Hartmann op zaterdagochtend met bebloede kleren heeft gezien.'

'Sinds die idiote beloning is uitgeloofd hebben we wel vijftig mensen die beweren dat ze van alles gezien hebben.'

'Ik wil dat je je daarop concentreert.'

'Als ze echt iets weten, waarom zijn ze daar dan pas mee gekomen toen er geld te halen viel? Christensen weet wie er bij Nanna was.'

Een diepe zucht aan de andere kant van de lijn.

'Ik heb hier echt geen tijd voor. Dit is een bevel.'

'Olav heeft zich laten omkopen om iemand toegang tot de flat te geven. Hij krijgt iedere maand een vast bedrag, regelrecht van het stadhuis. Brix? Brix?'

Ze dacht dat hij al opgehangen had, maar toen zei hij: 'Wie heeft opdracht gegeven voor die betalingen?'

'Dat probeer ik nu juist uit te zoeken. Die telefoon van hem moet getraceerd worden. Hij is in paniek. Hij belt met iemand. Ik moet een naam hebben.'

Weer bleef het stil.

'Hij heeft ongeveer een half uur geleden in Vester Voldgade gebeld.'

De lange straat die langs het stadhuis liep, niet ver van het punt waar Lund nu was.

'Bedankt,' zei ze. 'Met wie belde hij?'

'Een luchtvaartmaatschappij.'

Skovgaard had net de telefoon neergelegd.

'Bremer wil naar de kiescommissie. Hij heeft de fractievoorzitters bijeengeroepen. Vanavond is er een vergadering.'

'Ze hebben Olav daarvoor al te pakken. Bel Lund en vraag hoe het zit.'

Weber keek haar na terwijl ze naar het aangrenzende kantoor liep.

'Troels. Als ze hem niet vinden, dan zul jij de waarheid moeten spreken. Dat besef je toch wel?'

'Dit hebben we allemaal al besproken.'

'Bremer gaat jou ongeschikt verklaren voor de functie. En vandaar is er geen weg meer terug. Geen groezelige deals, geen allianties. Het is afgelopen met je. Voor altijd. Je zult uit de partij moeten stappen. Je kunt de politiek vergeten. Het is voorbij.'

'Ze vinden hem wel.'

'En als ze hem nu niet vinden?' Morten Weber keek om zich heen in het kleine kantoor. Naar de posters met de glimlachende Hartmann. 'Dit wordt allemaal weggepist, omdat jij niet het lef hebt om...'

Hartmann sprong woedend op.

'Ze vinden hem wel,' brulde hij.

Poul Bremer liep door de parkeergarage van het stadhuis, met een koffertje in zijn hand en zijn assistente naast hem.

Olav Christensen hield zich in een duistere hoek verscholen. Hij stond daar en dacht na.

'We moeten de pers toch iets vertellen,' zei Bremer tegen zijn assistente. 'Ik heb helemaal niets van Hartmann of de politie gehoord. Ik heb een spoedvergadering van de fractieleiders bijeengeroepen. We moeten beslissen of Hartmann zich wel verkiesbaar moet stellen. Dit schandaal raakt ons allemaal. Het is een schandvlek op het blazoen van de politiek.'

De vrouw knikte.

'Ik neem aan dat we tot het besluit komen dat Hartmann ongeschikt is voor de functie,' voegde Bremer eraan toe. 'Dat lijkt me onvermijdelijk. Maar het is belangrijk dat we het er allemaal over eens zijn. Een unaniem besluit. Als er verdeeldheid bestaat, zal het probleem alleen maar voort etteren.'

Christensen kwam uit de donkere hoek regelrecht op Bremer af gelopen.

'We moeten praten,' zei hij.

'En wie ben jij? Pers? Nu niet.'

Christensens ogen lichtten woedend op.

'U weet wie ik ben. Ik ben Olav. Ik probeer u al de hele tijd te bereiken.'

Bremer bleef doorlopen.

'Olav?'

'Ja. Olav Christensen. Op Hartmanns afdeling.'

Bremer schudde zijn grijze hoofd.

'Het spijt me. Ik weet niet waar dit over gaat en ik heb het erg druk. Ik ken je niet.'

'Jawel!'

Christensens kreet echode door de garage.

'Ik ben degene die u geholpen heeft. Weet u nog? Zonder mij bent u er geweest.'

Bremer bleef staan en keek hem aan. Hij zei tegen zijn assistente dat ze door moest lopen.

'Waarmee heb je me geholpen?'

'Dat weet u maar al te goed.'

'Nee, ik heb geen idee waar je het over hebt.'

'U had die flat nodig.'

'Die flat? Welke flat?'

'Ik heb de sleutels voor u geregeld. Toen u ze nodig had...'

'Nee, nee, nee. Even rustig aan. Ik heb je nooit om sleutels gevraagd.'

Christensen stond daar met open mond in de tochtige garage.

'Wie heeft je gevraagd dit te doen?' herhaalde Bremer. 'Was het Hartmann?'

'Wilt u zeggen dat hij niet eens mijn naam genoemd heeft?'

Bremer sloot even zijn ogen.

'Nog één keer. Ik heb geen idee waarover je het hebt. Als je iets weet, moeten we de politie bellen.'

Hij haalde zijn telefoon tevoorschijn.

'Hoe heette je ook alweer?'

Bremer prutste aan de toetsen van zijn telefoon.

Toen hij opkeek, was hij alleen.

Toen ze nog maar twee minuten van het stadhuis verwijderd was, kreeg Lund een telefoontje van Meyer.

'Ik heb hier iemand die met jou wil praten,' zei hij.

'Ik heb geen tijd.'

'Dat moet je hem dan zelf maar zeggen.'

Een stem die ze even niet herkende zei: 'Met Carsten.'

'Ik bel je later terug.'

'Het gaat over Mark.'

'Hij zei dat het gezellig was.'

'Mark is de hele week niet naar school geweest. Ik heb met z'n mentor gesproken. Ze dachten dat hij al naar Zweden was verhuisd.'

'Ik praat wel met hem,' zei Lund.

'Dat is een gepasseerd station, Sarah. Als je tijd hebt om over je kind te praten, dan moet je me bellen. Maar wacht niet te lang. Ik laat mijn zoon niet door jou verpesten.'

Stilte.

Toen kreeg ze Meyer weer aan de lijn.

'Ben je er nog, Lund?'

'Ja.'

'We hebben Olav gevonden.'

Mark en Carsten verdwenen naar de achtergrond.

'Waar?'

'Als je vlak bij het stadhuis bent, zou je hem moeten zien. Kijk maar uit naar een zwaailicht.'

Drie ambulances, twee patrouillewagens. Een brancard op de grond. Bloed op het glimmend zwarte wegdek.

De geüniformeerde agent met wie ze sprak vertelde dat Christensen bij het oversteken was geschept door een auto die was doorgereden. Niemand had de chauffeur gezien. Niemand had het kenteken genoteerd.

Lund liep naar de ambulance. Olav Christensen droeg het pak dat hij altijd droeg. Zijn hoofd zag er verschrikkelijk uit. Een gebroken nek, nam ze aan. Bloed stroomde uit zijn mond en neus.

Zijn ogen waren nog open. Alle arrogantie was verdwenen. Ze zag alleen angst, scherp en echt.

Hij keek haar aan toen ze zich over hem heen boog.

'Langzaam en rustig ademen,' zei de ambulancebroeder.

'Wat is er, Olav?' vroeg Lund.

Hij leed duidelijk hevige pijn. Bij elke ademhaling kwamen er klodders geronnen bloed omhoog. Geen woorden.

'Olav. Zeg het me.'

Iemand riep om een zuurstofapparaat.

'Olav...'

Even werden zijn ogen glazig, toen sloot hij ze. Zijn nek ontspande. Het zuurstofmasker werd opgezet. Zijn hoofd viel opzij.

'Olav?'

De ambulancebroeders duwden haar weg. Ze keek toe hoe ze hun rituele dans uitvoerden rond een stervende man. Ze liep naar de stoep. Vroeg om een sigaret bij een van de agenten, rookte hem op in de schaduw van het Rådhus, onder het gouden beeld van Absalon.

Binnen brandde licht. Zo was het altijd. Maar niemand kwam naar buiten om Olav Christensen te zien sterven op de zwarte natte klinkers van Vester Voldgade. Ze hadden het allemaal veel te druk met zichzelf.

De auto die Olav Christensen gedood had, was een witte stationwagen. Meer wisten ze niet. Lund liet meteen een opsporingsverzoek uitgaan. De ernstige verwondingen van Christensen wezen erop dat de auto hard gereden had toen hij hem raakte. Er moest schade zijn.

De beste getuige die ze hadden, een parkeerwacht van de garage van het stadhuis die op dat moment vrij was, wist absoluut zeker dat de aanrijding opzettelijk was geweest. Christensen was de lege straat overgestoken toen de auto opeens uitparkeerde en recht op hem af reed.

Meyer was er met Svendsen en een paar mensen van de avonddienst.

'Ik wil dat de computer van Christensen naar het lab wordt gebracht,' zei ze. 'Ik wil dat zijn kantoor doorzocht wordt en dat iedereen op Onderwijs wordt ondervraagd. Trek na of iemand in zijn omgeving een witte stationwagen heeft.'

Svendsen ging naar het stadhuis.

'Weet je zeker dat het opzettelijk was?' vroeg Meyer.

'Waar zijn de remsporen? Hij reed keihard recht op Christensen af. Hij wilde hem doden.'

Lund keek naar het Rådhus.

'De parkeerwacht was net klaar met zijn werk. Hij zei dat hij Christensen daarvoor ook al gezien had. Hij was in de garage. Hij sprak met Poul Bremer.'

Meyer bleef staan.

'Bremer?'

'Bremer,' zei Lund. 'Kom op. Laten we een praatje met de burgemeester maken.'

Het hele stadhuis gonsde van de geruchten. Skovgaard had de politie verteld wat ze kon. Op weg naar de vergadering bracht ze Hartmann op de hoogte.

'Hij is ter plekke overleden.'

'Is het zeker dat hij het is?'

'Absoluut. Lund was erbij. Ze heeft geprobeerd met hem te praten.'

Ze legde haar hand op zijn arm.

'Je moet ze vertellen waar je was.'

Ze stonden boven aan de trap. Lund en Meyer kwamen net naar boven. Hartmann sprak ze aan.

'Niet nu,' zei Lund. 'Ik heb geen tijd.'

'Is hij dood?'

Lund liep door.

'Ja.'

'Morten heeft een gesprek opgevangen. Olav had het met iemand over het geld.'

'Dat weet ik.'

De lange gang door, onder de tegels en mozaïeken.

'Hou hiermee op!' brulde Hartmann tegen haar. 'Je weet dat ik er niet bij betrokken ben. Waarom zeg je dat dan niet?'

Lund en Meyer versnelden hun pas.

'We hebben geen tijd,' zei Meyer.

Skovgaard kon zich amper meer beheersen.

'Troels kan zijn zetel kwijtraken door deze flauwekul.'

Meyer bleef staan en keek hen beiden strak aan.

'Je hebt tegen ons gelogen, Hartmann. En jij…' hij wees naar Skovgaard, '… jij hebt hem een vals alibi bezorgd. Denk maar niet dat we jullie ook maar iets verschuldigd zijn.'

'Ben ik niet langer verdachte?' hield Hartmann aan. 'Jullie doen onderzoek naar Olav. Niet naar mij? Meer hoef ik niet te weten.'

Lund liep weer door. Meyer bleef nog even staan.

'Weet je? Ik ben er zo langzamerhand achter wat jullie hier eigenlijk uitvoeren. Jullie praten alleen maar. Jullie luisteren nooit.'

Toen liep hij door.

De twee politiemensen liepen weg door de gang, naar de afdeling van Bremer.

'Dit zal ik onthouden,' riep Hartmann hen na.

Poul Bremer zag er ontspannen en zelfverzekerd uit. En tegelijk verbijsterd.

'U had voor het ongeluk een afspraak met Olav Christensen?' vroeg Lund.

'Voor zover ik weet ken ik die man niet. Hij hing rond in de garage, sprong opeens naar voren en stak een heel verhaal af.'

Meyer legde zijn voeten op de glimmende salontafel en maakte aantekeningen.

'U zegt dat u niet met hem afgesproken had?'

Bremer keek haar strak aan met zijn grijze ogen.

'Ik ben de burgemeester van Kopenhagen. Ik heb geen afspraken in garages. Ik zei het net al, ik ken die man niet.'

'Wat zei hij?' vroeg Meyer.

'Hij begon met allerlei nonsens. Hij zei dat hij mij geholpen had.'

'Waarmee?'

'Dat heb ik niet begrepen. Hij had het over een sleutel en een flat.'

'Welke flat?'

'Geen idee. Ik nam aan dat hij me voor iemand anders aanzag.'

'U bent de burgemeester van Kopenhagen,' zei Lund.

'Ik kende deze man niet. Ik begreep niet waarover hij het had. Phillip...'

Een man met een korte baard kwam de kamer binnen. Net pak en das.

'Dit is mijn secretaris en persvoorlichter, Phillip Bressau,' zei Bremer. 'Omdat u denkt dat dit belangrijk is, vind ik het prettig dat hij erbij is.'

Hij schudde zijn hoofd.

'Ik begrijp er niets van. Waarom al die vragen over een verkeersongeluk?'

'Het was geen ongeluk,' zei Bressau. 'Jullie werken aan de Nanna-moordzaak, toch?'

'Is dit waar? Is hij vermoord?'

'We onderzoeken de zaak,' zei Lund.

'Verdomme. Ik pik dat soort ontwijkende antwoorden niet van mijn staf, en ik pik het ook niet van u. Wat is er aan de hand?'

'Toen Christensen u aansprak, heeft hij toen nog namen genoemd?'

'Nee! Hij besefte dat hij zich vergist had. Toen liep hij weg.'

Lund wachtte, maar het bleef stil.

'Iedere maand,' zei ze, 'zijn er vijfduizend kronen aan hem uitbetaald. Boven op zijn salaris.'

Bremer wendde zich onthutst tot Bressau.

'Niemand kan mij vertellen waar dat geld voor was,' ging Lund door.

'De burgemeester heeft niets met deze ambtenaar van doen,' onderbrak Bressau haar. 'Hij werkte voor Onderwijs...'

'Iemand heeft hem de indruk gegeven dat hij u een gunst bewees, meneer Bremer. Dat had te maken met de flat in Store Kongensgade en met het meisje.'

'Wát?'

De oude man ging rechtop in zijn leren leunstoel zitten. Stomverbaasd.

'Is dit een beschuldiging?' vroeg Bressau.

Meyer vloekte, zijn hoofd in zijn handen.

'Het is een vraag,' zei Lund. 'Ik ben op zoek naar een verband. We hebben uw hulp nodig…'

Poul Bremer dacht na.

'Heeft hij een naam genoemd?' vroeg Lund opnieuw.

'Gaat dit om ons of om Troels Hartmann?'

Meyer leunde in zijn stoel naar achteren en stootte een jammerkreet uit.

Dat legde hen het zwijgen op.

'Het gaat om een moord,' riep Meyer. 'Het gaat over een negentienjarig meisje dat verkracht is en toen in een auto is gedumpt en verdronken.'

Bremer en zijn secretaris zwegen.

'Het gaat erom te weten wat er gebeurd is terwijl jullie, belangrijke mensen…' Meyer maakte een wuivend gebaar door de grote kamer, '… niets doen, behalve jezelf indekken.'

'Help ons,' zei Lund dringend.

Meyer pakte een sigaret en stak hem aan hoewel Bremer heftig protesteerde.

Toen blies hij de rook omhoog naar het mozaïek en het verguldsel op het plafond.

'Doe wat Lund zegt,' zei hij. 'Of ik blijf hier de hele nacht zitten.'

Poul Bremer leek helemaal niet op de foto's op zijn verkiezingsposters. Hij leek ouder. Zijn huid was roder, zijn ogen vermoeider.

'Zeg Bressau wat jullie willen weten, dan zoekt hij het uit,' zei hij. 'En hou mij geregeld op de hoogte. Dat eis ik.'

Ze verroerden zich niet.

'Is dat genoeg?' vroeg hij.

Meyer haalde zijn voeten van de tafel, stak de sigaret tussen zijn lippen en stond op.

'We zullen zien.'

Alleen in de keuken luisterde Pernille Birk Larsen naar het nieuws op de radio. Ze had het volume omlaag gedraaid zodat de jongens in hun slaapkamer het niet konden horen.

'Na de oproep van de moeder hebben verschillende getuigen zich gemeld in de zaak-Nanna. De politie heeft het kantoor van de Liberalen en het huis van Troels Hartmann doorzocht. Hartmann zelf is ondervraagd.'

Lotte kwam binnen met eten van de snackbar op de hoek.

Pernille keek toe terwijl ze de dozen openmaakte. Ze wilde haar zus eigenlijk niet in huis hebben. Niet nadat ze Nanna's werk in de club verzwegen had. Maar Theis was weg. Ze wilde haar ouders niet weer om een gunst vragen. Ze hadden hem nooit gemogen en zouden de rest van hun leven die 'hebben we het niet gezegd?'-uitdrukking op hun gezicht hebben.

'Morgen hebben we een afspraak met de beheerder van het kerkhof,' zei ze fluisterend.

'Oké.'

Lotte pakte borden, vorken en lepels.

'Gaan pa en ma mee?'

'Nee, alleen wij.'

'Wij?'

'Jij en ik. En de jongens.'

'En Theis dan?'

Ze gaf geen antwoord.

'Ik weet dat je woedend op hem bent, Pernille. Maar je moet met hem praten. Je kunt hem niet buitensluiten.'

Geen reactie.

'Misschien had hij haar spullen niet in moeten pakken zonder dat aan jou te vragen. Maar in 's hemelsnaam…'

'Bemoei je er niet mee.'

'Hij heeft het toch niet gedaan om jou van streek te maken? Hij wilde helpen.'

'Helpen?'

'Je moet hierdoorheen. Begrijp je het niet? Als je het nog meer kapot laat maken dan er al kapot is…'

'Het…'

'Ik bedoel…'

'Iemand heeft Nanna vermoord!' zei Pernille zo hard als ze durfde. 'Het is niet gisteren gebeurd, of vorige week, of vorig jaar.'

Ze tikte hard met haar vinger tegen haar hoofd.

'Het gebeurt nu. Iedere dag. Je weet niet…'

Ze had geen honger, ze wilde niet eten.

Lotte zei: 'Ik weet dat ze hem te pakken moeten krijgen. Maar dat is niet belangrijker dan jij en Theis en de jongens.'

Pernille voelde de woede in zich opborrelen en besefte dat ze dat gevoel prettig begon te vinden.

Ze keek haar zus kwaad aan. Lotte was nog steeds mooi. Lotte had nooit kinderen gehad, nooit dit soort zorgen gekend. Nooit een man gehad of iemand die lang bij haar bleef.

'Wie denk je wel dat je bent dat je mij de les gaat lezen?' vroeg Pernille. 'Wie denk je wel dat je bent dat je mij gaat vertellen wat ik moet doen.'

Lotte begon te huilen en dat deed haar niets.

'Ik ben je zus…'

'Niets doet er meer toe. Ik niet. Theis niet. De jongens niet. Jij niet…'

'Pernille.'

'Als jij me verteld had waar Nanna mee bezig was, dan had ik haar tegen kunnen houden!'

Lotte zat met gebogen schouders aan de tafel. In tranen, stil, met neergeslagen ogen.

'Ik vertrouw jou net zomin als hem. Hoe kan het anders?'

Gelach uit de kamer van de jongens. Ze vroeg zich af of Anton eindelijk weer eens droog zou blijven.

'Anton! Emil!' riep Pernille. 'Eten!'

De jongens joelden.

'Ze mogen je niet huilend zien, Lotte,' zei ze. 'Hou ermee op of ga weg.'

Lotte ging naar de badkamer en droogde haar ogen. Ze dacht aan de coke in haar handtas. En had toen onmiddellijk een hekel aan zichzelf vanwege die gedachte.

Toen ging ze terug. Ze nam een paar hapjes, luisterde naar het gelach van de jongens en keek naar Pernille die haar ogen niet van de tv af hield.

Om half negen liep ze naar beneden naar de garage. Vagn Skærbæk stond met een zorgelijk gezicht te telefoneren.

Hij kon Theis niet te pakken krijgen. Hij had geen idee waar hij kon zijn.

'Wie heb je gebeld?'

'Iedereen die ik kan vertrouwen. Ik heb ze gezegd dat ze er niet over moeten praten. We willen niet dat heel Vesterbro dit weet.'

Theis en hij waren als broers. Theis was dominant, maar ze hadden een nauwe band met elkaar. Als iemand Theis kon vinden, was het Vagn wel.

'Ik rij een rondje door de buurt,' zei Skærbæk. 'Ik weet wel een paar plekjes...'

'Wat heeft hij gezegd toen hij bij jou thuis kwam?'

Skærbæk trok zijn jack aan, zwart net als dat van Theis, maar goedkoper.

'Niets.'

'Hij moet toch iets gezegd hebben...'

'Hij zei niets! Ik zat thuis tv te kijken toen hij aanbelde. Hij mompelde iets van dat het allemaal zijn schuld was.'

'En jij hebt hem laten gaan?'

'Wat had ik dan moeten doen? Hem een draai om zijn oren geven? Zou jij dat gedaan hebben?'

'Vagn...'

'Ik wist niet dat zij z'n ballen eraf gehakt had. Ik ging een biertje voor hem halen en toen was hij weg.'

Het was koud in de garage. Lotte had het dunne truitje aan dat ze in The Heartbreak droeg. Ze sloeg huiverend haar armen om zich heen.

'Weet hij dat de urn morgen begraven wordt?'

'Ja, ik neem aan van wel. Als Pernille het hem tenminste gezegd heeft.'

Ze wist het verder ook niet meer.

Vagn Skærbæk pakte zijn autosleutels.

'Ik maak een rondje. Ik vind hem wel.'

Toen zei hij somber, meer tegen zichzelf dan tegen haar: 'Ik bedoel... het is niet voor het eerst.'

Poul Bremer zat tegenover de groep fractievoorzitters, de sleutelbewaarders van het stadhuis, en betoogde dat er de volgende avond een formeel onderzoek naar Hartmann moest worden ingesteld.

'Ik heb Troels altijd bewonderd als een hardwerkende, knappe politicus. Maar de feiten spreken tegen hem en hij lijkt niet bij machte er een geloofwaardige verklaring voor te geven. Dit is allemaal heel triest...'

Bremer keek ze een voor een aan, Jens Holck iets langer dan de rest.

'We hebben geen keus. We moeten stemmen of hij voor de kiescommissie moet verschijnen. Hij moet zich verantwoorden.'

'Hartmann is niet in staat van beschuldiging gesteld,' onderbrak Holck hem. 'Waarom laten we dit niet aan de politie over?'

'We kennen Troels allemaal. We mogen hem allemaal graag...'

'De hele raad zou voor de rechter gedaagd zijn als hij die leerkracht aan de schandpaal had genageld zoals jij wilde,' voegde Holck eraan toe. 'Moeten we het risico wel nemen hem hetzelfde aan te doen?'

'Ik ken Troels langer dan jullie allemaal. Ik begrijp hoe je je voelt.'

De glimlach van een staatsman.

'Vooral nu jullie van plan waren een alliantie met hem te vormen.'

Hij liep naar Holck toe en klopte hem op zijn rug.

'Toch, Jens? Maar afgezien van partijpolitiek, het is onze plicht om het vertrouwen van de kiezers in het politieke systeem te waarborgen. We moeten ons de vraag stellen hoe lang we onze geloofwaardigheid kunnen behouden als zo'n prominent lid van onze gemeenteraad dagelijks als verdachte in een moordonderzoek verhoord wordt. Als wij...'

De dubbele deuren vlogen open. Hartmann kwam binnen.

'Het spijt me. Stoor ik?'

'Je was niet uitgenodigd, Troels.'

'Nee,' grauwde Hartmann. 'Natuurlijk niet. Heb je iedereen wel verteld dat de politie nu hier onderzoek doet? In het Rådhus? Heb je iedereen verteld dat ze de ambtenaren natrekken? Dat ze jou verhoord hebben?'

Bremer gaf geen duimbreed toe.

'Dit is een besloten vergadering. Jij bent onderwerp van die vergadering, daarom ben je niet uitgenodigd.'

Hartmann keek naar de groep om de tafel.

'Als jullie vragen hebben, stel ze dan! Luister niet naar die sluwe ouwe vos. Vraag het aan míj!'

Bremer lachte.

'Als men dat wil, zeg dan maar wat je te zeggen hebt. Zolang dat nog kan…'

Hartmann ging voor hen staan.

'Ik weet dat jullie je zorgen maken over de schadelijke gevolgen. Maar mij voor de kiescommissie laten komen, lost niets op. Ik heb niets te maken met deze zaak…'

'Daar zullen jullie snel genoeg achter komen,' zei Bremer.

Zijn telefoon ging over. Hij stond op om het gesprek aan te nemen, liep vervolgens naar de fax in de hoek van het vertrek.

'Iemand heeft Olavs diensten en zijn zwijgen gekocht,' ging Hartmann verder. 'Met behulp van geld dat afkomstig is van het stadhuis. Vraag me niet hoe dat kan. De politie doet onderzoek.'

Bremer kwam terug met een vel papier uit het faxapparaat. Hij las het aandachtig.

Hartmann was op dreef gekomen.

'De burgemeester heeft verzuimd deze informatie aan jullie door te geven, terwijl hij er wel van wist. Hij wil van mij af omwille van zijn eigen campagne.'

'O, Troels,' zei Bremer. 'Wat een hoop beschuldigingen aan het adres van anderen. Maar als je moet reageren op beschuldigingen aan jouw adres, dan zwijg je.'

'Ik ga niet…'

'We zijn erachter waar het geld van Olav Christensen vandaan kwam.'

Hij zwaaide met het vel papier.

'Phillip Bressau heeft de post gevonden, ergens verstopt in de boekhouding. Hij heeft de betreffende dossiers aan de politie gegeven. Die komen eraan. Zo. Verzuim ik nu nog steeds informatie door te geven?'

Hij liet het papier rondgaan.

'Het is waar dat het geld van de salarisadministratie kwam,' zei hij. 'Het waren zogenaamde betalingen in verband met milieurapporten. Rapporten die voor de schoolgebouwendienst zijn opgesteld. Geld in verband met zogenaamde consulten. Geld dat regelrecht uit het budget komt van de wethouder Onderwijs.'

Hartmann griste het vel papier uit handen van Jens Holck die het zat te lezen.

'Dit is belachelijk. Ik weet echt niet precies wie er bij mij op de loonlijst staat! Dat weet jij ook niet. Weer zo'n lulverhaal.' Hartmann begon te hakkelen. 'Het is een vergissing. De politie zal het kunnen ophelderen.'

De mensen rond de tafel zwegen en wilden hem niet aankijken.

'Als ik die man gebruikte,' brulde Hartmann, 'zou ik hem dan bij mij op de loonlijst zetten? Het is een falsificatie…'

Bremer nam zijn plaats weer in aan het hoofd van de tafel en keek naar de tierende Hartmann.

'Een falsificatie,' herhaalde Hartmann, nu wat rustiger. 'Zoals alles. Vanaf het begin. Jens…'

Hij nam Holck bij de arm.

'Je weet dat ik dit nooit zou doen.'

Holck gaf geen krimp.

'Iemand heeft die gegevens veranderd. Iemand hier op het stadhuis…'

De deur ging open. Meyer kwam binnen. Hij had zich niet geschoren en zijn flaporen leken nog opvallender dan anders.

Ze draaiden zich allemaal om, keken en wachtten.

'In 's hemelsnaam…' begon Hartmann.

Meyer tikte op het glanzende hout van de deurpost.

'Ga je mee, Troels?' zei hij.

Het hele circus was er al. Flitsende camera's, roepende verslaggevers. Meyer zei tegen een cameraman dat hij op moest rotten. Svendsen legde zijn hand op Hartmanns hoofd en duwde hem op de achterbank van een politieauto die geparkeerd stond op de keien van de binnenhof onder het gouden beeld van Absalon.

Rie Skovgaard en Morten Weber keken vanaf het hek toe. De meute rende achter de blauwe auto met in witte letters op de zijkant het woord 'Politi' aan. Hartmann zat in elkaar gedoken op de achterbank, weer op weg naar het bureau.

'Dit keer, Hartmann,' zei Meyer vanaf de voorbank, 'zeg je ons de waarheid, of je brengt de nacht in de cel door.'

In de vergaderzaal liep Bremer naar Holck die in zijn eentje bij het raam een sigaret stond te roken en het gedoe buiten gadesloeg.

'Als je een toekomst wilt in de politiek, Jens,' fluisterde hij. 'Dan stem je mee met mij.'

Holck zag er bleek en zorgelijk uit. Hij kauwde zwijgend op zijn sigaret.

'En als je verstandig bent, dan zorg je ervoor dat de rest van Hartmanns schoothondjes dat ook doet. Ik kan met jullie allemaal kappen als ik dat wil, en de tent hier in m'n eentje runnen.'

'Poul…'

'Nee, Jens. Zeg maar niets.'

De oude man zag er wreed en wraakzuchtig uit. Dit was zijn kans, en hij was vastbesloten die kans te grijpen.

'Hij is al eerder weer vrijgekomen,' zei Holck toch.

'Dit keer niet. Maar aan jou de keus.'

Hij verhief zijn stem. De anderen keken naar hem zoals ze dat altijd deden: volgzaam.

'Jullie moeten allemaal een keus maken,' zei Bremer. 'Gebruik dit keer je verstand.'

Vanaf de gang keek Lund toe hoe Svendsen in het arrestantenlokaal Hartmann bejegende.

Standaardprocedure, dagelijkse kost. Maar niet voor een man in een duur maatpak. Een politicus van Hartmanns formaat.

Svendsen telde zijn geld: zevenhonderd kronen en wat kleingeld. Twintig euro. Twee creditcards en een telefoon.

'Trek uw jasje uit en leg het op de stoel.'

Een agent maakte een lijst van Hartmanns bezittingen.

'Uw stropdas,' zei Svendsen.

Ze keken toe.

'Schoenen op de tafel.'

Hartmann zette zijn schoenen op tafel.

'Wilt u nu uw armen optillen. Ik moet u fouilleren.'

De agent stond op en sloot de luxaflex. Lund zag niets meer.

Op kantoor nam Brix de papieren door.

'Dus we kunnen bewijzen dat Hartmann achter die betalingen aan de ambtenaar zat?' vroeg hij.

'Het ligt een beetje ingewikkeld,' zei Meyer. 'Maar gezien het materiaal waarmee die Bressau is komen aanzetten, lijkt het er wel op.'

'Heeft hij iets gezegd?'

'Nee, geen woord.'

Brix keek naar Lund.

'We moeten ons focussen op die vent die Christensen heeft doodgereden,' zei ze. 'We weten dat Hartmann dat niet kan zijn geweest.'

'Ik wil dat je je met de Nanna-zaak bezighoudt. Dat gaat om Hartmann. Niet om de ambtenaar.'

Lund pakte het verslag van Bremers secretaris op.

'Ik heb met mensen op Hartmanns afdeling gesproken. Niemand heeft zelfs maar van deze regeling gehoord. En toch kan Bressau de gegevens in niet meer dan vijf minuten uit de dossiers tevoorschijn toveren.'

'Dus Hartmann heeft het stilgehouden,' zei Meyer.

'Hartmann heeft geprobeerd Olav te ontslaan! Hij heeft ons zijn naam genoemd.'

Brix gaf geen krimp.

'Als hij onschuldig is, waarom zegt hij dat dan niet?'

'Ik weet het niet! Maar hier klopt niets van.'

'Dan halen we de openbaar aanklager erbij,' zei Brix. 'Misschien wil hij dan wel wat zeggen. Op de een of andere manier zullen we die verwaande klootzak aan het praten krijgen.'

Lund speelde met Meyers autootje en luisterde naar de sirene.

'Zijn we hier om Nanna Birk Larsens moordenaar te vinden? Of om een of ander politiek punt te scoren voor de man die op het stadhuis de touwtjes in handen heeft?'

Brix glimlachte. Dat had ze nog niet vaak gezien.

'Deze keer zal ik door de vingers zien dat je dat gezegd hebt, Lund. Misschien ontbreekt het je, als het om Hartmann gaat, aan je gebruikelijke objectiviteit.'

'Wat bedoel je daar in godsnaam mee?'

Brix keek Meyer vragend aan. Meyer hield zijn ogen strak op het bureaublad gevestigd.

'Je wordt bedankt,' voegde Lund hem toe. 'Erg collegiaal.'

Toen pakte ze haar tas, liep de kamer uit en sloeg de deur achter zich dicht. Brix keek haar na.

'Je kunt het zelf afhandelen, Meyer. Vooruit maar.' Weer die glimlach. 'Goed gedaan.'

'Misschien moeten we luisteren naar wat ze zegt, Brix.'

'Waarom?'

'Als Lund een idee heeft…'

Brix wachtte af.

'Dan zit er meestal wel iets in. Is je dat nooit opgevallen?'

Lennart Brix keek hem met een bedroefde blik aan.

'O jee,' zei hij. 'En je deed het nog wel zo goed.'

'Wat?'

'Twee stappen naar voren, één naar achteren. Zorg dat je niet nog een keer struikelt. Dat kun je je niet permitteren.'

Onderweg naar buiten ging Lund bij de avonddienst langs met instructies.

'Bel alle garages. Zeg ze dat we op zoek zijn naar een witte stationwagen. Schade aan de bumper en de linkerzijkant. Hou me op de hoogte.'

Morten Weber wachtte haar op in de gang.

'Je moet naar me luisteren, Lund. Dit loopt helemaal uit de hand.'

'Je moet bij Jan Meyer zijn. Hij heeft dienst. Ik niet.'

'Hartmann heeft dat meisje niet vermoord. Het is absurd.'

'Dan moet hij ons vertellen waar hij was. Zo moeilijk is het niet.'

Weber worstelde kennelijk ergens mee. Dat wekte haar belangstelling.

'Het is wel moeilijk.'

'Waarom?'

'Hij is trots. Hij wil zijn waardigheid bewaren. Dat is heel sneu, dat weet ik. Maar daarmee is hij nog niet een moordenaar.'

Ze zweeg en wachtte af.

'Troels is niet zo sterk en zelfverzekerd als hij lijkt. Dat weet jij ook, Lund. Jij hebt mensenkennis.'

'Dit heeft niets met mensenkennis te maken.'

'Soms doet hij domme dingen. Ik weet niet waarom ik dat allemaal slik.'

'Vertel dat maar aan de rechter. Ik denk niet dat die ervan onder de indruk zal zijn. Bij mij werkt het in ieder geval niet.'

Ze liep naar de uitgang. Weber kwam achter haar aan.

'Laat me met hem praten,' smeekte hij.

'Dat meen je toch niet!'

'Jezus, Lund. Hij staat op het punt om van de kieslijst afgehaald te worden. En dat is het enige wat er voor hem toe doet!'

Ze bleef staan.

'Is dit een grap voor jullie? Er is een jong meisje dood. Ze is verkracht. Vermoord. En iedere keer als wij vragen wat er aan de hand is, liegen jullie en geven ontwijkende antwoorden op onze vragen.'

Weber had het fatsoen gegeneerd te kijken.

'Nou?' ging ze verder. 'Is het een grap? Een jong meisje? Toegetakeld en in een auto opgesloten om te verdrinken? Wil je de foto's zien, Morten?'

Ze pakte hem bij zijn arm.

'Kom op, dan gaan we die bekijken en dan kun je verder lachen.'

Lund was boos. Dat gebeurde niet vaak maar ze vond het prettig haar gevoelens even de vrije loop te laten.

'We hebben ook foto's van de autopsie. Als je die graag wilt…'

'Hou op, Lund. Je gaat te ver.'

Ze keek hem met schitterende ogen strak aan, haar hand op zijn jasje.

'Te ver? Niets gaat mij te ver. Niet als dat me kan helpen om te achterhalen wie Nanna heeft vermoord. Als jij weet waar Hartmann was, moet je dat tegen me zeggen. En anders moet je weggaan. Dit is tijdverspilling.'

Weber stond even stil en schudde toen zijn hoofd.

'Dat kan ik niet. Sorry.'

'Slaap lekker dan,' zei ze en ze liep met hem mee naar de deur.

Lund haalde Mark op van een feestje. Op weg terug naar Vibeke luisterde ze naar de radio. Hartmann was gearresteerd op verdenking van de moord op Nanna. Hij kwam voor de kiescommissie en het recht zich verkiesbaar te stellen zou hem ontnomen worden.

'Moet hij zo hard staan?' vroeg Mark.

Ze zette de radio uit.

'Was het een leuk feestje?'

Het voelde alsof ze in een vaste verbinding stond met de zaak-Birk Larsen, alsof ze hem geen moment uit haar gedachten kon zetten.

Het bleef heel lang stil en toen zei hij sloom: 'Het was oké.'

'Ik weet dat je de hele week niet naar school bent geweest.'

Ze keek hem even aan, wachtend op een antwoord, maar dat kreeg ze niet.

'Ik weet dat het moeilijk is om terug te gaan nadat je afscheid hebt genomen. Het spijt me. Maar je mag niet spijbelen. Mark?'

Hij keek uit het raampje, naar het donker en de regen buiten.

'Ik accepteer dat niet. Begrijp je dat?'

Hij dacht even na.

'Is het goed dat ik een paar dagen bij pa ga logeren?'

Ze keek naar het zwarte, natte wegdek voor haar.

'Wanneer heb je hier met Carsten over gesproken?'

'Is het oké?'

'Nee, het is niet oké. Wanneer heb je met hem gesproken?'

'Wat doet dat ertoe? Ik zit trouwens steeds bij oma. Niet bij jou.'

'Je weet hoe je vader is. Hij belooft je iets en dan… vergeet hij het.'

Hij zuchtte en staarde naar het dashboard.

'Ik weet hoe je van streek raakt als dat gebeurt. Ik wil dat niet. Ze zijn hier nog maar net naartoe verhuisd. Ze hebben van alles te doen.'

'Hij zei dat het mocht.'

'Wanneer heb je hier met hem over gepraat? Wanneer?'

'Ik ben geen verdachte van je, mam.'

'Waar heb je trouwens de hele week gezeten? Wat heb je gedaan?'

Hij keek weer uit het raam.

'Het gaat wel lukken bij pa thuis. Ze hebben een kamer voor me.'

'Maar het gebeurt niet.'

Hij duwde zijn voeten naar voren en sloeg zijn armen over elkaar. Verscheurd tussen kind en tiener.

'Ik weet dat het moeilijk is geweest, Mark. Maar maak je geen zorgen. Ik los het wel op. Er is niets veranderd. We zijn nog hetzelfde als altijd.'

'Het is niet hetzelfde. En dat weet je heel goed.'

'Mark…'

'Ik wil er niet over praten.'

'Mark…'

'Het is míjn leven!' gilde hij. 'Ik ben je eigendom niet.'

14

Zaterdag 15 november

Negen uur 's ochtends, voor het huis van Vibeke. Mark met al zijn bagage: ski's en ijshockeyspullen. Sporttassen en een koffertje.

Met zijn handen in zijn zakken zag hij er ouder uit. Lund kon het niet laten om vlak bij hem te gaan staan, zijn rits zorgvuldig omhoog te trekken en de kraag van zijn ski-jack op te zetten.

'Laat maar, mam.'

'Nee, niks laat maar. Het is koud.'

De winter kwam eraan. Een scherpe wind. Weer een jaar dat voorbij was. Mark die ouder werd en die van haar af groeide.

Hij ontweek haar hand niet. Daar was ze dankbaar voor.

Hij keek strak in de verte, hij wilde graag weg.

'Daar is pa.'

Een glanzende rode Saab. Sportvelgen. Getinte ramen. Mannenspeelgoed.

Mark keek ernaar en glimlachte.

'Dag,' zei hij. Toen pakte hij zijn spullen op, gooide ze op de achterbank, stapte zelf voorin.

Carsten liet het raampje zakken. Hij zag er goed uit. Een nette donkere jas, een andere bril. Zijn haar was te lang voor een politieman, maar de politie had hij lang geleden achter zich gelaten. Samen met haar. Carsten was ambitieus op een manier die zij nooit begrepen had. Het ging om geld en om zijn positie. Niet om resultaten, in ieder geval niet volgens Lunds maatstaven.

De man met wie ze ooit getrouwd was, met wie ze het bed had gedeeld en van wie ze had gehouden, glimlachte even naar haar, een zweempje spijt, misschien zelfs schaamte op zijn verder onbewogen managersgezicht.

Eens heb je me geslagen, herinnerde Lund zich. Eén keer maar. En nee, ik heb er nooit om gevraagd.

De glanzende rode Saab reed weg over de keien.

Lund wuifde en glimlachte naar hen allebei. Hield daar meteen mee op toen ze de hoek om waren.

'Hallo?'

Meyer stond achter haar. Zijn auto stond krap een meter verderop geparkeerd. Ze had hem helemaal niet gezien.

'Verhuist hij?'

'Voor een paar dagen maar,' zei ze een beetje scherp.

'Eerst die Zweed. Nu je zoon. Ik hoop dat je moeder blijft.'

Ze staarde hem aan. Wreedheid was geen onderdeel van Meyers eigenaardige persoonlijkheid. Hij was tegelijkertijd eenvoudig en complex. En ergens mocht ze dat wel.

'Nog nieuws over de auto?'

'Nee.'

'We moeten nog een keer de garage van het Rådhus natrekken.'

'Misschien. Brix heeft iets bedacht. Ik weet niet waar hij dat vandaan heeft.'

Ze zei niets.

'Hij is de baas, Lund. Je moet ermee ophouden hem te bevechten. En hij doet dit niet omdat iemand anders hem daar opdracht toe geeft.'

'Ze hoeven geen opdrachten te geven. Hij weet wat ze willen.'

Hij droeg dat leren motorjack weer. Het zag er sjofel uit.

'Wat wil je daarmee zeggen?'

'Zo werkt het. Je denkt toch niet dat Poul Bremer Brix belt en hem zegt wat hij moet doen? Dat hoeft helemaal niet. Brix weet het al.'

Zij wist het ook.

'Zorg dat Hartmann ervoor opdraait. Hoe dan ook.'

Ze had hierover nagedacht en al die voorvalletjes op het bureau die ze niet begrepen had, met deze gedachte in haar achterhoofd opnieuw bekeken.

'Dat heet macht. En wij allemaal…' Theis en Pernille Birk Larsen ook, '… wij tellen niet.'

'Brix heeft informatie over een huisje van Hartmann. Hij heeft een zomerhuisje waar hij ons niets over verteld heeft.'

Hij haalde een vel papier uit zijn binnenzak. Lund keek ernaar. Wees op het stempel van het kadaster bovenaan.

'Ik vraag me af hoe we hieraan komen.'

'We moeten daar gaan kijken. Brix is er al. Kom je mee?'

Het huisje lag bij Dragør, tien kilometer buiten Kopenhagen, niet ver van het bescheidener lapje grond van Kemal. Zes auto's – twee burgerauto's, vier patrouillewagens – stonden bij de oprit. Rood lint gaf aan waar de tuin ophield. Het was een houten bungalow, klein en verwaarloosd, bijna opgeslokt door het bos van slordige coniferen erachter.

Svendsen had de leiding. Lund en Meyer gingen naar binnen en luisterden naar wat hij te vertellen had.

'Hartmann heeft dit huisje van zijn vrouw geërfd. Zo te zien waren ze net begonnen het op te knappen, maar toen ze was overleden is hij ermee gestopt.'

Het was een bende in de keuken. Vuile borden op een modern fornuis. Het licht kwam door de open deur en van een paar schijnwerpers die de technische recherche had geïnstalleerd.

Lund keek naar de ramen. Ze waren allemaal verduisterd. Met lakens. Met een dekbed. Met tafellakens.

'In het weekend dat Nanna verdween, hebben twee buren een zwarte auto op de oprit gezien. Hij zat hier.'

In de zitkamer waren twee agenten van de technische recherche in witte overalls aan het werk: ze markeerden spullen die van belang konden zijn en maakten foto's.

'De beschrijving van de auto komt overeen met de campagneauto waarin Nanna gevonden is.'

Hier waren matrassen voor de ramen geschoven.

'Heeft iemand hem gezien?' vroeg Meyer.

'Nee. Maar we hebben verse voetafdrukken. Van hem. En dan hebben we dit nog.'

Hij pakte een plastic zakje van tafel. De avondkrant van vrijdag 31 oktober.

'Die zat over het kapotte raam geplakt.'

Lund keek naar de gebroken ruit in een van de hoge ramen aan de zuidkant van de bungalow. Er zat bloed op een paar scherven die over de gewreven houten vloer verspreid lagen.

Brix kwam binnen.

'Hartmann had een afgelegen plekje nodig,' zei hij. 'En dat had hij hier. Hij had de sleutel niet bij zich, dus moest hij een ruit inslaan om binnen te komen.'

Lund pakte een kussen van de bank en rook eraan. Er hing een vage maar hardnekkige lucht in het huis. Die was sterker op het zachte katoen van het kussen.

'Toen heeft hij de ramen afgedekt, zodat niemand kon zien wat hij van plan was,' ging Brix door.

Svendsen wees naar de keuken.

'De bijkeuken heeft een betonnen vloer. Daar heeft hij haar vastgebonden. Er is bloed daar.'

Ze liep door naar de volgende kamer. Een tweepersoonsbed. Verkreukelde lakens. Bloed, maar niet veel.

'Wat hebben jullie hier gevonden?' vroeg ze.

Svendsen keek even naar Brix.

'We zijn nog bezig, Lund.'

Brix keek op zijn horloge.

'Ik ga terug. Als jullie harde bewijzen vinden, laat het me weten. Dan leg ik dat de rechter voor.'

Hij liep naar Lund die de kamer nog steeds rondkeek en ving haar blik.

'Kan ik op je rekenen?'

'Altijd,' zei ze.

Toen liep hij zacht pratend met Svendsen weg.

Meyer bleef, bekeek de kamer ongeveer net als zij had gedaan, deed wat zij deed.

Een opgerolde paarse handdoek was onder de badkamerdeur gedrukt.

Lund knikte naar een luchtrooster in de muur. Een opgepropte krant was achter het rasterwerk geschoven.

'Het lab heeft het niet over gas gehad,' zei hij. 'Maar het stinkt er wel naar. Als Nanna hier geweest is, moeten ze er sporen van hebben aangetroffen.'

Lund schudde haar hoofd.

'Zou jij je auto daar op de oprit laten staan waar iedereen hem kan zien?'

'Hier klopt niets van,' zei Meyer. 'Het kan me geen reet schelen wat Brix ervan vindt. We gaan achter die doorgereden automobilist aan.'

Ze liep naar buiten en haalde diep adem. Het bos deed haar denken aan het Pinksterbos, niet zo ver hier vandaan.

'Wat zeggen we tegen Brix?' vroeg ze.

'Hij is met de rechter in gesprek. Laten we hem maar niet storen.'

Pernille Birk Larsen zat in gedachten verzonken in de keuken in haar licht-bruine trenchcoat en liet de telefoon rinkelen.

Het was Lotte die uiteindelijk opnam.

'De uitvaartondernemer wil je spreken, Pernille.'

Ze kon haar ogen niet afhouden van de spullen om haar heen. De tafel, de foto's, de dingen aan de muur. En door de deur zag ze Nanna's kamer, weer helemaal zoals hij geweest was. Leeg maar intact. Als een heiligdom.

'Zeg maar dat ik eraan kom,' zei ze en ze liep naar de deur.

Beneden waren de mannen als altijd aan het werk. Vagn Skærbæk controleerde karretjes en hijsapparatuur, kisten en dozen.

Hij liep achter haar aan naar de auto.

'Heb je nog iets van Theis gehoord?'

'Nee.'

'Dus jij weet verdomme ook niet wat…'

Zijn stem stierf weg onder het gezag van haar blik.

'Er is een kantoorverhuizing van Brøndby naar Enigheden. Is dat gere-geld?'

'Ik heb Franz en Rudi erheen gestuurd.'

Hij hield het portier open toen ze in de auto stapte.

'Misschien moet jij hem bellen, Pernille.'

Ze legde haar handen op het stuur, keek hem niet aan.

'Ik ben je dankbaar dat je de zaken waarneemt, Vagn. Bemoei je hier verder niet mee.'

Dat smekende bleke gezicht bij het raampje. De zilveren ketting. Die te jonge, bezorgde, gretige blik.

'Ja. Goed. Ik probeer hem wel te pakken te krijgen. Als jullie tweeën...'

Een auto parkeerde achter haar. Pernille Birk Larsen legde haar hoofd op het stuur.

Het was Lund.

'Ik heb gehoord dat je zusje hier is.'

'Waarom wil je dat weten?'

'Ik wil haar wat vragen stellen.'

Ze liep de garage in om naar boven te gaan.

'Hoe zeker zijn jullie ervan dat het Hartmann is?'

Lund gaf geen antwoord.

'De beloning heeft geholpen, hè?'

Er klonk iets wanhopigs, iets van schuldgevoel door in de stem van Pernille Birk Larsen.

Lund keek haar aan en zei: 'Ik mag niet over de zaak praten. Het spijt me.'

Toen ging ze naar binnen.

Lotte Holst was bezig met de was. Ze keek net zo opstandig en onbehulpzaam als haar zus.

'Ik heb je alles verteld wat ik wist. Wat kan ik nog meer zeggen?'

'Je bent de enige die van deze relatie op de hoogte was. Ik begrijp nog steeds niet...'

'Het was Hartmann, hè?' vroeg Lotte terwijl ze kleren van de jongens in de machine propte.

'Wat is er afgelopen zomer gebeurd?'

Pernilles zus bleef zwijgend de was sorteren.

'Ik heb de e-mails op de datingsite van de nachtclub gelezen,' zei Lund terwijl ze de uitdraai uit haar tas haalde.

'Ik werk daar niet meer.'

'Er is iets met die mails. Hij wil haar nog steeds zien, maar zij antwoordt steeds minder vaak. Heeft ze aan jou verteld dat het uit was?'

Lotte aarzelde.

'Nee, maar ze was een beetje op hem afgeknapt. Dat kon ik wel zien. Misschien had ze een ander. Dat weet ik niet.'

Ze gooide waspoeder in de machine, sloot het deurtje en zette hem aan.

'Nanna was ontzettend romantisch. Zo zijn tieners nu eenmaal. Niet dat ze zichzelf een tiener vond. Ik denk dat ze van de ene grote liefde naar de volgende ging. Waarschijnlijk elke week één.'

'Kwam Hartmann wel eens langs bij de nachtclub?'

'Ik heb hem daar nooit gezien.'

'En hoe zat het met het eerste weekend in augustus? Lotte, dit is belangrijk.'

Ze liep terug naar de huiskamer en zei niets.

'Op vrijdag,' ging Lund door, 'schrijft hij dat hij de volgende dag de stad uit gaat. Hij wil haar wanhopig graag zien. Hij heeft haar gebeld. Maar...'

'Maar wat?'

'We hebben dat telefoontje van Hartmann niet kunnen traceren. En hij is dat weekend de stad niet uit geweest.'

Lotte pakte haar tas, haalde haar agenda tevoorschijn en keek erin.

'We hadden die dag een vip-event. Dan krijg je grote fooien.'

'Wat is er gebeurd?'

'Wacht, er schiet me iets te binnen. Ik moest haar vragen om haar telefoon op de trilfunctie te zetten. Ze kreeg constant sms'jes.'

'Van wie?'

'Dat weet ik niet. Ze heeft ze niet beantwoord.'

Lotte zweeg ineens.

'Wat?' vroeg Lund.

'Ik herinner me dat ze me vroeg om haar bestellingen rond te brengen. Ze moest buiten met iemand praten. Ik had de pest in. Ze vroeg me altijd om haar te dekken. Ze bemoeide zich met alles. Ze pikte m'n kleren in.'

Een plotselinge vlaag van woede.

'Nanna was echt niet zo'n lieverdje. Ik weet dat ik dat niet mag zeggen, maar...'

'Heb je de man gezien die ze toen moest spreken?'

'Iemand met een auto. Ik heb even gekeken. Ik wilde wel weten wat er zo belangrijk was dat ik Nanna's werk moest overnemen.'

'Wat voor auto?'

'Gewoon een auto.'

'Sedan? Station? Wat voor kleur?'

'Ik weet het niet.'

'Heb je de bestuurder gezien?'

'Nee.'

'Het merk? Iets opvallends aan de auto. Wat dan ook...'

Lunds stem ging met haar op de loop en ze kon er niets aan doen.

Lotte schudde haar hoofd.

'Helemaal niets,' zei Lund. 'Weet je dat zeker?'

Ze dacht nog even na.

'Volgens mij was hij wit.'

Rie Skovgaard las de brief en zei: 'Dat is snel.'

'Wat staat erin?'

Ze liet hem aan Morten Weber zien. Een officieel bericht van het secretariaat van het Rådhus waarin ze verzocht werden voor de volgende ochtend hun kantoren te ontruimen.

'Dat kunnen ze niet maken.' Weber wapperde met de brief. 'Dat kunnen ze echt niet maken. De kiescommissie vergadert pas vanavond.'

'O, jezus christus. Hij zit in de gevangenis op verdenking van moord. Wat had je dan gedacht?'

'De advocaat gaat met hem praten. We komen er wel uit.'

Ze zag er doodop uit, volkomen uitgeput. Haar haren zaten in de war. Ze had geen make-up op. Haar ogen stonden moe en kwaad.

'Zolang Troels niet praat, komen we er niet uit.'

Twee mannen van de technische recherche in hun witte overalls klopten op de openstaande deur, liepen naar binnen en gingen aan de slag. Skovgaard liep naar het aangrenzende kantoortje van Hartmann. Weber kwam achter haar aan.

'Kun je niet met je vader praten, Rie? Die heeft connecties.'

'Connecties?'

'Ja.'

'Vertel me wat er gebeurd is. Wat heeft Troels dat weekend gedaan?'

'Ik weet het niet...'

'Lieg niet tegen me! Ik heb je gebeld om te zeggen dat Troels weg was. Ik had geen idee waar hij zat. Jij zei dat hij het op een zuipen had gezet.'

'Rie...'

'Jij maakte je geen zorgen, omdat je wist waar hij was.'

'Het is niet...'

'Hij heeft het jou verteld. Hij kon het mij niet vertellen. Weet je wel hoe dat voelt?'

Hij wist niet wat hij daarop moest zeggen.

'Wat voerde hij uit?' vroeg Skovgaard opnieuw.

Weber zuchtte. Hij ging zitten, zag er oud en vermoeid uit.

'Troels is mijn oudste vriend.'

'En wat ben ik dan?'

'Ik heb hem beloofd dat ik m'n mond zou houden.' Hij keek haar strak aan. 'Tegenover iedereen.'

'Wat is dan het grote geheim? Een andere vrouw? Moeten we dit allemaal doormaken omdat hij tegen mij niet durft te zeggen dat-ie vreemdgaat?'

'Nee.' Weber schudde zijn hoofd. 'Natuurlijk niet.'

'Dus het gaat om zijn vrouw? Het heeft met haar te maken.'

Hij meed haar woedende blik.

'Geef antwoord. Ik weet dat het hun trouwdag was. Wat heeft hij gedaan?'

Weber trilde en zweette. Hij moest nodig iets eten. En een borrel.

'Wat,' herhaalde Rie Skovgaard, 'voerde hij uit?'

Lund wachtte op Hartmann in dezelfde bezoekerskamer waar Theis Birk Larsen onlangs zat. Hij verscheen in een blauwe gevangenisoverall, moest zijn schoenen uittrekken en werd tijdens het hele gesprek in de gaten gehouden door de bewaker.

Ze ging zitten, legde haar handen op haar benen in de spijkerbroek. Ze had het warm in haar wollen trui.

Hartmann was ongeschoren. Hij zag er gebroken uit, een schaduw van die trotse, knappe politicus uit het Rådhus.

Het duurde even, maar uiteindelijk trok Troels Hartmann een stoel bij.

Met glanzende ogen, wanhopig, keek Lund hem aan en toen zei ze: 'Ik heb echt je hulp nodig. Die avond in de flat… heb je toen een witte stationwagen gezien?'

Hartmann keek haar zwijgend aan.

'Stond hij op de binnenhof toen je wegging? Of op straat?'

Hij keek uit het raam naar het magere winterzonnetje buiten. Ze wist niet of hij haar wel gehoord had.

'Heeft iemand op het stadhuis een witte stationwagen?'

'Voor zover ik weet, Lund, ben ik gearresteerd omdat ik in een zwarte auto rij. Waarom val je me lastig met deze onzin?'

'Het is belangrijk.'

'Als jullie op zoek zijn naar een witte auto, waarom zit ik dan verdomme in de bak?'

'Dat is je eigen schuld. We hebben het huisje van je vrouw gevonden. Ik weet wat je die nacht gedaan hebt.'

Hartmann sloeg zijn in blauw gestoken armen om zijn borst.

'Opgerolde handdoeken onder de deur. Matrassen voor de ramen. Kranten in alle kieren en een openstaande gasoven.'

Hij bleef gemelijk zwijgen.

'Misschien werd je gestoord. Misschien had je het lef niet. Ik weet het niet.'

Hij keek weer naar het raam.

'Is het zo vernederend voor een man om te zeggen dat hij dronken is geworden en heeft geprobeerd zelfmoord te plegen? Zou je daarmee stemmen kwijtraken? Of Rie Skovgaard? Of je trots?'

De man in de blauwe gevangenisoverall was onbereikbaar.

'Was het de prijs waard?'

Geen antwoord.

'Het maakt mij weinig uit, Hartmann. Maar ik heb je hulp nodig. Dan kun jij hier weer weg om je spelletjes in het Rådhus te spelen. Terwijl wij erachter proberen te komen wie van jullie daar Nanna Birk Larsen vermoord heeft.'

'Jij weet helemaal niets,' mompelde hij.

'O nee? Het stond in je dagboek. Toen je vrouw ziek werd, zeiden de artsen dat ze behandeld moest worden. Ze weigerde. Ze was zwanger. Ze wist dat het slecht was voor het kind. Dus…'

Hij keek haar nu aan en voor het eerst, dacht ze, zag Troels Hartmann er bang uit.

'Ik denk dat je je schuldig voelt. Het vreet volgens mij elke dag aan je. Stel dat we voor behandeling hadden gekozen. Dan leefde ze nu nog. Misschien het kind ook wel. En zo niet, dan was er altijd nog de kans op een nieuw kind.'

Zijn blauwe ogen glansden van woede.

'Ik denk dat je je schuldig voelt,' zei ze weer. 'En die nacht besefte je dat – hoe hard je ook werkt in dat dierbare lege wereldje van je in het Rådhus – het leven dat je liefhad nooit meer terug zou komen. Dus heb je het opgegeven.'

Lund knikte.

'Die sterke, onverschrokken, fatsoenlijke Troels Hartmann heeft zijn duivels laten winnen. En de gedachte daaraan boezemt je zo veel angst in dat je liever wegrot in de gevangenis dan dat je dat toegeeft. Dus…'

Ze leunde achterover en glimlachte naar hem. Opgelucht dat eindelijk, in deze grote warboel van losse eindjes, één los eindje ergens toe leek te leiden.

'Ga je me nu helpen of niet?'

Ze wachtte. Niets.

'Jij denkt zeker dat je zoveel te verliezen hebt. Maar dat is niet zo, Troels. Echt niet.'

Meyer had een lijst van witte auto's die regelmatig in de garage van het Rådhus geparkeerd werden.

Lund nam een paar aspirientjes tegen de hoofdpijn en keek er niet naar. Ze had zo haar best gedaan met Hartmann. Ze had de puntjes met elkaar verbonden en hem dat laten weten. En nog steeds was er niets veranderd. Nog steeds lag het spoor naar de moordenaar van Nanna in het duister verborgen.

Als hij zijn mond niet opendeed, dan moest hij maar wegrotten in zijn cel.

'Ik heb het nagetrokken bij de controle,' zei Meyer. 'Eén auto is vlak nadat Olav met Bremer praatte weggereden uit de garage.'

Ze pakte het papier op.

'Welke?'

'Halverwege de lijst.'

'Van Phillip Bressau. De persoonlijke secretaris van Bremer. Wat weten we over hem?'

'Getrouwd. Twee kinderen. Bremers rechterhand.'

'En de auto?'

'Is sindsdien niet meer terug geweest in de garage. Hij is gisteren met de auto van zijn vrouw naar zijn werk gekomen.'

'Bressau.'

Ze stond op en pakte haar tas.

Vijf gestalten rond een kuil in de grond. Bruine aarde die over groen gras was geschept. Een koude, zonnige winterdag. Duiven klapperden met hun vleugels in de kale bomen. Anton en Emil hadden zwarte warme kleren aan. Pernille zag er bleek en streng uit in haar lichtbruine regenjas. Lotte was te kleurig gekleed voor de gelegenheid.

De hoofdopzichter van het kerkhof droeg een groen bedrijfspak en overschoenen. Hij hield de turkooiskleurige urn voor zich uit.

Zo klein. Met alleen as erin.

'Wilt u hem plaatsen?' vroeg hij.

Pernille nam de urn aan, bukte zich en liet hem met trillende handen in de grond zakken.

Ze stapte achteruit en keek. Het voelde alsof ze droomde.

'Is dat Nanna?' vroeg Anton.

'Ja,' zei Lotte. 'Ze is nu as.'

'Waarom?'

Lotte aarzelde even.

'Dan kan ze makkelijker naar de hemel.'

De jongens keken elkaar aan en fronsten hun wenkbrauwen. Ze hielden niet van Lottes verhaaltjes.

'Dat is toch zo, Pernille?'

'Wat?'

Lotte probeerde naar haar te glimlachen.

'Ja,' zei Pernille. 'Dat is zo.'

'Wanneer komt papa?' vroeg Emil.

De man van het kerkhof kwam met een grote krans aanlopen, met een kroon van rozen.

'Die komt later,' zei Lotte.

'Waarom is hij er nu niet?'

Pernille staarde naar de krans.

'Wat is dat? Die heb ik niet besteld.'

Hij haalde zijn schouders op. Legde de krans bij de kuil voor de urn.

'Hij is vanochtend bezorgd.'

'Van wie is die?'

'Er zat geen kaartje bij.'

'Hij is prachtig,' kwam Lotte tussenbeide.

Pernille schudde haar hoofd.

'Jullie moeten toch weten van wie hij is.'

Lotte had een paar losse witte rozen bij zich. Ze gaf beide jongens er een en zei tegen hen dat ze hem bij de urn moesten leggen. Dat deden ze: twee kleine zwarte figuurtjes in de zon. Voor hetzelfde geld speelden ze op een kil strand bij de Øresund.

'Goed zo,' zei ze toen ze klaar waren.

Pernille keek om zich heen. De kleine rechthoekige vijver vol rottend hout en algen. De grafstenen met hun mossen en schimmels. Het stonk hier naar rotting en verval. Ze voelde zich misselijk worden.

Toen bukte ze zich, pakte de enorme krans op en gaf hem aan de man van het kerkhof.

'Neem maar weer mee. Ik wil hem hier niet hebben.'

Lotte tuurde naar het gras. De jongens keken bang.

'Ik wil deze plek ook niet,' zei Pernille. 'Ik vind het hier niet prettig. Er is vast wel een ander plekje.'

De man stond er met de krans in zijn armen nogal ongemakkelijk bij.

'U hebt deze plek uitgekozen.'

'Ik wil haar hier niet begraven. Zoek maar iets anders.'

'Pernille,' zei Lotte. 'Het is een heel mooi plekje. Dat vonden we allemaal. Het is perfect.'

Pernille keek hen allemaal woedend aan. Ze verhief haar stem.

'Ik wil die krans niet. En ik wil deze plek niet.'

'Ik kan hier niets aan veranderen,' zei de man. 'Als u een andere plek wilt, dan zult u dat op moeten nemen met kantoor.'

'Neem het zelf op met kantoor! Ik heb toch betaald, nietwaar?'

Ze liep weg en keek naar de kleine vijver.

Het rottende hout. De algen.

Een in rood geklede gedaante kwam over het pad aanlopen.

Vagn Skærbæk wierp een blik op Pernille en liep toen naar Lotte.

'Heb je al iets van hem gehoord?' vroeg hij.

'Nee. Waar zit hij toch?'

Hij keek naar de vrouw bij het water.

'Er is een krans gekomen zonder afzender,' fluisterde Lotte. 'Ze haalt zich van alles in haar hoofd. Ik weet het niet…'

Skærbæk pakte de krans en liep naar de rand van de vijver.

'Pernille, die krans hebben wij besteld. Rudi en ik hebben geld ingezameld onder de collega's. Het spijt me. We wisten niet wat we op het kaartje moesten zetten en daarom hebben we gewoon gevraagd of ze hem hier wilden afleveren.'

Ze keek hem uitdrukkingsloos aan.

Hij stak haar de krans van laurierbladeren toe met zijn kroon van rozen. 'Hij is van ons.'

Ze schudde haar hoofd en keek weer naar het dode water.

'Wanneer komt papa?' jammerde Emil.

Aan de andere kant van Vesterbro, in een van de armere, ruwere, vuilere buurten waar hij vroeger als jonge ambitieuze bad boy vaak kwam, zat Theis Birk Larsen te drinken. Grote glazen sterk bier van de Vesterbro Bryghus. Een glaasje aquavit ernaast.

Zoals het vroeger was. Zoals de lange dagen verstreken voor Pernille er was. Geld verdienen op straat. Werken met dealers en bendes. Inpikken wat er op zijn pad kwam.

Eens had hij deze bar binnen kunnen lopen en alle aanwezigen met een blik het zwijgen kunnen opleggen. Maar dat was lang geleden. Niemand kende hem meer. Die jongen van vroeger was veranderd in een ijverige, fatsoenlijke huisvader met een klein bedrijfje zeven blokken verderop, een bedrijfje dat hem weghield van deze oude, veelbezochte en dierbare stek, en van zijn oude gewoonten.

Zijn grote hand hield het koude glas omklemd. Hij bleef gestaag doordrinken. De pijn werd erdoor verdoofd, maar niet weggenomen. Maar verdoving was genoeg.

Achter zich hoorde hij het getik van biljartballen en de vuilbekkerij van de jongens die deden wat hij ooit gedaan had.

Misschien deden ze nog wel ergere dingen.

Het waren slechte tijden, ook al probeerde hij te doen alsof het niet zo was. De jacht op geld en kansen. De wanhopige opgave om in leven te blijven. Het leven was nog nooit zo zwaar geweest en een man kon wel pantsers om zich heen optrekken, maar geen enkel pantser kon hem hiertegen beschermen. Of zijn gezin beschermen.

Theis Birk Larsen rookte en dronk en probeerde zijn gedachten uit te bannen, luisterend naar de kinderlijke, te harde popmuziek uit de radio en het getik van de biljartballen op het laken.

Ergens verdween er een urn met de resten van Nanna in de aarde.

Niets wat hij kon zeggen of doen kon daar verandering in brengen. Hij was tekortgeschoten jegens haar. Hij was tekortgeschoten jegens hen allemaal.

Hij dronk zijn glas leeg, zijn hoofd tolde. Hij keek om zich heen. Eens was hij de koning geweest in dit soort cafés. Zijn stem, zijn vuisten hadden geregeerd. Een andere Theis. Een andere, hardere man.

Zou die man haar gered hebben? Was dat de les die hij hieruit moest trekken? Dat een man was wie hij was, hoe hij ook probeerde om te veranderen, zich aan te passen, te gehoorzamen en om dat vormeloze, ontastbare iets te worden dat 'goed' genoemd werd.

De leraar, Kemal, had zijn roots ook vergeten. En daarvoor de prijs betaald.

Had hij maar...

Hij stond met een slingerende beweging op, wankelde naar de uitgang, stootte tegen een jongen bij het biljart aan.

Birk Larsen duwde hem ruw opzij zoals hij dat vroeger altijd gedaan had. Met een waarschuwing en een vloek.

Hij strompelde verder. Zag de uitgestoken voet van de jongen niet. Viel kreunend op de harde vloer.

Herinneringen.

Zo veel vechtpartijen, en hij had er nooit een verloren. Sommige gingen heel ver...

Hij rolde door het vuil en de sigarettenpeuken op de vloer, hoorde hun gelach. Met een kreun kwam hij overeind.

Hij greep de keu van de jongen die hem had laten struikelen, hield hem als een zwaard, als een wapen in zijn hand. Als de moker die hij boven de smekende, bloedende buitenlander in het depot had gezwaaid, terwijl Vagn Skærbæk aan één stuk door jammerde.

De jongen had een zwart jack aan en een zwarte wollen muts op. Zijn gezichtsuitdrukking was zowel bang als uitdagend.

Theis Birk Larsen kende dit gezicht. Hij had zijn hele leven met hem geleefd.

Dus vloekte hij en gooide de keu op het biljart, wankelde naar buiten en vroeg zich af waar hij naartoe zou gaan.

Deze straten, die eens zijn thuis waren geweest, waren hem nu vreemd. Hij kwam bij een verlaten poort, ritste zijn broek open en begon te pissen. Hij had amper afgeschud toen ze op hem doken. Ze waren met z'n vijven: capuchons over hun hoofd getrokken, zwaaiend met hun vuisten. Een biljartkeu zwiepte om zijn hoofd.

'Hou 'm vast,' gilde iemand en twee slappe armen probeerden Birk Larsen tegen de muur aan te duwen waar hij net nog tegenaan gepist had. Een laars vloog naar zijn kruis.

Kinderen.

Hij wierp er twee van zich af, pakte de derde in zijn nekvel, sleurde hem over de smalle straat en drukte het magere, slappe figuurtje tegen het afbrokkelende pleister van de muur.

Hij haalde zijn grote vuist naar achteren, klaar om toe te slaan. Eén harde, wrede stoot en dan werd dit een dag die de jongen nooit meer zou vergeten. Een dag waarop zo veel schade werd aangericht dat het hem de rest van zijn treurige leven zou bijblijven.

Birk Larsen hield nog even in en keek.

De capuchon was afgegleden. Het gezicht dat vol haat naar hem terugkeek, was van een meisje. Niet ouder dan zestien. Een ringetje door haar neus. Tatoeages boven haar ogen.

Een meisje.

Op dat moment vielen ze hem met zo veel woede aan dat hij wist dat hij verloren was.

Laarzen en handen en knieën. De keu en wild zwaaiende vingers. Ze pakten zijn portemonnee en zijn sleutels. Ze vloekten tegen hem, spuugden naar hem, pisten op hem. Birk Larsen deed wat hij nooit eerder had gedaan, hij rolde zich tot een bal op, als een slachtoffer, maakte zich klein op de grond. Een houding die hij vaak gezien had, maar nooit van zichzelf.

Een harde klap tegen zijn hoofd en de dag werd nacht.

Toen een stem. Ouder, bozer, die luid riep.

'Wat doen jullie daar! Wat in godsnaam…'

Hij lag in de goot. Hij was dronken. Hij had pijn.

En zij waren weg.

Met een bloedende hand, steunend tegen de muur, kwam hij wankelend overeind.

Een vrouw. Van middelbare leeftijd, met een fiets aan de hand.

'Gaat het?'

Zijn hoofd tegen de koude bakstenen. Theis Birk Larsen gaf over. Bloed en bier. Iets van de duisternis binnen in hem.

'Ik bel de politie,' zei de vrouw.

Hij braakte nog een keer. Legde zijn hand op haar schouder. Ze schrok terug, ontworstelde zich aan zijn greep.

'Geen politie,' mompelde hij. Hij hoestte en wankelde het licht tegemoet.

Ze fietste door. Toen hij weer alleen was, merkte hij dat hij niet kon staan. Als een gevelde boom stortte Theis Birk Larsen neer op de kapotte keien van Vesterbro, knielde, rolde toen om, liet zich overspoelen door de duisternis als door de zwarte, modderige wateren van de Kalvebod Fælled.

In de verhoorkamer stond Hartmann tegenover zijn advocaat.

'Het bewijs is louter indirect, Troels. Ik verwacht niet dat de rechter het voorarrest op grond hiervan gaat verlengen. Maar als ze iets in je huisje vinden…'

Hij zat daar in zijn blauwe gevangenisoverall, zwijgend en ellendig.

'Hoe meer je me vertelt, hoe beter ik je kan helpen.'

Niets.

'Begrijp je dat?'

Niets.

Ze schikte haar papieren, slaakte een knorrig, afkeurend zuchtje.

'Goed. Ik kom morgen terug. Misschien ben je dan wel in de stemming om met me te praten.'

Hij keek toe hoe ze haar dossiers op een stapeltje legde en ze in haar koffertje stopte.

'Hoe gaat het in het stadhuis?'

Ze hield op met waar ze mee bezig was en staarde hem aan.

'Wat denk je? De kiescommissie is met Bremer meegegaan. Ze hebben de knoop doorgehakt.'

'En dat is definitief? Weet je dat zeker?'

Haar gezicht stond hard. Harder dan gewoonlijk.

'Ik ben een strafpleiter. Geen politiek jurist. Zoals ik het begrepen heb, is de beslissing gevallen. Het moet vanavond alleen nog maar door de gemeenteraad.'

Ze keek hem strak aan.

'Dan ben je verleden tijd, Troels. Jammer. Ik heb geld in jouw campagne gestoken. Wat heeft me in hemelsnaam bezield?'

Hij luisterde amper naar haar.

'Hoe laat is die vergadering?'

De vrouw sloeg haar armen over elkaar.

'Ik ben blij dat je hebt besloten om met me te praten. Misschien kunnen we overleggen over je verdediging?'

'Wil je mij een exemplaar van de statuten van de gemeenteraad bezorgen?'

Even een stilte. Toen zei ze: 'Waarom?'

'Ik moet iets weten over de kiescommissie. Ik moet het fijne weten van...'

'Troels! Je wordt van moord beschuldigd! Ben je gek geworden?'

Een grimmig lachje, niet langer dan een seconde.

'Nee, absoluut niet. Haal Brix. Zeg hem dat ik bereid ben te praten. Ik zal hem vertellen wat ik dat weekend gedaan heb.'

Ze zocht in haar koffertje en haalde haar blocnote tevoorschijn.

'Hè hè. Vertel maar.'

Weer die glimlach. Langer nu, met meer zelfvertrouwen.

'Sorry, maar hier heb ik geen tijd voor.'

Hij graaide de blocnote uit haar handen en begon te schrijven.

'Ik wil dat je contact opneemt met de openbaar aanklager. Regel zo snel mogelijk een afspraak. Het is belangrijk dat de politie de aanklacht voor het eind van de middag intrekt.'

'Je komt niet eerder vrij dan over een dag, op z'n vroegst.'

Hij was klaar met het briefje.

'Geef dit aan Morten.'

'Dat mag niet.'

'Er staat alleen maar in dat hij jou de waarheid moet vertellen. Dat willen ze toch; dat wil jij!'

Ze aarzelde.

'Ik moet vanavond vrij zijn. Alsjeblieft, help me.' Hij reikte haar het briefje aan. 'En nog bedankt voor je bijdrage.'

Phillip Bressau was aan het telefoneren toen Meyer en Lund zijn kantoor binnenkwamen.

Hij legde zijn hand over de telefoon.

'De burgemeester is er niet.'

'Dat hindert niet,' zei Meyer. 'We komen voor jou.'

'Kan het niet tot morgen wachten?'

'Vijf minuten maar.'

Ze gingen aan een lage tafel zitten. Lund maakte aantekeningen. Gedwee en gehoorzaam als een secretaresse.

'Voor het posterfeest die vrijdag,' zei Meyer, 'was er een bijeenkomst in Hartmanns kantoor. Was jij daar ook?'

Bressau was netjes gekleed voor een zaterdag. Een keurig geperst pak, blauw overhemd, das.

'Ja, even.'

'Heb je Hartmann daar ook gezien?'

'Nee, ik ben niet lang gebleven. Ik moest werken. Waar gaat dit over?'

'Gewoon routine,' zei Lund. 'Toen je Hartmann op 3 augustus zag…'

'Wat?'

'Hartmann zegt dat hij jou het weekend van de derde gesproken heeft.'

'Ik heb Hartmann niet gezien.'

Meyer keek naar Lund.

'Weet je dat zeker?' vroeg Lund.

'Absoluut. Zegt hij dat dan?'

'Ja.'

'Dat kan niet.'

Bressau haalde zijn agenda tevoorschijn.

'Nee. Op 3 augustus was ik in Letland op een officieel bezoek met de burgemeester. We zijn op zaterdagochtend weggegaan. Hartmann maakte geen deel uit van de delegatie.'

'Nou, dat is dan duidelijk,' zei Lund en ze maakte een aantekening.

'Was dat het?'

Bressau stond op.

'Niet helemaal,' zei Meyer. 'Mag ik je autosleutels hebben?'

'Wat?'

'Je krijgt een vervangende auto van ons.'

'Hij is hier niet.'

'Waar is hij dan wel?'

'Wat moeten jullie met mijn auto?'

'Ik ben gewoon heel erg nieuwsgierig,' zei Meyer tegen hem.

Voetstappen bij de deur. Poul Bremer kwam binnenstampen, wierp hen een boze blik toe en zei: 'Wat is hier verdomme aan de hand?'

Bressau haalde zijn schouders op.

'Ze ondervragen mij nu.'

Jan Meyer lachte.

'Wat zijn jullie toch een gevoelig stelletje. We hebben alleen wat vragen over Hartmanns doen en laten. Dat is alles. Werkelijk…'

'Hebben jullie daarom de beveiliging ondervraagd over de auto van Bressau?'

Poul Bremer keek woedend. De twee politiemensen zwegen.

'Er gebeurt hier niets zonder dat ik ervan af weet,' zei de oude man. 'Het ziet ernaar uit dat ik weer met jullie chef moet spreken.'

Bremer knikte naar de deur.

'Doe hem achter jullie dicht, ja?'

Op de terugweg naar het bureau vaardigde Lund een opsporingsbevel uit voor de auto van Bressau. Een witte stationwagen, kenteken YJ 23 585.

'De auto moet op het lab onderzocht worden.'

Meyer reed. Niet meer zo snel. Geen sigaretten. Geen banaan.

'Als hij Nanna eenentwintig keer vanuit Letland heeft ge-sms't, dan moet dat iemand opgevallen zijn,' zei Lund.

Meyer knikte.

'Er waren tien mensen mee op dat uitje,' zei hij. 'Zeven zakenlieden.'

'Iemand die niet in het kamp van Bremer zit?'

'Eentje maar. Jens Holck van de Gematigden.'

Ze moest opeens denken aan die in het zwart geklede gedaante op de video van de tv-verslaggeefster die van Hartmanns posterfeest wegvluchtte.

'We vragen zijn adres op,' zei Lund.

Toen Theis Birk Larsen bijkwam bevond hij zich op een smal hard stapelbed in een kleine kamer met witte muren. Het rook er naar verschaald bier, naar mannen en naar zweet. Opgerolde slaapzakken en rugzakken lagen over de vloer verspreid. Hij was niet de enige in de kamer. Halfnaakte mannen lagen onder dunne lakens te snurken en te kreunen.

Zijn ledematen deden pijn. Hij zat onder de snijwonden en de blauwe plekken.

De deur ging open. Er kwam iemand binnen die zei: 'Je bent dus wakker.' Het licht werd aangeknipt. De man hurkte neer bij zijn bed. Hij had een oud bruin vest aan en hij had lang grijs haar. Een gezicht met een snor en vol rimpels, als een gevallen heilige.

'Hoe voel je je?'

'Waar zijn mijn spullen?'

'Je bent in elkaar geslagen. Ze hebben bijna al je spullen meegenomen.'

Hij kwam half overeind in het bed. Het bed boven hem was zo laag dat hij niet rechter op kon zitten.

'Waar ben ik?'

'In het hostel van het Heilige Kruis. Ik ben de herbergvader. Je lag in een portiek in Skydebanegade. Je wilde niet naar het ziekenhuis. Je wilde niet naar huis bellen. Dus hebben we je hiernaartoe gebracht. Je hebt niets gebroken. Dat hebben we gecontroleerd.'

Hij probeerde het bed uit te komen, maar dat lukte niet.

'Je praatte over je dochter.'

Hij lag weer op de harde matras, staarde naar het ijzeren frame, dacht na, had pijn.

'Jij bent Theis Birk Larsen,' zei de herbergvader. 'Een paar mannen uit Vesterbro herkenden je. Je had nogal een reputatie, heb ik begrepen.'

Birk Larsen veegde met zijn hand over zijn gezicht, keek naar het bloed.

'Het is oké. Blijf rustig liggen. Ik ga soep voor je halen.'

Eén laatste poging. Hij pakte het ijzeren frame beet.

'Nee, ik kan niet blijven.'

Op de rand van het bed. Geen schoenen. Geen jas. Niets dat van hem was. Hij was een beschadigde man van middelbare leeftijd, eens de koning van de buurt, en nu een oude, bebloede dwaas.

'Het zou het beste zijn als je hier een nachtje bleef,' zei de man.

Birk Larsen probeerde te bewegen, maar dat ging niet. Met een lange, gepijnigde kreun viel hij terug op de lakens.

'Misschien kunnen wij helpen, Theis.'

'Nee, dat kunnen jullie niet,' zei hij meteen.

'Misschien…'

'Ik zei, dat kunnen jullie niet.'

Birk Larsens machtige hand, met schaafwonden op de knokkels, blauwe plekken op de pols, kwam omhoog en wees naar een kruis in de hoek.

'Jullie kunnen niet helpen, en hij ook niet.'

Het bleke gezicht van de man vertrok even. Het was geen prettig gezicht.

'Goed, ik haal wat soep,' zei hij.

Het twistgesprek op de begraafplaats ging door zonder dat er een oplossing in zicht kwam. Het was donker toen ze weggingen. Lotte reed. De jongens zaten stil en angstig achterin.

Pernille keek naar de lichtjes van de stad terwijl ze zich een weg zochten door het drukke zaterdagavondverkeer. Ze had niets meer gezegd na de vlammende ruzie in het kantoortje van de begraafplaats. Vagn was teruggegaan naar de garage om een paar orders te verwerken. Lotte had het gevoel dat het allemaal op haar neerkwam.

'Wat willen twee hongerige jongetjes eten?' vroeg ze zo opgewekt als ze kon.

Ze zouden onderweg langs Tivoli komen. De kermis zou verlicht zijn. Als ze het geld had gehad, had ze hen uit pure wanhoop mee daarnaartoe genomen.

'Ik weet het niet,' zei Emil op dreinerige toon.

'Papa's pannenkoeken met jam!' riep Anton.

Emil gaf hem een klap voor die opmerking. Lotte hoorde het.

Pernille zat naast haar, nog helemaal verdwaasd van de ruzie op het kerkhof.

'Oké,' zei Lotte. 'Dan worden het pannenkoeken.'

Stoplichten. Groepjes mannen en vrouwen die naar de cafés gingen. Zaterdagavond in de stad.

'In dat geval,' voegde Lotte eraan toe terwijl ze in het achteruitkijkspiegeltje naar ze glimlachte, 'hebben we melk en eieren nodig.'

Ze wendde zich tot haar zuster.

'Pernille?'

Die wilde blik waar Lotte zo'n hekel aan had.

'Het is oké,' zei ze snel. 'Ik bak ze wel.'

'Lotte.'

Pernille had haar hand op het portier. Het zag eruit alsof ze ieder moment tussen het rijdende verkeer uit kon stappen.

'Wil jij vanavond op de jongens passen?'

'Natuurlijk. Als jij dat wilt. Hoezo?'

Pernille gaf geen antwoord. Ze draaide zich om en zei: 'Jullie gaan vanavond met tante Lotte mee pannenkoeken eten. Goed?'

Ze zeiden even niets. Toen vroeg Anton: 'Kom jij dan niet?'

Ze keek weer naar het verkeer, naar de lichten en naar de mensen op straat.

'Nee.'

Een kruispunt. Cafés. Neonlicht. Mensen. Anonimiteit in de avond.

'Laat me er hier uit.'

Lotte reed door.

'Laten we naar huis gaan. Ik weet zeker dat Vagn Theis inmiddels gevonden heeft.'

Pernille pakte haar tas op.

'Laat me er hier uit,' zei ze opnieuw.

De auto reed door.

Ze schreeuwde nu.

'Ik zei: laat me eruit! Laat me, laat me...'

Met kloppend hart en ogen vol tranen parkeerde Lotte langs de stoep. Haar zus was ogenblikkelijk verdwenen, zonder nog iets te zeggen.

Hartmann zat weer in de verhoorkamer met zijn advocaat en een gevangenenbewaker, tegenover Brix aan de andere kant van de tafel.

Hij was rustig, leek weer een beetje op zijn oude zelf. Hij had het over die vrijdag, over het feestje, de vergaderingen, de onderonsjes in de kronkelige gangen van het labyrint dat het Rådhus was.

'Geloof je in God?' vroeg hij aan Brix.

'Ben ik hiervoor gekomen?' mopperde de politieman.

'Nee. Je kwam voor je eigen plezier. Om mij te zien zweten.'

'Troels...' De advocaat keek bezorgd. 'Brix doet jou een plezier.'

'Een plezier,' mompelde Hartmann.

Brix zuchtte en keek op zijn horloge.

'Ik geloof niet in God,' zei Hartmann. 'Nooit gedaan ook. Maar soms vraag ik me wel eens af of dat niet gewoon een soort... lafheid is. Omdat het ergste van alles zou zijn om te geloven en alles wat je hebt in dat simpele geloof te leggen, en dat je dan op een goede ochtend wakker wordt en ontdekt dat het allemaal een grote, wrede grap is.'

'Troels...' zei de vrouw weer.

'Begrijp je het niet?'

De vraag was aan Brix gericht, niet aan haar.

'Die avond in het Rådhus. Het was onze trouwdag. Ik was omringd door al die glimlachende geweldige mensen. Mijn gezicht stond op die posters. Iedereen hield van Troels Hartmann.'

Een kille, scherpe blik over de tafel.

'De man die een einde zou maken aan het Bremer-tijdperk.'

Hartmann lachte, om zichzelf, om zijn eigen domheid.

'En het betekende helemaal niets. Dat wist ik toen. Al die champagne, al die hapjes en felicitaties. Ik dacht alleen maar aan haar. Aan hoezeer ik haar miste. Aan wat ik kwijt was. Voorgoed...'

Met gesloten ogen herbeleefde hij het weer.

'En niemand zag iets. Ze zagen alleen Troels Hartmann, die zijn werk deed. Die lachte, grapjes maakte en glimlachte. En ondertussen vroeg ik me steeds af... waarom?'

Hartmanns vingers tikten op zijn borst.

'Wat heb ik gedaan dat ik dit verdiende? Deze… zinloosheid… Deze rot-zooi.'

Hij haalde zijn schouders op.

'Ik was de predikant die een brief van God kreeg met de boodschap: je bent nog dommer dan ik dacht. Dus ik deed wat ieder goed, braaf mens zou doen. Ik sloop weg en heb me bezat. Zo…' Hij knikte naar Brix. 'Een bekentenis.'

'En toen?'

'Ik kon Rie niet onder ogen komen, dus heb ik een taxi gebeld en ben naar het huisje gegaan.'

Zijn blik dwaalde af naar het raam en de donkere nacht buiten.

'Mijn vrouw was dol op die plek. Het was haar huisje.'

'Het raam?' vroeg Brix.

'Toen ik er was, besefte ik ineens dat ik geen sleutel bij me had, dus heb ik een ruit ingeslagen. Ik heb mezelf gesneden. Dat krijg je ervan als je dronken bent.'

'En je was alleen?'

'Met mijn herinneringen.'

'Hartmann…'

'Vraag me niet hoe het gebeurd is. Of vertel het mij. Ik kan het niet. Ik heb het geprobeerd. Geloof me. Misschien was het omdat ik dronken en dom en zielig was. En zwak.'

Hartmann tikte op de tafel en zei luider: 'Zwak. De zwakke man zei dat als ik er toch een eind aan ging maken, ik dat het beste in ons huisje kon doen.'

Een droge, holle lach.

'Kun je je voorstellen hoe idioot dat is? Ze was dol die plek.' Hij sloot gepijnigd zijn ogen. 'Wat zou ze gedacht hebben…'

Brix en de advocaat wachtten.

'Dus heb ik matrassen tegen de ramen gezet, handdoeken onder de deuren geschoven. Toen heb ik het gas opengedraaid en ben ik in bed gaan liggen wachten.'

Er werd op de deur geklopt. Meyer kwam binnen. Hij keek Brix aan en vroeg: 'Heb je even?'

'Nu niet.'

'Het is belangrijk.'

'Nu niet!'

Meyer bromde wat en ging weg.

Toen hij weg was, ging Hartmann verder.

'Toen ik de volgende ochtend wakker werd, was de deur opengewaaid. Ik had hem denk ik niet goed dichtgedaan. Of misschien was het dronke-

447

mansonhandigheid. Of misschien… misschien is zij langs geweest en zei ze: hier moet je mee ophouden, Troels, stoppen! Ik kan het niet verklaren, dus vraag me er niet naar. Toen kwam Morten. Die heeft me naar huis gebracht.'

'Morten Weber zal dit verhaal bevestigen,' zei de advocaat snel.

Brix zweeg.

'Dat was het,' besloot Hartmann.

'En je hebt ons dit niet verteld vanwege de verkiezingen? Je was bezorgd om je reputatie?'

Troels Hartmanns blik ontmoette die van Brix.

'Alles wat ik in vertrouwen tegen jullie gezegd had, stond de volgende dag al in de krant. Dat baarde me zorgen, dat geef ik wel toe. Ik was ook bezorgd om Rie. Ik wilde haar hierbuiten houden.'

Hij haalde diep adem en keek Brix aan.

'Maar ik schaamde me vooral,' ging hij verder, 'en ik was bang. Ik dacht dat door het toe te geven, ik dat zwarte monster weer toe zou laten in mijn leven. En daardoor ben ik een nog grotere stommeling dan ik dacht. Omdat in wezen…'

Hartmann lachte.

'Ik heb het juist verjaagd.' Hij keek Brix in de ogen. 'Kun je dat begrijpen?'

'Ja,' zei de politieman. 'Dat begrijp ik wel.'

'Nou, dat was het dan.'

Hij aarzelde.

'Gaan jullie dat nou in alle kranten zetten?'

'Ik denk het niet,' zei Brix.

Hij knikte naar de bewaker.

'Neem hem mee terug naar zijn cel.'

De man in uniform stond op. Hartmann ontweek hem.

'Ik heb jullie de waarheid verteld. Wat is dit nou?'

De advocaat was geërgerd.

'Dit is de waarheid,' zei ze. 'Morten Weber bevestigt zijn verhaal.'

'Ongetwijfeld,' zei Brix. 'Misschien leg ik hem wel medeplichtigheid ten laste.'

Hij gebaarde naar de bewaker.

Hartmann stond op, zijn armen omhoog, nog steeds in verzet.

'Ik moet in het Rådhus zijn. Nu.'

De bewaker greep hem beet. Hartmann hield zijn handen op.

'Bel Morten! Zit Bremer hier weer achter?'

'Ingerukt!' beval Brix. En hij keek toe hoe Hartmann de kamer uit gesleurd werd.

In de kamer ernaast nam Meyer rapporten van de technische recherche door. Brix kwam binnen, zag het stempel op de map en zei: 'Ik hoop van harte dat ze hard bewijs hebben gevonden dat Nanna Birk Larsen in dat huisje was.'

Meyer schudde zijn hoofd.

'Helemaal niets. Nog geen haartje. Geen bewijs van seksuele handelingen. Geen tekenen van geweld. Lund zei...'

Brix griste het verslag uit zijn handen en nam het door.

'Laat Lund maar kletsen. Er waren bloedsporen in de bijkeuken.'

'Ja. Vissenbloed. Heel oud.' Meyer leunde achterover op zijn stoel. 'Is vissenmoord een misdrijf? Ik kan me niet herinneren...'

Brix' telefoon ging over. Hij luisterde, blafte: 'Nee. Dat heb ik absoluut niet gedaan. Ik handel het wel af.'

Hij keek Meyer woedend aan.

'Heeft Lund een opsporingsverzoek uit laten gaan voor de auto van Phillip Bressau?'

'Je bedoelt die witte auto waar hij niets over kan vertellen? De auto die hij voor ons verbergt? Ja. Dat heeft ze inderdaad gedaan. Bressau is waarschijnlijk de bestuurder die is doorgereden.'

'Bressaus vrouw en kinderen zitten op het politiebureau in Soro. Ze zijn door een patrouillewagen aangehouden. Er zit geen krasje op die auto.'

'Het is een witte auto van het stadhuis. Ik geloof het niet, Brix. De auto die Olav Christensen heeft gedood kwam daarvandaan.' Meyer verloor bijna zijn zelfbeheersing. 'Iedere keer dat we in het Rådhus komen, worden we aan alle kanten door die klootzakken belogen. Waarom vind jij dat niet erg? Met wie heb je net gesproken?'

'Soms stel je me ernstig teleur. Waar is Lund?'

Meyer liet zijn vinger langs de adressenlijst en de notities over witte auto's glijden. Hij had het eerder te druk gehad om ermee door te gaan. Hij had nog geen twee derde van de lijst gecheckt. Tot op dit moment.

'Shit,' mompelde hij en toen pakte hij de telefoon.

Lund nam niet op. Ze had Jens Holck opgespoord bij een half voltooid gebouw in Valby en luisterde naar hem terwijl hij vertelde over het reisje naar Letland.

'Je hebt Phillip Bressau daar gezien?'

'Alleen op het vliegtuig heen en terug. Dat zegt niet veel. Bremer en Bressau hadden een aantal afspraken in Riga. De rest van het gezelschap is in Saldus gebleven.'

Holck zag er vermoeid uit. Hij had zich niet geschoren en het leek erop alsof hij gedronken had.

'Heeft Bressau veel getelefoneerd? Of ge-sms't?'

'Dat weet ik niet meer. Sorry, maar ik moet nu weg.'

'Heb je het reisplan van dat tripje nog? Hotels, dat soort informatie. Dat zou me geweldig helpen.'

Hij keek op zijn horloge.

'Ik kijk wel even,' zei Holck. 'Wacht hier maar.'

Ze keek hem na terwijl hij het gebouw weer in ging. Boven floepte er een licht aan. Lund liep naar de garage en ging de afrit af.

Het was een omgebouwde opslag. De kelder was groot, waarschijnlijk had hij eens als bedrijfsruimte gediend.

Ze haalde een zaklamp tevoorschijn. Scheen ermee in het zwarte gat voor zich uit.

Niets.

Ze liep door.

Aan het einde van de kelder stond iets dat was afgedekt met zwart zeildoek.

Lund keek op haar telefoon. Geen bereik.

Ze liep naar het zeil. Trok het bij de voorkant weg.

Deed een stap naar achteren en keek.

Een witte stationwagen. Voorruit aan diggelen en onder het bloed. Voorkant gedeukt. Ook daar bloed. De zijspiegel aan de bestuurderskant hing tegen het portier.

Genoeg.

Ze deed de zaklamp uit, liep de koude sombere avond weer in, naar haar auto.

De sleutels zaten niet in het contact.

Lund keek op het dashboard, op de vloer. Bleef zoeken.

Deed het dashboardkastje open, pakte de Glock vanonder het pakje Nicotinell en een pakje papieren zakdoekjes.

Ze hield het wapen omlaag en keek om zich heen.

'Holck?' riep Lund. 'Holck?'

Meyer reed alsof de duivel hem op de hielen zat. Het zwaailicht stond aan. Hij zat alleen in de auto en handelde een stom telefoontje van Brix af.

'Heeft Lund nog gebeld?' vroeg Meyer.

'Dat flik je me niet nog eens, gewoon weglopen,' brulde Brix. 'Kom onmiddellijk terug.'

'Ik ben op weg naar Holcks huis. Hij had een relatie met Nanna. De sleutel van de flat had hij van Olav.'

'Uit de boekhouding blijkt dat Hartmann zijn fiat heeft gegeven voor dat geld.'

'Word toch wakker, man! Holck heeft geknoeid met de boekhouding. Hij heeft de hele tijd al het spoor naar Hartmann laten lopen. Holck heeft een witte stationwagen. Sinds Olavs dood is die niet meer gezien.'

'Dat bewijst helemaal niets.'

'Ik heb Lund Holcks adres gegeven! Ze is daar alleen naartoe. Je moet meteen een paar patrouillewagens sturen.'

'En Hartmann dan?'

'Hartmann heeft er niets mee te maken! We moeten meteen naar Lund. Je weet hoe ze is. Die gaat er in haar eentje als een dolle op af.'

Het bleef lang stil. Meyer passeerde een trage bestelwagen, toeterde, dwong het tegemoetkomende verkeer de stoep op.

'Ik stuur een auto,' zei Brix. 'Hou me op de hoogte.'

Lennart Brix liet Hartmann terugkomen in de verhoorkamer en beval hem te gaan zitten.

'Heb je al iets van mijn advocaat gehoord?'

'Ik wil je wat vragen over Jens Holck.'

'Jezus nog aan toe. Ik heb je alles verteld wat ik weet. Er wordt gestemd in de gemeenteraad, dat is belangrijk. Om…'

'Zou Holck geknoeid kunnen hebben met jullie boekhouding?'

'Waar heb je het over? Welke boekhouding?'

'De boekhouding waaruit blijkt dat jij dat geld voor Olav gefiatteerd hebt.'

'Dus nu denken jullie dat Jens het gedaan heeft?'

'Beantwoord de vraag nu maar.'

'Misschien. Ik léíd de afdeling. Ik ben geen boekhouder.'

Brix raadpleegde zijn aantekeningen en vroeg toen: 'Heeft Holck zich de laatste tijd vreemd gedragen?'

'Wat is dat nou voor vraag?'

Brix' telefoon ging over.

'Ze is niet op het adres dat ik je opgegeven heb,' zei Meyer. 'Het huis staat te koop.'

'Is ze in het stadhuis?'

'Nee, ik heb gebeld. Je moet een opsporingsverzoek voor haar doen uitgaan.'

'Dit is niet de eerste keer dat Lund in d'r eentje op stap is.'

'Luister naar me, Brix! Het is helemaal mis. Ze is alleen en ik weet zeker dat Holck onze man is.'

'Je hebt al eerder iets zeker geweten.'

'Help je me nog of niet?'

Brix hield de telefoon van zijn oor, keek Hartmann aan.

'Waar woont Jens Holck op dit moment?'

'Wat is er aan de hand?'

'Holck woont niet meer op zijn oude adres. Heb je een ander adres van hem?'

'Ik weet het niet. Hij is een paar maanden geleden gescheiden. Ik geloof dat hij bij familie is ingetrokken.'

'Wat voor familie?'

'Ik weet het niet. Wat is er aan de hand?'

Brix nam de telefoon weer op.

'Hartmann zegt dat hij bij familie logeert. Hij weet niet waar.'

Hij brak het gesprek af. Hartmann keek naar de klok aan de muur. Twintig over acht.

'Als jullie denken dat Holck het heeft gedaan, wat doe ik hier dan nog?'

Brix wenkte een van de bewakers.

'Breng hem terug naar zijn cel.'

'Mijn god, zeg,' jammerde Hartmann. 'De vergadering begint zo.'

Hij verzette zich even toen de bewaker hem bij zijn arm greep, maar niet heftig.

'Jullie weten dat ik het niet gedaan heb. Denk je dat je dit allemaal onder de pet kunt houden als ik vrijkom? Denk je dat echt, Brix?'

De lange politieman bleef bij de deur staan.

Hartmann leunde over de tafel. 'Dit is m'n aanbod,' zei hij. 'Ik kom nu vrij. En dan maak ik er verder geen werk van. Die arrestatie om niets. De illegale doorzoeking van mijn huizen. Ik kan het jullie behoorlijk moeilijk maken, maar dat zal ik laten zitten.'

Brix luisterde.

'Daar moet dan tegenover staan dat alles wat ik jullie verteld heb onder de pet blijft. Echt onder de pet. Geen gelek naar de pers. Niets over die zelfmoordpoging. Helemaal niets. Jullie zeggen maar dat Hartmann verhoord is vanwege een misverstand, onschuldig is gebleken en op vrije voeten gesteld. Einde verhaal.'

Brix haalde diep adem en legde zijn vinger tegen zijn wang.

'Binnen een week kan ik burgemeester zijn. Het is het beste als wij een goede verstandhouding hebben. Daar kunnen we nú mee beginnen.' Hij stak zijn hand uit. 'Vind je ook niet?'

'Blijf hier,' beval Brix.

Toen liep hij naar de gang en belde de centrale.

'Laat een opsporingsverzoek voor Lund uitgaan.'

Geen spoor van Holck te bekennen. Lund liep de kelder in om nog eens te kijken.

Met haar zaklamp in de linkerhand, haar pistool in de rechter, liep ze door, liet de lichtbundel van links naar rechts zwaaien.

Het rook er naar vocht en stof en gemorste olie. In rekken langs de wand lagen gereedschapssets. Een stapel houten pallets. Een uit elkaar gehaalde motor. Een half afgebouwd meubelstuk, een kast of zo, kaal hout, hamers, schroevendraaiers, spijkers en een zaag ernaast.

Geen spoor van Holck.

Ze liep door, langs cementzakken, langs tegels en bakstenen.

De Glock trilde in haar hand. Ze had er buiten de schietbaan nog nooit een schot mee gelost. De witte lichtstraal van haar zaklamp bewoog schuddend. Er was niets.

Stom, dacht ze, om in haar eentje naar binnen te gaan. Stom dat ze Meyer niet gebeld had, geen hulp erbij had gehaald.

Waarom deed ze dit?

Lund had geen idee. Ze was hoe ze was. En wie ze was.

De vrouw die haar weg omhoog had gevochten naar de rang van inspecteur bij moordzaken. Ze had die positie bereikt door de resultaten die ze had geboekt, niet door politiek of door positieve discriminatie waar ze stilletjes een hekel aan had.

Ze was een goede politievrouw. Een goede moeder. Iemand die zich de dingen aantrok.

Maar ze was nog steeds alleen. Nog steeds. Misschien zou ze dat altijd wel blijven. Een buitenstaander. Iemand die nergens bij hoorde met haar gewone kleren, gewone paardenstaartje en die glanzende ogen die altijd bleven kijken.

Lund ging in haar eentje naar binnen omdat ze daar zin in had. Ze wilde de eerste zijn. Ze wilde hun gezichten zien als ze achter haar aan kwamen.

Gewoonlijk werkte dat.

Eén keer scheen ze nog met haar zaklamp een hoek in. Sanitair op een rijtje: baden, wasbakken, toiletpotten en bidets.

Lund vloekte, draaide zich om en liep naar de uitgang, vast van plan om Meyer te bellen en woedend op zichzelf omdat ze zo stom was geweest en zo impulsief.

Een gedaante schoot door het donker, van links naar rechts.

Het wapen bleef waar het was. Naar beneden gericht. Een wapen voor zich uit richten was niet haar eerste natuurlijke reactie en dat zou het ook nooit zijn.

Zij wilde eerst praten. Zij wilde weten.

'Holck...'

Weer de gedaante. Iets in zijn hand. Een bandenlichter, vier ijzeren poten, als een wapen uit de middeleeuwen.

Dichterbij.

Te dichtbij.

Ze kon hem horen. De zwaai van zijn arm.

Het pistool bewoog, maar slechts een beetje en langzaam.

Hij dook opzij en zijn plek werd ingenomen door iets dat in de lichtstraal van de zaklamp naar haar toe flitste.

Het harde ijzer kwam neer op Sarah Lunds schedel, en ze stortte neer op de betonnen vloer.

Het was een zakenhotel in Bredgade, om de hoek van de winkelstraat van Strøget. Honderd kronen voor een whisky. Niet veel minder voor een biertje.

Pernille zat aan de bar, met haar tas naast haar. Het derde adres die avond. Overal sterke drank.

Precies zoals vroeger toen ze nog jong was en niets er echt toe deed. Toen ze langs de kamer van haar ouders naar buiten sloop en naar de ruige buurten ging, de verboden plaatsen, en zich overgaf aan wat de nacht haar bracht.

Naast haar stond een man om wie ze vroeger gelachen zou hebben. Een dikke Noor, met zichzelf ingenomen, gebruind, in een pak dat een tikje te klein was. Maar hij betaalde.

'Ik heb mijn eigen bedrijf,' zei hij waarna hij nog twee drankjes bestelde. 'Ik heb het uit het niets opgebouwd.'

Het was een hotelbar. Ze waren de enige gasten. De mensen uit de buurt kwamen hier niet. Alleen bezoekers die in de stad waren gestrand en die die avond eenzaam waren.

'Het heeft me vijf jaar gekost. Ik heb dertig man personeel, een filiaal in Denemarken en de productie zit in Vietnam.'

De tv stond aan. Het ging over de verkiezingsstrijd in het stadhuis en de nieuwe wending die die genomen had.

Hij schoof zijn kruk dichter bij de hare, zag dat ze naar de tv keek.

'Een nare geschiedenis. Het stond in Oslo ook in de krant.'

'De gemeenteraad zal vanavond stemmen over Hartmanns uitsluiting van de verkiezingen,' zei de nieuwslezer. 'Hij wordt in staat van beschuldiging gesteld, hoewel we nu uit bepaalde bronnen vernemen dat dat misschien niet het geval zal zijn…'

Hij legde zijn hand even op haar arm.

'Reis je veel?' De man lachte. 'Ze zeggen wel eens dat het leven zonder reizen niets voorstelt. Maar die mensen doen het niet voor hun beroep. Twintig nachten per maand…'

Hij hief zijn glas naar haar.

'Maar soms raak je aan de praat met een leuke vrouw in een leuke bar, en dan is het zo erg nog niet.'

Hij glimlachte. Het was een wellustige grijns.

Ze nam nog een slok. Het smaakte naar niets.

Niets smaakte meer ergens naar; het deed haar allemaal niets meer. De jongens. Lotte. Theis. Ze zat gevangen in deze eindeloze zoektocht naar een verklaring, een reden. Haar leven was in een eigenaardig voorgeborchte terechtgekomen. Ze kon niet slapen. Ze kon niet voelen, ze kon niet lachen, ze kon niet goed meer denken.

Pernille dacht aan hoe ze vroeger was, dat mooie jonge meisje dat van bar naar bar fladderde in het donkere, smerige Vesterbro en met de jonge mannen flirtte tot ze de juiste had gevonden.

Niets deed ertoe.

Toen niet en nu niet.

Ze keek naar de man naast haar. Vroeg zich af hoe hij was geweest toen hij jong was. Verwaand. Knap om te zien. Slap en volgzaam.

'Laten we naar je kamer gaan,' zei ze.

De Noor staarde haar perplex aan.

Pernille stond op en pakte haar tas.

Met trillende handen grabbelde hij naar zijn sleutel.

'Zet maar op de rekening,' zei hij tegen de barman. Toen liep hij achter haar aan naar de deur.

De kamer was niet groot. Een tweepersoonsbed. Glanzende tafel. Een laptop op een bureautje. Het soort smakeloze meubels dat je alleen in hotels ziet.

Hij was zenuwachtig, liet de sleutel bijna uit zijn handen glippen, sloeg tegen de muur op zoek naar de lichtschakelaar.

Er lagen kleren op het bed. Een overhemd. Een onderbroek.

Hij griste ze weg en gooide ze in de kast.

'Ik wist niet dat ik bezoek zou krijgen. Wil je wat drinken?'

De kamer was net zo groot als Nanna's kamer. Niets persoonlijks hier. Niets wat ze zich later zou herinneren.

'Toen ik studeerde, werkte ik als barkeeper in het Grand Hotel in Oslo.'

Hij zei het alsof het weer zo'n geweldige prestatie van hem was. Zoals z'n eigen bedrijf, en z'n fabriek in Vietnam.

Twee flesjes gin uit de minibar. Een flesje tonic. Hij wipte de doppen van de flesjes op het kleine tafeltje, plensde de drank in de glazen.

'Aha! Zie je wel! Ik kan het nog steeds!'

Nee, kleiner dan de kamer van Nanna, dacht ze. Een schoenendoos voor een man zonder gezicht. Een plek buiten het leven dat ze kende.

'Gin and tonic. Geen ijs. Geen citroen.'

Hij haalde zijn schouders op. Hij had meer gedronken dan ze zich gerealiseerd had. Misschien was zij ook wel veel dronkener dan ze dacht, hoewel ze wel een gevoel van helderheid had. Iets doelbewusts zelfs.

Ze hield het glas vast. Ze nam geen slok. Ze wilde het niet.

Ze dacht aan Theis. Ruwe, lompe Theis. Geen manieren, geen mooie praatjes.

Geen voorzichtige bedachtzame aanrakingen, alleen een directe, heftige omhelzing.

Toch had hij iets gevoeligs, zelfs iets teders. Dat moest toch zo zijn. Waarom had ze anders van hem gehouden, was ze met hem getrouwd, had ze hem drie kinderen geschonken?

De Noor was anders.

Met een drankje in zijn hand, met zijn drankadem, stond hij naast haar en streek haar lange kastanjebruine haar dat nog vochtig was van de regen uit haar gezicht. Streelde haar wang met zijn bleke vingers.

Probeerde haar te zoenen.

Het glas viel uit haar handen. Drank spatte over de chique vloerbedekking van het hotel.

'Sorry.' Hij klonk eerder bezorgd dan teleurgesteld. 'Hier ben ik niet zo goed in.'

Dat was een leugen, dacht ze.

'Ik dacht...' Hij haalde zijn schouders op. 'Laat maar.'

Hij pakte het glas op en zette het op de minibar. Toen hij zich omdraaide zat ze al op het bed.

Verbazing en hoop op zijn gezicht. Een aardig uitziende man. Geen naam.

Heel anders dan Theis, die er alleen maar van kon dromen om naar iets als Vietnam te gaan. Die zijn uiterste best moest doen om tien werknemers uit te kunnen betalen, laat staan vijftig.

'Nog iets drinken?' vroeg hij.

Ze zei woorden die ze in geen jaren had uitgesproken, en dan nog maar tegen één man.

'Kleed me uit.'

Hij lachte, zag er een beetje dwaas uit.

'Weet je dat zeker? Ik bedoel... je lijkt een beetje...'

Ze sloot haar ogen. Ze liet haar hoofd naar achteren hangen, haar mond half open.

Ze glimlachte.

Een zoen dus. Hij was al bij haar. Hij streelde haar met aarzelende vingers. Dranklippen tegen haar hals. Hij ademde iets te snel, alsof hij zichzelf probeerde te overtuigen.

Pernille strekte zich uit op het harde brede bed. Ze liet zich omhelzen terwijl hij onhandig aan haar donkerblauwe jurk frunnikte.

Deze kleren had ze gedragen toen ze Nanna's urn in de bruine aarde zette. Ze wilde ze niet meer. Ze wilde er niets meer mee te maken hebben.

Theis Birk Larsen dronk zijn soep, pakte de paar bezittingen die hij nog had bij elkaar, bekeek zijn verwondingen, vroeg om een paar pleisters. Trok zijn rode overall en zijn zwarte leren jack aan.

De man van het hostel met het grijze haar keek naar hem.

'Weet je zeker dat je niet wilt blijven? Het is hier niet het Radisson, dat weet ik wel…'

'Bedankt voor je goede zorgen. Ik moet gaan.'

Een handdruk, een stevige, vastbesloten greep.

'Je kunt altijd terugkomen.'

Hij ruimde het beddengoed op.

'Ik ben iets kwijtgeraakt dat eens heel belangrijk voor me was,' zei de man. 'De manier waarop en de reden waarom doen er niet toe. Maar dat is me overkomen.'

Het was bijna negen uur 's avonds. Theis trok zijn zwarte wollen muts tot op zijn ogen.

'Het leven was niet meer de moeite waard. Ik voelde me schuldig en deed daardoor de meest verschrikkelijke dingen. Ik had een hekel aan mezelf. Aan wat ik geworden was.'

Hij gaf Birk Larsen een aansteker en een pakje sigaretten.

'Voor jou. Ik had een hekel aan het leven zelf. Maar vandaag de dag zie ik dat er achter alles een bedoeling zit.'

Hij zei dit alsof het de gewoonste zaak van de wereld was.

Birk Larsen stak een sigaret op.

'Wat het einde leek, werd een begin.'

Blies rook in het kamertje dat naar drank stonk en naar zweet en mannen.

'God heeft zijn redenen om ons te laten lijden. Niet dat we dat begrijpen als we tot onze nek in de stront zitten.'

'Een bedoeling?' zei Birk Larsen. Hij kon de spot in zijn stem niet verbergen.

'Jazeker. God heeft een plan, Theis. Voor jou. Voor mij. Voor iedereen. We begaan het pad dat ons gegeven is, of we dat nu weten of niet. Wat er aan het eind op ons wacht…'

Birk Larsen zoog de rook van zijn sigaret naar binnen. Hij wilde deze man niet meer zien. De manier waarop hij naar hem keek stond hem niet aan, de manier waarop hij hem tot antwoorden wilde dwingen.

'Zeg iets, Theis.'

'Wat moet ik zeggen?' snauwde Birk Larsen, maar hij schaamde zich voor de plotselinge kwaadaardigheid in zijn stem. 'Voor ik mijn vrouw ontmoette, vóór de kinderen, heb ik heel veel slechte dingen gedaan.'

Hij wierp een boze blik op de man.

'Niet het soort dingen die jij hebt gedaan. Veel erger. Ik heb mensen pijn gedaan omdat ik vond dat ze dat verdienden. Ik heb…'

Hij sloot zijn ogen in pijn.

'Genoeg van die onzin.'

Er hing een kruis aan iedere wand, een slanke, gebroken man die neerkeek op alle stakkerds die hier naar binnen schuifelden.

'Het was lang geleden.' Hij wees op de figuur van de lijdende Christus. 'Maar ik denk niet dat die jongen daar het allemaal vergeten heeft. Dus ben ik alleen voorwaardelijk vrijgelaten. Een korte periode met mijn gezin. En nu is dat voorbij.'

Te veel woorden. Hij nam weer een trekje van zijn sigaret, zijn ogen brandden van de rook, en keek naar de man van het hostel.

'Ik weet zeker dat er iets is, Theis, iets van troost en hulp dat jou en je gezin hoop kan geven.'

'Ach ja,' zei Birk Larsen. 'Misschien wel.'

Hij keek naar de man.

'Ik denk alleen niet dat jij dat sprankje hoop erg christelijk zult vinden.'

Eindelijk leek de grijze man niet meer te weten wat hij moest zeggen.

'Goedenavond,' mompelde Birk Larsen en toen liep hij naar buiten, de koude natte straat op.

Een plotselinge schok, een helderrode pijn aan de achterkant van haar schedel. Lund kwam bij op de vloer van de keldergarage, probeerde overeind te komen maar merkte dat ze zich amper kon bewegen. Haar handen waren vastgebonden, haar enkels ook. De kelder was nu verlicht. Ze lag bij de witte stationwagen. Niet ver van de half afgetimmerde kast en het gereedschap.

Ze schoof vooruit over de vloer, ademde het stof in, de oliedamp, de geur van zaagsel.

En sigarettenrook.

Ze slaagde erin zich rond te draaien tot ze het kleine rode puntje in de hoek zag oplichten.

Haar ogen pasten zich aan aan het licht.

Holck zat op een soort olievat een sigaret te roken. Een man die nadacht over wat hij moest doen.

Praat, dacht Lund. Het pistool was weg. Ze had niets meer.

'Maak me los, Holck. Je weet dat dit nergens toe leidt.'

Hij gaf geen antwoord.

'Kom op.'

Stilte.

'We kunnen een oplossing verzinnen.'

Dat klonk zielig, verkeerd.

'Wat dacht je ervan?'

Hij rookte door, keek haar aan. Keek toen de garage door.

'Het bureau kan me opsporen.'

Holck gooide vanuit de duisternis iets naar haar toe. Het kwam voor haar op de vloer terecht. Haar mobiel, kapotgeslagen.

'Ik neem aan dat je het wilt weten,' zei hij.

'Maak me los.'

Hij lachte.

'Wat gaat het worden? Als ik het je vertel…'

Ze zei niets.

'Nee, echt.' Hij klonk kil maar geamuseerd. 'Dat vind ik interessant. Als ik het je vertel, dan vermoord ik je. Als ik het je niet vertel…'

Hij gooide de sigarettenpeuk in haar richting. Hij draaide sissend rond in een plas olie.

'Ach, dan vermoord ik je nog steeds. Dus in dat geval…'

'Maak me los, Holck.'

Hij hield zijn hoofd schuin alsof hij ergens naar luisterde.

'Wat is het hier stil. Heerlijk, hè?'

'Holck…'

Hij stond op en liep op haar af.

'Ik heb op het bureau gezegd waar ik naartoe ging,' zei Lund snel. 'Ze zijn onderweg.'

Hij had zijn portefeuille in zijn hand, keek naar iets.

'Heb je kinderen?'

Ze trilde. De kou. De angst.

Hij kwam vlak bij haar staan, hurkte neer en liet haar zijn portefeuille zien.

'Heb je kinderen? Dit zijn de mijne.'

Een meisje en een jongen, met een vrouw die in de camera lachte.

Holcks vingers gleden over alle figuren op de foto.

'Mijn vrouw.' Hij schudde zijn hoofd. 'Mijn ex-vrouw. Ik mag ze niet vaak zien.'

'Holck…'

'Jij wilde zo veel weten. Je vroeg maar door. En kijk nou eens waar dat je gebracht heeft.'

Hij tikte op zijn borst.

'En jij geeft mij nu de schuld. Mij? Ik heb nooit iemand willen doden. Wie wil dat wel? Nooit. Zelfs die vuile kleine slet niet.'

'Jens…'

'Die slijmerige klootzak van een Christensen wist van geen ophouden. Hij wilde geld. Een baan. Hij wilde…'

Een heftige, krankzinnige woede vertrok Holcks sombere, grauwe trekken.

'Deze onzin heeft me al veel te veel gekost.'

'Dat weet ik,' zei ze, in een poging zijn woede te temperen. 'Daarom moeten we praten. Je moet me losmaken. We kunnen een oplossing vinden.'

'Ja.'

Hoop.

'Dat zou ik echt graag willen.'

'Laten we dat dan doen. Maak me los.'

'Maar zo simpel ligt het niet, hè?'

'Holck…'

Hij stond op, keek om zich heen.

'Ik wist dat je het zou begrijpen.'

Hij liep naar de witte stationwagen en tilde de achterklep op.

Lund wrong zich in alle bochten, maar het had geen enkele zin. Ze probeerde na te denken.

Toen was hij weer terug, greep haar bij haar jas beet, sleurde haar over de vuile vloer.

De kapotte handset lag op de grond.

'Dat is míjn telefoon, Holck!' riep ze.

Ze waren aan de achterkant van de auto. Hij zocht iets. Een wapen. Hij ging haar bewusteloos slaan. In de achterbak. In de rivier. Net zoals Nanna.

'Dat is mijn eigen telefoon. Niet m'n politietelefoon.'

Hij stond stokstijf.

'Ik zei het toch al. Ze zijn onderweg. De politietelefoon ligt in de auto.'

'Waar?'

Ze zei niets.

Hij liep weg, kwam terug met de bandenlichter, dreigde haar ermee en zei opnieuw, nu wat luider: 'Waar?'

'In mijn tas.'

Daar stond hij, met de bandenlichter in zijn hand.

'Hier blijven, hoor,' zei Holck met een lachje.

Ze had een minuut, misschien twee. Lund werkte zich terug over de vloer, naar de half in elkaar gezette kast en het gereedschap.

Er was geen tweede telefoon. Geen magisch baken dat de politie de weg zou wijzen naar dit verlaten, donkere, half industriële deel van de stad waar Holck in zijn eentje woonde, in een half voltooid flatgebouw, eigendom van familieleden die voor de winter naar Kaapstad waren vertrokken.

Alleen een handtas vol kauwgum en papieren zakdoekjes, pepermuntjes en troepjes.

Holck begon te zoeken. Werd kwader bij iedere seconde die niets opleverde. Trok het dashboardkastje open. Vond er niets behalve pakjes Nicotinell, een pakje papieren zakdoekjes en parkeertickets.

Hij wist niet waarom hij haar de foto van zijn vrouw en kinderen had laten zien. Hij wist niet waarom hij haar niet meteen had gedood en haar bloedende lichaam achter in de witte auto had geschoven, naar het verre bos was gereden, een rivier of een kanaal had opgezocht. En Lund en de witte auto in het donkere water geduwd, waar ze voor altijd zouden blijven.

Verloren. Ongezien. Vergeten.

Holck keek nog één keer.

Hij had Olav Christensen niet dood willen rijden. Die griezel had hem geen keus gelaten. Dat was het leven. Geen keuzes. Alleen een lange weg die steeds somberder en smaller werd met iedere dag die voorbijging.

'Kutwijf.' Holck spuugde op de vloer toen hij het portier dichtsmeet en terugging naar het zwarte gat dat naar de garage en Lund voerde.

Ze schoof moeizaam voort over de vloer, naar het zaagsel en het gereedschap, naar de scheve vorm van de half voltooide kast.

Een hamer. Een beitel. Een paar spijkers, en schroeven en pluggen.

En een zaag.

Met gebonden handen en trillende vingers greep ze het handvat beet, bracht de zaag naar haar benen, ving het blad tussen haar knieën. Ging aan de slag met de tie rip waarmee haar enkels aan elkaar gebonden waren.

Een geluid. Hij was terug. In de duisternis bij de ingang scharrelde hij rond.

Plaatjes in Lunds hoofd.

Een man die vooruitdenkt. Dingen nodig heeft. Dingen plant.

Een geluid. Ritselend plastic.

Een vuilniszak om een lichaam in de achterbak te verbergen.

Kletterend metaal, blad tegen blad.

Messen of zeisen of iets anders dat snijdt. Een wapen ter aanvulling van de bandenlichter. Gereedschap voor het karwei.

Voetstappen.

Toen hij in de lichtkring stapte had Holck een zwarte vuilniszak onder zijn rechterarm en hij trok een stuk duct tape los tussen zijn handen.

Nanna was levend de rivier in gegaan. Maar zij had in ieder geval haar mond nog vrij gehad om te schreeuwen.

Holck stapte naar voren, naar de plek achter de auto.

Keek om zich heen.

Brulde: 'Kutwijf!'

Hij keek nog eens om zich heen. Hij kon bijna niet geloven dat hij zo stom was geweest.

Hij haalde een zaklamp uit de achterbak van de auto en knipte hem aan.

Een enkele, heldere lichtstraal die op zoek was naar haar. Als een jager naar een prooi. De felle witte lichtbundel bewoog heen en weer.

Vijf minuten, tien.

In de garage in de kelder bestond er niet zoiets als tijd. Alleen een man met een wapen, en een vrouw die hij in de duisternis zocht.

Achter een betonnen pilaar hield Lund zich verscholen en probeerde haar ademhaling tot rust te brengen om geen geluid te maken.

Ze probeerde zichzelf ervan te overtuigen dat haar dreigementen niet zo loos waren als ze leken. Dat er echt iemand aan kwam. Ook al was ze hier alleen naartoe gereden. En ook al had ze het aan niemand gezegd. Zelfs niet aan Meyer.

Ze zouden haar wel vinden.

Misschien.

Misschien.

Hij stond vlak bij de stapel cementzakken, liet het licht van de zaklamp over de vloer schijnen. En toen zag ze hem. De Glock lag op de plek waar hij gevallen was toen Holck haar met de bandenlichter had neergeslagen. Een grijs, enigszins oplichtend voorwerp, niet ver van de witte stationwagen.

Wacht en hoop.

Of doe iets en win.

Ze vroeg zich af waarom ze zich deze vraag stelde. Ze had werkelijk geen keus.

Hij was nu aan de andere kant van de kelder. Het pistool lag niet meer dan vier passen van haar af. Misschien had hij het niet gezien. Misschien voelde hij zich zo machtig, zo meester van de situatie dat hij geen ander wapen nodig had dan zijn kracht.

Lund rende. Het waren geen vier passen maar vijf. Ze wilde op het wapen duiken toen ze hem zag. Groot in de duisternis. Hij had al die tijd op haar staan wachten.

Het wapen was een lokaas voor dwazen, dacht ze, toen Holck het met zijn linkerhand van de vloer griste en haar met zijn rechter een dreun tegen haar slaap gaf waardoor ze met een kreet op de betonnen vloer viel.

Stof in haar mond. Bitterheid en angst. Ze kronkelde, ze kroop, ze knielde half voor hem.

Ze keek op, zag de Glock op haar gezicht gericht.

Weer een geluid, uit een andere richting.

Weer een lichtstraal.

'Stop, Holck!'

Een andere stem. Een stem die ze kende.

Ze probeerde te bewegen. Holck strekte zijn been en schopte haar in haar maag.

Ze kromp in elkaar van pijn.

Toen ze zich omdraaide zag ze hem. En deze keer deed hij wat hem geleerd was.

De Weaver-houding. Twee handen, de rechterarm gestrekt, de linker ter ondersteuning licht gebogen. Het wapen vast, weloverwogen gericht.

'Laat dat pistool vallen,' beval Meyer.

Holck torende twijfelend boven haar uit. Het wapen op Lunds hoofd gericht.

'Laat vallen, Holck. Nu.'

Lund zat op haar hurken en keek niet naar de man. Ze dacht aan Mark. En aan Bengt. En aan Nanna Birk Larsen.

'Gooi verdomme dat pistool weg!' brulde Meyer.

Holck bewoog niet. Hij bleef zijn wapen vasthouden. Soms stierf er iemand door een politiekogel. En soms namen ze iemand met zich mee.

'Kom op, Holck! Wapen weg. Jij. Op de grond. Nu.'

Hij staarde naar haar en op de een of andere manier voelde ze dat. Dus keek Lund naar hem.

De Glock gleed langs Holcks benen. Hij trilde. Zijn ogen groot en doodsbang. Gedoemd.

'Zeg tegen mijn kinderen...' zei hij en langzaam, met een dubbelzinnig gebaar bracht hij het wapen ter hoogte van haar schedel.

Drie snel opeenvolgende knallen echoden door de lege, stoffige garage.

Ze zag hem bij iedere knal schokken, zag de pijn en de ontzetting in zijn ogen.

De inslag wierp hem naar achteren, deed hem ineenzakken tot een hoopje ellende op de vloer.

Ze sloeg haar armen om zich heen en wachtte.

Meyer kwam dichterbij. Volgens de voorschriften. Zaklamp gericht op de man, wapen in de aanslag.

Lund keek naar de stille gedaante achter haar.

Keek of ze iets zag bewegen. Maar er was niets.

Tien minuten later hechtten de ambulancebroeders de wond op Lunds achterhoofd. Een lichaam in een lijkenzak, het bloed sijpelde door de naden.

In een vloedgolf van blauwe zwaailichten, te midden van een kakofonie van sirenes, leunde Jan Meyer tegen zijn auto en rookte. De hand waarmee hij zijn sigaret vasthield trilde.

Hij keek naar Lund. Hij dacht na. Vroeg zich af op hoeveel verschillende manieren dit had kunnen aflopen. Waren er andere woorden? Een ander krijgsplan? Of voerde het pad maar in één richting, regelrecht naar het onvermijdelijke einde.

Lennart Brix kwam naar hem toe. Blauwe regenjas. Burberry-sjaal zorgvuldig om zijn hals geknoopt. Hij zag eruit alsof hij van de opera kwam.

Hij keek om zich heen en zei: 'Hoe wist je waar je naartoe moest?'

Meyer keek hoe ze daar met een uitdrukkingsloos gezicht achter in de ambulance zat, en de broeders hun werk liet doen.

'Ik heb hetzelfde gedaan als Lund. Ik heb z'n ex gebeld.'

Brix hield zijn rechterhand naar voren, met de palm open en naar boven. Ook zijn leren handschoenen hadden in de opera niet misstaan.

Meyer nam de laatste trek aan zijn sigaret, gooide de peuk in het donker weg, kwam overeind, haalde het pistool uit de holster. Controleerde het magazijn en haalde het uit het wapen. Hij hield het pistool bij de greep, met de loop naar beneden en legde hem in Brix' gehandschoende hand. En daarna het magazijn.

'Er komt een onderzoek. Dat moet.'

'Ja.'

'Je wordt op de hoogte gehouden. De ouders van het meisje moeten ingelicht worden.'

Hij klopte Meyer op zijn rug.

'Goed gedaan,' zei Brix. 'Ga nu maar een paar uur slaap pakken.'

Ze lieten Hartmann om tien uur vrij. Lund werd aan de andere kant van de gang opnieuw door een arts onderzocht en hij zag haar toen hij zijn spullen ophaalde.

'Ben je mij geen verklaring verschuldigd?' vroeg Hartmann aan Brix.

'Nee. Wil je tekenen voor ontvangst van je spullen of niet?'

Hartmann pakte zijn das en zijn horloge op. Hij zette zijn handtekening op het formulier.

'Hebben we een afspraak?' vroeg hij voorzichtig.

'Waarover?'

'Over... over wat ik je verteld heb.'

Geen spatje emotie te bekennen op Brix' grijze, onbeweeglijke gezicht.

'We maken alleen getuigenverklaringen openbaar als een zaak voor de rechter komt,' zei hij. 'En aangezien dat in dit geval niet zal gebeuren...'

'Bedankt.'

'Bedank me maar niet.'

Hartmann keek op het horloge hoe laat het was.

'Dat is nergens voor nodig,' voegde Brix er met een glimlach aan toe.

Weer een zaklamp. Dit keer van een politiearts die ermee in haar ogen scheen.

'Je hebt een lichte hersenschudding. Ga naar huis en naar bed.'

'Het gaat prima,' zei Lund. Ze trok voorzichtig de zwart-witte trui over haar hoofd. Ze zag de gaten erin die niet meer te stoppen waren en bedacht dat ze een nieuwe voorraad moest bestellen.

De deur ging open. Bengt kwam binnen, zijn arm in een mitella. Hij zag er meer geschrokken uit dan na zijn auto-ongeluk.

'Ik ben nog niet klaar,' zei de arts.

Bengt lette niet op hem.

'Als de hechtingen loslaten, moet je het opnieuw laten hechten.'

Hij liep op haar af en hield haar in zijn armen.

Toch keek Lund de kamer uit, de gang in en zag hoe Hartmann zijn grijze jas aantrok en naar de deur liep.

De arts kuchte.

'Ik zei dat ik nog niet klaar was.'

Lund deed zachtjes een stap bij Bengt vandaan. Keek weer naar de gang.

'Ik zei toch dat ik me prima voel.'

Maar Hartmann was verdwenen.

Morton Weber stond buiten met de auto te wachten.

'Het was Holck. Hij heeft Sarah Lund gegijzeld. Ze heeft geluk dat ze nog leeft.'

Hartmann keek naar de lichtjes van de stad, dacht vooruit.

'Van wie heb je dat?'

'Van je advocaat. Alle aanklachten zijn ingetrokken. Ze zegt dat je ze kapot kunt procederen.'

'Ik ga tegen niemand procederen. Waar is Rie?'

Het bleef even stil.

'Het nieuws kwam te laat, Troels. Ze hebben gestemd. Je mag niet mee-doen aan de verkiezingen. Het spijt me.'

'Dat zullen we nog wel zien. Waar is ze?'

'Bremer heeft een persconferentie aangekondigd.'

Hartmann keek uit het raam. Winteravond. Iemand die hij kende – niet dat hij hem aardig vond, maar hij kende hem wel – was dood. Weer iemand in het Rådhus wiens leven aan zijn naasten onthouden was.

Troels Hartmann besefte dat hij niet alleen was. Hij was niet meer bang. Hij werd niet meer gegijzeld door de duivels die hem eens achtervolgd had-den.

'Niemand komt het te weten van het huisje,' zei hij.

'Je hebt het aan de politie verteld.'

'Niemand zal er ooit wat van weten. We gaan weer aan de slag, Morten.'

'Troels!'

'Mij is onrecht aangedaan,' bulderde Hartmann. 'Begrijp je dat niet?'

Weber zweeg.

'Ik ben hier het slachtoffer. Net zozeer als dat meisje Birk Larsen…'

'Niet net zozeer,' merkte Morten Weber op. 'Als jij op het medeleven van de kiezers wilt spelen, moet je dat wel heel zorgvuldig doen.'

'Daar heb je gelijk in.' Hartmann pakte zijn mobiel en dacht even na wie hij het eerst zou bellen. 'Aan de slag.'

De hotelkamer was een ravage. Kapotte spiegels. Lelijke schilderijtjes op de vloer. Vagn Skærbæk keek naar Pernille die zwijgend en half ontkleed op het bed zat.

De dronken Noor was doodsbang.

'Ik kon toch niet weten dat ze door het lint zou gaan! Ik heb je nummer uit haar mobiel. Ik heb je gebeld.'

Skærbæk was nog in zijn overall. Handen in zijn zakken, zwarte muts. Hij bukte zich en keek haar in het gezicht.

'Pernille.'

Ze staarde hem aan en zei niets.

'Is het oké?' zei de Noor smekend. 'Ik heb niets gedaan. Er is niets gebeurd. Ik dacht dat ze het wilde en…'

Hij keek Skærbæk aan. Mannen onder elkaar.

'Ze werd helemaal gek. Ik bedoel… Ik wist niet dat ze getrouwd was. Ik dacht dat ze zich eenzaam voelde en…'

'Opgerot,' zei Skærbæk en hij duwde hem de deur uit.

Hij liep naar haar terug en knielde bij het bed.

'Pernille. Je moet je even aankleden.'

Hij zette een stoel rechtop, pakte haar panty van het bed.

Ze nam hem niet aan.

'Jezus nog aan toe.'

Hij probeerde de kousen om haar voeten te schuiven. Gaf het op.

'Waar zijn je schoenen?'

Geen antwoord. Hij keek om zich heen. Zag de zwarte laarzen staan.

'Ik probeer je al de hele tijd te pakken te krijgen. De politie heeft gebeld.'

De laarzen gingen net zo lastig als de panty.

'Pernille! Ik kan je niet aankleden.'

Ze keek hem aan. Zei niets.

'Ze hebben de dader te pakken.'

Ze wilde niet bewegen, ze wilde hem niet helpen. Hij probeerde de laarzen weer.

'Hoor je wat ik zeg? Ze hebben hem gepakt. Hij is dood.'

Haar gezicht bleef uitdrukkingsloos. En ze zei geen woord.

'Hij is dood,' herhaalde Skærbæk.

Ze pakte de laarzen van hem af en trok ze langzaam aan. Vagn Skærbæk keek de kamer door. Hij deed wat hij soms moest doen. Hij ruimde een beetje op. Zette de bloemen rechtop. En de kapotte lamp.

Nam haar mee het hotel uit.

Hij was met een kleine verhuisbus gekomen. Die rook naar muffe vloerbedekking.

'Lotte is met de jongens bij je ouders. Heb jij al iets van Theis gehoord?'

Niets dan lichten en verkeer. Geen woord.

'Jezus nog aan toe, Pernille. Zeg eens wat!'

Langs het Rådhus, langs het station. Over het lange rechte stuk van Vesterbrogade. Vesterbro in, langs cafés en bars, langs de straatjes met hun drugskelders, langs de tippelaarsters en de feestgangers, het nachtvolk.

'Op een keer,' zei ze, 'zijn we naar het strand gegaan en wilde ik Nanna leren zwemmen.'

Langs de school van de jongens en de kerk waar haar witte lijkkist had gestaan.

'We stonden samen in zee. Ik zei… eerst moet je leren drijven.'

Naar huis.

'Nanna was bang, maar ik zei dat ik haar vast zou houden. Altijd. Wat er ook gebeurde, ik zou haar vasthouden.'

Haar hand ging naar haar mond. Tranen. Een plotselinge uitbarsting van verdriet.

'Nooit loslaten,' snikte ze. 'Nooit.'

In Vibekes appartement keek Lund naar het avondnieuws. Haar hoofd deed niet erg zeer. Het bier hielp.

Brix stond voor het flatgebouw en keek ernstig de camera in. Hij vond het heerlijk om op tv te zijn.

'Jens Holck is uit zelfverdediging neergeschoten toen hij een agent met een vuurwapen bedreigde. Hij is door een andere agent die ter plekke was gedood. Alles lijkt erop te wijzen dat Holck de man is die we in verband met de zaak-Birk Larsen zochten.'

De verslaggever stelde hem een vraag over Hartmann. Brix liet zich niet uit het veld slaan.

Bengt kwam de kamer binnen en ging naast haar zitten.

'We hadden redenen om aan te nemen dat er verband was met het Rådhus. Holck heeft helaas geknoeid met enkele documenten, waardoor het leek dat Troels Hartmann verantwoordelijk was. Ik kan gelukkig zeggen dat Hartmann een onschuldig slachtoffer is in deze zaak en dat hij zijn uiterste best heeft gedaan om de politie bij te staan.'

'Sarah…'

'Wacht even,' zei ze.

Hij pakte de afstandsbediening en zette de tv uit.

'Je moet praten,' zei hij.

'Waarover?'

'Over hoe je je voelt, misschien?'

'Hoe ik me voel?'

'Schuldig?'

'Nee,' zei ze ogenblikkelijk.

'Bang?'

Ze staarde naar het zwarte beeld en schudde haar hoofd. Toen nam ze een slok bier.

'Je krijgt een reactie,' hield hij aan.

Nog steeds keek ze naar het zwarte beeld.

'Is dat een professionele diagnose?'

'Als je het zo wilt zien.'

'Dat is het probleem niet.'

Nog een slok.

'Wat dan wel?'

Ze keek naar hem en zei niets.

Bengt zuchtte.

'Oké, ik weet wat ik gezegd heb over het profiel. Dat er meer slachtoffers kunnen zijn.'

'Niet waarschijnlijk als Holck het was. Met zo'n verleden kon hij niet het leven leiden dat hij leidde.'

'Nou, oké dan. Ik had het mis. Dat kan.'

Ze keek weer naar hem en zweeg.

'Ik ben niet zo slim als jij, Sarah.'

Hij drukte haar hand. Ze reageerde niet.

'Ik zie geen dingen. Ik verbeeld me ze niet. Dat kan ik niet.'

Geen woord.

'Ik wilde af en toe dat jij dat ook niet kon. Jij niet?'

Lund had haar bier op en overwoog of ze er nog een zou nemen.

'We kunnen niet kiezen wie we zijn, toch?' zei ze.

'Af en toe niet. Wees blij dat het voorbij is.'

Hij streek zachtjes de haren van haar voorhoofd.

'Wees blij dat je die verbeelding van je nu even niet meer nodig hebt.'

Ze staarde naar de tv. Ze pakte de afstandsbediening.

'Kom naar bed, Sarah. In godsnaam, zet het van je af.'

15

Zondag 16 november

De kiescommissie kwam om negen uur 's ochtends in spoedvergadering bij-een en herriep haar beslissing van de avond daarvoor. Troels Hartmann was weer in de race, zijn naam was gezuiverd, hij was slachtoffer van de omstan-digheden. Niemand wist van zijn zelfmoordpoging. Zelfs, hoopte Hart-mann, Poul Bremer niet.

Twee uur later, op het kantoor van de Liberalen, probeerde Morten Weber zijn troepen weer moed in te spreken.

'Er is werk aan de winkel. We moeten aan de kiezers uitleggen dat Troels onschuldig is. Wij weten dat. De politie weet het ook. Maar de kiezers moeten het begrijpen.'

Acht campagnemedewerkers en Hartmann.

'Veel geldschieters hebben zich teruggetrokken,' ging Weber verder. 'Zon-der geld kunnen we geen campagne voeren. Dus moeten we ze weer terugha-len.'

'Hoe zit het met de alliantie?' vroeg Elisabet Hedegaard.

'Laat de alliantie maar zitten,' zei Hartmann. 'Als wij stemmen krijgen, dan komen ze vanzelf. Waar kunnen ze anders naartoe?'

Hedegaard leek niet overtuigd.

'Dinsdag over een week zijn de verkiezingen. We weten allemaal wat dat betekent. Aanstaande zaterdag hebben de kiezers hun besluit genomen. We hebben geen tijd meer.'

Morten Weber trok een gezicht en keek de tafel langs.

Hartmann stond op, hij beantwoordde helemaal aan het plaatje. Hij keek ze stuk voor stuk aan, gaf hen allemaal het gevoel dat ze bijzonder waren.

'Elisabet heeft gelijk. De tijd is tegen ons. De media ook. Misschien heeft Bremer nog meer trucs achter de hand.' Hartmann haalde zijn schouders op. 'Ik weet maar één ding: als we het niet proberen, verliezen we zeker. Dus waarom zetten we onze schouders er niet onder? Waarom vechten we niet? Waarom dromen we niet?'

Hij lachte. Hij genoot van dit kleine podium, dit handjevol publiek.

'Ik zou een cel niet willen aanbevelen voor politieke meditatie. Maar ergens werkt het wel. Toen ik daar zat…'

Zijn blik dwaalde af. Hij keek in de verte; allemaal, zelfs Weber, waren ze even gegrepen.

'In mijn blauwe gevangenisoverall dacht ik over wie wij zijn.' Hij knikte naar hen. 'Ik dacht aan jullie. Aan waar we voor vechten. Dat is allemaal niet veranderd. Onze ideeën, onze ambities zijn nog hetzelfde. Willen we het minder dan we het gisteren wilden?'

Hij sloeg met zijn vuist op tafel.

'Nee, we willen het nog meer, met nog meer passie. Ik wil een stadhuis dat geen spelletjes speelt met de politie, alleen maar omdat iemand daar toevallig zin in heeft.'

Een goedkeurend gemompel. Een opgewektere stemming. Een stemming die zijn kant op draaide.

'Gaan we ertegenaan? Of geven we Poul Bremer waar hij en zijn trawanten de hele tijd al op azen? Nog eens vier verspilde jaren?'

Weber klapte. Elisabet Hedegaard ook. Toen allemaal.

Hartmann glimlachte, keek ze om beurten aan, prentte alle namen in zijn geheugen. Bijna allemaal waren ze bereid geweest hem bij het grof vuil te zetten. Hij zou ze straks allemaal persoonlijk in een privételefoongesprek op warme toon gaan bedanken voor hun steun.

'Aan de slag dan maar. Tot gauw.'

Hij keek ze na.

'Heb je Rie al gesproken?' vroeg Weber. 'We hebben een hoop te doen.'

'Dat weet ik. Ik heb wel honderd keer een boodschap ingesproken, maar ze belt me niet terug.'

Er werd op de deur geklopt. Poul Bremer, in winterjas, rode sjaal en stralende glimlach, alsof hij auditie kwam doen voor de rol van kerstman.

'Troels!' Op luide, opgewekte toon. 'Sorry dat ik stoor, maar ik moest even langskomen om te zeggen…'

Hij kwam binnen, deed zijn sjaal af. De glimlach verdween.

Een en al oprechtheid.

'Om je te zeggen: fijn dat je weer terug bent.'

'Heel aardig van je.'

Weber mompelde iets onverstaanbaars en liep naar zijn bureau. Bremer liep Hartmanns kantoor binnen, schonk zichzelf een kop koffie in en ging toen hoofdschuddend op de bank zitten.

'Holck, Holck. Het was altijd een eenling. Maar dit. Ik begrijp het niet. Waarom? We zijn samen naar Letland geweest. Hij was een beetje somber, maar…'

Hij pakte een koekje en nam er een klein hapje van.

'Een kundig man, maar zonder veel verbeeldingskracht. De Gematigden zijn uiteindelijk beter af zonder hem. Op dit moment natuurlijk niet. Voor deze verkiezingen zijn ze uitgeschakeld. Net zoals de troepen van Kirsten en al die andere parasieten die zich op de rug van anderen vastklampen en zich erdoor laten voeden.'

Weer die brede glimlach.

'Hoe dan ook, je hebt het voor elkaar gekregen dat ze allemaal kapot zijn. Het gaat nu om jou en mij. Ik zou je ermee feliciteren als ik dacht dat er opzet in het spel was geweest.'

'Heb je nog iets te zeggen?'

Weer een slok koffie en toen richtte hij zijn scherpe grijze ogen op Hartmann.

'Jazeker. Ik vind het erg wat er gebeurd is. Geloof me. Gisteravond dacht ik dat we gezien de omstandigheden het juiste deden. Die omstandigheden bleken anders te zijn, maar we gingen uit van wat we wisten.'

Hij wachtte. Een politiek moment, dat besefte Hartmann ook.

'Het spijt mij ook, Poul, als ik je in het heetst van de strijd onterecht beschuldigd heb.'

Bremer haalde zijn schouders op.

'Dat hoeft je niet te spijten. Denk er maar niet meer aan, dat doe ik ook niet. Nu moeten we vooruitkijken. We zijn hier allemaal door beschadigd. Jij niet alleen.'

Hartmann ging tegenover hem zitten.

'En?'

'Er is een zeldzame consensus. Ik heb met de anderen gesproken nadat we de beslissing om jou van de verkiezingen uit te sluiten teruggedraaid hadden. Daar waren we snel uit, wil ik er wel aan toevoegen. We zijn het er allemaal over eens dat het tijd is om de verschillen te vergeten, de strijdbijl te begraven en iets te doen aan de stemming onder de kiezers. Aan het cynisme. De schok. Het idee dat er chaos heerst. Het is begrijpelijk, maar het is verkeerd, dat weet jij ook. Cruciaal is nu dat we het vertrouwen van de kiezers terugwinnen. Dat is de erfenis die Holck ons heeft nagelaten. We moeten het contact met het volk herstellen. Hen van onze waarde overtuigen. Mee eens?'

'Je bent altijd een goed spreker geweest.'

'Dit gaat niet over mij. Of over jou. Het gaat over...' Hij maakte een wuivend handgebaar om zich heen, naar de mozaïeken, het beeldhouwwerk, de schilderijen. '... over dit gebouw. Ons kasteel. Ons thuis. Het Rådhus. Vanavond hebben we een persconferentie. Ik zal het hebben over het nieuwe verlangen van alle partijen om samen te werken voor het algemeen belang en om de puinhopen die Holck heeft achtergelaten op te ruimen. Mee eens?'

'Waar heb je het over?'

'We zijn een *borg fred* overeengekomen. Een wapenstilstand. We stoppen met die op de persoon gerichte aanvallen. Met de gespannen en vijandige sfeer in het debat. Een gentlemen's agreement. We gaan ons gedragen.'

'Een *borg fred*...'

'Vrede in het kasteel. Dat is al eerder gedaan, onder uitzonderlijke omstandigheden. De verkiezingen gaan door. Maar we gedragen ons. We matigen ons.'

De grijze ogen waren strak op hem gericht.

'We praten over politiek in plaats van over individuen. Daar zijn jullie het ongetwijfeld mee eens.'

Bremer stond op.

'Zo staat het er op dit moment voor. Ik stel voor dat jij je steentje bijdraagt. Ik ben heel genereus, Troels. Jij bent niet in de positie om je te verzetten. Nu niet.'

De glimlach, die uitgestoken hand.

'Kan ik op je rekenen?'

Hartmann aarzelde.

'Laat me er even over nadenken.'

'Waar hoef je nog over na te denken? Er is consensus. Je kunt ze bellen als je dat wilt. Ik geef je de kans om terug te keren bij de kudde. Je maakt jezelf belachelijk als je dat niet doet. Maar als dat is wat je wilt...'

'Ik doe wat het beste is,' antwoordde Hartmann.

Poul Bremer keek hem kwaad aan.

'Ik neem aan dat je daarmee ja zegt. De gezamenlijke persconferentie is om acht uur. We verwachten je daar.'

Aan het eind van de ochtend had het team van Svendsen Holcks bank- en creditcardafschriften bemachtigd. Daaruit bleek dat hij een serie aankopen had gedaan bij dure modezaken en juweliers.

'We hebben een afschrift voor de laarzen,' zei Meyer.

Lennart Brix zat in het kantoor naar de foto's te kijken. Zijn gezicht was uitdrukkingsloos.

'En de ketting?' vroeg Lund. 'Met dat zwarte hart?'

Meyer schoof de foto van het lab naar Brix toe.

'Toen ze gevonden werd had ze de ketting in haar hand,' zei hij. 'Wij denken dat ze die van hem moest dragen. Nanna trok het ding van haar hals toen ze verdronk.'

Lund drong aan.

'Heeft Holck die ketting voor haar gekocht?'

'Dat valt waarschijnlijk niet te achterhalen. Als hij hem gekocht heeft, dan heeft hij er waarschijnlijk cash voor betaald in een rommelwinkeltje in Christiania of zo.'

472

'Hoe kom je daarbij?' vroeg ze.

Meyer schoof ongemakkelijk op zijn stoel heen en weer. Hij zag er bleek en vermoeid uit. Het kwam zelden voor dat iemand stierf door toedoen van een Deense politieman. De media konden er geen genoeg van krijgen. Een intern onderzoek was onvermijdelijk.

'Ik heb begrepen dat het een oud ding is. Twintig jaar of ouder. Handgemaakt. Goedkope vergulde ketting. Glas...'

Hij keek haar strak aan en ze wist nu wat die blik betekende: waarom dring je zo aan? Waarom kun je niet gewoon accepteren dat er dingen zijn die wij nooit zullen weten?

'Wat betekent een zwart hart, Meyer?'

'De hippies in Christiania... zo'n hart was vroeger bij hen in de mode. Het was een soort embleem voor de drugsbendes. Nu worden ze gewoon gekocht en weer doorverkocht in rommelwinkeltjes.'

Brix deed voor het eerst zijn mond open.

'We moeten geen tijd verspillen door twee decennia terug te gaan.'

Lund pakte de stapel bewijsmateriaal en liep erdoorheen. Het sieraad zat in een plastic zakje. Ze pakte hem op. Keek naar de vergulde ketting. Geen merkteken. Niet verkleurd.

'Die is in geen twintig jaar gedragen. Als Holck hem gekocht heeft...'

Meyer ging door.

'Jens Holck heeft persoonlijk geld overgemaakt naar Olavs rekening. Niet alleen die vijfduizend die hij hem via het stadhuis bezorgde. Afpersing. We hebben bovendien zijn vingerafdrukken aangetroffen in Store Kongensgade. En dit hebben we bij hem thuis gevonden.'

Meyer spreidde een aantal foto's op de tafel uit. Lund schoof met haar stoel dichterbij. Holck met Nanna ergens buiten. Gelukkig, teder. Holck glimlachte, hij was bijna onherkenbaar.

'Ze hadden duidelijk een relatie. Zijn vrouw heeft dat bevestigd. Ze wist niet met wie hij iets had, alleen dat hij bezeten was van haar, en dat ze jong was.'

Meyer krabde op zijn hoofd.

'Dat zeggen ze altijd, hè? Ik neem aan dat hij er trots op was.'

'En hij was gelukkig,' voegde Lund eraan toe.

Brix keek verveeld.

'Wat weten we van zijn doen en laten die vrijdagavond?'

'Hij was op het posterfeest. Nanna is later naar het Rådhus gekomen. Waarschijnlijk om de sleutels te halen zodat ze de flat in kon.'

Lund keek weer naar de foto's van Holck. Een andere reeks. Het was kouder. Ze droegen allebei winterjassen. Ze lachten. Nanna zag er te oud uit voor haar leeftijd, Holck leek een ander mens terwijl hij haar vasthield. Verliefd. Het was zo voor de hand liggend.

Een herinnering van de vorige avond.

Die vuile kleine slet.

'Heeft iemand Holck dat weekend gezien?' vroeg Brix.

'Nee. Zijn ex-vrouw had de kinderen, en zij hield het contact tegen. Ze maakte het hem aan alle kanten moeilijk. We hebben nog geen getuigen die hem dat weekend gezien hebben.'

Brix knikte.

'En die auto die we bij Holck hebben gevonden?'

'Daar is geen twijfel over,' zei Meyer. 'Dat is de auto waarmee Olav aangereden is.'

Lund bleef door de foto's bladeren. Holck en Nanna. Een stel. Twintig jaar leeftijdsverschil. Supergelukkig.

'Wat vind jij, Lund?'

Brix' vraag verraste haar. Ze gooide de foto's op tafel.

'Zo te horen hebben we een zaak,' zei ze zonder veel overtuiging.

'Wat een overdonderend enthousiasme!'

Lund zweeg.

'Goed gedaan,' zei Brix. Hij stond op, gaf Meyer een schouderklopje en verliet het vertrek.

Niet lang daarna begon Lund haar spullen in te pakken. Het was Meyers kamer nu.

Hij sloeg haar bezorgd gade.

'Wat zijn je plannen?'

Ze stopte spullen in een kartonnen doos.

'Ik weet het niet. Bengt en ik moeten praten. Mark en ik ook. We verzinnen er wel iets op.'

Meyer begon met zijn politieautootje te spelen. Hield er weer mee op en liep door de kamer, een sigaret in zijn hand.

'En jij?' vroeg ze.

'Ik? Er komt een onderzoek naar het schietincident. Dat zal weken in beslag nemen.'

'Je hoeft je geen zorgen te maken. Je hebt gedaan wat je moest doen...'

'Waarom liet die idioot verdomme zijn wapen niet vallen? God weet dat ik geprobeerd heb...'

'Meyer...'

'Wat kon ik anders doen?'

Hij zag er geschokt uit. Bang en kwetsbaar. En jong, met zijn flaporen en zijn naïeve gezicht.

Lund hield op met inpakken, liep naar hem toe en ging voor hem staan.

'Je kon niet anders. Je had geen keus.'

Nu ze vlak bij hem stond zag ze dat zijn ogen glansden. Ze vroeg zich af of hij gehuild had.

Meyer nam een trek van zijn sigaret en keek gejaagd om zich heen.

Ze moest eraan denken dat ze hem bij de Gedenkplaats had aangetroffen, starend naar de naam van zijn dode collega op de muur. Meyer was getekend door die gebeurtenis. Kon het niet van zich afzetten.

'Ik ben blij dat je het gedaan hebt. Natuurlijk ben ik blij. Je hebt mijn leven gered.'

Hij pakte het autootje weer op, liet het over zijn bureau rijden. Lachte niet toen het zwaailicht oplichtte.

'En nu?' zei hij. 'De zaak is gesloten, toch?'

Een asbak en een erepenning verdwenen in de kartonnen doos.

'Wat bedoel je?'

'Alsjeblieft zeg. Ik zie wat jij denkt. Inmiddels ken ik je wel.'

'Wat denk ik dan?'

'Zeg jij het maar.'

'Ik ben gewoon moe. Net als jij. Meer niet.'

Brix kwam terug. De juridische afdeling had beslist dat er voldoende bewijs was dat Holck Nanna Birk Larsens moordenaar was. Meyer zegde toe de ouders op de hoogte te brengen.

'Hoe zit het met Zweden, Lund?' vroeg hij. 'Nog nieuws?'

Ze tilde de doos op.

'Nog niet.'

Brix krabde aan zijn oor, hij leek niet op zijn gemak.

'Ik heb een fles hele goede malt whisky op mijn kamer. Als jullie zin hebben? We hebben wat te vieren. Jullie en alle anderen. Het is een lange, moeilijke weg geweest. Vooral voor jullie twee. Misschien…'

Hij kuchte, keek ze aan. Hij glimlachte zonder een spoor van sarcasme.

'Misschien heb ik het jullie af en toe ook niet makkelijk gemaakt. Het is nooit eenvoudig als de politiek ermee gemoeid is…'

'Ik wil wel een borrel,' zei Meyer en hij liep de kamer uit.

'Ik kom zo,' zei Lund.

Brix liep door de gang. Ze kon gelach horen. Geen stemmen die ze herkende.

Nu ze alleen was nam Lund haar dossiermappen door. Ze haalde de map met de vermiste vrouwen eruit. Tien jaar. Een handjevol. Niets veelbelovends. De man die ze dit karweitje had laten opknappen was een oude agent met gezondheidsproblemen. Ooit was hij een fitte politieman, goed in het veldwerk. Nu kon hij niet meer dan oude papieren doorspitten, op zoek naar verloren goud.

Tien jaar was niet genoeg. Dus was hij verder teruggegaan. Hij was tot drieëntwintig jaar gevorderd toen Brix hem van de klus afhaalde.

Dertien vermiste vrouwen. Jong. Geen verband met het stadhuis of de politiek. Niets dat op een verband wees tussen een van hen en een man die Holck heette. Ook niets dat hen linkte aan een seriemoordenaar. Dat wilde niet zeggen dat die niet bestond.

Ze bekeek de laatste, de oudste. Van eenentwintig jaar geleden.

De kleuren van de foto waren vervaagd. Mette Hauge. Studente. Tweeëntwintig. Lang bruin haar, een wezenloze, vriendelijke glimlach. Grote witte oorbellen.

Lund keek naar de cold case-dossiers en ging zitten.

De telefoon bleef maar rinkelen, en alleen Vagn Skærbæk was er om hem op te nemen. Lotte bleef bij hem in de buurt, gekleed in een laag uitgesneden topje dat een deel van haar borsten bloot liet. Hij wist waarom.

'Die deadline van jou kan me geen reet schelen,' brulde hij en hij zette de telefoon met een klap neer. 'Klote journalisten.'

Hij keek haar kwaad aan.

'Vat je geen kou zo?'

Toen boog hij zich weer over de motor die hij aan het repareren was.

'Heb je al van Theis gehoord?' vroeg ze.

'Hij komt eraan. God weet waar hij gezeten heeft.'

Lotte glimlachte naar hem en knipperde met haar wimpers. Alsof hij daar nu nog voor zou vallen.

'Vagn, we hoeven Theis niet over gisteren te vertellen. Dat maakt de zaak er niet beter op. We moeten het onder ons houden.'

'Wil je dat ik ook nog ga liegen? Jezus. Ik werk op zondag, ik probeer de wagens op de weg te houden. Ik doe zowat alles hier!'

Voetstappen bij de garagedeur. Theis Birk Larsen verscheen. Zwart jack, zwarte muts. Snijwonden in zijn gezicht en ongeschoren.

Lotte glimlachte zenuwachtig.

'Hoi, Theis. Heb je al gehoord dat ze hem gepakt hebben? De politie zegt dat ze hier over een uur zijn.'

Hij keek ze geen van beiden aan. Liep naar het kantoortje en nam de weekplanning door.

'Ik heb het gehoord. Waar is Pernille?'

'Wat dacht je?' zei Skærbæk met overslaande stem.

Lotte keek naar de grond. Birk Larsen richtte zijn samengeknepen koude ogen op de kleine man in het rode pak die een paar passen van hem af zenuwachtig zijn handen wrong.

'Wat?'

Skærbæks woede kwam naar buiten.

'Schei uit met die flauwekul.' Hij prikte met zijn vinger in de richting van de trap. 'Zij is waar jij moet zijn. Hier. Wat mankeert jou, verdomme?'

Birk Larsen draaide zich naar hem toe, zijn grote hoofd schuin, en keek hem zonder iets te zeggen strak aan.

'Je hebt niet eens de moeite genomen om naar het kerkhof te komen, hè. Je had het zeker te druk, klootzak! We hebben je overal gezocht. Wij waren daar met Pernille en de jongens. Waar zat je, verdomme?'

Lotte deed een stap naar achteren, klaar voor een woede-uitbarsting.

Skærbæk deed een pas naar voren en keek op naar de grote man in het zwarte jack.

'Je hebt het verkloot, lul. Alles hier is naar de ratsmodee en ik ga het niet langer voor jou opknappen. Niet meer.'

Hij trok zijn werkhandschoenen uit en legde ze met een klap op de motor van het bestelbusje.

'Los je rotzooi zelf maar op.'

Hij zwiepte het gereedschap en de blikken van de werkbank. Stormde de garage uit waarbij hij een olieblik omver schopte.

Birk Larsen keek hem na en keek toen naar Lotte.

'Wat is er aan de hand?'

Ze zweeg. Ze was bang.

Zijn grote hand kwam op haar schouder neer.

'Ik wil dat je me vertelt wat er gebeurd is, Lotte. Ik moet het nu weten.'

In de keuken viel de winterzon door de ramen naar binnen. Planten in potten. Foto's. Schoolroosters aan de muur. De deur naar Nanna's kamer stond open. Alles was weer zoals vroeger.

Pernille zat met haar rug naar hem toe aan de tafel en keek naar het tafelblad.

Hij liep naar het aanrecht en schonk zichzelf een kop koffie in.

Hij keek haar niet aan toen hij zei: 'Ik was gisteravond in het huis in Humleby. Het ziet er niet al te slecht uit. Ik ben verder gekomen dan ik gedacht had.'

Aan tafel. De ochtendkrant. Niets anders op de voorpagina dan een enorme foto van Jens Holck en een kleinere van Nanna.

Pernille zag bleek. Alsof ze een kater had. Beschaamd wellicht. Hij wilde er niet over nadenken. Absoluut niet.

Hij pakte de krant op en hield hem vlak voor zijn gezicht.

Holcks foto was typisch een portret van een politicus. Hij zag er fatsoenlijk, aardig, betrouwbaar uit. Een steunpilaar van de Kopenhaagse maatschappij. Een liefhebbende vader en echtgenoot.

'Ze zeggen dat hij dood is,' mompelde Birk Larsen.

Hij had haar ogen nog nooit zo groot gezien. Ze straalden van de tranen die eraan zaten te komen.

'Theis. Ik moet je iets…'

'Het geeft niet.'

Eén enkele dikke traan biggelde over haar rechterwang.

Met zijn grote ruwe hand veegde Theis Birk Larsen hem weg.

'Het geeft helemaal niets.'

Meer tranen. Hij vroeg zich af waarom hij niet een potje mee kon huilen. Waarom hij wel het gevoel had, maar er geen woorden aan kon geven.

'God, wat heb ik je gemist,' zei hij. 'Eén dag maar, maar het leek een eeuwigheid.'

Toen lachte ze en twee glanzende rivieren stroomden uit haar ogen, rivieren die hij niet kon indammen, ook al had hij dat gewild.

Ze stak haar hand uit, raakte even zijn kin aan, de rossige baardstoppels die al grijs werden. Ze streelde zijn wang, de snijwonden, de blauwe plekken. Toen boog ze zich naar hem toe en kuste hem.

Haar lippen waren warm en vochtig, en haar huid ook. Over de tafel met zijn mozaïek van bevroren gezichten hield hij haar vast en zij hem.

Zo moest het zijn.

Hartmann vertelde het pas die middag. Toch reageerde Weber woedend.

'Een *borg fred*? Niet te geloven dat je daarmee ingestemd hebt, Troels. Een wapenstilstand is alleen voor Bremer gunstig. Het is een manier om jou het zwijgen op te leggen. Hij behandelt ons allemaal als stoute kinderen. Als je meewerkt aan die persconferentie, is het gedaan met ons.'

Hartmann hield met twee handen zijn koffiebeker omklemd en keek naar buiten, dacht erover om een paar dagen weg van die kleine, gesloten wereld van het stadhuis door te brengen. Met Rie ergens heen. Alleen.

'We hebben geen keus.'

'O! Dus nu vind je het prima dat Bremer aanblijft.'

'Nee, dat vind ik niet. Maar hij heeft ons in de hoek gedreven.'

Hartmann vloekte zachtjes.

'God, wat heeft die man een timing. Als ik doe wat hij wil, dan kan ik hem niet bekritiseren. Als ik dat niet doe dan kom ik eruit tevoorschijn als een eenzame ruziezoeker met een bedenkelijk verleden. We zijn de lul. Toch?'

Geen antwoord.

'Toch, Morten? Tenzij jij een ideetje hebt?'

Weber haalde diep adem. Hij kon nog steeds niets zeggen toen de deur openging en Rie Skovgaard binnenkwam met een gezicht zo bleek en woedend dat hij zich haastig in het aangrenzende vertrek terugtrok.

'Ik heb je geprobeerd te bellen,' zei Hartmann. 'Je was niet thuis.'

'Nee.' Ze gooide haar tas op het bureau en ging zitten. 'Ik zat bij een vriendin.'

'Het spijt me dat ik het niet tegen je gezegd heb.'

'Waarom niet eigenlijk?'

'Omdat… ik zei toch dat het me spijt?'

Ze liep op hem af en kwam voor hem staan.

'Drie dagen na dat ellendige weekend heb je mij gevraagd bij je in te trekken.'

'Dat meende ik, echt.'

'Maar waarom heb je het me dan niet verteld?'

'Omdat… ik was dronken. Het was stom van me.'

'Je kon het wel aan Morten vertellen, maar niet aan mij. Komt het in de krant?'

'Nee,' zei Hartmann stellig. 'Brix heeft het me beloofd.'

'Ja, daar heb je wat aan.'

'Dit keer wel, denk ik. Zij staan er zelf ook niet al te best op als de waarheid aan het licht komt. Hou op over de politie, Rie. Ik wilde het met jou niet nog erger maken. Soms… Ik weet niet wat jij wilt. Ik ben toch degene die gezegd heeft dat we een huis moeten zoeken. Kinderen krijgen.'

'Dus nou is het mijn schuld?'

'Dat bedoelde ik niet zo.'

'Waarom zeg je het dan? O, laat zitten. Het kan me toch geen moer schelen.'

Ze haalde wat papieren uit haar koffertje en bladerde ze door.

'Laat me tenminste proberen het uit te leggen.'

'Ik wil het niet horen.'

Ze keek hem aan. Uitdrukkingsloos. Alsof ze bij een commissievergadering iemand over tafel aankeek.

'Troels, het is voorbij. We zitten nog steeds in de campagne. Daarvoor heb ik me uit de naad gewerkt en ik zal er niet uit stappen. Wees eerlijk. Heb je echt ingestemd met een wapenstilstand met Bremer? Weet je wat dat betekent?'

'Ik heb tegen hem gezegd dat ik zou doen wat het beste is. Hij liet me geen keus.'

'Nou, die heb je nu wel. Er komt geen wapenstilstand.'

'Die beslissing is aan mij. Niet aan jou.'

Rie Skovgaard pakte zijn agenda van het bureau.

'Terwijl jij iedereen die je maar vinden kon tegen je in het harnas joeg en de martelaar uithing bij de politie, was ik aan het werk. Je hebt vandaag een extra afspraak. Vertel me daarna maar of je nog steeds Poul Bremers schoothondje wilt zijn.'

Mette Hauges vader woonde op een boerderij aan de rand van de stad bij Køge. Lund reed er alleen naartoe. Het huis zag er verwaarloosd uit. De grote kas was leeg, het glas was gebarsten en hier en daar ontbrak een paneel. Er stond geen auto, alleen een goedkope motorfiets bij de achterdeur.

Het duurde even voor Jorgen Hauge opendeed. Het was een grijze man die er nog fit uitzag, rond de zeventig, in een blauwe overall, die wel wat weg had van de overall die Theis Birk Larsen onlangs had gedragen.

Hij reageerde verbaasd toen ze hem haar politiepasje liet zien en naar zijn dochter Mette vroeg.

'Wat wilt u weten? Na al die tijd?'

'Ik heb maar een paar vragen,' zei Lund. 'Zo gebeurd.'

Hauge woonde in zijn eentje met een paar kippen en een oude schapendoes. Binnen was het netjes en schoon. Hij leek een zeer precieze man.

Terwijl hij koffiezette liep ze rond en keek goed om zich heen. Een foto van een klein meisje dat op het strand speelde. Een paar jaar later poseerde ze op een bank. Prijzen voor vee en varkens op tentoonstellingen.

'Het was eenentwintig jaar geleden,' zei Hauge toen hij terugkwam. 'Ze verdween op 7 november. Een woensdag.'

Hij keek haar aan.

'Het regende. Ik maakte me zorgen om de afwatering.'

Hij legde nog wat foto's op tafel.

'Ze was net naar Christianshavn verhuisd. Haar eerste eigen huis. Ze zeiden dat ze onderweg was van handbal naar huis. We hebben de politie gebeld.'

Krantenknipsels van toen. Overal dezelfde foto van Mette. Een mooi meisje.

'Twee, drie weken later werkten er nog maar twee agenten aan de zaak. Ze hebben haar nooit gevonden.'

Nog een krantenknipsel. Rouwkransen. Een grafsteen.

'Dus hebben we een kist zonder lichaam begraven.'

'Kan het dat ze zelfmoord heeft gepleegd?'

Hij leek het niet erg te vinden dat ze die vraag stelde.

'Mette was soms depressief. Ze studeerde. Ze was een beetje naïef. Ik denk dat ze een tijdje met die hippies omging, Christiania en zo. Niet dat ze ons dat ooit verteld heeft.'

'Heeft ze een briefje of zo achtergelaten?'

'Nee. Ze heeft geen zelfmoord gepleegd. Ik weet wel...' Hij liet zijn vinger langs de knipsels glijden. 'Jullie van de politie hebben gezegd dat een vader dat altijd zegt. Maar ze heeft geen zelfmoord gepleegd.'

'Had ze een vriend?'

'Voor zover wij wisten niet. Ik zei al, ze was net naar de stad verhuisd.'

Hauge keek de kamer door. 'Het is hier een beetje saai als je jong bent, denk ik. Het is al lang geleden. Ik weet het niet precies meer. Ze had haar eigen leven...'

'Waren er nog dingen die u toen vreemd vond?'

Daarop reageerde hij verontwaardigd.

'O ja, zeker. De ene dag heb je nog een dochter van wie je meer houdt dan van wie dan ook. En de volgende dag is ze voor altijd verdwenen. Dat vond ik heel vreemd.'

Ze stond op en zei: 'Het spijt me dat ik u heb lastiggevallen.'

'Iets anders. Hoe kan het nou dat ik na al die tijd opeens twee keer in één week bezoek van jullie krijg?'

Lund stond stil.

'Wat bedoelt u?'

'Er is hier een politieman langs geweest die precies dezelfde vragen stelde.'

'Hoe heette hij?'

'Ik heb het ergens opgeschreven. Hij sprak raar. Ik kon niet alles verstaan wat hij zei.'

Hauge zocht in een stapeltje papieren op een oud bureau bij het raam.

'Misschien ligt het in de huiskamer. Ik zal even kijken.'

Ze liep achter hem aan en keek naar de muren.

Overal foto's en schilderijen. Familie en landschapjes.

Daar een foto van Mette. Zwart-wit. Zo te zien toen ze studeerde. Haar in de war. Goedkoop T-shirt.

Ketting met een zwart hart.

Ze stond voor de foto en hield even haar adem in.

Keek nog een keer.

Handgemaakt door hippies in Christiania, had Meyer gezegd. Zijn er niet veel van.

Het was dezelfde ketting. Ze wist het zeker. Net zo zeker als ze wist dat ze Sarah Lund heette.

Hauge kwam terug.

'Hoe kwam ze aan die ketting?' vroeg Lund.

'Ik weet het niet. Ze woonde toen al in de stad. Een cadeautje misschien.'

'Van wie?'

'Denkt u dat ze dat aan haar vader zou vertellen? Hoezo?'

'Hebt u die ketting later nog gezien? In haar spullen nadat ze verdwenen was?'

'Ik geloof het niet.'

Hij gaf haar de naam van de man met wie hij gesproken had. Ze vroeg zich af waarom ze verbaasd was.

'Zou ik deze foto mee mogen nemen?' vroeg Lund. 'U krijgt hem terug, dat beloof ik.'

Meyer ging met de familie praten. Hij zat aan die rare keukentafel van ze en vertelde wat hij wist. Holck had Nanna via een datingsite leren kennen. Hij had Hartmanns identiteit gebruikt om geheim te houden wat hij deed. Er kwam een einde aan hun verhouding.

'Waarom heeft hij het gedaan?' vroeg Pernille Birk Larsen.

Ze hielden als tieners elkaars hand vast.

'Hij was kennelijk krankzinnig verliefd op haar. Zij heeft het uitgemaakt. Holck heeft Nanna overgehaald om hem nog één keer te ontmoeten in de flat van de Liberalen. Daarna... we weten niet wat er daarna precies gebeurd is.'

Birk Larsen keek Meyer strak aan en zei: 'Hoe is hij precies gestorven?'

'Hij...'

Meyer deed zijn best om niet te stotteren.

'Hij bedreigde een collega. We hadden geen keus. Hij is neergeschoten.'

'Heeft hij nog iets gezegd?' vroeg ze.

'Nee.'

'En jullie weten zeker dat hij het was?'

'Ja, we weten het zeker.'

Ze vlochten hun vingers ineen. Ze keken elkaar even aan. Een knikje. een zweem van een glimlach.

'Dan willen we Nanna's spullen graag terug,' zei Pernille.

'Natuurlijk. Mijn collega Sarah Lund werkt niet meer aan de zaak. Als jullie iets willen vragen, moeten jullie voortaan mij bellen.'

Meyer legde zijn kaartje op tafel.

'Het maakt niet uit wanneer jullie bellen, of waarover.'

Hij stond op. Theis Birk Larsen ook.

De grote man stak zijn hand uit. Meyer greep hem.

'Dank je,' zei Birk Larsen.

Een blik op zijn vrouw.

'Namens ons allebei: dank je wel.'

Bengt Rosling stond in de keuken, kookte met zijn ene, goede arm terwijl Vibeke glimlachend toekeek.

'Als we hier eenmaal weg zijn, komt het allemaal prima in orde,' zei hij.

Een fles Amarone. Pasta en saus.

Vibeke hief haar glas.

'Ik ben eraan toe om weer alleen te zijn. Sarah...'

Ze hoorden de deur. Ze liet haar stem dalen.

'Ze heeft iemand nodig die haar op het juiste spoor houdt.'

Lund kwam binnen. Haar jas was vochtig van de regen. Haar haren zaten in de war.

'Hallo!' zei Bengt. Hij pakte een derde glas en schonk wijn in.

'Kunnen we even praten?' zei ze.

'Nu? We zijn aan het koken. Een Italiaanse lunch. Je moeder helpt me.'

Lund wachtte en zei niets.

'Is het weer zover?' mopperde Vibeke. Ze liep naar de zitkamer en sloot de deur achter zich.

Lund haalde de dossiers uit haar tas. Gooide ze op tafel. Ze probeerde zich te beheersen, maar ze deed niet al te erg haar best.

'Nou…?' vroeg hij.

'Jij hebt met de vader van een van de vermiste vrouwen gepraat.'

Hij ging zitten en nam een grote slok wijn.

'Je hebt je voorgedaan als politieman. Ik zou je daarvoor kunnen arresteren.'

'Nee, dat kun je niet.'

'Waarom niet?'

'Omdat jouw chef Brix me drie dagen geleden heeft opgebeld. Hij had over mijn idee gehoord. Dat de man het misschien al eerder gedaan had.'

Hij pakte de map van Mette Hauge op en sloeg hem open op de eerste bladzijde.

Een mooi meisje. Haren in de war. Het was een politiefoto. Lund had het nagetrokken. Mette had een berisping gekregen vanwege softdrugbezit.

'Ik heb Brix verteld wat ik ervan dacht. Hij wees het van de hand. Hij leek vastbesloten om Hartmann ervoor op te laten draaien.'

'Echt?'

'Hij deed erg arrogant tegen me. Dat ergerde me.'

'Ik heb nooit geweten dat jouw ego zo fragiel was.'

'Die opmerking is nergens voor nodig. Ik wilde bewijzen dat ik gelijk had. Het Hauge-dossier was oud, maar het leek me het veelbelovendst. Ze hebben haar fiets gevonden niet ver van de plek waar Nanna gedumpt was. Dus ben ik bij de vader langs geweest.'

Nog een slok wijn.

'Dat was het,' zei hij.

'En wat ben je te weten gekomen?'

Hij zweeg.

'Wat ben je te weten gekomen, Bengt?'

Hij hield haar het glas voor. Ze nam het niet aan.

'Gisteravond zei je nog dat je het mis had. Dat er geen verband was met een van die oude zaken. Maar je bent ernaartoe geweest. Dus je wist dat er wel degelijk een verband bestond.'

'Eén zaak. En misschien dan nog.'

'Misschien?'

Ze haalde de zwart-witfoto uit haar tas.

'Kijk me aan en zeg dat je deze foto nog nooit gezien hebt. Ik wil weten hoe je eruitziet als je liegt. Daar heb ik tot nog toe geen ervaring mee.'

Hij keek naar de foto en fronste zijn wenkbrauwen.

'Het is vast gewoon toeval. Er kunnen duizenden van die kettingen zijn.'

'Nu,' zei ze, 'weet ik hoe dat eruitziet.'

Ze liep naar het aanrecht en boog eroverheen, probeerde na te denken, probeerde zich te beheersen.

'Sarah…'

Hij stond achter haar. Legde even zijn hand op haar schouder maar bedacht zich toen.

'Ik hou van je. Ik maak me zorgen over je. Ik wilde dat dit niet voor eeuwig om ons heen zou blijven hangen…'

Ze draaide zich om en keek hem aan.

'Wat heb je daarna gedaan?'

'Ik heb een paar aantekeningen gemaakt en die aan Brix gegeven.'

Ze sloot even haar ogen.

'Je hebt ze aan Brix gegeven? Niet aan mij?'

'We hadden ruzie. Ik was kwaad op je. Wat moest ik dan?'

Lund keek hem aan.

'Wat moest je dan?'

Ze pakte de map en de foto op en stopte ze weer in haar tas.

'Sarah…'

Lund liet hem naar adem happend in de keuken achter, met z'n wijn en z'n pasta en haar moeder.

Hartmanns ongeplande afspraak bleek met Gert Stokke te zijn, hoofd van Holcks afdeling. Skovgaard bleef erbij.

Stokke was een lange man, tegen de zestig. Net pak. Subtiel, intelligent gezicht. Kaal als een biljartbal en net zo glad.

Hij ging zitten, keek eerst Skovgaard aan en toen Hartmann en zei: 'Dit moet onder ons blijven. Ik vind het niet prettig om hier op zondag te komen. De mensen zullen kletsen.'

'Fijn dat je er bent, Gert,' zei ze.

'Je beseft wat voor risico's ik neem?'

'Ja.' Ze keek even naar Hartmann. 'Dat doen we zeker. We waarderen het.'

'Nou…'

Stokke had meer dan twintig jaar op het stadhuis gewerkt. Drie jaar geleden was hij aangesteld als hoofd van de afdeling Milieu, Holcks portefeuille.

'Uiteraard,' zei hij, 'had ik toegang tot alle rekeningen en budgetten. Dit is gemeenschapsgeld. Het is een heel belangrijke functie, die ernstig wordt onderschat, als ik dat mag opmerken.'

Hartmann keek op zijn horloge en wierp een boze blik op Skovgaard.

'Heb je haast?' vroeg Stokke.

'Vertel ons over Holck,' zei ze.

'Kille man. Tijdens de zomer is hij veranderd. Hij was altijd heel plichtsgetrouw. Niet iemand op wie je gesteld was, maar heel goed in zijn werk.' Hij haalde zijn schouders op. 'Maar toen ging het bergafwaarts met hem.'

'Hoe?' vroeg Hartmann.

'Hij nam een dag vrij en zei tegen mij dat zijn kind ziek thuis zat. Toen belde zijn vrouw om te vragen waar hij was. Mannen hebben hun vriendinnen, dat kan. Mij gaat dat niet aan.'

'Waarom luister ik hiernaar, Rie?' vroeg Hartmann. 'Dit is niets nieuws. Holck is dood en ik heb een persconferentie.'

Hij stond op.

'Gert,' zei ze. 'Jij wist dat Holck een vriendin had en dat hij onze flat gebruikte?'

Hartmann bleef bij de deur staan.

'Ik wist van een vriendin,' beaamde Stokke. 'Dat van de flat wist ik niet zeker. Ik had erover horen kletsen. En ik wilde hem een keer een dossier sturen en toen zei hij dat ik de papieren met een taxi naar Store Kongensgade moest laten brengen.'

'Jezus,' mompelde Hartmann.

'Het kon ook dat hij daar een afspraak met jou had.'

'Jij wist dus dat hij onze flat gebruikte?' Hartmann schudde zijn hoofd. 'Begrijp je wel wat je mij had kunnen besparen? Waarom heb je dit niet eerder verteld? Ze hebben me in de bak gegooid…'

'Ik heb het aan Bremer verteld,' zei Stokke snel. 'Hij wist er alles van. Hij is de burgemeester. Als iemand zijn mond open moest doen, dan was hij het wel…'

'Wát?'

'Maanden geleden al. Toen ik er net van wist. Ik heb een gesprek met hem gehad. Bremer zei dat hij het zou regelen. Hij zou met Holck praten.'

'Wanneer was dat?'

'Mei, juni. Het is Bremer! De burgemeester. Als hij zegt dat hij erbovenop zit, wie ben ik dan om daartegenin te gaan? Kijk me niet zo aan, Hartmann. Ik ben hier nu toch?'

Een geluid bij de deur. Morten Weber kwam haastig binnen.

'Troels. Je bent bijna te laat voor je castratie. De pers verzamelt zich al. Bremer wil iedereen van tevoren even spreken.'

Weber zag opeens dat er iets aan de hand was.

'Gert?' zei hij. 'Wat doe jij hier?'

Jan Meyer zat met zijn vrouw en zijn kinderen op kantoor. Drie meisjes. Zeven, vijf en twee jaar. Ze hadden twee nieuwe politieautootjes voor hem meegenomen en lieten ze vroem-vroemend over het bureaublad rijden.

'Laten we met z'n allen wat gaan eten,' zei zijn vrouw.

Hij had de oudste op zijn knie, zijn arm om haar middel.

'Ik ga liever naar huis. Als dat goed is.'

'Prima,' zei ze. 'Naar huis.'

'We hebben thuis toch ook wel iets te eten?'

Hij liet zijn stem zakken, als van een reus in een tekenfilm.

'Ik wil een grote biefstuk en een heleboel ijs. En snoep en cola. En dan... nog meer biefstuk!'

'We kunnen pizza's halen...'

Een gedaante achter het glas. Lund, met een strak, zorgelijk gezicht. Ze bleef in de deuropening staan.

'Blijven jullie hier,' zei Meyer. 'Ik moet met iemand praten. Eventjes maar.'

Hij liep de gang op.

'Wat is er aan de hand, Lund?'

'Dat weet ik niet.'

Ze legde haar hand even op haar achterhoofd. Hij keek naar haar vingers.

'Je bloedt. De dokter zei dat je nieuwe hechtingen moest als ze losgingen.'

'We moeten terug naar het kanaal. Ik denk dat er daar meer is.'

'Lund...'

De kinderen zwaaiden naar hem vanuit zijn kamer. Ze maakten eetgebaren. Zijn vrouw was zo te zien niet blij.

'Ik vertel het je onderweg wel.'

'Nee, vertel het me nu.'

'Ik ben niet gek, Meyer.'

Hij zei niets.

'Er is meer,' zei ze. 'Zullen we gaan?'

Lund reed, Meyer nam haar aantekeningen door. Het nieuws op de radio stond aan. De dood van Holck. Een gegijzelde politievrouw. Brix die zei dat de zaak-Nanna Birk Larsen gesloten was. Geruchten van een wapenstilstand op het stadhuis nu politici niet meer zo hoog van de toren bliezen en de storm die plotseling in hun midden was opgestoken zo goed en zo kwaad als het ging probeerden uit te zitten.

Hij keek naar de foto van de ketting. In Nanna's hand. Om de hals van Mette Hauge, eenentwintig jaar eerder.

'Het is dezelfde,' zei Lund. 'Denk je niet?'

'Zo op het oog wel. Wat maakt dat dit meisje eruit springt?'

'Ze hebben haar fiets gevonden. Dat kun je aan het eind van het dossier lezen.'

Meyer bladerde door naar de laatste pagina.

'Frieslandsvej?'

'Loopt door de Kalvebod Fælled. Langs het grote kanaal. Vlak bij het Pinksterbos. Als je het kanaal oversteekt, ben je in het bos. De fiets lag ongeveer zevenhonderd meter van de plek waar wij de auto hebben gevonden.'

Er zat een kaart van de omgeving van de plaatselijke natuurvereniging in het dossier. Meyer bekeek hem aandachtig.

'Er zijn allemaal kleine kanaaltjes, tot aan de kust toe. Half Kopenhagen kan daar gedumpt zijn, dan vinden we nog niemand.'

'Holck studeerde in Amerika toen Mette Hauge vermist werd.'

Ze gaf hem een fotokopie van een bachelordiploma aan de Universiteit van Californië in Santa Cruz.

'Hij is dat hele jaar niet terug geweest. Het kan hem niet zijn.'

'Je hebt alleen die ketting maar.'

'En de fiets. Ik weet dat het dezelfde man is. Dat moet wel.'

'We hebben het kanaal al afgedregd.'

'Hij is natuurlijk niet op dezelfde plek teruggekomen.'

Meyer zwaaide met de kaart naar haar.

'Dit kan jaren duren.'

Ze reden langs station Vestamager, het eindpunt van de metro. Toen liep de weg rechtdoor, in zuidelijke richting naar de Øresund.

Laag, vlak land. Niets dan dood bos aan de rechterkant.

'We hebben gewoon wat hulp nodig,' zei Lund. 'Maak je geen zorgen.'

Er was een gemaal. Lund had twee agenten van het hoofdbureau opgetrommeld die avonddienst hadden. Ze volgden Lund en Meyer door een deur, een paar treden af naar het donkere binnenste met zijn ratelende machines en pompen. Het waterbedrijf had een ingenieur gestuurd. Hij was gewend aan bezoekers. Hij vond het heerlijk om over de geschiedenis van het bedrijf te vertellen. Toen de Duitsers Denemarken binnenvielen, wilden ze zo veel mogelijk mannen van de plaatselijke bevolking in Duitsland te werk stellen.

Dus verzon het bestuur van Kopenhagen nepprojecten om de mannen thuis te houden. Een daarvan was het landwinningbedrijf. Het project had geen praktisch nut, maar het hield honderden Denen een tijdje uit handen van de vijand.

'En nu,' zei hij op luide toon om de machinerie te overstemmen, 'blijven we pompen. Tachtig procent van het gebied hier ligt onder zeeniveau. Als wij niet pompen, eist de Øresund het land weer op.'

Hij had een betere kaart. Meyer bekeek hem en zuchtte. Het drainagenetwerk was nog ingewikkelder dan het er op het eerste gezicht had uitgezien, en besloeg het hele gebied als een water-zenuwstelsel dat via toevallige wegen naar zee voerde.

Lund wees een plek op de kaart aan. 'Hier is de brug waar we Nanna hebben gevonden,' zei ze. 'Waar voert dat kanaal naartoe?'

'Alle kanalen voeren het drainagewater naar het reservoir. Dat is de enige reden waarom die kanalen er zijn.'

Haar vinger volgde het kanaal van het punt waar Nanna was gevonden tot de sloot waar de fiets van Mette Hauge was achtergelaten.

'Dit is onmogelijk, Lund,' mopperde Meyer. 'Waar moeten we in godsnaam beginnen?'

Ze keek hem verbaasd aan. Het paste niet bij hem om zo'n open deur in te trappen.

'We beginnen door te denken zoals hij gedacht heeft.' Ze wees de ingenieur iets aan op de kaart. 'Wat is dit?'

'Een afvoersloot die uitkwam op de oude weg.'

'Welke weg?'

'De oude weg,' zei hij alsof ze dat toch wel kon weten. 'We hebben hem zo'n twintig jaar geleden afgesloten. We hadden hem niet nodig. Niemand ging daar ooit heen. Waarom zouden ze ook?'

'Hier gaan we kijken,' zei Lund, en ze tikte op de kaart. 'Stuur duikers naar alle kanalen en sloten die ervan wegvoeren. En we moeten het meer dreggen.'

'O nee.' De ingenieur lachte zenuwachtig. 'Dat kunnen jullie niet doen. We moeten alles stilleggen als mensen te weten komen dat jullie op zoek zijn naar een lijk.'

'Dat zou inderdaad het beste zijn, alles stilleggen,' zei Lund. 'Laten we zeggen voor achtenveertig uur.'

Ze keek naar de agenten van de avonddienst.

'Haal er wat collega's bij.'

'Maar dat kunnen jullie niet doen! Er zijn honderdvijftigduizend mensen afhankelijk van ons waterzuiveringssysteem. Ziekenhuizen. Verzorgingshuizen.'

'We zullen het zo snel mogelijk doen.'

Er stond een lange man boven aan de trap. Een lange jas en een lang gezicht.

Brix kwam met veel lawaai de ijzeren trap af.

Lund liep meteen naar hem toe.

'Ze hebben Mette Hauges lichaam nooit gevonden,' zei ze snel. 'Haar fiets lag vlak bij de plek waar Nanna gedumpt is. De ketting met het hart was van Mette. We moeten de kanalen dreggen. Het is dezelfde man.'

'Oké,' zei Brix. 'Bestel de duikers maar.'

Ze kon amper geloven dat het zo gemakkelijk ging.

'En ik zal bij de luchtmacht een paar F-16's regelen,' ging hij door. 'We kunnen de NAVO ook waarschuwen. Wat wil je nog meer? Kunnen we er onderzeeërs op afsturen?'

'Hoor eens. Holck was toen niet in het land.'

'Dus hij heeft Mette Hauge niet vermoord. Wat een verrassing! Maar hij heeft Nanna wel vermoord, en daar gaat het om. Ik heb die memo van je vriendje wel gelezen. Het is alleen maar een theorie. De zaak is opgelost. Holck had een relatie met Nanna. Overal vingerafdrukken van hem in de flat.'

'Dat kunnen oude vingerafdrukken zijn. Waar heeft Holck haar mee naartoe genomen? Dat weten we nog steeds niet. Niet naar dat leegstaande gebouw waar hij bivakkeerde. Daar is niets te vinden…'

'Ga jij nou maar naar huis, ja? Maak het goed met je vriendje en stap op het eerste het beste vliegtuig naar Zweden. Alsjeblieft.'

Hij liep weg.

Ze voelde dat ze razend werd en dat wilde ze niet.

'Dat wil je, hè? Dat ik mijn mond hou. Heeft Bremer dat ook gevraagd? Is dat onderdeel van de deal?'

Brix draaide zich om en keek haar aan.

'Ik heb veel geduld, dat weet je. Maar zelfs mijn geduld raakt uiteindelijk op. Heb je dat nog niet gemerkt?'

'Luister nou toch, Brix.'

Hij stak zijn hand uit.

'Je pasje.'

Ze probeerde hem te overreden maar hij wilde niet luisteren. Lund gaf haar politiepasje af.

'En de sleutels van de auto.'

Meyer had iets gezien en kwam naar hen toe.

'Jij hebt hulp nodig, Lund,' zei Brix. 'Godzijdank druk je niet meer op mijn budget, dus hoef ik er niet voor te betalen.'

Hij gooide de autosleutels naar Meyer die ze opving.

'Alles cancelen wat ze opgezet heeft. Vanaf nu is ze ons probleem niet meer.'

Meyer bracht haar naar huis, probeerde haar op zijn manier te troosten.

'Voor hetzelfde geld hadden we daar de rest van ons leven rondgehangen en helemaal niets gevonden. Kop op.'

Haar hoofd bloedde weer. Ze depte het met een tissue. Liet uiteindelijk het stukje bebloed papier maar aan haar achterhoofd plakken.

'En die waterman zei dat ze het bacterienniveau dagelijks controleren. De plek waar jij het over had zat vlak bij de watertoevoer. Ze moeten dan wat gemerkt hebben.'

'Het was eenentwintig jaar geleden. Laten we dat kanaal voorlopig maar vergeten. Waarom is Nanna naar de flat gegaan? Ze verheugde zich ergens op, weet je nog? Die foto's van haar op het schoolfeest. Ze was gelukkig.'

'Ze vond Holck leuk. Daarom was ze gelukkig.'

Lund keek naar hem en knipperde met haar ogen.

'Oké. Die vlieger gaat misschien niet op,' gaf Meyer toe. 'Maar je kunt het nooit helemaal rond krijgen.'

'Waarom zijn ze niet samen naar de flat gegaan?'

'Omdat hij een politicus is. Hij kan niet in het openbaar met een negentienjarige gezien worden. En misschien...'

'Jezus nog aan toe. Denk jij nu ook al dat ik gek ben?'

'Natuurlijk niet. Ik breng je toch naar huis?'

'Jij maakt altijd grappen als het lastig wordt.'

'Ik denk niet dat je gek bent. Zo goed, Lund?'

'Je moet het Mette Hauge-dossier natrekken. Het was toen een grote zaak. Ze hebben zeventienhonderd getuigenverhoren afgenomen. Er moet iemand zijn die een schakel vormt met Nanna.'

Meyer kreunde.

'Moet ik dat doen?'

'Ja, Brix heeft mijn pasje. Ik kan het archief niet meer in. Doe het vanavond nog. Let op namen die terugkomen. Plaatsen.'

'Nee.'

'Kijk of er...'

'Nee,' brulde Meyer.

Stilte.

'Dit moet ophouden,' zei hij uiteindelijk. 'Het wordt een obsessie.'

Ze keek uit het raampje en zei: 'Ik snap wel dat jij je rot voelt als het Holck niet is.'

Hij liet het stuur even los, klapte in zijn handen en greep het stuur weer beet.

'Voor het geval dat het je ontgaan is: ik heb Holck vanwege jou doodgeschoten. Niet vanwege Nanna. Die was toen al dood.'

Stilte.

'Hoe komt het toch dat jij je van alles wat er om je heen gebeurt zo bewust bent, behalve van jezelf?'

Hij aarzelde.

'Zelfs niet van je eigen gezin?'

'Je hebt gedaan wat je moest doen, Meyer.'

'Ik weet dat ik heb gedaan wat ik moest doen. Daar gaat het niet om. De zaak is gesloten. Opgelost.'

Ze wilde niet naar hem kijken.

'Jij bent de enige die dat niet kan begrijpen. Je moet eens met een psycholoog of zo gaan praten.'

'Je vindt dus dat ik gek ben?'

'Zo bedoelde ik het niet.'

'Hoe bedoelde je het dan wel?'

'O, jezus christus nog aan toe...'

Ze maakte haar autogordel los en pakte haar jas.

'Stop. Laat me eruit.'

'Doe niet zo kinderachtig.'

Ze stopte de mappen weer in haar tas. Ze legde haar hand op het portier, wilde het openmaken terwijl de auto nog reed.

'Rustig maar!' brulde Meyer.

'Stop en laat me eruit!'

'Weet je wel waar je bent?'

Lund keek naar de straatlantaarns. Ergens vlak bij Vesterbro. Aan de verkeerde kant van de stad als het om haar moeders huis ging.

'Ja,' zei ze. 'Dat weet ik.'

Hartmann kwam het zaaltje binnen waar de persconferentie werd gehouden, met Skovgaard aan zijn zijde.

'Waarom zijn we hier überhaupt?' fluisterde ze nijdig. 'Je hebt gehoord wat Stokke zei. Bremer had je meteen al kunnen vrijpleiten...'

Weer een kamer met houten lambriseringen. Schilderijen, oude kunst en moderne, aan de wanden. Verslaggevers. Cameramannen die aan hun apparatuur prutsten. De fractieleiders op een kluitje op het podium.

Weber was het voor deze ene keer met Rie Skovgaard eens.

'Je kunt de feiten niet negeren,' zei hij. 'Dit is belachelijk.'

Mai Juhl kwam binnen en schudde zijn hand.

'Goed dat je er bent, Troels. Na alles wat je hebt meegemaakt.'

'Na alles wat hem is aangedaan,' mompelde Weber.

'Zand erover, Mai,' zei Hartmann. 'Wil je me even excuseren?'

Poul Bremer was net binnengekomen. Hij bladerde door wat papieren en zag Hartmann aan komen lopen.

'Fijn dat je er bent, Troels. Laten we beginnen.'

'We moeten praten.'

De journalisten gingen zitten.

'Nee, Troels. Nu niet.'

'Jij wist dat Holck dat geld aan Olav Christensen overmaakte.'

Bremer stak zijn tot vuisten gebalde handen in zijn broekzakken, keek hem aan, met open mond en toegeknepen ogen.

'O ja? Wie zegt dat?'

Hartmann zweeg.

'Aha. Laat me raden. Een van de ambtenaren?' Bremer glimlachte. 'Dat lijkt me logisch. Die dekken altijd eerst zichzelf in.'

'Jij was op de hoogte,' zei Hartmann weer. 'Probeer je er maar niet uit te kletsen.'

'Natuurlijk was ik niet op de hoogte.' Bremer klopte Hartmann op zijn schouder. 'Troels… je hebt veel door moeten maken. Dat blijkt wel. Maar je moet je echt leren beheersen.'

Hartmann hapte niet.

'Hoor eens,' ging Bremer verder. 'De ambtenaren van Holck liggen met elkaar overhoop. Ze weten dat ik een besloten hoorzitting rond deze kwalijke zaak ga houden. Ze zullen de raarste dingen verzinnen om de schuld maar niet te krijgen.'

Die sympathieke glimlach, die twinkelende ogen.

'Je bent door een hel gegaan. Ik begrijp best waarom je achterdochtig bent. Holck, en wellicht een paar van zijn ambtenaren ook, hebben ons allemaal misleid. We moeten deze rotzooi samen opruimen. Akkoord?'

Geen antwoord.

'Of geloof je hen eerder dan mij?' vroeg Poul Bremer. Nog een schouderklopje. Nog een glimlach. 'Mooi. Laten we beginnen.'

Er kwamen nog wat journalisten binnen. Bremer stond te glimlachen op het podium. Een goed voorbereide toespraak over de schok die de ontmaskering van Holck bij hen allen teweeg had gebracht. Dat één persoon uit hun midden alles op zijn dak had gekregen.

'We hebben allemaal de ongefundeerde beschuldigingen gezien waaraan Troels Hartmann is onderworpen,' zei Bremer terwijl hij zijn hand op Hartmanns schouder legde. 'Ik heb ze geen moment geloofd. Maar politici moeten reageren op wat er gebeurt en dat hebben we gedaan. In goed vertrouwen, maar dat was onterecht. Nu kondigen we in het stadhuis een *borg fred* af, een wapenstilstand. We begraven de strijdbijl, voor het welzijn van Kopenhagen…'

Hartmann wendde zich tot Bremer en zei iets dat werd opgevangen door de microfoon. 'Jij zit de financiële commissie voor.'

De oude man zweeg en wierp hem een boze blik toe.

'Wat?'

'Jij zit de financiële commissie voor.'

Geen warme glimlach nu.

'We hebben het hier later nog wel over,' zei Bremer zacht maar dwingend.

Hartmann liet zich niet het zwijgen opleggen.

'Hoe is het mogelijk dat de commissie niet wist dat Holck en niet ik dat geld gefiatteerd had? Hoe kan dat? Je hebt tegen me gelogen…'

Bremer stotterde, gevangen tussen het publiek en Hartmann.

'Zoals we... zoals we al zijn overeengekomen...'

Hartmann nam hem de microfoon af.

'De Liberalen zullen niet meedoen aan deze farce,' zei hij terwijl hij toekeek hoe de journalisten driftig aantekeningen maakten. 'Als wij doen wat Poul Bremer wil dan zullen we nooit de volledige waarheid achter de daden van Holck achterhalen, en te weten komen wie ervan op de hoogte was.'

Een van de tv-reporters riep uit: 'Wat bedoel je, Hartmann? Voor de draad ermee.'

'Ik bedoel dat de burgemeester meer weet van deze zaak dan hij aan ons heeft verteld. Of aan de politie.'

Bremer keek Hartmann en de andere fractieleiders woedend aan.

'Voorlopig heb ik verder geen commentaar,' voegde Hartmann eraan toe. 'Wat de Liberalen betreft zijn deze verkiezingen precies als alle andere. We vechten voor iedere zetel, en we vechten om te winnen.'

Hij verliet het podium. De pers verdeelde zich in twee kampen. Het ene om Hartmann met vragen te bestoken, het andere stortte zich op Bremer.

Weer in zijn kantoor zei Hartmann dat ze alle geldschieters die hadden afgehaakt moesten benaderen. Breng ze op de hoogte van de nieuwste ontwikkelingen. Zoek nieuwe donateurs.

Skovgaard zat al te telefoneren. Weber haalde zijn hand door zijn slordige bos haar.

'De media zullen zich op ons storten en om een verklaring vragen, Troels. Wat moet ik zeggen?'

'Als ik de boel met Stokke uitgepraat heb, sturen we een persbericht uit. Regel een afspraak met hem.'

'Stokke is ambtenaar. Die zal niets zeggen. Hij gaat heus zijn carrière niet voor ons in de waagschaal stellen.'

'Het is zijn plicht om de waarheid te spreken,' hield Hartmann vol. 'Ik wil een gesprek met hem. We lossen het wel op. Jezus, Morten. Kijk niet zo benauwd. Jij wilde toch ook onder die wapenstilstand uit, of niet?'

'Jawel. Maar jij hebt er niets van geleerd, hè. Als je een steen naar Bremer gooit, krijg je een rotsblok terug. Ik zal proberen...'

Hij liep het grote kantoor in.

Hartmann was alleen met Skovgaard. Zijn handen in zijn zakken en hij wist niet wat hij zeggen moest.

Ze was klaar met telefoneren.

'Heb ik je al bedankt?' vroeg hij. 'Voor al je werk?'

'Daar word ik voor betaald.'

Ze had haar haar naar achteren geborsteld. Haar gezicht stond vermoeid.

Maar ze genoot van de druk. Ze hield van de spanning. Van het wedstrijdelement.

'Het spijt me dat ik er zo'n zooitje van heb gemaakt, Rie.'

'Mij spijt het ook.'

Ze ging niet weg, terwijl ze dat wel had kunnen doen.

Een heel klein lachje.

'Maar goed, het was een geweldige voorstelling. Dat je Bremer ten overstaan van iedereen uit de spotlights hebt gestoten. Ik was vergeten dat je dat in je hebt.'

'Wat kon ik anders? Bremer wist het. Het stond op zijn gezicht te lezen. Hij wist het en ik geloof dat het hem zelfs niet kon schelen dat ik het kon zien.' Hij keek naar buiten, naar nachtelijk Kopenhagen. De neonreclame van het hotel. 'Hij denkt werkelijk dat dit allemaal van hem is.'

'Morten heeft wel een punt. Hij zal ons dit op de een of andere manier betaald zetten.'

Hartmann deed een stap in haar richting.

'Is het misschien mogelijk dat... zouden we vanavond samen uit eten kunnen gaan? Ik probeer de smaak van dat gevangenisvoer nog steeds weg te werken.'

Hij glimlachte nederig, hij vond het niet erg om te smeken.

'Vanavond niet. Ik begin aan dat persbericht.'

'Morgen misschien...'

'Je moet goed bedenken wat je tegen Stokke gaat zeggen. Als hij niet meedoet, zijn we verloren.'

Theis Birk Larsen pleegde een aantal telefoontjes. Mensen die hij in geen tijden had gesproken. Mensen met wie hij had gehoopt nooit meer zaken te hoeven doen.

Maar de tijden waren veranderd.

Hij zei wat hij moest zeggen en legde de telefoon neer.

Pernille zat aan de keukentafel, buiten gehoorsafstand hoopte hij, de krant te lezen.

Hij ging tegenover haar zitten. Pernille keek naar de foto op de voorpagina. Jens Holck.

'Ze zeggen dat hij dol was op zijn gezin,' zei ze. 'Hij is van onze leeftijd.'

Hij duwde de krant opzij.

'Ik ben blij dat hij dood is. Dat zal wel verkeerd van me zijn, Theis, maar ik ben echt blij. We zouden moeten vergeven.'

Ze keek hem aan, alsof ze een antwoord zocht.

'Hoe kun je vergeven, Theis? Hoe?' Het bleef even stil. 'Waarom?'

Hij vertrok zijn gezicht en keek naar buiten.

'Ik heb over het huis gebeld. De makelaar zegt dat ze bijna klaar zijn met de papierwinkel. Ik heb voor morgen een afspraak met haar.'

Hij stak een sigaret op en wachtte. Ze keek nog steeds naar de krant. Eindelijk legde ze haar hand op zijn arm, glimlachte en zei: 'Sorry, wat zei je?'

'Hoe eerder we het huis verkopen, hoe beter.'

'Met kerst misschien?'

'Ik moet er een goede prijs voor krijgen. Die klootzakken van de bank staan ons naar het leven...'

Ze liet haar hand over zijn sterke arm glijden. Legde haar vingers op de stoppels op zijn wang.

'Het komt wel in orde,' zei hij. 'En je hebt ook nooit gedacht dat je met een miljonair trouwde, toch?'

Daar moest ze om lachen. Het was de eerste keer dat hij haar zag lachen sinds de duisternis daar op de Kalvebod Fælled hen overvallen had, die donkere, regenachtige avond een eeuw geleden.

'Ik was jong. Ik wist echt niet met wie ik trouwde.' Haar vingers weer op zijn huid. 'Ik wist alleen dat ik hem wilde.'

De gegevens van de makelaar over het huis lagen op tafel. Ze keek naar de plattegronden. Drie verdiepingen. Een tuin.

'Humleby,' zei ze.

Theis Birk Larsen keek naar haar, hij voelde liefde en hoop warm door hem heen stromen.

Een geluid beneden. De grote deur die openging.

'Ik ga wel,' zei hij.

De garage leek leeg. Alleen de goederen die ze ophaalden en vervoerden. Waardevolle goederen.

Birk Larsen riep, maar er kwam geen reactie.

Hij dacht na over inbrekers en over hoezeer hij vertrouwde op een kleine man die Skærbæk heette. Een oude vriend die hij af en toe heel slecht behandeld had.

Hij pakte een moersleutel op en liep naar het kantoor, deed het licht aan.

Een gedaante kwam uit het donker naar voren. Slank en jong.

Een Indiase jongen, met een studentenbrilletje en een vriendelijk jong gezicht, die eruitzag alsof hij ieder moment in tranen kon uitbarsten.

'Hallo,' zei hij. Hij kwam naar Birk Larsen toe en schudde hem de hand. 'De deur stond open. U kent me niet meer, hè?'

Birk Larsen haalde zijn schouders op.

'Nee, inderdaad. Het is laat. We zijn gesloten. Wat kan ik...'

'Ik ben Amir. Amir El'Namen.'

Hij wees naar de deur.

'Herinnert u zich mijn vader nog? Van het restaurant?'

Een geheugenflits, een plotselinge scheut verdriet.

Twee kinderen, niet ouder dan zes, die hand in hand naar school werden gereden, in de rode bak van de Christiania-bakfiets. Kleine Nanna en het Indiase jongetje, Pernille met haar voeten op de trappers, gelukkig en mooi. Vagn Skærbæk had er nooit wat in gezien. Birk Larsen wist ook niet wat hij ervan moest denken. Maar Pernille vond het schattig. Ze vond het zo schattig dat ze Amir op feestjes had uitgenodigd en westerse kleren voor hem had gemaakt. Ze reed Nanna en hem rond terwijl ze het uitgierden en de bakfiets over de straatkeien hobbelde.

Dat was een van de foto's die in de tafel gevangen waren.

Ze hadden meegemaakt hoe Amir van een buitenlander die geen woord Deens sprak veranderde in een gewoon jongetje uit de buurt. Een andere huidskleur, maar verder hetzelfde.

En bovendien, wist Birk Larsen nog, Nanna had van hem gehouden. Amir was haar eerste vriendje geweest. Twee jaar, misschien drie. En toen...

'Jij bent de jongste zoon van Karim,' zei hij. De herinneringen brachten eerder een glimlach dan verdriet. Eén herinnering drong zich aan hem op.

'Ik zat in Londen. Ik heb daar een jaar gestudeerd.'

'Dat weet ik. Karim heeft het me verteld. Je gaat trouwen, nietwaar?'

Hij had een schoudertas. Een modieus kaki jasje. Een student met geld. Hij vond het niet gemakkelijk om iets te zeggen. Hij leek – maar dat was toch belachelijk – hij leek bang.

'Amir, wat kan ik voor je doen?'

'Zou u wat spullen voor me willen verhuizen? Morgen?'

'Wat moet ik verhuizen?'

Amir zweeg even.

'Dingen voor de bruiloft. Tafels en stoelen.'

'Morgen? Nee. Het is nu zondagavond. Je kunt niet verwachten dat ik alles voor jou opzijzet. Ik bedoel...'

Amirs gezicht betrok. Hij zag er beschaamd uit.

'Sorry. Ik wilde u niet beledigen. Ik wilde gewoon... Het hindert niet. Ik regel wel iets anders.'

Birk Larsen blies zijn adem uit, liep naar het bureau en pakte het schema.

'Hoor eens, ik zal proberen iemand anders voor je te regelen.'

'Meneer Birk Larsen...'

'Ja?'

Hij liep naar hem toe, met een hoopvolle blik.

'Ik wil echt dat u het doet.'

'Ik? Wat maakt dat nu uit?'

'Echt. Ik wil dat u het doet. Alstublieft.'

Twee kinderen in de bakfiets. Nanna's eerste vriendje. Zo lief, zo bescheiden, zo respectvol. Nu nog steeds.

'Ik kom je rond lunchtijd halen,' zei Birk Larsen. 'Om één uur in het restaurant. Maar je moet zelf meehelpen.'

'Natuurlijk.'

Hij stak zijn hand uit.

'Dank u wel, meneer,' zei Amir.

Lunds moeder was razend dat Bengt was vertrokken.

'Wat heb je in godsnaam tegen hem gezegd dat hij ervandoor is gegaan?'

Lund had haar moeders werkplek ingepikt. Overal lagen rapporten die ze van het bureau had meegenomen. Ze had de witte half voltooide trouwjurk van de paspop gehaald en foto's van Nanna en Mette Hauge op de hoofdloze gedaante geprikt.

'Ik heb tegen hem gezegd dat hij een hotel moest nemen.'

Het nieuws op de tv stond aan. Ze hoorde Hartmanns naam. Ze draaide zich om en luisterde naar het relaas over zijn conflict met Bremer en de belofte dat er onthullingen over Holck zouden komen.

Vibeke droeg haar blauwe ochtendjas. Ze had haar magere armen over elkaar geslagen en staarde haar aan als een rechter uit een oud drama.

'Hartmann heeft Bremer ervan beschuldigd te hebben achtergehouden dat hij op de hoogte was van Holcks daden,' zei de man op het nieuws.

'Je hebt toch gezegd dat de zaak gesloten was?'

Lund keek strak naar de tv, zoog de woorden van Hartmann in zich op.

'Mark is bij zijn vader gaan wonen, Sarah. Je hebt Bengt eruit geschopt. Je behandelt mij alsof ik je dienstmeid ben.'

Lund zette de tv harder.

'Ik wil een verklaring!' riep Vibeke. 'Waarom?'

'Omdat het belangrijk is! Jezus christus nog aan toe. Belangrijk! Weet je wat dat woord betekent?'

Die onverzoenlijke, venijnige blik. Toen zei Vibeke: 'Ik heb tante Birgit gebeld. Ik ga een paar dagen bij haar logeren.'

Het nieuws ging verder met een minder interessant onderwerp.

'Neem je de trein? Want ik heb je auto nodig.'

Vibeke sloeg haar ogen ten hemel.

De bel ging. Haar moeder maakte geen aanstalten open te doen, dus liet Lund de tv voor wat hij was en liep met stevige pas de kamer uit.

Er was niemand. Ze liep de overloop op. Keek omhoog en naar beneden. Hoorde de voordeur beneden dichtslaan.

Weg. En – dit was haar eerste gedachte – het pand waar Vibeke woonde had geen videobewaking.

Ze liep terug naar de deur, stootte met haar voet tegen iets aan. Ze keek.

Er lag een bubbeltjesenvelop op de deurmat. Geen adressering. Ze pakte hem op. Ze herkende de vorm direct.

Een videocassette.

Haar moeder ging naar bed. Lund sneed de envelop voorzichtig open. Ze had zo gauw geen handschoenen bij de hand, dus ze gebruikte een restje van Vibekes satijn om hem aan te pakken.

Een oude band, waarvan het label weggekrabd was. Zoals sommige tapes van de beveiliging van het stadhuis.

Ze schoof hem in de videorecorder en bekeek hem.

Pakte haar telefoon.

'Meyer?' zei ze.

Dertig minuten later stond hij op de stoep. Vloekend, en met een rood gezicht.

'Wanneer laat je me eens met rust?'

'Je bent toch zelf gekomen? Ga zitten.'

'Dit is net een slechte verhouding. Wel de ellende, maar niet de seks.'

Lund pakte de afstandsbediening.

'Niet dat ik dat wil,' zei hij snel.

'Jij hebt nooit een verhouding gehad, Meyer. Je zou niet weten hoe dat moet.'

Daarna ging hij als een gehoorzaam jongetje zitten.

Ze startte de video.

'Waarom ben ik hier nou?'

'Het is de ontbrekende band van het bewakingssysteem van het stadhuis.'

Het kantoortje van de beveiliging kwam in beeld. Mensen die weggingen nu de werkdag erop zat. Meyer trok aan zijn rechteroor.

'Hoe kom je hieraan?'

'Iemand heeft hem op m'n deurmat gelegd.'

Ze gaf hem de bubbeltjesenvelop. Die zat nu in een diepvrieszakje uit de keuken.

Toen liep Nanna het beeld in. Ook in zwart-wit was ze mooi. Haar haar een beetje in de war. Geen tiener. Dat leek onmogelijk. Ze glimlachte, nerveus maar ook lief.

Ze keek omhoog, ze keek om zich heen. Een uitdrukking op haar gezicht die 'vaarwel' leek te zeggen.

Een man kwam vanaf links het beeld in lopen. Jens Holck. Hij haalde iets uit zijn zak. Een sleutelring zo te zien. Nanna liep naar hem toe, omhelsde hem.

Lund stopte een stukje Nicotinell in haar mond en begon te kauwen.

'Staat er ook op dat Holck weggaat uit het Rådhus?' vroeg Meyer.

'Een half uur later.'

'Er valt niets te zien wat we niet al wisten.'

'Je moet leren kijken, Meyer. Hoe vaak moet ik je dat nog zeggen?'

Ze begon de band terug te spoelen.

'Ik heb gekeken. We hebben gezien dat hij haar de sleutels gaf. Ze maken een afspraak en dan gaat ze naar de flat.'

'Ik weet wel dat jij er niets aan kunt doen dat je een man bent. Maar god nog aan toe! Ze maken geen afspraak. Kijk dan!'

Meyer keek met zijn bolle ogen naar het scherm.

'Zie je het dan niet? Holcks gezicht. Hij is niet blij. Als Nanna bij hem terug was gekomen, waarom zou hij er dan zo ongelukkig uitzien?'

Een laatste omhelzing, een kus die vriendschap uitdrukte. Geen passie. Holck zag eruit als een man die alles kwijt was. En Nanna zo gelukkig als een kind dat ze volgens zichzelf niet meer was.

Meyer knikte.

'Goed dan. Maar dat betekent toch niet dat hij geen afspraak met haar had in de flat?'

Hij stond op en keek om zich heen. Naar de dossiers op de werktafel. De foto's op de paspop.

'Waar is je moeder?'

Lund zette de video stil.

'Meyer, je moet me helpen.'

Geen reactie.

'Als je maar een beetje twijfelt...' begon ze.

Hij wuifde naar haar met het diepvrieszakje met de envelop erin.

'Dit bevalt me niet. Iemand levert een video af en we zitten weer in die shit bij het stadhuis.'

'Het maakt niet uit waar het is.'

'Je krijgt dit alleen maar als iemand hier baat bij heeft.'

'Wat kun jij cynisch zijn! Misschien wil iemand gewoon helpen.'

Meyer keek treurig naar het stilstaande beeld. Een verdrietige Holck die een blije Nanna kuste.

'Shit,' zei hij.

16

Maandag 17 november

De volgende ochtend ontbood Hartmann eerst Gert Stokke op zijn kantoor. De ambtenaar ontweek zijn blik.

'Ik vraag je alleen de waarheid te spreken. Dat jij zegt dat je tegen Bremer hebt gezegd dat Holck onze flat gebruikte.'

'Jij vraagt niet weinig.'

Stokke had het lange grijze gezicht van een bloedhond en roze-omrande waterige ogen.

'Ik kan het me niet permitteren betrokken te raken bij de strijd tussen Bremer en jou.'

'Je bent er al bij betrokken,' zei Rie Skovgaard.

Morten Weber bemoeide zich ermee.

'Denk je dat hij je gaat belonen omdat je je mond houdt, Gert? Je kent hem toch! Jij bent ambtenaar. Hij kan dit Holck niet meer in de schoenen schuiven. Dus reageert hij het af op de afdeling. Jij bent de eerste die kan vertrekken.'

Stokke keek ze alle drie woedend aan. Een slimme man die in het nauw gedreven was.

'En jullie staan wél aan mijn kant? Jullie zijn nu mijn vrienden? Kom op, steek elkaar maar dood. Maar laat mij erbuiten.'

'Als Bremer dit overleeft, ben jij er geweest,' zei Weber.

De ambtenaar schudde zijn hoofd.

'Bremer zal nooit toegeven dat we dat gesprek gevoerd hebben.'

'Maar er moeten notulen van zijn gemaakt,' zei Skovgaard.

Stokke aarzelde even, toen zei hij: 'Bremer wilde niet dat het genotuleerd werd. Hij zei dat hij Holck wel even apart zou nemen. En dat het dan klaar zou zijn.'

Weber vloekte en gooide zijn papieren met een klap op tafel.

'Sorry hoor. Maar als ik hierover vertel, is het gedaan met me. Ik heb altijd gedacht dat je een goede burgemeester zou zijn, Hartmann. Misschien de volgende keer.'

'Er komt geen volgende keer,' mompelde Hartmann. 'We hebben je nu nodig, Gert.'

'Wie geeft me nog een baan als ik m'n mond opendoe? Ik ben achtenvijftig. Hoe moet het met mijn pensioen?'

Skovgaard was woedend.

'Dus Troels moest er maar voor opdraaien! Terwijl hij niets gedaan heeft?'

'Laat maar, laat maar,' onderbrak Hartmann haar. 'Laten we Gert niet verder onder druk zetten. Als hij het niet wil doen, dan doet hij het niet. Het is zijn keus.'

Hij stak zijn hand uit. Stokke drukte hem.

'Toch bedankt dat je bent gekomen,' zei Hartmann. Hij keek hoe de ambtenaar zijn jasje dichtknoopte en wegging.

Weber had een kopie van de notulen van Stokke van het gesprek met de burgemeester.

'Staat er iets in?' vroeg Hartmann.

'Nee, kijk zelf maar.'

Hij gaf hem de notulen aan.

'We hadden meer druk op hem moeten uitoefenen,' zei Skovgaard.

Morten Weber schudde zijn hoofd.

'Zinloos. Hij is doodsbang voor Bremer. Heb je niets aan.'

Hartmann keek op van pagina twee.

'Hier staat dat er een bijlage moet zijn. Waar is die?'

'Waarschijnlijk een technisch rapport of zo,' opperde Weber.

Hartmann was niet overtuigd.

'Stokke is een echte ambtenaar. Ik kan me niet voorstellen dat hij iets niet zou noteren. Het is een fout in de financiële administratie. Hij zal zich toch hebben willen indekken.'

'Hij is doodsbang voor Bremer. Dat zei ik toch.'

'Misschien. Kennen we iemand op de afdeling van Holck? Die dikke vrouw...'

'Bedoel je Rita?' vroeg Skovgaard.

'Heet ze zo?'

'Ja. Ik ken Rita.'

'Nou,' zei hij terwijl hij haar de notulen toewierp. 'Dan weet je wat je te doen staat.'

Skovgaard begon over de mediastrategie. Hartmann luisterde niet. Weber was weer aan het telefoneren. Hij maakte zich kwaad.

'Wat is er?' vroeg Hartmann toen Weber had opgehangen.

'Je moet je advocaat weer bellen, Troels.'

'God nog aan toe. Toch niet Lund weer!'

'Nee, niet Lund. Bremer wil je aanklagen wegens laster.'

Vibekes auto was een tien jaar oude groene Volkswagen Kever. Lund was niet in de stemming om er voorzichtig mee om te springen.

De wasserij was in Islands Brygge. Ze had hun hulp al eens ingeroepen toen de politie de juiste persoon niet kon vinden.

Een werkproject, gesubsidieerd door de stad. De meeste mensen die er werkten hadden een of andere handicap. Een paar waren doof geboren.

De manager wist nog wie ze was.

'Waarom denkt iedereen dat alle doven kunnen liplezen?' mopperde hij toen ze binnenstapte. 'Dat is niet zo. En zelfs als ze het kunnen, pikken ze waarschijnlijk maar een derde op van wat er gezegd wordt.'

Het bedrijf bediende veel grote hotels in de stad. Ze liep langs de grote wasmachines, stapels lakens en kussenslopen. Het was er warm en vochtig en er hing een misselijkmakende lucht van waspoeder en strijkwerk.

'Ik ben blij met een derde,' zei ze.

'Je moet het onderwerp waarover het gaat weten, de context.'

'Die heb ik.'

'Vast. Als iemand je kan helpen, dan is dat Ditte. Een hele slimme meid. Doofstom. Maar razend intelligent.'

Ze leek een jaar of twintig. Lang blond haar en een onbeweeglijk gezicht. Ze bediende een strijkmachine met vaste geoefende hand.

Lund sprak en de manager vertaalde het in gebarentaal. Het meisje keek het grootste deel van de tijd naar Lund.

Razend intelligent.

Dittes vingers bewogen snel.

'Ze wil je politiepasje zien.'

Lund zocht in haar jaszakken. Het meisje hield haar blik strak op haar gericht.

'Ik heb het niet bij me. Dit is eigenlijk mijn vrije dag. Ik heb het denk ik thuis laten liggen.' Ze glimlachte naar de manager. 'Ik ben hier al eerder geweest. Hij kent me.'

Geen reactie.

'Ik heb wel mijn kaartje voor je.'

Die had Brix niet ingenomen.

Ditte bestudeerde het visitekaartje en liep toen een opslagkamer binnen waar ze ging zitten.

De video was op haar laptop gedownload. Lund ging er langzaam met het meisje doorheen, spoelde hem terug als dat nodig was. Dat hoefde niet vaak.

Het meisje gebaarde, de man praatte.

'Ze is gekomen omdat de man haar een stel sleutels beloofd had.'

Doodstil in de omlijsting van de laptop. Nanna die naar Jens Holck keek. Hem smeekte.

'Ze wil iets halen dat ze vergeten heeft.'

Dittes vingers bewogen snel.

'Ze wil niet dat hij met haar mee komt.'

Het meisje stopte toen, haar ogen op het scherm gevestigd.

'Wat is er?' vroeg Lund.

De handen van de man gebaarden. Ditte antwoordde. Langzaam.

'Ze zegt dat dit heel verdrietig is. Het meisje zegt dat ze hem gezegd had dat het voorbij was.'

'Zegt ze wat ze vergeten heeft?'

'Ze kwam om haar…'

De handen hielden op met bewegen.

'Haar wat?'

Niets.

'Moet ik hem nog een keer afspelen?'

Ditte maakte een zacht geluidje dat niets betekende, geen klinker, geen medeklinker.

'Ze zegt, nee, laat maar doorspelen.'

'Ze zijn een keer een weekendje weg geweest.'

Ditte knikte. Ze was ergens blij mee. Ze draaide zich om en keek Lund aan. Haar vingers bewogen doelbewust.

'Ze zegt dat ze toen haar paspoort in een la in de flat heeft laten liggen.'

Lund haalde diep adem.

'Haar paspoort? Weet je dat zeker?'

Dittes blik was weer vastgezogen aan het scherm.

'Haar vliegtuig vertrekt vanavond,' zei de manager.

'Haar vliegtuig? Waarheen?'

Het meisje van de wasserij keek onzeker. Lund zette de video stil. Liet haar op adem komen.

'Doe maar rustig aan. We hebben geen haast.'

'Ze wil dat je de video afspeelt,' zei de man.

Dat deed Lund dus.

'De man vraagt haar waar ze naartoe gaat. Maar ze vraagt alleen weer om de sleutels. Ze zegt dat ze iemand anders heeft. Iemand van wie ze heel veel houdt. Iemand met wie ze weggaat.'

Twee gezichten op het scherm, liefde en haat op hetzelfde moment. Allebei dood.

'Hij vraagt haar weer waar ze naartoe gaat.'

Lund sloot haar ogen.

'En ze zegt Parijs. Maar Parijs…'

Ditte hield op. Ze keek kwaad.

'Wat is er met Parijs?'

De handen weer.

'Parijs klopt niet. Ze liegt.'

'Hoe weet je dat?'

Ze wees naar de video.

'Als het meisje spreekt, wil ze hem niet aankijken.'

Lund knikte. De handen bewogen weer snel.

'Net zoals u. Toen u zei dat u uw pasje was vergeten. En dat het uw vrije dag was.'

Het meisje van de wasserij achter de laptop glimlachte naar Lund. Trots op zichzelf.

'Ik krijg hier toch geen problemen mee, hè?' vroeg de manager.

'Nee,' zei ze. 'Dat beloof ik.'

Buiten, op de harde stoel van Vibekes groene Kever belde ze Meyer terwijl ze terugreed naar de stad.

'Nanna's vliegtuig zou die nacht vertrekken. En ze heeft gelogen over de bestemming.'

Ze hoorde het geluid van papieren die op een bureau werden gegooid. Meyer had haar op de luidspreker staan. Hij maakte waarschijnlijk een onbetamelijk gebaar naar de handset terwijl ze sprak.

'We hebben werkelijk niets gevonden dat erop wees dat ze een reisje ging maken.'

'Ze heeft afscheid genomen van haar ouders. Afscheid van haar vriendinnen op school. Van Kemal. Van Holck. Dat heb jij ook gezien.'

'O ja? En met wie ging ze dan weg?'

'Vraag alle passagierslijsten op. Praat met de luchtvaartmaatschappijen.'

'Ja natuurlijk. Ik heb toch niets te doen.'

'Heb je die oude zaken nagetrokken?'

'Daar ben ik nu mee bezig. Ik zie geen verband. Behalve dan die fiets van Mette Hauge en echt…'

'Trek die passagierslijsten na en zoek uit met wie ze zou reizen. Dat meisje Hauge…'

De telefoon gaf een klikgeluidje.

'Meyer?' zei Lund in het microfoontje om haar nek. 'Meyer?'

Nanna's kamer zag er weer anders uit. Pernille had zich laten vermurwen. Ze had wat verhuisdozen van beneden gehaald en pakte voorzichtig Nanna's bezittingen in.

Ze verschoof dingen, liet ze van plek verwisselen.

Er stond een wereldbol op Nanna's bureau. Met op alle steden die ze ooit wilde bezoeken een sterretje in viltstift. Londen en Rome. New York en Beijing.

Pernille keek ernaar. Een eenvoudig plastic ding. Ze zette hem in de kartonnen doos en liep terug naar de huiskamer. Keek om zich heen.

Hun hele leven had zich hier afgespeeld. Van Nanna tot de jongens. Alle liefde, alle ruzietjes. Alle vreugde en verdriet.

Op de deur stonden met potlood hun lengtes aangegeven. Rood voor Nanna, groen voor Anton, blauw voor Emil. De plakkertjes van de politie waren weg. Ze kon de kamer weer zien zonder herinnerd te worden aan de buitenwereld en wat die bevatte.

Het leven stond nooit stil. Er veranderde altijd wel iets. Anders was het geen echt leven. Ze was het vergeten in dat verschrikkelijke voorgeborchte van de hel dat hen had opgeslokt. Ze was het misschien al eerder vergeten in de troostrijke omgeving van hun kleine appartementje boven de smerige, drukke garage. Kinderen grootbrengen. Koken voor Theis. Genieten van zijn sterke armen om haar heen als ze alleen waren.

Nooit stil. Of je ging mee met de tijd, of hij stroomde achteloos voorbij en liet je achter op het verlaten, koude zand.

Ze liep naar beneden. De vrouw van de makelaardij was er. Theis praatte met haar. Zijn knokkels waren nog rauw van wat er twee avonden eerder was gebeurd, wat het ook was. Zijn gezicht stond grimmig.

Pernille klopte op de deur, liep naar binnen, ging zitten.

De vrouw zei: 'Ik vind echt dat jullie dat bod moeten accepteren. Ik weet dat het niet geweldig is, maar de markt is niet zo gunstig. En in jullie financiële situatie wil de bank het geld zien.'

'De bank,' mompelde hij.

Ze glimlachte en zei tegen Pernille: 'Nu het allemaal voorbij is, is het vast fijn met een schone lei te beginnen.'

Pernille versteende.

Snel voegde de vrouw eraan toe: 'Ik bedoel natuurlijk niet dat het voorbij is, maar…'

'Wanneer willen ze erin?' vroeg hij.

'Heel gauw al. Het geld…'

Pernille zei: 'We willen dit graag even samen bespreken. Wilt u even buiten wachten?'

Ze leek geschokt, maar ze ging.

'Klotebanken,' mopperde hij.

De plattegronden lagen op het bureau. Een paar tekeningen. De foto's van de makelaar.

'Ik heb nooit de tijd gehad ernaar te kijken.'

'Nee…'

'Hoe is het? Mooi? Met een eigen tuin?'

'Het is in Humleby. Drie verdiepingen…'

'Zouden de jongens het daar fijn vinden, Theis?'

'Een eigen kamer? Ze kunnen een treinbaan opzetten. Natuurlijk zouden ze het er fijn vinden.'

'En de school is niet zo ver…'

'Pernille.' Hij keek naar de vrouw achter het glas. 'Die trut heeft me net verteld dat ze een koper heeft. Ze bieden een armzalige prijs, maar…'

Ze zei niets.

'De bank zal er blij mee zijn.'

Haar vingers gleden over de foto's. Grijze baksteen. Een tuin.

'Maar als jij het anders wilt…'

'Nee, nee. Je moet het bod aannemen.'

Ze keek hem aan.

'We hebben het geld nodig, toch?'

'Geld,' zei hij.

Lund spoorde de taxichauffeur op, Leon Frevert. Hij stond zijn Mercedes te poetsen op een taxistandplaats bij de ferryaanlegsteiger in Nyhavn.

Hij wilde niet praten.

Na drie korte antwoorden zei Frevert: 'Ik heb je alles verteld wat ik weet. Ik heb een klant opgepikt. Ik heb haar ergens heen gebracht. Wat moet ik verder nog zeggen?'

'Had ze een tas bij zich?'

Hij begon aan de voorruit. Ze dacht aan Ditte. Frevert wilde haar niet aankijken.

'Het is bijna drie weken geleden. Dit is belachelijk.'

'Had ze een tas bij zich?'

Hij legde de doek neer en keek haar even aan.

'Misschien had ze haar portemonnee in een tas. Ik weet het niet.'

'Ik bedoelde een reistas. Of een koffer. Of een rugzak.'

'Nee. Dat had ze niet bij zich.'

'Weet je dat zeker?'

'Als ze een koffer bij zich had gehad, dan had ik die in de achterbak gelegd.'

De voorste auto reed weg. Daardoor was hij de tweede in de rij geworden. Ze wist zeker dat Frevert als hij maar even de kans kreeg direct weg zou rijden.

'Heeft ze je nog verteld waar ze daarna naartoe ging?'

Hij zag er magerder uit dan ze zich hem herinnerde. Meer afgetobd.

'Zoals ik al heb gezegd. Het stadhuis en daarna Grønningen. Meer weet ik niet meer.'

De volgende taxi reed weg. Frevert was nu als eerste aan de beurt.

'Ze had het niet over het vliegveld?'

'Absoluut niet. Ik had haar daar graag naartoe gebracht. Een goede rit.' Hij wreef door zijn dunner wordende haar. 'Maar nu je het zegt...'
'Wat?'
'Ze vroeg of ik wilde wachten.'
'Wachten?'
'Ja, nu herinner ik het me weer. Ze zei dat ze even om de hoek moest zijn en dat ze meteen weer terug zou komen. Dus of ik wilde wachten.'
Hij lachte.
'Op een vrijdagavond? Ik had haar al dat plezier gedaan toen we naar het stadhuis reden. Maar daar waren genoeg klanten. Ik kon in Grønningen niet nog eens blijven wachten.'
Even verbleekte hij en keek beschaamd.
'Jezus. Stel dat ik wel gewacht had?'
'Waar wilde Nanna daarna naartoe?'
Frevert dacht na.
'Ik geloof dat ze zei naar het Centraal Station.'

Het station lag tegenover Tivoli. Lund kon maar één reden verzinnen waarom Nanna daarnaartoe had willen gaan.
Ze liep meteen naar het bagagedepot. Achter de balie stond een jongen in een blauw uniform. Hij vertelde dat een kluisje na drie dagen geleegd werd en dat de inhoud werd opgeslagen.
'Als u me de sleutel geeft, zoek ik uw bagage,' zei hij. 'Daar zijn wel kosten aan verbonden.'
'Ik heb geen sleutel.'
'Wat is het nummer?'
'Ik heb het nummer niet.'
'In dat geval,' zei hij bijzonder opgewekt, 'krijgt u de bagage niet.'
'Het is een reistas. Hij is hier rond 31 oktober achtergelaten.'
Hij leek een jaar of achttien. Ze kon de opslag achter de balie zien. Rijen tassen.
'Is die tas van u?'
'Als je me achter de balie laat en zegt waar ik moet zoeken, dan vind ik hem wel.'
Hij sloeg zijn armen over elkaar.
'Nog meer wensen? Een gratis kaartje eerste klas naar Helsingør? Een cheeseburger?'
Ze haalde haar visitekaartje tevoorschijn en gaf het hem.
'Sarah Lund, politie. We zijn gebeld over een verdacht koffertje.'
Hij las het en stak het in zijn zak.
'Mag ik uw politiepasje zien?'

Ze stapte over het hekje naast de balie.

'Ik kan die tas zelf wel vinden.'

Lund liep langs de jongen heen, negeerde zijn kreten, liep naar achteren en trok een tas van een plank. De datum was recent. Nanna's tas moest ergens anders liggen.

'Hou hier onmiddellijk mee op! Ik ben ambtenaar... Ik...'

'Ik probeer je te helpen,' zei Lund terwijl ze snel langs de rijen planken liep.

'Ik word boos, hoor.'

Hij stond daar, met zijn armen over elkaar heen.

'Word jij boos?' schreeuwde ze naar hem. 'Ik kom hier op mijn vrije dag om iemand bij transport een pleziertje te doen. En dan krijg ik te maken met een puisterige tiener. Ga maar naar de overkant, naar de achtbaan, ventje. Volwassenen hebben meer te doen.'

Met een rood gezicht en klapperende armen begon hij te mekkeren.

'U... O... U...'

'Mickey Mouse wacht op je,' zei ze terwijl ze naar Tivoli wees.

'U blijft hier!' gilde hij. 'Ik haal m'n baas.'

Lund bewoog snel.

Zoveel tassen. De meeste waren zwart. Mannentassen.

Nanna was mooi en hield van mooie spulletjes.

Stemmen aan de andere kant van de afdeling. Iemand die erg hard schreeuwde.

Lund liep haastig langs de rekken tot ze hem zag. Roze en modieus. Een merknaam. Het soort tas dat Jens Holck op rekening van het stadhuis voor haar gekocht kon hebben.

Ze bekeek het labeltje. Frederiksholmlyceum op de ene kant, Vesterbroga-de 95, Lottes adres op de andere.

Natuurlijk had Nanna die tas daar bewaard. Ze had niet gewild dat Pernille en Theis ervan wisten.

Lund pakte de tas en rende ermee weg, zonder nog acht te slaan op de met zijn armen zwaaiende gillende tiener achter de balie.

Meyer legde niet onmiddellijk de telefoon neer toen hij hoorde dat zij het was.

'Heb je die passagierslijsten al?' vroeg ze.

'Nee.'

Hij klonk alsof hij niet wilde praten.

'Je zit in de auto, Meyer.'

'De SAS staakt. Ik ben op weg naar het vliegveld, nou goed?'

'Mooi. Ik heb haar tas.'

Ze zat weer in de groene Kever en bekeek Nanna's spullen. De tas stond open op de passagiersstoel.

'Zit er iets in waaruit je kunt opmaken wat haar bestemming was?' vroeg hij.

Een schetsblok. Sportschoenen. Een zwempak. Warme kleren. De prijskaartjes zaten er meestal nog aan. Ze somde de inhoud op.

'En iets over haar reisgenoot?'

'Nee.'

Lund had een extra paar plastic handschoenen van thuis meegenomen. Ze scheurde het pakje open met haar tanden en trok ze aan.

'Ik ga het aan de Birk Larsens vragen,' zei Lund.

'In godsnaam, doe dat niet. Gisteren heb ik ze gezegd dat de zaak gesloten is. Die twee hebben nu rust verdiend.'

'Ja, nou ja… Ik verzin wel iets.'

'Lund!'

Birk Larsen verscheen precies op tijd voor het Indiase restaurant. Pernille belde hem.

'De bank wil ons niet helpen, Theis.'

'Hoe bedoel je?'

'Ze willen ons niet helpen met het huis. Misschien kunnen we een lening op het bedrijf afsluiten.'

'Er zijn al genoeg leningen afgesloten op het bedrijf. We verkopen het huis. Of niet soms?'

Ze klonk rustig. Bijna gelukkig.

'Ik ben er nu. In Humleby. Je hebt nog geen gordijnen opgehangen.'

'Gordijnen? Waarom denken vrouwen altijd aan gordijnen? Er moeten leidingen gelegd worden, de elektriciteit…'

'Zelfs zonder gordijnen ziet het er prachtig uit.'

Birk Larsen bleef midden op straat staan. Een brede glimlach brak door op zijn gezicht. Hij lachte naar de sombere winterlucht.

'Vrouwen,' zei hij.

Hij hoorde haar opgewekte stem aan de andere kant van de lijn. Hij kon haar gezicht voor zich zien.

'Schatje?'

Zo had hij haar in geen jaren genoemd.

'Schatje?' echode Pernille. 'Heet ik schatje?'

'Vroeger wel. Waarom ook niet? Wat ik ga doen, schatje, is die makelaar bellen en zeggen dat de verkoop niet doorgaat. En dat ze die commissie in haar strakke reetje mag steken.'

Stilte.

'Als dat oké is.'

Stilte.

'Als,' zei hij weer, 'dat oké is.'

'Het is een huis, Theis. We hebben nog nooit een echt huis gehad. Maar hoe moet het met het geld?'

'Ik vind er wel iets op.'

'Maar hoe komen we aan het geld?'

'Dat heb je nog nooit gevraagd. Waarom zou je daar nu mee beginnen?'

'Zal ik de jongens vanmiddag hier mee naartoe nemen? Kom jij dan ook? Dan kunnen we ze het samen laten zien.'

Hij zag Amir in het raam van het restaurant. Somber en bezorgd, net als de avond daarvoor. Hij was met zijn vader, die er ook niet erg blij uitzag.

'Absoluut,' zei Birk Larsen.

Hij stak de telefoon in zijn zak, klapte in zijn grote handen. Straalde naar vreemden. Hij voelde zich… compleet.

Hij kon wel aan geld komen. Het was niet de eerste keer dat hij de boel tijdens een storm drijvende had weten te houden. De telefoontjes die hij gepleegd had kwamen nu nog meer van pas.

Aan de overkant van de straat stonden Amir en zijn vader nu buiten voor het restaurant. Ze hadden ruzie. De oude man wees beschuldigend naar zijn zoon en riep zo hard dat Birk Larsen hem kon horen. Een vreemde taal.

Twee kinderen in de bak van een Christiania-bakfiets. Op weg naar school. Voor altijd gevangen in een foto op een tafel.

Ze werden allemaal volwassen. Ze gingen allemaal ergens heen. Een paar verdwenen in de eeuwige nacht.

Amir stak de straat over en liep op hem af.

'Problemen?' vroeg Birk Larsen.

'Laten we gaan.'

Toen liep hij naar de rode bestelbus.

Skovgaard zat aan de telefoon, op jacht naar het ontbrekende document uit Stokkes notulen. Morten Weber had een uur geprobeerd de lucht weer te klaren bij de mensen van Bremer. Mai Juhl wachtte in Hartmanns kantoor en werd ongeduldig.

'Wat heeft de oude man te zeggen?'

'Bremer wil een onderzoek starten op Holcks afdeling. Jij wordt verwacht. Óf je herroept je verklaringen, óf hij daagt je voor de rechter,' zei Weber.

Hartmann wuifde naar Juhl in het andere kantoor. Ze beantwoordde dat gebaar met een zuinig glimlachje.

'Dus ik moet mijn woorden terugnemen en mezelf voor aap zetten?'

Weber schudde zijn hoofd.

'Je kunt zoiets handig aanpakken, Troels. We kunnen zeggen dat je onder druk stond na die onterechte arrestatie. Bremer zal een meelevend geluid laten horen als jij hem geeft wat hij hebben wil.'

'Vergeet het maar.'

Mai Juhl had ongeveer dezelfde boodschap. Die kwam waarschijnlijk ook van Bremer.

'Maak het jezelf nou niet moeilijk, Troels.'

'Bremer wist dat ik onschuldig was. Hij heeft me in de bak laten zitten. Op verdenking van moord. Terwijl hij de telefoon had kunnen pakken en…'

'Dat zeg jij, ja. Maar kun je het bewijzen?'

'Hij denkt dat wij van hem zijn, Mai. Misschien zijn we dat ook.'

'Wees praktisch. We vinden het allemaal heel erg wat er gebeurd is. Maar jij hebt je vrienden nodig. Je moet jezelf niet afsnijden van…'

'Wat wil je dat ik doe?'

Skovgaard kwam binnen.

'Nu niet,' zei Hartmann. Hij keek haar amper aan.

'Ja, nu wel.'

Ze glimlachte. Ze had een paar uitdraaien in haar hand. Iets in haar ogen…

'Ga door, Mai.'

'Als jij meewerkt, kunnen we die aanklacht wegens laster tegenhouden. Niemand zal ervan weten.'

Hartmann nam de papieren van Skovgaard aan en begon te lezen.

'We zijn met zes wethouders en Bremer,' ging Juhl verder. 'Onderwijs krijg je niet meer. Daar wil hij mij voor hebben. Maar je krijgt een andere portefeuille. Misschien… Milieu dit keer.'

'Ja, het is geweldig afgelopen met de laatste op die post zat, hè?' zei Hartmann. Hij las nog steeds.

'Ik probeer je te helpen. Er zijn mensen die vinden dat jij het niet waard bent. Bewijs dat ik gelijk heb. Bewijs dat zij het mis hebben. Laten we dit op de juiste manier aanpakken. Schrijf een brief. Oké?'

Hij bewoog amper. Het was geen knikje. Niet echt.

Maar Mai Juhl greep het met beide handen aan. Ze pakte haar jasje en zei opgewekt: 'Goddank. Ik zie je binnenkort.'

Toen ging ze weg.

Hartmann staarde naar de wereld buiten zijn raam. Dacht na over mogelijkheden en richtingen die ingeslagen konden worden. Keuzes die gemaakt moesten worden.

'Troels?'

Weber was binnengekomen maar hij had het amper gemerkt.

'De hoorzitting is al gauw. We moeten een plan hebben.'

Geen antwoord.

'Hallo?' riep Weber. 'Ben je er nog?'

'Ja, ik ben er nog,' zei Hartmann. 'Dit is het plan. Zeg tegen Bremer dat we na afloop een brief zullen opstellen.'

Weber keek hem met toegeknepen ogen aan.

'Trek je de beschuldiging in?'

'Na afloop.'

'Oké dan…' zei Weber.

Ze liep door de garage en negeerde de starende blikken van de mannen in hun rode overalls, ging de trap op en belde aan.

'Hoi, Pernille.'

Lund glimlachte, probeerde aardig over te komen.

'Kom ik ongelegen?'

'We gaan verhuizen. Ik ga het nieuwe huis bekijken.'

'We moeten het bewijsmateriaal in de zaak nummeren. Een formaliteit.'

'Wat?'

Een deur die op een kier openstond. Een kans. Lund liep naar binnen en bleef in de keuken staan. Zo veel dingetjes. Vaasjes en plantjes, dierenfiguren in het raam, borden op het aanrecht. Het zou haar nooit lukken zo'n gezellig thuis te creëren.

'Ik moet nog een keer door Nanna's spullen gaan. De laatste keer, dat beloof ik.'

'Meyer zei dat je niet langer aan de zaak werkte.'

'Vanaf morgen. Dit is mijn laatste dag. Heeft hij dat niet gezegd?'

Ze wist niet of Pernille dit geloofde.

'Het is een kleinigheid. Komt het slecht uit? Je hoeft er niet bij te blijven. Als je weg moet…'

'Ik moet inderdaad weg. De meeste spulletjes van haar zitten nu in dozen. Trek je de deur achter je dicht?'

'Tuurlijk.'

Lund keek om zich heen in de gezellige keuken.

'Is het nieuwe appartement groter?'

'Het is een heel huis.'

'Wauw.'

Pernille staarde haar aan.

'Vergeet niet de deur dicht te trekken,' zei ze en toen ging ze weg.

Lund luisterde naar haar voetstappen op de trap.

Toen ze weg was, deed Lund haar jasje uit en begon aan de eerste doos. Haalde er juwelenkistjes uit en boeken en agenda's van school en legde ze op de versleten vloerbedekking.

Ze nam alles door. Zes dozen in totaal.

Anderhalf uur later zat ze ongelukkig op de vloer van Nanna's kamer. Omringd door spullen, alsof een kind een driftbui had gehad.

Niets. Niets dat op een geheime afspraak wees. Nergens iets over een reisje.

Lund verborg haar gezicht in haar handen en wilde huilen.

Toen keek ze op. Nog één keer keek ze met die grote ogen van haar om zich heen.

Denk na.

Denk als Nanna.

Kijk.

Stel het je voor.

Een plastic wereldbol. Die had ze eerder gezien. Sterretjes bij beroemde steden. Plaatsen waar Nanna naartoe wilde.

De globe was tevens een lamp. Er kwam een snoer uit de onderkant. Lund zette de wereldbol op het bureautje, zocht een stopcontact en deed hem aan.

Het lampje deed de heldere kleuren van landen en continenten oplichten. Langzaam liet ze hem ronddraaien. Amerika, Australië, Azië, Afrika...

Tussen de puntjes van de twee kapen, in de Zuid-Atlantische Oceaan aan de onderkant van de bol, zat iets donkers in het blauw van de zee.

Papier. Brieven. Documenten.

Een geheime bergplaats voor een kind dat ergens naartoe wilde.

Lund schudde aan de wereldbol.

Ze haalde de stekker uit het stopcontact en zocht naar de opening. Die moest er zijn, Nanna had hem gebruikt. Die wist hoe ze dit ding uit elkaar kon halen en hem weer in elkaar kon zetten zonder dat je er iets van zag.

Maar Nanna was negentien, met dunnere vingers. Lund werd kwaad, gaf het op, pakte de globe op en sloeg ermee op het bureau. De onderkant en de fitting van de lamp braken af. Lund sloeg met haar vuist op de bol.

Het plastic gaf mee. De wereld spleet op de evenaar open. Twee gelijke helften en de zuidelijke hemisfeer bevatte een geheime voorraad papieren.

Ze trok haar laatste paar plastic handschoenen aan. Ze legde de documenten op de vloer, ging wijdbeens zitten en bekeek ze stuk voor stuk.

Brieven en ansichtkaarten. Een Valentijnshart. Een bloem. Een foto. Heel oud.

Een meisje met blond haar, vier of vijf jaar, niet ouder. Naast een donkerharig jongetje dat verlegen haar hand vasthield. Een speeltuin op de achtergrond. Zand en een glijbaan. Samen in de bak van een Christiania-bakfiets.

Lund staarde ernaar.

Ze hoorde de voetstappen achter zich niet. Ze zag eerst niet dat Pernille Birk Larsen over haar schouder meekeek.

Toen ze haar wel opmerkte vroeg ze: 'Wie is dit op de foto?'
Lund stond op en liet haar de foto zien.
'Dit is Nanna, toch?'
De rotzooi. De omgekeerde dozen. De chaos die weer terug was.
'Wie is die jongen, Pernille?'
'Jullie zeiden toch dat de zaak opgelost was?'
'Wie is het?'
Pernille nam de foto aan en keek ernaar.
'Amir. Een Indiaas jongetje van om de hoek. Hij was vroeger Nanna's vriendje. Ze waren…'
Ze kon niet op het woord komen.
'Ze waren nog klein.'
'Waar is Amir nu?' vroeg Lund.

Meyer belde toen ze weer in de auto zat.
'Nanna zou niet van Kastrup vliegen, Lund. Ze had een ticket van een van de budgetmaatschappijen vanaf Malmö. Een vlucht naar Berlijn. Vrijdag om tien voor twee 's nachts. Er was nog een passagier die niet is komen opdagen voor de vlucht.'
'Amir,' zei ze.
Het bleef lang stil.
'Ik zou willen dat je dit niet meer deed, Lund. Hij woont twee straten verder dan Nanna. Maar ik neem aan dat je dat ook al weet.'
'Amir El' Namen. Hij is gisteravond bij Theis langs geweest. Hij verhuist en hij wil dat door de Birk Larsens laten doen. Hij heeft gevraagd of Theis het zelf doet.'
'Waar ben je nu?'
'Vlak bij het bureau. Kom hiernaartoe.'

Meyer keek naar de lange gang, de donkere met marmer beklede muren, de lichten. Hij kon niet naar buiten zonder langs Brix' kantoor te gaan. Zo te zien was het leeg…
'Wat is er aan de hand?'
Brix dook achter hem op, Meyer schrok ervan.
'Als het om Lund gaat: ik weet niet waar ze is. Dat zweer ik.'
'Mevrouw Birk Larsen heeft net gebeld. Waar zit ze?'
'Ik heb nu een afspraak,' ontweek Meyer de vraag. 'Ik bel je straks nog wel en dan leg ik het wel uit.'
Brix versperde hem de weg.
'Leg het nu maar uit.'
'Nanna zou met iemand naar Berlijn vertrekken…'

'Berlijn kan me geen reet schelen. Het station heeft gemeld dat er bagage gestolen is. Door Lund. Schei uit met die misplaatste loyaliteit en vertel me waar ze is.'

Dat wilde Meyer niet.

'Het gaat niet om loyaliteit, het gaat om de feiten. Holck wist niet dat Nanna van Malmö zou vertrekken. Dus is hij naar Kastrup gegaan. Hier...'

Hij deed de map open die hij mee wilde nemen voor Lund.

'Dit zijn de beelden van de beveiliging van Kastrup van die avond. Holck staat erop. Fantastische kwaliteit. Het is hem, ongetwijfeld.'

De sombere politicus stond tegen een informatiebalie in de vertrekhal geleund. Hij wreef in zijn ogen bij de balie waar je tickets kon kopen. Hij zag er oud en afgewezen uit op een glimmende bank bij de liften.

'Jens Holck is daar tot twee uur 's nachts gebleven. Hij heeft geen mens gesproken.'

Brix staarde naar de foto's.

'Hij heeft Nanna niet vermoord,' zei Meyer. 'Ik bel je nog wel, goed?'

Hij kreeg geen antwoord, dus ging hij weg.

Amir vroeg Birk Larsen om naar een adres op een bedrijventerrein op Amager te rijden. Hij wilde niet praten. Hij hield zijn schoudertas vast en keek somber naar de lage huizen en industriële gebouwen die achter het raam voorbijtrokken.

Birk Larsen vond het prettig om een gesprek te voeren als hij in de cabine zat. Hij stond erop.

'Je hebt in Londen gezeten, toch? Ik ben daar nooit geweest. Eens...'

'Ik studeerde daar. Een idee van mijn vader.'

'En je bent net teruggekomen?'

Hij begreep niet waarom Amir hier spullen had staan. Het leek hem een rare plek om tafels en stoelen te bewaren.

'Nee, ik ben van de zomer teruggekomen.'

'Ik heb je nooit gezien.'

'Nee.'

'Je had bij ons langs moeten komen, Amir. Nanna had dat fijn gevonden. Ik weet nog hoe jullie samen speelden.'

Hij lachte.

'God, ze was niet makkelijk voor je. Ze hield niet van poppen, weet je. Ik dacht altijd dat dat was omdat ze in plaats daarvan jou had.'

Het leek een goede grap. Eentje die hij nu wel kon maken. Maar Amir reageerde er niet op.

'Heb je haar nog gesproken toen je terugkwam?'

Hij keek weer uit het raam, staarde naar het lege landschap erachter. Birk

Larsen zocht het adres dat Amir opgegeven had, keek naar het straatnaambord, naar de huisnummers.

'Nee. Nou ja. We zijn er bijna.'

Een gesloten hek. Een vervallen loods daarachter.

Birk Larsen keek het nog eens na.

'Nummer vierenzeventig. Is het hier?'

Amir zat verstijfd op zijn stoel, klemde zijn tas vast alsof het het belangrijkste in de wereld was.

'Amir? Is het hier? Moeten we hier die spullen voor je bruiloft ophalen? Wat...'

Hij huilde. Net zoals hij deed als klein jongetje als Nanna te ver gegaan was. Grote tranen rolden onder zijn studentikoze brilletje uit.

'Er komt geen bruiloft. Het is afgelast.'

Birk Larsen vroeg zich af wat hij moest doen.

'Amir... Ik weet niet waarom we hier zijn.'

Hij deed zijn schoudertas af en opende hem.

Mompelde: 'Ik wilde...'

Verder niets.

'Wat wilde je? Wat?'

'Ik was altijd bang voor u,' zei Amir. 'Toen we nog klein waren en Nanna me meenam naar uw huis. Ik was bang voor u toen ik van de zomer terugkwam. Ik durfde niet langs te komen, ik dacht aan wat u zou zeggen, wat u zou doen als u... erachter kwam.'

Birk Larsen keek hem met toegeknepen ogen aan, zei: 'Als ik waar achter kwam?'

'Achter mij. Nanna. Ons. Ze zei altijd dat ik niet bang hoefde te zijn. Dat u zich er wel bij neer zou leggen. Dat u en haar moeder vroeger net zo waren. Dwaas. Verliefd. Maar...'

Hij wreef als een kind met de mouw van zijn jasje over zijn ogen.

'Ik was nog steeds bang en ik dacht... Het maakt het alleen maar erger, hè. Als je weet...'

'Wat weet?'

'Ze hield van mij. Van het immigrantenkind van om de hoek. We zouden samen weglopen. En toen...'

Hij duwde de tas in Birk Larsens handen. Er zat een witte bubbeltjesenvelop in. En nog iets.

'Er is iets... Ik weet het niet...'

Hij maakte zijn autogordel los. Hij stapte uit, ging bij het hek met het hangslot staan en keek naar de haveloze loods die niets betekende, niets was.

Birk Larsen begreep dit op de een of andere manier.

De envelop was aan Pernille en hem gericht. Hij bevatte een kleine videocassette. Birk Larsen keek in de tas. Er zat een camera in. De cassette paste erin.

Hij vond de play-knop.

Drukte hem in.

Voelde dat zijn hart stilstond.

Een koude dag. Niet lang geleden. Nanna in haar dikke jas, haar haren in de war. Ze zag er helemaal niet uit als negentien.

'Neemt hij op?' vraagt ze.

Een stem ergens vandaan. Die van Amir. Een beetje prikkelbaar omdat hij erachter probeert te komen hoe het ding werkt.

'Ja.'

Ze zegt oké. Haalt diep adem, glimlacht. De glimlach van een vrouw.

Ze kijkt in de lens en het bloed van Theis Birk Larsen wordt koud als hij naar de stem luistert waarvan hij weet dat hij hem nooit meer zal horen.

Zo helder, zo lief, zo vol van hoop dat het hem pijn doet met een wanhopig gevoel van verlies.

De stem zegt lachend, ondeugend: 'Hoi mam, hoi pap.'

Een knipoog.

'Hoi Anton en Emil, de allerliefste teletubbies van de hele wereld.'

Even blijft het stil en haar gezicht wordt zo ernstig en volwassen dat Theis Birk Larsen ogenblikkelijk de tranen achter zijn ogen voelt prikken.

'Als jullie deze video zien is het maandag. Jullie denken dat ik op school zit. Maar dat is niet zo.'

Ze houdt haar hoofd schuin. Op die schaamteloze manier waarop ze dat altijd doet om haar zin te krijgen.

'Ik weet dat jullie boos op me zullen zijn. Maar jullie hoeven je geen zorgen te maken. Ik hou heel veel van jullie. En het gaat prima met me. Met Amir. Kleine Amir.'

Ze haalt haar schouders op.

'Nu niet meer. Mijn eerste vriendje. Hij is deze zomer teruggekomen. We hebben elkaar weer gezien...'

Haar ogen dwalen af naar de man achter de camera. Ze kijkt gegeneerd. Lacht het dan weg.

'Nou ja. We hadden elkaar drie jaar niet gezien. Maar het leek alsof het gisteren was. Jij hebt altijd tegen me gezegd, mam: als het gebeurt, dan weet je dat. Het doet er niet toe wat de mensen ervan vinden. Het doet er niet toe wat de wereld ervan vindt. Als het gebeurt, als je de ware vindt, dan kan niets je tegenhouden. En dan moet je je ook door niets laten tegenhouden.'

Een diepe kreun stijgt uit Birk Larsens longen omhoog.

Haar blauwe ogen op de camera gericht, op hen.

'We hebben eigenlijk altijd van elkaar gehouden. Het heeft alleen een tijdje geduurd voor we dat konden toegeven. Mam, ik denk dat jij het altijd gewe-ten hebt. Amir heeft een vriend bij wie we kunnen logeren. Ik weet niet voor hoe lang. Tot alles een beetje tot rust gekomen is.'

Hij houdt de camera dichterbij, alsof hij ergens, ergens in een irrationeel stukje van zijn hersens gelooft dat zij het is. Een ademende Nanna. Een leven-de Nanna.

Nanna zegt: 'Ik wil dat jullie allemaal weten dat ik nog nooit zo gelukkig ben geweest. Dus alsjeblieft… ik hoop dat jullie me kunnen vergeven. Ik denk dat jullie dat kunnen. Jullie zijn ook weggelopen, toch? Ik weet nog hoe je keek toen je me dat vertelde, mam. Zo veel liefde.'

Ze steekt haar hand uit en raakt de onzichtbare man achter de lens aan.

'Als Amir en ik net zo gelukkig en goed als jullie kunnen worden…'

Ze huilt nu. Dat heeft hij altijd verschrikkelijk gevonden.

'Tot ziens, pap en mam.'

Ze blaast een kusje naar ze toe.

'Ik hou van jullie, teletubbies. Ik bel gauw. Ik hou voor altijd van jullie.'

Tranen en een lach. De camera beweegt. Een muur met graffiti. Een rijtje fietsen. Twee straten van hun huis in Vesterbro verwijderd. Hij herkent de bakstenen.

Dan Nanna en Amir. Zij blij en stralend van hoop. Hij stil en schuw, en nergens anders naar kijkend dan naar haar.

Met trillende vingers legde Birk Larsen de camera op de passagiersstoel, verborg zijn gezicht in zijn handen en huilde.

Poul Bremer leidde de hoorzitting. Jasje uit. Blauw overhemd, geen das. Een man aan het werk.

'Nu horen we het hoofd van Holcks administratie. Gert Stokke. Gert?'

De grijze man in het grijze pak kwam de kamer binnen en ging zitten.

'Je kent de procedure,' zei Bremer. 'We doen een onderzoek naar Holcks afdeling. Jij moet je licht over deze zaak laten schijnen.'

Stokke knikte, keek naar de fractieleiders rond de tafel.

'Zoals jullie uit de documenten kunnen afleiden heb ik een gesprek gehad met Holck. Ik probeerde hem uit te leggen dat er iets mis was. Maar hij wilde het niet weten. Ik kon hem niet overtuigen.'

'En toen?' vroeg Bremer.

Stokke blies zijn wangen op en zei uiteindelijk: 'Ik ben er later nog een keer over begonnen. Hij wilde nog steeds niet meewerken. Achteraf gezien had ik iemand moeten inlichten. Ik wil daarvoor mijn excuses aanbieden. We heb-ben nu een systeem waardoor…'

'En Holck zelf…' hielp Bremer hem, 'had een nogal intimiderend karak-ter, dat weet lang niet iedereen, geloof ik.'

'Hij was heel direct,' beaamde Stokke. 'En heel overtuigend. Hij zei dat hij zelf de zaak zou regelen. Ik nam aan dat hij dat meende. Wat kon ik anders?'

Bremer zette zijn handen tegen elkaar, als een priester die de biecht afnam.

'Ik denk dat we allemaal lering hebben getrokken uit deze droevige gebeurtenissen. Voor zover ik het kan beoordelen heb je gedaan wat je kon. Verdere vragen lijken me niet nodig. Dus dank je...'

Hartmann stak zijn linkerhand op.

'Ik heb een vraag, als dat mag.'

Bremer wachtte even en zei toen: 'Ga je gang, Troels.'

'Opdat er geen enkel misverstand over is: heb je iemand iets verteld over Holcks gedragingen?'

'Nee, niemand.'

Hartmann pakte de map voor hem op.

'Ik wil graag een document uitdelen.'

Hij liep rond, legde de vellen papier voor iedereen neer, het eerst voor Stokke.

'Dit zijn de notulen van een gesprek tussen Gert Stokke en Bremer. Ze hadden het over de aanplant van een stel bomen. Er wordt verwezen naar een bijlage die niet is toegevoegd aan het exemplaar in het dossier. Die bijlage is ergens anders terechtgekomen, neem ik aan. Klopt dat, Gert?'

'Dan moet ik het dossier nakijken...'

'Dat hoeft niet.' Hartmann pakte nog een stapeltje documenten op. 'Ik ben erin geslaagd die appendix boven water te krijgen.'

Stokke knipperde met zijn ogen.

'Hij was veilig opgeborgen. Door het hoofd administratie van Holcks afdeling.'

Een handgebaar naar Stokke.

'Door jou dus, Gert.'

De ambtenaar staarde naar het vel papier dat voor hem lag.

'Laat me je geheugen opfrissen,' ging Hartmann verder. 'Dit zijn jouw aantekeningen van een gesprek dat je met de burgemeester hebt gehad over wat jij de zorgwekkende toestand in Holcks administratie noemt. Er wordt onder andere gewag gemaakt van een betaling van vijfduizend kronen per maand aan een ambtenaar genaamd Olav Christensen, die op mijn afdeling werkt – niet dat iemand van mijn salarisadministratie op de hoogte was van dit verband. Of dat er ergens een indicatie is waarom Christensen überhaupt betaald werd.'

Bremer was hoogrood en kon geen woord uitbrengen.

Hartmann wendde zich tot de gemeenteraadsleden.

'Deze bijlage is nooit onderdeel geweest van de officiële notulen. Het was Gert Stokkes geheime verzekeringspolis. Een manier om er zeker van te zijn

dat als de hemel naar beneden viel, hij in ieder geval kon zeggen dat we gewaarschuwd waren.'

Hartmann wees op het document.

'En daar ligt het. Bewijs dat de burgemeester lang voor de rest van ons op
de hoogte was van Holcks opzettelijke en illegale wanbeheer, een ambtsmis-
drijf. Bewijs dat de burgemeester de politie informatie heeft onthouden
waarmee de echte moordenaar van Nanna Birk Larsen veel eerder gevonden
had kunnen worden.'

Hij keek naar Bremer.

'Wil de burgemeester reageren?'

Niets.

'Nee?'

'Goed dan,' zei Hartmann terwijl hij opstond om weg te gaan en de rest
met de documenten liet zitten. 'Dank voor jullie aandacht.'

Lund en Meyer waren op zoek naar Amir. Hij was na de rit met Theis Birk
Larsen teruggekomen naar de stad. Hij had zijn auto opgehaald. En sindsdien
was hij niet meer gezien.

Ze gingen langs bij het restaurant van zijn vader. De begraafplaats.

Niets.

Terwijl Meyer door Vesterbro reed ging zijn telefoon over.

'Het signaal van zijn mobiel is opgevangen door een toren bij Tamby. Niet
ver van het vliegveld. Misschien probeert hij weg te komen…'

Hij keerde de auto, reed naar de weg naar Kastrup.

Lund dacht na. Dacht aan de foto. Twee kinderen en een rode bakfiets.

'Hij gaat niet naar het vliegveld.'

'Die mobiel…'

'Ik weet waar hij is.'

Er was weinig verkeer. Het kostte maar vijfentwintig minuten om er te komen.

Meyer werd steeds chagrijniger toen het tot hem doordrong waar ze naartoe gingen.

Over de smalle weggetjes, langs de sloten en de kanalen. Langs het donkere
bos waar de dode bomen geen beschutting boden.

De koplampen van de auto beschenen een lage ijzeren brug. Halverwege
de brug zat iemand.

Meyer greep naar zijn wapen, besefte toen dat Brix dat nog steeds had.
Lund keek hem kwaad aan, stapte uit en liep regelrecht op de gedaante bij het
kanaal af.

Er lag een bos bloemen achter zijn rug. Amir zat op de rand, keek naar het
zwarte water. Hij had zijn armen door de reling gestoken, zijn voeten bungelden in het luchtledige.

Als een kind.

Een tweede politieauto kwam van de andere kant aanrijden. Het zwaailicht aan. Twee mannen sprongen eruit. Lund gebaarde dat ze moesten blijven waar ze waren.

Ze liep door.

'Amir El' Namen?'

Ze gebaarde naar Meyer dat hij zijn pasje moest pakken en boog zich toen naar Amir over om met hem te praten.

'We zijn van de politie, Amir. Het is oké. Je bent geen verdachte.'

Hij bleef naar het water staren.

'Getuigen hebben je op het vliegveld in Malmö gezien.'

Ze liep naar de rand van de brug, leunde tegen de ijzeren reling, wilde dat ze de ogen achter die dikke brillenglazen in het zwarte montuur kon zien.

'Ik moet iets weten,' zei Lund. 'Wie wist ervan? Aan wie heeft Nanna het verteld?'

Eindelijk keek hij haar aan.

'Wie wist ervan, Amir?'

'Niemand wist het. Zo stom waren we niet.'

'Iemand moet ervan geweten hebben. Iemand die Nanna in de gaten hield... of die jullie samen gezien heeft. Een ex-vriendje misschien. Denk na.'

Hij dacht na.

'Iemand heeft ons gezien. Maar hij kan er niets van geweten hebben. Dat is onmogelijk.'

Lund boog zich dichter naar hem toe.

'Wie heeft jullie gezien?'

'Het was toen we haar bagage naar het station gingen brengen. Hij stapte uit een auto. Ik heb hem niet echt gezien. Ik weet niet wie hij was.'

Meyer zuchtte.

'Wat heb je dan wel gezien?' vroeg hij vermoeid.

Amir wierp hem een boze blik toe.

'Een rood uniform. Maar hij kan het niet geweten hebben.'

Meyer schudde zijn hoofd.

'Wat bedoel je met een rood uniform?'

'Ik bedoel gewoon een rood uniform. Zoals zij dragen.'

'Wie?' vroeg Meyer.

'Zijn mensen. Hun mensen. Die overalls. Het personeel van Birk Larsen.'

Dertig minuten later kwam Brix. Hij gaf Lund zwijgend haar politiepasje terug.

'De duikers die je wilde zijn onderweg. Ik verwacht dat je iets vindt.'

'En hoe zit het met het gemaal?' vroeg Meyer.

'Ze zullen de boel vierentwintig uur stilzetten. Niet langer. Wat heeft die Indiase jongen gezegd?'

'We zijn op zoek naar een verhuizer. Iemand die voor Birk Larsen werkt. Dat is het verband.'

Brix keek naar de auto's die aan kwamen rijden.

'Het verband waarmee?'

'Met Mette Hauge. Zij is niet lang voor haar verdwijning van haar ouderlijk huis naar de stad verhuisd.'

Ze zweeg even. Ze wilde dit voor zichzelf ook duidelijk op een rijtje hebben.

'Als je verhuist,' zei Lund, 'dan laat je vreemden toe in je leven. Dat deed Mette. Nanna...'

Vagn Skærbæk keek naar de opdrachten, de tijdschema's, het geld dat hen nog toekwam. Ze klusten 's avonds zwart bij om uit te komen.

Het was niet gemakkelijk.

Theis Birk Larsen was terug van een zwart ritje naar de havens. Hij zag er vermoeid uit, maar gelukkiger dan hij de laatste tijd gedaan had.

'Je weet dat ik extra mensen oproep, Theis,' zei Skærbæk. 'Met al dat werk en die telefoontjes hebben we niet genoeg mankracht.'

'Zolang de boekhouding maar klopt.'

Skærbæk knikte.

'Dat lukt wel. Maak je geen zorgen. Ik kan rekenen.'

'Mooi.'

Er werd gebeld.

'Ga naar boven, Theis. Je ziet er doodmoe uit.'

Skærbæk keek hem na.

De man aan de deur was mager, ongeveer hun leeftijd. Een bloedeloos gezicht, alsof hij ziek was.

'Wat ben je laat.'

'Ik kon niet eerder. Ik had het druk. De taxibaas zit me op m'n nek. Hij wil dat ik meer diensten draai.'

'Ja, nou ja. Theis heeft je harder nodig. En hij heeft nog iets van je te goed. Dus flik ons niet nog eens zo'n kunstje. Doe je overall aan. We moeten aan het werk.'

'Cash?'

'Ja, cash.'

'Niets... je weet wel...'

'Niets wat?'

'Ik wil geen moeilijkheden, Vagn.'

Skærbæk duwde hem in de richting van het kamertje met de lockers.

'Doe gewoon je werk. Er is nog een overall met je naam erop. Ook al heb je ons in de nesten gewerkt. Dit is een familiebedrijf, weet je nog?'

'Familie. Ja, dat weet ik.'

De rode overall hing nog op de plek waar de man hem twee weken geleden had achtergelaten. De laatste dag dat hij gewerkt had. Hij pakte het rode katoenen pak op, controleerde toch de naam op het naamkaartje.

Leon Frevert.

Lund keek naar al die sloten en kanalen en vroeg zich af wat voor geheimen ze verborgen hielden. De duikers hadden al twee uur gewerkt, lieten zich vanaf opblaasboten in het water zakken. Andere agenten kamden de rietkraag langs de oevers uit. Overal zoeklichten.

Even Jansen, de roodharige man van de technische recherche die Lunds orders altijd klakkeloos opvolgde, had nu toch zijn twijfels.

Rond acht uur, tijdens een pauze waarin het duikersteam naar een andere plek werd gebracht, kwam hij naar haar toe en zei: 'We hebben twee van de kleinere kanaaltjes afgezocht. God weet hoeveel er nog zijn.'

'Probeer die oude afwateringssloot. Twintig jaar geleden was het grootste deel van dit gebied verboden terrein. Dat moet hij geweten hebben, en er gebruik van hebben gemaakt.'

'Het héle gebied was twintig jaar geleden verboden terrein. Het leger gebruikte het voor schietoefeningen. Hier kwam niemand. Om een auto te dumpen…'

Ze luisterde amper. Lund probeerde zich voor te stellen wat er gebeurd was.

'Ze hoeft niet in een auto te liggen, daar moet je niet van uitgaan.' Ze dacht aan Bengt, die achter haar rug om Mette Hauge had opgespoord, overtuigd van zijn gelijk. 'Ga nergens van uit.'

Meyer had nogmaals met Mettes vader gesproken. Ze had een verhuisfirma ingeschakeld om haar van het ouderlijk huis naar haar nieuwe etage in de stad te brengen. Hij had geen idee welke. Maar in het politierapport stond dat haar bezittingen naar een opslagplaats waren gegaan die op naam stond van een bedrijf dat Merkur heette. Dat bedrijf bestond allang niet meer.

'De laatste persoon die als eigenaar te boek staat is Edel Lonstrup,' voegde Meyer eraan toe. 'Ik heb een adres. Misschien morgen…'

Het was bijna tien uur.

'Laten we nu gaan,' zei Lund.

'Is het daar niet een beetje te laat voor?' vroeg Meyer.

'Ja. Twintig jaar te laat.'

Edel Lonstrup woonde in Søborg, aan de rand van een bedrijventerrein. Het leek meer op een verlaten bedrijfsruimte dan een huis. Het ijzeren hek zat niet op slot. De deuren die toegang gaven tot de vervallen metalen loods aan het einde van de oprit ook niet. Meyer duwde de deuren open. Overal dozen en stoffige troep. De naam Merkur stond op een paar dozen gedrukt. Aan het eind van de loods bevond zich een hoog raam waarachter licht scheen. Ze konden een keuken zien. Een paar planten in potten.

Hier woonde ook iemand.

Een bloedeloos gezicht verscheen voor het glas, de vrouw legde een leerachtige hand tegen haar wang en tuurde naar buiten.

In haar grijze ochtendjas, met het slappe ongewassen haar, zag ze er niet uit alsof ze vaak bezoek kreeg. Ze zaten in de keuken en keken toe hoe ze at. Het huis scheen ingericht met alle troep die ze verzameld had: serviesgoed dat niet bij elkaar paste, een gammel fornuis, een oude radio. Merkur was tien jaar geleden, na het overlijden van haar echtgenoot, opgedoekt. Ze zei dat ze geen lijst van personeelsleden had. Er was helemaal geen administratie meer.

'Wat is daarmee gebeurd?' vroeg Meyer.

'Ik heb het allemaal weggegooid. Waarom zou ik het bewaren? Als dit voor de belasting is, dan moeten jullie maar naar het kerkhof gaan en het aan hem vragen.'

'Is iemand van uw werknemers overgestapt naar het bedrijf van Birk Larsen?'

'Werknemers? Het was een verhuisbedrijf. Daar werken alleen maar zigeuners. De ene dag werken ze nog voor ons, de volgende voor de concurrent. God weet wat ze verder nog uithaalden.'

Haar gezicht werd hard. Een herinnering.

'Daarom hing hij altijd bij hen rond, niet bij zijn gezin. Voor de drank en de vrouwen en wat er nog meer gaande was.'

'Birk Larsen?'

'Wie is Birk Larsen?'

De vrouw had zo te zien geen tv. Geen krant op de tafel. Niets wat dit huis met de buitenwereld verbond.

'Zegt de naam Mette Hauge u iets?' vroeg Lund.

'Wie?'

'Mette Hauge. Ze heeft een aantal spullen bij u in de opslag gehad.'

'Aage heeft zo veel mogelijk verkocht voor hij failliet ging. Ook de spullen van andere mensen. Als hij niet gestorven was, dan zat hij nu in de gevangenis. En dat allemaal om zich vol te laten lopen en bij dat tuig rond te hangen.'

'Dus u hebt niets bewaard?'

'Kijk om je heen. Wat je ziet is van ons. Van niemand anders.'

Een stem klonk op uit het duister achter hen. Een jongere stem, beveriger. 'We hebben nog wat spullen in de garage.'

De vrouw die achter hen stond was een jaar of veertig maar ze had zich gekleed als een tiener uit lang vervlogen tijden. Lang wollen vest, een kleurig, oud t-shirt eronder. Spijkerbroek. Ze droeg haar haar dat eens bruin was geweest maar nu begon te grijzen in vlechten. Ze had de gezichtsuitdrukking van een kind, bang en tegelijkertijd opstandig.

'Ga naar je kamer,' beval Edel Lonstrup knorrig.

'Wat voor spullen?' vroeg Lund.

'Spullen van papa. Een hele hoop.'

'Dat zijn alleen maar oude dozen,' tierde haar moeder. 'Ga naar je kamer!'

'We moeten dat bekijken,' zei Meyer. 'Laat ons maar zien.'

Dozen vol papieren. Geen orde, geen logica in de stoffige loods vol rotzooi en spinnenwebben. Een paar kratten met het bedrijfslogo erop. De naam Merkur in blauwe blokletters met de afbeelding van een vleugeltje aan de linkerkant.

Lund bladerde door oude computeruitdraaien. Meyer kieperde de ene doos na de andere leeg op de vloer.

'Waar zoeken we eigenlijk precies naar?'

'Naar een man.'

Hij schopte tegen een krat. Er dwarrelden nog meer papieren door de loods. Nog meer stof.

'Nee,' zei Meyer. 'Daar is-ie niet.'

De dochter bleef erbij staan en keek vanuit het duister toe.

'Hoe oud was jij eenentwintig jaar geleden?' vroeg Lund aan haar.

'Zeventien.'

'Hoe waren ze? De mannen die voor je vader werkten?'

'Ruw. Eng. Groot. Sterk.'

Ze greep haar groezelige vest vast terwijl ze dit zei.

'Mijn moeder zei dat ik bij ze uit de buurt moest blijven. Ze waren niet als wij. Ze waren...'

De dochter zweeg.

'Ze waren wat?' vroeg Meyer.

'Het waren verhuizers. Ze waren allemaal zo.'

'Allemaal?'

Lund liet de dozen de dozen en liep naar haar toe.

'De man die wij zoeken was misschien anders. Niet veel ouder dan jij. Twintig, vijfentwintig. Misschien werkte hij hier parttime.'

'Ze bleven nooit lang.'

Lund probeerde het zich voor te stellen. Als Bengt gelijk had was deze man gestructureerd, slim, vasthoudend. Hij greep niet zomaar een vrouw in de nacht. Hij maakte jacht op ze. Pakte ze in. Betoverde ze wellicht.

'Hij was waarschijnlijk anders dan de anderen. Beter misschien. Slimmer.'

Ze zei niets.

'Hij praatte graag met meisjes. Ik denk dat hij met meer respect dan de anderen praatte. Met meer sympathie.'

Een plaatje begon zich in Lunds hoofd te vormen.

'Hij was aardig. Niet ruw. Niet naar. Vergeleken bij de rest was hij echt heel aardig. Was hier zo iemand?'

Stilte.

Lund haalde de foto van de ketting met het zwarte hart tevoorschijn.

'Heb je deze ketting ooit gezien?'

De vrouw stapte voor het eerst uit het duister de lichtkring in. Ze was, dacht Lund, uitzonderlijk mooi. Maar ze was door iets beschadigd. Het isolement. De eenzaamheid.

Niets.

'Laten we gaan, Lund,' zei Meyer. 'Kan ik ergens mijn handen wassen?'

De dochter wees naar de deur. Ze wachtte tot hij weg was en keek naar Lund.

Toen hij buiten gehoorsafstand was zei ze: 'Ik weet misschien wel iemand.' Ze draaide zenuwachtig haar hoofd om om er zeker van te zijn dat Meyer niet luisterde. 'Je hebt het niet van mij, goed? Mijn moeder zal niet...'

'Niemand hoeft het te weten.'

'Ze willen maar één ding. De mannen.'

'Was hij ook zo?'

Ze dacht terug aan vroeger.

'Nee. De anderen waren niet erg op hem gesteld. Ze rotzooiden. Ze dronken, ze rookten. Ze deden niets. Hij werkte. Hij probeerde het tijdschema te halen. Dat vonden ze niet prettig.'

'Hoe zag hij eruit?' vroeg Lund.

Ze haalde haar schouders op.

'Gewoon. Er was een foto van hem met mijn vader. Maar m'n moeder heeft die weggegooid. Hij zou de manager worden, maar ik weet het niet... er is iets gebeurd.'

'Wat?'

'Dat zei ik toch, dat weet ik niet. De ene dag was hij er nog. En toen is hij nooit meer teruggekomen.'

Lund keek naar haar gezicht.

'Miste je hem?'

Daar stond die vrouw, bijna veertig, gekleed als een tiener, met lang haar dat al grijs werd. Een verspild leven.

Niets.

'Als ik het was geweest,' ging Lund door, 'dan zou ik die foto door niemand laten weggooien. Ik zou hem weer gepakt hebben. Hem ergens verstopt hebben waar mijn moeder hem niet kon vinden. Daar zijn foto's toch voor? Herinneringen.'

Lund ging dichter bij haar staan. De dochter had dezelfde duffe geur als de loods en het huis dat eraan vast gebouwd was. Vocht en stof en spinnenwebben.

'We hebben die foto nodig...'

De lange magere armen in het versleten vest werden uitgestrekt en Lund werd stevig beetgegrepen.

'Je mag het niemand vertellen...'

De dochter keek door het glazen raam de keuken in. Haar moeder was er niet. Toen ging ze terug naar de achterkant van de loods en begon voorzichtig een stel oude planken opzij te zetten.

Ze pakte iets van de grond. Begon erdoorheen te zoeken.

Meyer kwam terug. Hij wilde naar de vrouw toe lopen. Lund stak haar arm uit om hem tegen te houden. Ze wees met haar duim naar de deur en zei geluidloos: 'Naar buiten.'

Ze had de foto zo snel gevonden dat Lund zich afvroeg of ze er iedere dag naar keek. Hij was helemaal schoon. Geen stofje te bekennen. Een goede, duidelijke foto.

'Dat is mijn vader. Dat is de man over wie ik het had.'

Lund bekeek de gezichten.

'Het is twintig jaar geleden,' zei de dochter. 'Waarom zoeken jullie hem? Wat heeft hij gedaan?'

Lund zei niets.

'Het kan niet iets ergs zijn,' zei de vrouw met de grijzende vlechten. 'Zo was hij niet.'

Pernille zat aan de keukentafel. Ze bekeek de video op Amirs camera en probeerde haar tranen te bedwingen.

Theis zat naast haar, zijn hand op de hare.

'Heeft Amir ermee te maken?' vroeg ze nadat ze gezien had hoe Nanna hen een afscheidskus toe blies.

'Nee. De politie zegt dat hij op het vliegveld van Malmö op haar zat te wachten.'

Ze wreef met de mouw van haar truitje over haar ogen en wangen.

'Waarom heeft ze het niet tegen ons gezegd? Waarom heeft ze het geheimgehouden?'

Hij bleef naar het laatste beeld van Amir en Nanna staren, bevroren in de tijd, een en al glimlach. Hij kon geen woord uitbrengen.

'Die Lund is weer langs geweest en heeft al haar spullen doorgenomen.'

Ze schudde haar hoofd. Ze voelde zich weer net zo somber en verpletterd als daarvoor.

'Er klopt iets niet, Theis.'

Hij liet haar hand los.

'Begin nou niet weer. Ze hebben gezegd dat de zaak opgelost is.'

'Maar waarom is Lund dan gekomen?'

Geen antwoord.

'Ze hebben hem nog niet,' fluisterde ze. 'Dat weet je. Ze hebben hem nog niet.'

Er werd op de deur geklopt. Leon Frevert stond in de deuropening in zijn rode overall en zwarte muts.

'Wat is er?' vroeg Birk Larsen.

'Sorry maar… Vagn vraagt of je beneden komt.'

'Nu niet.'

De lange dunne man zag er bang uit, maar hij ging niet weg.

'Ik denk dat je moet komen, Theis. Alsjeblieft.'

Birk Larsen bromde wat en zei: 'Oké.'

De mannen waren er allemaal, fulltimers, parttimers, sommigen kende hij amper. In hun rode overalls in een rij in het kantoor. Ze praatten met elkaar, ze glimlachten niet, ze keken hem niet aan toen hij binnenkwam.

Vagn Skærbæk stond voor de groep, met zijn armen over elkaar. Hij praatte en knikte.

Altijd de leider.

Soms was er ruzie. Mensen die vertrokken, die niet altijd terug wilden komen.

Dat, dacht Birk Larsen, hoorde nu eenmaal bij het bedrijf.

Zijn bedrijf.

Dus liep hij meteen naar binnen en zei: 'Wat is dit verdomme? Óf jullie gaan aan het werk óf jullie gaan naar huis. Oké?'

Skærbæk draaide zich naar hem om. Hij had iets stiekems over zich en keek naar de vloer.

'Theis…'

'Nu niet.'

'Nu wel, Theis. We hebben een probleempje.'

Skærbæk keek hem eindelijk aan. De zilveren ketting glinsterde. Zijn gezicht stond ernstig, berustend.

'Wat dan?'

'Dat huis van jou in Humleby. Begrijp me niet verkeerd. We zijn blij dat het gelukt is, echt waar, maar…'

Hij fronste zijn wenkbrauwen.

'Het wordt een obstakel. We komen hier om voor klanten te werken, en in plaats daarvan moeten we steeds stenen en hout en dat soort rotzooi naar Humleby rijden. Dit kan zo niet langer...'

Birk Larsen sloot zijn ogen en zocht naar woorden.

'Waar het op neerkomt, Theis, is dat je zoals het nu gaat dat huis van z'n leven niet met de kerst klaar krijgt. Dus hebben we besloten, sorry, maar hier valt verder niet meer over te praten...'

Een knikje van zijn kleine hoofd.

'We gaan dit voor je opknappen.'

Een bulderend gelach. Iemand sloeg hem op zijn rug. Birk Larsen keek naar hun stralende gezichten.

'Een paar lui gaan er 's avonds werken en anderen in de weekenden.'

'Klootzakken...' mompelde Birk Larsen. Hij schudde zijn hoofd en veegde zijn ogen af.

'Eerst de kelder. Dan de keuken en de badkamer.'

Skærbæk haalde een lijstje met materialen tevoorschijn.

'Rudi heeft een neef die loodgieter is, dus we kunnen die spullen tegen inkoopprijs en een kleine vergoeding krijgen. Hij moet binnenkort verhuizen, dus we kunnen een dealtje maken. Verder kost het je vooral bier.'

Hij stootte Birk Larsen tegen zijn elleboog.

'Ga maar sparen, Theis. Deze jongens kunnen veel op. En...'

Skærbæk zweeg ineens. Ze volgden allemaal zijn verbaasde blik.

Lund en Meyer liepen de garage binnen. Ze deden wat ze altijd deden, ze keken om zich heen.

Birk Larsen vloekte en liep toen het kantoortje uit, hen tegemoet.

'We hebben nieuwe informatie,' zei Meyer. 'Daardoor verandert de zaak.'

Birk Larsen stond voor zijn mannen buiten het kantoortje.

'De vorige keer dat ik je sprak zei je dat het rond was.'

'Dat weet ik. Ik had het mis. We moeten de zaak heropenen.'

'Ik wil dat jullie weggaan.'

'Dat kunnen we niet doen.'

'Als jullie weer met me willen praten, dan wil ik er een advocaat bij.'

'We willen niet met jou praten,' viel Lund in. 'We willen met een van je mensen praten, met Vagn Skærbæk.'

'Jezus nog aan toe,' bulderde Birk Larsen. 'Wat nou weer?'

Lund liep langs hem heen naar het kantoortje, zag dat een magere figuur naar achteren wegdook, zijn pet over zijn gezicht trok. Ze moest denken aan wat de dochter had gezegd: ze zijn allemaal op drift. Zigeuners.

Het was Skærbæk niet. Die stond nog waar hij was en keek haar kwaad aan.

'Jullie moeten Theis met rust laten,' zei hij. 'Hij heeft al genoeg doorstaan.'

'Kunnen we even met je praten, Vagn?'

Met grote ogen, zijn zilveren ketting glimmend om zijn hals, kwam hij naar voren en ging naast Birk Larsen staan.

'Wat is er aan de hand, Theis?'

'Ze willen met je praten.'

'Waarover?'

Meyer zei: 'Jij komt met ons mee.'

'Waarom?'

'Je stapt zelf in de auto of we arresteren je. Wat wordt het?'

Skærbæk keek naar Birk Larsen. Zijn hoofd schuin, verbijsterd.

'Is dit een grap?'

'Geen grap,' zei Meyer. Hij keek op zijn horloge. 'Het is zevenendertig over tien. Je staat onder arrest.'

Hij tastte in zijn achterzak, haalde er een stel handboeien uit, zwaaide ermee naar Skærbæk.

'Zo goed?'

'Jezus, doe normaal, man.'

Pernille was naar beneden gekomen.

'Wat is er aan de hand?' vroeg ze.

'Geen flauw idee.' Vagn zag dat Meyer weer met de handboeien zwaaide en zei snel: 'Ik kom al, ik kom al.'

De lange figuur achter in het kantoortje hield zich nog steeds schuil in het duister, zijn honkbalpetje over zijn ogen getrokken. Lund wilde kijken maar Meyer werd ongeduldig.

'Als we nieuws hebben,' zei ze tegen Pernille Birk Larsen, 'dan bellen we.'

Hartmann stond de verzamelde pers te woord. Zwart pak, zwart overhemd en das, serieus gezicht.

'De aanklacht tegen de burgemeester is bijzonder ernstig. Hij wist van Jens Holcks frauduleuze activiteiten. Gert Stokke heeft zijn gesprek met hem daarover genotuleerd.'

Hij hield de papieren die Skovgaard had gevonden omhoog.

'Dit is het bewijs. We zullen kopieën uitdelen. Omdat Bremer deze informatie nooit naar buiten heeft gebracht, ben ik in diskrediet geraakt. Maar wat belangrijker is, de stad Kopenhagen is bedrogen door de man die is gekozen om haar te leiden. Bremer heeft opzettelijk de politie om de tuin geleid en het onderzoek gehinderd. Hij heeft politietijd en ons geld verspild om een moordenaar te dekken. En dat allemaal alleen maar omdat hij daar zelf politiek beter van zou worden.'

Hartmann keek het vertrek rond.

'Wij verdienen beter. We moeten iets beters krijgen. Ik heb Poul Bremer aangegeven bij de politie.'

'Wat zei de politie?' riep een van de verslaggevers.

'Ze zullen onderzoek doen. Ik vind het bijzonder spijtig dat de focus van deze verkiezingen nogmaals is komen te verliggen.'

'Wordt hij in staat van beschuldiging gesteld?'

'Dat is aan de politie.'

Erik Salin zat op de voorste rij. Kaal hoofd. Grote grijns.

'Nog vijf dagen voor de verkiezingen, Hartmann. Word je niet een beetje wanhopig?'

Ze wachtten allemaal.

'Dat mogen de kiezers beslissen,' zei Hartmann. 'Dank jullie wel.'

Een half uur later zat hij in zijn kantoor en zag Bremer live op tv reageren. Die reactie had hij woordelijk kunnen voorspellen.

'Allemaal leugens,' zei de burgemeester. 'Ik heb dat gesprek met Stokke nooit gevoerd. Deze zogenaamde notulen zijn vervalst. Voor de gelegenheid in elkaar gedraaid.'

'Door Troels Hartmann?' vroeg de interviewer.

'Dat betwijfel ik. Ik zie het eerder als de pogingen van een ambtenaar om zijn handen in onschuld te wassen ten aanzien van een probleem dat hij zelf gecreëerd heeft. Ik ben het slachtoffer. Hartmann heeft er, al dan niet bewust, voor gekozen om zijn spreekbuis te zijn. Ik had gehoopt dat…'

Weber drukte op de uitknop.

'Bremer schuift het Stokke op z'n bordje. Wat had je anders gedacht?'

'Stokke is een grote jongen,' zei Skovgaard. 'Dat moet jij ook zijn.'

'O ja?'

'Ja. Dit gaat Bremer zijn kop kosten.'

Weber trok zijn jas aan.

'Ik dacht dat we hem zouden verslaan omdat wij betere ideeën hebben. Niet door zijn smerige spelletjes nog vuiler te spelen dan hij zelf doet. O, krijg toch de klere allemaal. Ik heb er schoon genoeg van.'

'Wat zeg je nou?' blafte Hartmann.

'Je hebt me wel gehoord, Troels! Ik heb jaren mijn best gedaan om jou te maken tot wat je bent.'

'O ja?'

Weber bekeek hem van top tot teen.

'Ja. De nieuwe lichting. Clean en eerlijk. Frank en vrij. En nu ben je al net zo treurig bezig als de rest. Jezus… denk je dat je dat echt kunt?'

Hij wees naar Skovgaard.

'Denk je dat zij het kan? Die Jack en Jackie-show stort in en jullie tweeën hebben het niet eens in de gaten.'

'Zo is het genoeg, Morten.'

Weber wierp hem een chagrijnige blik toe.

'Ik ben nog niet eens begonnen. Jij moet niet overlopen naar de duistere kant, Troels. Dat is mijn werk. Laat het aan de professionals over.'

Hij was verdwenen voordat Hartmann kon reageren. Rie Skovgaard zat kokend van woede op haar stoel.

Hartmann ging op haar bureau zitten.

'Sorry. Morten wordt kwetsbaar onder druk.'

'Was dat kwetsbaar?'

'Volgens mij wel. Ik ken hem al heel lang. Zo laat hij dat blijken.'

Skovgaard pakte haar papieren bij elkaar. Ze had haar haren nu opgestoken. Streng. De donkere ogen keken rusteloos naar alles om zich heen, behalve naar hem.

'Ik vroeg me af of je zin hebt iets met me te gaan drinken.'

Met haar hoofd schuin keek ze hem onderzoekend aan, maar ze zei niets.

'Oké,' zei Hartmann schouderophalend. 'Het was maar een idee…'

Weber kwam weer binnengestapt. Hij had een enorm boeket lelies in zijn hand.

'Hier.' Hij duwde ze in Skovgaards armen. 'Die zijn voor jou bezorgd. Misschien willen ze dat je er een grafkrans van maakt of zo.'

Toen beende hij weg.

'Bloemen,' zei Hartmann.

'Wat ben je soms een scherp waarnemer, Troels.'

'Iemand waardeert je kennelijk heel erg.'

Eindelijk een glimlach.

'Wil je nu de politie bellen?' vroeg hij.

Het volgende punt op het programma was een bijeenkomst met de achterban. Weber streek met de hand over het hart en deelde de auto met Hartmann. Ze luisterden naar Bremers verklaring op de radio. Halverwege vroeg Weber aan de chauffeur om het ding uit te doen.

'Wat bedoelde je eigenlijk, Morten? Met die Jack en Jackie-show?'

'Kom op, zeg. Jij ziet jezelf zo. En Rie ook. Weten jullie dan niet dat dat óók een act was?'

'Ik speel geen toneel.'

'Je bent een politicus. Doe niet zo stom.'

Hartmann schudde zijn hoofd.

'Waarom laat ik me toch constant door jou beledigen?'

'Omdat we een goed stel zijn. Beter dan Rie en jij. Eerlijker in ieder geval.'

Weber klopte op Hartmanns knie.

'Trek het je niet aan. Ik wil het beste voor jou. Voor jullie allebei. Ze is een hele goede sidekick als ze maar weet wat haar beperkingen zijn.'

'Dat geldt net zo goed voor mij, denk ik.'

'Jij komt er wel.'

'Waarom heb ik het mis wat Bremer betreft? Maakt het wat uit? Als het doel goed is, wat doen de middelen er dan toe?'

'Zo werkt het niet.'

'Ik moet weten of ik op je kan vertrouwen, Morten. Ik moet weten dat je niet aan je stutten gaat trekken. Een toestand over Rie...'

Geen antwoord.

'Ik weet wat ik doe,' zei Hartmann.

'Ik geloof wel dat jij dat denkt.'

Hartmann stak zijn hand uit.

'Kom op, ouwe knorrepot. We doen dit samen.'

Weber nam de hand aan en schudde hem.

'Dat hebben we altijd gedaan, Troels. En ik ben trouwens echt niet knorrig. Waar het om gaat...'

Hartmanns telefoon ging over. Skovgaard. Hij zette hem op de speaker zodat Weber mee kon luisteren.

'Ik heb met de politie gebeld,' zei ze. 'Ze zullen de beschuldigingen jegens Bremer natrekken.'

'Wanneer?'

'Wanneer ze daar tijd voor hebben. Ze heropenen de zaak-Birk Larsen.'

Hartmann leunde achterover op zijn stoel. Hij kreeg de neiging om te gaan gillen.

'Wat?'

'Ze zijn op zoek naar een ander. Ze denken nu toch niet meer dat Jens Holck haar vermoord heeft. Lund en Meyer zitten weer op het onderzoek. Ze zijn nu in Vestamager. Ze hebben de waterleiding afgesloten en zijn begonnen de kanalen te dreggen.'

'Zoek dit uit. We hebben het recht het te weten.'

'Het is een moordonderzoek, Troels. We hebben geen enkel recht om wat dan ook te weten.'

'Als Holck onschuldig is, dan hangen ze binnen de kortste keren weer bij mij aan de bel. Probeer zo veel mogelijk te weten te komen.'

Het bleef lang stil.

'Ze hebben toch uitgesloten dat jij het was?'

'Sinds wanneer zegt dat iets!'

Hij sloot het gesprek af en keek Weber aan.

'Ze kunnen jou niet meer arresteren, Troels. Dat is onmogelijk.'

Hartmann keek naar de stad die achter het raampje voorbijgleed.

'Vijf dagen. Nog één dreun. Nog één stoot onder de gordel. Meer heeft

Bremer niet nodig. Tegen de tijd dat ik vrijuit ga, zit hij weer op zijn troon. Jij bent de strateeg hier. Als jij hem adviseerde, wat zou je dan tegen hem zeggen?'

'Als ik zijn strateeg was?'

'Ja.'

Morten Weber lachte.

'Dan was je allang dood.'

Vagn Skærbæk zat in de kamer van Lund en Meyer en kauwde zenuwachtig op een plastic koffiebekertje. Lund begon met het verhoor.

'Twintig jaar geleden werkte je voor Merkur?'

'Ik heb door de jaren heen voor een heleboel mensen gewerkt. Als je kunt verdienen, werk je voor ze. En wat dan nog?'

Ze liet hem de foto zien die Aage Lonstrups dochter voor hen had gepakt.

'God, wat zag ik er toen goed uit.' Skærbæk streek over zijn kin. 'Nog steeds wel, hè?'

'Hoe lang heb je daar gewerkt?'

'Een maand of drie, vier. Hij was aardig, maar er werkten daar een stel idioten. Er werd veel gedronken, en ik ben nooit zo'n innemer geweest.'

'Kende je Mette Hauge?' vroeg Meyer.

'Wie?'

'Een jonge vrouw die Mette Hauge heette. Merkur heeft haar naar de stad verhuisd. Een donkerharig meisje. Begin twintig.'

'Dat meen je niet! We verhuisden iedere dag wel iemand. Soms deden we twee verhuizingen. Ik weet het niet meer. Hoe kunnen jullie nu denken…?'

'Hoe goed kende je Nanna?' onderbrak Lund hem.

Hij staarde haar aan.

'Toen ze een week oud was wiegde ik haar al. Is dat antwoord op je vraag?'

'Niet echt. Wist je van haar vriendjes?'

'Niet van die politicus. Je had dat rijkeluiszoontje van haar school dat verkikkerd op haar was. Ze is zo verstandig geweest het met hem uit te maken.'

Lund keek hem strak aan.

'Wist je dat ze van plan was dat weekend een reisje te maken?'

'Een reisje? Waarheen?'

'Vertel eens over die vrijdag, Vagn,' zei Meyer. 'Je was die avond bij je oom in het verpleeghuis. Klopt dat?'

'Dat heb ik jullie toch al gezegd.'

'Je bent vrijgezel. Ga je dan op vrijdagavond naar je oom?'

'Ja. Iedere vrijdag.'

'En de rest van het weekend? Koorrepetitie? Eendjes voeren? Breien?'

Skærbæk bracht zijn hoofd naar achteren, keek naar het plafond en zei: 'Ha, ha, ha.'

'Je hebt de leraar in elkaar geslagen.'

Hij keek hen kwaad aan.

'Jullie hadden nooit tegen Pernille moeten zeggen dat hij het gedaan had. Als jullie er niet waren geweest, was het niet gebeurd. Sukkels.'

'Waar zat je?'

'Op mijn werk. Dat heb ik toch gezegd! Theis en Pernille zijn een weekendje weggegaan met de jongens. Ik heb aangeboden de zaken waar te nemen. Ik ken Theis al eeuwen. Ze zijn als familie voor me. Ik doe alles voor ze.'

'Herken je dit?'

Lund gaf hem de foto van de ketting.

'Nee. Mag ik nu weg? Het is een lange dag geweest.'

'En de andere verhuizers van Merkur. Ken je die nog?'

'Van twintig jaar geleden? Dat meen je niet! Die ouwe Lonstrup is dood. De anderen waren sukkels, dat zei ik al. Weet je, als jullie er niet achter kunnen komen wie Nanna vermoord heeft, is het tijd dat jullie baas iemand zoekt die dat wel kan.'

Hij sloot even zijn ogen, hij zag er gekweld uit.

'Jullie moeten ermee ophouden Theis en Pernille dit aan te doen. Hebben jullie dan geen enkel gevoel? Jezus christus...'

Lund keek naar Meyer.

'Blijf hier,' zei ze tegen Skærbæk.

Ze brachten Brix in het aangrenzende kantoor op de hoogte terwijl ze Skærbæk door het glas in de gaten hielden.

'Hij kende Nanna,' zei Meyer. 'Het is mogelijk dat hij Mette Hauge heeft verhuisd. Hij heeft ermee ingestemd vingerafdrukken en DNA-materiaal af te staan. We trekken dat nu na.'

Brix stond op om de man achter het glas beter te bekijken. Skærbæk kauwde op zijn lege plastic bekertje en spoog de stukjes uit. Hij oogde verveeld en uitgeput.

'Nog nieuws uit het bos?'

'Nee, maar ze werken de hele nacht door.'

'Controleer dat alibi van Skærbæk nog eens. Trek zijn familie na, zijn vrienden.'

'We zouden moeten uitzoeken of een van de andere vermiste vrouwen met een verhuisbedrijf heeft ingehuurd,' opperde Lund. 'Denk daar eens over na. Je nodigt die mensen in je leven uit. Ze zien je huis. Ze zien je leefpatroon. Je vertrouwt ze...'

'Dat kun je ook zeggen over een geestelijke. Een dokter. De postbode...'

'Ik zeg het over Vagn Skærbæk. Merkur...'

'Wacht,' onderbrak hij haar. 'We werken aan de moord op Nanna Birk

Larsen. Misschien is er verband met een meisje dat twintig jaar geleden is verdwenen. Ik weet het niet. Je hebt alleen die ketting maar. Ik laat je niet alle onopgeloste zaken in het archief opgraven om...'

'Brix...'

'Kijk eens naar hem!'

Skærbæk had het halve bekertje stuk gekauwd, en verder niets gedaan
sinds ze hem alleen hadden gelaten.

'Die vent heeft het buskruit duidelijk niet uitgevonden. Het idee dat hij
ons twintig jaar lang om de tuin heeft geleid... Ik geloof nog niet dat hij dat
twintig dagen kan doen.'

Lund wierp een blik op Meyer, zweeg.

'Nog zeventien uur daar in de bossen. Dan wordt de waterleiding weer
aangesloten. Als er niet meer is dan een ketting als verband tussen Nanna en
het meisje Hauge, dan moeten jullie een andere weg in slaan. Begrepen?'

Meyer salueerde.

'Ik wil dat deze zaak buiten de publiciteit blijft. Geen lekken. Zelfs niet
naar Hartmann.'

'Wanneer krijg ik mijn pistool terug?' vroeg Meyer.

'Als het lab er klaar mee is.'

'Er zijn wel meer pistolen, neem ik aan. Brix...'

'Je hebt net een man doodgeschoten, Meyer. Drie kogels. Geen vergissing.
Misschien is het het beste als je een tijdje uit de buurt van vuurwapens blijft.
We zaten fout met Holck. Ik wil niet nog meer blunders.'

Meyer zweeg. Brix vertrok.

'Hij zei tenminste "we",' merkte Meyer op.

Lund keek door het glas naar Vagn Skærbæk.

'Dom is-ie niet,' zei ze.

Nadat ze Skærbæk hadden laten gaan, ging hij regelrecht terug naar de garage
in Vesterbro en met een kop koffie zat hij boven in hun keuken met de Birk
Larsens te praten.

'Ze hebben geen idee. Wil je weten wat ik denk? Ze zijn zo wanhopig dat ze
iedereen natrekken. Iedere jongen die hier werkt, Theis. Het hele gedoe weer.
Wat heb je het hele weekend gedaan? We willen je vingerafdrukken. Lik hier
eens aan. Blijf zitten. Jezus...'

'Wat hebben ze gevraagd?'

'Dat. Wat heb je het hele weekend gedaan? Waarom heb je geen vriendin?
Stomme dingen.'

'Wat voor dingen?' vroeg Pernille.

'Wat ik wist van Nanna's vriendjes. Of ik wist dat ze met die politicus omging. Dat soort dingen. Belachelijk.'

Birk Larsen keek hem met toegeknepen ogen aan.

'Wist jij van Nanna en Amir?'

Skærbæk schudde zijn hoofd.

'Die jongen uit India? Dat vriendje van vroeger, toen ze nog klein was?'

'Ja.'

'Wat moet ik weten?'

'Dat ze weer met elkaar gingen.'

Skærbæk dacht even na.

'Bedoel je... nu?'

'Ja, nu,' snauwde Birk Larsen.

'Daar weet ik helemaal niets van. Ik heb die jongen in geen jaren gezien. Wat is dit nou? Ik heb dat hele weekend op de zaak gepast.'

Pernille zei tegen niemand in het bijzonder: 'Waarom denken ze dat het een van de mannen is?'

Birk Larsen schudde zijn hoofd.

'Ze vertellen je helemaal niets,' zei Skærbæk met stemverheffing. 'Ik heb tegen ze gezegd dat ze jullie niet lastig moeten vallen. Het kan ze niet schelen. Ze geven geen reet om andermans gevoelens. Jezus... Nanna.'

Zijn blik werd glazig.

'Ze zeiden... hoe lang kende ik haar? Nanna? Al sinds ze baby was. Het is walgelijk...'

Birk Larsen legde een hand op zijn schouder.

'Rustig maar, Vagn. Het is zoals je zei. Ze proberen het bij iedereen. Ik ga een advocaat bellen. We hebben rust nodig. Ik wil niet dat die klojo's hier om de haverklap binnen komen wandelen. Ons lastigvallen...'

'Dat waardeer ik zeer,' zei Skærbæk.

Lund luisterde haar voicemail af toen ze terug was in de lege flat in Østerbro. Er was maar één bericht. Bengt.

'Hoi, met mij. Ik weet dat het stom van me was, maar ik wil het graag uitleggen. Ik ben nog steeds in Kopenhagen. Je moeder was niet thuis. Ik hoop dat alles in orde is.'

Ze liep de trap op, dacht dat ze iets hoorde op haar overloop. Keek om zich heen, maar zag niets.

'Bel me,' zei Bengt.

Toen kwam er een stem uit de duisternis, een lange gestalte.

Lund liet zich tegen de muur vallen. Haar ogen vlogen heen en weer, ze probeerde te begrijpen wat er gebeurde.

'Je buurvrouw heeft me binnengelaten,' zei Troels Hartmann.

'Je overvalt me.'

'Sorry.'

'Waarom ben je hier?'

Hij stapte de lichtkring in.

'Je weet waarom ik hier ben.'

'Als het over die aangifte van je gaat tegen Bremer, dan moet je even geduld hebben. Ze nemen contact met je op.'

Hij keek toe hoe ze haar sleutel in het slot stak.

'Tot nog toe is dat niet gebeurd.'

'We hebben het erg druk. Ik kan je niet helpen. Ik zit niet op die afdeling.'

Ze deed de deur open. Hij deed een pas naar voren om haar tegen te houden.

'Wat zijn jullie aan het doen in de bossen?'

Lund dook onder zijn arm door en ging naar binnen.

'Een oefening. Niets. Tot ziens.'

Toen sloeg ze de deur dicht.

'Mooi is dat!' riep Hartmann door de deur heen. 'Dus ik mag aan de media vertellen dat wat er in de bossen gaande is niets met mij te maken heeft? Of met Nanna Birk Larsen?'

Hij was al halverwege de trap naar beneden toen ze aan de deur kwam en zei: 'Kom maar binnen.'

Lund trok een andere trui aan terwijl hij toekeek. Een zwart-witte in plaats van een wit met zwarte.

'Ik moet zo weg. Hou het kort.'

'Zo kort als je wilt. Ik wil gewoon eerlijk antwoord.'

Ze keek in de koelkast. Nog tijd om een biertje te drinken.

'Ik heb er maar één, Hartmann. Delen?'

Hij staarde naar het flesje Carlsberg.

'Die rode wijn die ik jou ingeschonken heb, was vijfhonderd kronen de fles.'

Lund haalde haar schouders op, wipte de dop van het flesje en nam een slok.

'Vanavond heb ik gezegd dat Bremer een moordenaar dekte.'

'Dat zou ik als ik jou was niet meer herhalen.'

Dit antwoord stond hem niet aan.

'Je hebt Christensen...'

'Dat kan als verkeersongeluk afgedaan worden. Moeilijk om achteraf te bewijzen dat het opzettelijk was. Ik weet niet of Brix het de moeite waard zal vinden om dat te proberen.'

'Hoe zeker zijn jullie dat Holck Nanna niet vermoord heeft?'

Het bier smaakte haar goed.

'Behoorlijk zeker. Nou, kan niet zekerder.'

Lund had het laatste bakje sushi in de winkel om de hoek gekocht. Ze hield niet erg van sushi, maar er stond verder niets meer in het schap dat ze meteen op kon eten.

'Als het Holck niet was, wie is het dan wel?'

'Als ik dat wist, zou ik hier dan bier uit een flesje zitten drinken en koude rijst met vis eten?'

Hij nam een stoel aan de andere kant van de tafel.

'Hoe lang gaat het duren voor jullie weer bij mij uitkomen? Wat zullen de mensen verdomme wel niet denken!'

'Ze denken dat de zaak gesloten is. Wil je sushi?'

'Jij bent er ook niet blij mee, toch?'

Lund duwde de doos van zich af.

'We vorderen gestaag, Hartmann. Maak je niet druk.'

'Hoezo, vorderen? Hoe lang gaat het nog duren voor er iemand gearresteerd wordt? Uren? Dagen? Weken?'

'Ik ben rechercheur. Geen helderziende.'

Nog een slok bier. Ze keek hem aan.

'Er zit nog wat in,' zei Lund terwijl ze met het flesje naar hem zwaaide. 'Als je wilt kun je nog een slok nemen.'

Hartmann trok een vies gezicht.

'Ze zullen je aangifte serieus nemen. Als Bremer wist van Holcks misdragingen, dan zal er heus wat uitkomen. Te zijner tijd.'

'Geweldig.'

Hij stond op om weg te gaan.

'Ik vroeg me af, Hartmann…'

'Wat vraag je je af?'

'Die vermiste videoband van de beveiliging van het stadhuis.'

'Wat is daarmee?'

'Daar zijn we steeds naar op zoek geweest. We dachten dat we de zaak tegen jou daarmee konden beklinken. Maar in feite pleit de band je vrij. Holck staat erop. Met Nanna.'

Hartmann keek verbijsterd.

'Hoe komen jullie aan die band?'

'Ik dacht dat jij me dat kon vertellen.'

'Geen idee.'

'Nou…' Ze trok de doos met sushi weer naar zich toe en nam nog een paar happen. 'We kunnen denk ik aannemen dat iemand in het stadhuis nog steeds geïnteresseerd is in Nanna en jou.'

'Wat wil je daarmee zeggen?'

'Iemand heeft ons die video nu pas gegeven. Nu jij vrijuit gaat. Waarom zou dat zijn?'

'Zeg jij het maar,' zei Hartmann.

'Als iemand hem meegenomen heeft om jou te beschermen, dan heeft diegene hem niet bekeken, toch? Anders had je dat verblijf in de gevangenis be-
spaard kunnen blijven.'

Hartmann probeerde te begrijpen wat dit wilde zeggen.

'Je moet verbanden leggen, Hartmann.'

'Hoe dan?'

'Iemand steelt een videoband om jou te beschermen. Diegene zorgt ervoor dat wij die band niet te pakken krijgen. Maar hij bekijkt hem zelf niet.
En dan, als jij van alle blaam gezuiverd bent, krijgen wij hem. Waarom?'

Hij zweeg.

Lund dronk het laatste restje bier op.

'Dit is mijn gedachte: diegene heeft hem aan ons gegeven omdat hij denkt
dat je nog meer problemen gaat krijgen.'

'En waarom heeft hij hem dan niet zelf bekeken?'

Ze keek hem aan.

'Misschien omdat hij of zij daar niet tegen kon. Omdat ze dachten dat jij
erop zou staan met Nanna. Hartstikke schuldig.'

Zijn knappe politicusgezicht stond zo strak alsof het uit steen gebeiteld
was.

'Mijn mening, meer niet.'

17

Dinsdag 18 november

Lund kwam op weg naar Vesterbro in de ochtendspits vast te zitten. Meyer zat naast haar en praatte haar bij over Vagn Skærbæk.

'Enig kind. Ouders zijn overleden. Zijn moeder bij de geboorte. Dat kan een aanduiding zijn voor een rare verhouding tot vrouwen.'

'Geen psychologisch geneuzel, graag. Daar heb ik voorlopig schoon genoeg van.'

'Mooi. Op zijn vijftiende is zijn vader vertrokken. Waarschijnlijk op jacht naar drugs en hoeren in Amsterdam. Dus de kleine Vagn is bij zijn oom gaan wonen. Niet doorgeleerd. Ik dacht dat hij misschien gezeten had, maar dat kan ik niet vinden.'

Hij bladerde door zijn papieren.

'De enige reden waarom we hem in het verleden gesproken hebben, was als we Theis probeerden te pakken te krijgen.'

'Hoe bedoel je?'

'Als Theis een alibi nodig heeft, is Vagn z'n man. Drie gevallen waarbij een getuigenis van Vagn hem uit de problemen heeft geholpen. Ik heb met die oud-politieman gesproken die ons getipt heeft over Birk Larsen. Hij dacht dat ze samen een team vormden.'

'Heeft-ie kinderen? Een vrouw? Een ex?'

'Nee. Hij woont alleen in een goedkoop flatje, een halve kilometer van de Birk Larsens af. We hebben het bekeken. Niets wijst erop dat hij iets met Vestamager heeft of iets anders interessants.'

'Er moet toch iets zijn.'

'Hij is de peetvader van de jongetjes Birk Larsen. Lijkt heel nauw bij het gezin betrokken. Af en toe heeft hij een tijdje bij ze gewoond. Misschien heeft hij Nanna stiekem misbruikt.'

Lund keek hem alleen maar aan.

'Oké. Die opmerking trek ik weer in. Theis en Pernille hadden het ongetwijfeld gemerkt en dan was hij degene in de plomp geweest. Bovendien...'

Hij zweeg.

541

'Wat bovendien?'

'Nanna zag er gelukkig uit, toch? Ik heb een aantal misbruikzaken gehad. Die kinderen… je kunt het aan hun ogen zien. Nog jaren later. Die dochter van Lonstrup met haar grijze vlechten…'

'Niemand heeft Nanna misbruikt,' zei Lund toen ze de afslag van de snelweg nam en op zoek ging naar het verpleeghuis. 'Ze heeft Jens Holck om haar vinger gewonden en het geheimgehouden. Nanna was Theis en Pernille in één persoon.'

Het was een modern gebouw, twee verdiepingen, rode baksteen.

'Dat is een beangstigende gedachte,' zei Meyer.

De manager van het verpleeghuis was een opgewekte mollige vrouw met geblondeerd haar en een glimlach die niet van haar gezicht week. Ze was dol op Vagn Skærbæk.

'Bestonden er maar meer van dat soort mensen. Vagn bezoekt zijn oom iedere vrijdag.'

'Weet u zeker dat hij de eenendertigste hier was?' vroeg Lund terwijl ze door de lange witte gang liepen, langs een groepje bejaarde mannen en vrouwen die zaten te kaarten.

'Ja, dat weet ik zeker. De zuster die dienst heeft schrijft alle bezoekers altijd in het gastenboek in.'

Ze had het bij zich en liet Meyer de betreffende bladzijde zien.

'Vagn is om kwart over acht gekomen.'

'Er staat niet wanneer hij is weggegaan.'

'Hij is ook niet weggegaan. Hij is in een stoel in slaap gevallen. Zijn oom voelde zich niet goed. Vagn is de volgende ochtend toen hij wegging gedag komen zeggen. Dat was om een uur of acht.'

Lund vroeg: 'Dus hij zei tegen u dat hij hier de hele nacht geweest was? Niemand heeft hem gezien?'

Dit beviel de vrouw niet.

'Vagn is al eerder blijven slapen. Hij was hier.'

'Maar niemand heeft hem gezien?'

'Hij heeft zijn oom naar bed gebracht. Dat doet hij voor ons. Waarom stelt u al die vragen? Vagn is een parel. Waren er…'

'… maar meer van dat soort mensen,' zei Meyer. 'Die boodschap is overgekomen. Waar is zijn oom?'

Een kleine kamer met een kleine oude man erin. Hij liep met een stok en zag er heel breekbaar uit.

Ze gingen zitten, dronken een kop koffie en luisterden naar zijn verhalen. Keken naar de potloodtekeningen van molens en weiden die Vagn als kind gemaakt had. Zijn oom leek een deel van Vagns jeugd bij zich te dragen. Een van de laatste schakels met het leven van vroeger.

'Heeft Vagn het ooit over vriendinnen gehad?' vroeg Lund.

'Nee.' De oude man lachte. 'Vagn is heel verlegen. Een binnenvetter. Ze plaagden hem vroeger toen hij nog klein was in Vesterbro. Als hij niet een paar aardige vrienden had gehad, dan hadden ze hem steeds te grazen genomen. Want…'

Ze wachtten.

'Want…' hielp Meyer hem verder.

'Vagn is een goedaardig mens. Het is een harde wereld voor hem. Ik denk niet dat het gemakkelijk voor hem is geweest.'

Zijn vriendelijke gezicht betrok even.

'Ik heb gedaan wat ik kon. Maar ik kon niet altijd op hem passen.'

'Zegt de naam Mette Hauge u iets?'

Zijn gezicht klaarde op.

'Er werkt hier een heel lief meisje dat Mette heet. Bedoelt u haar?'

'En Nanna Birk Larsen?'

De glimlach verdween.

'De dood van dat arme kin is hard aangekomen bij Vagn.'

Lund keek naar de foto's aan de muren. Een zwart-wit portret van een vrouw van wie ze aannam dat het zijn overleden vrouw was. Vagn toen hij jonger was.

'Hoe komt dat?' vroeg ze.

'Zij zijn de familie die hij nooit gehad heeft. Hij had alleen mij. Mijn vrouw is jong gestorven. Ik heb hem uit egoïsme in huis genomen. Ik was eenzaam, dat was het. Ik heb er geen seconde spijt van gehad.' Hij keek het kamertje door. 'En na al die jaren komt hij me nog steeds opzoeken. Er zitten hier een stel stakkerds die nog geen minuut per jaar bezoek krijgen van hun eigen zoon. Vagn komt iedere week. Iédere week.'

'Hij was hier ook de avond dat u zich niet lekker voelde?' vroeg Meyer. 'Drie weken geleden? Hoe was het toen met hem?'

'We hebben tv gekeken. Dat doen we altijd.'

De tv-gids lag op tafel. Meyer pakte hem op. Lund stond op uit haar stoel en begon de kamer door te lopen. Ze bekeek de foto's en de spullen.

'Die avond,' zei Meyer, 'had je *Columbo*. En een programma over tuinieren. En daarna *Sterrenjacht*. Waar hebt u naar gekeken?'

'Ik herinner me die detective met de regenjas nog. Maar ik voelde me niet lekker.' Hij fronste zijn wenkbrauwen. 'Ik word oud. Dat moeten jullie zien te vermijden. Maar Vagn heeft me mijn pillen gegeven en daarna voelde ik me weer beter.'

Lund keek even naar Meyer.

'Wat voor pillen?' vroeg hij.

543

'Dat weet ik niet. Dat moet je aan de verpleegsters vragen. Ik neem wat zij me geven.'

Lund ging bij hem zitten met een trouwfoto. Een stel van jaren geleden. Stijf en met strakke gezichten, vereeuwigd in zwart-wit.

'Wie zijn dit?'

'De ouders van Vagn. Dat is mijn broer.' Hij zweeg even. 'Die nietsnut.'

'Wat deden ze?'

'Ik denk dat zij al zwanger was. Niet dat je over dat soort dingen sprak in die tijd.'

Hij lachte om zijn eigen opmerking.

'Wat deden ze?'

'Ze werkten in een ziekenhuis. Ze deugden niet. Dat moet ik zeggen.'

De oude man haalde diep adem.

'Hij heeft een rotstart in het leven gehad. Die kinderen…' Hij verhief zijn stem. 'Ze hebben discipline nodig. Ze hebben een voorbeeld nodig. Ze moeten leren hoe ze zich moeten gedragen. En als ze een fout maken, dan…'

Hij zweeg, alsof hij verrast was door zijn eigen uitbarsting.

'Wat dan?' vroeg Meyer.

'Dan moeten ze weten dat dat gevolgen heeft. Ik heb dat Vagn nooit hoeven leren. Maar sommige kinderen, snap je…'

Ze controleerden onderweg naar buiten de aantekeningen van de verpleging. Skærbæk had zijn oom fenobarbital gegeven, een sterk slaapmiddel.

Lund reed weer.

'Hoeveel?'

'Eentje. Maar dat is genoeg om een os te vellen. Maar hij moest langs het kantoortje van de verpleging om naar buiten te komen. Je hebt de beveiliging gezien…'

Lund schudde haar hoofd.

'Ik heb boven rondgekeken toen jij met de verpleging sprak. Er zijn andere uitgangen. Hij kon wegkomen als hij dat wilde.'

'Dan is hij slimmer dan hij eruitziet.'

'Ik heb je al gezegd dat hij dat is.'

Meyer zei niets meer.

'Wat is er?' vroeg ze.

'Je hebt die oude man gehoord. Je hebt de manager gehoord. Ze houden allemaal van Vagn.'

'Dat betekent niets, Meyer.'

'Wat?'

'Dat betekent niets!'

'Hij gaat iedere vrijdagavond bij zijn oude oom op bezoek? Als de gemiddelde Kopenhaagse arbeider niet kan wachten om aan het bier te gaan? Dat...'

'Dat... betekent... niets.'

'Als Skærbæk er niet was, zou Theis Birk Larsen geen bedrijf meer hebben, denk ik.'

Lund dacht na.

'Een zwak kind, gepest op school. Geen ouders meer. Opgevoed door een oom.'

Het begon plotseling te regenen. De voorruit werd ondoorzichtig. Meyer deed de ruitenwissers aan.

'Laat mij toch rijden.'

'Laten we een Osloconfrontatie doen. Kijken of Amir hem kan identificeren.'

'Je grijpt je aan strohalmen vast. Nog nieuws uit de bossen?'

Ze zette de ruitenwissers op dubbele snelheid. Keek naar het regengordijn dat de auto omhulde.

'Als we niets op Vagn vinden, sluit Brix de Hauge-zaak,' zei Meyer. 'We hebben meer nodig dan een paar pillen en een oude foto.'

'Dat weet ik, dank je wel.'

Theis en Pernille Birk Larsen praatten met de advocaat, Lis Camborg, in de keuken, rond de tafel met de foto's. Ze klaagden over de politie, de keren dat ze steeds langskwamen, het onophoudelijke gevraag.

De vrouw luisterde en zei: 'Ik leef met jullie mee. Maar jullie kunnen er niets tegen doen. Ze onderzoeken een misdrijf. Een moordzaak.'

'Maar ze doen helemaal niets,' zei Pernille. 'Niets nuttigs. Ze zeggen steeds dat de zaak opgelost is. Gesloten. En de volgende dag komen ze weer terug en begint het van voren af aan.'

'De politie heeft gewoonlijk goede redenen voor haar handelen, Pernille. En zelfs al zijn jullie de ouders van Nanna, dan hebben jullie nog geen recht om alles te weten.'

'Geen recht?'

'Volgens de wet niet, nee. Maar ik kan wel met het bureau praten. Vragen of ze niet meer onaangekondigd binnen willen vallen.'

'Dat is niet goed genoeg,' mengde Birk Larsen zich in het gesprek. 'We willen niets meer met ze te maken hebben. We zijn het zat. We willen die videotape ook niet afstaan.'

'Ze kunnen hem via een rechterlijk bevel opeisen.'

'Ik wil ze hier niet meer hebben. Ik wil ze niet in mijn huis...'

'Ik praat wel met ze. Misschien kan ik iets bereiken.'

'Nog één ding. Ze vallen een van mijn werknemers lastig. Een goede vriend.'

Pernille keek hem strak aan.

'Dit gaat om ons, Theis.'

'Ik kan niet toestaan dat ze Vagn te grazen nemen. Hij is altijd voor mij in de bres gesprongen. Ik doe hetzelfde voor hem.'

'Theis...'

'Die klootzakken hebben hem meegenomen voor verhoor. Als dat nog eens gebeurt, wil ik dat u hem bijstaat.'

De advocaat maakte wat aantekeningen.

'Dat kan natuurlijk. Maar de politie ondervraagt hem heus niet zomaar.'

Hij tikte op de tafel.

'Ik wil dat u hem helpt.'

'Natuurlijk.'

Lis Gamborg haalde een kaartje tevoorschijn en gaf het aan hem.

'Geef hem mijn nummer. Zeg maar dat hij altijd kan bellen.'

Vagn Skærbæk had tegen iedereen die het maar horen wilde geklaagd. De meesten waren nu weg voor een klus. Hij was alleen met Leon Frevert. Ze brachten samen huisraad over in een van de kleinere rode bestelbusjes.

'Het is klote als je ondervraagd wordt alsof je een crimineel bent. Net alsof ik iets verkeerds heb gedaan. Alsof iemand me verklikt heeft.'

Frevert had de klep van zijn honkbalpetje naar achteren gedraaid. Hij zag er belachelijk uit.

'En daar zit je dan, en die idioten stellen steeds maar dezelfde vragen, urenlang.'

Hij keek hoe Frevert een kleed naar de bus zeulde.

Anton en Emil waren buiten aan het voetballen.

Frevert kwam terug en pakte een doos serviesgoed op.

Skærbæk ging vlak bij hem staan en keek hem recht in zijn gezicht.

'Iemand heeft ze een tip gegeven. Was jij het?'

Frevert was langer, maar mager en ouder.

'Waar heb je het over, Vagn? Wat zou ik ze moeten vertellen?'

'Een of andere hufter heeft toch iets gezegd...'

Frevert lachte.

'Je wordt paranoïde. Ze pakken gewoon iedereen die ze kunnen pakken.'

Een kinderstem riep: 'Vagn, Vagn.'

'Spelen jullie met mijn voetbal?' donderde Skærbæk. 'Ik heb jullie toch gezegd dat dat mijn voetbal is? Hoe durven jullie...'

Hij maakte zich breed als een gorilla, trok een woeste kop en liep met grote stappen naar buiten.

De jongens gilden het uit en renden weg. Skærbæk ving ze allebei, nam Anton onder zijn rechterarm, Emil onder de linker.

Hij draaide ze in de rondte en luisterde naar hun verrukte kreten toen Birk Larsen naar buiten kwam met Pernille en een vrouw in een mantelpakje.

Skærbæk liet de jongens los.

'Míjn bal,' zei hij. 'Niet vergeten.'

Toen renden ze giechelend weg en schopten de bal weer in de rondte.

De vrouw liep naar haar auto. Birk Larsen gaf Skærbæk een kaartje en zei dat hij dat nummer moest bellen als de politie weer langskwam.

Skærbæk bedankte hem en stopte het kaartje in zijn zak.

'We gaan de goten aanleggen, Theis. Leon kan mee. Ik maak ze.'

'Ja, ik ga daar een onbenul als jij de goten laten maken. Leon kan hier blijven. Ik laat je wel zien hoe het moet.'

De jongens hadden zich weer op Vagn gestort, trokken aan zijn rode overall.

'Deze kereltjes zijn toe aan een tochtje naar de speelgoedwinkel, Pernille. Ik kom ze vanmiddag wel halen. Oké?'

Ze stond daar en keek naar hem.

Het duurde lang voordat ze uiteindelijk zei: 'Oké.'

In het met mahoniehout betimmerde kantoor vanuit het donkere hoekje bij het raam vertelde Hartmann de anderen over zijn gesprek met Lund.

'Fijn is dat,' zei Weber. 'Als het Holck niet was, wie dan wel?'

'Ik zou het niet weten.'

'Wil dit zeggen dat wij weer in beeld zijn?' vroeg Skovgaard. 'Gaan ze weer naar de flat kijken? Naar ons?'

Hartmann haalde zijn schouders op.

Weber leunde naar achteren, sloot zijn ogen en zei: 'De politie zou nu al achter Bremer aan moeten zitten. Wat is er met die aangifte van je gebeurd?'

'Hij is schuldig. Ze zullen er wel mee aan de slag gaan.'

'Wanneer, Troels? Een maand of twee nadat wij de verkiezingen verloren hebben? Ik heb je gewaarschuwd dat je niet het spelletje van die oude schoft moet spelen.'

'De politie zal Stokke ondervragen. Tegen hen kan hij niet liegen. Bremer komt tijd te kort.'

'Wij ook,' zei Skovgaard. 'Bremer heeft zich nog steeds niet afgemeld voor het debat vanavond.'

'Waarom zou hij ook?'

Ze keek naar hem alsof het een idiote vraag was.

'Als wij in die positie zaten, zou ik je geen publiek optreden meer laten doen. Wat heeft het voor zin? Ik begrijp het niet...'

'Amateurs,' zei Morten spottend. 'Waarom werk ik met amateurs?'

Hartmann wachtte.

'Gert Stokke is vermist,' zei Weber. 'Ik ben een paar minuten geleden gebeld. De politie is bij hem langs geweest maar hij was er niet. Stokke woont alleen. Niemand heeft hem na de hoorzitting gisteren meer gezien.'

Hij liet het bezinken.

'Je stergetuige heeft gewoon de benen genomen, Troels. Wat doen we nu?'

'Zoek hem,' zei Hartmann.

Skovgaard liep het kantoor uit, naar haar bureau en begon te telefoneren.

'Niet gemakkelijk om een man te vinden die niet gevonden wil worden.'

'Die bewakingsband.'

'Wat is daarmee?'

'Zoek uit wie hem aan de politie heeft gegeven.'

Hij pakte zijn jasje, liep op Morten Weber toe en tikte hem op zijn borst.

'Dat moet jij doen. Niemand anders.'

Lund en Meyer gingen naar Humleby. Skærbæk was naar een leverancier van dakmaterialen. Ze bekeken het huis. Nieuwe kozijnen, nieuwe deuren. Steigers en verf. Hout en glas dat te wachten stond om aangebracht te worden.

'Is Birk Larsen binnen?' vroeg Lund aan een van de mannen in de rode overalls die op straat stonden.

Ze liet Meyer staan, die over de Osloconfrontatie belde en liep door de openstaande half voltooide deur naar binnen. Zocht over het dekzeil voorzichtig haar weg tussen de gipsplaten en de emmers, de gereedschappen en boormachines.

Theis stond in wat de zitkamer zou worden. Grote ramen. Het zou er heel licht zijn als het plastic door glas vervangen was.

Birk Larsen stond bij een trap, kennelijk bezig met het plafond.

'De bel doet het niet,' zei Lund, kauwend op een Nicotinell.

Ze keek om zich heen.

'Ik heb een paar vragen over Vagn.'

Hij haalde diep adem, pakte een emmer op en liep naar de andere kant van de kamer.

Lund liep achter hem aan.

'Wat deed hij dat weekend precies, Theis? Toen hij op de zaak paste?'

Birk Larsen schoof een spaanplaat naar de muur, haalde een stanleymes tevoorschijn en schoof het mesje naar buiten.

'Jullie zijn vrijdagavond weggegaan, meteen nadat Nanna naar het schoolfeest was vertrokken. Hadden jullie het allemaal van tevoren gepland?'

'Nee. Waarom stel je steeds dezelfde vragen?'

'Omdat mensen ons steeds dezelfde antwoorden geven. Wanneer wisten jullie dat jullie weg zouden gaan?'

'De avond daarvoor. Pernilles moeder had gebeld en ons het zomerhuisje aangeboden.'

'Heb je Vagn nog gesproken dat weekend?'

'Ik wilde op zaterdag niet gebeld worden. Het was een vrije dag. Er was een probleem met de hydraulische laadklep op zondag. Toen hebben we elkaar gesproken.'

'Hoe vaak?'

Hij gaf geen antwoord, verplaatste nog een spaanplaat.

'Is je wel eens iets vreemds opgevallen aan zijn relatie met Nanna?'

Dat kwam aan.

Hij liep naar Lund toe en ging voor haar staan.

'Ik ken Vagn al meer dan twintig jaar. Zijn vader heeft hem in de steek gelaten. Zijn moeder heeft zich dood gedronken. Hij is altijd onze vriend geweest. Het maakt niet uit met wat voor idiote verhalen jij aan komt zetten. Het kan me geen reet schelen. Is dat duidelijk?'

Hij liep naar de deur en hield hem open.

Lund liep achter hem aan, maar bleef op de drempel staan.

'Een van jouw mensen heeft Nanna en Amir die dag samen gezien. Dat is de enige die wist dat ze zou weglopen. Ik moet weten of dat Vagn was.'

'Eruit,' zei hij terwijl hij met zijn duim naar buiten wees, het grijzige daglicht in.

Ze stapte de deur door, maar bleef op de stoep staan.

Ze draaide zich om en keek naar zijn strakke gezicht.

'Vagns moeder heeft zich niet dood gedronken. Ze is tijdens de bevalling gestorven. Toen ze van hém beviel.'

'Rot op…'

'Theis!'

De half voltooide deur werd in haar gezicht dichtgeslagen.

Lund bukte zich naar de opening voor de brievenbus en riep erdoorheen: 'Hij heeft tegen je gelogen. Daar moet je over nadenken.'

Door de rondgaande gang naar de oostelijke vleugel. De kamer waar de Oslo-confrontatie gehouden werd was voorzien van een doorkijkspiegel van de vloer tot het plafond. Een platform aan de ene kant, stoelen en tafels aan de andere kant. De advocate die Birk Larsen in de arm had genomen stond met Lund en Meyer toe te kijken hoe Amir de rij van zes mannen langsging, allemaal in hetzelfde kaki uniform, allemaal met een nummer op hun borst.

'Herken je iemand?' vroeg Lund.

'Ik weet het niet. Ik heb hem maar heel even gezien.'

'Neem de tijd. Kijk goed. Denk na over wat je gezien hebt. Probeer je een gezicht te herinneren.'

Amir zette zijn dikke bril recht en ging dichter bij het glas staan.

'Niemand kan je zien,' zei Meyer. 'Je hoeft je geen zorgen te maken.'

Amir schudde zijn hoofd.

'Heb je hem van voren gezien, of en profil? Denk daarover na.'

Hij keek.

'Misschien is hij het. Nummer drie.'

'Nummer drie?' herhaalde Lund.

Skærbæk.

'Misschien.'

'Is het hem of niet?' drong Meyer aan.

'Of misschien nummer vijf.'

De advocate slaakt een diepe, gepijnigde zucht.

'Ik weet het niet.'

Lund legde een hand op zijn schouder.

'Amir?' vroeg de advocate. 'Hoe ver woon jij van de garage van Birk Larsen?'

'Twee straten verder.'

'Je bent er het grootste deel van je leven dagelijks langsgelopen. Je ging daar toch vroeger toen je klein was bij Nanna spelen?'

Hij zei niets.

'Dus,' ging de vrouw verder, 'het kan best dat je alleen maar een gezicht van vroeger herkent.'

Lund knikte naar een van de agenten om Skærbæk mee terug te nemen naar haar kantoor.

De advocate keek hen beiden aan.

'Ongelooflijk dat jullie dit doen. Nummer vijf is een van jullie eigen agenten, toch? Zelfs als hij Vagn eruit pikt… Natuurlijk heeft hij hem gezien. In de garage.'

Ze keek op haar horloge.

'Kunnen we gaan?'

'Nee,' zei Lund, 'we gaan niet.'

In het kantoor zat Skærbæk in zijn rode overall, met zijn muts op. Nukkig, en met een verveeld gezicht.

'Niemand heeft je van tien uur 's avonds tot acht uur de volgende ochtend in het verpleeghuis gezien,' zei Meyer.

'Waarom zouden ze ook? Ik sliep in een stoel. In de kamer van mijn oom.'

'Juist. En de rest van het weekend zat je op het bedrijf.'

'Klopt.'

'Maar daar heeft ook niemand je gezien, Vagn.'

'Ik was er alleen. De hydraulische laadklep deed het niet. Ik ben in de garage gebleven. Ik hou ervan om dingen te repareren. Waarom zou Theis een monteur inhuren als ik het zelf kan opknappen?'

'Je telefoon stond uit.'

'Ik werkte aan de laadklep. Mensen konden een bericht achterlaten als ze dat wilden.'

'Maar niemand kan bevestigen dat je daar was.'

'Theis en Pernille wel.'

Lund stond in de deuropening, keek toe hoe hij antwoordde, dacht na over de manier waarop hij sprak.

'Je bent eenenveertig, Vagn. Waarom heb je geen vrouw en kinderen?'

'Ik ben de ware nooit tegengekomen.'

'Misschien mogen de vrouwen je niet,' zei Meyer.

'En je gaat veel om met Anton en Emil,' voegde Lund eraan toe.

'Klopt. Ik ben hun peetvader. Er is niets mis mee dat je omgaat met je familie.'

Lund schudde haar hoofd.

'Maar het is je familie niet.'

Hij keek haar aan.

'Je begrijpt er niets van. Dat vind ik treurig voor je.'

'Pernille en jij,' onderbrak Meyer hem. 'Hebben jullie vroeger misschien iets met elkaar gehad, als Theis in de bak zat? Is er iets tussen jullie...?'

Skærbæk wendde zich tot de advocaat.

'Moet ik antwoord geven op deze flauwekul?'

'Doe maar,' zei ze.

'Nee.'

Meyer stak een sigaret op.

'Maar wat heb je er dan eigenlijk aan? Ik begrijp het niet. Zo veel tijd. Al die investeringen. Wat levert het jou op?'

'Wederzijds respect.'

'Wederzijds respect? Waarvoor? Je bent een zielige oude eenling die een beetje om dat gezinnetje heen blijft hangen.' Meyer wees over de tafel. 'Met die stomme zilveren ketting van je. Ik bedoel... welke eenenveertigjarige gek...?'

'Was je jaloers op Theis?' vroeg Lund.

'Jullie kennen Pernille niet als ze kwaad is!'

Ze kwam naast hem zitten.

'Theis en jij waren al vrienden toen jullie jong waren. Hij heeft alles gekregen toen hij volwassen was. Een eigen zaak. Een gezin. Het goede leven.'

'En jij gaat alleen maar iedere dag naar je werk om hen op hun wenken te bedienen,' zei Meyer. 'Jij knapt de hele dag de rotzooi op. En dan zie je dat Theis naar huis gaat, naar zijn vrouw en kinderen.'

'Heb je het over je eigen leven?' vroeg Skærbæk met een domme, kinderlijke grijns.

'Je bent een loser,' grauwde Meyer. 'Je hebt geen toekomst. Geen gezin. Een baan waar je niet verder mee komt. En dan gaat de prachtige dochter van de baas om met zo'n bruinjoekel.'

'Voor een politieman druk je je smerig uit.'

De advocaat legde haar blocnote op tafel.

'Mijn cliënt beantwoordt graag alle relevante vragen. Als jullie die hebben. Zo niet…'

'Weet je wat fenobarbital is?' vroeg Lund.

'Ik heb niets verkeerds gedaan.'

'Waarom hang je zo om ze heen?' Meyer wilde dit vasthouden. 'Je bent er altijd. Als Theis een leraar in elkaar gaat slaan, dan moet jij mee. Waarom?'

'Omdat hij wat van me te goed heeft. Nou goed?'

Ze waren op iets gestuit, maar Lund had geen idee wat het was.

'Waarom heeft hij iets van je te goed, Vagn?'

'Zoek dat zelf maar uit. Jullie zijn mafkezen. Weet je dat? Jullie slepen me hiernaartoe… schelden me uit. Denken jullie dat ik niet weet waar jullie op uit zijn?'

Vagn Skærbæk stond op.

'Mafkezen. Ik wil weg.'

'Wacht even,' zei Lund en ze stond op.

Svendsen stond voor de deur te wachten.

'Ze hebben iets gevonden in Vestamager,' zei hij.

'Wat?'

'Dat weten ze niet precies. Ze zijn er nu mee bezig. Het is niet gemakkelijk.'

'Laten we gaan,' zei Lund.

Svendsen knikte naar de figuur in de rode overall in de verhoorkamer.

'Wat doen we met hem?'

'Laat hem zijn paspoort inleveren als hij dat heeft,' beval Lund. 'En zeg hem dat hij in Kopenhagen moet blijven.'

Een gedachte.

'Loop de dossiers nog eens na. We missen hier iets.'

Svendsen vond het verschrikkelijk om iets voor de tweede keer te moeten doen.

'Waar moet ik dan specifiek op letten?'

'Er is iets met Vagn en Theis Birk Larsen. Iets…'

Skærbæk zat tegen het bureau aan geleund, beet weer stukjes uit zijn plastic bekertje. Hing de onnozele uit.

'Iets dat een schakel vormt,' zei ze.

Drie hele dagen voor het weekend om campagne te voeren. De daaropvolgende maandag de stilte voor de storm. Dan de verkiezingen. Steeds bijeenkomsten, dit keer in de Zwarte Diamant, de Koninklijke Bibliotheek bij het water. Een zaaltje vol aanhangers, een paar journalisten. Een dun winterzonnetje scheen door de grote ramen naar binnen.

Hartmann glimlachte en knikte terwijl het publiek naar de uitgang liep.

Hij liep naar de deur en nam afscheid van de getrouwen.

Glimlachjes en handdrukken. Er werd op schouders geklopt, bedankjes werden uitgesproken.

Buiten glom het zwarte glas van het gebouw in de regen. Hartmann staarde naar het sombere grijze water terwijl hij op Skovgaard en de auto wachtte.

Hij was eindelijk eens even alleen en dat gaf hem een wonderlijk bevrijd gevoel. Hij had geweten dat de lange strijd om Bremer omver te werpen uitputtend zou zijn. Maar zó uitputtend had hij niet gedacht. Hij voelde zich leeg. Aan alle kanten omringd door onzichtbare vijanden. En zonder wapens om hen te bestrijden.

Rie Skovgaard kwam met de auto voorrijden.

'Stokke...' begon Hartmann.

'We kunnen hem niet vinden. Je moet in overweging nemen je aanklacht in te trekken.'

'Als ik dat doe, dan kan ik me net zo goed voor de verkiezingen terugtrekken. Wat doet de politie?'

Ze droeg haar haar tegenwoordig altijd opgestoken. Niet los op haar schouders zoals hij het liever zag.

'Geen idee. Ik haal iets te eten voor ons. God weet wanneer we weer de kans krijgen om een hapje naar binnen te werken.'

Hij keek haar na terwijl ze wegliep. Stond daar op de stoep voor de bibliotheek, gegeseld door regen en wind. Maar het kon hem niet veel schelen.

Alleen.

Een man kwam uit een donkere hoek naar voren gestapt. Hij droeg een zwarte jas en had ondanks het sombere weer een zonnebril op.

Hij kwam dichterbij, bleef toen staan voor een van de campagneposters op het glas. Troels Hartmann die de wereld toelachte, vol zelfvertrouwen, bescheiden, jong. Energiek en fris.

Tien passen en Hartmann stond naast hem.

'Een goeie campagne!' zei Gert Stokke.

In de schemering draaide Hartmann zich om en keek of er iemand bij hen in de buurt stond. Niemand.

'De oude koning sterft. De nieuwe koning zit aan zijn bed. Lang leve Troels Hartmann.'

Stokke salueerde.

'Ze zijn naar je op zoek, Gert.'

Met naar beneden getrokken mondhoeken, zijn kalende hoofd glimmend van de regen, zei Stokke: 'Waarom ben ik hier verdomme bij betrokken geraakt? Ik had me nergens mee moeten bemoeien. Ik had Holck en Bremer ermee weg moeten laten komen.'

'Maar dat heb je niet gedaan.'

'Ik doe mijn werk en ik probeer dat op een verantwoordelijke manier te doen.'

'Dat weet ik.'

Hij lachte.

'Echt? Heb je me daarom voor de wolven gegooid? Zonder me zelfs maar te waarschuwen?'

Hartmann leunde tegen het zwarte glas en keek naar zijn eigen spiegelbeeld.

'Soms nemen de gebeurtenissen hun eigen loop. Dan kunnen we niets meer doen om ze te beïnvloeden. Dat weet ik inmiddels beter dan wie ook.'

Weer dat droge lachje.

'Je kunt geweldig praten. Maar ambtenaren doen niet aan retorica. Dat is aan mij niet besteed, sorry.'

'Je hebt tegen me gelogen. Je zei dat er geen notulen waren.'

'Wat kon ik anders?'

'Je moet naar de politie gaan.'

'Hoe kan ik dat doen? Je weet dat dat onmogelijk is.'

Hartmann wachtte even en zei toen: 'En je carrière dan?'

'Welke carrière? Ik mag van geluk spreken als ik hieruit spring met een financiële regeling. Dit is een vergissing. Ik begrijp niet waarom ik hierheen gekomen ben...'

Hij draaide zich om en liep weg. Hartmann haalde hem in.

'Je hebt een carrière voor het grijpen.'

De auto wachtte.

Stokke bleef staan, deed zijn zonnebril af en keek hem bedachtzaam aan.

'Het eerste wat een ambtenaar leert is nooit te vertrouwen op de beloften van een politicus.'

'Je kunt van mijn beloften op aan. Na de verkiezingen hebben we goede, eerlijke, loyale mensen nodig. Ik twijfel er niet aan dat jij zo iemand bent. Anders had je die bijlage niet gemaakt.'

'Ach. Die mooie woorden, wat rollen ze er toch gemakkelijk uit.'

'Als we winnen, Gert, dan zoek ik een mooie plek voor je. Beter dan wat je nu doet. Beter betaald ook.'

Hij stak zijn hand uit.

'Als we winnen.'

Stokke lachte weer, nu wat uitbundiger.

'Wat valt er te lachen?' vroeg Hartmann.

'Ik heb een berichtje van de mensen van Bremer gekregen. Zij zeggen precies hetzelfde.'

Hartmann liep naar de auto, deed het achterportier open en keek hem aan.

Stokke wreef nadenkend over zijn kin.

'Je moet jezelf afvragen, Gert: wie vertrouw ik het meest?'

'Nee.'

Hartmann probeerde iets anders te verzinnen waarmee hij Stokke kon verleiden.

Toen liep Stokke naar hem toe.

'Wat ik mezelf moet afvragen,' zei de ambtenaar, 'is: wie wantrouw ik het minst.'

Hij stapte achterin. Rie Skovgaard kwam de hoek om met een paar broodjes.

'We geven Gert een lift,' zei Hartmann tegen haar. 'Zodat hij niet nog een keer zoekraakt.'

Pernille bleef in de garage om met Leon Frevert te praten.

'Dat weekend toen…'

Hij stapelde kartonnen dozen, leek gegeneerd door haar vragen.

'Was jij toen hier, Leon?'

'Nee. Vagn zei dat hij me toch niet nodig had.'

Hij ging door met de dozen. Een harde werker, sterk ondanks dat hij zo tenger was.

'Maar er was afgesproken dat je zou werken?'

'Ja. Zaterdag en zondag. Het maakt niet uit. Ik heb altijd de taxi achter de hand.'

Hij ging naar buiten om nog meer dozen te halen. Ze liep achter hem aan.

'Vagn zei dat het geen zin had dat ik kwam. We hadden maar één klant voor dat weekend en die had afgezegd. Dus ben ik teruggegaan naar de taxi. Dat maakte niets uit, ik vond het best.'

Ze keek rond in de garage en dacht na. Over Lund. De vragen die die vreemde, vasthoudende politievrouw gesteld had. De manier waarop ze die steeds herhaalde.

'Dus er was een klus afgezegd?' vroeg Pernille.

Frevert deed zijn honkbalpet af en krabde over zijn kalende schedel.

'Het was nogal raar.'

Pernilles ademhaling werd oppervlakkig en snel. Ze kon haar blik niet afhouden van deze bleke dunne man die haar niet aan wilde kijken.

'Wat was er dan raar?'

'We hadden een verhuizing moeten doen voor een winkel in kantoorbe-nodigdheden. Een paar dagen later kwam ik de eigenaar tegen. Hij ging tegen me tekeer omdat we hem afgebeld hadden. Ik dacht dat Vagn had gezegd dat hij óns had afgezegd. Maar hij zei dat Vagn had gebeld om te zeggen dat we het niet konden doen.'

Frevert pakte een krat op.

'Ik weet zeker dat hij er een goede reden voor had.'

Hij tilde het krat in de bestelbus en sloot de deuren.

'Dat was het?'

Ze kon niet bewegen. Ze kon amper nog op haar benen staan.

'Vagn moet de bus morgen hebben, Pernille. Ik breng hem de sleutels wel als ik klaar ben.'

Hij keek de garage door.

'Ik ga binnenkort op vakantie. Dan zien jullie me een poosje niet. Oké?'

Ze ging naar boven en zat een hele tijd aan tafel zonder iets te doen. Toen luisterde ze het antwoordapparaat af.

Natuurlijk was hij de eerste.

Brutaal als altijd.

'Hoi, met mij. Ik ben op de terugweg. Ik denk dat de politie het eindelijk begrepen heeft. Ze zullen me voortaan wel met rust laten.'

Pernille had haar kastanjebruine haar in een paardenstaart gebonden. Net als Lund. Ze droeg een dunne trui over een witte blouse. Zomerdracht, ze wist niet waarom.

'Ik wil de jongens nog steeds meenemen naar de winkel. Ik heb geweldige waterpistolen gezien. Zullen ze prachtig vinden.'

Alsof er niets is gebeurd, dacht ze.

'Ze hebben een nieuw type. Met drie standen. Tot zo.'

Theis Birk Larsen kwam naar boven. Ze keek naar hem, zag zijn gezicht, wist het op dat moment.

Ze zei het bijna hardop.

Terug in de nachtmerrie. Weer gevangen in die kerker.

'Zijn de jongens klaar om mee te gaan?' vroeg Birk Larsen.

'Als wij dat willen wel.'

De stemmen van Anton en Emil kwamen uit hun kamer aangezweefd. Voor deze ene keer speelden ze gezellig samen.

Birk Larsen keek naar hun jassen die op tafel lagen. Hing ze op de hangers.

'Zullen we vanavond samen eten? We kunnen tv met ze kijken.'

Hij keek haar aan, wilde haar goedkeuring.

'Goed idee,' zei Pernille bijna fluisterend.

Niet lang daarna hoorden ze de garagedeur openschuiven. Een opgewekte stem die bij het gebouw leek te horen riep uit: 'Hallo? Hallo?'

Birk Larsen liep het eerst de trap af. Pernille kwam achter hem aan.

Rode overall. Zilveren ketting. Brutale grijns.

'Hoi, Theis. Heb je mijn berichtje gekregen?'

Birk Larsen bleef onder aan de trap staan en zei niets.

'Waar zijn de jongens? Zijn ze klaar?'

Pernille ging naast haar echtgenoot staan.

'Ze kunnen vandaag niet,' zei Birk Larsen. 'Anton heeft kou gevat.'

Skærbæk keek hen achterdochtig aan.

'Hoe bedoel je, hij heeft kou gevat? Vanochtend was-ie nog in orde.'

'Ja, nou ja...'

Pernille zweeg.

Skærbæk stond daar maar.

'Je hebt mij altijd voor je laten liegen, Theis. Je bent er zelf heel slecht in.'

'Vagn,' kreunde Birk Larsen. 'Nu niet.'

'Dit is belachelijk. Ik hou van die jongens. Ik verheugde me er echt op met ze naar de winkel te gaan.'

Hij zag eruit alsof hij op het punt stond om in tranen uit te barsten, of in woede te ontsteken.

'Ja,' zei Birk Larsen.

'Zie je dan niet wat ze proberen te doen? Ze proberen ons uit elkaar te drijven. Ze kunnen de klootzak die het gedaan heeft niet vinden, dus richten ze zich op ons.'

'Heb je tegen ons gelogen, Vagn?'

Het bleef lang stil.

'Wat hebben ze gezegd? Zeg het.'

Samen stonden ze daar te zwijgen.

'Jezus...'

Hij draaide zich om om weg te gaan.

'Vagn,' zei Birk Larsen.

Skærbæk draaide zich om en richtte een beschuldigende vinger op hem.

'Ik ben altijd voor jou in de bres gesprongen, Theis. En voor jou ook, Pernille. Dat weten jullie.'

'Vagn!'

De deur ging omhoog.

'Altijd!' schreeuwde Vagn Skærbæk, en toen liep hij weg, de regen in.

De tv-studio was in Islands Brygge, gloednieuw, overal discrete blauwe verlichting. Bremer kwam vlak voordat de uitzending zou beginnen aanzetten. Hij verontschuldigde zich en zag er geagiteerd uit.

Ze zaten aan de tafel van de gespreksleidster. Hartmann maakte aantekeningen, Bremer zat zenuwachtig met zijn vingers te friemelen. De camera stond uit, het circus moest nog beginnen.

'Ik moet je wel zeggen, Troels,' zei Bremer op zachte, rancuneuze toon, 'dat je gedrag me tegenvalt.'

Hartmann keek hem even aan en schreef toen weer door.

'In plaats van meteen maar je conclusies te trekken had je naar mij toe moeten komen en die belachelijke beschuldigingen van je moeten controleren.'

'Zullen we het debat daarmee beginnen?'

De vrouw van de make-up kwam aanlopen en begon Bremers zwetende voorhoofd te poederen. Iemand riep de laatste vier minuten af. De lichten werden gedempt.

'Of zullen we beginnen met dat jij naar de politie bent gegaan om een stomme aanklacht in te dienen?' gaf Bremer terug.

'Wat je wilt.'

Bremer lachte en wierp hem een sluwe blik toe.

'Je kunt me er niet langer van betichten dat ik een moordenaar dek. De politie weet dat Holck het niet gedaan heeft. Ik heb het zijn vrouw verteld.'

'Heb je met de moeder van Olav Christensen gesproken? En haar gevraagd wat zij ervan vindt?'

'Jij weet helemaal niets. En dan te bedenken dat ik ooit heb gedacht dat jij…'

'Bespaar me je praatjes. Bewaar die maar voor de politie.'

Bremer greep het glas water dat voor hem stond en nam een grote slok.

'Er komt geen vervolging. Tenzij ze achter Gert Stokke aan gaan.' Zijn gezicht klaarde op. 'O, kijk, daar heb je Rie Skovgaard. Die komt je waarschijnlijk hetzelfde vertellen.'

Hartmann stond op om met haar te praten.

'Ik heb met de politie gesproken,' fluisterde ze. 'Bremer heeft getuigen die zullen zeggen dat er bij dat gesprek met Stokke niet over Holck gesproken is.'

'Er waren geen getuigen. Dat blijkt uit de notulen.'

'Nu zijn ze er wel. Het wordt Stokkes woord tegen dat van de burgemeester. Troels?'

Hartmann liep terug naar de tafel, ging op de stoel van de gespreksleidster zitten, vlak bij Bremer.

'Stokke wordt ontslagen,' zei Bremer, met een blik op de camera. 'Daarmee is het afgelopen. Daarmee ben jij ook afgelopen.'

Hartmann boog zich voorover en fluisterde: 'Voel je de wereld al onder je ineenstorten, ouwe?' Hij keek op in de geloken grijze ogen. 'Je bent net een afgeleefde oude acteur die niet in de gaten heeft dat het tijd is het toneel te verlaten. De enige die dat niet ziet. Tragisch eigenlijk.'

Hij zweeg even.

'En als het voorbij is, Poul, dan zullen de mensen willen je vergeten. Vergeten wie je was en waar je voor stond. Dan ben je niet meer dan een groezelige voetnoot in de geschiedenis van onze stad. Geen plaquettes. Geen straten die naar je vernoemd worden. Geen monumenten. Geen bloemen op je graf. Alleen een akelig schaamtegevoel.'

Bremer staarde hem met open mond aan. Geschokt en sprakeloos.

'Denk je echt dat je je huid kunt redden door een paar getuigen uit de hoge hoed te toveren?' vroeg Hartmann glimlachend. 'Triest.'

Iemand riep een minuut af. Het licht ging aan.

'Jouw huis is gebouwd op leugens en het staat in vlammen om je heen. Nog even en dan kun je niet meer naar buiten kijken, zoveel vlammen zijn er. En daarna is er niets meer van je over dan wat as en sintels. Dan ben je verdwenen.'

Hij stond op en ging op zijn eigen stoel zitten.

Bremer staarde hem met bittere haat aan.

'En jij dan? Ben jij een haar beter?'

'Ja,' zei Hartmann. 'Ja, ik ben beter.'

'Vertel mij dan eens hoe volgens jou die videoband van de beveiliging verdwenen is. Hoe kan het dat de flat van de partij verbonden is met de moord op dat arme meisje en dat niemand dat gemerkt heeft, niemand van jullie?'

Hartmann keek naar zijn blocnote en maakte een tekeningetje.

'Wie heeft die band gestolen, Troels, en hem achtergehouden ook al word jij er kennelijk door vrijgepleit? Hoe kan het dat Skovgaard opeens een tip krijgt over Gert Stokke?'

Geen antwoord.

'Jij bent geen haar beter dan ik,' snauwde Bremer. 'Jij weet het alleen nog niet.'

De gespreksleidster liep langs hen heen, ging zitten en zei: 'We zijn bijna in de lucht.'

Meer lichten. De camera's werden naar voren gereden. De lenzen zochten hun prooi.

Poul Bremer glimlachte.

Troels Hartmann ook.

Twee duikers in het modderige water van het kanaal op de Kalvebod Fælled: donkere glanzende gedaanten in de zoeklichten. Lund en Meyer keken toe hoe een draagbaar aan touwen naar beneden werd gelaten.

De mannen trokken iets naar het oppervlak omhoog. Het zag eruit als de reusachtige pop van een vlinder. Blauw glanzend plastic, met tape bijeengehouden.

Vier technisch rechercheurs trokken het pakket op de oever. De patholoog-anatoom wachtte in wit pak, zijn dokterskoffertje naast hem.

Hij trok zijn handschoenen aan, nam een scalpel en sneed het plastic open. Hij sloeg een flap weg, klaar om het plastic naar achteren weg te trekken.

'Alle gevoelige types wegwezen,' zei de man. Iedereen bleef.

Het stonk naar rottend lijk en rottend water.

De lichtbundels van zaklampen beschenen het pak, vingen gele beenderen. Ribben en een schedel.

Brix wachtte op de andere oever. Lund stond er zo dichtbij als de patholoog-anatoom toestond.

'Daar,' zei ze toen ze iets zag. 'Wat is dat? Maak het eens schoon.'

'Dat hoort niet bij het lijk.'

'Dat kan ik zelf ook wel zien.'

Met de achterkant van zijn scalpel veegde hij het vuil en de modder van het tape dat om de dode heen gewikkeld zat.

Een woord verscheen. Blauwe blokletters. MERKUR, met een vleugeltje aan de linkerkant.

Lund liep naar de auto toe.

Terwijl ze door de donkere avond reden kreeg Meyer een telefoontje van het bureau.

'En?' vroeg ze.

'Ik denk dat ze gevonden hebben waar Vagn het over had. Eenentwintig jaar geleden was er een incident in Christiania. Waarschijnlijk ging het om drugs of zo. Vagn is behoorlijk afgetuigd. Hij had wel dood kunnen zijn.'

'Theis heeft ze tegengehouden,' zei Lund.

'Ik vraag me soms af waarom jij nog vragen stelt.'

Het was niet ver naar Vesterbro. Skærbæk woonde in een sociale-woningbouwflat in Kødbyen, het meatpackingdistrict.

'Er moest iets zijn dat hen met elkaar verbond.'

'Maar waarom zou Vagn zijn dochter dan vermoorden?'

'Laten we hem dat vragen,' zei ze.

Het was een lelijk wit blok, drie verdiepingen met een supermarkt op de begane grond. Aan het eind van de straat stonden de tippelaarsters al klaar. Afgematte meisjes die hun best deden er mooi uit te zien en hun benen showden aan de auto's die over Dybbølsbro-brug naar hen toe kwamen rijden.

Dit waren de goedkoopste flatjes die je maar kon krijgen. Lange rijen kleine studio's langs een galerij met een ijzeren reling erlangs. Skærbæk woonde op de eerste verdieping. Svendsen stond al voor zijn deur. Er was niemand thuis. Er was de hele dag niemand geweest. Skærbæk was bij de Birk Larsens weggegaan en hij was ook niet in het verpleeghuis.

Svendsen liep naar de trap. Lund en Meyer liepen over de galerij.

'Even samenvatten,' zei ze. 'Vagn heeft zijn oom om tien uur z'n pillen gegeven. Nanna kwam een uur later in de flat in Store Kongensgade aan.'

'Die timing klopt wel, denk ik.'

'Maar hoe wist Vagn dat ze daar was?'

Er liep iemand voor hen uit langs de bleekgrijze deuren.

Een lange man, mager, met een honkbalpet op. Hij trok de klep over zijn gezicht toen hij hen zag.

'Misschien hield hij haar in het oog,' opperde Meyer. 'En wist hij waar hij naartoe moest.'

'Maar hoe dan? Ze ging alleen maar stomtoevallig naar de flat om haar paspoort op te halen. Het was niet iets dat ze geregeld deed.'

De man met de honkbalpet was teruggelopen naar de lift en drukte op de knop.

Lund en Meyer kwamen achter hem staan. Hij draaide zich van hen af, haalde een mobiel uit zijn zak; het leek erop dat hij wilde gaan bellen.

'We hebben hem twee keer ondervraagd,' zei Meyer. 'We hadden hem moeten arresteren.'

Degene die de man belde nam kennelijk niet op.

'Laten we de trap nemen, Lund. Dit duurt eeuwen.'

Ze liep achter Meyer aan over de galerij.

Toen stond ze stil en keek achterom.

De man met de honkbalpet slaagde er niet in zijn telefoontje te plegen. Maar ondanks zichzelf draaide hij zich om. En toen zag ze het.

'Hé!' riep Lund. 'Hé.'

Hij zette het op een lopen, dook door de smalle gang naar de trap aan het einde van de galerij.

'Meyer!'

Lund draaide zich om en rende achter hem aan. Het licht ging uit en ze wankelde.

Snelle voetstappen op het metaal. Een ijzeren leuning, ijzeren treden naar beneden. Ze was halverwege toen ze hem zag.

Een witte Mercedes. Met een taxilicht erbovenop.

Leon Frevert. De laatste die Nanna levend had gezien.

Meyer rende er ook achteraan, probeerde op de motorkap te springen.

Hij had geen pistool, dacht ze, dankzij Brix.

'Meyer!'

Het deed er hoe dan ook niet toe. De Mercedes reed met piepende banden van de parkeerplaats weg.

Lund was het eerste bij hun auto. Ze ging op de passagiersstoel zitten, haalde het blauwe zwaailicht uit het dashboardkastje en zette het op het dak.

'Deze keer moet jij rijden, Meyer.'

'Wie was dat?' vroeg hij toen hij achter het stuur neerplofte.

Ze gaf geen antwoord maar belde het bureau.

'Ik wil een opsporingsbevel voor Leon Frevert. Witte Mercedes. Taxilicht. Kenteken HZ 98 050. Voorzichtig benaderen. Frevert is een verdachte in de zaak Birk-Larsen.'

Meyer reed zo snel weg dat ze haar adem inhield.

Misschien zou hij rechts afslaan naar Vesterbro. Of over de Dybbølsbrobrug terug naar de stad, of naar Amager, naar de brug naar Malmö.

Hij trapte op de rem, waardoor de groep in minirokjes geklede hoeren zich over de stoep verspreidden.

'Welke kant op?' vroeg Meyer. 'Welke kant op, Lund?'

Naar de bossen, dacht ze. Naar de dode bomen van het Pinksterbos. Uiteindelijk komt het altijd daar uit.

'Lund! Welke kant op?'

De natte glimmende wegen leidden overal naartoe.

'Ik weet het niet.'

Leon Frevert had een broer. Svendsen nam de man mee naar Freverts troosteloze flatje om de hoek van Vesterbrogade.

Hij heette Martin. Een accountant met zijn eigen bedrijf in Østerbro. Donker pak en das. Jonger dan zijn broer, niet zo mager, niet zo grijs. Meer geld, dacht Lund. En meer hersens.

Meyer keek om zich heen.

'Doet je broer niet aan meubels?'

Martin Frevert ging op de enige stoel zitten die er was. Er stond nog een bank en een eenpersoonsbed. Verder niets.

'De vorige keer dat ik hier was was het nog compleet gemeubileerd. Drie weken geleden,' voegde hij eraan toe voor ze het konden vragen.

Lund vroeg: 'Wat is er weg?'

'De tafel. Al z'n cd's. Z'n spullen.'

'Dus je wist niet dat hij de huur had opgezegd?'

'Dat heeft hij me nooit verteld. Leon zei altijd dat hij dit een prettig huis vond. Moet hij weten.'

Ze hadden een ticket naar Ho Chi Minh-stad via Frankfurt gevonden. Het vliegtuig zou de volgende maandag vertrekken, het ticket was twee dagen geleden gekocht.

Meyer zei: 'Heeft hij je niet verteld dat hij naar Vietnam ging?'

'Nee. Hij is daar een jaar of zo geleden op vakantie geweest.'

Martin Frevert keek nors. Hij zag er schuldig uit.

'Hij ging ook altijd naar Thailand. Vanwege de meisjes, denk ik…'

'Kom op, zeg,' zei Meyer. 'Hij heeft een ticket. Hij heeft geld. Hij heeft gepakt. Alles verkocht. En dat heeft hij zijn kleine broertje niet verteld?'

Frevert keek hoogst verontwaardigd.

'Hij heeft het me niet verteld! Wat moet ik anders zeggen? Waarom zou ik tegen jullie liegen?'

'Hoe zit het met vriendinnen?' vroeg Lund.

'De laatste tijd niet. Vroeger was hij getrouwd.'

'Kinderen?' vroeg Meyer.

'Nee. Ze zijn niet lekker uit elkaar gegaan.'

'Vrienden?'

Martin Frevert keek op zijn horloge.

'Leon heeft niet veel vrienden. We vragen hem af en toe te eten. Maar ja…' Hij haalde zijn schouders op. 'Waar kun je over praten? Hij is taxichauffeur. Hij zeult rond met verhuisdozen.'

Lund gaf Svendsen opdracht om Frevert mee te nemen naar het bureau om een officiële verklaring af te leggen. Toen liep ze naar de muur aan het eind van de kamer.

Hij hing vol met krantenvoorpagina's vanaf het allereerste begin van de zaak-Nanna. Foto's van Hartmann. Van Jens Holck en Kemal. Maar vooral foto's van een glimlachende Nanna.

'De broer wist er niets van,' zei Meyer. 'Die griezel heeft het allemaal stilgehouden.'

'We hadden hem te pakken.' Lund staarde naar de krantenpagina's, naar de met viltstift getrokken cirkel om iedere foto van Nanna. 'We hadden hem en we hebben hem laten gaan.'

Ze liep naar buiten, ging de trap af naar de parkeerplaats. Blauwe zwaailichten. Overal politieauto's en auto's van de technische recherche.

Svendsen stond te roken bij de metalen trap.

'Hij heeft de taxi bij de Birk Larsens in de buurt achtergelaten en heeft toen z'n eigen auto genomen,' zei Svendsen. 'We hebben een opsporingsbevel doen uitgaan. Zijn mobiel staat uit. We kunnen hem traceren zodra hij hem weer aanzet.'

'Waarom wisten wij niet dat Frevert voor Birk Larsen werkte? Jij hebt hem ondervraagd.'

Svendsen keek haar aan en zei: 'Wat?'

'Jij hebt hem ondervraagd. Waarom wisten we dit niet?'

'Hij was een getuige. Niet een verdachte. Je hebt ons nooit gevraagd om hem na te trekken.'

'Lund…' begon Meyer.

'Ben je een beginneling, Svendsen?' riep ze. 'Moet ik jou voorkauwen wat je moet doen?'

'Hij was een getuige!' schreeuwde de potige politieman haar toe.

Meyer trok zich terug.

Ze wees naar Svendsen.

'Als wij geweten hadden dat hij voor Birk Larsen werkte, dan stonden we hier niet voor aap. Dan zat Leon Frevert opgesloten.'

'Geef mij niet de schuld van je eigen puinhoop.'

'Jij,' zei ze terwijl ze haar vinger voor zijn dikke gezicht heen en weer zwaaide, 'bent een luie donder. En als ik ergens een hekel aan heb, dan is het wel luiheid.'

Ze liep terug naar de auto. Meyer maakte verzoenende geluiden achter haar rug.

'We hebben ons uit de naad gewerkt!' riep Svendsen. 'Ik laat me door die trut niet voor luie donder uitmaken. Heb je dat begrepen!'

Ze ging achter het stuur zitten.

'Ze doen hun best,' zei Meyer door het raampje. 'Laat ze met rust.'

'Als je Leon Frevert hebt gevonden, dan trakteer ik ze misschien wel op een biertje. Stuur dit signalement naar de media. En haal Vagn Skærbæk weer op voor verhoor.'

'Lund…'

Ze startte de auto en reed naar de openbare weg.

'Lund?' vroeg Meyer terwijl hij naast het raampje meerende. 'Waar hebben we Vagn in godsnaam weer voor nodig?'

'Voor de gezelligheid,' zei ze en ze reed weg.

Morten Weber luisterde naar het nieuws op de radio, met een bars, vermoeid gezicht. Verslaggevers en fotografen hadden Hartmann overvallen toen hij het Rådhus binnenging en volgden hem de trap op tot Skovgaard hen aanpakte.

Weber zette het geluid harder terwijl Hartmann zijn jas uittrok.

'Bronnen op het hoofdbureau van politie geven aan dat de moordenaar van Nanna Birk Larsen nog gevonden moet worden. Dit werpt een nieuw licht op de komende verkiezingen. De zaak blijft Troels Hartmann achtervolgen sinds bekend is geworden dat de flat van de Liberalen verband houdt met het misdrijf. De basis onder de aanklacht die door Hartmann tegen de burgemeester is ingebracht, blijkt weg te vallen. Nieuwe getuigen hebben verklaard dat Bremer niet ingelicht was over het gesprek…'

'Zet uit,' beval Hartmann.

Overal in het kantoor lagen papieren. Commissievergaderingnotulen en officiële documenten.

'Laten we de politie bellen voor een update. Rie?'

Ze knikte, maar keek mistroostig.

'Stuur een persbericht uit waarin we stellen dat we onze mening over Bremer handhaven. Benadruk dat ik vrij van alle verdenking ben.'

'Ik hoop dat het publiek dat gelooft,' mopperde Weber.

Skovgaard vroeg: 'Wat heeft Bremer tegen je gezegd, Troels?'

'Hij beschuldigde me ervan dat ik bewijsmateriaal in de zaak heb achtergehouden.'

'Wat voor bewijsmateriaal?'

'Die videoband van de bewaking. De flat van de partij. Hij schijnt te denken dat we de informatie van Gert Stokke op een slinkse manier te pakken hebben gekregen.'

Skovgaard zei niets.

Weber keek op zijn mobiel.

'Sorry dat ik een toch al zo vervelende dag nog erger voor je moet maken,' zei hij, 'maar die slijmbal van een Erik Salin staat hiernaast op je te wachten. Hij zegt dat hij met je moet praten. Het is belangrijk.'

'Voor hem of voor mij?'

'Ik denk voor hem. Negeer hem…'

Hartmann liep het grote kantoor binnen. Erik Salin zat op de bank en schonk zichzelf een glas wijn in. Hij was begonnen aan een speciaal project voor een van de grote dagbladen. Dat beweerde hij althans.

'Wat wil dat zeggen?' vroeg Hartmann.

'Op dit moment: Jij!'

Hartmann ging op de leren bank zitten en wachtte af.

'Waar het om gaat,' zei Salin terwijl hij zijn blocnote tevoorschijn haalde. 'Ik snap het een en ander niet. Bijvoorbeeld die bewakingsvideo.'

'Heb je met Bremer gepraat?'

'Ik praat met allerlei mensen. Dat is mijn werk. Ik wil alleen weten hoe het zit. Kwam het jou niet heel goed uit dat die band verdween? Jij staat erop terwijl je die autosleutels pakt.'

'Holck staat er ook op met het meisje. Dus het kwam hem een stuk beter uit dan mij, denk je ook niet?'

'Vast. Maar Holck was dood toen die band opdook.' Hij lachte sarcastisch. 'Dus hij heeft er niet veel aan gehad, hè?'

'Erik…'

'Dus de partijflat is meer dan een week niet gebruikt? Klopt dat?'

'Kennelijk wel. Ik ben bezig met een verkiezingscampagne. Ik heb geen woningbemiddelingsbureau.'

Salin keek verbaasd.

'Maar je geeft leiding aan de Liberalen, toch? Er waren in die tijd heel wat vergaderingen. En toch heb je die flat nooit gebruikt. Is dat niet raar?'

'Nee. We vergaderen hier. In het campagnekantoor.'

'Vast.' Salin glimlachte naar hem. 'Sorry dat ik je hiermee moet lastigvallen. Maar we hebben een nieuwe redacteur. Die zet ons onder druk.'

'Je weet toch wel, Erik, dat de politie mij van alle verdenking gezuiverd heeft?'

'Ja, dat weet ik. Maar ik moet het je vragen. Met al die verhalen. Zoals die roddels over Rie Skovgaard.'

Hartmann zei niets.

'Die moet je toch gehoord hebben, Troels? Iedereen heeft het erover. Ze heeft die tip over Stokke gekregen door haar benen uit elkaar te doen voor de secretaris van Bremer, Bressau.'

Hij pakte een krant, zocht een foto van Bressau met Bremer en legde hem voor Hartmann neer.

'Je kunt het hem niet kwalijk nemen. Skovgaard is een lekker ding op een hele...' hij krabde op zijn kale hoofd, '... koele manier.'

Salin grinnikte.

'Er wordt gezegd dat ze hem meegenomen heeft naar een hotel op de avond dat ze jou vrijlieten. Ze heeft onder de lakens intiem met hem gebabbeld, en daar heeft ze het een en ander voor teruggekregen. Als dat waar is, dan is het natuurlijk gedaan met Bressau. We moeten het denk ik afwachten. Ze zeggen altijd dat ik een smerig beroep heb. Maar het verschilt weinig van dat van jou, toch?'

Hartmann wachtte af en dacht na.

Toen zei hij: 'Ik weet dat types als jij denken dat mijn privéleven van jullie is. Maar als je zo diep zinkt dat je mijn staf gaat begluren, dan ga je te ver.'

Hij stond op.

'Ik wil je hier nooit meer zien.'

Salin pakte zijn blocnote en zijn pen.

'Je hebt jezelf in het middelpunt van de belangstelling geplaatst, Troels. Dan kun je toch een kritische blik verwachten.' Weer die valse grijns. 'Mensen hebben het recht om te weten op wie ze stemmen. De echte man. Niet dat knappe gezicht op de posters. Niet die onzin die ze van jouw publiciteitsmachine te horen krijgen.'

'Goedenavond.'

'Maar toch, als ze bereid is zo ver te gaan voor haar man, dan moet je je toch vragen stellen.' Erik Salin kwam dichtbij, keek Hartmann in de ogen.

'Wat zal ze nog meer doen? En dan beschuldig jij Bremer ervan het onderzoek belemmerd te hebben! Dat is toch wel sterk, vind je niet?'

'Kun je niet een baantje krijgen bij een roddelblaadje of zo, Salin? Dat lijkt me meer in jouw straatje.'

'Au! Die komt aan!' Hij stootte Hartmann zachtjes in zijn ribben. 'Geintje. Ik moet je nog een keertje spreken, Troels. Ik heb nog meer vragen. Boycot me niet.'

'Erik...'

'Je kunt dit niet tegenhouden door niet met mij te praten. Dat verzeker ik je.'

Vagn Skærbæk stond in Lunds kantoor en vroeg om zijn advocaat.

'We beschuldigen je nergens van,' zei Meyer. 'We willen alleen weten wat Leon Frevert bij jou thuis te zoeken had.'

Rode overall, zwarte muts. Het leek wel of hij ze nooit uittrok.

'Dus dat betekent dat ik niet langer verdachte ben?'

'Waar houdt Frevert zich gewoonlijk op?'

'Is dat een verontschuldiging? Jezus. Wat zijn jullie voor...'

Lund keek hem aan.

'Jij wilt toch dat wij erachter komen wat er gebeurd is, Vagn? Jij bent als familie voor de Birk Larsens.'

'Leon kwam me de sleutels van de bus brengen. Hij had een klusje opgeknapt. Hij werkt morgen niet. Ik zit dichter bij hem in de buurt dan de garage. Hij zou ze bij mij in de brievenbus doen.'

Lund maakte een aantekening. Meyer stond op van zijn bureau en bekeek de enige foto die ze van Frevert hadden. Geen beste.

'Hoe goed ken je hem?'

Skærbæk fronste zijn wenkbrauwen.

'Leon zit al jaren in de verhuisbusiness.' Hij zette zijn zwarte muts af. 'Als we wat meer van hem op aan konden, dan hadden we hem misschien een vaste aanstelling gegeven. Maar ik weet het niet. Je raakte nooit echt bevriend met die vent. Er was altijd iets...'

Hij zweeg.

'Wat?' drong Lund aan.

'Hij is een tijdje getrouwd geweest. Toen dat huwelijk plofte, werd hij een beetje vreemd. Jullie vinden mij een einzelgänger? Dat ben ik niet. Leon...' Hij fronste zijn wenkbrauwen. 'Absoluut.'

'Waar kan hij naartoe gegaan zijn, denk je?'

'Geen idee.'

'Werkte hij voor Birk Larsen toen Nanna verdween?' vroeg Lund.

Skærbæk speelde met zijn muts, zei niets.

'Nou?' vroeg Meyer.

'Ik geloof dat hij een paar weken niet geweest is. Ik ken de lijst met klussen niet uit m'n hoofd. Hij heeft de afgelopen zomer vaak voor ons gewerkt.'

'Hoe kwam hij aan dat werk bij Birk Larsen?'

'Via mij. We maken gebruik van een uitzendbureau als we extra mensen nodig hebben. Hij wilde graag wat bijverdienen.'

'Waar heb je hem voor het eerst ontmoet?'

Skærbæk keek haar met zijn donkere kraaloogjes aan.

'Bij Aage Lonstrup. Hij was daar oproepkracht toen ik er werkte.'

Lund leunde achterover, dacht even na.

'Zeg je nou dat Leon Frevert twintig jaar geleden voor Merkur werkte?'

Skærbæks gezichtsuitdrukking was nog steeds ondoorgrondelijk.

'Heeft hij het gedaan?'

Ze gaf geen antwoord.

'Mensen met jouw beroep zien een hoop lege gebouwen en opslagplaatsen.'

Lund gaf hem een blocnote en een pen, legde ze naast Meyers politieautootje.

'Ik wil een lijst met alle plekken die Frevert via z'n werk kent.'

Hij lachte.

'Allemaal? Dat meen je niet. Ik bedoel… dat zijn er zoveel.'

'Begin maar,' zei Meyer. 'Als je klaar bent, mag je weg.'

Skærbæk knikte.

'Dus…' zijn stem brak. 'Ik heb die klootzak met ze in contact gebracht?'

Hij sloot zijn ogen en slaakte een zachte jammerkreet.

'Vagn,' begon Meyer.

Een arm die beschuldigend naar hen werd uitgestoken.

'Dankzij jullie denken Theis en Pernille dat ik Nanna vermoord heb. Nu moet ik naar ze terug om ze te vertellen dat… misschien… misschien…' Hij praatte zachter en zijn woede richtte zich naar binnen. 'Dat ik dat misschien op een bepaalde manier inderdaad gedaan heb.'

Lund sloeg hem gade.

'Maak die lijst nou maar,' zei ze.

Ze luisterde terwijl Meyer in de briefingruimte de avondploeg toesprak. Aan de muur hingen naast de kaart van Kopenhagen een paar nieuwe foto's van Frevert en van Nanna en Mette Hauge, en een paar andere vrouwen uit de dossiers van vermiste personen.

Alle standaardprocedures. Gegevens over Freverts activiteiten van de afgelopen twintig jaar natrekken. Zijn vriendinnen, zijn ex, collega's, buren. Personeel van het opgedoekte Merkur. Iets dat hem in verband bracht met Mette Hauge.

'Ik wil weten waar hij met zijn taxi naartoe is gereden nadat hij Nanna heeft afgezet,' zei Meyer. 'Vraag zijn telefoongegevens op. Ieder telefoontje dat hij dat weekend gepleegd heeft, oké?'

Lund keek ze na toen ze wegliepen. Svendsen kwam de kamer binnen, keek haar niet aan.

Hij had een plastic zakje bij zich en een paar oude dossiers.

'Wat is dat?' vroeg Lund zodat hij haar wel aan moest kijken.

'Ik ben een opslagruimte op het spoor die Merkur vroeger huurde. De belastinglui hebben er beslag op gelegd vanwege onbetaalde rekeningen. Een hoop rotzooi, dus ze hebben het nooit verkocht. Het is mogelijk dat er spullen van Mette bij zitten. De jongens van de belasting hebben me een toegangspasje en sleutels gegeven. Het is natuurlijk de vraag of...'

'Mooi,' zei Lund.

Svendsen keek naar haar.

'Mooi,' herhaalde ze.

Meyer keek hem na terwijl hij wegliep.

'Jij hebt nooit de teamworkcursus gevolgd, hè Lund?'

'Hangt van het team af. Het lijk dat we gevonden hebben is Mette Hauge. Hoeveel meer zijn er daar nog?'

'We hebben genoeg op ons bordje. Geen tijd om naar nog meer lijken te zoeken. Heeft hij haar ook vastgebonden?'

'Mette was allang dood toen ze vastgebonden werd. Ingeslagen schedel. Gebroken sleutelbeen, onderarm, dijbeen en schouder.'

Hij keek naar de foto's die voor haar lagen.

'Dat was menens, hè?'

'We zien iets niet, Meyer. Wat? Nanna is het hele weekend in leven gehouden. Herhaaldelijk verkracht. Levend in de achterbak van een auto opgesloten. Verdronken. Mette is doodgeslagen, in plastic gewikkeld, met Merkurtape omwikkeld en in het water gedumpt.'

Er lag meer informatie over Mette Hauge op het bureau. Onder het om haar heen gewikkelde tape droeg ze slechts een gescheurde katoenen jurk. Geen beha, geen onderbroekje.

'We weten dat ze een cursus zelfverdediging heeft gedaan. Judo. Het was een fit, gespierd meisje.'

'Zij zou vechten,' zei Lund, 'als iemand haar belaagde. Vechten voor haar leven, en ze kon het, denk ik. Hoe kan dit hetzelfde zijn en toch zo anders?'

'Bedoel je dat het onze man niet is?'

'Ik weet niet wat ik bedoel. Misschien had hij een soort relatie met Mette en raakte het uit. Daarom werd hij razend. Nanna was anders.'

Ze pakte het plastic zakje op met het toegangspasje en de sleutel voor de opslagruimte.

'Als ze een relatie hadden, kunnen we misschien wat leren van haar spullen.'

'Morgen,' zei Meyer.

'Nee. Nu.'

Meyer haalde zijn jasje.

'Hoor eens, Lund. Jij hebt misschien geen privéleven, maar ik wel. Mijn jongste heeft oorontsteking. Ik heb beloofd dat ik naar huis zou komen.'

'Prima. Dan vertel ik het je morgen wel.'

'O, jezus nog aan toe. Jij gaat daar niet in je eentje naartoe.'

Ze bladerde weer door het dossier.

'Oké,' zei Meyer. 'Dat doet de deur dicht. Tijd om eerlijk te zijn.'

Hij sloeg zijn hand op de papieren voor haar.

'Lund, ik maak je nou twee weken mee. Je stort in.'

Ze keek hem aan.

Meyer sloeg zijn armen over elkaar.

'Ik zeg je dit als vriend. Je moet slapen. Je moet deze zaak even uit je hoofd zetten. Ik breng je nu naar huis. Geen gemaar. Geen…'

Ze glimlachte, klopte hem op zijn borst, haalde haar jas, liep de gang door.

Achter haar klonken voetstappen. Lund keek niet om.

'Maar we houden het kort,' riep Meyer.

Zij reed. De opslagplaats lag in een verlaten deel van de havens. Buitenverlichting van twee tl-buizen.

Meyer werd van huis gebeld. Verontschuldigingen. Lieve woordjes tegen een kind.

'Arme schat. Doet het pijn?'

'Als het een oorontsteking is…' zei Lund opgewekt.

Ze stapte uit, keek naar het gebouw, liet het portier open. Meyer bleef zitten waar hij zat.

'Ik rij onderweg naar huis wel even langs de apotheek. Het wordt geen latertje, dat beloof ik. Wacht even…'

Lund stond al bij de deur. Hij kon geopend worden met een pasje.

'Hé!' riep Meyer. 'De kans dat dat ding werkt is ongeveer even groot als dat ik de volgende paus word. Wacht even, wil je?'

Ze stak het kaartje in de gleuf en hoorde het slot klikken. Ze deed de deur open, draaide zich om, zwaaide met het kaartje naar hem en liep naar binnen.

Meyer schreeuwde naar haar.

'Lund! Godverdomme! Lund!'

Ze hoorde hem nog net zeggen, op een toon die eerder meelevend klonk dan kwaad: 'Het spijt me, schat. Maar ze is op dit moment echt compleet doorgedraaid. Ik moet een beetje op haar letten…'

De rode metalen deur had een zware dranger. Hij sloeg achter haar dicht. De dreun van het ijzer weergalmde in de duisternis.

Theis Birk Larsen weigerde de twee rechercheurs die de administratie wilden inzien te woord te staan. Pernille was iets toeschietelijker. Ze stond met de twee in het kantoortje, beantwoordde hun vragen en stelde er zelf een paar.

Ze vroegen naar de werknemers en wanneer ze gewerkt hadden.

'Natuurlijk houden we bij wie naar welke klus gaat,' zei ze.

De twee rechercheurs wroetten in agenda's, notities, grootboeken. Ze vroegen nergens toestemming voor.

'Waar slaat dit op? Waar zoeken jullie naar?'

Een van de twee vond een kasboek en begon erin te bladeren.

'We willen weten wanneer Leon Frevert hier werkte.'

'Waarom?'

Hij gaf geen antwoord.

'Dat is onze boekhouding. Dat is privé. Dat gaat jullie niets aan…'

'We hebben een huiszoekingsbevel. We kunnen alles wat we willen, bekijken.'

'Maar dat is de boekhouding!'

Hij grijnsde naar haar.

'Alles komt in de boeken terecht, toch? We werken ook met de belasting samen, Pernille. Ik kan dit doorgeven…'

'Wat willen jullie?'

'Ik wil de administratie waarin staat aangegeven wie hier gewerkt heeft en wanneer. Voor iedere dag van het afgelopen jaar.'

Ze liep naar de dossierkast, pakte het gevraagde en gooide het op het bureau.

'Alsjeblieft,' zei ze en ze ging naar boven.

Theis stond af te wassen. De basilicum en de peterselie in de vensterbank stonden te verpieteren. Ze had ze geen water gegeven. Helemaal vergeten.

Pernille ging naast hem staan en probeerde zijn blik te vangen.

'Ze zijn op zoek naar Leon Frevert. Ze vragen welke klussen hij gedaan heeft. Hoe lang hij al voor ons werkt. Ze willen…'

'Het heeft geen zin je er druk over te maken,' onderbrak hij haar kwaad.

'Ja, maar…'

'Het heeft geen zin! Iedere dag wijzen ze weer een ander aan. Vanochtend was Vagn het. Nu is het Leon. Morgen ben ik het waarschijnlijk…'

'Theis…'

'Ik vind het ongelooflijk dat we Vagn dat hebben aangedaan. We zijn zo stom geweest om te denken dat ze misschien een punt hadden.'

'Theis…'

'Als Vagn er niet geweest was, dan hadden we dit huis niet. Als Vagn er niet geweest was…'

Zijn stem stierf weg.

'Misschien moet je hem bellen,' zei ze.

'Dat heb ik geprobeerd. Hij nam niet op.'

Een klein, angstig stemmetje uit de duisternis.

'Is er iets gebeurd met oom Vagn?'

Anton kwam in zijn blauwe pyjama tevoorschijn. Hij ging op het opstapje naar de huiskamer zitten. Hij was klaarwakker.

'Was de politie er weer, pap?'

'Ja… Ik had iets verloren. Ze kwamen het terugbrengen.'

Hij had zijn armen over elkaar geslagen en keek hem aan. Anton was altijd degene die doorvroeg.

'Wat had je verloren?'

Theis Birk Larsen keek naar Pernille.

'Nou, het moest een verrassing blijven maar…'

Hij haalde een sleutelbos uit zijn zak.

'Dit had ik verloren. We gaan verhuizen. We hebben een huis.'

Pernille glimlachte. Naar Theis en naar Anton.

'Je krijgt een eigen kamer,' zei ze. 'In de zomer kunnen we buiten zitten. Jullie krijgen een glijbaan in de tuin.'

De jongen kwam met gefronste wenkbrauwen overeind.

'Ik vind het hier fijn.'

'Je zult het daar fijner vinden.'

'Ik vind het hier fijn.'

'Je zult het daar fijner vinden.'

De harde toon in Theis' stem legde de jongen het zwijgen op.

'Ga naar bed, Anton,' beval hij. Het kind gehoorzaamde onmiddellijk.

Lund was op de vijfde verdieping aan het rondsnuffelen bij de boxen toen Meyer haar belde.

'Wat doe je?'

'Ik ben op de verdieping waar de spullen van Merkur bewaard worden.'

Het gebouw was nog steeds in gebruik. De lichten deden het, de betonnen gangen waren aangeveegd. Iedere verdieping was toegewezen aan een bedrijf. Alles werd achter spaanplaatdeuren bewaard.

'Je zei dat dit niet lang zou duren.'

Aan de sleutel die Svendsen had gevonden zat een label met het nummer 555 in potlood erop. Lund keek naar de deur waar ze bij stond. 530.

'Besef je wel dat je de deur achter je hebt dichtgeslagen? Ik kan er niet in.'
Hij klonk bezorgd, bijna over zijn toeren.
'Ik ben zo weer terug. Wat doe je?'
'Nu? Ik sta te pissen. Ja, je vroeg er zelf naar.'
Meyer was klaar met plassen in het water bij het dok. Hij belde weer naar huis en kreeg opnieuw de wind van voren.
'Ik zei toch al, ze is helemaal doorgedraaid. Ik kan haar niet alleen laten.'
Hij luisterde naar de litanie aan klachten. 'Ik kan haar niet alleen laten! Je weet best waarom.'
Vrouwen, dacht hij nadat ze kwaad had opgehangen.
Hij keek naar het gebouw. Het was niet de bouwval die hij verwacht had. Graffiti over de hele voorgevel. Te oordelen naar de stank waren er een hoop mensen niet zo netjes geweest om in het water te pissen. Maar op iedere verdieping brandde licht voor de beveiliging en de deuren waren goed en sterk. Er hingen buiten geen bewakingscamera's aangebracht. Maar afgezien daarvan...
Hij haalde een zaklamp uit de zak van zijn anorak, scheen ermee over de grijze betonnen façade.
Aan de rechterkant glinsterde iets. Hij liep ernaartoe en merkte dat hij met zijn zolen over gebroken glas knerpte.
Hij keek naar beneden.
Dat was nog maar kortgeleden gebeurd.
Met zijn zaklamp bescheen hij het raam erboven.
Kapot.
Een vuilnisbak was tegen de muur geschoven. Via die bak kon je naar binnen klimmen.
Hij deed een stap naar achteren en scheen naar boven.
'Shit,' zei hij.

Lund liep door tot ze bij deur 555 was. Ook van spaanplaat. Zelfde basisslot, een schuif met een hangslot eraan.
De deur stond half open.
Lund had geen handschoenen bij zich. Dus trok ze haar mouw naar beneden tot de wol haar vingers bedekte en duwde langzaam de deur verder open.
De ruimte erachter was half leeg. Wat er was, stond achterin opgeslagen.
Kartonnen dozen, het soort dat Birk Larsen in zijn garage had. Maar deze hadden wit tape met blauwe belettering. De naam Merkur met het vleugeltje naar links. Het tape waarmee Mette Hauge vastgebonden was.
Het leek voor het overgrote deel rotzooi.
Haar telefoon ging over.
Ze keek wie het was.

'Ik zei, een minuutje, Meyer. Een Lund-minuutje, oké?'
'Een van de ramen aan de voorkant is kapot. Er is hier iemand geweest.'
'Dat kan kloppen. De deur van de Hauge-opslag is geforceerd.'
'Op welke verdieping zit je?'
'De vijfde. De bovenste.'
Stilte, toen zei Meyer: 'Oké. Ik kan je zaklamp zien. Je staat bij het raam.'
Lund stak haar handen in haar zakken en probeerde na te denken.
'Welk raam? En ik heb m'n zaklamp niet aan.'
Weer stilte.
'Blijf waar je bent, Lund. Je bent niet alleen. Ik kom eraan.'
Ze liep naar de hoek van de koude, droge opslagbox. Stond daar in het donker en zette haar telefoon op de trilfunctie.
Er was iemand daarbuiten. Ze kon de voetstappen horen. Op en neer. Zoekend.
Iets zilverigs lichtte op in een krat vlak naast haar. Lund keek. Een zware metalen kandelaar. Ze pakte hem op en liep ermee terug naar de gang, keek naar rechts en naar links in het bleke licht van de nachtverlichting, liep door, zag alleen beton en spaanplaat en stof.

Jan Meyer rende terug naar Lunds auto terwijl hij Brix vervloekte omdat die zijn wapen in beslag had genomen. Hij zocht tussen de Nicotinell-pakjes en de tissues in het dashboardkastje tot hij de Glock gevonden had.
Vol magazijn. Een stukje kauwgum op de kolf.
Hij legde de Glock op het dak van de auto, plugde z'n headset in en belde haar weer.
'Lund, ben je daar?'
'Ja,' zei ze fluisterend.
'Mooi. Ik kom eraan.'
Hij klom door het gebroken raam naar binnen, liet zich voorzichtig op de vloer zakken. Gele spaanplaten deuren. Betonnen vloer. Niets.
Hij drukte weer op Bellen.
'Lund? Hoor je me? Hallo?'
Geen antwoord.
'Lund!'
Een geluid. Een onwillig mechanisch geknars. Kabels die bewogen, raderen die draaiden.
Een stem in zijn oor.
'Shit.'
'Lund!'
'Meyer. Hij zit in de lift en hij komt naar beneden. Ik neem de trap. De lift!'
Het klonk alsof een roestig metalen dier zich na een lange winterslaap

roerde. Meyer liep door de betonnen gang. Vond de lift: knoppen op de muur en een metalen vouwdeur. Daarachter kabels die omhoog en omlaag liepen.

Hij pakte de Glock uit zijn zak en drukte zich tegen de muur.

'Ik ben nu bij de lift,' zei hij.

Hij hoorde voetstappen op de trap, snel en angstig. Het geluid werd overstemd door het geknars van de liftkooi die naar beneden kwam.

Een lichtje. Gerammel van metaal. De lift was naast hem tot stilstand gekomen.

Met zijn Glock in de aanslag wachtte hij tot de vouwdeur opzij zou schuiven. Er iets zou bewegen.

Niets.

Hij wachtte.

Niets.

Hij draaide zich om en richtte de Glock recht naar voren.

Niets. Een lege kooi, met een kaal peertje aan het plafond.

Meyer keek om zich heen en zag alleen lege ruimte.

Hij begreep er niets van.

'De lift is leeg,' zei hij.

Voetstappen die over de trap renden. Dichterbij kwamen.

'Ik kom naar boven.'

'Ik geloof niet dat hij hier is.'

Haar stem klonk schril en angstig.

'Hij is weg. Hij is bij jou…'

'Ik kom eraan…'

Hij liep naar de trap. Zag de spaanplaten deur op zich af komen.

Het hout sloeg tegen zijn gezicht. Het harde metalen slot raakte hem in zijn maag.

Een gil, een kreet. Was hij dat?

Meyer lag op de vloer. Hij was verward en had pijn.

Bovendien was hij kwaad. Hij vloekte.

Hij tastte naar zijn wapen.

Het pistool.

Het pistool dat uit zijn hand was geslagen.

Hij rolde zich kreunend om. Keek op en zag hem. Zag de zwarte Glock.

Zijn ogen werden groot.

Een enorme knal. Een lichtflits.

Jan Meyer zette zich schrap tegen de impact, voelde een scherpe speer van pijn bezit nemen van zijn lichaam.

Hij lag doodstil op de koude vloer, zijn ledematen wilden niet meer bewegen. Hij zag het pistool weer boven zich.

Hij zei…

Niets.

Wat kon hij ook zeggen?

Hij dacht aan zijn dochtertje dat thuis zat te huilen. Hij dacht aan zijn vrouw en de laatste boze woorden die ze gewisseld hadden.

De tweede knal was harder en daarna kwam niets meer, behalve bloed en pijn.

Een woord. Van hem, gezegd met een stem die bijna ogenblikkelijk weg-stierf.

'Sarah…' zei Meyer. En toen was hij weg.

Lund vloog de trap af. Ze struikelde over haar eigen benen, ze gilde het uit, ze dacht na, maar ook weer niet, ze zwaaide wild met haar armen in de duistere ruimte voor zich.

Ze wist niet meer op welke verdieping ze was. Toen ze bij de onderste was bleef ze doorrennen alsof er meer waren. Alsof die koude droge trap ergens de eeuwigheid in voerde.

Maar dat was niet zo. Ze was er. En maar een paar passen verderop was Meyer. Een stille gedaante op de vloer. Geluiden. Rennende voetstappen.

Lund knielde bij hem neer.

Hij haalde hijgend adem. Het bloed gutste uit zijn keel. Bloed op zijn borst.

'Jan. Jan. Kijk me aan.'

Ze legde een hand op zijn gezicht. Warm rood geronnen bloed.

Ze trok zijn overhemd open. Zag vlees, zag de gapende wond.

Ze pakte haar telefoon met haar bebloede vingers.

Belde.

Buiten klonk een lopende motor, piepende banden.

Ze wachtte.

En wachtte.

En wachtte.

Een ambulance. Zwaailichten, sirenes, lawaai.

In de ambulance. Broeders in groene uniformen. Ze schreeuwden, ze ge-baarden, ze duwden haar weg.

Een masker over zijn gezicht.

Kreten.

'Meer vocht.'

Gepiep van apparaten. Piepende banden. De wereld draaide.

'Zuurstofpeil laag. Verhoogde hartslag.'

Een slangetje in zijn arm. Ogen wijd open en bang.

Lund zat op de bank en keek toe. Ze kon niet meer huilen.

'We verliezen hem,' riep iemand. 'Peddels!'

'Blijf zuurstof toedienen. Meer vloeistof.'

Meyer schokkend en draaiend, snoeren door het bloed.

'Oké. Laden.'

Een apparaat aan de wand van de ambulance.

'Los!'

Meyer kwam omhoog.

'Nog eens!'

Meyer kwam weer omhoog.

Handen op zijn borst. Massage.

Woorden in haar hoofd.

'Zal hij? Zal hij?'

Niemand die het hoort.

Een uur later. Ze zat op een bank in de gang. Vlak bij de operatiekamer. Nog plakkerig van zijn bloed. Nog steeds verzonken in gedachten aan wat er gebeurd was.

Een tweesprong. Keuzes die gemaakt moesten worden.

Als ze hem naar huis had laten gaan naar zijn kind met oorpijn.

Als ze samen naar binnen waren gegaan, zoals alle reglementen voorschreven.

Als...

Brix kwam door de gang aanlopen. In smoking. Wit vlinderdasje, mooi overhemd.

'Ik ben zo snel mogelijk gekomen,' zei hij.

Verderop in de gang stonden mannen in groene jakken achter maskers zacht te praten.

'Nog nieuws?' vroeg Brix.

Een verpleegster rende de operatiekamer binnen met een plastic zak met vocht.

'Ze zijn aan het opereren.'

Ze keek toe hoe mensen in en uit gingen door de klapdeuren. Vroeg zich af wat ze dachten.

'Wat deden jullie daar in die opslagplaats?'

'Wat?'

Hij herhaalde de vraag.

'We dachten dat we tussen Mette Hauges bezittingen misschien bewijsmateriaal konden vinden. Iemand anders was ook op dat idee gekomen.'

Brix zei: 'Laat dit aan mij over. En dit keer zul je echt doen wat ik zeg.'

Meyers vrouw Hanne liep naar hen toe. Al het bloed was uit haar strakke gezicht weggetrokken. Haar blonde haar zat in een paardenstaart, ze liep als een slaapwandelaarster.

'Waar is hij?' vroeg ze.

'In de operatiekamer,' zei Lund. 'Ik ga wel met je mee naar het kantoortje.'

'Nee.'

Brix keek haar woedend aan.

Een lange man, waardig in zijn avondkleding.

Dit was zijn werk. Dit was zijn moment.

Hij sloeg een arm om Hanne Meyers schouders en liep met haar door de gang naar het kantoortje naast de operatiekamer.

Lund stond daar in haar eentje en keek naar hen.

Ze stond daar en ze bewoog zich niet. Ze kon niet bewegen.

18

Woensdag 19 november

Half acht. Een mistige ochtend. Het verkeer stond vast op de natte straten in de stad. Hartmann en Bremer zaten vast in een humeurig live debat in een radiostudio niet ver van Slot Christiansborg.

Milieupolitiek en economisch herstel. Hartmann speelde zijn groene kaart.

'We moeten de stad aantrekkelijk maken voor eco-bewuste bedrijven...'

'Je kunt het bedrijfsleven niet opofferen in het belang van het milieu,' onderbrak Bremer hem.

Hij zag er vermoeid en chagrijnig uit. Hartmann volgde Rie Skovgaards raad op. Hij benadrukte zijn charme. Het nieuwe jonge gezicht van de Kopenhaagse politiek. Welwillend, belangstellend, redelijk, begaan.

'Niemand heeft het over opofferen...'

'Maar waar zijn jullie het wél met elkaar over eens,' onderbrak de gespreksleidster hem. 'Jullie zullen na de verkiezingen toch met elkaar moeten samenwerken. Kunnen jullie dat niet nu al doen?'

'Ik kan met iedereen samenwerken,' verklaarde Bremer. 'Het gaat om Hartmanns geloofwaardigheid.'

'Dat wordt een beetje afgezaagd, Poul. We zijn hier om over het milieu te praten.'

'Nee, nee, nee. Alles draait om de moordzaak. Al die onbeantwoorde vragen...'

Hartmann glimlachte naar de vrouw die het gesprek leidde.

'Daar hebben we het nu al duizend keer over gehad. Ik ben van alle verdenkingen gezuiverd. Mijn kantoor is van alle verdenkingen gezuiverd. De politie zelf heeft gezegd dat deze...'

'Geloofwaardigheid. Daar draait het gewoon om,' hield Bremer vol. 'Hoe kunnen we met iemand werken over wie zo veel twijfels bestaan?'

Hartmann haalde zijn schouders op terwijl hij de gespreksleidster aankeek.

'Ik vind het treurig dat je deze tragische zaak aanwendt voor je eigen politieke gewin. Er ligt een rechercheur in kritieke toestand in het ziekenhuis. Dit is toch echt niet het moment om...'

'Jij haalt die arme man erbij, ik niet. Ik heb begrepen dat hij niet jouw grootste fan was...'

De klok aan de muur. De secondewijzer schoof op. Hartmann timede het moment waarop hij Bremer onderbrak.

'We willen met iedereen samenwerken die blijk geeft van vertrouwen in en toewijding aan het gemeenschappelijke doel. Dat sluit de burgemeester en zijn partij dus uit. Ik vind het niet plezierig om dit te zeggen maar ik ben er zeker van dat de luisteraars die deze wonderlijke uitbarsting van de burgemeester gehoord hebben, het zullen begrijpen.'

'Nee...!'

'Dank u wel,' zei de gespreksleidster. 'We zijn door de tijd heen. En nu...'

Het nieuws begon. Poul Bremer stond op, met een geforceerde glimlach, en schudde iedereen de hand. Toen ging hij weg.

Rie Skovgaard zag er heel opgetogen uit.

Hartmann luisterde naar het nieuws. Meyer lag op de intensive care. Hij was nog niet bijgekomen na zijn operatie.

Iemand tikte tegen de glazen ruit van de studio. Erik Salin.

Hij blokkeerde de weg naar de uitgang. Poul Bremer moest hem gepasseerd zijn. Er was geen andere manier om buiten te komen.

Hartmann liep door.

Salin haalde hem in. 'Minuutje, Troels?' zei hij.

'Gisteren heb je meer dan een minuutje gehad.'

Hij liep naar de uitgang voor de volgende afspraak, nog een debat.

'Ik heb navraag gedaan naar de envelop waarin de bewakingsvideo zat. Het is hetzelfde type dat op jouw kantoor gebruikt wordt.'

Hartmann bleef staan, trok een wenkbrauw op.

'Ik heb er een meegenomen toen ik er gisteren toch was.'

'Echt, Erik? Ga je met een envelop de Pulitzerprijs winnen?'

Salin keek hem breed lachend aan.

'Je bent hier goed in, Troels. Dat moet ik je nageven.'

Hartmann liep naar de toiletten.

'Hé,' zei Salin. 'Mag ik mee? Alles voor het verhaal.'

'Het is tijdverspilling. Hou ermee op.'

Hij liep achter Hartmann aan en keek naar hem bij de urinoirs.

'Ik heb met mensen op je campagnebureau gepraat. Ze hebben het zo druk gehad dat ze kamers moesten huren voor vergaderingen.'

Hartmann urineerde en staarde ondertussen naar de witte tegels.

'Wat ongelooflijk interessant, zeg.'

'Nou, dat is het volgens mij inderdaad. Waarom zou je geld verspillen om kamers te huren als jullie een lege flat hebben? In deze benarde tijden?'

Hartmann liep naar de wasbakken, waste zijn handen en keek naar zijn gezicht in de spiegel.

'Je obsessie met details is werkelijk indrukwekkend.'

'Details zijn de duivel, zeggen ze wel eens. En wat voor een duivel! Hij neemt die video mee. Bewaart hem een poosje, ook al word jij...'

Hij zweeg, wachtte tot Hartmann zich omdraaide en hem kort aankeek.

'Ook al word jij er zo te zien door vrijgesproken. Dan proppen ze hem in een van je enveloppen en geven hem aan de politie. En langer dan een week zorgt iemand er heel goed voor dat niemand – geen sterveling – de flat in gaat waar Nanna even voor haar dood was. Als de politie niet naar de flat was gekomen, had het misschien nog wel langer geduurd.'

Salin grijnsde naar Hartmanns spiegelbeeld.

'Je bent niet dom, Troels. Jij kunt ook zien dat hier iets stinkt. En het zit onder jouw schoenzool, niet onder die van Poul Bremer.'

Hartmann liep de trap op. Rie Skovgaard wachtte hem op.

'Dus zelfs als je het niet gedaan hebt,' zei Salin, die gelijke tred met hem hield, 'dan is er iemand in je naaste omgeving die dacht dat je het wel gedaan had. Iemand die dat zo ernstig geloofde dat-ie je wilde dekken. Als je eigen mensen je niet vertrouwen, als ze denken dat jij tot moord in staat bent, waarom in godsnaam zouden...?'

Dat was te veel. Hartmann greep hem bij de kraag van zijn blauwe winterjas en duwde hem tegen de wand. Skovgaard stond achter zijn rug te jammeren.

'Als je maar één woord hiervan publiceert, miezerig kereltje, dan maak ik je leven tot een hel.'

Hij was groter dan Salin. Hij had sinds zijn studententijd nooit meer iemand op zijn bek geslagen. Maar op dit moment voelde het heerlijk.

'Troels!' kefte Skovgaard achter hem terwijl ze aan zijn arm trok.

'Kom op,' zei Salin. Hij keek naar de gebalde vuist en grijnsde in Hartmanns gezicht. 'Doe het dan! Je laat je politiek adviseur met de oppositie neuken om aan geheime documenten te komen. Iemand in je naaste omgeving denkt dat je een tiener verkracht en vermoord hebt. Hoe voelt mister Clean zich vandaag, Troels? Dringt het tot je door dat het een heel eind is om naar beneden te vallen?'

Skovgaard had Hartmanns arm beet voor hij kon slaan. Ze zette haar hele tengere postuur erachter om hem vast te houden.

Met zijn handen omhoog, stralend alsof hij de overwinnaar was, zei Erik Salin: 'Het zijn maar vragen, Troels. Meer niet. Je bent politicus. En als politicus moet je die vragen aanpakken.'

Hartmann voegde hem nog wat verwensingen toe en beende weg naar de deur.

Skovgaard bleef en sprak de verslaggever razend aan.

'Wie heeft je hiertoe aangezet? Ach, dat weet ik ook wel.'

'Het publiek heeft het recht het te weten.'

'Ze hebben het recht om de waarheid te weten. Laat geen woord van deze kletskoek in de krant komen, Erik. Anders zul je weer smoezelige kiekjes door slaapkamergordijnen moeten nemen.'

'Nou, nou,' mompelde Salin. 'Dat doet pijn, hoor.'

'Ik weet waar jij vandaan komt, vuile griezel.'

'Dat geldt ook voor mij.' Een grijns. 'Je omgang met de media deugt niet, Rie. Nogal verrassend. Phillip Bressau is een gladde jongen. Ik dacht dat hij het er bij jou... tja, wat beter in gestampt zou hebben.'

Skovgaard wist niet wat ze moest zeggen. Ze was blij dat Hartmann weg was maar stond trillend van woede voor Erik Salin.

'Of heb ik dat ook bij het verkeerde eind?' vroeg hij.

Lund sliep in het ziekenhuis. De volgende ochtend om acht uur haalde ze wat te eten en nam dat op een blad mee naar de afdeling. Hanne Meyer zat nog waar ze de avond daarvoor gezeten had. Ze zag er tien jaar ouder uit.

'Ik heb iets te eten gehaald,' zei Lund. 'Mag ik gaan zitten?'

'Ze hebben gisteravond met viltstiften gespeeld.'

Lund keek naar Hannes handen. Ze waren overdekt met kinderlijke tekeningen in blauwe en rode inkt.

Rode handen. Bebloede vingers. De beelden lieten zich niet verdringen.

'Ze hebben tekeningen gemaakt om hun zusje op te vrolijken. Die heeft een oorontsteking.'

Haar stem was hoog en gebarsten, bijna een snik.

'Dat heeft Jan verteld. Hoe oud is Marie?'

'De jongste heet Neel. Marie is de middelste.'

'Dus...'

Lund probeerde zich de namen te herinneren. Ze had ze vaak genoeg gehoord.

'Dus Ellie is de oudste?'

'Ella. Ze is zeven.'

Lund dacht aan Mark. Wat deed hij? Wat vond hij van haar?

'Vertel me wat er gebeurd is.'

'Hij wachtte in de auto terwijl ik naar binnen ging. En toen...'

Ze wist het zelf niet precies. De avond, het bloed... het schuldgevoel. Ze kon niet nadenken.

'Hij zag dat er nog iemand anders binnen was.'

Hanne Meyer veegde met een verfrommelde tissue haar ogen af. Lund overwoog een arm om haar schouders te leggen, maar deed het niet.

Een arts kwam door de deur naar buiten. Groen katoenen jak, een operatiemuts, het masker naar beneden.

Meyers vrouw sprong meteen overeind.

De arts instrueerde een verpleegster.

Hij had een röntgenfoto in zijn hand. Legde hem op een lichtbak bij de deur.

Ze kwamen kijken.

'De operatie is goed verlopen, maar hij heeft veel bloed verloren. Kijk hier...'

Botten en weefsel. Scheuren en donkere lijnen.

'De eerste kogel is dwars door hem heen gegaan. De tweede was op weg naar zijn hart. Maar hij had toch zo'n sigarettenaansteker...?'

Een glimmend zilveren ding. Lund had een hekel aan die Zippo.

'Daar is de kogel op afgeketst. En dus van richting veranderd. Hij heeft zijn linkerlong doorboord. Er is nog meer schade...'

Zijn vrouw wees naar de foto. Botten en vlees en scheuren.

'Haalt hij het?'

Hij keek naar de röntgenfoto. Lund sloot haar ogen.

'Denkelijk wel. Hij is nog niet bij bewustzijn. We moeten zien wat er nog meer aan de hand is. Het is nog niet voorbij...'

Hanne Meyer had haar armen om hem heen geslagen. De tranen stroomden over haar wangen.

Lund keek toe. Ze voelde zich ongemakkelijk, een indringster.

De arts haalde iets uit zijn zak. De zilveren aansteker, gebutst en verwrongen.

'Die is voor u. Zeg maar tegen hem dat als hij na al die moeite die we voor hem gedaan hebben weer gaat roken, hij het de volgende keer met mij aan de stok krijgt.'

Tegelijkertijd lachend en huilend nam ze de aansteker aan.

'U mag nu naar hem toe.'

Hanne Meyer rende zowat de kamer in.

Lund liep achter de chirurg aan de gang door.

'Heeft hij nog iets gezegd?'

'Dat zei ik toch. Hij is nog niet bij bewustzijn geweest.'

'Wanneer kan ik met hem praten?'

'Als hij wakker wordt.'

Ze sloeg haar armen over elkaar.

Hij had een blik in zijn ogen die ze herkende, maar die ze zelden in een ziekenhuis zag.

Een ontwijkende blik.

'Wat is er mis?' vroeg Lund.

'Hij heeft ernstige verwondingen. We weten nog steeds niet hoe ernstig. Ik wil hoop houden. Dat willen we allemaal.'

'Wanneer?'

'Kom vanavond maar terug. Dan zien we wel verder.'

De auto voelde vreemd aan zonder hem. Het kantoor ook.

Brix sprak de mensen in de kamer daarnaast toe. Ze zat een minuutje alleen, ging toen naar binnen en luisterde.

'We hebben ongelooflijk geluk dat Meyer nog leeft,' zei Brix. 'Ik wil Leon Frevert. Ga ervan uit dat hij gewapend en gevaarlijk is. Deze laten we niet ontsnappen. Daar hebben we inmiddels ook onze eigen redenen voor. Nog vragen?'

Nee.

'Mooi. Aan de slag.'

Hij keek hen na toen ze het vertrek verlieten.

'Degene in de opslag wist van Mettes spullen,' zei Lund toen ze alleen waren. 'Hij heeft gelezen dat we de kanalen dregden.'

Hij droeg een donker overhemd dat openstond bij zijn hals. Ze kon zich hem niet meer in avondkleding voorstellen. Brix straalde een boodschap uit. Een leider die resultaten wilde.

'Ik heb een nieuwe teamleider op de zaak gezet.'

'Waarom?'

'Ga naar huis en blijf daar. We moeten je ondervragen.'

'Brix, ik weet meer…'

'Je kunt nu onmogelijk dit onderzoek leiden.'

'Waarom niet?'

Hij schudde zijn hoofd.

'Dat meen je toch niet? Je bent in je eentje dat gebouw in gegaan. Meyer is met jouw wapen neergeschoten.'

'Jezus nog aan toe, ik had de Glock helemaal niet bij me. Meyer heeft hem kennelijk uit m'n dashboardkastje gepakt.'

Brix' gezicht vertrok.

'Moet ik dit horen? Vertel dat maar aan de onderzoekscommissie.'

'We moeten Leon Frevert vinden!'

Stilte. Weer die harde, meedogenloze blik.

'Dat laten we nu aan de Duitsers over. Freverts auto is bij de ferryhaven gevonden. We denken dat hij gisteravond met de boot naar Hamburg is vertrokken.'

'Waarom?' vroeg ze meteen.

Brix liep de kamer uit. Lund ging achter hem aan.

'Hij is niet naar Duitsland gegaan. Hij heeft zijn paspoort niet. Dat hebben we in zijn flat gevonden. Hij heeft geen geld. Frevert heeft ongeveer alles wat hij bezit in Vietnamees geld omgezet. Als hij ergens naartoe zou vluchten, dan zou het wel…'

'Nou, hij is naar Duitsland.'

'De man die Meyer heeft neergeschoten is niet dom!'

'Hij heeft dat geld gewisseld voor hij de kranten las. Dat is toch duidelijk?'

Hij liep naar zijn kamer. Zij ging in de deuropening staan en versperde hem de weg.

'Nee, het is niet duidelijk.'

Brix sloeg zijn armen over elkaar.

'Geef me twee uur,' smeekte ze. 'Ik wil alleen wat telefoontjes plegen. Als dat niets oplevert, dan doe ik wat je maar zegt.'

'Dat zou dan voor het eerst zijn.'

Svendsen liep de gang door. Hij had een vel papier in zijn hand.

'Leon Frevert is twee uur geleden op station Høje Taastrup gesignaleerd. We hebben de beelden van de bewakingscamera. Hij is het. Een agent is achter hem aan gegaan, maar hij is weggerend.'

Høje Taastrup, een voorstad ten westen van Kopenhagen. Vlotte toegang tot de autowegen. Van daaruit kon Frevert overal naartoe zijn.

'Hebben we patrouillewagens in die buurt?' vroeg Lund.

'Dat trek ik na.'

'Lund…' begon Brix.

'Hij is te voet,' zei ze tegen Svendsen. 'Hij heeft een auto nodig. Neem contact op met de banken. Hij heeft geen geld. Hou zijn broer in de gaten.'

'Lund!' riep Brix.

Ze keek naar hem. Svendsen keek naar hem.

'Hou me op de hoogte,' zei hij.

Vagn Skærbæk kwam even over achten bij de garage aan. Zijn rode overall zat in een tas. Zijn zwarte vissersmuts had hij gehouden.

Hij stapte uit de verhuiswagen, gaf Theis Birk Larsen de sleutel van de auto.

'De sleutels van de garage, het hek en de flat zitten in de tas.'

Hij zag er vermoeid uit. Belabberd slecht eigenlijk.

Birk Larsen knikte. Oude spijkerbroek. Zwart sweatshirt. Zilveren ketting. Zwart windjack.

'Oké,' zei hij.

Skærbæk liep naar de verhuisbus en haalde er een andere tas uit. Helder geel. De naam van de speelgoedwinkel stond erop.

'Dit is voor de jongens,' zei hij terwijl hij de tas aan Birk Larsen gaf. 'Doe er maar mee wat je wilt.'

'Vagn,' zei Birk Larsen terwijl Skærbæk naar het hek liep. 'Vagn!'
Skærbæk bleef staan, met zijn handen in zijn zakken. Hij bleef staan en keek om.

'Laten we naar boven gaan en dit uitpraten, goed?'

'Wat valt er uit te praten?'

'Heel veel.' Hij nam Skærbæk bij de arm. 'Kom op.'

In de keuken stroomde het licht binnen door de planten voor het raam. Ze waren opgekikkerd nadat Pernille ze water had gegeven. Het zag er allemaal weer bijna normaal uit.

Ze ging naast Birk Larsen zitten en zette koffie op tafel en brood en kaas.

Skærbæk rookte een sigaret en at niet.

'Leon heeft ons het een en ander over jou verteld,' zei Pernille. 'Die dingen klonken raar.'

Hij zoog aan zijn sigaret.

'We hadden eerst met jou moeten praten, dat weet ik. Maar…'

Haar ogen glinsterden weer.

'We zijn allemaal gek geweest.'

'Zeg dat wel, ja.'

Ze keek hem aan.

'Maar die dingen komen op mij nog steeds raar over. Op mij…'

Geen antwoord.

Birk Larsen zei: 'Leon heeft ons verteld dat jij die zaterdag een grote klant hebt afgezegd.'

Skærbæk lachte.

'O, die vent, ja. Hij wilde cash betalen. Ik doe dat alleen als jij dat goedvindt, Theis. Niet op eigen houtje…'

Ze keken hem aan.

'Dus ik zei dat we het óf in de boekhouding opnamen, óf dat hij zijn boeltje zelf maar moest verhuizen. Misschien had ik het bij het verkeerde eind…'

'De politie zei dat je over je moeder hebt gelogen,' zei Pernille tegen hem.

'Ja. Dat hebben ze tegen mij ook gezegd. Mijn oom heeft me altijd voorgehouden dat ze zich dood gedronken had. Pas verleden jaar heeft hij me de waarheid verteld. God weet waarom hij dat zo verzonnen heeft. Maar wat…'

Hij drukte de sigaret uit op zijn schoteltje.

'Wat gaat dat verder iemand aan?'

Door de rook en de angst en alle gêne heen zei ze: 'Niets.'

'Die klootzakken hebben ons van het begin af aan het leven zuur gemaakt.' Birk Larsen schudde zijn grijze hoofd. 'Dit keer was jij de klos.'

Hij keek hem over de tafel aan.

'Het spijt ons echt, Vagn.'

'Echt,' voegde Pernille er zachtjes aan toe.

Skærbæk zat daar met een strak gezicht en speelde met het pakje sigaretten.

'Wat hebben jullie tegen de jongens gezegd?'

'Niets,' zei Birk Larsen.

'Jezus.' Hij nam zijn zwarte wollen muts af en kneedde hem in zijn vingers. 'Wat een ellende allemaal. Ik ben degene die zijn verontschuldigingen zou moeten aanbieden. Ik heb die klootzak Leon hier binnengebracht. Het uitzendbureau...'

Birk Larsen kuchte en keek naar zijn handen.

'Hebben ze jullie gezegd waar hij zit?' vroeg Skærbæk.

'Nee. Ik wil er niet over nadenken. We gaan het huis afmaken en vertrekken uit dit appartement. Goed?'

Pernille zei: 'We gaan er vandaag met de jongens heen. Anton wil niet verhuizen. Dus we willen dit zo gemakkelijk mogelijk maken.'

De telefoon ging over. Ze stond op om hem op te nemen. De tas met Skærbæks rode overall stond midden op tafel.

Hij legde zijn hand erop.

'Moeten we over een kwartier niet aan een klus beginnen?' vroeg Vagn Skærbæk.

'Ja,' zei Birk Larsen met een zweem van een glimlach.

Pernille kwam terug.

'Het is onze advocaat. De politie wil ons huis doorzoeken. Ze willen weten of Leon daar is geweest.'

'Jezus christus nog aan toe.' Birk Larsens grote vuist kwam met een dreun op de tafel en op de gezichten in het tafelblad terecht. 'Ik ben die lui spuugzat. Laat ze er niet in. Vagn!'

Skærbæk dronk zijn kop in één teug leeg, pakte de tas en liep achter Birk Larsen de trap af.

Frevert was in beweging, trok de stad weer in. Ze hadden een melding dat hij geld probeerde op te nemen bij een pinautomaat in Toftegaards Plads in Valby.

'We waren na twee minuten ter plaatse,' zei Svendsen tegen de mensen in de briefingruimte. 'Hij was weg...'

'Hou de parken in de gaten,' beval Lund. 'Trek de hostels na, trek...'

De telefoon op het bureau ging over. Ze nam op. De centrale, met iemand die persoonlijk naar haar gevraagd had.

'Spreek ik met Lund?'

'Spreekt u mee.'

'Met Leon Frevert.'

Lund zweeg, keek naar de agenten in de kamer, gebaarde met haar hand, mimede het woord: 'Natrekken.'

'Waar zit je?'

'Dat doet er niet toe. Ik hoorde net al die onzin op de radio.'

Svendsen rende naar de dichtstbijzijnde laptop, ramde op de toetsen en graaide een headset naar zich toe.

'Ik heb dat meisje niet vermoord. Dat menen jullie toch niet?'

'We moeten met je praten, Leon.'

'Je praat nu met me. Ik heb haar niet vermoord. Begrepen?'

'Oké. Laten we ergens afspreken.'

'En ik heb niemand neergeschoten.'

'Ik luister.'

'Dat is dan voor het eerst.' Hij was woedend. 'Ik heb tegen je gezegd dat ik haar die avond met de taxi heb afgezet. Ik heb je over het station verteld.'

'Je hebt ons niet verteld dat je haar kende, Leon.'

Svendsen was goed op weg. Hij gebaarde met zijn handen.

'Jullie hebben geen idee, hè?'

'Nee. Vertel jij het me maar. Waar zit je? Dan kom ik je halen. Ik alleen. We kunnen praten. Het enige wat we willen is de waarheid.'

Stilte. Toen een klikje.

'Leon? Hallo?'

Svendsen sloeg weer wat toetsen aan, rukte de headset van zijn hoofd.

'Hij zit op Roskildevej. Een paar kilometer buiten de stad. Meer kan ik er niet van maken. Hij heeft zijn telefoon net uitgezet.'

Lund ging zitten.

'Waarom heeft hij zo lang met me gepraat?' vroeg ze.

'Hij weet niet dat we hem aan het traceren waren,' zei Svendsen.

'Maar waarom heeft hij zijn telefoon dan uitgezet?'

Svendsen keek haar kwaad aan.

'Wat is er?'

'Roskildevej...' begon Svendsen.

'Roskildevej is drie kilometer lang, we hebben geen idee waar hij zit of wat voor auto hij heeft. Haal z'n broer.'

'Oké. Oké.'

Svendsen liep hoofdschuddend de kamer uit.

Lund bleef aan het bureau zitten en keek naar de foto's aan de muren. Nanna en Mette Hauge.

Leon Frevert. Een magere eenzame man.

De rode bestelbus zat vol met spullen voor de jongens. Modelvliegtuigjes, plastic dinosaurussen. Mobieltjes en posters voor aan de muren. De klus van die dag was uitgelopen. De weg naar Humleby werd geblokkeerd door een auto met pech. Vagn Skærbæk schreeuwde naar de chauffeur voor hem om de weg vrij te maken toen Birk Larsens telefoon overging.

Hij keek naar het nummer. Pernille.

'Waar is die dinosauruswinkel?' vroeg hij direct. 'We hebben niet genoeg spulletjes voor Antons kamer. We willen er een paar verrassingen neerzetten.'

'Je kunt de jongens niet meenemen naar het huis, Theis.'

'Waarom niet?'

'De politie is er met een huiszoeking bezig.'

'Wat?'

'Ze kijken overal waar Leon gewerkt heeft.'

'Ik heb schoon genoeg van die flauwekul,' zei Birk Larsen. 'Dat is ons huis.'

'Theis...'

Hij brak het gesprek af.

'Moeilijkheden?' vroeg Skærbæk.

De auto voor hen reed weer.

'Niets wat ik niet kan oplossen.'

Het kostte nog tien minuten om er te komen. Drie rechercheurs in burger die hij nog niet eerder had gezien doorzochten de zitkamer beneden. Ze plozen de tassen met spullen na en leegden zwarte plastic zakken met bouwmaterialen op de vloer.

Birk Larsen kwam met grote passen binnenlopen, zijn handen in zijn zakken en een gezicht dat op onweer stond.

De agenten keken naar hem.

'U mag er niet in.' Ze zwaaiden even met hun pasje. 'We zijn aan het werk.'

'Dit is mijn huis.'

'Uw vrouw heeft ons de sleutel gegeven.'

Birk Larsen maakte een gebaar met zijn duim naar de deur, keek ze alle drie aan en zei: 'Eruit.'

'We moeten het huis doorzoeken,' zei een van de agenten.

'Wegwezen!' riep Skærbæk.

De agent haalde een vel papier uit zijn zak. Het was een jong, iel ventje. Dat waren ze allemaal.

'We hebben een huiszoekingsbevel.'

'Dat huiszoekingsbevel van jou kan mij geen reet schelen.'

Twee stappen naar voren. De drie agenten deden een stap naar achteren.

'U moet weggaan,' zei een van hen voorzichtig.

'Hebben jullie Leon al te pakken?' riep Skærbæk. 'Heb je iets gevonden? Het is een huis, klootzakken! Jullie hebben geen respect. Geen fatsoen…'

Een vierde agent kwam vanuit de kelder naar boven rennen.

'Daar is niemand.'

'Mooi,' zei de jonge agent. 'Dan komen we later terug.'

Birk Larsen maakte een dreigend gebaar met zijn vuist voor het gezicht van de man.

'Jullie komen niet bij ons in de buurt tot jullie met onze advocaat hebben gesproken. Begrepen?'

Ze keken de agenten na. Toen rende Skærbæk naar beneden, de kelder in. Hij keek om zich heen en kwam weer naar boven.

'Ze hebben er geen al te grote rotzooi van gemaakt, Theis.'

Birk Larsen had zich amper verroerd. Hij stond daar verstijfd van woede, met een sterk besef van zijn eigen machteloosheid.

'We kunnen de kamers van de jongens gaan in orde maken,' voegde Skærbæk eraan toe. 'Ik heb al een hoop rotzooi weggehaald. Al die zooi in de kelder.'

'Welke zooi?'

'De luiken. Het kapotte sanitair uit de badkamer.' Skærbæk stak zijn handen in zijn zakken en keek hem aan. 'Die vieze oude matras. De kinderen hoeven al die zooi niet te zien.'

Weer een tv-studio. Weer een wedstrijdronde met Poul Bremer.

Hartmann maakte zich klaar in zijn kantoor, Morten Weber hielp hem de juiste kleding uit te zoeken.

Dit keer niet te jong. Een stemmig grijs pak, onberispelijk wit overhemd, donkere das.

Hartmann bekeek zichzelf in de grote passpiegel in de garderobe van het kantoor. Hij keek naar Webers vermoeide gezicht.

'Kunnen we dinsdag nog winnen, Morten?'

'Wonderen bestaan. Dat zegt men tenminste.'

'Hoe dan?'

Weber keek afkeurend naar de das en zei tegen Hartmann dat hij iets vrolijkers moest nemen.

'Wat vindt Rie ervan?'

'Ik vraag het aan jou.'

'Als Bremer een fout maakt, komen de stemmen naar jou toe. Soms worden de verkiezingen niet zozeer gewonnen maar verloren. Dit is een race tussen twee wedlopers. De kleine partijen kibbelen zoals gewoonlijk onder elkaar wat af. Maar zij doen niet meer mee. Het gaat erom spannen, zoveel is zeker. Dus…'

En daar bleef het bij.

'Dus wat?'

'Dus hou je hoofd koel, speel het eerlijk en laten we bidden dat híj dit keer tegen de ijsberg loopt, niet wij.' Weber zweeg even. 'Ik vind dat je wel een beetje onder de indruk mag zijn van de voor mijn doen ongelooflijk optimistische inschatting van onze kansen.'

Hartmann lachte.

'Dat ben ik ook, echt, Morten. Die klootzak van een Salin zit me nog steeds door te zagen over die stomme bewakingsvideo.'

Weber glimlachte, maar ongemakkelijk.

'Iemand heeft hem bij de beveiliging weggepakt,' zei Hartmann. 'Iemand heeft hem naar de politie gestuurd. Iemand heeft mensen weggehouden bij Store Kongensgade. Of heeft dat in ieder geval geprobeerd te doen. Vraag het maar aan Lund.'

Weber keek toe terwijl Hartmann een nieuwe das om deed en knikte toen.

'Waarom laten we sommige dingen niet gewoon voor wat ze zijn?'

'Omdat we dat niet durven. Wat is er mis?'

'Er is niets mis. Ik heb de boeken nagetrokken. Het enige pakje dat die dag vanaf hier verzonden is, was er een van Rie. Er staat niet bij waarnaartoe. Ik weet zeker dat het een gewoon routinedingetje was.'

Het overhemd was nieuw. Het kaartje zat nog aan een knoopje. Weber haalde een nagelschaartje, knipte het draadje door en plukte het weg.

Hij keek naar Hartmanns handen en gaf hem het schaartje aan.

'Kun jij ook wel gebruiken, Troels. De mensen letten tegenwoordig op alles.'

'Heeft Rie een pakje verstuurd? En zij was degene die de boekingen voor de flat regelde.'

'O, laat zitten, ja? Er waren helemaal geen boekingen.'

'We hebben op andere plekken vergaderd. Dat heeft Rie toch ook geregeld?'

'Dat weet ik niet en het kan me niet schelen. We hebben andere dingen aan ons hoofd.' Morten Webers gezicht klaarde op. 'Maar... ik heb ook goed nieuws.'

'Wat dan?'

'Bremer heeft Phillip Bressau net ontslagen.' Weber haalde zijn schouders op. 'Geen idee waarom. Hij is een van de besten in zijn team. Ik persoonlijk zou zo iemand niet zes dagen voor de verkiezingen willen verliezen.'

Hartmann kon niet meer goed nadenken.

'Je ziet er goed uit, Troels,' zei Weber. 'Glimlach in de camera en laat je niet stangen. Veeg de vloer aan met die ouwe klootzak.'

Toen hij de lange gang door liep, de trap met de bruine tegels af, ging zijn mobiel over.

'Troels! Je had me gevraagd je te bellen.'

Het was Salin.

'Ik heb met m'n advocaten gesproken, Erik. We zullen je persoonlijk aansprakelijk stellen als je die leugens publiceert. En de krant ook.'

Gelach aan de andere kant van de lijn.

'Ik probeer je in wezen te helpen! Snap je dat niet?'

'Op de een of andere manier is me dat ontgaan.'

'Je bent niet dom. Je weet dat iemand heeft geprobeerd het een en ander af te dekken. Misschien zonder dat jij ervan wist, dat weet ik niet. Maar het is wel gebeurd.'

'Genoeg. Geen telefoontjes meer. Geen vragen. Geen communicatie tussen ons. Begrepen?'

Hij bleef boven aan de brede trap staan, onder de in smeedijzer gevatte lampen, bij de schildering van de zeeslag die het grootste deel van de hoge muur bedekte.

Rie Skovgaard stond onder aan de trap met haar jas aan, op het punt om te vertrekken. En Phillip Bressau ook. Ze stonden met z'n tweeën op het blauwe kleed met het wapen van Kopenhagen: drie torens boven de golven.

Ze hadden ruzie. Bijna slaande ruzie. Hartmann zag hoe Bressau haar bij haar kraag greep en vervolgens bij haar rode sjaal. Ze deed een stap naar achteren en schold hem uit.

Hartmann had haar nog nooit zo kwaad gezien.

'Hartmann?' klonk de stem van Salin in zijn oor. 'Ben je er nog?'

Skovgaard stormde weg. Bressau bleef daar staan en riep haar verwensingen na terwijl ze naar de uitgang van het kantoortje van de beveiliging rende. Toen pakte hij zijn koffertje op en keek om zich heen.

Hij keek omhoog langs de trap en zag Hartmann staan.

Met een kwaad gezicht liep hij de andere kant op, naar de hoofduitgang.

'Je hebt me gehoord,' zei Hartmann en hij beëindigde het gesprek.

Martin Frevert zat in Lunds kantoor en schrompelde ineen onder haar vragen.

'We hebben alle bijzonderheden. Je hebt een auto via internet gehuurd. Die is bij een benzinestation bij Valby opgehaald.'

'En wat dan nog? Die was voor mijn bedrijf.'

'Waar zit je broer?'

'Dat heb ik al gezegd. Ik weet het niet.'

Papieren op het bureau. Ze duwde ze naar hem toe.

'Je hebt tweeëndertigduizend kronen van de bank opgenomen. Was dat ook voor je bedrijf? Ik heb hier geen tijd voor. Ik kan je meteen laten opsluiten wegens medeplichtigheid aan moord, hoor. Dat zou ons allemaal een hoop tijd schelen.'

Stilte.

'Oké,' zei ze. 'Dat was het dan. Je bent gearresteerd.'

'Ik heb hem het geld niet gegeven!'

Hij haalde een envelop uit zijn jaszak en gooide die voor haar op het bureau.

'Mooi. Waar hebben jullie afgesproken?'

'Hoor eens. Leon is een beetje gestoord, maar hij heeft dat meisje niet vermoord. Hij doet nog geen vlieg kwaad.'

'Je hebt er geen idee van hoe vaak ik dat al heb gehoord. Waar hebben jullie afgesproken?'

Stilte.

'Mijn collega is gisteravond neergeschoten,' zei Lund. 'Als je je broer wilt helpen, dan moet je ervoor zorgen dat ik hem eerder vind dan...' ze wees naar het raam, '... dan iemand daarbuiten.'

'Hij is niet bang voor jullie.'

'Voor wie dan wel?'

'Dat weet ik niet. Leon is ergens bij betrokken. Hij is niet zo slim. Als hij ergens een kansje ziet...'

'Waar is hij bij betrokken?'

'Ik denk dat het om smokkel gaat. Toen ik hem sprak, kreeg ik de indruk dat hij zich daar zorgen over maakte.'

'Niet over ons?'

'Nee.' Hij zei dat nadrukkelijk. 'Leon zegt dat hij geprobeerd heeft jullie te helpen. Maar dat jij het steeds verpest.'

'Waar hebben jullie afgesproken? En wanneer?'

'Hij is mijn broer. Ik wil niet dat hem iets overkomt.'

'Ik wil dat ook niet. Waar is hij?'

Martin Frevert staarde naar de envelop op de tafel.

Lund keek op haar horloge.

Het huis in Humleby was in duisternis gehuld. Het zag er te groot, te koud, te stoffig en te kaal uit voor een zevenjarige met een levendige fantasie.

Anton liep naar binnen, stapte voorzichtig over de dekzeilen op de vloer.

Hij luisterde.

Ze hadden het over allemaal dingen die er niet waren. Over speelgoed en meubels, bedden en fornuizen, wc's en koelkasten.

Dingen voor volwassenen.

Het was een koude, sombere plek en hij vond het er afschuwelijk.

'Wat een rothuis,' zei Anton.

Zijn vaders gezicht werd rood van ergenis, zoals zo vaak.

'Vind je?'

'Ik wil hier niet wonen.'

'Tja, dat gaat wel gebeuren.'

De jongen liep naar de trap, zocht het lichtknopje, knipte het aan en keek naar beneden.

Een kelder.

Dat was iets nieuws.

Een stem klonk achter hem.

'Laat hem maar, Theis.'

Hij ging de trap af en keek om zich heen.

Zijn moeder riep: 'Emil, kom eens naar je slaapkamer kijken. Hij is leuk.'

Voetstappen op de houten planken boven zijn hoofd.

Drie verdiepingen en een kelder. Eén verdieping en een garage was genoeg. Dat was hun echte huis.

Het zwakke licht van een straatlantaarn viel naar binnen door een paar kleine, blauwgekleurde ruitjes. Genoeg om te kunnen zien dat de kelder vol rotzooi stond en dat het er heel stoffig was. Er waren waarschijnlijk ook ratten. En andere dingen die zich in het duister verschansten.

Een barbecue. Hij liet zijn vingers over het deksel glijden. Keek naar het spoor dat achterbleef in het stof. Een voetbal, wit met zwart, die in een doos geduwd was.

Anton pakte hem eruit en schopte ertegen. Hij keek hoe de bal van de kale grijze muren afstuiterde.

Hij richtte op de gereedschappen, schopte de bal van de ene kant van de kelder naar de andere.

Een hoop lawaai van metaal dat omviel.

Hij keek omhoog. Hij kon de uitdrukking op het rood aangelopen gezicht van zijn vader al voor zich zien.

Niet aankomen. Geen rotzooi maken. Hou op met friemelen. Bemoei je er niet mee.

Niets doen, want als je iets doet loopt dat ongetwijfeld verkeerd af.

Hij ging de bal zoeken, voorzichtig stappend zodat niemand hem zou horen.

Het geluid was veroorzaakt door een roestig stuk blik dat van de muur gevallen was. Het blauwe licht van het kleine raampje viel er precies op. Hij zag buizen en plugkranen en de onderkant van een of ander apparaat. Een boiler misschien.

Iets anders. Klein, van karton. Roodbruin met een gouden wapen.

Hij pakte het op en sloeg het open.

Een glimlachende Nanna.

Hij trilde een beetje toen hij het opgedroogde bloed zag, als een rood poeltje in de hoek.

Hij dacht aan zijn vader vlak boven hem. Wat die zou zeggen en wat die, in zijn woede, zou kunnen doen.

Hij staarde naar de foto.

Een glimlachende Nanna.

'Anton!'

De zware stem was luid, op het randje van boos.

'We gaan pizza halen. Heb je honger of niet?'

Niet mee bemoeien. Niet kijken. Niets doen.

Het was Nanna's paspoort. Hij wist hoe een paspoort eruitzag omdat ze, niet zo heel lang geleden, hem het boekje had laten zien dat nu vuil en met bloed bevlekt in zijn trillende hand lag. Ze had hem laten zweren dat het een geheim was dat hij aan niemand mocht vertellen, zelfs niet aan die kletskop van een Emil.

'Anton!'

Nu echt boos.

Hij legde het paspoort onder de oude buizen, pakte voorzichtig het blikken deurtje op en duwde het terug op zijn plek, zonder geluid te maken.

Toen liep hij naar boven, keek naar zijn vader die kwaad stampvoette.

'Wat een rothuis,' zei Anton weer.

Martin Frevert had met zijn broer op een Russische coaster afgesproken die aangelegd was aan een van de verste kades in het uitgestrekte havengebied ten noorden van de stad.

Lund liet zich er door Svendsen heen rijden en deelde de hele weg ernaartoe instructies uit. Niet benaderen zolang zij er nog niet was. Patrouilleboten achter de hand houden.

De strekdam was in duisternis gehuld en verlaten. Eén vaartuig lag aan het eind. Oud, rood, roestig. De naam Alexa stond op de boeg.

Drie burgerauto's stonden er al toen ze aankwam. Geen lichten, niets dat de aandacht trok.

De arrestatieteamleider, in het zwart met een halfautomatisch geweer onder zijn arm, liep haar tegemoet.

'We hebben de huurauto,' zei hij. 'Hij staat achter een van die containers. Niets in aangetroffen. We hebben licht aan boord gezien. Hij moet er nog zijn.'

Lund keek om zich heen.

'Mooi,' zei ze. 'Ik wil niet dat dit een schietpartij wordt. Ik moet met hem praten.'

De man zag er in zijn uitrusting uit alsof hij klaar was voor een oorlog.
'En dat meen ik,' zei Lund.

'Ongetwijfeld.'

'Ik ga alleen naar binnen en probeer met hem te praten.'

'Wat?'

'Je hebt me wel gehoord. Als hij de benen wil nemen, arresteer hem dan. Hij kan hier nergens naartoe.'

Ze keek om zich heen. Het was donker en stil. De man van het arrestatieteam klonk verstandig. Ze hadden het onder controle.

Lund wilde naar het gangboord van de coaster lopen.

Lichten achter haar. Er kwam een auto recht op haar af.

Hij kwam dichterbij.

Nog dichterbij.

Ze draaide zich razendsnel om. De auto reed nog steeds op haar af. Lund sprong ervoor. Luisterde woedend naar het gepiep van de remmen. Ze sloeg op de motorkap en gilde: 'Hé, wat moet dit voorstellen?'

De man van het arrestatieteam stond al naast haar, met een paar van zijn mannen.

Lund liep om de auto heen naar het portier van de bestuurder.

'Politie,' wilde ze zeggen.

Een lange man in een lange regenjas stapte achter uit en zwaaide met zijn ID-bewijs.

Hij duwde het pasje zowat in haar gezicht.

'We zijn van het OM.'

'Dat kan me geen reet schelen. We zitten midden in een actie. Doe die koplampen ogenblikkelijk uit.'

'Lund?'

'Dat ben ik, ja.'

'We zijn een onderzoek begonnen…'

'Heel indrukwekkend. Wij willen een moordverdachte arresteren, dus stap in je auto en vertrek. Ik zie je morgenochtend op mijn kantoor.'

Er kwam een andere man bij hem staan. Korter, zwaarder, met een baard en erg tevreden met zichzelf.

Deze herkende ze. Bülow. Ooit politieman. Nu bij het OM.

'Nee, dat gaat niet door, Lund,' zei hij terwijl hij het portier openhield. 'Jij komt nu met ons mee.'

'Jullie hebben mijn verslag.'

'Instappen…'

'Praat dan met Meyer,' zei ze gedachteloos.

Bülow kwam voor haar staan. Zijn ogen achter de montuurloze brillenglazen waren koud.

'Dat zal moeilijk gaan.'

'Ik heb met de chirurg gesproken. Hij zou nu ongeveer bij moeten komen. Hoor eens…' Ze wees naar de coaster. 'We hebben de hoofdverdachte in de Nanna Birk Larsen moordzaak klem. Willen jullie dus zo vriendelijk zijn om op te hoepelen?'

'Draag het bevel aan iemand anders over. Jij…'

'Bel Brix dan!' brulde ze.

'Praat zelf maar met hem.'

De lange man gaf haar zijn telefoon.

'Brix?'

Het bleef lang stil.

'Wat is er aan de hand?' vroeg ze.

'Meyer is drie kwartier geleden weer onder het mes gegaan. Het was niet zo simpel als het leek.'

'Wat bedoel je?'

'Hij is in coma. Aan de beademing. Zijn familie is hier. Er moeten…'

Ze keek naar de coaster in de donkere nacht.

'… beslissingen genomen worden.'

Nu wist Lund het weer. Ze lieten het Bülow opknappen als ze politiemensen wilden vervolgen.

Ze vroeg zich af wat ze zouden doen. Haar armen grijpen? Haar hoofd naar beneden duwen als ze haar achterin schoven, zoals ze bij alle arrestanten deden?

'Je moet met ze meegaan.'

'Meyer…'

'Je hebt nu niets aan Meyer. Het spijt me. Het is…' Ze dacht dat ze zijn stem hoorde breken. 'Het is niet goed. De hele zaak niet.'

Haar vingers werden slap. De telefoon viel uit haar hand en kletterde op de vochtige keien van de pier.

'Stap in, Lund,' zei iemand.

Bülow ijsbeerde door de kamer terwijl hij de vragen stelde. Zijn collega maakte aantekeningen.

'Vertel het nog eens. Jij was in die opslag aan de telefoon. Je hoorde een schot en toen nog een.'

Ze waren in haar kantoor. Meyers kantoor. Het speelgoedpolitieautootje stond op het bureau. Het basketbalnetje hing aan de muur.

'Je treft Meyer gewond op de begane grond aan.'

Lund huilde zachtjes en veegde haar ogen met de ruwe mouw van de zwart-witte wollen trui af. Ze dacht aan Meyer, aan zijn vrouw Hanne. Aan een tweesprong.

'Hoe is het met hem?'

Kille ogen achter montuurloze brillenglazen die haar constant in de gaten hielden.

'De chirurg verwacht niet dat hij nog bijkomt. Dus hebben we alleen jou. Jouw kant van het verhaal, Lund. Dat is alles.'

De lange man zei: 'We willen alleen een paar vragen beantwoord hebben. Dan kun je gaan.'

De dikke keek geërgerd naar de lange, ging zitten en keek haar toen kwaad aan.

'Het was jouw idee om daarnaartoe te gaan? Heb je het aan Brix gemeld?'

'Nee. Hij had geen dienst. Er was geen reden toe.'

Ze keek hen aan.

'Die dokter was optimistisch.'

Of dat had ze misschien alleen maar gedacht. Misschien...

Bülow negeerde haar opmerking en begon opnieuw.

'Je hebt je pistool in het dashboardkastje laten liggen? Waarom was dat kastje niet afgesloten?'

'Omdat Meyer in de auto zat.'

'Hoe wist hij dat je pistool daar lag?'

'Omdat we samenwerken.'

'Dus hij pakte jouw pistool. En iemand die jij niet gezien hebt, heeft het hem afgenomen en hem ermee neergeschoten.'

Lund kon de herinnering aan Meyer niet van zich afzetten. Die wijd open bloeddoorlopen doodsbange ogen, hoe hij in de ambulance bij de reanimatie omhoog schokte.

'Heb je hem niet gezien?'

Ze veegde haar neus met de rug van haar hand af.

'Ik hoorde voetstappen. Toen ik op de begane grond aankwam, reed er buiten een auto weg.'

'Heeft Meyer hem gezien?'

'Dat weet ik niet. Hoe kan ik dat ook weten? Misschien wel.'

'Maar je bent er zeker van dat het Frevert was?'

Ze sloot haar ogen, kneep ze dicht en probeerde de tranen terug te dringen.

'Ik heb hem niet gezien, Bülow. Maar wie kan het anders geweest zijn?'

'Niet zo bijdehand. Als jij niemand hebt gezien, dan kun je niet weten of Meyer je wapen heeft gepakt. Of dat de schutter het gepakt heeft.'

Lund keek hem aan. Dit raakte Bülow allemaal niet. Hij stond ver van haar af. En van Meyer. Hij wist niet hoe het zou moeten zijn. Hoe zij zich over Nanna Birk Larsen moest voelen maar het niet kon.

'Waarom vraag je het niet aan Leon Frevert? Ik wil nu graag weg.'

Brix stond aan de andere kant van de glazen ruit te telefoneren en gebaarde naar de twee mannen van het OM.

Bülow ging naar buiten en sprak even met hem.

De lange keek naar de deur en maakte van de gelegenheid gebruik om iets te zeggen.

'Ik weet dat het moeilijk is om hierover te praten. Maar wij moeten ons werk doen. Dat zul je begrijpen.'

'Ik ben hier uitgepraat. Jullie weten waar jullie me kunnen bereiken.'

Ze stond op, pakte haar tas en merkte dat ze weer huilde. Bülow kwam binnen.

'Dus jij blijft bij je verklaring, Lund?'

'Jezus nog aan toe! Natuurlijk blijf ik daarbij. Ik heb je de waarheid verteld.'

'Oké. Pak je jas. We gaan.'

Ze reden terug naar de pier. De regen kletterde in deprimerende vlagen neer. Twee keer zoveel politieauto's als daarvoor. Schijnwerpers. Politielint. De technische recherche.

Over het gangboord naar boven. De coaster zag er zo oud en vervallen uit dat hij amper zeewaardig leek. Over het houten dek. Het schip rook naar gemorste olie en naar verf.

'De kustwacht zegt dat ze dit schip al achttien maanden onder toezicht houden,' zei Bülow terwijl ze naar binnen liepen. 'Mensensmokkel. Drugs. De bemanning is er op een gegeven moment vandoor gegaan. We zoeken ze nog.'

'En hoe zit het met hun contacten hier?'

'Daar wordt aan gewerkt. Alles op zijn tijd.'

Hij deed een zware metalen deur open en glimlachte naar haar. Ze begreep niet waarom hij opeens zo aardig deed.

'Het ziet ernaar uit dat je gelijk had wat Leon Frevert betreft.'

In het vertrek, zo te zien de kaartenkamer, stonden politiemensen over zeekaarten gebogen.

'Ze waren van plan om morgen naar Sint-Petersburg uit te varen. De bemanning is aan land gegaan om zich voor de gelegenheid vol te laten lopen. Dat soort types...'

'Dus...?'

Ze gingen een andere deur door, een trap af. Een open trap dit keer. Een oude computer. Een brandblusapparaat. Radio's. Russische teksten op de wandbordjes.

Het heldere licht van flitsende camera's.

Ze waren twee niveaus onder het dek en stonden onder een luik dat openstond en waarboven de donkere lucht te zien was. In de opening zwaaide een lichaam heen en weer.

De voeten hingen naar beneden, het lichaam deinde zachtjes mee op de bewegingen van het schip.

Lund liep rond. Dacht na. Keek.

Een grijs pak, een grijs gezicht. Leon Frevert zag er dood niet veel anders uit dan levend, zelfs met die strop om zijn magere nek.

Het touw liep naar de verdieping erboven. Helderblauw. Een scheepskabel. Twee agenten deden hun best het lichaam opzij te trekken om het binnen te halen.

'Misschien dacht hij dat de bemanning niet terugkwam,' zei Bülow. 'Er zijn hier te veel dingen die hij niet onder ogen wilde zien.'

Hij had een stukje papier in een plastic bewijsmateriaalzakje.

'Dit komt nog het dichtst in de buurt van een bekentenis.'

Ze nam het zakje aan. Er stond één woord op, in een kinderlijk handschrift, alleen in hoofdletters.

SORRY.

'Sorry,' zei Lund.

Ze staarde naar Bülow.

'Sorry? Is dat het?'

'Wat wil je nog meer? Alle details?'

'Meer dan dit…'

'Hij had een bonnetje in zijn zak.'

Weer een plastic zakje.

'Leon Frevert heeft ongeveer dertig kilometer van de opslag waar Meyer is neergeschoten getankt. Twaalf minuten voordat jij de ambulance belde.'

Ze tuurde op het stukje papier.

'Zo hard rijdt niemand, Lund.'

'Misschien klopt het bonnetje niet.'

'We hebben hem daar op video. Met z'n auto.'

Te veel ideeën, te veel mogelijkheden verdrongen elkaar in haar hoofd.

'Dit kan niet kloppen.'

Ze keek naar het lijk dat boven hen heen en weer zwaaide. Ze hadden het eindelijk te pakken, grepen Frevert bij zijn jasje en trokken hem naar zich toe.

'Ik vraag het je voor de laatste keer,' zei Bülow. 'Wil je je verklaring herzien?'

Pernille was in de keuken opgewekt brooddeeg aan het kneden terwijl Birk Larsen door de kamer beende en plannen maakte.

'Als alles goed gaat kunnen we volgend weekend verhuizen. Ik moet de verwarming nog doen…'

Ze rolde het zachte deeg uit.

'Anton is echt van streek over de verhuizing.'

'Dat is wat nieuws!' mopperde Birk Larsen. 'Hij trekt wel bij.'

'Het lijkt me een goed idee om een hond te nemen.'

'Ik dacht dat die voor Emil was?'

'Het is een hond, Theis. Ze zullen er allebei gek op zijn. Anton kan hem voor zijn verjaardag krijgen.'

Hij knipoogde.

'In dat geval kun je beter wat zachter praten.'

'Ze zijn beneden in de garage aan het spelen. Ze kunnen ons niet horen.'

Hij ging voor haar staan, pakte een stukje deeg van haar vingers en stak het in zijn mond.

Ze keek in zijn toegeknepen ogen. Keek in zijn slordig geschoren gezicht. Theis was op een bepaalde manier nog steeds een jongen. Ruw en onaf. Hij had iets nodig. Meestal was zij dat.

Pernille sloeg haar armen om hem heen, kuste zijn stoppelige wang, fluisterde: 'We worden nooit meer zoals we vroeger waren, toch? Nooit meer?'

Hij legde zijn rechterhand op haar kastanjebruine haar, pikte met zijn linker nog een stukje deeg.

'We worden weer wie we waren. Dat beloof ik je.'

Ze hield hem stevig vast, met haar gezicht tegen zijn brede borst en luisterde naar het ritme van zijn ademhaling. Ze voelde het leven in hem, en zijn kracht.

Beneden speelde Skærbæk met het nieuwste speeltje. Een zwarte auto die op batterijen reed en aangestuurd werd met afstandsbediening. De auto reed door de garage tussen de kratten en de bestelbusjes door.

Anton had de afstandsbediening in handen. Skærbæk was het doel.

De auto reed naar voren en naar achteren over het beton. Skærbæk sprong gillend op en neer om hem te ontlopen.

Eindelijk botste de auto tegen zijn witte sportschoenen aan.

'Raak!' riep Skærbæk. 'Ik ben dood!'

Daar stond hij. Hij sperde zijn ogen wijd open en liet zijn tong uit zijn mond hangen.

Anton lachte niet.

'Gaaf, toch?' zei Skærbæk. 'Je kunt er in het nieuwe huis in de tuin mee rijden.'

'Mag ik hem mee naar boven nemen, oom Vagn?'

Skærbæk pakte het ding van de vloer en stak hem Anton toe.

'Hij is van jou. Je mag ermee doen wat je wilt.'

Anton graaide ernaar. De man in de rode overall hield het ding buiten zijn bereik.

'Als je in het nieuwe huis woont.' Hij hurkte bij de jongen neer en keek hem in zijn ogen. 'Iedereen wordt zenuwachtig van grote veranderingen.'

'Jij ook?'

'Ja. Als je niet weet wat er gaat gebeuren. Maar het is ook leuk om iets anders te doen. Jij zou...'

'Er is iets in de kelder.'

Stilte.

'Wat bedoel je?'

'Nanna's paspoort. Met bloed erop.' Anton keek bang. 'Niet aan papa zeggen. Dan krijg ik moeilijkheden.'

Skærbæk lachte en schudde zijn hoofd.

'Waarom zeg je dat soort dingen?'

De jongen graaide weer naar de auto. Skærbæk hield hem buiten zijn bereik.

'Anton... het komt doordat je bang bent om te verhuizen. Je hoeft niet bang te zijn. Je moet altijd de waarheid zeggen. Niet liegen.'

De jongen sloeg zijn armen over elkaar.

'Ik lieg niet. Ik zag het in de kelder.'

Hij stak vervolgens zijn hand uit en pakte de auto. Skærbæk hield hem niet tegen. Toen liep Anton de trap op.

De jongens lagen in bed. Ze zaten met z'n drieën om de keukentafel met voor hen de vuile borden en bestek.

Birk Larsen zat met een kwaaie kop te roken.

'Wat heeft Anton nog meer gezegd?' vroeg Pernille.

'Niets,' zei Skærbæk. 'Alleen dat hij Nanna's paspoort daar heeft gezien.'

'Die stomme kinderen,' bromde Birk Larsen. 'Ik ben er honderden keren geweest en ik heb het nooit gezien. Jij?'

'Hij is nerveus, Theis, meer niet. Het is hem aangevlogen. God weet... het heeft ons allemaal aangegrepen, toch?'

'Waar?' vroeg Pernille.

'Hij zei dat het in de kelder was. Daar lag niet veel. Alleen wat troep die ik er gisteren heb neergezet.'

'Waarom zou haar paspoort daar in de kelder liggen?' vroeg Birk Larsen. 'Nanna wist helemaal niets van Humleby.'

'Ik kan wel even gaan kijken, als je wilt.'

'Daar is niets, Vagn.'

Pernille masseerde haar slapen. De geur van vers brood was uit de keuken verdwenen. Nu rook het er alleen nog maar naar sigarettenrook en zweet.

'Maar waarom,' vroeg ze terwijl ze haar best deed zich te beheersen, 'zei hij dan dat het daar lag?'

'Het is Anton die het zegt! Die kan wel zoveel zeggen. Ik wil niet dat hij dit soort flauwekul verzint. Ik praat morgen wel met hem.'

Ze liet zich niet het zwijgen opleggen.

'De politie heeft dat paspoort nooit gevonden. Ze hebben ons er steeds weer naar gevraagd.'

Hij keek haar strak aan. De andere Theis. De kille Theis die zei: vraag niets, kom niet bij me in de buurt.

'Ik zou het prettig vinden als je er niet met Anton over praat,' zei Skærbæk. 'Ik heb beloofd...'

Pernille viel hem meteen in de rede.

'Natuurlijk moeten we met hem praten. We gaan er morgen heen om te kijken. Ik wil weten...'

'Het is er niet!' bulderde Birk Larsen.

Ze sloot haar ogen even en bedwong haar woede.

'Het is er niet,' zei hij rustiger nu. 'En morgen is hij jarig.'

'Theis...'

Zijn grote handen sneden door de lucht boven de tafel.

'En daarmee,' zei Birk Larsen, 'basta.'

In de grote tv-studio op Amager, vlak voor de uitzending van het grote verkiezingsdebat, nam Poul Bremer de bijzonderheden met het productieteam door.

'Ik ben de grootste partij. Ik kom het laatst,' zei Bremer.

De producer zag er niet uit alsof hij dat tegen wilde spreken.

'We hadden afgesproken,' zei Rie Skovgaard, 'dat we om de volgorde zouden loten.'

'Daar heb ik nooit mee ingestemd. We doen het zoals we het altijd gedaan hebben. De grootste partij heeft het laatste woord. Dat zal...'

Zijn telefoon ging over. Bremer liep weg om het gesprek aan te nemen.

'Misschien moeten we afzien van het loten,' zei de producer. 'Het gaat problemen geven.'

'We hadden een afspraak.'

Bremer luisterde gespannen naar wat er aan de andere kant van de lijn gezegd werd en keek naar Skovgaard.

'Over tien minuten zijn we in de lucht,' zei de producer.

Poul Bremer kwam aangelopen, een en al glimlach en vriendelijkheid.

'Laten we toch maar loten. Ik heb het gevoel dat het mijn geluksdag is.'

Grijze ogen op Skovgaard gericht.

'Als we hier klaar zijn valt er toch nergens meer om te dobbelen.'

Hartmann zat nog in zijn kleedkamer en telefoneerde met Morten Weber op het stadhuis.

'Waarom is Bressau ontslagen, Morten? Ik wil de waarheid weten.'

'Ik denk dat hij de boel volledig verknald heeft. Maar moet jij niet bijna op tv?'

'Waarom is hij ontslagen?'

Weber aarzelde.

'Het gonst hier altijd van de geruchten. Als je die allemaal moet geloven…'

'Zeg me verdomme hoe het zit! Ik ben net weer gebeld door die klootzak Salin. Die schettert dat hij me aan de kaak gesteld heeft. Hij wil niet zeggen waarmee. Bremer weet het wel en is van plan dat na het debat te vertellen. Ik moet het weten. Wat is het?'

'Hij probeert je gewoon op stang te jagen. En met succes, zo te horen.'

'Waar heeft Rie dat pakje naartoe gestuurd? Naar Lund?'

'Ik weet het echt niet, en eerlijk gezegd ga ik dat ook niet uitzoeken. Ik heb wel wat beters te doen.'

'Kan Rie mensen uit de flat hebben gehouden?'

'Natuurlijk kan dat. Iedereen op kantoor kan dat doen.'

'Heb jij nagetrokken wat ze die vrijdagavond heeft gedaan?'

'Het is mijn taak niet om mensen te bespioneren.'

'Ik vroeg…'

'Nee, Troels. Ik speel dit spelletje niet mee. Basta.'

Er werd opgehangen. Toen hij zich omdraaide zag hij Rie Skovgaard in de deuropening staan.

'Alles goed?' vroeg ze. 'Het is tijd.'

Hij gaf geen antwoord.

'Dit is het laatste tv-debat in de campagne.' Ze was weer helemaal de professional, keek hem recht aan. 'De indruk die de mensen vandaag van je krijgen, nemen ze mee naar het stemhokje.'

Weer een product dat verkocht moest worden. Een marionet voor haar vader om vanuit het parlement te manipuleren.

'Alle peilingen wijzen uit dat het tussen Bremer en jou gaat. De kleine partijen kunnen niemand overtuigen. Het gaat om jullie tweeën.'

Hij knikte.

'Als ze over de moord beginnen,' zei hij, 'hou je dan aan wat we afgesproken hebben. Je doet wat je kunt om bij het onderzoek te assisteren. Je bent nieuw. Jij staat voor eerlijkheid en transparantie. Bremer is degene met onfrisse geheimen. Laat je niet afleiden… verdomme, Troels, luister je wel?'

Hij keek naar de studio. Bremer stond er vol zelfvertrouwen te stralen.

'Troels, dit is belangrijk.'

Ze zweeg, ze leek niet op haar gemak. Een productieassistente kwam binnen om hem te vragen naar de studio te komen.

Hartmann stapte de lichtkring in, draaide zich om en keek naar Rie Skovgaard in de duisternis.

'Ik weet wat je gedaan hebt.'

'Wat...?'

'Ik weet er alles van. Bremer weet het ook.'

Geen antwoord.

'Over Bressau. Over de bewakingsvideo.'

Ze stond stokstijf, ze vertoonde geen enkele emotie en hield haar ogen op hem gericht. Ze zei niets.

'Over hoe jij geprobeerd hebt mensen uit de flat te houden.'

'Nee, nee. Het is niet wat je denkt.'

De productieassistente kwam weer terug.

'We zijn in de lucht, Hartmann. Als je mee wilt doen, kom er dan bij.'

'Troels!'

Hij liep de lichtkring in en ging zitten.

Het live debat was al tien minuten aan de gang en er werd gesproken over belastingverhogingen. Hartmann kon zijn ogen niet van de oude man twee stoelen verderop afhouden. Hij zag eruit alsof hij al gewonnen had. Hij kon niet wachten om triomfantelijk glimlachend de raadzaal in te lopen. Weer vier jaar op zijn glanzende troon.

Toen kwam het.

'Belastingen zijn belangrijk,' zei Bremer op de rustige, gezaghebbende toon die hij zich had eigen gemaakt in de drie decennia waarin hij de politieke kringen van Kopenhagen had moeten bewerken. 'Maar minstens zo belangrijk is het karakter van degenen die we kiezen om ons te vertegenwoordigen.'

Hij keek recht de camera in.

'De moord op Nanna Birk Larsen...'

'Hoho,' onderbrak de gespreksleidster hem. 'We zijn hier om over politiek te praten.'

'Politiek gaat in de eerste plaats over ethiek en moraal,' zei Bremer met een blik naar Hartmann voor hij zich weer tot de camera richtte. 'De kiezers hebben het recht om te weten...'

Hartmann leunde achterover en luisterde.

Bremer straalde een soort stille verontwaardiging uit.

'Ik ben ervan beschuldigd informatie te hebben achtergehouden. Er is zelfs aangifte tegen me gedaan. En dat allemaal op instigatie van Troels Hartmann. Hartmann die zelf informatie heeft achtergehouden, die de voortgang van een moordonderzoek heeft belemmerd...'

Hartmann hief zijn vinger op, het ontbrak hem aan energie om Bremer daadwerkelijk te onderbreken. Hij betrapte zichzelf erop dat hij achterom-keek naar Rie Skovgaard bij de deur van de studio.

'Hoe kan het dat de partijflat ongebruikt is gebleven tot het team dat het moordonderzoek deed er binnenging?' vroeg Bremer. 'Hoe kan het dat een bewakingsvideo plotseling verdween en al net zo plotseling weer opdook? Hoe kan dat?'

Eindelijk kon Hartmann weer iets uitbrengen.

'De politie heeft me verzekerd dat de beschuldigingen van Bremer onge-grond zijn. Dit zijn de wanhopige pogingen van een man die alles zal doen om aan de macht te blijven.'

'Macht?' Bremer sprak enkele tonen hoger dan zijn normale register. Zijn gezicht was rood. Hij maakte zijn das los. 'Dan zijn ze verkeerd geïnformeerd. Als ze het bewijsmateriaal zien dat ik heb...'

De gespreksleidster kreeg het warm.

'Houdt het kort...'

'Dit raakt de kern van de zaak,' zei Bremer op schrille toon.

Hartmann verbaasde zich over zijn gemoedstoestand.

'Als jij zo overtuigd bent van je eigen verzinsels, Poul, ga dan naar de poli-tie. Ik ben niet bang voor de waarheid. In tegenstelling tot jou...'

'Jij schijnheilig zeikerdje,' voegde Bremer hem nijdig toe.

Stilte.

Toen zei Hartmann: 'Kopenhagen verdient politiek beleid, geen persoon-lijke vetes. Als de politie met me wil praten, dan weten ze waar ze me kunnen vinden.'

'Als ik klaar ben, zit jij weer in de cel, Hartmann. Waar je thuishoort...'

'Sorry hoor! Sorry, maar ik ben van alle verdenkingen verheven.'

Het werd nu een wedstrijd wie het hardst kon schreeuwen. De gespreks-leidster was de regie volkomen kwijt.

'Voor de uitzending...' begon Bremer.

'Dit komt er nou van als iemand twaalf jaar aan de macht blijft,' bulderde Hartmann tegen hem.

Bremer keek naar de vloer. Zijn gezicht was rood, hij ademde gejaagd.

'Ik heb informatie...'

'Nee, nee,' overschreeuwde Hartmann hem. 'Het enige wat jij kunt is met modder gooien. Je hebt het niet over de politiek. Dit is de burgemeester van Kopenhagen onwaardig. Jij bent niet geschikt voor die functie.'

'Niet geschikt?' riep Bremer fel met overslaande stem. 'Ik heb informa-tie...'

'Het systeem is volkomen vastgelopen,' onderbrak Hartmann hem. 'We leven onder een despoot, een zielige oude man die in plaats van het debat aan te gaan, politieke tegenstanders als pionnen gebruikt en dan zijn arrogantie op de kiezers afreageert.'

Bremer had zijn hand aan zijn hals. Hij rukte aan de boord van zijn overhemd en zei naar adem snakkend: 'Ik heb bewijzen dat…'

Hartmann sprong er meteen bovenop.

'Jij hebt helemaal niets. Jij probeert alleen het debat van je eigen falen af te leiden. En dat doe je nou altijd. Je probeert de schijnwerpers op anderen te richten om je eigen corruptie en gebrek aan visie te verbergen.'

Bremer staarde hem aan, hij had geen woorden en geen adem meer.

'Corruptie, Poul,' ging Hartmann verder op heldere, zelfverzekerde toon. 'Zo, ik heb het gezegd. De worm van de corruptie vreet aan je terwijl wij…'

'Ik heb bewijzen…' jammerde Bremer.

'Je hebt niets.'

Hij keek naar de oude man in het grijze streepjespak. Bremer greep zijn eigen rechterarm beet. Zijn mond stond open en bewoog.

'Ik…'

Poul Bremer slaakte een diepe, angstige jammerkreet en rolde van zijn stoel op de vloer van de studio.

De ogen van de staatsman stonden glazig achter zijn bril. Zijn gezicht was roerloos, zweetdruppeltjes pareldem op zijn voorhoofd.

Hartmann hurkte ogenblikkelijk naast hem neer en maakte zijn das los. 'Bremer?' zei hij. 'Bremer?'

Lund was terug in Bülows kantoor. Op de tweede verdieping van het politiebureau, aan de andere kant van moordzaken. Door een lange zwartmarmeren gang langs plekken waar ze nooit eerder was geweest.

'Waarom is Meyer niet met je mee naar binnen gegaan?'

'Hij dacht niet dat het de moeite waard zou zijn.'

'Heb jij hem een opdracht gegeven?'

'Nee. Ik wilde alleen even snel gaan kijken. Hij belde me om te zeggen dat hij had gezien dat er een ruit ingeslagen was. En dat hij licht zag van een zaklamp op de verdieping waar ik zat. Het was Freverts zaklamp, niet de mijne.'

Bülow ging zitten en keek haar aan.

'Freverts?'

'Oké. Sorry. Ik ben moe. Het was… het was de zaklamp van iemand anders.'

Hij keek tevreden.

'Dus we zijn het erover eens dat Frevert daar niet was, klopt dat?'

Hier had ze over nagedacht.

'Hij had ons meer te vertellen. Hij wilde alleen niet dat iemand dat wist. Frevert was bang voor iemand. Misschien heeft hij iets gezien wat hij niet had mogen zien.'

'Dus ook al heeft hij dat briefje geschreven, hij heeft Mette en Nanna niet vermoord?' vroeg Bülow.

'Je weet niet of híj dat briefje heeft geschreven. Je weet niet of hij zelfmoord heeft gepleegd.'

'Jouw carrière lijkt op wilde gokken gebouwd.'

'Nee,' zei Lund. 'Dat is niet zo. Iemand heeft in die opslagplaats ingebroken. Hij wist dat we daar naar iets zouden gaan zoeken. Er is ingebroken in de box met Mettes bezittingen. De inbreker moet iets meegenomen hebben waar wij naar op zoek waren.'

'Jij zou toch naar Zweden gaan, Lund? Wilde Meyer de zaak voor zichzelf?'

'Wat bedoel je? Hij wilde hem in het begin. Toen vroeg Buchard aan mij om hem te nemen...'

'Jullie kregen ruzie...'

'Natuurlijk kregen we ruzie. Om zo'n zaak! Maar het stelde niets voor.'

'Heeft Meyer dan niet bij zijn chef geklaagd? Hij heeft tegen zijn vrouw gezegd dat je die avond buiten jezelf was. Je was doorgedraaid. Hij zei dat er geen enkele reden was om naar die opslag te gaan.'

'Meyer was heus niet meegegaan als er geen reden was...'

'Hij is niet de enige die ziet in wat voor toestand jij verkeert,' zei Bülow. 'Geobsedeerd. Helemaal los van de werkelijkheid.'

'Wie heeft dat gezegd? Brix? Svendsen?'

'Dat doet er niet toe. Klopt het?'

'Nee. En ik heb Brix al twee keer gered.'

Ze boog zich over de tafel en keek Bülow en zijn assistent strak aan.

'Ik moet weten wat hij heeft weggehaald uit Mette Hauges bezittingen. Als we daarachter komen...'

'Als er iemand wás,' onderbrak Bülow haar. 'Afgezien dan van Jan Meyer en jou.'

'Wát?'

'Kom mee,' beval hij.

Drie kamers verderop. Een technisch rechercheur die ze wel kende. Een computer met speakers ernaast.

Bülow ging achter de man van de technische recherche staan, Lund ging zitten op de stoel die hij aanwees.

Hij hield een plastic zakje omhoog met de mobiel van Meyer erin.

'Toen jullie binnen waren, heeft Meyer een sneltoets ingedrukt die hij gebruikt als hij verhoren van gedachten wil opnemen. Luister maar.'

De techneut tikte op het toetsenbord. Meyers stem klonk door de speakers.

'Lund! Hoor je me? Hallo?'

'Lund!'

'Verdomme!'

'Lund!'

'Meyer. Hij zit in de lift en hij komt naar beneden. Ik neem de trap. De lift!'

'Ik ben nu bij de lift.'

Stilte. Een mechanisch geluid.

'De lift is leeg. Ik kom naar boven.'

'Ik geloof niet dat hij hier is.'

'Hij is weg. Hij is bij jou…'

'Ik kom eraan…'

Ze trok haar hoofd met een ruk naar achteren in reactie op de eerste knal. Haar geest werd leeg bij de tweede. Ze kon Meyers kreten en gekreun horen.

Bülows gezicht was veranderd. Ze dacht dat hij meelevend probeerde te kijken.

'Jij hebt drie nachten niet geslapen. Het is donker. Je hoort een geluid en je denkt dat het de man is die je zoekt, ergens in het gebouw. Je trekt je pistool. Het pistool dat je meegenomen hebt het gebouw in. Je rent de trap af.'

'Alsjeblieft, zeg…' fluisterde Lund.

'Je gooit de deur open en je schiet. Je kon toch niet anders? Niemand had onder die omstandigheden anders gedaan. Er staat iemand. Hij probeert je wapen te pakken. Je schiet. Hij probeert het weer. Je schiet nog een keer.'

Lunds heldere, scherpe ogen keken hem aan.

'Dan dringt het tot je door dat je Meyer hebt neergeschoten. Je bent radeloos. Je belt om een ambulance. In de zestien minuten voordat die arriveert fake je de inbraak. Dan leg je je pistool naast Meyer neer en wacht je.'

Hij zweeg.

'Wat vind je ervan, Lund?'

'Ik heb nog nooit zoiets achterlijks gehoord.'

'Er is geen spoor van wie dan ook in dat gebouw te vinden behalve van jou en Meyer.'

'Je bent een mislukte smeris die ergens anders ook weer wil mislukken.'

'We hebben niets gevonden!'

Ze bleef hem nog steeds strak aankijken.

'Dat komt omdat jij niet weet hoe je moet kijken.'

De assistent kwam binnen.

'We hebben de vrouw van Meyer gesproken, Lund. Hij is even bijgekomen voor ze hem opnieuw moesten opereren.'

Hij schoof haar de verklaring van Hanne Meyer toe.

'Hij heeft maar één ding tegen haar gezegd: jouw naam. Sarah. Hij zei het steeds maar weer.'

'Hij dacht dat dat belangrijk was,' voegde Bülow eraan toe. 'Je zou het natuurlijk als een liefdesverklaring kunnen uitleggen, maar dat lijkt me niet aannemelijk gezien jullie relatie.'

Hij gaf haar een vel papier met daarop de tenlastelegging.

'Morgen is er een voorbereidende hoorzitting. Je kent de procedure. Je hebt recht op één telefoontje.'

Bülow gaf haar haar mobiel terug en toen liepen ze allebei de kamer uit. Lund ging achter hen aan.

'Dit slaat nergens op.'

Ze liepen door. Een man in uniform die bij de deur stond hield haar tegen en duwde haar weer naar binnen.

Lund keek naar de telefoon op tafel en belde toen.

'Met mij,' zei ze. 'Ik heb je nodig.'

Bülow liep door de zwartmarmeren rondlopende gang en trof Brix op zijn kantoor op moordzaken aan.

'Ik wil dat haar flat doorzocht wordt,' zei hij. 'Breng haar kleren en schoenen naar het lab. Ik moet haar dossier hebben. Je hebt twintig minuten.'

Brix lachte naar hem.

'Die krijg je. Als de tijd daar is.'

'Twintig minuten, Brix. Ik trek niet alleen haar na.'

'Volgens alle gegevens heeft Lund haar wapen nog nooit afgevuurd. Ze draagt het nooit als ze dienst heeft. Dat weet iedereen.'

'Je hebt haar een paar dagen geleden haar pasje afgenomen en het toen weer teruggegeven. Waarom?'

'Omdat zij gelijk had en ik niet. Ze zag dingen…' Hij haalde zijn schouders op. 'Dingen die ik niet snapte. Niemand snapte het trouwens. Ze is niet echt gemakkelijk in de omgang maar…'

'Je wist dat ze uit balans was. Waarom zou je haar anders haar pasje afgenomen hebben?'

'Ik heb dat pasje afgenomen omdat ze me het bloed onder de nagels vandaan haalde. Daar is ze heel goed in en het kan haar niets schelen. Maar de zaak kan haar wel schelen. Meer dan wat dan ook, denk ik. Haar gezin. Zijzelf. Ik weet niet waarom…'

'Ja, ja,' mompelde Bülow. 'Vertel me dat later maar eens. Twintig minuten…'

Er waren vier cellen voor vrouwelijke gevangenen. De andere drie zaten vol krijsende dronken vrouwen. Lund zat op de enige stoel die er was en keek om zich heen. Van binnenuit leek het heel anders. Kleiner. Een eenpersoons matras. Lakens en een kussen. Een wastafel en een bijbel.

Ze droeg een blauwe gevangenisoverall. Onder het bed stond een po.

Lund keek naar de dienstdoende agent en probeerde op zijn naam te komen.

Hij gaf haar een stuk zeep en een handdoek, ging naar buiten en sloot de deur achter zich. Toen keek hij door het luikje.

'Kan ik iets te eten krijgen?'

'Het is nog geen etenstijd,' zei hij en hij schoof het luikje dicht.

Hartmann en Skovgaard waren terug in het Rådhus, alleen op zijn kantoor. Buiten ging de stad naar bed. Bremer lag in het ziekenhuis, zijn toestand was stabiel. Er was gespeculeerd over de impact die het voorval op de verkiezingen zou hebben. Over Nanna Birk Larsen zweeg het nieuws. Het ging allemaal over de koning van Kopenhagen die voor het eerst in zijn lange leven sterfelijk bleek.

'Je had tegen me gelogen, Troels,' zei Skovgaard. Ze zat voor zijn bureau als een junior op een functioneringsgesprek. 'Tegen mij. Morten en jij...'

'Wat?'

'Hoe kun je nu een geheim delen met hem? Maar niet met mij?'

'Daar hebben we het al over gehad,' zei hij. Hij dacht bij zichzelf: dit was dagen geleden al afgelopen. Het is een zachte dood gestorven en niemand heeft het gemerkt.

'Ik was razend op je!'

Hij wachtte.

'Die avond toen iedereen dacht dat het gedaan was met je, kwam ik Phillip Bressau tegen. We zijn naar een hotel gegaan en hebben aan de bar gezeten. Hij zei dat jij verleden tijd was. Dat ik over moest lopen. Dat er werk te doen was.'

En als ik inderdaad ten val kom, dacht Hartmann, dan loopt ze over. Direct naar Bremer.

'Ik wist dat er iets aan de hand was. Hij werd constant gebeld.'

Ze keek hem recht in zijn gezicht.

'Hij vroeg of ik nog een afzakkertje met hem wilde drinken. Op zijn kamer.'

Hartmann knikte.

'Wat aardig van hem.'

'Ik kon uit wat hij zei afleiden dat ze het over Stokke hadden. En over onze flat. Bressau had al het een en ander op. Hij was niet...' ze fronste haar wenkbrauwen, '... hij was niet erg discreet. Daarom wist ik dat Stokke ermee te maken had.'

'Wat gebeurde er verder?'

'Bedoel je of ik met hem naar bed ben geweest?'

Hartmann zweeg.

'Doet het er wat toe? Ik ken Bressau in ieder geval. Ik ben niet naar een da-tingsite gegaan. Ik heb niet met vreemden geneukt.'

Niets.

'Wat kan het je trouwens schelen?' zei ze. 'Ik heb geluisterd. Ik heb wat met hem gedronken. Toen ben ik naar huis gegaan.'

Hij stond op en ijsbeerde door de kamer.

'Die vrijdagavond. Toen ben je naar me op zoek gegaan?'

'O ja?'

'Je bent naar de flat gegaan. Je wist dat daar iets gebeurd was.'

'Nee, dat wist ik niet. De volgende ochtend ben ik zonder jou naar het con-grescentrum gegaan. En ik heb daar voor je gelogen. Wat is dit? Wat wil je? Een soort pure, maagdelijke eerlijkheid wanneer jij daar behoefte aan hebt? En dan worden we, als dat nodig is, net zo achterbaks en gewetenloos als alle anderen ...'

'Daar heb ik nooit om gevraagd.'

Ze lachte.

'Je hoeft dat ook niet te vragen, hè. Het moet gewoon gebeuren voor je, maar je wilt het niet weten. Bremer is net zo. Misschien hoort het wel bij jullie werk.'

'Ik verwacht een zekere...'

'Daar kan ik niets aan doen. Ik ben niet naar de flat geweest. Ik heb geen vinger uitgestoken naar die stomme bewakingsvideo. Ik ben bereid heel veel voor je te doen, maar ik dek geen moordenaar.'

Ze stond op, draaide zich om en glimlachte. Ze liep naar hem toe, legde haar hand op zijn schouder.

'Kom op. Dat weet je best. Er wordt al weken met ons kantoor geknoeid. Olav is het computersysteem in gegaan...'

Hij haalde haar hand weg.

'Olav is dood. Zou jij die baan aangenomen hebben? Bij Bremer?'

'Ik heb toch al een baan? Ik heb een partnerschap bij het reclamebureau opgegeven om hier te komen. Voor de helft van mijn salaris daar...'

'Ik dacht dat je het uit overtuiging deed.'

'Ik doe het ook uit overtuiging.'

'Zou je die baan hebben aangenomen?'

Ze sloot haar ogen. Het leek erop alsof ze op het punt stond te breken. Dat beviel hem wel.

'Ik heb er geen moment over nagedacht. We hebben een klus te klaren.'

'Dat kan ik zelf ook wel, bedankt.'

'Troels...'

'Ik wil dat je naar huis gaat en ik wil dat je daar blijft.'

'Dit is belachelijk.'

Hij keek haar aan. Ze beantwoordde zijn blik. Dat deed ze altijd.

'Ik ben geen stuk vlees dat je kunt kopen en weer verkopen. Zeg dat maar tegen je vader, wil je?'

'Zo heb ik nooit over je gedacht!'

'Ga nou maar,' zei hij.

19

Donderdag 20 november

Lunds advocaat en Bengt Rosling begonnen om kwart over negen aan het gesprek in het kantoor van Brix. Lund zelf zat nog in haar gevangeniskleren in haar cel.

'Mijn cliënt verzoekt om invrijheidstelling,' zei de advocaat. 'Ze is bereid om binnen redelijke grenzen mee te werken. Jullie hebben geen bewijzen tegen haar. Ze ontkent de tenlastelegging. Aangezien ze nog niet veroordeeld is hoort ze hier niet te zijn.'

'Vertel dat maar aan de rechter,' zei Bülow.

'Alle mensen die je kunt ondervragen zijn ondervraagd,' wierp de advocaat tegen. 'Lund zou de laatste zijn om nog een misdaad te plegen. Ze heeft een kind…'

'Haar zoon woont bij haar ex.'

'Ze heeft de laatste tijd onder zware mentale druk gestaan. Ze is gegijzeld geweest en ze heeft twee schietincidenten meegemaakt. Haar staat van dienst bij de politie is vlekkeloos.'

Bülow lachte.

'Als je denkt dat je haar vrij kunt krijgen op grond van ontoerekeningsvatbaarheid, dat kun je wel vergeten. Ze heeft haar partner neergeschoten. Ze komt voor de rechter.'

Hij stond op.

'Laat haar vrij,' zei de advocaat snel. 'Dan is ze bereid je haar psychiatrisch dossier te laten inzien.'

Bengt Rosling, die zijn arm nog steeds in een mitella droeg, legde een map op het bureau.

'Welk dossier?' vroeg Brix. 'Ze was niet onder behandeling bij ons.'

'Dit was geen politiepsychiater,' antwoordde Rosling. 'Er is grond om aan te nemen dat ze aan paranoia en angstaanvallen lijdt. Ze kan suïcidaal zijn.'

Bülow pakte de papieren, nam ze door en lachte.

'Heb jij deze onzin geschreven?'

'Ze is op mijn advies naar een psychiater gegaan,' zei Rosling. 'Die bevestigde dat ze aanleg heeft voor depressies en dat ze niet alleen moet worden gelaten in een cel.'

'Bedankt,' onderbrak Bülow hem en hij zwaaide met de papieren. 'Ik kan ze in de rechtszaal gebruiken. En waarom wil Lund ons laten geloven dat ze gek is?'

'Omdat ze hulp nodig heeft!' zei de advocaat. 'Is dit je normale houding als het om de gezondheid van jullie eigen mensen gaat? Dat kan ik ook in de rechtszaal gebruiken. Laat ons voor haar zorgen. Dan heb jij de tijd om nog eens na te denken over die belachelijke beschuldigingen van je die ik, als je het weten wilt, volledig onderuit zal halen als je zo stom zou zijn dit door te zetten. En daarna span ik een civielrechtelijke procedure aan voor een zeer hoge schadevergoeding.'

'Je bluft,' gromde Bülow.

'Daar zou ik maar niet op rekenen.'

Een half uur later haalde Lund haar spullen op. Ze trok de wit met zwarte trui weer aan, haar spijkerbroek en haar laarzen.

Ze tekende de formulieren voor haar invrijheidsstelling, terwijl Brix toekeek.

'Je bent geschorst,' zei hij. 'Je verklaringen worden nagetrokken. Je moet me je paspoort geven en je flat wordt doorzocht.'

Ze rommelde in haar handtas, vond de Nicotinell en stopte een stukje in haar mond.

'Ik had toch sigaretten bij me?'

'Niemand heeft zich aan jouw sigaretten vergrepen. En je komt onmiddellijk hierheen als we dat vragen.'

Ze bond haar ongekamde haar met een elastiekje op.

'Ik moet de opslagruimte zien.'

Brix staarde haar aan.

'Tot ziens, Lund,' zei hij en hij liep naar de deur.

'Geef me een lijst met wat erin zat, Brix. Geef me iets. Je bent niet gek. Je weet dat ik Meyer niet heb neergeschoten en je weet dat Leon Frevert Nanna niet heeft vermoord.'

Hij bleef staan.

'Wat ik weet is dat jouw zaak er helemaal niet goed uitziet.'

'Een lijst met de inhoud. Meer vraag ik niet.'

Hij aarzelde. Toen zei hij: 'Bengt Rosling wacht buiten op je.'

Bengt zat in een gehuurde zilvergrijze Renault bij een parkeermeter vlak voor het gebouw.

Lund stapte zonder hem aan te kijken in.

'Heb je met de patholoog-anatoom gepraat, zoals ik je gevraagd heb?'

'Als Bülow dit te horen krijgt...'

'Hij krijgt het niet te horen.'

Ze nam het autopsieverslag van Leon Frevert door. Afgebroken tand, verwondingen in zijn mond.

'Het ziet eruit of de verwondingen veroorzaakt zijn door de loop van een pistool,' zei Bengt.

'Echt een zelfmoord!'

'Vergeet Frevert nu maar. Ze zullen er snel achter komen dat het dossier dat ik ze gegeven heb een vervalsing is. Ik heb er de naam van een collega onder gezet, Magnus. Die zit nu op een conferentie in Oslo. Maar misschien bellen ze hem. Die Bülow wil bloed zien.'

'Bülow is een debiel.'

Er werd op het portier geklopt. Jansen, de behulpzame technisch rechercheur met het rossige haar.

'Hier,' zei hij en hij gaf Lund een vel papier. 'Hier had je om gevraagd. Succes.'

Hij was al weg voor ze hem kon bedanken.

'Wat is dat?' vroeg Rosling.

'Een lijst met de spullen uit Mette Hauges box in de opslag.' Ze nam de lijst door. 'Hij moet Mette op de een of andere manier gekend hebben. Er was daar iets wat haar met hem in verband bracht. Dat heeft hij weggehaald.'

Rosling keek op zijn horloge.

Ze pakte haar blocnote.

'We hebben het adres waar Mette naartoe zou verhuizen. Een studentenflat bij Christiania. Als ik weet wie daar twintig jaar geleden woonden...'

Hij nam de papieren niet aan die ze hem probeerde te geven. Hij keek uit het raampje van de auto, niet naar haar.

'Het spijt me,' zei hij. 'Ik kan niet...'

Ze wachtte. Zo'n aardige, zwakke man. Hij kon zichzelf er niet eens toe brengen het te zeggen.

'Je hebt dat nepverslag heel snel geschreven, Bengt.'

'Zo moeilijk was dat niet. Het meeste klopt. Je hebt echt hulp nodig, Sarah. Ik weet wel iemand.'

'Dat soort hulp heb ik niet nodig.'

'Jawel. Dat impulsieve gedrag van je. Het feit dat je een band hebt met mensen die ver van je af staan, maar niet met je naasten. Het feit dat je er in je eentje op uit gaat zonder rekening te houden met de gevolgen...'

'Genoeg, Bengt. Wat was ik? Je vriendin of je patiënte?'

Geen antwoord.

'Het hindert niet,' zei ze en ze deed haar gordel om.

'Ik bel je wel als ik in Zweden ben,' zei hij.

'Wat jij wilt.'

Ze startte de auto. Hij stapte uit. Lund reed alleen de bleke dag tegemoet.

Ze namen de jongens mee naar Humleby. Bijna alle mannen werkten daar nu: ze verfden, plamuurden en timmerden aan één stuk door.

Niemand had iets gevonden. Geen paspoort. Niets wat er niet hoorde.

Anton stond bij de deur, zijn ogen op de vloer gericht. Hij voelde zich ellendig.

Vagn Skærbæk kwam binnen, hurkte neer en zei: 'Gefeliciteerd, jochie.'

Anton zweeg.

'Ik moest het ze vertellen, Anton.'

Skærbæk keek naar Pernille.

'Het was toch goed dat ik het gezegd heb, mama?'

Ze keek de kamer rond en hoorde het niet.

Anton schudde zijn hoofd.

'Ik heb een cadeautje voor je, jochie. Maar je krijgt het pas vanavond, oké?'

Hij stootte even zijn vuist tegen Antons schouder, maar kreeg nog steeds geen glimlachje terug.

'Verdomme,' zei Birk Larsen. 'Laten we hier ogenblikkelijk een eind aan maken.'

Hij nam Anton bij de hand, liep met hem naar beneden naar de kelder terwijl Pernille volgde. Nieuw pleisterwerk, nieuwe verf. Nieuwe planken op de vloer, die bijna klaar was.

'Waar is het?'

'In de kast,' zei de jongen.

Birk Larsen trok het metalen deurtje open.

Geen boiler, geen buizen.

Geen paspoort.

Pernille streek met haar hand door zijn haar.

'Misschien was het iets anders. Het was hier donker.'

Hij keek naar zijn vader en vroeg: 'Mag ik nu naar boven?'

Birk Larsen boog voorover in zijn zwarte jack. Hij hield zijn grote gezicht met de zwarte muts vlak voor dat van de jongen.

'Anton, luister eens. Ik weet dat het moeilijk is om te verhuizen.' Met zijn kleine ogen wijd opengesperd keek hij het kind aan. 'Maar je moet niet dit soort verhaaltjes verzinnen. Begepen?'

Antons hoofd ging naar beneden en bleef daar, zijn kin op zijn borst.

'Begrepen?' vroeg Birk Larsen weer, met stemverheffing. 'Je maakt je moeder ermee van streek. Je maakt mij ermee van streek. Je mag alles zeggen wat je wilt. Maar lieg niet over Nanna. Haal het niet in je hoofd om nog één keer...'

'Zo is het genoeg, Theis,' onderbrak Pernille hem.

Anton stond op het punt in huilen uit te barsten. Ze legde haar hand op zijn schouder en nam hem mee naar boven.

Vagn Skærbæk bleef op de trap staan. Toen Pernille en Anton weg waren vroeg hij: 'Was dat nou echt nodig?'

'Wat weet jij nou van kinderen?'

'Ik ben zelf kind geweest. Heb je een hondje voor hem gekocht?'

'Alsof ik daar tijd voor heb...'

'Ik heb een vriend die zijn puppy's maar niet kwijtraakt, Theis. Misschien...'

Birk Larsen keek hem strak aan.

'Ik wil me er niet mee bemoeien,' zei Skærbæk snel. 'Alleen als ik kan helpen.'

'Ik dacht dat de boiler er inmiddels wel in zou zitten.'

'Geen punt,' zei Vagn Skærbæk. 'Dat regel ik ook nog wel.'

Ze stonden als aasgieren op de stoep van het Rådhus te wachten. Verslaggevers, cameraploegen en geluidsmannen die iedereen die naar binnen ging een microfoon onder de neus duwden.

Hartmann en Weber kwamen samen binnen.

Ze waren het eens over de strategie. Hartmann hield zich eraan. Ondanks al hun verschillen werd Bremer gerespecteerd in de Kopenhaagse politiek. Zijn plotselinge ziekte was een schok.

'De verkiezingen, Hartmann,' riep iemand toen hij bijna bij de deur was.

Hij draaide zich om en wachtte tot het rumoer wegstierf.

'Het is nu het moment om Poul Bremer van harte beterschap te wensen, niet om daar politieke munt uit te slaan.'

'Toch komt het goed uit, Troels!' riep een bekende stem in hun midden.

Erik Salin baande zich met zijn ellebogen een weg naar voren. Zijn kale hoofd glom en een sigaret bungelde uit zijn mond. Hij hield het opnameapparaat als een wapen voor zich uit.

'Ik denk niet dat een beroerte wie dan ook goed uitkomt,' zei Hartmann.

Salin merkte dat voor de verandering nu iedereen op hém lette.

'Bremer beschikte over bewijs dat jouw kantoor het onderzoek naar de moord op Nanna Birk Larsen belemmerd heeft.'

'Wat voor bewijs?' vroeg Hartmann verbaasd, met zijn handen in zijn zakken. 'Ik heb nooit een bewijs gezien.'

'Bremer heeft het.'

'Ik kan niets zeggen over iets wat ik nog nooit gezien heb.'

Wees rustig en redelijk, had Morten Weber gezegd.

'Maar laat één ding volkomen helder zijn: ik tolereer zulk soort gedrag niet in mijn team. Van niemand.'

Hij draaide zich weg van Salin en richtte zich tot de tv-camera's.

'Dat zou indruisen tegen alles waarin ik geloof en waarvoor ik sta.' Met opgeheven hand, een vinger in de lucht, als om zijn woorden te onderstrepen. 'Als ik bewijs in handen krijg dat een van onze mensen zich verlaagd heeft tot zoiets, dan verzeker ik jullie dat ik dat openbaar zal maken. En...' Een heel klein lachje vol zelfkritiek. 'Dan zou ik serieus mijn toekomst in de politiek heroverwegen.'

Daar liet hij het bij. Met grote passen beende hij naar zijn kantoor en gooide zijn jasje op een stoel.

Hij ging bij het raam staan.

'Dat was goed,' zei Morten Weber. 'Heel goed.'

De Meyers woonden in Nørrebro, in een enigszins verwaarloosde twee-onder-een-kap-woning. Een basketbalnet hing in de tuin, waar ook een vogelvoedertafel stond, een kerstboom, stepjes van de kinderen en een wandelwagen.

Lund parkeerde de auto in de straat en stond twee lange minuten op de oprit. Ze vroeg zich af waarom ze daar was en of het goed was om dit te doen.

Ze had geprobeerd om iemand in het ziekenhuis te spreken te krijgen. Ze mochten niet met haar praten. Ze nam aan dat Hanne Meyer dat ook ontraden was.

Ze zag gedaanten bij het raam. Een blonde vrouw die een huilend kind in haar armen hield. Een ouder meisje, ook blond, dat triest naar buiten staarde.

Lund liep de oprit op en bleef onder het afdak bij de garage staan. De garagedeur stond open. Ze zag nog meer speelgoed liggen. Een grote motorfiets. Achterin stond een mengpaneel.

Na een minuut kwam Hanne Meyer naar buiten. Ze had de kinderen binnengelaten en ze ging met haar armen over elkaar voor haar staan. Haar ogen waren nog rood van het huilen, ze had diepe rimpels in haar gezicht.

'Hoe gaat het met hem?'

Een stomme vraag, die wel gesteld moest worden.

Meyers vrouw haalde haar schouders op. De tranen zaten haar nog heel hoog.

'Hetzelfde als toen hij de operatiekamer uit kwam. Ze zeggen dat als zijn toestand niet snel verandert...' een blik omhoog naar de grijze lucht, '... als zijn toestand niet snel verandert dan moeten we een beslissing nemen over de kunstmatige beademing. En... ik weet het niet.'

Ze huilde niet. Lund had door de jaren heen zo vaak met dit soort situaties te maken gehad. Na een tijdje drong het gevoel dat het onvermijdelijk was en dat er praktisch opgetreden moest worden bij iedereen door.

'Ik heb niet gedaan wat zij zeggen dat ik gedaan heb. Dat zweer ik. Toen we daar aankwamen…'

Plotseling een blik van woede die vrij baan kreeg.

'Waarom kon je hem niet met rust laten? Jullie zeiden dat de zaak opgelost was.'

'Maar dat was hij niet. Jan wist dat ook.'

Geen reactie.

'Hij is nog steeds niet opgelost,' zei Lund.

'Wat kan mij dat schelen? Morgen moet ik er misschien naartoe om hem te zien sterven. Ga ik zijn hand vasthouden? Wat moet ik tegen hem zeggen? Weet jij het?'

Lund schudde haar hoofd.

'Ze hebben tegen me gezegd dat hij iets zei dat klonk als "Sarah".'

Hanne Meyer sloot haar ogen.

'Jan zei jouw naam. Niet de mijne.'

'Nee, dat is niet zo. Hij heeft me nooit Sarah genoemd. Geen één keer. Het was altijd Lund. Jij hebt hem toch ook gehoord? Heeft hij me tegen jou ooit Sarah genoemd?'

Ze stond daar met over elkaar geslagen armen, haar ogen half dicht.

'Hij dacht aan iets anders. Hij probeerde iets belangrijks over te brengen. Wat heeft hij precies gezegd? Weet je dat nog?'

'Waarom ben je hier gekomen?'

'Omdat ik de man te pakken wil krijgen die hem neergeschoten heeft. De man die Nanna Birk Larsen heeft vermoord. En andere vrouwen. Ik heb je hulp nodig. Ik wil…'

'Hij zei jouw naam, Sarah. Meer niet.' Haar ogen gingen iets wijder open. 'En wat cijfers. Ik weet het niet…'

'Wat voor cijfers?'

'Ik kon het niet goed verstaan.'

'Hoe klonk het?'

'Vier acht, of vierentachtig.'

'Vierentachtig?'

De deur achter Hanne Meyer ging open. Twee meisjes kwamen naar buiten, in tranen, in de war.

'Heeft hij nog iets gezegd? Hanne?'

Ze zweeg.

'Nee. Hij heeft niets meer gezegd. Ik weet zelfs niet of hij wist dat ik er was. Nou goed?'

Ze gaf het jongste meisje een kus en legde een hand op het haar van het oudere kind. Ze duwde hen zachtjes het huis weer in.

Sarah Lund stond daar onder het afdak, naast de kerstboom en de gele motorfiets waarop ze Meyer nog nooit had zien rijden.

Haar telefoon ging over.

'Ik heb een vriend in Zweden gebeld,' zei Bengt Rosling. 'Ze hebben toegang tot de Deense databases. Ik heb een naam uit de tijd dat Mette Hauge in dat studentenhuis woonde. Een man die Paludan heet. Hij woont nog steeds op hetzelfde adres.'

'Mooi.'

'Maar de rest is niet zo mooi. Magnus heeft me gebeld. Ze hebben hem in Oslo opgespoord. Ze weten dat ik over je dossier gelogen heb. Bülow heeft een opsporingsbericht naar je doen uitgaan. De huurauto staat op mijn naam. Die gegevens hebben ze dus niet. Tenminste, dat neem ik aan.'

'Bedankt,' zei ze. Ze keek naar de straat. En vroeg zich af hoe het zou voelen als je aan de andere kant stond. Als je opgejaagd werd en niet zelf de jager was.

Troels Hartmann en Morten Weber troffen Lennart Brix in zijn kantoor aan. Hij zat dossiers door te nemen.

'Ik heb nu geen tijd voor jullie,' zei Brix zonder van zijn papieren op te kijken.

'De pers zit weer achter ons aan,' zei Hartmann. 'Ik vermoed dat dit van jou komt. Ik wil met Lund praten.'

Brix keek op.

'Achter aansluiten,' zei hij.

Hartmann legde met een klap zijn koffertje op het bureau en keek woedend naar de lange politieman.

'Mijn geduld met jullie is bijna op. Ik wil antwoorden.'

'Die heb je al gehad. Als ik je ergens van had kunnen beschuldigen, dan had ik dat gedaan. Maar in plaats daarvan ben je op tv om zieltje te winnen. Je hoeft tegenover mij de zielenpoot niet uit te hangen. Je bent volwassen en je weet wat je doet.'

Brix stond op.

'Wie heeft Lund die videoband gestuurd?'

'Dat weet ik niet. Het is mogelijk dat iemand op jouw kantoor hem weggenomen heeft. Als ik wist wie het was, zou ik hem arresteren. Maar ik weet het niet. Ik begrijp niet waarom ze ermee gewacht hebben tot jij van alle verdenking ontheven was. Maar eerlijk gezegd kan het me op dit moment weinig schelen. Denk je dat dat onterecht is?'

'Is dat belangrijk?' vroeg Weber.

Brix glimlachte.

'Wie weet?'

Hij stak zijn hand uit.

'Ik neem aan dat je nog stemmen binnen moet harken. Laat me je niet langer ophouden.'

In de auto op weg naar het Rådhus belde Hartmann zijn kantoor. Rie Skovgaard nam op. Ze was toch op haar werk verschenen en nam zijn toespraak voor de volgende dag door.

Ze praatten met elkaar alsof er niets was voorgevallen.

'Een van Bremers mensen heeft vanuit het ziekenhuis gebeld. Hij wil je zien.'

'Waarom? En zou hij inmiddels niet thuis moeten zijn?'

'Complicaties of zo. Ze willen hem nog een nachtje houden.'

'Wat voor complicaties?'

'Ik ben geen arts. Ik heb gezegd dat je geen tijd hebt. Wat is er?'

'Niets.'

Hartmann beëindigde het gesprek.

'Als we terug zijn moet je Rie's contract voor me opzoeken,' zei hij tegen Weber. 'Ik wil het lezen.'

Het was geen studentenhuis meer. Mette Hauges blok was keurig geschilderd en verbouwd tot dure appartementen. Bakfietsen voor de kinderen. Straatkeitjes en privacy.

Paludan was een slanke, atletisch gebouwde man die op een racefiets aan kwam rijden toen zij de auto wegzette.

Hij vroeg niet om haar ID-bewijs. Hij vond het belangrijker dat ze buiten spraken, op de binnenplaats. Zonder zijn vrouw.

Een halve kilometer verderop lag de zogenoemde vrijstaat Christiania. Een soort teloorgegane hippiecommune. Zo lang Lund zich kon herinneren waren er drugsdealers in de stad geweest. De helft van hen hoorde bij motorbendes. De andere helft waren Turken en andere buitenlanders. Er heerste constant oorlog tussen de twee groepen. Soms kwamen mensen in het kruisvuur terecht.

Ze vroeg naar Mette Hauge.

Hij haalde zijn schouders op.

'We woonden in hetzelfde studentenhuis, meer niet. Ik kende haar niet.'

Lund keek naar hem. Hij was nerveus. Hij had zich druk gemaakt toen zij naar binnen wilde.

'Jullie studeerden toen allebei. Jullie hebben vast wel eens met elkaar gesproken. In de keuken. Op feestjes.'

'Ik heb dit twintig jaar geleden ook al aan de politie verteld. We studeerden. Ik had het hartstikke druk. Ik deed niet aan drugs en dingen als...'

Hij zweeg.

'Ben je met haar naar bed geweest?' vroeg Lund.

622

Paludan gaf niet meteen antwoord.

Toen vroeg hij: 'Wat zeg je?'

'Ben je met haar naar bed geweest?'

'Nee! Waarom vraag je dat?'

'Dat is mijn werk.'

'O ja? Hoe heet je en voor welke afdeling werk je?'

'Luister nou. Deze zaak is heropend. Als je iets weet dan is het nu het moment om dat te zeggen.'

Er liepen mensen over de binnenplaats.

'Kun je wat zachter praten? Ik weet niets.' Hij zweette; er vormden zich donkere plekken onder zijn oksels. 'Iedereen ging met haar naar bed, nou goed?'

Lund zei niets.

'Ik ben maar een paar keer met haar naar bed geweest. Dat heeft ze waarschijnlijk niet eens gemerkt.'

Lund wachtte.

'We waren jong. Studenten. Er waren feesten. Je kent het wel.'

'Nee. Vertel.'

Voetstappen op de binnenplaats. Een oude vrouw met een boodschappenwagentje. Ze groette vriendelijk.

Toen ze weg was zei Paludan: 'Mette was een heel mooi meisje. Maar ze was knettergek. Ze deed… nou, ze deed de raarste dingen. Toen ze zeiden dat ze zelfmoord had gepleegd…'

Hij schudde zijn hoofd.

'Dat leek me krankzinnig. Een overdosis, dat kan…'

'Het was geen overdosis. Iemand heeft haar doodgeslagen. Waarom heb je hier destijds niets over gezegd?'

Hij zette de fiets tegen de muur.

'Omdat ik doodsbang was.'

'Waarvoor?'

Zijn blik dwaalde af naar de poort die de uitgang vormde van de met keitjes geplaveide binnenplaats.

'Voor wie, bedoel je. Voor hen. Mette ging om met een stel gure types. Als je dope wilde, dan kende zij altijd wel iemand die ervoor kon zorgen.'

'Uit Christiania?'

'Dat geloof ik niet. We kenden ze allemaal. Het waren jongens… net zigeuners. Ze gingen om met de bendes. Misschien zaten ze er wel bij, dat weet ik niet.'

'Weet je namen?'

Hij lachte.

'Daar durfde ik niet naar te vragen. Ik denk dat een van hen haar vriendje was. Misschien…' Hij kuchte. 'Misschien meer dan een. Wie zal het zeggen? Mette was Mette. Ik ging niemand vertellen dat ik met haar naar bed ben geweest.'

'Kende je die types?'

'Jaren geleden wel… Ik weet het niet meer. Ik heb…'

'We hebben deze zaak op de plank gelegd,' zei Lund. 'We dachten dat Mette gewoon weer zo'n meisje was dat was weggelopen. Als jij toen tegen ons had gezegd…'

'Ik was pas getrouwd. Mijn vrouw was toentertijd zwanger. Snap je het nu?'

'Ik moet een naam hebben.'

'Ik heb geen naam voor je. Het waren types met wie niet te spotten viel. Eentje was echt gek op haar.'

Een herinnering.

'Ze kwam een keer thuis met zo'n lelijke ketting. Met een zwart hart. Ik neem aan dat die motorjongens dat soort dingen mooi vinden.'

Een lange jonge man liep over de keitjes. Hij keek naar hen, wuifde, glimlachte en riep: 'Hoi, pa!'

Paludan probeerde terug te lachen.

'We waren allemaal stom, toentertijd. Mette was een lief kind. Als ik eraan terugdenk… ergens zat het er altijd wel in. Jezus…'

Hij staarde Lund aan.

'Het is verschrikkelijk om dat te zeggen. Vind je niet?'

'Ik weet het niet. Vind jij?'

'Ik bedoel… er stond iets te gebeuren. Ik weet niet wat. Maar zeker niet iets goeds.'

Hij bukte zich, zette de fiets in het fietsenrek en maakte hem met een kabelslot vast.

'Daarom heb ik er denk ik ook nooit over gepraat. Ik zag dat er wat met haar zou gebeuren. En ik kon er niets tegen doen.'

Bülow was razend. Hij had het kenteken van Bengt Roslings huurauto opgevraagd en een oproep doen uitgaan om Lund naar het bureau te brengen. Dit keer zou ze niet op borgtocht vrijkomen. Geen kans.

Nu stond hij voor Brix' kantoor en strooide met bedreigingen als een clown die snoepgoed uitdeelt op een verjaarspartijtje.

'Als ik erachter kom dat jij hiervan wist…'

'Ik wist er niet van,' zei Brix schouderophalend. 'Hoe had ik het moeten weten?'

Zijn telefoon ging over. Hij keek op het schermpje.

'Dat is mijn vrouw. Ik moet met haar praten. We zouden vanavond samen uitgaan.'

De telefoon ging weer over. Bülow bleef staan waar hij stond.

'Hou je van ballet?' vroeg Brix.

Bülow vloekte en liep toen weg door de zwartmarmeren gang.

Toen hij buiten gehoorsafstand was, nam Brix het gesprek aan.

'Op de lijst met spullen staat dat er een fotoalbum in de box was,' zei Lund.

'Waar ben je mee bezig?'

'Mette Hauge was een feestbeest. Ze verkocht drugs. Ze had banden met gangs. Misschien in Christiania, misschien ook niet. Een bendelid was haar vriend. Misschien meer dan een.'

'Lund, je moet hier ogenblikkelijk naartoe komen.'

'Ik moet dat fotoalbum zien.'

'We hebben het al bekeken. Wacht... ik heb het hier.'

Hij liep zijn kantoor in, zocht tussen de spullen die ze uit de opslagplaats hadden meegenomen.

Het album was blauw. Schoolfoto's, foto's uit haar studententijd. Dagjes naar het strand. Feesten.

'Geen interessante dingen.'

'Het moet aan het eind of aan het begin zitten, Brix. Zo plakken mensen hun foto's in. Kijk naar de foto's die het dichtst bij Mettes verdwijning zitten.'

'Aan het eind ontbreekt een foto. Je ziet de lijmsporen nog. Maar of je daar wat aan hebt? Wat interessanter is, we hebben Nanna's paspoort in de achtertuin van Leon Frevert gevonden.'

'Waar?'

'In de vuilnisbak.'

'Daar klopt niets van. Hij zou het twee weken geleden al hebben weggegooid, dus dan zou het nu niet meer in zijn vuilnisbak kunnen zitten. Je moet die foto voor me vinden, Brix.'

'Misschien heeft hij het bewaard. Frevert had haar paspoort. Hij was de laatste die Nanna Birk Larsen levend gezien heeft. Vijf minuten nadat hij haar afgezet had, heeft hij een boodschap op de zakelijke telefoon van Birk Larsen ingesproken. Vagn Skærbæk heeft bevestigd dat hij zich heeft ziek gemeld.'

Ze probeerde hierover na te denken.

'Zeg dat nog eens...'

'Zorg verdomme dat je hierheen komt! Lund! *Lund!*'

Pernille Birk Larsen was in alle staten. Antons verjaardag. De laatste verjaardag die ze in het benauwde appartement boven de garage zouden vieren. Het was een enorme rotzooi in huis. Overal stonden ingepakte dozen, klaar voor de verhuizing.

Anton was naar een feestje van een vriendje van school. Pernille zou hem ophalen. Er zou niet over paspoorten gepraat worden. Alleen maar over verjaardagen.

'Jij moet het vlees doen, Theis,' zei ze terwijl ze de gootsteen schoonboende. 'Je moet ook stofzuigen.'

Hij smeerde boterhammen voor de kinderen.

'Nog meer?'

'Nee.' Ze ving zijn blik. Hij was in een goede bui. 'Dat is genoeg.'

'Binnen vijf minuten is het hier toch weer een zooi.'

Hij smeerde een dikke laag Nutella uit over een boterham.

'Er komt alleen familie.'

'Ik wil dat het hier schoon is.'

Hij wreef over zijn voorhoofd. Ze keek naar hem.

'Zolang de jongens het maar naar hun zin hebben…'

Ze had haar hand voor haar mond geslagen en onderdrukte een giechellach.

'O, dus dat vind je geestig?'

Pernille liep naar hem toe en streek met haar vinger over zijn voorhoofd zodat een beetje van de pasta die hij erop gesmeerd had op het topje bleef kleven.

Ze hield hem haar vinger voor.

'O, shit.'

Maar hij lachte.

Tassen stonden op de keukentafel met de in de tijd bevroren herinneringen. Ze zou die herinneringen niet meenemen. De tafel moest maar opgeslagen worden. Misschien konden ze er af en toe naar kijken.

Op een gegeven moment moesten ze het verleden achter zich laten. Dat wist ze nu.

Hij sloeg zijn arm om haar heen, trok haar naar zich toe en kuste haar op haar wang. Zwart leer en zweet, de ruwe stoppels van zijn baard.

Ze keek nog steeds de kamer door, naar de muren waar eens foto's hadden gehangen, naar de plekken waar eens planten stonden, de lege plek van het prikbord. Pernille Birk Larsen merkte dat ze huilde en ze wist niet waarom. Alleen dat dit geen nare tranen waren, en dat ze voorbijgingen. Die wrede cirkel die zich geopend had toen Nanna stierf, begon zich te sluiten, ieder uur, iedere dag een beetje meer. Hij zou er altijd zijn. Maar na verloop van tijd zou die cirkel deel van hen worden, geaccepteerd, als een litteken. Je wist dat het er was, maar het was niet langer een bron van voortdurende pijn.

'Zul je dit huis erg gaan missen?' fluisterde hij met zijn diepe stem in haar oor.

'Alleen het geluk. En dat kunnen we ergens anders opnieuw beleven.'

Hij veegde haar wangen af met zijn dikke vingers die onder de littekens zaten.

Zij hield hem stevig vast, en hij haar.

'Ik wilde dat ik kon maken dat het overging, liefste.'

'Dat weet ik. Dat weet ik.'

Twintig minuten later haalde ze Anton van het feestje op. Hij zag er niet moe uit. Hij zag er ook niet blij uit.

'Heb je niet te veel gesnoept? Papa kookt.'

'Ik heb niet veel gesnoept.'

'Heb je de uitnodigingen voor de house warming volgende week uitgedeeld?'

'Ja.'

Ze keek in het spiegeltje naar hem en glimlachte.

'Ook aan de meisjes?'

'Ook aan de meisjes,' zei hij met een zucht.

Hij wilde niet praten, maar zij wel.

'Ze maken de kelder als laatste in orde,' zei Pernille. 'Het huis wordt echt heel fijn.'

Zijn hoofd schudde van links naar rechts. Hij keek naar Vesterbrogade in de regen.

'Ben je nog steeds boos op oom Vagn omdat hij het aan ons verteld heeft?'

Even draaide ze zich om en keek hem aan.

'Nu we weten dat er geen paspoort was, voelt het beter, toch?'

'Iemand heeft het gepakt,' zei hij met een scherpe stem waardoor haar hart even stilstond. 'Iemand.'

'Nee. Dat is niet zo! God... Anton. Waarom verzin je dit soort dingen?'

Hij stopte zijn armen onder zijn jas en zei niets.

'Niemand heeft het weggepakt. Soms...' Ze keek weer in het spiegeltje. Hij luisterde in ieder geval. 'Soms zie je dingen die er niet echt zijn.'

Zijn ogen richtten zich nu op het spiegeltje; hij zocht haar blik.

'Dat is toch zo? Anton?'

De jongen zat daar in zijn autostoeltje, zijn armen weggestopt, zijn ogen strak op het spiegeltje gericht.

Op zachte, bange toon vroeg ze: 'Waarom zou iemand het wegpakken?'

'Zodat papa en jij niet van streek zouden raken.'

Hij staarde nog steeds naar haar spiegelbeeld.

'Maar wie zou het volgens jou dan weggepakt hebben?'

Stilte.

'Wie?'

'Ik klik niet. Je mag het nooit doorvertellen.'

Gezichtje weer naar het raam, naar de straat.

Toen ze thuiskwamen, rende hij meteen naar boven. Pernille ging naar het kantoortje. Ze haalde de werkschema's en de agenda tevoorschijn en zocht het schema voor dat weekend.

De naam van het kantoorbedrijf stond er. En een telefoonnummer.

Ze toetste het nummer in en kreeg de voicemail.

'U spreekt met Pernille Birk Larsen. We zouden een klus voor u doen. Een van onze werknemers heeft die klus afgezegd. Wilt u me alstublieft hierover terugbellen? Dan kunnen we een misverstand ophelderen. Dank u wel.'

Lund liet de huurauto twee blokken van het huis in Humleby in een doodlopend steegje staan, weg van de doorgaande straat. Toen liep ze met haar capuchon op door de regen naar de smalle straat. Het huis van Birk Larsen stond op de hoek, gehuld in bouwplastic en steigers. Een rode bestelbus stond ervoor geparkeerd. Binnen brandde licht.

De deur stond open. Ze liep zonder aan te bellen naar binnen. Er was niemand op de benedenverdieping. Alleen maar potten verf, trapladders, afdekfolie, verfkwasten.

Een geluid.

Iemand kwam vanuit de kelder naar boven.

Lund stond in de kamer en wachtte. Het was Vagn Skærbæk. Hij bleef boven aan het donkere trapgat staan. Ze kon net zijn zwarte muts zien, zijn sweatshirt dat onder de verfvlekken zat en de gereedschapskist in zijn hand.

'Het spijt me dat ik je moet lastigvallen, Vagn…'

'Jezus christus nog aan toe. Jij! Niet weer!'

Hij liep langs haar door de kamer naar achteren en draaide zich niet om.

'Het gaat over Leon Frevert. Een paar vragen.'

'Gauw dan maar. Ik heb een verjaardagsfeestje.'

'De boodschap die Leon op het antwoordapparaat heeft achtergelaten. Staat die er nog op?'

Skærbæk liep op haar af, bleef in het licht staan en schudde zijn hoofd.

'Die collega van je heeft me hetzelfde gevraagd. Praten jullie niet met elkaar?'

'Vertel mij het nou maar.'

'Nee. Ik heb hem gewist. Ik wist niet dat het belangrijk was. Het was gewoon een van de jongens die afzegde.'

Hij ruimde het gereedschap op, legde alles op z'n plek in de kist.

'Wat zei hij precies?'

'Het is drie weken geleden. Kun jij je nog een boodschap van tien seconden herinneren van…?'

'Toe nou maar.'

Skærbæk keek naar het plafond.

'Hij zei dat hij ziek was of zo. Dat hij dat weekend niet kon werken.'

'Verder niets?'

'Nee. En ik heb hem niet teruggebeld. Ik heb er een pesthekel aan als mensen hun werk afzeggen. We hadden nog geluk dat die klant afbelde.'

Lund ijsbeerde door de kamer, van de ene half geschilderde muur naar de andere.

'Hoe klonk hij? Was hij bang? Klonk hij raar? Zei hij wat...'

'Het was een bericht op een antwoordapparaat. Hij klonk als Leon.'

Ze keek naar hem. Dat gerimpelde gezicht dat toch nog steeds kinderlijk was. De zilveren ketting. Die verdrietige ogen.

'Zei hij iets over Nanna?'

'Denk je niet dat ik dat aan jullie verteld zou hebben?'

Hij draaide zich om, pakte een oude lap en veegde zijn handen eraan af. Hij keek op zijn horloge en toen naar een blauw jasje dat in een hoek lag.

'Waarom belde hij naar het bedrijf en niet naar jou?'

'Iedereen belt dat toestel. Als niemand opneemt, worden ze naar mij toe doorverbonden.'

'Oké.'

Ze dacht na, probeerde het zich voor te stellen.

'Dus Leon belt het bedrijf en denkt dat hij Theis of Pernille aan de lijn krijgt. En in plaats daarvan krijgt hij jou.'

Hij hield op met zijn handen afvegen. Hield op met alles, en stond daar stil. Heel stil. Hij staarde haar aan.

'Nee, hij kreeg mijn voicemail. Dat zei ik toch. Ik was bij mijn oom. Ik hoorde de boodschap de volgende ochtend, toen ik naar mijn werk ging.'

Ze dacht na.

'Was dat het?' vroeg Skærbæk. 'Ik wil het licht graag uitdoen. Het is de verjaardag van Anton. Ik moet erheen. Jij gaat me niet tegenhouden.'

'Dat doe ik ook niet.'

Hij liep haastig de trap af. Ze liep achter hem aan naar de kelder. De deur daar was oud. Er zat een slot op, met een sleutel erin.

'Heeft Leon het ooit wel eens over ene Mette Hauge gehad?' vroeg ze.

Hij trok een paar looplampen los, wond de snoeren op.

'Nee.'

'Zat hij bij een bende?'

'Ik weet het niet! Hoor eens, ik ben al die vragen van jou spuugzat. Begrepen?'

Hij liep naar een trapleer, begon zijn schoenen dicht te strikken.

'We willen dit allemaal achter ons laten.'

Lund keek rond in de kelder.

'Dat gedoe over die klootzak. Frevert. Wat hij gedaan heeft. We willen er niet meer aan denken.'

Nieuwe planken op de vloer. Veerkrachtig en glanzend. Nieuw spaanplaat bedekte de hele achterste muur. De andere drie wanden waren kaal.

'We willen dit gezeik niet langer.'

Hij stond bij de trap, trok zijn jasje aan, wilde weggaan.

'Je moet ze met rust laten. Na alles wat ze hebben heeft meegemaakt…'

Sarah Lund draaide langzaam rond in het vertrek. Driehonderdzestig graden.

'Ze hebben behoefte aan rust.'

Ze hield stil en keek hem aan.

Ze waren daar met z'n tweeën, in het lege huis in Humleby. Iets in de ogen van Vagn Skærbæk dat ze daar niet eerder had gezien. Iets van herkenning. Van weten.

In haar blik was dat ook te lezen, dacht ze.

'Wat is er?' vroeg Skærbæk.

Al dat gereedschap. De hamers, de beitels, vlak bij hem in de buurt.

Ze probeerde niet te kijken, niet te laten merken dat ze bang was.

'Wat is er?' vroeg hij weer.

Het was een slimme man, dat wist ze al heel lang. Hij keek naar beneden, naar het jasje dat hij net had aangetrokken.

Oud. Donkerblauw. Het logo van de Winterspelen. En de woorden…

SARAJEVO 1984

Een auto reed buiten voorbij. Gedempt licht van de straatlantaarns buiten viel door de blauwe ruitjes naar binnen. Mensen liepen over straat. Ze kon het geluid van de wielen van een kinderwagen horen, misschien was het wel een bakfiets. Gelach. Een sleutel in een slot. Voetstappen op een trap vlakbij.

'Verder nog iets?' vroeg Vagn Skærbæk.

Het duurde even, maar uiteindelijk zei ze nee. Toen liep ze naar de trap en de zware deur met het slot en de sleutel.

Er roerde zich iets in zijn hoofd maar ze wilde niet weten wat.

Hij stond haar in de weg.

Slimme man. Misschien was hij net zo bang als zij. Zijn adamsappel bewoog. Op zijn voorhoofd parelde zweet.

'Dus dat is afgesproken?' zei Skærbæk. 'Het is voorbij. Klaar.'

Ze kon haar ogen niet van zijn te jonge gezicht afhouden. Er stond iets van verdriet, van schaamte op te lezen. De erkenning van wie en wat hij was.

Lund keek om zich heen en zei: 'Ik denk het wel, Vagn. Je hebt gelijk.'

Toen deed hij langzaam en nadrukkelijk een pas opzij.

Ze trilde tegen de tijd dat ze buiten stond. Ze stak de straat over, zocht een ander huis dat leegstond en gerenoveerd werd, vier deuren verderop. Ze leunde tegen de smerige muur in het achterom, met haar armen om zich heen geslagen en met klapperende tanden.

Ze wachtte drie of vier minuten tot ze het laatste licht uit zag gaan. Skær-bæk kwam naar buiten en keek de straat in beide richtingen af. Hij stapte in de rode bestelbus. Gooide een kleurige tas op de passagiersstoel en reed weg.

Lund keek naar haar telefoon, besloot toen niet te bellen. Ze liep terug naar het huis van de Birk Larsens, via het achterom naar de achterdeur.

Ze pakte een baksteen en sloeg de ruit in. Ze haalde de splinters en de losse stukken een voor een weg. Ze draaide de sleutel aan de andere kant van de deur om en liet zichzelf binnen.

Lund belde Jansen, de technisch rechercheur met het rossige haar die Brix het Mette Hauge-dossier had toevertrouwd.

Een goede man. Zwijgzaam, gesloten. Ze zei tegen hem dat hij via de achterdeur moest binnenkomen en dat hij wel kon horen waar ze zat.

Ze begon aan de muur in de kelder. Spaanplaat. Gemakkelijk te verwijderen met een klauwhamer. Als er bloedspatten zaten, dan zou ze dat moeten zien. De vloer was van hout, stevig vastgespijkerd. Dat kon ze niet alleen.

Toen Jansen arriveerde, had ze een derde van het spaanplaat verwijderd. Stukken en splinters hout lagen verspreid op de vloer. Achter het wandje leek gewoon pleisterwerk te zitten. Onlangs schoongemaakt, zo te zien.

'Als ik m'n huis moet opknappen, dan vraag ik niet jou,' zei Jansen. 'Ze hebben je kenteken. Je moet direct aangehouden worden als ze je zien. En dan regelrecht door naar die rare snuiters aan de andere kant van het gebouw.'

Het was de langste zin die ze hem ooit had horen uitspreken, dacht ze.

'Ik heb moeite met de vloer,' zei ze en ze gaf hem een koevoet aan. 'Kun jij daar beginnen?'

Jansen had jarenlang met haar gewerkt. Hij zag dingen. Net zoals zij.

'O jee,' zei hij en keek op de nieuwe planken. 'Iemand had kennelijk haast.'

'Heb je het tegen iemand gezegd?'

'Nee. Ik heb gezegd dat ik naar huis ging.'

'Er ligt boven nog meer gereedschap, mocht je het nodig hebben.'

'Ze zullen je vinden, Lund.'

Ze probeerde tegen hem te glimlachen.

'Bedankt. Mag ik je telefoon even?'

Hij gaf hem aan haar.

'Hoeveel moet ik weghalen?'

'Genoeg om iets te vinden,' zei ze terwijl ze naar boven liep om bereik te krijgen. 'We hebben maar weinig tijd.'

Bülow zat weer bij Brix op kantoor. Hij wist niet wat hij moest doen.

'Als jij weet waar Lund is, dan zweer ik dat ik ervoor zal zorgen dat je mét haar naar de bliksem gaat.'

Brix schudde zijn hoofd.

'Ze heeft gebeld. Maar ze heeft niet gezegd waarvandaan.'

'Heb jij dat telefoontje nagetrokken?'

'Lund gelooft niet dat Frevert het meisje heeft vermoord. Of dat hij Meyer heeft neergeschoten.'

'Zij heeft Meyer neergeschoten.'

Brix keek hem strak aan.

'Het ziet ernaar uit dat Frevert vermoord is.'

'Ik wil Lund! Trek dat telefoontje na.'

'Haar mobiel staat uit. Stom is ze niet. Ze is de beste hier als het erom gaat iemand op te sporen.'

'Ze heeft bewijsmateriaal vervalst, Brix. Ze is verdwenen. Ze is gek geworden. En toch…' Hij verloor zijn zelfbeheersing en schreeuwde: 'En toch helpt iemand haar nog. Als ik erachter kom dat jij dat bent…'

Brix' telefoon ging over.

Hij keek naar het nummer en hield het toestel bij zijn oor.

'Met Lund. Kun je praten?'

'Ik denk niet dat ik de voorstelling nog haal. Momentje.'

'Wat zal het ministerie van Justitie hierover zeggen, denk je?' blafte Bülow hem toe.

Brix zweeg.

'Dan kun je de rest van je leven naar het ballet,' zei de dikke man en toen denderde hij de kamer uit.

'Ja?' zei Brix toen Bülow weg was.

'Heb je die foto?' vroeg Lund.

'Je moet nu echt naar het bureau komen.'

'Ik weet wie het is, Brix. Ik weet waar Nanna na de flat naartoe is gebracht. Waar ze is verkracht en geslagen. Vagn Skærbæk. Stuur een team van de technische recherche.'

'We hebben het paspoort van het meisje gevonden…'

'Vagn heeft dat daar vastgehouden. We hebben hier geen tijd voor. Stuur iemand.'

Brix keek door het raam naar de gang. Bülow stond er een tirade af te steken tegen de mannen.

'Waarnaartoe?'

'Küchlersgade in Humleby.'

'Dat is het huis van Birk Larsen.'

'Ja. We moeten opschieten. Vagn weet dat ik hem doorheb.'

Tussen de plastic tassen, de kratten en de kartonnen verhuisdozen pakte Anton zijn cadeautjes uit. Een hengel. Een speelgoedboot. Een goocheldoos en wat pennen en schriften voor school. Lotte was er weer en hielp met tafeldekken. Theis Birk Larsen had zijn koksschort voor, deelde drankjes uit, wijn voor de volwassenen en sinaasappelsap voor de jongens.

Aardappelgratin. Een duur stuk varkensvlees.

Hij haalde het vlees uit de oven en zette het op het aanrecht.

'Het moet even rusten.' Hij keek Pernille aan. 'Denk je niet?'

Ze keek naar het vlees, keek toe hoe hij een stuk aluminiumfolie pakte en het begon in te pakken.

'Ik heb het met Anton over het paspoort gehad.'

Zijn stemming dreigde om te slaan.

'Wat? Dat paspoort was er niet. We hebben gekeken.'

'Anton denkt dat Vagn het weggehaald heeft.'

Hij bleef doende met het varkensvlees.

'Ik dacht dat we hadden afgesproken niet over deze onzin te praten.'

De jongens begonnen te kibbelen. Lotte probeerde ze te sussen.

'Ik heb een boodschap ingesproken bij de mensen die Vagn afgezegd had. Die kantoorzaak. Die zaterdag.'

Hij streek de randen van het folie glad, keek haar amper aan.

'Waarom? Het is Antons verjaardag!'

Haar grote ogen lichtten woedend op. Ze kwam vlak bij hem staan en keek hem strak aan.

'Omdat er iets niet klopt, Theis! Voel je dat dan niet?'

Hij kuste haar snel.

Stoppelige wangen. Een bieradem. Hij had heel wat op, dacht ze.

Lotte kwam haar vragen of ze kon helpen. Theis' mobiel ging over.

'Kijk even naar de aardappels, Lotte,' zei Pernille.

Hij lachte.

'Waar zit je, verdomme?' vroeg hij.

Toen luisterde hij, legde een vinger tegen zijn neus en zei: 'Sst' en ging naar beneden.

De bench stond bij de garagedeur. Gloednieuw. Met een prijskaartje eraan dat Vagn Skærbæk snel weggriste toen Theis Birk Larsen eraan kwam.

'Waar ben je in godsnaam mee bezig?'

Skærbæk keek hem kwaad aan.

'Ga het nou niet bederven!'

Hij pakte een verhuisdeken, legde hem over de bench en grinnikte.

'Ik kwam langs zo'n winkel. Deze stond buiten.'

Birk Larsen keek onder de deken.

'Dat ding moet een kapitaal gekost hebben.'

'De jongens zullen het heerlijk vinden om een hond te hebben.' Hij glimlachte. Hij was netjes gekleed in een zwart jasje en wit overhemd. Hij zag er anders uit. Ouder. Op de een of andere manier serieuzer. 'Ik heb er altijd een willen hebben.'

Een eigenaardig lachje dat niet bij hem paste.

'Je krijgt tenslotte nooit wat je echt wilt, nietwaar?'

'Jezus, Vagn, we hebben geen hond.'

'Ik heb er een uit Polen.'

Birk Larsen stond daar in zijn blauwe schort en zijn mooiste overhemd en begon zijn geduld te verliezen.

'Heb je een hond uit Polen?'

'Ja. Ik kan alles krijgen wat je wilt, Theis. Weet je nog? Ik ken een vent die ze importeert en...'

'Vagn...'

'Word nou niet boos op me. Het is een geweldige hond. Met een stamboom en zo. Leuke verrassing.'

'Grote verrassing,' mopperde Birk Larsen. Hij keek de garage rond. 'Waar is-ie dan?'

'We kunnen hem vanavond gaan halen. Met z'n tweeën. Na het eten.' Hij wees naar de bench. 'Die houden we afgedekt tot we de hond hebben gehaald, goed?'

Birk Larsen schudde zijn hoofd. Hij dacht dat hij vlakbij een krabbend geluidje hoorde. Tijd om weer rattengif neer te leggen.

'Het is soms net alsof we hier nóg een kind hebben.'

'Kinderen zijn magisch,' zei Skærbæk. 'Kinderen zijn alles. Ik moet het kaartje nog schrijven.'

'En dan worden ze volwassen. Ik moet het eten afmaken.'

Hij keek naar het kantoortje.

'Ik ben vergeten de telefoon naar boven door te schakelen.'

'Het is een verjaardag, Theis.'

'We hebben een bedrijf.'

'Ik doe het wel,' zei Skærbæk. Hij hield zijn pen boven een heldergele verjaardagskaart. 'Als ik hiermee klaar ben. Ga jij maar naar de jongens.'

Vagn Skærbæk keek hem na en schreef 'gefeliciteerd' op de kaart.

Hij hoorde op de speaker het bekende welkomstbericht op het antwoordapparaat waarmee een inkomend telefoontje werd aangenomen.

'Met Birk Larsen Verhuizingen. Spreekt u een boodschap in na de piep.'

Een piepje.

'Goedenavond,' sprak een geïrriteerde mannenstem. 'Met Henrik Poulsen van HP Kantoorartikelen.'

Skærbæk hield op met schrijven, keek om zich heen om er zeker van te zijn dat hij alleen was en liep toen naar het kantoortje.

'U belde over de verhuizing die we het eerste weekend van november be-sproken hadden,' zei de man. 'Eerlijk gezegd waren we bijzonder teleurge-steld. We hadden het al weken voorbereid en opeens zegt een van uw mensen het op het laatste moment af. Bijzonder vervelend. Als u meer informatie wilt, kunt u me thuis bellen. Het nummer is…'

Skærbæk liet het bandje aflopen, haalde het uit het apparaat en stopte het in de zak van zijn jasje. Toen schakelde hij de telefoon naar boven door.

Rie Skovgaard was weer vrolijk en opgewekt en liet hem de peilingen zien. Het liep zoals Weber al voorspeld had, het was een race tussen twee personen en hij stond voor. Bremers beroerte wekte medeleven op, maar trok geen stemmen. Het vergrootte Hartmanns kansen eerder dan dat ze erdoor afna-men.

'Ik heb met een vriend bij de politie gesproken,' zei Skovgaard. 'Er is iets aan de hand maar dat heeft geen betrekking op ons.'

Hartmann pakte een karaf met cognac, schonk zich een glas in, zei niets.

'Er is niets om ons zorgen over te maken. Al die onzin die Erik Salin heeft lopen verspreiden. Het is…'

Hij staarde naar haar.

'… lucht,' zei ze bijna fluisterend. 'Moeten we hier onder vier ogen over praten, Troels?'

Weber maakte aanstalten op te staan.

'Morten blijft,' zei Hartmann.

De cognac was oud en duur. Vuur in zijn keel en in zijn hoofd.

'Het spijt me,' zei ze, 'als jij het gevoel hebt dat ik je op de een of andere manier in de steek heb gelaten.'

Hartmann nam een slokje van de sterke drank, dacht aan de avond in Sto-re Kongensgade. Toen had hij zich ook zo gevoeld. Alsof niets er echt toe deed. Alsof hij een lot tegemoet ging waarop hij geen enkele invloed had.

'Ik heb je de keus gegeven, Rie. Of jij vertelt me de waarheid over die video en over de flat, en we gaan naar de politie. Of je draagt de gevolgen.'

Skovgaard staarde hem aan en schudde haar hoofd.

Morten zat ongemakkelijk aan tafel, zei: 'Jezus…'

'Ik regel dit wel,' onderbrak ze hem. 'Waar heb je het over, Troels?'

'Lieg niet meer tegen me. Ik weet het. Jij bent me die avond gaan zoeken. Je ging naar Store Kongensgade. Toen je de flat zag wist je dat er problemen waren. De maandag erop toen de politie hier vragen kwam stellen dacht je dat als je iedereen daar een paar weken weg kon houden, het allemaal met een sisser af zou lopen.'

Ze lachte.

'Jij bent nog gekker dan die Lund. Ik was op het congres.'

'Pas om tien uur.'

'Als dit weer zo'n blindganger van Bremer…'

'Was het iemand uit de regering? Je vader? Heeft die opdracht gegeven je ermee te bemoeien en je kleine marionet te dekken?'

Rie Skovgaards mond ging open, maar er kwamen geen woorden.

'Of heb je dit zelf bedacht om je carrière te bevorderen?'

Heldere grote ogen die zich met tranen vulden.

'Hoe kun je dit zelfs maar denken?'

'Er staat een clausule in je contract aangaande flagrant wangedrag. Ga naar huis en lees hem. Ik wil dat je meteen vertrekt. Ik wil je niet meer zien op dit kantoor. Of ergens anders. Begrepen?'

Hij stond op en liep naar het raam, met het glas cognac in zijn hand. Hij nam een slok in het licht van de blauwe neonreclame.

Ze kwam bij hem staan.

'Als ik had gedacht dat jij dat meisje had vermoord…'

Hartmann draaide zich niet om om haar aan te kijken.

'Denk je dan dat ik bij je gebleven was? Ik heb dit voor ons gedaan…'

Hartmann draaide zich om; zijn ogen schoten vuur, zijn stem bulderde.

'Ik weet waarom jij het gedaan hebt! Ik weet wat ik was! Een tree op de ladder. Een middel voor een doel.'

'Troels…'

'Eruit!'

Weber kwam naar haar toe, sloeg een arm om haar schouder en leidde haar naar de deur.

'Blijf van me af, Morten,' gilde ze tegen hem en ze rukte zich los.

Hartmann liep terug naar het raam en keek naar de stad achter het glas.

'Dat zijn de enige mensen die ertoe doen,' beet Rie Skovgaard hem toe. 'Nietwaar? Jij wilt geen liefde, jij wilt bewierookt worden. Jij wilt…'

'Ga nou maar,' zei hij. Hij keek niet naar haar maar wuifde haar met zijn vrije hand weg.

Hij luisterde evenmin naar haar gevloek en haar getier.

Toen was ze echt weg. Tegelijk met zijn enige kans om Kopenhagen voor zichzelf op te eisen. Een verloren strijd. De enige overwinning die ertoe deed was buiten bereik.

Toen hij terugliep naar de karaf cognac en zichzelf nog een bel inschonk, dacht hij dat hij alleen was.

Toen een geluid.

Morten Weber.

'Troels,' zei hij. 'We moeten praten.'

'Regel een auto,' zei Hartmann. 'Ik wil Bremer in het ziekenhuis bezoeken.'

'We moeten praten...'

Er vlamde iets op in zijn hoofd, en dat kwam niet door de drank.

Hartmann wendde zich tot de kleine man en begon te schreeuwen, met hoge stem, als een krankzinnige. Hij was buiten zichzelf, niet meer de nette, gepolijste, gladde pop die hij geworden was.

'Is er nou godverdomme níémand hier op kantoor die gewoon doet wat ik zeg?'

Hij had Morten Weber nog nooit zo naar hem zien kijken.

'Natuurlijk, Troels. Ik wilde alleen...'

Hartmann sloeg het cognacglas stuk tegen het raam. Er brak een ruitje. De koude winterlucht stroomde naar binnen, blies om hem heen en verkilde zijn huid.

Ergens was er voor alles een verlossing. In drank. In daden. In de fysieke gloed van de liefde. En dat alles leidde naar dezelfde sombere plek, naar het niets.

'Het spijt me,' zei hij met zijn gewone kalme stem. 'Ik dacht gewoon dat ze...'

Hij schopte met zijn schoenpunt tegen de glasscherven.

'Ik dacht dat ze mij wilde. Niet...' Hij keek naar de poster aan de muur, waarop zijn jonge gezicht hem toelachte. 'Niet die andere.'

'Die willen ze allemaal,' zei Weber op lage, treurige toon. 'Dit is politiek. Het is niet voor echte mensen. Ze willen boegbeelden. Iconen die ze kunnen zien stijgen en dan weer vallen en... Ach, ze doen het alleen maar voor zichzelf, nietwaar? Net als wij. Kwetsbaar en menselijk en corrupt. Dat is het spel dat we allemaal spelen.'

'Vertel de politie maar over de flat. Over de video. Dat ons kantoor de rechtsgang heeft belemmerd. Brix weet dan wel wat hij moet doen.'

'Nu? Het is al laat. En je gaat zo naar Bremer. Waarom zou je niet... ik weet het niet. Laat mij eens nagaan of we niet iets kunnen verzinnen waardoor iedereen er goed uitspringt.'

'Dat kan niet.'

'Troels, als we naar de politie gaan dan is het afgelopen met je. Het is te laat om nog een keer opnieuw te beginnen. Je bent er geweest.'

Hartmann wierp hem een kwade blik toe.

'Bel de politie,' beval hij. 'Jij gaat dit niet regelen.'

Jansen had een derde van de vloerplanken losgewrikt. Lund keek naar de betonnen vloer eronder. Ze zaten allebei onder het zaagsel, de kalk en houtsplinters.

Lund ging op haar knieën zitten en legde haar wang tegen de koude vloer onder de planken.

'Geef me die lamp eens aan.'

Ze zette de lamp naast een steunbalk en tuurde onder de vloer.

'Ik denk dat ze dit stuk het eerst gelegd hebben,' zei ze in het niets. 'Waar blijft Brix verdomme met die hulptroepen!'

Ze stak haar hand uit.

'Hamer.'

Jansen gaf hem aan. Ze sloeg de klauw onder het hout en trok het omhoog. Hij sloeg er een koevoet onder. Weer kwam er een strook van de zorgvuldig door Vagn Skærbæk gelegde gloednieuwe vloer omhoog.

'Zie je iets?' vroeg hij.

'Hij zal het er niet meteen overheen gelegd hebben. Hij heeft de vloer ongetwijfeld eerst schoongemaakt. Met bleekwater. Ik geloof dat het ook op de muren zit.'

Ze stond op. Haar trui was smerig van het stof en het vuil.

Een licht buiten. Koplampen die door het kleine blauwe raam naar binnen schenen.

'Dat werd tijd,' zei Lund. 'Laten we de rest omhoog trekken en zien wat we hebben.'

Ze liep naar boven. Brix stond bij zijn zwarte Volvo.

'Heb je Skærbæk al ingerekend?' vroeg ze.

'Nee.'

Ze trok haar jas aan en keek om zich heen.

'Waar is de technische recherche?'

Bülow kwam van links op haar af lopen. Rechts stapte Svendsen uit zijn auto. Hij zag er blijer uit dan ze hem ooit had meegemaakt.

'Stomme klootzak,' siste ze tegen Brix.

'Hij doet zijn werk,' zei Bülow. 'Zoals jij het jouwe had moeten doen.'

Brix keek naar haar en haalde zijn schouders op.

'Er is niets in die kelder, Lund. We zijn er al geweest.'

'Toen waren jullie op zoek naar Frevert. Niet naar Nanna.'

Svendsen kwam bij haar staan, greep haar arm beet en zei: 'Je bent gearresteerd.'

Ze rukte zich los en ging voor Brix staan.

'Frevert heeft Birk Larsen die avond gebeld. Hij wilde zeggen dat hij Nanna in zijn taxi had gehad en dat ze van plan was om weg te lopen. Maar in plaats daarvan kreeg Vagn Skærbæk dat telefoontje.'

Svendsen wilde haar armen pakken.

'Raak me niet aan!' gilde Lund tegen hem. 'Brix! Luister nou toch! Skærbæk is naar de flat gegaan. Hij heeft de sleutels gepakt van de auto waarmee Hartmann gekomen was. Hij heeft haar hier in de kelder verborgen. Als we kijken…'

'Op het bureau kun je bazelen zo veel als je wilt,' onderbrak Bülow haar.

Ze probeerde Svendsens grijpende armen te ontduiken.

'Skærbæk heeft Meyer neergeschoten. Hij zei niet Sarah. Hij zei Sarajevo vierentachtig. Kijk naar Skærbæks jasje. Godver!'

Svendsen had haar arm hardhandig op haar rug gedraaid.

'Vertel ze over de ontbrekende foto, Brix. Vertel het ze!'

Toen werd ze vastgegrepen en naar de auto gesleurd.

'Skærbæk heeft er een nieuwe vloer in gelegd. En een muur afgetimmerd. Onderzoek de kelder! Pak Skærbæk voor hij nog iemand vermoordt...'

Svendsen greep haar met zijn rechterhand in haar lange haar beet en sleurde haar naar het portier, duwde haar op de achterbank.

Toen ging hij voorin naast zijn collega op de passagiersstoel zitten. De achterportieren werden op slot geklikt.

Jansen kwam het huis uit en liep naar Brix toe.

'Is er iets daarbeneden?'

'Ik zie niets,' zei de technisch rechercheur. 'Maar dat wil niet zeggen...'

'Wegwezen daar,' beval Bülow. 'Ik zal iemand sturen om de schade die Lund heeft aangericht op te nemen. Dat moeten we ook vergoeden.'

Hij liep naar zijn auto.

'Wacht even.'

De dikke man van het openbaar ministerie draaide zich met een boze blik om.

'Het kan dan wel jouw werk zijn om Sarah Lund te vervolgen,' zei Brix, 'maar ik ben de baas op moordzaken.'

'De zaak is opgelost. Ik zou me maar van die gestoorde trut ontdoen zolang het nog kan.'

Hij wilde weglopen.

'Haal hier een team naartoe,' zei Brix tegen Jansen. 'Iedereen die dienst heeft. Ik wil dat de hele kelder doorzocht wordt.'

Bülow draaide zich om en schudde zijn hoofd.

'Wij gaan hier pas weg wanneer ik dat zeg,' hield Brix vol.

'Goed,' zei Jansen en hij pakte zijn telefoon.

Een verjaardagslied. *Zo spelen we trompet.* Ze stonden allemaal om de tafel en vormden muziekinstrumenten met hun handen.

Feestmutsen, cadeautjes, een taart met kaarsjes en kleine Deense vlaggetjes.

Er werd geklonken met wijn en sinaasappelsap. Vagn Skærbæk had zijn beste kleren aan en glimlachte als een trotse oom stralend naar de jongens.

Pernille keek naar hem. Zo jong soms, hoewel er nu kringen onder zijn ogen zaten die ze eerder niet gezien had. En misschien verfde hij de grijze lokjes in zijn haar wel.

Vagn was al zo lang onderdeel van hun gezin dat ze zich niet kon herinneren hoe het begonnen was. Met Theis. Alles begon bij hem. In die krankzinnige tijd toen ze zwanger was van Nanna, wegliep en trouwde. Toen ze hem overhaalde om al die losvaste baantjes op te geven en te proberen een geregeld leven te leiden. Een eigen bedrijf te beginnen.

De slanke, timide, soms angstige figuur van Vagn was er altijd op de achtergrond geweest. Altijd klaar om te helpen. Met daden of een vriendelijk woord. Altijd klaar om het welzijn van een ander boven dat van hemzelf te stellen.

Nu sloeg ze hem gade terwijl hij naar de jongens keek en met iedere seconde die voorbijging voelde ze dat iets wat zo goed en natuurlijk leek, heel erg verkeerd was. Niet iets waar ze de vinger op kon leggen. Niet door één gebeurtenis, eerder door een hele reeks omstandigheden en intuïtieve gevoelens die ze nog steeds niet echt met elkaar kon verbinden.

'Wat zijn de jongens mooi,' zei Vagn met die ontspannen, oprechte glimlach die ze altijd als vanzelfsprekend had beschouwd.

Misschien zag hij zichzelf daar. Of de jongen die hij graag had willen zijn. 'Het eten was echt heerlijk.'

'Fijn, Vagn,' zei ze zachtjes.

Maar ze wilde vragen: 'Waarom?'

Ze stond op het punt dat daadwerkelijk te doen toen Theis opstond, zijn keel schraapte en aankondigde dat hij iets wilde zeggen.

Waren er andere vrouwen? dacht ze. Ze hield van deze man, maar ze wist dat hij in bepaalde opzichten net zozeer een mysterie voor zichzelf was als hij voor haar was.

'Ten eerste,' verklaarde Theis Birk Larsen op pseudo-serieuze toon hoewel hij zich daar zelf niet van bewust was, 'wil ik jou graag feliciteren met je verjaardag, Anton. Ik hoop dat het een fijne dag is geweest. En ik heb ergens gehoord…'

De man aan de andere kant van de tafel legde zijn hand voor zijn mond en giechelde.

'… dat oom Vagn straks nog een verrassing voor je heeft.'

Hij stond naast haar als een rots, als de woudreus die hij altijd geweest was. Een boom die nu een beetje heen en weer zwaaide. Niet meer de arrogante jonge rabauw van vroeger.

Hij bukte zich en legde zijn hand zachtjes op de hare op tafel.

'Lotte,' zei hij terwijl hij zijn glas hief. 'Anton. Emil. Vagn.'

Hij huilde niet. Dat had hij nooit gedaan als zij erbij was. Maar hij zat er nu dicht tegenaan.

'Zonder jullie waren we hier nooit doorheen gekomen.'

Hij drukte haar vingers.

'En ik zou nergens doorheen zijn gekomen…' Toegeknepen ogen, ogen die ondoorgrondelijk waren, sluw soms, werden op haar gericht. 'Helemaal nergens zonder Pernille. Mijn lieve Pernille…'

Theis' arm in het schone overhemd veegde over zijn gezicht. Geen tranen. Net niet.

'Straks hebben we een nieuw huis. En daar verwelkomen we jullie allemaal. Een nieuw begin. Een nieuw…'

De woudreus wankelde. Niemand zei iets.

'Skal,' zei Pernille en ze hief haar glas.

'Skal,' zeiden Lotte en Theis.

'Skal,' zeiden de jongens met hun sinaasappelsap.

Vagn nam een grote slok bier en brulde: 'Na ons de verdommenis!'

De jongens giechelden. Hij legde een hand over zijn mond en bloosde.

Een dronkenmanstoost. Niet voor kinderen. Maar misschien wist Vagn dat niet. Misschien lag er een scheidslijn tussen de jongen die hij wilde zijn en de volwassene die hij geworden was. De een, het denkbeeldige kind, gelukkig en vrij, dat werkelijkheid werd. De ander, de volwassene, sneu, afgetobd, eenzaam, die in een illusie was veranderd.

De volgende ochtend zou ze Lund bellen en met haar praten. Ze wist dat die vrouw zou luisteren. Tot dat ogenblik…

Ze zag hem glimlachen naar Anton en Emil.

Tot dat ogenblik zou ze haar gezin dicht bij zich houden. Ze zou ze niet laten ontsnappen aan haar scherpe, liefdevolle blik.

De telefoon ging.

Vagn Skærbæk stond meteen op van tafel en liep naar de telefoon. Hij kon zijn blik amper van de jongens af houden.

Naar Pernille moest hij ook steeds kijken. Ze zag er zo… zo krachtig uit. Op een bepaalde manier gelukkig, alsof een raadsel opeens duidelijk was geworden.

'Hallo?' zei hij. 'Met het huis van Birk Larsen.'

'Met Rudi. Is Theis er?'

Achter de ballonnen en de cadeautjes hield ze hem in de gaten.

Vagn Skærbæk glimlachte.

'Hoi.'

Opgewekt.

'Wat is er?'

'Ik reed net langs het huis. De politie is er weer.'

Hij bleef glimlachen.

'Hoe bedoel je?'

'Ze zijn bezig in de kelder. Een heleboel smerissen. Klopt dat? Ik dacht…'

'Ja, ja, dat is in orde. We gaan er meteen naartoe. Fijn dat je gebeld hebt. Dag.'

Hij ging zitten en haalde zijn schouders op.

'Tja,' zei hij met een blik rond de tafel. 'De plannen zijn veranderd.'

Birk Larsen fronste zijn wenkbrauwen.

'Die vent over wie ik het had,' zei Vagn met een knipoog. 'Weet je wel? Die wil dat we nu meteen komen.'

'Wat voor plannen?' vroeg Pernille opeens verontrust. 'Wat zijn dat voor plannen?'

'De verrassing van Vagn,' zei Theis.

Hij knipoogde ook. Dat ergerde haar.

Ze stond op en ging achter Anton en Emil staan.

'Hoe wist die man dan dat hij hierheen moest bellen?'

'Mijn mobiel is kapot,' zei Vagn. 'Had ik dat niet gezegd?'

Hij keek naar de jongens, naar Lotte en Pernille.

'Ik wil het feestje niet bederven, Theis. Maar als we het nog willen, dan moeten we nu gaan. Hoe eerder we weggaan, hoe sneller we weer terug zijn met…'

Hij keek naar het plafond en rolde met zijn ogen.

'Kunnen we niet eerst even taart eten?' vroeg Birk Larsen.

'Nee. We moeten nu weg. Een half uurtje. Meer niet.'

Een blik op de jongens.

'Eet niet de hele taart op,' zei hij. Toen pakte hij Birk Larsens zwartleren jack en hield het voor hem op.

Beneden.

Ze hoorde hoe de garagedeur omhoog rolde. Ze liep naar Theis toen Skær-bæk naar de bestelbus liep.

'Ga niet,' zei Pernille.

'Kom op, zeg.'

'Waarom kan Vagn niet alleen gaan?'

'Het gaat om de hond,' fluisterde Birk Larsen. 'We zijn zo terug om taart te eten. Dat beloof ik je.'

Toen, met een sixpack Carlsberg in zijn hand, liep hij naar buiten.

Ze stond daar bij de kratten en de vorkheftruck en ze was woedend op zichzelf. Waarom liet ze zich toch altijd zo gemakkelijk afpoeieren?

Een klein stemmetje vanuit het duister bij het kantoortje zei: 'Mama? Is dit voor mij?'

Anton die aan het rondsnuffelen was, op plekjes waar hij niets te zoeken had. Dat had hij van Nanna.

'We gaan naar boven. Bemoei je niet met andermans zaken.'

'Dat doe ik ook niet. Mijn naam staat erop.'

Ze liep naar hem toe. Een gele envelop.

In Vagns slordige handschrift: *Anton*.

De envelop lag op een verhuisdeken die over iets was uitgespreid dat er eerder niet gestaan had. Ze trok de deken eraf. Er zat een hondenbench onder, gloednieuw. En daarachter stond een halfopen kartonnen doos. Er kwam een geluidje uit.

Ze sloeg de flappen van de doos naar buiten.

Anton gilde, schreeuwde, krijste.

'Wat is-ie lief! Mam! Wat is-ie lief. Hij is van mij.'

Een zwart met wit jong hondje.

Pernille keek. Ze dacht koortsachtig na.

Anton tilde het hondje op. Emil kwam de trap af rennen.

Ze ging het kantoortje in, pakte de telefoon, toetste Theis' nummer in.

Terwijl ze wachtte hoorde ze een echo. Ze liep naar de werkbank, zag de rode Nokia daar liggen. Het lichtje knipperde, het ding ging over.

'Hoe heet-ie, mam?' riep Anton die achter het hondje tussen de bestelbusjes door liep. 'Hoe heet-ie?'

'Lund,' mompelde Pernille.

Anton keek haar aan.

'Lund?' zei hij met zijn kleine stemmetje.

Svendsen reed. Lund kende de andere jongen die voorin zat niet. Terwijl ze hun weg zochten tussen het drukke verkeer op Vesterbrogade door zei ze: 'Stuur in godsnaam iemand achter Skærbæk aan.'

'Waarom hou je je kop niet en geniet je van het ritje?'

'Hij heeft Nanna vermoord. Hij heeft Frevert vermoord. Hij heeft Meyer neergeschoten.'

Svendsen liet met één hand het stuur los, maakte een draaiend gebaar met zijn vinger in de lucht en stootte een kinderlijk gejammer uit.

'Whèèèh...'

Lachte.

'Misschien kom ik je wel opzoeken in het gekkenhuis. Maar waarschijnlijk niet.'

'We moeten Skærbæk arresteren...'

'Zeg dat maar tegen Brix. Ik heb schoon genoeg van dat gezeur van jou.'

De radio kwam plotseling tot leven.

'Twaalf vierentwintig, meld je.'

Hij nam de microfoon op.

'Twaalf vierentwintig. Over.'

'Twaalf vierentwintig. Nanna's moeder heeft gebeld. Ze staat erop Lund te spreken.'

'Lund zit in een dwangbuis naar de maan te janken. Wat is er aan het handje?'

Ze wilde tegen hem gillen. De microfoon uit zijn hand rukken. Maar ze wachtte.

'Ze wil dat wij haar echtgenoot opsporen.'

'Zijn we ineens van de gevonden voorwerpen?'

'Verdomme, Svendsen,' gilde Lund.

'Ja, ja.' Hij maakte een wuivend gebaar. 'Waar gaat het over?'

'Hij is met een werknemer vertrokken. Ze weet niet waarheen. Ze maakt zich zorgen.'

'Welke werknemer?' vroeg Lund. 'Vraag hem dat. Geef me verdomme die microfoon.'

Toen ze haar hand uitstak sloeg de agent op de passagiersstoel haar hard met zijn vuist in haar gezicht.

'Kom op, Svendsen,' riep ze. 'Gebruik die ene hersencel van je nu eens. Vraag wie het is. Doe mij die lol.'

Hij keek naar haar in het achteruitkijkspiegeltje, schudde zijn hoofd maar stelde toch de vraag.

Het bleef even stil.

'Hij is weggegaan met ene Vagn Skærbæk. Ze zeiden dat ze een puppy gingen halen. Maar zijn vrouw zegt dat dat niet klopt.'

Lund boog naar voren. De andere agent hield haar voortdurend in de gaten.

'We moeten er een patrouillewagen op afsturen. Vraag het kenteken van Skærbæks bestelbus op.'

'Begrepen,' zei Svendsen en hij legde de microfoon neer.

Ze knipperde met haar ogen die glansden van de tranen.

'Waar ben je in godsnaam mee bezig? Laat een opsporingsverzoek uitgaan naar Skærbæk. Hij heeft al twee mensen vermoord. Svendsen?'

Hij schudde zijn hoofd heen en weer als een kwaaie stier.

'Dat weet jij helemaal niet, Lund! Ik kan toch niet een opsporingsverzoek laten uitgaan omdat iemand een ritje is gaan maken? Het is donderdagavond. Ze zijn waarschijnlijk naar de kroeg en ze willen niet dat moeders de vrouw dat weet.'

'Skærbæk is niet zomaar een eindje rijden. Doe je werk.'

Hij keek weer naar haar.

'Mijn werk is om jou naar het politiebureau te brengen en in een cel te stoppen. Je hebt geen idee wat een feest dat voor me is.'

Lund leunde achterover op de harde bank. Lichten flitsten voorbij in de donkere nacht. De tijd raakte op.

Twee mannen van moordzaken. Prototype mannelijke rechercheur. Altijd met hun Glock in de riem, als een sieraad, een icoon van hun mannelijkheid.

Ze keek naar het dashboard en toen wat lager. Svendsen was rechtshandig. De andere links. Hun wapens zaten tussen hen in. De kolven naar buiten. Ze wenkten haar.

'Ik heb het toch lief gevraagd,' fluisterde ze.

'Ik weet zeker dat de enige lege cel de slechtste is,' begon Svendsen. 'Dat spijt me ontzettend. Ik…'

Ze stak allebei haar handen naar voren, flapte de leren riempjes met haar ene hand omhoog, greep de pistolen bij hun kolf, gooide er een op de grond, trok de schuif naar achteren om de andere door te laden.

Hield de loop tegen Svendsens stierennek.

'Wat is dit voor ongein?'

Hij klonk bang.

'Zet de auto aan de kant,' zei ze. 'Nu meteen.'

'Lund…'

Ze haalde het wapen even van zijn huid, schoof het langs zijn gezicht en toen, voor het eerst buiten de schietbaan, vuurde ze.

Het zijraampje spatte in scherven uiteen. De auto slipte en draaide weg op het donkere natte wegdek.

Toen trapte Svendsen eindelijk de rem in en de andere jongen schreeuwde het uit. Ze kwamen tot stilstand voor een cadeauwinkel. Rode baksteen. Versierde kerstbomen in de etalage.

'Uitstappen,' zei Lund. 'Allebei. Ga tegen de etalage aan staan. Maak me niet kwaad.'

Ze hield ze in het oog. Klom over de rugleuning van de bestuurdersstoel met haar wapen in de hand en haar blik op Svendsen gericht.

Ze keerde de burgerpolitieauto op de brede straat en reed terug naar Vesterbro.

Bülow wilde niet uit Humleby vertrekken. Hij stond erbij en keek toe hoe de mannen van Brix een logische aanpak probeerden te verzinnen om de rotzooi die de kelder nu was te onderzoeken.

Twee senior technisch rechercheurs in witte pakken sprayden de muren op zoek naar bloedvlekken. Brix stond met Jansen bij de trap, Bülow stond ze constant te jennen.

'Dit is niet eenvoudig,' klaagde een van de mannen in het wit. 'Al dat zaagsel en zo…'

'Je verspilt politiemiddelen,' onderbrak Bülow hem. 'Dat is op zich al een overtreding, Brix.'

De mannen werkten met luminol. Het kleinste bloedspoortje zou geel oplichten onder hun ultraviolette lampen.

'Hebben jullie al iets gevonden?' vroeg Bülow sarcastisch.

'Nou, nee,' zei de technisch rechercheur voorzichtig. 'Maar dat is vaak het geval voor je gekeken hebt.'

'Zijn alle mensen die voor jou werken zo geestig, Brix? Vertel eens. Echt, ik wil het weten.'

'We moeten het licht uitdoen,' zei Jansen. 'Kijken of er sporen zijn.'

Hij keek nijdig naar de man van het OM.

'Pas op dat je niet struikelt.'

Toen werd het donker.

De twee mannen in witte pakken pakten een paar lange tl-buizen op die blauw licht uitstraalden.

Ze bewogen ze op en neer langs de kale, gesprayde muren.

'Ik zie niets, Brix!' riep Bülow triomfantelijk.

Zijn telefoon ging over.

Ze richtten de lampen nu op de plinten, beschenen ze centimeter voor centimeter.

'Begrepen,' zei Bülow. 'Ik kom eraan. Spoor die auto op. Waarschuw iedereen dat ze gewapend is. Voorzichtig benaderen.'

Hij sloot het gesprek af en ging voor Brix en Jansen staan.

'Jullie collega heeft net twee agenten met hun eigen vuurwapens bedreigd en de auto gekaapt.'

Brix zei: 'Pardon?'

'Je hoorde me wel. Ik laat je schorsen, Brix. Je hebt ons de hele tijd al tegengewerkt. Als ik hiermee klaar ben...'

Een van de mannen in het wit floot lang en nadrukkelijk.

'En nu,' zei een stem achter het wonderlijke blauwe licht, 'verbaast u!'

Ze keken naar de vloer. Bülow en Brix. Jansen en de mannen in het wit.

Tussen de middelste vloerplanken kropen vlekken geel op in de blauwe lichtkegel.

Plasjes en spatten. Lange sleepsporen.

'En nu omhoogkijken, heren,' zei de man van de technische recherche. 'Wat hebben we daar!'

Een gele handafdruk op de muur. Vingers die in het pleisterwerk klauwden. Als schaduwen die waren achtergelaten door een verdwijnende geest.

Het kwam overal tot leven. Strepen en vegen, krabbels en vlekken.

Als een kamer in een morbide nachtclub.

In het wonderlijke blauwe licht keek Jansen om zich heen.

'Ze vocht hier voor haar leven, Brix. Dit was een...'

Bülows mond stond half open: sprakeloos.

Brix pakte zijn telefoon.

'Geef me de centrale,' zei hij.

Ze kwam bij de lage ijzeren brug, ging op het beton zitten. Met de armen door de reling en de voeten bungelend boven het kanaal. Zoals Amir El' Namen daar een week eerder had gezeten met zijn trieste bosje bloemen achter zijn rug, zijn tranen die in het zwarte water vielen waar Nanna was gestorven.

Het stond te lezen in alle documenten en foto's die Jansen voor haar verzameld had. Het was genoeg zoals het was. Ze had Meyer niet echt nodig. Dat was laf van haar. Zelfs Brix zou luisteren als ze hem daartoe zou dwingen.

Als…

Ze stelde die beslissing voorlopig even uit en telde op wat ze wist.

Nanna ging weg van huis en nam aandenkens mee. Een herinnering aan haar vader, die zijn mouw nooit oprolde als hij aan het werk was of de afwas deed. Die nooit zijn blote armen liet zien als de politie in de buurt was.

Maar een kind zou die tattoos opmerken. Een kind zou het verband leggen als ze een ketting met een zwart hart vond, verborgen in een afgesloten la. En een liefhebbende dochter die ging weglopen zou een herinnering met zich mee willen nemen voor onderweg.

Vagn deed wat hij gedaan had omdat hij was wie hij was. Een man die de dingen regelde, een man die de zaak aan de praat hield.

Nanna was verdwenen uit Humleby. Er was bloed in de kelder en dat bloed voerde helemaal naar het Pinksterbos.

Het waren allemaal zigeuners. Dat had Lonstrups dochter gezegd. Paden die elkaar door de jaren heen steeds kruisten, bij het verslepen van meubels en het afsluiten van louche deals. Theis en Vagn en het wezen dat John Lynge heette. De eerste man die ze hadden verhoord en toen weer laten gaan, die in leven had proberen te blijven in de troosteloze onderwereld van Vesterbro.

Ze tastte in de zak van haar blauwe jas. De motregen wist nog niet of hij in sneeuw zou veranderen en drupte op haar neer. Haar wangen waren ijskoud en haar paardenstaart plakte kil in haar nek.

Lund haalde de laatste foto tevoorschijn. De foto die ze niet aan Meyer had laten zien.

Eenentwintig jaar geleden. Een verbleekte Kodacolorfoto. Voor een hippiehuis in Christiania, volgeklad met vredestekens. Drie mensen. In het midden Mette Hauge, met lang vet haar en een leeg, stoned gezicht. Een onschuldige die van het rechte pad was afgedwaald, uit nieuwsgierigheid en een kinderlijk gevoel van spanning. Zoals Pernille ook had gedaan. Zoals ook Nanna gedwaald had.

Aan Mettes linkerkant stond een man met lang haar en een grote snor, een gegroefd voorhoofd, donkere, diepliggende ogen en zo te zien een verse snee over zijn rechterwang.

Als je het haar wegdacht en het litteken ouder maakte, de snor knipte en hem grijs kleurde, dan had je John Lynge.

Aan de andere kant stond de jonge Theis Birk Larsen. Groot en indruk-wekkend. Rossig haar, rossige baardstoppels. Hij lachte triomfantelijk in de camera. Een spijkerbroek en een spijkerjasje met de kleuren van de bende. Een bezitterige arm om haar heen. Koning van de buurt. Op zijn opbollende rechterbiceps was nog net een lijntje tattoos te zien. Daartussen eentje die er-uitzag als – het kon niet anders – een zwart hart.

Er was maar één antwoord voor het raadsel dat ze in het ziekenhuis niet had willen oplossen. Gekweld door verdriet en schuldgevoel en schaamte had Vagn Skærbæk zijn leven geofferd om die andere Theis verborgen te houden. Hij had de waarheid over Nanna begraven uit angst dat een ergere nachtmer-rie zou oprijzen uit de sombere woestenij van Kalvebod Fælled, samen met John Lynges zwarte Ford waaruit stilstaand water drupte en vers bloed. Een nachtmerrie die het geheime wonder dat hij het allermeest koesterde en waar hij jaloers op was zou kapotmaken: de kostbare verbintenis van een gezin. De banden die Pernille, Theis en de jongens samenbonden tegenover een som-bere, kille wereld.

Al de puntjes waren met elkaar verbonden. In Lunds hoofd in ieder geval, ook al wist niemand anders het.

De wind fluisterde in de kale zilverkleurige bomen van het Pinksterbos. Ze hoorde het zachte gekrijs van de uilen, de gepijnigde kreten van een vos. De wereld die ademde, ritselde, bewoog. In haar verbeelding zag ze al die dode gezichten die John Lynge had laten rotten onder het smerige water, zag hun monden opengaan, hoorde hen schreeuwen.

Het waren hun kreten en die van Nanna die haar die eerste ochtend wak-ker hadden gemaakt. Voor haar reis naar Zweden. Slapend in de armen van Bengt Rosling, een man die ze nooit meer zou zien.

Kreten die ze nooit meer zou vergeten. Een schuld die ze niet kon ontlo-pen.

Ze zat daar op het harde beton, haar benen over de rand en ze staarde naar de korrelige foto waarvan de kleuren vervaagd waren. Drie gezichten. Twee dood, een levend, gevangen in zijn eigen onuitgesproken schuld.

Achttien maanden en dan was Theis Birk Larsen weer terug in de wereld, zou hij proberen zijn bedrijf weer op te bouwen, zijn gezin, zou hij proberen de man te vinden die hij wilde zijn en het wezen kwijt te raken dat hij eens was.

Mette Hauges moordenaar. Het bewijs had ze vast.

Ze keek hoe de ijzige regen op de oude foto in haar handen viel. Sarah Lund leunde tegen de koude ijzeren reling en vroeg zich af of ze hem los moest laten.

Er zat één eenzame verpleegster achter de balie van de ziekenhuisvleugel voor particuliere patiënten.

'Bent u familie of een vriend?' vroeg ze op hun verzoek Poul Bremer te bezoeken.

'Geen van beide.'

'Nou, dan kan het helaas niet.'

'Zeg hem dat Hartmann hier is. Hij heeft naar me gevraagd.'

'Hij heeft zijn rust nodig.'

Hartmann leunde tegen de balie en wachtte.

Ze liep naar een kamer een paar deuren verderop in de gang. Niet lang daarna kwamen er vier mensen naar buiten. Hartmann herkende Bremers vrouw en zijn zus. Ze huilden allebei. Ze liepen langs hem heen de gang door naar de wachtkamer.

De verpleegster kwam terug.

'Hij mag zich niet opwinden. Als hij zich niet lekker voelt of van streek raakt, moet u ons dat laten weten. Er zit een belletje naast het bed. We hebben hem net naar deze kamer overgebracht en de monitoren doen het nog niet allemaal.'

'Prima,' zei Hartmann schouderophalend. 'Hoe is het met hem?'

Ze antwoordde niet, ging hem voor naar de kamer en vertrok.

Er brandde alleen een lampje boven het bed. Bremer lag in een wit ziekenhuishemd op een wit laken. Een slangetje in zijn neus. Geen bril. Ongeschoren.

Hij zag er jonger uit. Alsof die kleine afgezonderde kamer alle zorgen van de buitenwereld van hem afgenomen had, de last die Poul Bremer ieder moment van de dag met zich mee torste.

De burgemeester van Kopenhagen keek naar hem op, kneep zijn ogen tot spleetjes en lachte.

'Ik had je dinsdag met gemak verslagen, Troels,' zei hij met zwakke stem. 'Dat weet jij ook, toch?'

Hartmann stond met zijn handen in zijn zakken bij de standaard van het infuus.

'Misschien gebeurt dat nog wel.'

'Als dat eens kon.'

'Weet je, misschien moet je met de artsen praten, Poul. Of met je gezin. Niet met mij.'

'Jij bent mijn erfgenaam,' zei Bremer en hij fronste zijn voorhoofd. 'Dus je luistert maar even.'

Er stond een kruk bij het gordijn. Hartmann trok hem tot naast het bed en ging erop zitten.

'Spaar me, Troels. Kijk niet zo meelevend. Ik word er misselijk van.' Weer dat zwakke lachje. 'Als ik jou was, dertig jaar geleden, dan zou ik mijn voet nu op dat infuus zetten. Ik zou me naar de hel sturen en zelf de overwinning opeisen.'

'Daar geloof ik niets van,' zei Hartmann. Hij merkte tot zijn eigen verbazing dat hij glimlachte.

'Nee,' gaf Bremer toe. 'Ik vond het toen nog prettig om op te scheppen. Om te dreigen. Meer was het niet. Ik leek best op jou. Ik had het hart op de tong. En dan krijg je datgene waarvan je gedroomd hebt. En het is…'

Hartmann zag de walging op zijn gezicht.

'Dan stelt het helemaal niets voor. Je kunt het niet veranderen. Je mag blij zijn als je de boel een beetje bij elkaar houdt.'

'Je moet het rustig aan doen.'

'Het rustig aan doen?' Zijn stem werd een beetje luider. 'Het rustig aan doen? Hoe kun je het rustig aan doen? Hoe kun je iets doen… iets veranderen… als je de macht niet hebt?'

'Poul…'

De ogen van de oude man werden glazig en ongericht. Zijn adem was oppervlakkig en hortend.

Bremers hand kwam onder het laken vandaan en hij greep Hartmanns arm beet. Het was een trillende, zwakke aanraking van een broze oude man.

De monitor bij het bed begon te piepen en te knipperen.

'Jij denkt dat je anders bent,' zei de oude man kreunend. 'En misschien ben je dat ook. Alles is tegenwoordig anders. Er zijn zoveel dingen die ik niet meer begrijp.'

Hij hoestte en vertrok zijn gezicht van de pijn.

'Poul? Wat wilde je tegen me zeggen?'

Bremers ogen dwaalden rond, hij probeerde te focussen.

'Ik weet wie jou beschermd heeft.'

De verpleegster kwam met gehaaste pas binnen, keek op de monitor en zei: 'Ik moet u vragen weg te gaan.'

Hartmann stond op. Bremers zwakke hand hield hem nog steeds vast.

'Ik dacht dat het Rie was. Maar dat was niet zo.'

De oude man slikte. Hij had duidelijk pijn. De verpleegster legde haar hand op zijn voorhoofd en keek weer op de monitor.

'Ik heb iets naar je kantoor gestuurd. Het is aan jou…'

De vrouw riep om een arts. Hij hoorde voetstappen in de gang.

'U moet nu weg,' zei ze kordaat en ze wees naar de deur.

Nog steeds hield Bremer hem vast. Nog steeds was daar die lege blik in zijn ogen die de kleur hadden van het sombere marmer van de Politigården.

'Doe het juiste, Troels. Jij moet ermee leven. Niemand anders.'

Er waren tranen en opeens een blik van ontzetting.

'Je denkt dat je de kapitein op het schip bent,' fluisterde Poul Bremer. 'Maar in werkelijkheid beheerst het schip ons allemaal.'

Zijn stem was hoog, trillend, breekbaar. Zijn hand op die van Hartmann.

'Troels…'

Mensen in het wit drongen om hen heen, duwden Hartmann opzij. De monitor maakte een krijsend geluid. De artsen en verpleegsters fluisterden bezorgd met elkaar.

De grijze ogen gingen in doodsangst open en sloten zich toen, en Hartmann werd vastgegrepen en de kamer uit gesleurd.

De gang door, naar de uitgang.

Iemand stond te ruziën.

Hij riep: 'Maar hij is een oude vriend van me. Hij heeft me gevraagd…!'

Troels Hartmann kwam bij de balie. Verder hadden ze Erik Salin niet laten komen.

De kale broodschrijver stortte zich direct op hem.

'Hartmann? Wat zei Bremer? Wat? Kom op, Troels…'

Hij keek naar de man in de zwarte jas. Rook zijn tabak. Rook zijn angst.

'Bremer heeft jou het bewijs gegeven, toch? Hij zou jou hier niet voor niets laten komen. Hij had het. Dat heeft hij tegen me gezegd.'

Hartmann bleef staan.

'Wat wil je?'

'Bremer zei tegen me dat hij iets had,' herhaalde Salin. 'Dus…?' Een wanhopige blik waarin te lezen stond dat hij verslagen was. 'Wat is het?'

Hij weet het niet, dacht Troels Hartmann. Hij weet net zo weinig als ik.

'Goedenavond, Erik,' zei hij.

Brix ging direct naar het huis van de Birk Larsens. Hij praatte met Lotte, keek naar het hondje.

'We hebben ze geprobeerd te bellen,' zei ze. 'Theis heeft zijn mobiel vergeten en Vagn neemt niet op.'

'Wat zei Sarah Lund?'

'Ze zei niks. Ze kwam langs en nam mijn zus mee.'

'Waar gingen ze naartoe?'

'Ze gingen Theis en Vagn zoeken.'

'Waar?' vroeg Brix.

Ze keek naar de agenten die de garage doorzochten, naar de politieauto's met de blauwe zwaailichten buiten.

'Lund is toch van de politie? Waarom vraag je mij dat dan?'

Een bekende stem klonk op de politieradio.

'Ze zitten in een rode bestelbus met Birk Larsen op de zijkant. Kenteken is UE 93 682.'

'Lund,' zei een stem van de centrale. 'Je hebt geen toestemming. Kom ogenblikkelijk naar het bureau.'

'Regel dat opsporingsverzoek nou maar, ja?'

Brix liep met grote passen naar de auto.

'De bus is voor het laatst gezien toen hij in oostelijke richting over Vesterbrogade reed,' zei Lund.

'Kom naar het bureau!' brulde de centrale weer.

Hij pakte de microfoon op.

'Met Brix,' zei hij. 'Ik regel dit wel.'

Terug in het Rådhus liep Hartmann naar zijn kantoor. Het kapotte raam was met tape dichtgeplakt. Op zijn bureau stond een kerststukje, hulst met kerststerren, en een envelop met zijn naam erop.

In de envelop zat een foto die hij niet direct kon thuisbrengen. Misschien van afgelopen zomer. Het leek wel een schoolfeest in een park. Hij stond er glimlachend op, tussen een groepje bovenbouwers. Naast hem stond een jonge blonde vrouw die haar arm door de zijne had gehaakt en lachte alsof hij zojuist een grap gemaakt had.

Hartmanns hart stond stil.

Nanna Birk Larsen.

Een geluid ergens achter uit zijn kantoor. In het duister zat Morten Weber op de bank, zijn jas over zijn arm, zijn sjaal in zijn hand.

Hij stond op, kwam bij het bureau staan en keek.

'Ik wilde net weggaan toen dat werd bezorgd. Ik dacht dat ik alle afdrukken had. Kennelijk heeft Bremer de laatste gevonden. Die moet erg goed gezocht hebben. Zelfs Erik Salin heeft hem niet te pakken gekregen, heb ik begrepen.'

Weber ging tegenover Hartmann zitten.

'Afgelopen juli. Een hardloopwedstrijd van het Fredriksholmlyceum. Weet je het nog?'

Hartmann staarde naar de foto.

'Arm in arm, elkaar aankijkend. Ze ziet er helemaal niet als een schoolmeisje uit, hè. En ergens was ze dat ook niet, denk ik.'

Weber stond op, liep achter Hartmann langs en pakte de foto.

'Godzijdank is hij nooit gepubliceerd. Nanna had de bronzen medaille gewonnen. Jij hebt hem aan haar uitgereikt. Dit had ons kapot kunnen maken. En Bremer geeft hem je zomaar voor niets. God bestaat kennelijk toch echt.'

Hij gaf de foto weer aan Hartmann en ging zitten.

'Ik hoorde net dat hij weer een beroerte heeft gehad. Zo te horen heel ernstig. Als hij het ambt niet meer aankan, is hij van jou. We moeten nadenken hoe we dit moeten spelen…'

Troels Hartmann staarde naar het mooie blonde meisje en keek toen naar het kerststukje. Hij dacht aan de oude man die in het ziekenhuis naar adem snakte.

'Wat heb je me aangedaan? Wat in godsnaam…'

Weber haalde zijn schouders op, keek hem aan en vroeg: 'Meen je dat nou?'

'Ja, ik meen het.'

'Je moet toch echt leren de zaken eens vanuit het gezichtspunt van een ander te bekijken. Jij bent in de flat geweest. Je was stomdronken. Toen ik je in het huisje aantrof was je geen cent meer waard.'

Hij schudde zijn hoofd, bleef Hartmann strak aankijken.

'Je had geprobeerd zelfmoord te plegen. Ik herinnerde me dat meisje. Ik herinnerde me die foto op het moment dat de politie zei wie ze was. Ik had haar naam, Troels. Ik werk. Ik hou de dingen bij.'

'Jij… wist het?'

'Wat moest ik denken?'

'Ik ken haar niet,' hield Hartmann vol. Hij legde de foto op het bureau, hij wilde er niet langer naar kijken. 'Ik herinner me hier niets meer van…'

Weber leunde achterover, sloot zijn ogen en zuchtte.

'Jij dacht dat ik in staat was tot…'

'We hebben twintig jaar gewerkt om jou te krijgen waar je nu bent,' riep Weber uit. 'We hebben al die tijd gewacht op de kans om eindelijk iets te bereiken. Dat ging ik niet laten verpesten.'

Hij praatte nu zachter. Hartmann ademde oppervlakkig. De kamer tolde om hem heen.

'Jezus nog aan toe, Troels. Ik ben die zondag naar de flat gegaan. De tafel was kapot. Ik kon zien dat er iets was voorgevallen. De volgende dag zeiden ze dat zij het was…'

Zijn gezicht werd streng.

'Natuurlijk heb ik ervoor gezorgd dat ze die foto niet zouden vinden. Naar beste vermogen. Ik heb de bewakingsvideo ook meegenomen. Ik dacht dat we na als de verkiezingen aan de politie konden geven. Ze in de flat laten. Wanneer het veilig was. *Als* het veilig was…'

'Als?'

'Laat het rusten, ja? In principe heb ik niets gedaan wat het onderzoek hinderde. Ik heb alleen geholpen om het…'

'In principe?'

Weber pakte de karaf met cognac, schonk zich een glas in en kwam voor Hartmann staan. Alsof hij de baas was.

'Het spijt me van Rie,' zei hij onverschillig. 'Maar zeg nou zelf. Ze was niet de geschikte vrouw voor jou.'

'En dat maak jij uit?'

Weber wierp hem een boze blik toe.

'Na al die energie die ik in jou gestoken heb, mag ik er toch ook wel iets over te zeggen hebben, vind je niet? Je had iets met die politievrouw moeten beginnen. Lund. Veel meer jouw type. Ik zie jullie al…'

Hij nam een slok cognac.

'In bed. Jij denkt na over je volgende toespraak. Lund vraagt zich met die grote ogen van haar af wat er in de volgende kamer verborgen ligt.'

'Doe niet zo walgelijk…'

'Prima, Troels. Walg jij er maar van. Moest ik dan twintig jaar van mijn leven weggooien alleen maar omdat iemand een meisje uit Vesterbro heeft vermoord?'

Hartmann had zichzelf niet meer onder controle. Hij stootte het cognacglas uit Webers hand en torende boven hem uit.

'Ben je gek geworden, Morten?'

Weber kroop niet in zijn schulp zoals vroeger. Hij bleef daar staan, met een zelfgenoegzaam, uitdagend lachje.

'Nee, ik ben alleen maar efficiënt.'

'De politie zal erachter komen. Ze gaan toch weer naar Store Kongensgade.'

'Nee, dat doen ze niet. Ik heb ze niet gebeld.'

Hij pakte een nieuw glas voor zichzelf. Vulde het opnieuw met cognac. Ging op Hartmanns stoel zitten en keek naar hem op.

'Ga je zitten, Troels? Ga zitten. We hebben het een en ander te bespreken.'

Hartmann bleef bij het raam staan.

'Ach jezus nog aan toe,' kreunde Weber. Hij pakte nog een glas en schonk voor Hartmann een cognac in. 'Als dat verschil uitmaakt…'

Hij nam de stoel aan de andere kant van het bureau en wachtte tot Hartmann in zijn eigen stoel was gaan zitten.

'Je hoeft je nergens zorgen om te maken. Nergens om. Die toespraak voor morgen…'

Hij pakte een paar vellen van het bureau.

'Ik moet nog wat veranderingetjes aanbrengen. We moeten een paar verwijzingen naar Bremer invoegen. Uitingen van bewondering. Ik regel het wel.'

'Er komt morgen geen toespraak. Als ze te weten komen wat jij gedaan hebt…'

Weber lachte.

'O, vast wel.'

'Zo niet, dan vertel ik het ze.'

'Wil je dat? Prima.'

Hij duwde de telefoon over het bureau naar Hartmann toe.

'Vooruit maar. Bel ze.' Hij tikte weer op de foto. 'We kunnen ze dit kiekje laten zien. Dan kun jij vertellen wat er gebeurd is toen je haar had leren kennen. Afgelopen juli. Rie zat toen met haar vader in Spanje. Op vakantie. Weet je het nog?'

Hartmann zweeg.

'Ja, je weet het nog. Hardloopwedstrijd.' Vinger op de foto. 'Ik was er ook. Dat ben ik, daar achter in de groep. Altijd achterin. Ik ken mijn plaats en…'

Hij wees naar zijn ogen, grijnsde.

'… en ik hou de boel in de gaten. Dat moet wel. Jij had een paar biertjes op, toch? Die dwalende ogen. Na afloop ben je blijven hangen. Vertel eens, Troels. Ik was nooit goed met de vrouwen. Wist je nog hoe ze heette? En doet dat er wat toe?'

'Wat bedoel je?' mompelde Hartmann.

'Waar het om gaat…' Weber had de foto van Nanna Birk Larsen laten vallen en speelde nu met de foto van Jack en Jackie. 'Jij droomt van het Witte Huis. En ik ken je. Ik weet hoe je bent. Hoe je was voor je huwelijk. En tijdens je huwelijk. En daarna.'

Hij boog naar voren. Zijn stem werd luider.

'Ik wéét het. Jij droomt van het Witte Huis en ik zie alleen Chappaquiddick. Mooi meisje. Een paar biertjes. Ik zag dat je haar je nummer gaf. Ik kon het toen niet helemaal doorgronden. Maar, nou ja…'

Hij haalde zijn schouders op.

'En toen bleek dat ze met Jens Holck neukte, toch? Misschien wilde ze een nieuw iemand uit politieke kringen uitproberen. Weer een scalp aan haar gordel. Ik zag je…'

'Morten…'

'Je gaf haar je telefoonnummer. Je ging naar Store Kongensgade. Je wachtte. Je haalde wat goede wijn, nam wat lekkers te eten mee. Ging het zo?'

Hartmann schudde zijn hoofd.

'Ik weet het niet meer…'

'Ik heb het meisje apart genomen nadat jij naar de flat vertrokken was. Ik heb het telefoonnummer verscheurd en ik heb haar de stuipen op het lijf gejaagd. Daarom is ze nooit komen opdagen. Maar ik wel. Toevallig. Om er zeker van te zijn dat je alleen was. En dat je niet een of ander schoolmeisje lag te neuken dat je tijdens een prijsuitreiking tegen het lijf gelopen was. Herinner je je dat nog?'

Geen antwoord.

'Dus nou snap je het. Toen ze dood was moest ik me wel afvragen of ze op een andere manier aan je nummer was gekomen. Dat mooie schoolmeisje dat er zoveel ouder uitzag.'

'Ik heb dat meisje niet vermoord!'

'Dat weet ik. Nu. Dat is prima. Daar kunnen we mee leven. Als het anders was geweest... Dan had ik een paar moeilijke knopen moeten doorhakken.'

Hij stond op en trok zijn jas aan.

'Nog vragen, Troels?'

De zwarte telefoon werd niet aangeraakt.

'Mooi. Dit gesprek is afgerond. We komen er nooit meer op terug.'

Morten Weber keek op zijn horloge.

'Ik zie je morgenochtend,' zei hij. 'Wees op tijd.'

Op de lange weg de stad uit zat Pernille met grote bange ogen naast Lund.

De regen sloeg bij vlagen door het kapotte zijraampje naar binnen. Er lag glas op de vloer en op het dashboard.

'Kunnen ze naar een pakhuis van jullie zijn gegaan?' vroeg Lund.

'We hebben een paar pakhuizen in Sydhavnen.'

Een industrieterrein aan de andere kant van de weg die naar het vliegveld en Vestamager voerde.

'Lund?' klonk het over de radio. 'Brix hier.'

'En?'

'Je had gelijk over Skærbæk. Nanna is vastgehouden in de kelder.'

Naast haar sloeg Pernille Birk Larsen haar hand voor haar mond.

'Laten we hem dus zoeken,' zei Lund.

'Dat doen we. Maar jij moet naar het bureau komen.'

Ogenblikkelijk zei ze: 'Vergeet het maar.'

'Je weet niet waar ze zijn, Lund! Je verstoort een actie. We hebben de grenspolitie gewaarschuwd...'

'Vagn gaat het land niet uit. Het gaat niet om...'

'We hebben patronen in Skærbæks garage gevonden. Hij is gewapend. Ik wil niet dat jij erbij bent. Ik wil ook niet dat Pernille erbij is. Je kunt niets doen. Draai om en kom terug.'

Ze keek naar de vrouw naast haar. Pernille schudde haar hoofd.

'En de bossen?' vroeg Lund. 'Pinseskoven?'

Het Pinksterbos.

'Waarom zou hij daar in vredesnaam naartoe gaan?' vroeg Brix. 'Een godvergeten plek. Daar lopen alle wegen dood.'

'Maar daar is het begonnen. Hoe dan ook. Misschien wil hij het daar ook afmaken.'

'Kom naar het bureau. Ik regel dit.'

Ze legde de microfoon neer, reed door, nam de afslag naar Vestamager.

'Waarom zouden ze naar het bos zijn gegaan?' vroeg Pernille.

Het werd snel donker en er was steeds minder verkeer op de weg. Algauw lieten ze de straatlantaarns en de tweebaansweg achter zich en reden ze over de lange, glimmend natte weg die naar het bos voerde.

Na een tijdje versmalde de weg zich en algauw was het niet meer dan een smal pad. Hier liepen alle wegen dood, had Brix gezegd, daar had hij in ieder geval gelijk in.

Theis Birk Larsen had zijn derde blikje bier in zijn hand en lette niet meer op waar ze heen reden. Hij was een beetje dronken en best gelukkig en haalde herinneringen op.

'De eerste hond die ik ooit heb gehad heette Corfu. Weet je dat nog?'

'Ja,' zei Vagn Skærbæk. Hij klonk verveeld.

'Die heb ik in een rugzak uit Griekenland mee naar Denemarken gesmokkeld. Toen hebben we wel het een en ander geleerd, hè?'

'Nooit geweten dat zo'n klein hondje zoveel kon schijten.'

Birk Larsen keek kwaad naar zijn blikje bier.

'Misschien moeten we binnenkort weer het een en ander smokkelen. Ik moet dat huis betalen. Als ze me opsluiten voor die verdomde leraar…'

Hij keek naar de man achter het stuur.

'Jij redt het wel.' Birk Larsen sloeg hem op zijn schouder. 'Jij regelt het.'

Hij pakte de twee resterende blikjes.

'Wil jij nog een biertje?'

'Nee.'

'Goed, dan drink ik dat van jou op.'

Ze reden over een onverharde weg. De bus bonkte over het ruwe karrenspoor.

'Waar gaan we in godsnaam naartoe?'

'We zijn er bijna.'

'Pernille vermoordt ons als we niet op tijd terug zijn voor de taart.'

Birk Larsen hief zijn blikje.

'Op de vrouwen!'

Toen nam hij een slok.

Boven hen, ver weg, klonk gebulder. Er waren lichten. Birk Larsen keek naar het vliegtuig dat langs de avondlijke hemel daalde.

'We zitten vlak bij het vliegveld. Wat is dat voor een gek die zijn honden hier heeft?'

'Ik moet je iets laten zien. Zo gebeurd. En dan zijn we klaar.'

'Pernille…'

De bus hotste over de weg. Hij keek in het licht van de koplampen naar het wegdek. Grind. Aan weerszijden van de weg een greppel. In het grijze licht van de maan die achter de wolken schuilging, kon hij de contouren van een bos onderscheiden.

Een vage herinnering, beneveld door het bier.

Vagn Skærbæk onderbrak zijn gedachten.

'Weet je nog toen we 's nachts uit vissen gingen?'

'Fok dat vissen, Vagn. Waar is die stomme hond?'

Bomen. Kale stammen van de zilverberk. Slanke stammen die als dode ledematen uit de aarde oprezen.

'Het was altijd steenkoud en we vingen nooit wat.'

De bus reed nu bijna stapvoets. Hij kwam steeds in zwarte gaten in de weg terecht.

Birk Larsen voelde zich traag en dronken en dom.

'Jij zei dat Pernille zou denken dat we naar de kroeg waren geweest als we niet met een paar palingen terug zouden komen. Je had je gezicht moeten zien toen ik er met een paar kwam aanzetten. Je hebt me nooit gevraagd waar ik die vandaan had.'

'Vagn…'

'Ik had ze gewoon uit de palingfuik van iemand anders gepikt.'

'En wat dan nog?'

Skærbæk knikte.

'Ja. En wat dan nog. Zolang de boel maar geregeld wordt. Dan komen de dingen nooit terug om jou te achtervolgen. Wat maakt het uit?'

Hij was bij de plek waar hij naartoe wilde en stopte de auto, trok de handrem aan.

Zilverkleurige schilferige stammen in het zwakke schijnsel van de maan. Diepe greppels aan weerszijden van de weg. Geen teken van leven.

Skærbæk sprong uit de auto, liep naar de achterkant en deed de deuren open.

Birk Larsen zuchtte en nam een slok bier. Hij bedacht dat hij toch wilde pissen.

Hij klauterde uit de cabine en liep om de auto heen.

Vagn Skærbæk had zich verkleed. Hij stond daar in zijn jachtkostuum. Hoge zwarte laarzen, lange kaki jas. Over zijn schouder lag een geweer aan een band.

Hij trok nog een paar rubber laarzen uit de achterbak.

'Die moet je aantrekken, Theis.'

'Wat is dit nou?'

'Trek ze nou maar aan. Goed?'

Toen pakte hij een zwaar stuk hout op, hield het vast met beide handen.

'Laten we naar huis gaan,' zuchtte Birk Larsen. 'Pernille…'

Hij zag het niet aankomen. Het stuk hout raakte hem aan zijn slaap. Het bloed sprong in zijn ogen en duizelig viel hij tegen de deur van de bestelbus aan en daarna gleed hij op de grond.

Skærbæk porde hem met de loop van het geweer.

'Je mankeert niks. Sta op.'

Hij haalde een grote zaklamp uit de wagen, knipte hem aan en sloot de deuren.

'Laat die laarzen maar zitten,' zei Skærbæk. 'Lopen.'

Toen duwde hij hem in de richting van de bomen.

Tien minuten later parkeerde Lund bij de brug waar Nanna gevonden was en liep over een lang recht pad naar het bos. Pernille liep met grote passen naast haar. Ergens achter hen bewogen lichtbundels. De klanken van walkietalkies en mannen. Een helikopter vloog boven hen, zijn heldere schijnwerper drong door de duisternis van het Pinksterbos heen.

Het enige wat zij had was een zwakke zaklamp en het flauwe licht van de maan dat door het dunne wolkendek heen drong.

Haar telefoon ging over.

'Ik heb een stel auto's en een hondenteam van het vliegveld gestuurd,' zei Brix. 'Ze hebben de auto gevonden. Leeg.'

Ze herinnerde zich de bossen van daarvoor. Een wirwar van paadjes en karrensporen, doorkruist met sloten, stukken moerasland en kanalen. Sommige paden werden geblokkeerd door opgestapeld hout. Andere zouden drassig zijn van de regen die zojuist gevallen was.

'De honden…' begon Lund.

'De honden hebben een geurspoor gevonden. Ze volgen het.'

'Hoeveel mensen heb je?'

'Vijf patrouilles. Waar zit je?'

'In het bos. Een eindje voor jullie uit, denk ik. We moeten haast maken.'

Ze kon geblaf horen. Ze zag het licht van zaklampen. Ze stond stil, zag een richtingaanwijzer.

Ze haalde de kaart tevoorschijn die ze gepakt had uit een van de bakken die door de natuurvereniging overal geplaatst waren.

Ze zag opeens Jan Meyer voor zich die grinnikend aan kwam zetten met een dood beest. Een lus om de nek en een padvinderszakdoek.

Lund begon te lopen.

Pernille volgde.

Theis Birk Larsen struikelde.

Vagn Skærbæk was met zijn geweer in de hand vlak achter hem.

'Kom op,' snauwde hij terwijl hij toekeek hoe de grote man tegen een zilverkleurige stam botste. 'Lopen.'

Hier stonden dikkere bomen, verder uit elkaar. Ze liepen door struikgewas en rottende bladeren.

Hondengeblaf. Mannenstemmen.

Birk Larsen verloor zijn evenwicht toen hij over een plas stapte, viel op de natte aarde, spartelde in de modder.

'Vagn...'

Skærbæk keek naar het verbijsterde, bloedende gezicht van de man op de grond.

'Wat is dit, Vagn? Wat de fuck...'

Skærbæk vuurde, een kogel in een boomstam vol zwammen en schimmels een stap verwijderd van de gewonde, ploeterende man voor hem, keek naar de gele flits en de modder die opspatte.

Honden blaften, de stemmen werden luider, kwamen dichterbij.

'Sta op en loop door,' zei hij. 'Niet stoppen. We zijn er bijna.'

Lund luisterde. Pernille slaakte een hoge, ijle kreet.

Het bleef bij dat ene schot.

'Waar zijn ze?' zei Pernille naar adem snakkend. 'Theis...'

Een stem in Lunds oor.

Brix zei: 'Wat gebeurt er?'

'Ik weet het niet.'

'Hoe dichtbij zit je?'

'Ik weet het niet. Ik...'

Vliegtuiggebulder overstemde haar woorden en smoorde haar gedachten.

Een greppel, groen van de algen. Birk Larsen struikelde, viel er met zijn gezicht voorover in, werd door Skærbæk weer overeind getrokken.

Struikelend tussen de dode takken door, door het moeras. Aan de andere kant er weer uit, hijgend, bloedend.

Lichten vlakbij.

Het staccato geblaf van honden die gretig een spoor volgden. Kreten van de hondengeleiders. Geroep in het duister.

Voor hen was een open plek. Hoog gras. Afgebroken takken. Een cirkel tussen de zilverkleurige bomen.

In zijn groene jagersjas keek Skærbæk om zich heen en hij zei: 'Stop hier.'

Hij keek naar het bos. Naar het flikkerende schijnsel van zaklampen in de verte die steeds dichterbij kwamen.

Draaide zich dan weer om naar de grote verslagen man die bij hem was. Het bloed stroomde over Birk Larsens linkerslaap naar beneden, klonterde om zijn oog en zijn neus en zijn stoppelige wang als een bruinrood masker.

'Theis. Over een poosje zullen ze je van alles gaan vertellen.'

Birk Larsen stond daar gebogen, suf.

'Ik wil dat je het van mij hoort.'

Hij hield zijn zaklamp in zijn linkerhand, geweer in de rechter. Vagn Skærbæk luisterde weer, schudde zijn hoofd en lachte even.

'De dingen gebeuren soms gewoon. Je weet het nooit. Je ziet het niet aankomen. En dan is het er opeens en kun je niets meer doen om het tegen te houden. Niets…'

De grote man met het bebloede gezicht staarde hem aan.

'Leon belde om tegen jou te zeggen dat hij Nanna had opgepikt en haar bij die flat in Store Kongensgade had afgezet. Ik wist dat ze iets van plan was. Ik had ze bij het station gezien. Ze wilde ervandoor met die bruine. Dat stomme joch uit India.'

Skærbæk zwaaide met zijn geweer naar hem.

'Ze ging ervandoor. Snap je?'

Birk Larsen mompelde iets onverstaanbaars.

'Ik wist wat jij zou zeggen. Maar je was er niet. Dus ben ik erheen gegaan en ik heb haar daar gevonden.'

Hij verhief zijn stem.

'Ik ben een redelijk mens. Dat weet je. Ik wilde haar overhalen het niet te doen. Ik wilde haar tot rede brengen. Maar dan moet je net Nanna hebben.'

Hij trok zijn muts van zijn hoofd en keek Birk Larsen smekend aan.

'Dan moet je net Nanna hebben. Die heeft jouw bloed in zich. Ze wilde niet luisteren. Ze vloog me gillend aan, ze krabde me.'

Birk Larsen stond net zo stil als de bomen om hem heen.

'Je kent haar toch? Jouw bloed. En ik?'

Skærbæk scheen met de zaklamp op zijn eigen gezicht.

'Ik dacht aan jou en aan Pernille en aan de jongens. Wat jij zou denken. Hoe jij je zou voelen. Als je op zo'n manier in de steek gelaten werd.'

Het strakke masker begon scheuren te vertonen. Zijn ogen begonnen te tranen. Zijn stem brak.

'We hielden allemaal van haar. Maar dat maakte voor haar niets uit. Voor Nanna niet. Jij deed er niet toe. Ik deed er niet toe. Je weet dat dat zo is, toch? Dat weet je, Theis. Jawel.'

Er kwamen geen woorden van de man die daar gebogen stond. Het bloed droogde op op zijn strakke gezicht.

'Theis…'

Stemmen die dichterbij kwamen. Lichtbanen van de zaklampen op de zilverkleurige stammen achter hen.

'Soms gebeuren de dingen gewoon. Daar heb je geen invloed op. Je weet niet waar het vandaan komt, het gebeurt gewoon.'

Het geweer zwaaide heen en weer, wees.

'Dat weet je toch?'

Hij keek om zich heen.

'Er is geen verklaring voor. Geen verontschuldiging. Je moet gewoon…'
Vagn Skærbæk veegde iets van zijn ogen. 'Je moet het gewoon regelen. Je doet
je best om de boel in orde te maken.'

Hij tilde het wapen op zijn schouder, controleerde of er nog patronen in
zaten.

'Begrijp je wat ik zeg?'

Geen antwoord.

Het geweer werd weer naar beneden gehaald, wees naar de grond.

'We zijn hiernaartoe gegaan. Naar deze plek. Ze was bang. Ik wist dat je het
nooit zou begrijpen.'

Jonge ogen, een jonge stem. Geen zilveren ketting, geen rode overall meer.

'Ik kon haar niet doden. Dat kon ik niet.'

Hij snifte, haalde zijn schouders op.

'Dus droeg ik haar naar de auto en duwde die het water in.'

Hij hief het geweer weer. Birk Larsen staarde ernaar.

'Hier.'

Vagn Skærbæk gooide het geweer. Hij keek hoe de lange loop in de lucht
tussen hen draaide. De kolf kwam precies in Birk Larsens grote hand terecht.
Zijn vingers sloten zich automatisch om het hout.

Het magische wapen, het geweer dat de dingen afsloot.

Een grote man in een zwart jack met een bloedend gezicht.

'Kom op, stomme klootzak. Kom op. Maak het kort.'

Rennende voetstappen. Stemmen.

'Doe het!'

Een vrouwenstem klonk door de nacht.

'Theis Birk Larsen, leg dat wapen neer.'

De twee mannen draaiden zich om en keken. Zagen Sarah Lund staan in
het hoge, dode gras. Een pistool in haar hand, klaar om te schieten. Naast
haar stond Pernille in haar lichtbruine jas.

Vagn Skærbæk opende zijn handen en glimlachte naar de man met het geweer.

Een knal verscheurde het duister. Lund had in de lucht geschoten.

'Loop weg van Skærbæk,' beval ze. 'We weten wat er gebeurd is, Theis. Laat
dat geweer vallen. Loop weg.'

Skærbæk lachte sarcastisch.

'Wat er gebeurd is?' vroeg hij. 'Denk je dat ze het weten, grote kerel? Nou?
Of heb ik het verkeerd begrepen?'

Geen woorden. Daar was Theis Birk Larsen nooit goed in geweest. Maar
hij kon kijken.

'Jullie zullen nooit meer naar Humleby verhuizen,' zei Skærbæk tegen hem met diezelfde sarcastische glimlach. 'Daar heb ik het gedaan. Kun je je dat voorstellen?'

'Leg dat wapen neer, Theis!' riep Lund.

Ze was nu het gras voorbij. Ze konden allebei de zwarte Glock in haar handen zien. Meer mensen doken op. Lichten achter haar. Gedaanten die door de zilverkleurige bomen met hun schilferende schors naderden. Honden en zaklampen die de twee mannen op de open plek insloten.

Birk Larsen hield het geweer bij zijn middel. In een hoek van vijfenveertig graden.

'Theis,' riep Lund. 'Hier is iemand die met je wil praten.'

Een gedaante in een lichtbruine jas die naar de open plek toe liep.

'Het is voorbij,' zei Pernille. 'Theis...'

Even keek hij niet meer naar de man in de groene jagersjas, maar richtte hij zijn aandacht op haar.

'Het is voorbij.'

'Het is niet voorbij,' snauwde Skærbæk. 'Nog niet. Zelfs een grote domme kracht als jij weet dat. Toch? Kom op. Je hoeft maar een paar jaar te brommen. Wat heb je te verliezen?'

Een korte harde lach.

'Je zult een held zijn. Theis Birk Larsen. De wraakengel. Dat zul je prettig vinden, toch?'

Vanbuiten de cirkel kwam Pernilles zachte en smekende stem snel dichterbij. 'Laten we naar huis gaan, Theis. Naar huis, naar de jongens.'

Het geweer hing naar beneden.

'De jongens. Kijk me aan. Kijk me aan. Ga bij hem weg.'

Birk Larsen deed een stap naar achteren. Liet zijn ogen rond de kleine open plek in het Pinksterbos dwalen. Zaklampen en mannen sloten hen van alle kanten in, als een mensenmassa die op een schouwspel af kwam. Als publiek in de arena.

Ze kwamen steeds dichterbij.

Lunds harde angstige stem die bezwerend zei: 'Laat dat geweer vallen, Theis. Laat...'

'Ik heb mijn handen voor mijn oren gehouden,' zei Skærbæk plotseling. 'Omdat ik niet tegen haar gegil kon. Kun je je dat voorstellen? '

Birk Larsen keek naar hem, hoorde niets anders meer.

Skærbæks gezicht was nu anders. Bang, wanhopig. Maar nog steeds vastbesloten.

'Toen ik de auto het water in duwde. Het ging maar door... Jezus christus! Ze smeekte en ze gilde en...'

Skærbæks hoge, zwakke stem brak. Zijn hoofd draaide heen en weer. Van angst en van verdriet.

'Nanna bleef me maar smeken om haar eruit te halen.'

Het geweer ging omhoog. Skærbæk hield zijn angstige ogen gericht op de grote man met het asgrauwe gezicht.

'Ze riep om jou en om Pernille. Zielig. Ik hoor het nog steeds.'

De schouders in de groene jagersjas werden opgehaald.

'Maar nou ja, zeg. Het was toen toch al te laat, hè? Ze kon zich suf schreeuwen, maar wat kon ik er nog aan doen... Waar blijf je nou, jij laffe klootzak?'

Het wapen ging omhoog, een gele lichtflits in de nacht, rook en een hoge kreet.

De man in de jagersjas vloog naar achteren, greep zijn borst vast, stortte neer op een berg riet. Met zijn gezicht naar de nachtelijke hemel gekeerd.

En naar Theis Birk Larsen, die de kreten om hem heen negeerde. Die Lund negeerde en Pernille. En de zwarte gedaanten die op hen af stormden.

Hij zag niets anders dan de man op de grond.

Het geweer aan zijn schouder, een vastberaden gezicht. Hij keek in Skærbæks angstige ogen.

Iemand gilde, niet dat dat er iets toe deed.

Bloed op de groene jas. Bloed op Vagn Skærbæks open, hijgende mond. Hij ademde nog, hij leefde nog.

'Ik heb iets van je te goed,' zegt de gewonde man. De woorden komen tegelijk met rode bellen uit zijn mond, terwijl hij vecht om nog iets te zeggen. 'Ik heb iets van je te goed, stomme klootzak...'

Een tweede schot doet de nachtvogels opvliegen van de takken in het donkere bos waar de dode bomen geen beschutting bieden.

Dan doet Theis Birk Larsen een stap achteruit.

Hij gooit het jachtgeweer op de grond. Kijkt naar de verwrongen gedaante aan zijn voeten.

Doet weer een stap achteruit.

Geen woorden. Die zijn niet nodig.

Om hem heen komen de donkere gedaanten steeds dichterbij.

Er worden bevelen geschreeuwd. De wapens worden in de aanslag gehouden.

Hij draait zijn pijnlijke, verwarde hoofd rond, als een in het nauw gedreven dier, kijkt om zich heen en ziet.

Er is een vrouw in een zwart-witte trui die huilt.

Er is een vrouw in een lichtbruine jas. Zij huilt niet.

20

Vrijdag 21 november

Vijf uur in de ochtend. Brix zat in zijn kantoor.

Lund wachtte bij een raam in de rondlopende gang buiten, staarde naar beneden naar de binnenplaats voor de cellen waarin Theis Birk Larsen op verdenking van doodslag werd vastgehouden.

Weldra zou het licht zijn en dan zouden er verklaringen afgelegd moeten worden. Persconferénties. De zaak-Nanna Birk Larsen zou voorgoed worden gesloten.

Brix keek naar de eenzame vrouw bij het glas die in gedachten verzonken was. En die alleen zichzelf nog maar had. Hij wilde, tegen al zijn gezonde verstand in, dat hij vaker met haar zou kunnen werken. Hij hoefde haar niet beter te leren kennen. Die uitdaging ging zijn vermogens te boven. Het zou de meesten te boven gaan, dacht hij.

'Lund!' riep hij en hij wenkte haar naar binnen.

Ze droeg nog steeds haar blauwe jas en de wollen trui, onder de modder van de Kalvebod Fælled.

'Heb je die foto gevonden?'

'Nee. Ga zitten.'

'Leon Frevert…'

'Lund.'

Hij probeerde te glimlachen.

'Het lab heeft een match gevonden met sporen op Skærbæks jasje. We weten nu dat hij Meyer heeft neergeschoten.'

Ze staarde hem aan met die grote ogen die alles zagen.

'Bülow loert nog steeds op je. Hij zal zijn verslag afmaken. Er zullen consequenties zijn. Vooral voor wat je in de auto hebt gedaan.'

'Svendsen wilde niet luisteren.'

'Je hebt hem met een pistool bedreigd.'

Ze herhaalde heel langzaam: 'Hij wilde niet luisteren.'

Brix wachtte even.

'Bülow is niet de enige die erbij betrokken is. Ik heb er ook iets in te zeggen. Ze zullen de aard van de zaak erbij betrekken. En het onderzoek.'

Ze keek het kantoor rond. Zag de plastic zakjes voor bewijsmateriaal.

'Je zit in een precaire situatie.'

Brix zag dat de deur nog op een kier stond. Hij stond op en deed hem dicht.

Hij kwam bij haar staan.

'Ik kan je een kans bieden. Die kans moet je wel snel grijpen. Je moet erover nadenken.'

Ze keek naar haar vuile handen.

'Deze zaak heeft een hoop problemen opgeleverd. Iedereen wil dat die problemen verdwijnen. Voorgoed.'

Handen in zijn zakken. Zelfverzekerde toon.

'Bepaalde aspecten van het onderzoek zullen uit het verslag worden weggelaten. Jouw beschuldiging dat iemand personen op het Rådhus in bescherming nam. Het idee dat onopgeloste vermissingszaken in verband kunnen worden gebracht met Skærbæk.'

Hij ging weer zitten.

'De zaak-Nanna Birk Larsen is gesloten. En dat blijft hij.'

Geen antwoord.

'Ik vind persoonlijk dat dit een goede oplossing voor jou is. Voor ons allemaal.'

Lund sloeg haar armen over elkaar en zei niets.

'Ik raad je aan die oplossing te accepteren.'

Geen antwoord.

'Sarah, je hebt de zaak opgelost. Dat is het enige wat ertoe doet. Als je je bij deze regeling neerlegt, dan kan ik ergens anders een baan voor je regelen. Ik kan je referenties geven. Je kunt ergens anders…'

Ze stond op, liep naar de deur en deed hem open.

'Lund?'

Voorzichtig, langzaam, veegde ze wat modder van de mouw van haar zwart-witte trui.

'De mensen boven zitten op antwoord te wachten.'

'Dat doen we toch allemaal?' zei ze en toen liep ze weg door de zwarte marmeren gang, langs de kamer met het speelgoedpolitieautootje en het basketbalnetje, langs Jansen, langs de lawaaierige kamer waar de mannen van moordzaken samenkwamen en hun schuine grappen vertelden.

Naar buiten, de koude donkere ochtend in.

Om zes uur werd Troels Hartmann wakker in zijn kantoor. Buiten huilde de wind. Het tape op het kapotte raam was losgeraakt. Een ijskoude storm drong de kamer binnen.

Zijn adem stonk, zijn hoofd stonk. Op de grond stond de lege karaf, naast de papieren, de toespraken, de posters. Zowat alles wat hij maar op de grond had kunnen smijten in die lange, bittere nacht.

Alles deed hem pijn. Gehurkt op de vloer haalde hij zijn mobiel uit zijn zak en belde Brix.

'Ik heb het druk,' zei de politieman. 'Ik bel je terug als ik echt niets beters te doen heb.'

Zijn toon stoorde Hartmann.

'Dit is belangrijk. Niet ophangen!'

'Waarom niet?'

'Het gaat over de zaak-Nanna. Ik ben gisteravond bij je thuis langs geweest. Je was er niet.'

'Ik was aan het werk.'

'Ik heb iets ontdekt. Dat moet je natrekken. De flat…'

'Ik vind het fijn dat je opeens zo behulpzaam bent, Hartmann. Maar je bent te laat. De zaak is gesloten. Voorgoed, dit keer. We hebben de dader. Heeft niets met jou of met het Rådhus te maken. Dit was een…' de politieman zweeg even, alsof hij het maar met moeite over zijn lippen kreeg, '… dit was een familiekwestie, zou je kunnen zeggen.'

Hartmann zweeg en merkte dat hij beschaamd naar de rotzooi om hem heen keek. De flessen. De troep op de vloer.

Een houten kop, een pijnlijke keel. Hij kwam overeind, liep naar zijn bureau en ging zitten.

'Wie…?'

'Dat hoor je gauw genoeg op het nieuws.'

De foto die Weber had gevonden was er nog. Nanna, glimlachend, met haar arm door de zijne terwijl ze opkeek naar zijn gezicht.

Hij had nooit geweten hoe ze heette.

'Hallo?' zei Brix.

'Is hij dood?'

'Zei ik dat dan niet? Hoor eens, Hartmann, ik heb het druk…'

'Er is nog iets.'

Hij hoorde de lange politieman aan de andere kant van de lijn zuchten.

'Hou het kort.'

De rijke geur van mahoniehout. Het verguldsel. De wandschilderingen. De warme, comfortabele cocon die Troels Hartmann omsloot leek zich dichter om hem heen te wikkelen en als een verleidelijke sirene in zijn oor te fluisteren.

'Ik wilde alleen…'

Zijn gebarsten stem stierf weg. Hij kon geen woord uitbrengen.

'Ik stuur later in de week wel iemand bij je langs, als je dat wilt,' onderbrak

Brix hem. 'Succes met de verkiezingen. En tussen twee haakjes, laat het maar uit je hoofd om ons ooit zo onder druk te zetten als je voorganger heeft gedaan. Dat zal ons niet nog eens gebeuren.'

Er werd opgehangen. Hartmann pakte de afstandsbediening. Zette de tv aan en keek naar het nieuws.

'Poul Bremer heeft gisteravond weer een beroerte gehad. Hij heeft zich voor de verkiezingen van de nieuwe gemeenteraad teruggetrokken. Bremer is twaalf jaar burgemeester van Kopenhagen geweest. Volgens onze politieke redactie zal door de beslissing van Bremer om zich terug te trekken, Troels Hartmann zeker gekozen worden…'

Er werd op de deur geklopt. Een glimlachende blonde vrouw in een groene jurk kwam binnen. Ze had een stapeltje kranten in haar hand en zei opgewekt: 'Goedemorgen.'

Ze keek naar de troep, naar hoe hij er zelf aan toe was, maar bleef glimlachen. Keek naar het kapotte raam.

'We zullen dit opruimen,' zei ze. 'Straks zullen ze foto's willen nemen. Ik regel iemand voor de ruit.'

Ze liep naar zijn bureau en stak hem haar hand toe. Hij nam hem aan. Warm en zacht.

'Maja Randrup. Ik ben de vervangster van Rie Skovgaard. Morten heeft me gevraagd in te springen.'

Ze legde een print voor hem neer.

'Hij heeft me je toespraak gegeven om uit te typen. Ik vind hem erg goed.'

Bevallig begon ze dingen van de vloer op te rapen. Zijn jasje. Het lege glas. De karaf en de mappen. Ze bleef glimlachen.

'Ik heb er suggesties bij gezet toen ik het van Bremer had gehoord,' zei ze terwijl ze een omgevallen stoel overeind zette. 'Morten en ik denken dat we daarmee de juiste toon treffen. Meelevend maar vastbesloten om het juiste voor de stad te doen. Dat je het goede uit Bremers erfenis wilt behouden, erop voort wilt bouwen en dat je daar je eigen dingen aan toe wilt voegen.'

Ze keek de kamer spiedend door en wuifde.

'Jullie hebben hier een douche, toch? Je hebt je scheerspullen. Ik regel schone kleren.'

Ze wachtte niet op antwoord.

'Je moet over drie kwartier klaar staan.'

Ze pakte de karaf.

'Jammer dat je op deze manier moest winnen. Maar laten we wel wezen, winnen is winnen. Na de persconferentie heb je even wat ruimte in je agenda. Morten zegt dat je daarvan moet genieten. Ga naar huis. Blijf de komende dagen zo veel mogelijk uit de publiciteit. De campagne is voorbij. Nu moeten we gewoon wachten.'

Ze deed de ramen open. De koude novemberstorm wakkerde aan en deed hem huiveren. Zijn tanden klapperden en zijn gedachten zaten gevangen in een afgestompte doffe pijn.

Verkeersgeluiden. Het was nog donker. Het neonlicht van het hotel.

Hij zat aan zijn bureau, zijn hoofd tolde. Hij keek naar haar. Een aantrekkelijke vrouw. Rond de dertig. Een strakke, groene, glanzende jurk. Goed figuur. Geen ring aan haar vinger. Ze wist dat hij daarnaar keek.

Maja Randrup pakte de foto van hem met Nanna op.

'Die neem ik mee,' zei ze en ze ging de kamer uit.

De advocaat liep Pernille Birk Larsen in de gang tegenover het gevangenisblok tegemoet.

'Hij komt zo snel mogelijk voor de rechter. Daarna sturen ze hem waarschijnlijk naar de Vestre-gevangenis. Ik zou je geld niet aan een borgtocht verspillen.'

Lis Gamborg. Dezelfde vrouw die Theis eerder bijgestaan had. En Vagn ook toen hij daarom had gevraagd. Pernille kende niet veel advocaten. Wilde ze ook niet kennen.

'Ik vind het heel erg,' zei ze. 'Ik bel je zodra ik de tijd heb, voordat hij voor moet komen.'

Toen ging ze weg.

Pernille stond in de smalle gang en keek naar buiten. Het werd dag. Helder en fris. Op de binnenplaats beneden brachten een stel gevangenbewaarders een grote man in een blauwe gevangenisoverall, met handboeien om en een verband om zijn slaap, naar een arrestantenbusje.

Ze begon te rennen.

De wenteltrap af, met razendsnelle voeten. Ze duwde agenten en bewakers opzij, advocaten en waggelende dronkenlappen.

Twee trappen en toen stond ze op de grijze betonnen parkeerplaats. Hoofden werden naar haar omgedraaid, mensen begonnen te roepen.

Hij was al halverwege de binnenplaats, aan weerszijden door een agent in uniform aan zijn arm vastgehouden, en hij liep zoals hij altijd liep. Zijn hoofd hoog, zijn ogen naar voren gericht. Zijn mond dicht. Zwijgend en wachtend op de dingen die komen gingen.

'Theis!'

Nu zagen ze haar.

'Theis!'

En hij ook.

Een politievrouw kwam naar haar toe hollen en greep haar bij haar arm.

Pernille worstelde zich los, met wapperende armen. Sloeg de volgende agente ook van zich af.

En begon te rennen.

De twee bewakers die hem vasthielden tastten naar hun wapenstok en keken om zich heen.

In het winterse licht van de rozige dageraad schopte en stompte en gilde Pernille Birk Larsen zich een weg door de binnenplaats, wierp zich op hem, sloeg haar armen om zijn hals en haar benen om zijn massieve lijf.

Gezicht tegen gezicht. Een zachte wang tegen een ruwe. Woorden die ze zich later niet meer herinnerde, maar wat maakte het uit.

Haar kracht met de zijne. De zijne met die van haar.

Kort samen verstrengeld. Een niet uitgesproken liefde. Een verbintenis die opnieuw bekrachtigd werd.

Toen sleurden ze haar van hem weg en bleef hij daar groot en onhandig staan.

Ze zou nooit weten wat die blik van hem betekende. En dat wilde ze ook niet. Het enige wat ertoe deed was in het hart. En daar waren ze één.

Half negen. Schoon pak, schoon overhemd. Frisse lucht in het kantoor. Een luchtverfrisser om de stank van cognac te verjagen. Geen kranten op de vloer.

Maja Randrup stond voor hem, trok zijn das recht. Controleerde zijn haar en zijn gezicht.

'Zorg dat je niet triomfantelijk klinkt,' zei ze. 'De media zullen je als winnaar aanwijzen. Er is niemand anders om de verkiezingen te winnen. Maar een beetje nederigheid kan nooit kwaad.'

Ze deed een stap naar achteren en bekeek hem keurend. Zoals een etaleur een etalagepop bekijkt.

Toen gaf ze hem zijn toespraak.

Troels Hartmann keek er niet naar. Hij had hem niet nodig. Hij kende ieder woord uit zijn hoofd.

Haar glimlach bestierf even. Hij vroeg zich af of hij haar op de een of andere manier teleurgesteld had.

Het was niet goed om mensen teleur te stellen. Zoiets onthielden ze. En dat namen ze je dan kwalijk.

Dat was waar politiek om draaide. Voldoening. Leveren. Uiterlijke schijn. Dat overheerste.

Haar strenge blik was op zijn bureau gericht, niet op hem. Ze sprak over de fotoshoot straks. En dat het noodzakelijk was een consistent imago uit te stralen.

'Dit kunnen we niet gebruiken,' zei Maja Randrup en ze stak de foto van Jack en Jackie onder haar arm. 'Hij is te...'

Ze rimpelde haar neusje. Dat stond haar goed, vond hij.

'Te oud.'

In zijn schone overhemd, met zijn frisse aftershave, stond Troels daar en wachtte, tot hij te horen kreeg wat hij doen moest. Hij voelde zich zorgeloos, maar best goed.

Er werd op de deur geklopt. Morten Weber knikte. Naar haar, niet naar hem.

'Is hij klaar?' vroeg Weber.

Zij spreekt. Troels Hartmann luistert niet. Als Weber dat aangeeft loopt hij achter de kleine man met zijn achterovergekamde krullende haar en de goedkope bril met het goudkleurige montuur zijn kantoor uit, door de burelen van de Liberalen, door de glanzende gangen. Langs deuren die opengaan, langs nieuwsgierige gezichten.

Vlak bij de grote zaal begint Morten Weber te klappen. Maja Randrup begint ook. Het applaus grijpt als een brand op een droog heideveld om zich heen.

Hij loopt door naar die glanzende grandeur van de gemeenteraadzaal, een plek die zo stralend is dat het zijn ogen verblindt.

Hij ziet de deuren. Hij staat even stil. Hij loopt erdoorheen.

Hij ziet de camera's, de gezichten en de klappende handen. De klappende handen.

Hij staat op het podium naast de grote troon van Kopenhagen.

Hij loopt naar de glanzende zetel, legt zijn hand nadrukkelijk op het oude hout.

Wendt zich tot de menigte, de camera's, de verwachtingsvolle gezichten.

En glimlacht.

Glimlacht.

Glimlacht.

21

Een heldere dag, bijna kleurloos. De winter was ingevallen in Kopenhagen. De zilte lucht was scherp en koud, de zon hard en verblindend. Lund zat voor het ziekenhuis te huiveren in haar dunne blauwe regenjas. Haar spullen stonden nog steeds in de kelderbox van Vibeke. Ze had alleen een paar kleren en haar toiletspullen meegenomen naar de kamer in het hostel bij het Centraal Station die ze betrokken had en waar ze zich afvroeg wat ze moest doen, waar ze nu naartoe moest.

Ze had een uur eerder al op het punt gestaan om naar binnen te gaan, maar toen ze naar de ingang toe liep had ze Hanne Meyer en haar kinderen in een taxi zien arriveren. Dus Lund wachtte, met haar armen om haar lijf in de te dunne jas heen geslagen. Ze zat op een muurtje, rookte, hield de map vast die Jansen haar die ochtend heimelijk had bezorgd, en haar overactieve geest dacht na over de mogelijkheden.

Kwart voor elf gingen ze weg, gebogen tegen de kou.

Lund stak de map onder haar jas, trok de capuchon over haar gezicht, bleef waar ze was tot ze uit het zicht verdwenen waren.

Toen liep ze naar de receptie van het ziekenhuis en vroeg of ze hem bezoeken mocht.

Dat kostte tien minuten overredingskracht. Uiteindelijk werd ze door een lange witte gang naar een eenpersoonskamer geleid. De politie betaalde ongetwijfeld. Dat moesten ze wel, gezien de omstandigheden.

Ze ging naar binnen, werd even verblind door het licht dat door de hoge ramen naar binnen viel.

Een gedaante bij het raam. Een wit ziekenhuisjak. Een blauwe pyjama eronder en een glanzende zilverkleurige rolstoel.

Bleek gezicht, stoppelige kin, grote oren. Bolle ogen die nog droeviger stonden dan gewoonlijk. Een infuus aan een zilverkleurige standaard, een slangetje op zijn linkerhand vastgeplakt.

De televisie stond aan. Troels Hartmanns inhuldiging als burgemeester van Kopenhagen. Hij nam zijn zetel in in de raadzaal, wuifde majestueus naar zijn publiek dat overeind was gekomen en enthousiast stond te klappen om de nieuwe leider van het Rådhus te begroeten.

Jong en krachtig. Vol energie en hoop.

Hoop.

Meyer zat aan een ronde tafel. Hij had een kort mes in zijn hand en schilde heel langzaam een appel. Het infuus bewoog op en neer bij iedere trage beweging.

'Ik heb iets voor je meegenomen,' zei Lund en ze haalde twee bananen uit haar zak.

Hij keek naar de gele vruchten, zijn gezicht uitdrukkingsloos.

'Ik wist dat je het zou halen. Ik kon me niet voorstellen dat jouw naam op de muur in de Politigården terecht zou komen.'

Een lichtblauwe pyjama en een wit ziekenhuisjak.

Hartmann begon aan zijn redevoering.

'Klootzak,' mompelde Meyer.

Prachtige woorden, nobele ambities. De logische opvolger van Poul Bremer.

'Hij denkt...' Meyer zocht naar woorden. 'Hij denkt dat niet-schuldig zijn hetzelfde is als onschuldig zijn. Dat denken ze allemaal. Ze wassen hun handen in...'

'Ik moet...'

'Ze hebben tegen ons gelogen. De kinderen. De leraar. Die klootzakken op het Rådhus.'

'Je moet...'

'Allemaal, stuk voor stuk. Ze gaven geen reet om Nanna. Het ging alleen maar om henzelf.'

Hij pakte de afstandsbediening. Hartmann kwam net lekker op stoom. Hij had het over verantwoordelijkheid en maatschappelijke samenhang. Integratie en duurzaamheid.

De zaak-Birk Larsen was verleden tijd. Voor altijd voorbij. Er was die ochtend geen enkele keer in de pers op gezinspeeld.

Meyer zette de tv uit. De kamer werd zwaar van hun zwijgen.

Lund haalde de map van Jansen uit haar jas.

Hij keek toe toen ze de inhoud op tafel liet glijden, naast de bananen.

Foto's. Nieuwe foto's.

'Wat wil je?' vroeg hij met hoge, gebarsten stem.

'Er is iets wat jij moet weten. Iets...'

Het had voortdurend door haar hoofd gespeeld. Zonder ophouden kort na de dood van Vagn Skærbæk. Jansens foto's hadden haar gedachten alleen maar versneld, als een film die door haar verbeelding speelde. Ergens lagen daar de bewijzen. De puntjes die erom smeekten met elkaar verbonden te worden. Als iemand haar maar wilde helpen. Iemand die haar vertrouwde. 'Kijk,' zei ze. 'Ik kan het zien. Jij ook.'

Mette Hauge rent dwars door het donkere bos waar de dode bomen geen enkele beschutting bieden.

Ze is buiten adem en rilt in haar gescheurde t-shirt en kapotte spijkerbroek terwijl ze op blote voeten voortstrompelt in de zuigende modder.

Wrede wortels haken zich vast om haar enkels, terwijl een wirwar van takken over haar sterke, wild zwaaiende armen krast. Ze valt, ze klautert overeind, worstelt zich omhoog uit afschuwelijke, vochtige greppels en probeert het klapperen van haar tanden in bedwang te houden. Ze probeert na te denken, te hopen, zich te verbergen.

Twee heldere lichtstralen volgen haar, als jagers een prooi. Langzaam zigzaggen zij over de woestenij van Pinseskoven, het Pinksterbos.

Kale zilverkleurige stammen rijzen op uit de dorre aarde als de ledematen van eeuwenoude lijken, verstard in hun laatste stuiptrekkingen.

Weer valt ze. En dit keer is het heel erg. De grond zakt onder haar weg en zo ook haar benen. Haar handen maaien doelloos door de lucht, ze schreeuwt het uit van pijn en wanhoop en smakt dan neer in de vieze, ijskoude sloot, komt terecht op stenen en stukken hout. Dan schuifelt ze op wankele benen verder over de venijnig scherpe kiezels en ze voelt haar hoofd en handen, ellebogen en knieën schaven over de harde, onzichtbare grond die zich onder haar schuilhoudt.

Het koude water, haar angst, hun aanwezigheid niet ver van haar vandaan...

En een woeste storm raast door haar hoofd.

Ze denkt aan haar ouders. Alleen in hun afgelegen boerderij. Een kleine rustige wereld die ze achter zich heeft gelaten.

Ze denkt aan die dag, aan de kleine roze pil die ze haar gegeven hebben. Het heerlijke gevoel, de vreugde, de beloften. De eisen.

Een goedkoop verguld kettinkje om haar nek. Een zwart hart van glas. Een half voltooide tattoo op haar enkel.

En toen kwam de woede. De toverkracht van de lsd van Christiania die zijn helse zwarte kunst uitoefende. Op haar. Op hen.

Weg in het sombere gebied voorbij Kastrup. Verstopt in het gele gras. Klappertandend en met een bonzend hart.

Een inwijding waar ze om gevraagd heeft. Een ritueel waaraan ze nu niet meer kan ontkomen.

Mette Hauge rent, terwijl ze weet dat ze verloren is. Voor haar ligt niets dan woestenij, en daarachter de grijze koude barrière van de zee.

Toch vlucht ze nog. En valt.

Ze valt en wacht, haar vuisten gebald en gereed.
Dit ziet Lund helder voor zich in haar rusteloze geest.

'De foto's…'
Meyer wilde er niet naar kijken.
'Ik heb Jansen teruggestuurd en alles laten checken. Alles wat we hadden. Wat in de opslag van Merkur is achtergelaten.'
'Ik dacht dat jij ontslagen was.'
'Mettes autopsie. De video in de garage van het Rådhus. We hebben nooit goed gekeken. Je moet *kijken*.'
Een foto werd over de tafel geschoven.
'Op Mettes rechterenkel zitten sporen van een tattoo. Een zwart hart. Nog niet klaar. Ik denk dat hij gezet is op de dag dat ze stierf. Het was onderdeel van het… ritueel.'
Hij staarde uit het raam, knipperde met zijn ogen in het schitterende licht van de winterdag.
'Het is niet in een tattooshop gedaan. Niet met professionele naalden. Ze deden het zelf. Het hoorde bij de ceremonie. Een beproeving die je moest ondergaan om erbij te horen.'
Meyer sloot zijn ogen en zuchtte.
'Er was een bende die de Zwarte Harten heette. Een kleine bende. Ze verhandelden hasj en lsd en cocaïne uit Christiania in Vesterbro.'
Papieren op tafel.
'In de dossiers is wat informatie te vinden. Ze zijn niet lang nadat Mette verdwenen is gestopt.'
'Wat wil je nu beweren, Lund?'
'Ik wil beweren dat Mette met hen omging. Ze wilde erbij. Daarom gaven ze haar die ketting en de tattoo. Er was een inwijdingsrite…'
'Dat zei je al.'
'Als ze erbij wilde, dan moest ze…'
Erover praten maakte het duidelijker voor haar. Haar adem kwam snel, de gedachten buitelden door haar hoofd.
'Wat moest ze?'
'Ze moest ze alles laten doen wat ze wilden. Ze moest alle drugs nemen die ze haar gaven. Het was een motorbende, Meyer. Je weet waarover ik het heb. Wat ze moest betalen…'

Betaal de prijs.
Twee mannen. De ene mocht ze graag. De ander haatte ze. Allebei waren ze nu hetzelfde met dat roze lsd-pilletje dat ook door hun aderen raasde. Eén eenzaam beest, één enkele bedoeling.

Gevangen in de modder en het moeras, half naakt, schreeuwend naar de lage lucht, ziet Mette Hauge hen.

Ze voelt hen.

Handen die haar vastgrijpen. Vingers die aan haar kleren trekken.

Ze moet een besluit nemen.

Toegeven of vechten.

Een vuist in haar gezicht. Brekend bot. Een kreet van angst en pijn.

De keus is gemaakt. In het Pinksterbos waar niemand het kan horen.

'Hier,' zei Lund.

Weer een foto. Nanna in het kantoortje van de bewaking in het Rådhus. Ze praat met Jens Holck, ze vraagt hem om de sleutels van de flat in Store Kongensgade, ze vertelt hem dat ze weggaat.

De foto is uitvergroot.

Rond haar hals, wazig door de vergroting, hangt iets wat op de ketting met het zwarte hart lijkt.

'Ze heeft hem omgedaan toen ze zich na het Halloween-feest verkleedde. Nanna had de ketting al.'

Pernille en Lotte hadden het allebei gezegd… dat ze altijd in laden snuffelde, op plekken waar ze niets te zoeken had, en dat ze dingen leende zonder dat te vragen.

'Nanna heeft die ketting zelf gevonden.'

Meer foto's. Een lijk dat met zijn gezicht naar beneden in het water drijft. De autopsie daarna. De schotwonden. De sporen van hagel uit een jachtgeweer. Een dood gezicht. Grijze snor en een litteken. Een vervaagde tattoo op zijn arm.

Zwart hart.

'John Lynge. Zondag bij Dragør uit het water gevist. Schotwonden in zijn borst en hoofd. Hij had de tattoo. Dat heb ik in zijn dossier gevonden. Meisjes die hij eerder aanviel moesten zich wassen. Hij knipte hun vingernagels.'

'De chauffeur kon het niet gedaan hebben,' zei Meyer met een gepijnigde, vervéelde kreun. 'Hij was in het ziekenhuis.'

Ze aarzelde. Hij leek zo breekbaar. Van streek omdat zij er was.

'Ze hebben hem de volgende ochtend om zeven uur ontslagen. We hebben de gegevens. Vagn heeft niet lang daarna het uitzendbureau waarvoor hij werkte gebeld. Birk Larsen maakte ook wel eens gebruik van dat uitzendbureau, dus aan dat telefoontje van Vagn hebben we geen bijzondere aandacht besteed. Het bureau gaf hem het nummer van Lynges mobiel. Vagn heeft met hem gesproken. Hij wilde moeilijkheden voorkomen. Omwille van Nanna…'

'Maar…'

'Vagn heeft jou neergeschoten. Vagn heeft Leon Frevert vermoord. Vagn heeft John Lynge vermoord.'

Dat was in ieder geval duidelijk.

'Je hebt het zelf gezien. Hij hield van dat gezin. Hij hield van de jongens. Hij hield van…' Ze dacht na, probeerde het zich voor te stellen. 'Hij hield van wat de Birk Larsens geworden waren. Iets wat hij zelf nooit zou kunnen bereiken.'

'Lund…'

Ze pelde de banaan die het dichtst bij haar lag en nam een hap. Ze vond het prettig hoe de beelden zich in haar hoofd vormden terwijl ze praatte.

'Vagn had geen tattoo met een zwart hart. Het deel van het bos waar hij Theis mee naartoe heeft genomen, was niet de plek waar Nanna aangevallen is. Er zijn geen bewijzen dat ze daar ooit is geweest. Vagn wist het niet. Omdat hij haar niet vermoord heeft.'

Meyer verborg zijn gezicht in zijn handen, hij zag eruit alsof hij elk moment in tranen uit kon barsten.

Zaterdagochtend. De dag na Halloween, voor het huis in Humleby. Zonnig, helder weer. Papieren monstermaskers van de avond daarvoor waaiden door de straat.

Vagn Skærbæk scharrelde rond bij de plastic dekkleden en de steigers, draaide zich om te schreeuwen naar een boos gezicht achter het blauwglazen raam van het souterrain.

Iemand liep naar hem toe uit de richting van het groene Enghaven Park. Binnenkort zouden Anton en Emil daar op de nieuwe fietsen spelen die Skærbæk al besteld had bij de speelgoedwinkel in Strøget, waarvoor hij betaald had met wat hij met dranksmokkel had bijverdiend. Binnenkort…

De man die hem naderde was lang en gespierd. Hij bleef voor het huis staan, controleerde het nummer, keek naar de Ford en zei toen: 'Hoi, ik ben John. Je hebt gebeld over de auto.'

Weer een blik op de zwarte Ford.

'Hij ziet er niet beschadigd uit.'

'Dat is-ie ook niet. Er is niets mis mee.'

Het bleef even stil.

'Heb je erin gekeken?'

'Het was een misverstand, goed? Een vergissing.'

De twee mannen zwegen even en keken elkaar aan.

'Ken ik jou ergens van?' vroeg Skærbæk. Hij werd bekropen door een wonderlijk gevoel van herkenning.

'Als er geen schade is…' begon de man.

'Ik ken jou.'

'Wat is er gebeurd?'

'Doet dat er iets toe? Je hebt hem terug. Er is geen schade. Kunnen we het daar niet bij laten?'

Bleek gezicht. Misschien was hij ziek. Goedkope kleren. Grijze hippiesnor. Litteken op zijn rechterwang. Een herinnering zweefde door Skærbæks hersens, plaagde hem maar liet zich niet vangen.

Het was een lange, zware nacht geweest. De ruzie met Nanna in de flat waar hij haar na Freverts telefoontje had gevonden, knaagde nog steeds aan hem. Hij zocht naar iets van oprechtheid, waarheid in de leugens die ze hem voor de voeten had gegooid terwijl ze naar hem spuugde en hem met haar nagels krabde.

'Je gaat toch niet naar de politie? In wezen is het een lief kind. Zíj heeft hem niet gestolen. Ze had een Indiaas vriendje. God, als ik die in mijn vingers krijg. Ik heb je pasje van het uitzendbureau op de vloer gevonden. Hier…'

De man met het litteken pakte het pasje en de sleutels aan.

'Ik ben niet zo dol op de politie,' zei hij. 'De auto ziet er prima uit. Laten we het maar vergeten. Niets aan de hand.'

'Ik ken jou,' zei Skærbæk nogmaals. 'Misschien van het uitzendbureau. Wij gebruiken dat soms ook…'

Hij voelde zich vreemd en verward in de heldere ochtend. Hij had amper geslapen in het huis in Humleby omdat hij lag te luisteren naar haar geroep en gesmeek, opgesloten in de kelder, een verdieping lager.

Nu klonk de jonge stem achter de steigers en het plastic weer op, hoog, schril en steeds luider.

Vagn Skærbæk werd boos en liep naar de voordeur, bukte zich, keek naar het blauwe glas en het gillende gezicht daarachter.

'Nanna! Hou in jezusnaam je kop. Jij blijft hier tot ik je vader te pakken heb. Ik kom om twaalf uur of zo weer terug. Ik weet nu tenminste waar je bent.'

Ogen bij het raam. Haar blonde krullen dansten op en neer. Ze gilde: 'Vagn, griezel…'

'Je moet gewoon wachten, ja? Ze zouden er eventjes tussenuit. Ze hebben een weekendje vrij. Van jou onder andere.'

Toen hield ze haar mond.

'Wat zal je vader wel niet zeggen als hij het hoort, hè? Jezus christus, een auto stelen…'

'Ik heb die klote auto niet gestolen!'

'Die bruine vriend van je dan zeker. Jezus. Jij bent echt de dochter van Theis. Echt wel!'

De man bij de zwarte Ford stond op zijn grote voeten heen en weer te wiebelen.

Skærbæk zag het amper. Hij dacht na over wat Nanna droeg.

'En doe die stomme ketting af voor je vader terugkomt. Als hij dat ziet…'

Daar liet hij het bij. Hij liep naar de weg, naar de man die de achterbak van zijn auto controleerde.

'Er is toch niets weg?' vroeg Skærbæk.

De klep werd snel dichtgeslagen.

'Nee.'

'Stomme kinderen,' mompelde Vagn Skærbæk. 'Wat mij betreft blijft ze daar in dat hol zitten rotten. Als haar pa het hoort…'

De vreemdeling keek hem vragend aan.

'Wat heeft ze gedaan?'

'Dat doet er niet toe.' Skærbæk haalde zijn telefoon uit zijn zak, probeerde weer te bellen maar kreeg de voicemail. 'Kom op, Theis. Ik heb nog meer te doen.'

'Laat haar daar maar,' zei de vreemdeling. 'Kinderen moet je af en toe een lesje leren.'

Achter hen werd er gejammerd.

'Dan zal ze toch eerst moeten leren luisteren,' mompelde Skærbæk en toen schreeuwde hij nog wat verwensingen naar het blauwe raam.

Het had geen zin. Ze trok zich niets van hem aan. Van niemand trouwens.

Dus hij liet de auto en de man die hem zo wonderlijk bekend voorkwam achter en liep terug naar de garage van de Birk Larsens, stilletjes vloekend, in de weer met telefoontjes en roosters en leveringen. Zich afvragend hoe hij alles weer in elkaar kon passen, hoe hij het allemaal kon laten lopen zoals het moest lopen.

Twintig minuten later viel Vagn Skærbæk in slaap op een stoel in het kantoortje. Hij verroerde zich drie uur lang niet. Toen werd hij gewekt door een heftige wrede nachtmerrie en kwam de herinnering terug. Heel werkelijk, vond hij. Te werkelijk.

Een heldere dag, waarvoor hij geen plannen had.

John Lynge keek naar de zwarte Ford. Hij kon niet ophouden te luisteren naar die hoge stem die uit het huis kwam, door het blauwe glas van het raam.

Een meisjesstem. Sterk en zwak tegelijk. Jong, maar ook wetend.

Een meisjesstem.

Hij keek de lege straat door met zijn grijze huizen. Liep naar het raam. Hij kon haar zien door het blauwe glas. Zachte krullen. Mooi gezichtje. Smekende ogen.

'Haal me hieruit, meneer.'

Nog een voorzichtige blik door de verlaten straat in Humleby. Links. Rechts.

'Haal me hieruit voor die klootzak terugkomt.'

Net over tienen. Nog ruim een uur vrij.

'Alstublieft. Ik geef u wel wat.' Ze zweeg even. 'Wat geld.'

November. De maand die hij altijd koos. Hij had niet verwacht dat de gelegenheid zich al zo snel zou voordoen. De eerste dag! Maar de gelegenheid kwam altijd. Dat was al zo gegaan sinds die eerste keer de boel in gang zette, en met ijzeren regelmaat terugkwam, ieder jaar.

'Oké,' zei hij. Toen liep hij terug naar de Ford en haalde het koffertje dat hij de avond daarvoor in de achterbak had laten liggen.

Hij deed het open.

Een schaar en een flesje ether. Een mondprop. Twee messen. Twee rollen duct tape. Een schroevendraaier en een beitel. Een flesje vloeibare zeep, een spons en wat steriele gaasjes. Twee pakjes condooms en een tube glijmiddel. Hij was nauwgezet en hij was altijd voorbereid.

'Meneer! Hela!' riep de jonge stem vanuit de kelder.

Lynge sloot het koffertje en liep naar de deur. Ze hadden hun gereedschap achtergelaten. Een koevoet die daar smekend op hem lag te wachten.

Dat was gemakkelijk.

Onder aan de trap was de deur op slot. Haar glittertasje lag in het halletje, het was daar achtergelaten, nam hij aan, voor als ze besloot braaf te zijn.

Hij pakte het op. Tissues. Een portemonnee. Een mobiel. Een pakje condooms met een gelukkig stelletje erop. Naakt en glimlachend.

Lynge bracht het naar zijn lippen en kuste het plaatje. Hij lachte stilletjes bij zichzelf.

Het meisje riep door de deur naar hem.

'Ik ben er al,' zei hij. 'Maak je geen zorgen.'

Lund zat te wiebelen op haar stoel en knipperde met haar ogen naar het waterige zonnetje. Er waren meer foto's in het dossier van Jansen. Hij had goed werk gedaan. En veel risico genomen om haar te helpen.

'Vagn heeft tegen Theis gezegd dat hij over Nanna was gebeld. Dat hebben we gecheckt. Hij heeft haar die nacht in de kelder in Humleby opgesloten. Maar het was Lynge die haar daar heeft gepakt. Hij heeft haar daar de volgende ochtend weggehaald en haar ergens anders mee naartoe genomen.'

'Waarom is Vagn niet naar de politie gegaan?'

Meyer klonk gepikeerd, gekwetst.

'Hij besefte niet wie het was tot Nanna weg was. Hij heeft het uitzendbureau nog een keer gebeld. Vagn was het aan het natrekken. Hij wist het weer.'

'Wat wist hij weer?'

'Vagn hield van Nanna. Hij hield van hen allemaal…'

'Maar waarom heeft hij dan gezegd dat hij haar vermoord heeft? Waarom heeft hij niet met ons gepraat?'

Ze nam weer een hap van de banaan. Zei niets.

'Jij moet hulp zoeken,' zei Meyer tegen haar. 'Je hoort hier niet te zijn. Niet bij mij. Jij maakt levens kapot, wist je dat wel?'

'Meyer...'

'Je hebt je eigen leven kapotgemaakt. Je hebt dat van mij kapotgemaakt. Je maakt het leven van iedereen kapot en je merkt het niet eens op, het kan je niet schelen...'

'Het kan me wel schelen!'

Een verpleegster verscheen in de gang en keek door het glas naar binnen omdat ze boze stemmen had gehoord.

'Nee. Dat denk je maar. Als het je wel iets kon schelen dan had je iets met andere mensen. Relaties: dan ben je afhankelijk van anderen en anderen zijn afhankelijk van jou. Maar jij hebt dat niet, Lund. Jij maakt geen contact. Niet met mij, niet met je moeder, niet met je zoon. Jij maakt net zo weinig contact als die klootzak van een Hartmann. Of Brix...'

Zijn ogen glansden, ze dacht dat hij zo in huilen uit zou barsten.

'Ik heb een gezin. Theis en Pernille hadden een gezin tot deze doffe ellende langskwam die het uiteenscheurde. En wij hebben daarbij een handje geholpen. Dat moet je niet vergeten...'

'Het kan me wel schelen,' fluisterde ze. Ze voelde dat de tranen in haar ogen stonden.

Hij was geen wrede man. Hij was zelfs niet hard. Ze had hem verkeerd beoordeeld in het begin. Meyer wilde haar geen verdriet doen. Hij begreep het gewoon niet.

'Vagn heeft het niet gedaan. Als jij beter bent... Als je hier weg bent en weer aan het werk begint... Dan kun je de dossiers opzoeken. Ik zit er zo verdomde dichtbij. Jezus. Je moet me helpen...'

Jan Meyer gooide zijn hoofd naar achteren en brulde.

Twintig jaar geleden kostten mobiele telefoons kapitalen, dus een verlopen, bijna failliet bedrijfje als Merkur had er maar twee. Aage Lonstrup zat dronken op kantoor en had geen idee dat er een weg was. Geen idee waar de uitzendkrachten die die dag werkten naartoe waren. Geen klussen op het rooster. Geen toekomst.

Vagn Skærbæk nam de agenda door, probeerde de zaak gaande te houden. Hij maakte zich zorgen. Over geld. Over vriendschap. Over de toekomst.

De grote zwarte mobiel op het bureau ging over. De lijn kraakte zo dat het amper verstaanbaar was.

Skærbæk luisterde.

Een verwarde smeekbede om hulp.

Hij keek naar Lonstrup die lag te snurken op zijn bureau.

Hij nam een Merkur-bestelbus en reed naar Vestamager, over de smalle wegen, langs de afrastering die aangaf waar in de toekomst nieuwe huizen zouden komen en een metrolijn die door het wilde gebied bij de grijze Øresund voerde, langs de waarschuwingsborden van het leger de wildernis in.

Zijn hart bonsde, zijn hersens werkten koortsachtig.

Hij vond de twee motorfietsen naast een donker kanaal. De ene, de Triumph, herkende hij. De andere, een goedkopere, kleinere Honda, kende hij niet.

Hij dacht even na. Deed de achterdeuren open, liet de lift naar beneden zakken. Zeulde de beide motoren in de bestelbus.

Het was november. Het werd al donker. Geen geluid behalve de vliegtuigen die Kastrup naderden of verlieten.

Hij kon toen nog omkeren. Teruggaan naar zijn flatje. De boeken opslaan, de leerboeken waarmee hij onderwijzer kon worden. Hij kon de draad van het leven dat nooit echt begonnen was weer oppakken.

Maar er stonden schulden uit. Er waren levens gered. Een geweten was net een wond. Als het eenmaal geprikt werd bleef het bloeden tot er iets gebeurde, een of andere daad die alles in evenwicht bracht en de vloed stelpte.

Dus hij haalde een zaklamp uit de bus en liep de wildernis in, terwijl hij steeds die ene naam riep.

'Dank je wel,' zei het meisje toen Lynge de deur beneden had opengebroken.

Ze was mooi, blond, moe, kwaad.

Niet bang. Nog niet.

Hij draaide zich om en sloot de kelderdeur achter zich.

Over een uur zouden ze ergens anders zijn. In de moerassen. Een schuilhut van jagers. Een houtschuur. Hij kende het Pinksterbos goed. Hij kon daar altijd wel een plekje vinden. Hij kon haar wassen in het koude zwarte water. Haar nagels knippen. Haar tot de zijne maken.

'Ik ga,' zei ze.

Hij leunde tegen de muur en keek.

Twee decennia. Elke november een meisje. Als een vroeg kerstgeschenk. Meestal prostituees of zwerfsters. Uitvaagsel zoals hijzelf. Zo veel in al die jaren dat ze na een tijdje vaag waren geworden.

Maar deze was anders. Deze was mooi en jong en puur.

Hij deed het koffertje open, pakte het flesje ether en de mondprop, zette ze op de vloer. Hij deed zijn riem af, pakte een rol duct tape, wikkelde een stuk af en sneed het los.

Hij had haar beet zodra ze begon te gillen. Sterke armen om haar gouden hoofd. Sterke vingers die het tape rond haar mooie mond wikkelden. Een harde klap tegen haar schedel waardoor ze op de vloer viel.

Makkelijk, dacht hij.

Het was altijd makkelijk. En ze vroegen er tenslotte om.

John Lynge keek op zijn horloge. En begon.

'Waarom zou Vagn dat doen?'

'Ik moet zeker zijn. Ik wil het niet nog eens verpesten. Ik wil niet nog meer verdriet veroorzaken.'

'Kan dat dan nog?'

'Ja, dat kan.'

Hij knipperde met zijn ogen. Hij pakte het mes op, begon de appel weer te schillen, zag niet dat het vruchtvlees dat al geschild was bruin geworden was.

De doorzichtige slang naar zijn arm ging op en neer onder de zak aan de zilverkleurige standaard.

'Je kunt nu beter gaan,' zei hij.

Ze hield de laatste foto achter. Het was niet het goede moment. Later. Als hij beter was. Als hij zou bijtrekken.

'Straks zit je weer op de Politigården. Als Brix het beseft. Als jij door de dossiers gaat die ik...'

'Eruit!' riep hij.

'Ik heb je nodig! Ik heb je hulp nodig.'

De verpleegster stond al binnen en trok aan haar arm.

'Meyer, als je weer aan het werk bent...'

Hij hield het mes op, vlak voor haar gezicht.

Het snijvlak was heel dichtbij. Lund stond stil. De verpleegster ook.

'Wat zei je?'

'Wanneer je weer aan het werk bent,' fluisterde ze. Ze bekeek hem voor het eerst goed. Ze zag hoe vreemd en onbeweeglijk hij daar zat. De kracht waarmee zijn linkerhand het wiel van zijn rolstoel vastgreep.

Er stonden geen krukken in de kamer. Niets wat erop wees dat hij aan het revalideren was.

Jan Meyer zwaaide met het fruitmesje voor haar gezicht, draaide het toen om, greep het houten heft stevig vast en stak met een wrede, doelbewuste kracht de scherpe punt door zijn blauwe pyjamabeen.

De verpleegster gilde het uit. Lund zat op haar stoel. Verstijfd, verkild van schrik.

Hij liet het mes los. Het lemmet stond vast en recht in zijn dij. Bloed begon door de blauwe stof heen te sijpelen. Meyer staarde haar aan met zijn verdrietige bolle ogen.

Geen pijn. Geen gevoel. Ze zag dit nu en vroeg zich af waarom ze niet die eenvoudige, verstandige vraag had gesteld toen ze binnenkwam.

Hoe gaat het met je?

Het was niet omdat ze dat niet wilde weten. Het was alleen omdat er dringender vragen waren. Meer niet.

'Ga weg,' zei Meyer smekend. 'In godsnaam, laat me met rust.'

Een arts en een verpleger kwamen binnenhollen. Ze sleurden haar met z'n tweeën naar de deur en de arts rende naar Meyer en trok het mes uit zijn been.

Donker bloed vlekte de blauwe stof, spreidde zich langzaam uit. Geen teken van pijn op zijn stoppelige gezicht. Niets wat erop wees dat hij iets voelde.

Ze hielden Lund bij haar armen vast. Ze waren te sterk voor haar.

Er was iets wat ze wilde zeggen. Maar ze kon het niet.

Iets…

Drie jaar, meer zou Theis Birk Larsen niet krijgen. Dat namen ze aan in Politigården.

Drie jaar, waarvan de helft voorwaardelijk. Over achttien maanden was hij vrij. Theis en Pernille zouden overleven. Misschien waren ze wel sterker geworden op een wonderlijke, wrede manier.

Buiten werd de lucht donker. Er zat regen aan te komen. Sneeuw zelfs.

Vibeke had haar groene Kever weer terug. Dus liep Lund naar het station en kocht een kaartje naar Vestamager, zat in de lege metro, keek door het raam naar de verdwijnende stad. Na een tijdje was er niets meer over dan het sombere, vlakke gebied dat langs het raam voorbijgleed terwijl ze naar het eindpunt reed.

Ze waren met z'n drieën in de ondiepe, modderige kuil tussen het gele gras, niet ver van een smal kanaal. De kleinste was een halfnaakte vrouw, onder het bloed, die niet bewoog. De tweede was een man met een grote snor en een litteken op zijn wang, tattoos en lang zwart haar, met wilde ogen die haar giechelend af en toe porde. De derde, de grootste, lag als een foetus opgerold, zijn ogen leeg en verloren, een plas braaksel bij zijn rossige hoofd.

'Theis,' zei Skærbæk.

De toegeknepen ogen keken naar hem op. De pupillen waren zwart en glazig, net zo leeg en diep als het water in het kanaal.

'Jezus. Wat heb je nu weer gedaan?'

De jongen met die stomme snor hield op met in het meisje te porren en trok een flesje uit zijn zak. Hij nam een slok bier en gaf het toen door aan Theis Birk Larsen.

Skærbæk griste de fles uit zijn handen, gooide hem weg en begon tegen ze te schreeuwen.

Dat had geen zin. Het meisje was dood en deze mannen waren verdwaald in een denkbeeldige wereld van lsd waar niets werkelijkheid was.

Een tweesprong.

Hij wilde zich omdraaien en hen daar achterlaten.

Hij wilde voor het eerst in zijn kleine onbetekenende leventje de politie bellen.

Maar hij stond in het krijt. Schulden moesten ingelost worden. Zijn geweten was geprikkeld. Ze waren op de Kalvebod Fælled, een woest gebied waar nooit iemand kwam. Een plek waar je dingen kon verbergen. De wrede keuze werd gemaakt.

Dus liep hij naar de bestelbus, klauterde achter de Triumph en de Honda, pakte een grote rol plastic en sterk tape, kwam terug bij het trio in de modder. Hij schopte de gek met de snor weg toen die protesteerde. Hij rolde het dode meisje om en om, verpakte haar in het plastic als een kleed dat verhuisd moest worden.

Hij dumpte haar in het diepe kanaal. Ging terug en schreeuwde naar ze tot ze in de bus klauterden.

De onbekende heette John. Hij wilde niet weg. Hij leek ertoe in staat te zijn daar te blijven en het dode lichaam uit het water te vissen, haar weer uit te pakken en opnieuw te beginnen.

Tegen de tijd dat Skærbæk ze daar weg had, was het nacht. Pikkedonker, vochtig, bitterkoud.

Hij zou dit nooit vergeten. Vagn Skærbæk wist dat. Hij begreep dat hij zich aan hen verbonden had. Dat hij niet anders was.

Waar de openbare weg begon en waar een paar straatlantaarns aangaven waar de metro eens zou komen, zette hij de bestelbus stil en zei tegen hen dat ze uit moesten stappen. Hij liet ze hun zakken legen, de hasj, de tabletjes en pillen. Hij blafte ze toe, dreigde ze net zo lang tot ze alles ingeleverd hadden.

Twintig minuten later zette hij John en zijn haveloze Honda af in een straatje in Christiania en hij dacht: ik heb je nooit eerder gezien, en ik hoop het bij deze ene keer te laten.

Toen reed hij terug naar Vesterbro en luisterde naar het gekreun van de grote man op de passagiersstoel, die daar ineengedoken zat en zich schaamde nu de herinneringen terugkeerden.

'Ik kan je niet nog eens redden.'

Er lag braaksel op de vloer. Ergens onderweg had hij overgegeven.

'Dat meen ik, Theis. Je moet hiermee stoppen. Laat die bende zitten. Zoek dat leuke meisje weer op. Dat meisje dat zo dol op je is.'

Geen antwoord.

Hij parkeerde langs de weg niet ver van de Dybbølsbro-brug, keek naar de prostituees die hun benen aan de voorbijrijdende auto's showden.

Hij wendde zich tot de in elkaar gezakte man naast hem.

'Als je dat niet doet, wordt het je dood. Weer zo'n Vestebro-klojo die naar de bliksem is.'

De sluwe, toegeknepen ogen staarden hem aan.

Skærbæk wist nooit wat die blik wilde zeggen.

Hij liet het raampje zakken zodat de kotsstank in de koude winterlucht vervluchtigde.

Hij tastte in zijn zak en haalde het ding eruit dat hij van de hals van het dode meisje had losgemaakt.

'Hier,' zei hij en hij propte het in Birk Larsens bebloede hand.

Een goedkope ketting, met een zwart hart van glas.

'Die is nu van jou. Ik wil dat je dit niet vergeet. Ik wil dat je eraan denkt en dat je bidt dat iets als dit nooit…'

Hij werd gek, hij moest gillen.

'Dat het nooit terugkomt en je achtervolgt. Ik kan je niet twee keer redden. Zelfs al zou ik dat willen.'

Er werd tegen de ruit getikt. Een afgetobd, mager gezicht, dat ooit mooi was geweest. Een meisje van Vesterbro dat Skærbæk vaag herkende.

'Huil je?' vroeg ze verbaasd.

Hij trapte het gaspedaal in. Weg wezen met die Merkur-bus.

Naast hem hield Theis Birk Larsen de ketting krampachtig vast. Hij staarde naar het zwarte hart.

'Stop hem in je zak,' zei Skærbæk tegen hem en hij zag erop toe dat het gebeurde. 'Bewaar het. Kijk er de volgende keer naar als een of andere idioot met een stom idee aan komt zetten en jij met je stomme kop er wel zin in hebt. Ik wil dat je nadenkt…'

Uitstaande schulden. Ingeloste schulden. Ze waren jongens van Vesterbro en ze leefden op het randje. Dat zouden ze altijd doen. Dat maakte het alleen maar belangrijker om je te realiseren hoe gemakkelijk je over die rand gleed en voorgoed naar beneden donderde.

'Ik wil dat je denkt dat als je dat ding ooit kwijtraakt, we weer in deze nachtmerrie terecht zullen komen. Omdat jij het monster weer losgelaten hebt.'

Geen antwoord.

Zo zijn we niet, dacht hij. Niet helemaal.

Vesterbro. Smerige straten. Goedkope huizen. Hoeren en drugs. De wereld zoals hij was.

Een ketting met een zwart hart. Als een zigeunervloek. Theis Birk Larsen kon het meenemen het graf in.

'Je wilt niet dat dat gebeurt,' zei Vagn Skærbæk terwijl hij over de hobbelige keien reed en in de verte tuurde. 'Niemand wil dat.'

Lund huurde een fiets bij het studiecentrum van de natuurvereniging bij het metrostation en reed door de ijskoude regen naar de moerassen en het bos.